# La Californie

Claire Curran

À deux ou trois heures en mer avant d'aborder, on voit
se développer une terre accidentée, où de riants cottages
sont assis sur les flancs de collines aux contours capri-
cieux. Au fond du tableau, les montagnes d'une certaine
altitude forment des crêtes décroissantes et secondaires
de l'immense chaîne des monts Diablo, dont le principal
s'élève à l'arrière de San Francisco, le surplombant
comme une sentinelle qui veille.

*Henri Rochefort*

D1410125

Éditions des Voyages

46, avenue de Breteuil – 75324 Paris Cedex 07
☎ 01 45 66 12 34
www.michelin-travel.com
LeGuideVert@fr.michelin.com

---

*Manufacture française des pneumatiques Michelin*
Société en commandite par actions au capital de 2 000 000 000 de francs
Place des Carmes-Déchaux – 63 Clermont-Ferrand (France)
R.C.S. Clermont-Fd B 855 200 507

Compogravure : NORD COMPO, Villeneuve d'Ascq
Impression et brochage : I.M.E., Baume-les-Dames

Maquette de couverture extérieure : Agence Carré Noir à Paris 17e

# LE GUIDE VERT,
## l'esprit de découverte

*Avec cette nouvelle collection LE GUIDE VERT, nous avons l'ambition de faire de vos vacances des moments passionnants et mémorables, d'accompagner votre découverte de nouveaux horizons, bref... de vous faire partager notre passion du voyage.*

*Voyager avec LE GUIDE VERT, c'est être acteur de ses vacances, profiter pleinement de ce temps privilégié pour découvrir, s'enrichir, apprendre au contact direct du patrimoine culturel et de la nature. Alors, plongez vite dans LE GUIDE VERT à la découverte de votre prochaine destination de voyage. Partagez avec nous cette ouverture sur le monde qui donne au temps des vacances, son sens, sa substance et en définitive son véritable esprit. L'esprit de découverte.*

Jean-Michel DULIN
*Rédacteur en Chef*

# Sommaire

Édifice victorien à San Francisco

Marché fermier de St. Helena

Robert Holmes

Robert Holmes

Un cable car de San Francisco

Edward Thomas

Le célèbre Oscar

Reuters Newmedia Inc/Corbis

# Cartographie EN COMPLÉMENT DU GUIDE VERT

## Carte Michelin n° 493 L'Ouest des États-Unis et du Canada

– Carte de grand format à l'échelle 1/2 400 000 (1 cm = 24 km) fournissant une image détaillée du réseau routier et situant notamment les aires de repos sur les autoroutes fédérales.
– Index de localités avec coordonnées de carroyage permettant de retrouver aisément leur situation géographique.

## Carte Michelin n° 930 USA Lieux touristiques – Parcs nationaux

– Carte à l'échelle 1/3 450 000 (1 cm = 34,5 km) donnant la trame du réseau routier principal des États-Unis et une image de la signalisation adoptée par chaque État pour identifier son réseau propre.
– Quelques données statistiques sommaires sur chaque État.
– Numéros de téléphone des bureaux de tourisme d'État et mise en relief des pôles touristiques (villes touristiques, parcs nationaux, monuments classés, sites historiques, etc.).

Détail de la carte de la Californie dressée par Carolus Allard (1696)

# INDEX DES CARTES ET DES PLANS

## Schémas

## Plans de villes

## Plans de sites et monuments

# Votre guide

Ce guide a été conçu pour vous aider à tirer le meilleur parti de votre voyage en Californie. Il est présenté en trois grandes parties : Introduction au voyage, Villes et curiosités, puis Renseignements pratiques, complétées par une sélection de plans et de schémas.

● Les cartes des pages 10 à 17 vous aident à préparer votre voyage : la carte des **principales curiosités** situe les pôles d'intérêt les plus importants, et la carte des **itinéraires de visite** propose des circuits régionaux.
Nous vous recommandons de lire, avant votre départ, l'**Introduction au voyage**, qui vous propose une approche culturelle de la Californie.

● La partie **Villes et curiosités** se décompose en 13 chapitres correspondant aux 13 régions de tourisme de la Californie (le découpage est présenté par une carte placée en page 18) ; chaque chapitre est introduit par un sous-chapitre présentant la région, suivi par la description des principaux sites et monuments, répertoriés dans l'ordre alphabétique des plus importants. Les moins importants sont dans la plupart des cas décrits en excursions à partir des localités les plus conséquentes. Dans tous les cas, les conditions de visite des sites et monuments figurent avec la description de ceux-ci.

● Enfin, le chapitre des **Renseignements pratiques** groupe toutes les précisions utiles à votre voyage : formalités, loisirs, etc.

Si vous avez des remarques ou des suggestions à faire, nous sommes à votre disposition sur notre site Web : www.michelin-travel.com

*Bon voyage !*

Edward Thomas

# Légende

**★★★ Vaut le voyage**

**★★ Mérite un détour**

**★ Intéressant**

## Curiosités

| | |
|---|---|
| | Itinéraire décrit, point de départ et sens de la visite |
| Église, chapelle | Bâtiment décrit |
| Ville décrite | Autre bâtiment |
| B  Lettre localisant une curiosité | Petit bâtiment |
| Curiosités diverses | Fontaine – Ruines |
| Mine | Renseignements touristiques |
| Moulin – Phare | Navire – Épave |
| Fort – Grotte | Panorama – Vue |

## Autres symboles

| | | |
|---|---|---|
| Interstate highway | US highway | Autre route |
| Autoroute, pont | | Grand axe de circulation |
| Péage, échangeur | | Voie à chaussées séparées |
| Autoroute à chaussées séparées | | Rue à sens unique |
| Route principale, secondaire | | Tunnel – Rue piétonne |
| 18  Distance en miles | | Voie en escaliers, porte |
| 2149/655  Col *(altitude en pieds/mètres)* | | Parking – Poste centrale |
| △ 6288/1917  Pic *(altitude en pieds/mètres)* | | Gare – Gare routière |
| Aéroport – Aérodrome | | Cimetière – Marais |
| Car-ferry | | Frontière internationale |
| Ferry: passagers seulement | | Limite entre deux états |
| Chute – Écluse – Barrage | | Station de métro |

## Sports et loisirs

| | |
|---|---|
| Télécabine, télésiège | Parc, jardin – Espace boisé |
| Croisière – Marina | Réserve naturelle |
| Ski – Golf | Jardin zoologique |
| Stade | Sentier |

## Abréviations

| | | |
|---|---|---|
| NP  National Park | SP  State Park | SR  State Reserve |
| NM  National Monument | SHP  State Historic Park | SB  State Beach |

## Signes particuliers

| | |
|---|---|
| Mission – Bonne adresse | Bassin salifère |
| Cable-car | Observatoire – Ville fantôme |
| Parc national ou d'état | Forêt nationale ou d'état |

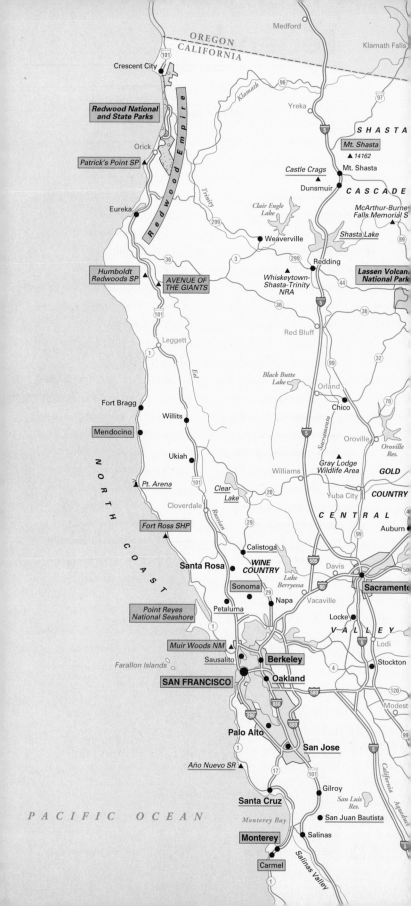

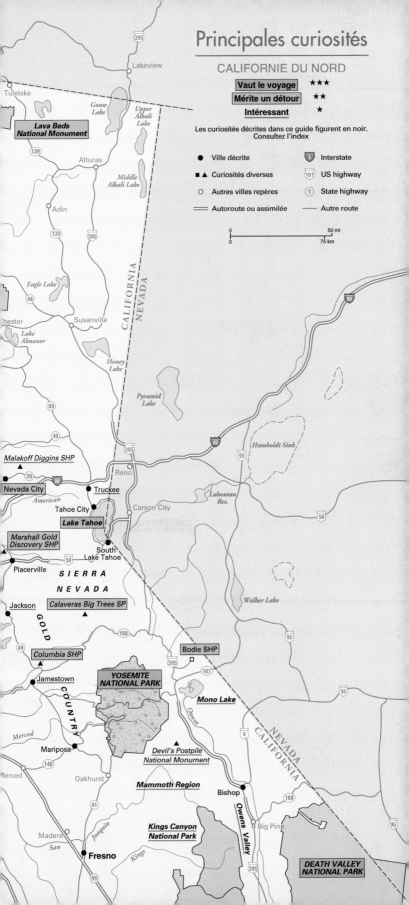

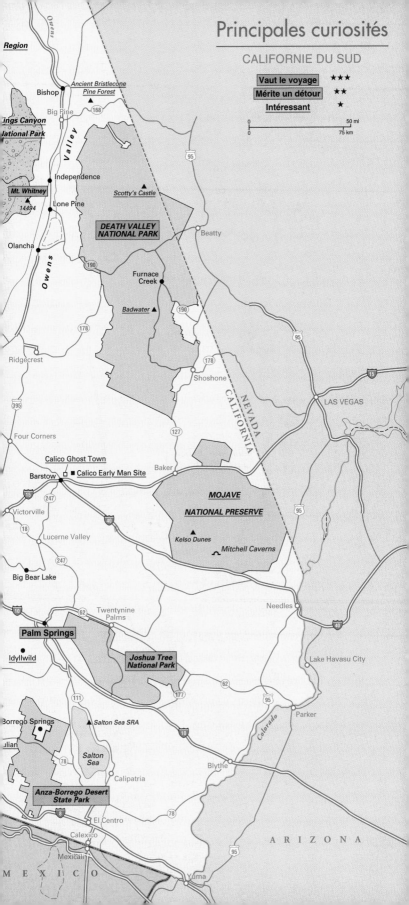

# Principales curiosités

## CALIFORNIE DU SUD

Vaut le voyage ★★★
Mérite un détour ★★
Intéressant ★

0 — 50 mi
0 — 75 km

Region

Bishop

Ancient Bristlecone
Pine Forest

Big Pine

168

Valley

Kings Canyon
National Park

95

Independence

Scotty's Castle

Mt. Whitney
14494

Lone Pine

DEATH VALLEY
NATIONAL PARK

Beatty

Olancha

190

Owens

Furnace
Creek

Badwater ▲

190

178

Ridgecrest

178

95

Shoshone

395

NEVADA
CALIFORNIA

LAS VEGAS

Four Corners

127

15

Calico Ghost Town

■ Calico Early Man Site

Baker

Barstow

247

15

MOJAVE

Victorville

40

NATIONAL PRESERVE

18

Lucerne Valley

Kelso Dunes ▲

95

247

⌒ Mitchell Caverns

Big Bear Lake

Needles

10

40

62

Twentynine
Palms

Palm Springs

Idyllwild

Joshua Tree
National Park

Lake Havasu City

111

177

62

Colorado

95

Parker

Borrego Springs

Salton Sea SRA ▲

10

Julian

78

Salton
Sea

Blythe

Calipatria

Anza-Borrego Desert
State Park

78

8

El Centro

Calexico

95

A R I Z O N A

M E X I C O

Mexicali

Yuma

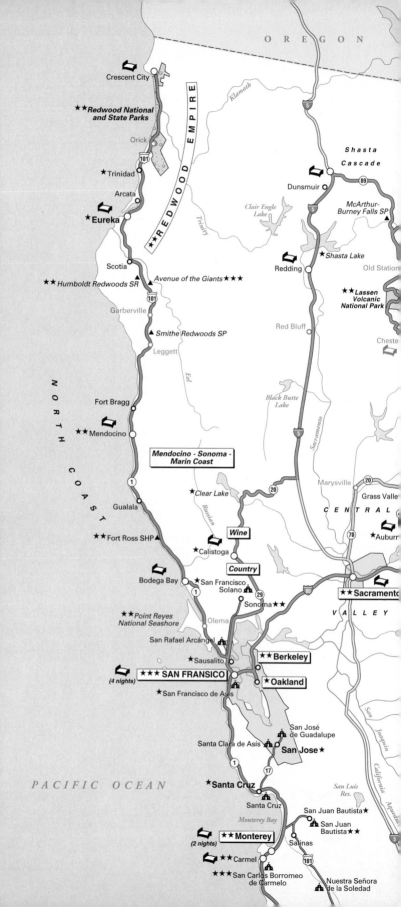

O R E G O N

Crescent City

★★*Redwood National and State Parks*

*Klamath*

*Shasta Cascade*

Orick

Dunsmuir

McArthur-Burney Falls SP

★Trinidad

★Shasta Lake

Arcata

*Clair Engle Lake*

*Trinity*

★**Eureka**

Redding

Scotia

Avenue of the Giants★★★

★★*Lassen Volcanic National Park*

★★*Humboldt Redwoods SR*

Garberville

Red Bluff

Cheste

▲*Smithe Redwoods SP*

Leggett

*Eel*

*Black Butte Lake*

Fort Bragg

★★*Mendocino*

*Mendocino - Sonoma - Marin Coast*

★*Clear Lake*

Marysville

Grass Valle

C E N T R A L

Gualala

*Russian*

*Wine*

★*Auburn*

★★*Fort Ross SHP*▲

★*Calistoga*

*Country*

Bodega Bay

★San Francisco Solano

★★**Sacramento**

Sonoma★★

V A L L E Y

★★*Point Reyes National Seashore*

Olema

San Rafael Arcángel

★★**Berkeley**

★*Sausalito*

★★★ **SAN FRANSICO**
(4 nights)

★**Oakland**

★San Francisco de Asís

San José de Guadalupe

Santa Clara de Asís

**San Jose**★

*San Joaquin*

★**Santa Cruz**

*San Luis Res.*

P A C I F I C   O C E A N

Santa Cruz

San Juan Bautista★

*Monterey Bay*

San Juan Bautista★★

★★**Monterey**
(2 nights)

Salinas

★★*Carmel*

★★★*San Carlos Borromeo de Carmelo*

Nuestra Señora de la Soledad

*California Aqueduc*

N O R T H   C O A S T

# Itinéraires de visite

## CALIFORNIE DU NORD

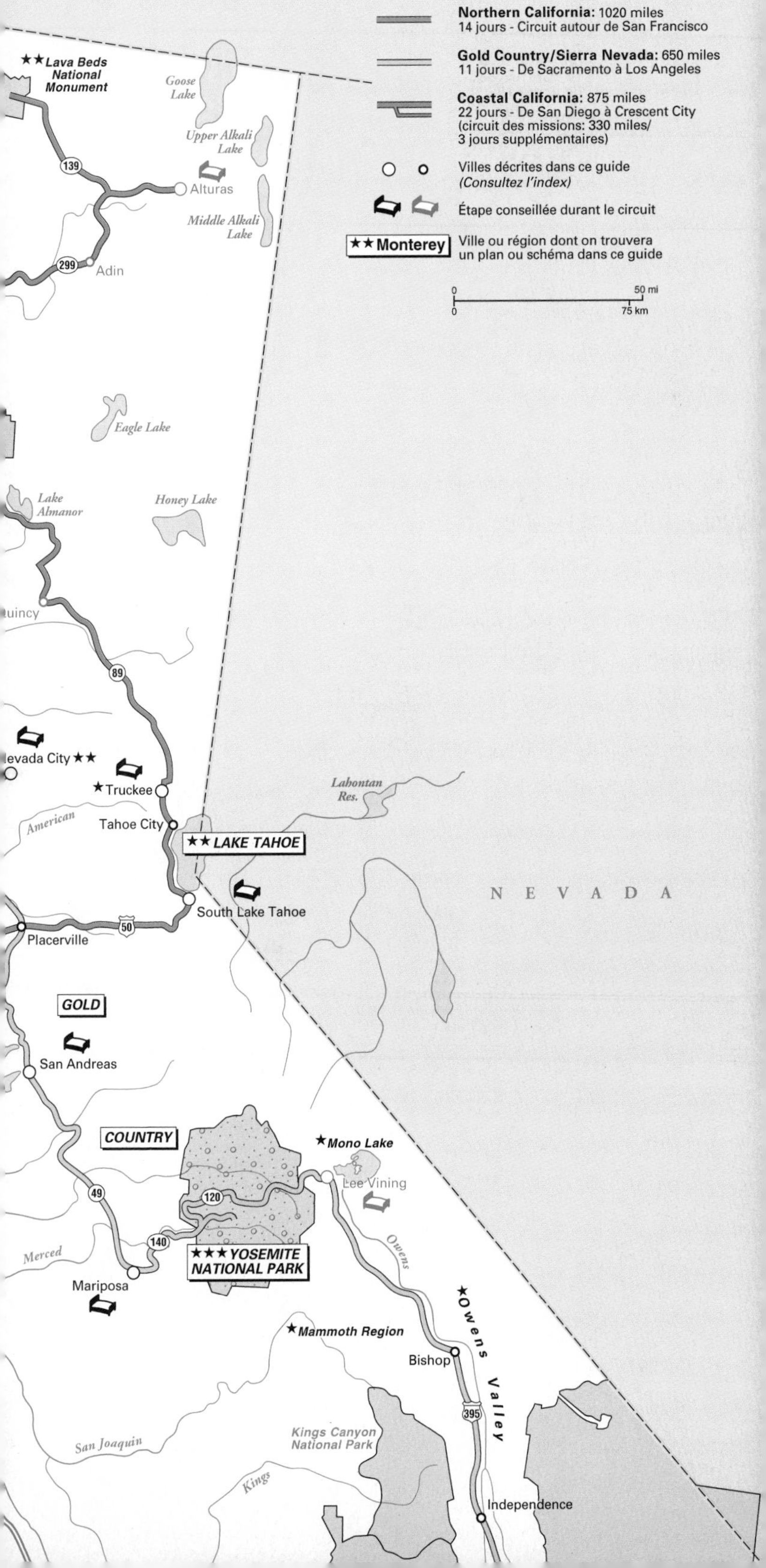

**Northern California:** 1020 miles
14 jours - Circuit autour de San Francisco

**Gold Country/Sierra Nevada:** 650 miles
11 jours - De Sacramento à Los Angeles

**Coastal California:** 875 miles
22 jours - De San Diego à Crescent City
(circuit des missions: 330 miles/
3 jours supplémentaires)

○   ○   Villes décrites dans ce guide
*(Consultez l'index)*

Étape conseillée durant le circuit

★★ **Monterey**   Ville ou région dont on trouvera
un plan ou schéma dans ce guide

```
0                              50 mi
0                         75 km
```

★★ *Lava Beds
National
Monument*

*Goose
Lake*

139

*Upper Alkali
Lake*

Alturas

*Middle Alkali
Lake*

299

Adin

*Eagle Lake*

*Lake
Almanor*

*Honey Lake*

Quincy

89

Nevada City ★★

★ Truckee

*American*

Tahoe City

*Lahontan
Res.*

★★ **LAKE TAHOE**

N E V A D A

South Lake Tahoe

50

Placerville

**GOLD**

San Andreas

**COUNTRY**

★ *Mono Lake*

Lee Vining

49

120

*Merced*

140

★★★ **YOSEMITE
NATIONAL PARK**

*Owens*

Mariposa

★ *Mammoth Region*

Bishop

*San Joaquin*

*Kings Canyon
National Park*

*O w e n s   V a l l e y*

395

*Kings*

Independence

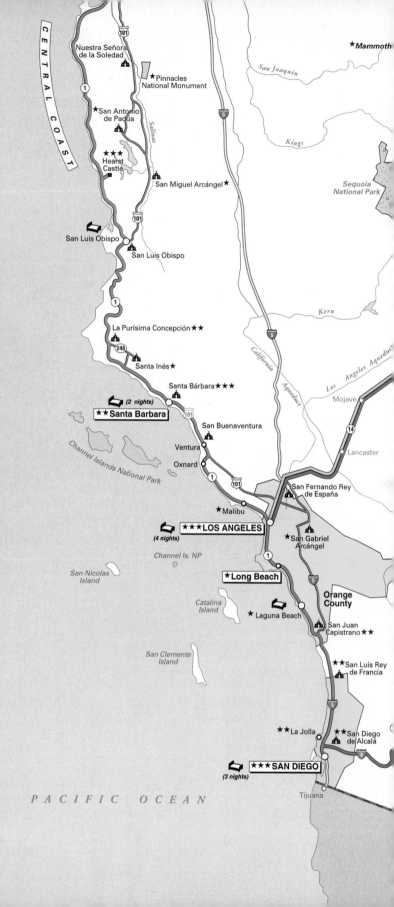

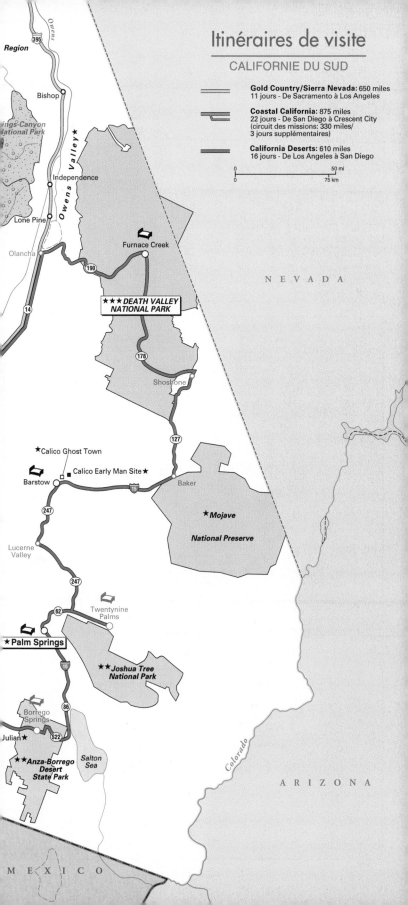

# Itinéraires de visite
## CALIFORNIE DU SUD

**Gold Country/Sierra Nevada:** 650 miles
11 jours - De Sacramento à Los Angeles

**Coastal California:** 875 miles
22 jours - De San Diego à Crescent City
(circuit des missions: 330 miles/
3 jours supplémentaires)

**California Deserts:** 610 miles
16 jours - De Los Angeles à San Diego

0          50 mi
0      75 km

**Region**

395

Bishop

*Owens Valley*

Kings-Canyon
National Park

Independence

Lone Pine

Olancha

14

Furnace Creek

190

★★★ *DEATH VALLEY NATIONAL PARK*

178

Shoshone

127

★Calico Ghost Town

Calico Early Man Site ★

Barstow

15

Baker

★*Mojave National Preserve*

247

Lucerne Valley

247

62

Twentynine Palms

★Palm Springs

10

★★*Joshua Tree National Park*

86

Borrego Springs

Julian★

S22

★★*Anza-Borrego Desert State Park*

*Salton Sea*

*Colorado*

N E V A D A

A R I Z O N A

M E X I C O

# Tableau de distances

*(les distances sont données en miles. 1 mile = 1,6 km)*

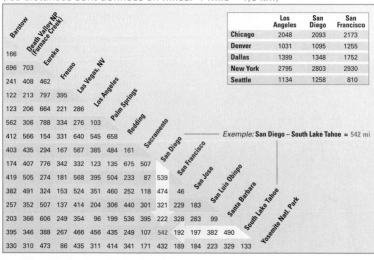

| | Los Angeles | San Diego | San Francisco |
|---|---|---|---|
| **Chicago** | 2048 | 2093 | 2173 |
| **Denver** | 1031 | 1095 | 1255 |
| **Dallas** | 1399 | 1348 | 1752 |
| **New York** | 2795 | 2803 | 2930 |
| **Seattle** | 1134 | 1258 | 810 |

| | Barstow | Death Valley NP (Furnace Creek) | Eureka | Fresno | Las Vegas, NV | Los Angeles | Palm Springs | Redding | Sacramento | San Diego | San Francisco | San Jose | San Luis Obispo | Santa Barbara | South Lake Tahoe | Yosemite Natl. Park |
|---|---|---|---|---|---|---|---|---|---|---|---|---|---|---|---|---|
| **Death Valley NP (Furnace Creek)** | 166 | | | | | | | | | | | | | | | |
| **Eureka** | 696 | 703 | | | | | | | | | | | | | | |
| **Fresno** | 241 | 408 | 462 | | | | | | | | | | | | | |
| **Las Vegas, NV** | 122 | 213 | 797 | 395 | | | | | | | | | | | | |
| **Los Angeles** | 123 | 206 | 664 | 221 | 286 | | | | | | | | | | | |
| **Palm Springs** | 562 | 306 | 788 | 334 | 276 | 103 | | | | | | | | | | |
| **Redding** | 412 | 566 | 154 | 331 | 640 | 545 | 658 | | | | | | | | | |
| **Sacramento** | 403 | 435 | 294 | 167 | 567 | 385 | 484 | 161 | | | | | | | | |
| **San Diego** | 174 | 407 | 776 | 342 | 332 | 123 | 135 | 675 | 507 | | | | | | | |
| **San Francisco** | 419 | 505 | 274 | 181 | 568 | 395 | 504 | 233 | 87 | 539 | | | | | | |
| **San Jose** | 382 | 491 | 324 | 153 | 524 | 351 | 460 | 252 | 118 | 474 | 46 | | | | | |
| **San Luis Obispo** | 257 | 352 | 507 | 137 | 414 | 204 | 306 | 440 | 301 | 321 | 229 | 183 | | | | |
| **Santa Barbara** | 203 | 366 | 606 | 249 | 354 | 96 | 199 | 536 | 395 | 222 | 328 | 283 | 99 | | | |
| **South Lake Tahoe** | 395 | 346 | 388 | 267 | 466 | 456 | 435 | 107 | 542 | 192 | 197 | 382 | 490 | | | |
| **Yosemite Natl. Park** | 330 | 310 | 473 | 86 | 435 | 311 | 414 | 341 | 171 | 432 | 189 | 184 | 223 | 329 | 133 | |

*Exemple: San Diego – South Lake Tahoe = 542 mi*

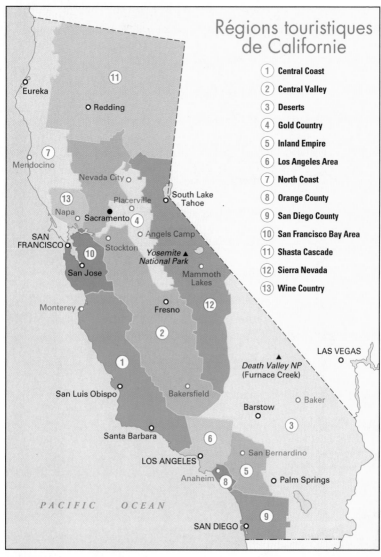

# Régions touristiques de Californie

1. Central Coast
2. Central Valley
3. Deserts
4. Gold Country
5. Inland Empire
6. Los Angeles Area
7. North Coast
8. Orange County
9. San Diego County
10. San Francisco Bay Area
11. Shasta Cascade
12. Sierra Nevada
13. Wine Country

# DISTINGUER LES PARCS NATIONAUX...

Le touriste peut être fréquemment troublé par la terminologie employée aux États-Unis pour désigner les sites ou monuments protégés. Les Français sont familiarisés avec le classement d'immeubles en monuments historiques ou de zones naturelles en parcs nationaux et régionaux ou en réserves naturelles, mais ne connaissent pas les notions de parc historique, parc militaire ou parc-mémorial. Le mot parc évoque avant tout un terrain ou un jardin, et si l'on veut comprendre ce qu'il inclut dans l'acception américaine, il faut l'entendre dans le sens qui lui est donné parfois par extension comme un ensemble d'objets (un parc automobile par exemple).

Aux États-Unis, les sites et édifices classés sont administrés par le National Park System (NPS). Le classement est effectué par le Congrès ou le président lui-même, qui attribuent également le nom officiel du site ou du bâtiment. Si des sites ou monuments classés et protégés gardent leur nom propre (la Maison Blanche par exemple), la plupart voient celui-ci complété d'une dénomination associée à leur classement. Plusieurs dénominations ont un caractère descriptif – *lakeshore*, rive de lac, *seashore*, littoral, *battlefield*, champ de bataille –, mais bien d'autres n'ont rien d'évocateur en raison de la variété d'éléments qui les constituent. Ainsi, un centre-ville ancien peut être protégé et classé parc national historique comme un navire de guerre rangé parmi les parcs-mémoriaux.

Les désignations définies ci-dessous – parfois combinées entre elles – vous aideront à faire la différence entre les appellations employées dans le guide et à comprendre la raison du classement d'un site ou d'un édifice.

**National Park** – Les **parcs nationaux** sont en général de vastes espaces naturels présentant un grande diversité d'attributs, parfois historiques. La chasse et l'exploitation minière, entre autres activités, y sont interdites.

**National Monument** – La loi des Antiquités de 1906 a accordé au président le pouvoir de déclarer **monument national** tout site, édifice ou autre élément d'intérêt historique ou scientifique situé sur les territoires que l'État possède ou gouverne.

**National Preserve** – Les **réserves nationales** ont les caractéristiques des parcs nationaux, mais la chasse, la pose de pièges, l'exploration pétrolière ou gazière et leur exploitation y sont autorisées.

**National Historic Site** – Le plus souvent, un **site historique national** présente un élément unique directement associé à l'histoire des États-Unis. Si le classement est en général effectué par décret du Congrès, la loi de 1935 sur les sites historiques a permis que le ministre de l'Intérieur puisse également y procéder.

**National Historic Park** – La désignation s'applique aux terrains situés autour des propriétés privées ou des parties bâties à caractère historique.

**National Memorial** – Un **mémorial national** commémore un personnage ou un événement historique. Il n'est pas nécessaire qu'il se trouve sur un site directement lié à son sujet.

**National Battlefield** – Depuis 1958, cette unique désignation s'applique aux champs de bataille même, aux terrains avoisinant les champs de bataille, aux sites d'une bataille et aux parcs militaires nationaux. Le classement peut affecter des édifices dispersés qui ont été associés à une bataille.

**National Cemetery** – On dénombre actuellement 14 **cimetières nationaux** administrés conjointement par le NPS et une société de gestion.

**National Recreation Area** – On dénombre 12 **zones de détente nationales** établies autour de vastes réservoirs où l'on privilégie les activités nautiques. 5 autres zones situées à proximité de grandes villes permettent de préserver à la fois des espaces verts peu abondants, des sites historiques significatifs et d'importantes zones naturelles en mesure d'assurer à la population urbaine des espaces de détente.

**National Seashore** – 10 portions du **littoral** ont été classées sur les côtes de l'Atlantique, du golfe du Mexique et du Pacifique. Certaines sont urbanisées, certaines relativement sauvages. La chasse est autorisée dans la plupart.

**National Lakeshore** – Les **rives de lac** classées se trouvent toutes sur le pourtour des Grands Lacs. Elles sont destinées à en préserver le caractère.

**National River** – Cette catégorie inclut toute une gamme de classement. Les **rivières nationales** ont été instituées en 1964 et les lois sur les rivières touristiques (Scenic River) et les rivières sauvages (Wild River) de 1968 ont permis la protection du cours de nombreuses rivières.

**National Parkway** – La dénomination « route-parc » est attribuée à une route et aux terrains qui la bordent. L'objectif est de permettre le tourisme automobile le long d'un corridor protégé reliant souvent des sites culturels.

La loi du 18 août 1970 a en outre accordé le statut de **zone affiliée** (Affiliated Area) à une infinité de sites des États-Unis et du Canada où est assurée la conservation de biens externes au NPS. Plusieurs ont été classés par décret du Congrès ou reconnus sites historiques par le ministère de l'Intérieur. Tous reçoivent une aide technique ou financière du NPS.

La côte du Grand Sud près de Santa Barbara

# Introduction
# au voyage

# Les paysages de la Californie

Troisième État des États-Unis par sa superficie (354 070 km²), la Californie est délimitée par des frontières naturelles – l'océan Pacifique à l'Ouest et le fleuve Colorado au Sud-Est – et par bornage rectiligne avec l'Oregon au Nord, le Nevada à l'Est et le Mexique au Sud. En suivant la diagonale Sud-Est/Nord-Ouest, la Californie s'étire sur près de 1 380 km, et la distance qui sépare la côte de ses frontières intérieures est en moyenne de 320 km. Culminant à 4 418 mètres, le mont Whitney est le plus haut sommet des États-Unis (Alaska excepté), alors que le point le plus bas de l'hémisphère occidental (86 m au-dessous du niveau de la mer) se trouve à Badwater dans la Vallée de la Mort.

## LES FONDATIONS GÉOLOGIQUES

L'Ouest des États-Unis a été formé et se trouve aujourd'hui grandement affecté par le mouvement opposé de deux plaques, gigantesques surfaces solidifiées de la croûte terrestre qui se déplacent sur la matière en fusion du manteau terrestre.

Il y a environ 400 millions d'années, le bord Est de la plaque Pacifique, qui se prolonge presque jusqu'à l'Asie, a glissé sous le bord Ouest de la plaque Nord-américaine au cours d'un processus connu sous le nom de subduction.

Du fait du glissement de la plaque Pacifique sous le bord de la plaque Nord-américaine, des parties de la croûte terrestre situées le long de la zone de contact se sont comprimées et plissées, créant des chaînes de montagnes, tandis que des blocs périphériques plus petits (appelés terranes) se sont fondus à la plaque Nord-américaine. Cette accrétion de fragments de croûte terrestre a, au cours de dizaines de millions d'années, créé quelque 800 km de nouveaux terrains à l'Ouest de l'Amérique du Nord. La Californie est constituée des terrains les plus récents et les plus instables de cette accumulation. Depuis 25 millions d'années, la plaque Pacifique a amorcé un changement de direction et s'est mise à pivoter dans le sens contraire des aiguilles d'une montre. Elle se dirige aujourd'hui principalement vers le Nord-Ouest, alors que la plaque Nord-américaine continue de progresser régulièrement vers l'Ouest.

**Les tremblements de terre** – La région californienne la plus touchée par l'instabilité tectonique suit la **faille de San Andreas**, qui s'étend du cap Mendocino sur la côte Nord à la Vallée Impériale, au Sud-Est. La faille de San Andreas, à l'instar des autres failles de Californie, est créée par le mouvement des plaques Pacifique et Nord-américaine qui se déplacent l'une par rapport à l'autre à une vitesse moyenne de 5 cm par an. Le long des failles, des mouvements imperceptibles se produisent fréquemment, mais il arrive que le glissement soit entravé par des matériaux rigides tels que le granite, et que la pression augmente lorsque les plaques forcent pour se mouvoir. Lorsque les obstructions viennent à céder, la pression accumulée se libère par un tremblement de terre, secousse violente, soudaine et destructrice qui fait vibrer la terre le long de la faille.

---

### L'échelle de Richter

Dans les années 1940, Charles Richter, un sismologue du California Institute of Technology, proposa une échelle pour mesurer la quantité d'énergie libérée par un tremblement de terre. Chaque nombre entier de cette échelle représente une multiplication par dix des vibrations enregistrées dans la terre.

**Principaux séismes qui ont frappé la Californie au 20ᵉ siècle**

| | | |
|---|---|---|
| San Francisco (San Francisco Bay Area) | 1906 | 8,3 |
| Lompoc (Central Coast) | 1925 | 7,5 |
| Imperial Valley (Deserts) | 1940 | 7,1 |
| Kern County (Central Valley) | 1952 | 7,7 |
| Eureka (North Coast) | 1980 | 7,0 |
| Whittier Narrows (Greater Los Angeles Area) | 1987 | 6,8 |
| Loma Prieta (San Francisco Bay Area) | 1989 | 7,1 |
| Petrolia/Ferndale (North Coast) | 1992 | 7,1 |
| Yucca Valley (Deserts) | 1992 | 7,6 |
| Northridge (Greater Los Angeles Area) | 1994 | 6,8 |

---

**Les volcans** – La région volcanique du Nord de la Californie, caractérisée par des étendues de lave, des sources chaudes, des geysers, des fumerolles et des cônes volcaniques, est le résultat de la chaleur et de la pression extraordinaires qui règnent au centre de la terre. Cette pression est créée par le bord de la plaque Pacifique qui, poussé par la subduction, s'enfonce vers le cœur surchauffé de la terre, où la roche fond et se dilate. Cette matière en fusion est ensuite poussée avec force vers le haut, faisant parfois irruption à travers la croûte terrestre. Les cheminées et cratères autour desquels s'accumulent des cônes de matériaux forment les volcans.

On rencontre différents types de cônes volcaniques en Californie. Les volcans composés ou strato-volcans, tel le mont Shasta, résultent d'éruptions répétées de lave épaisse jaillissant de la même cheminée durant plusieurs centaines de milliers d'années. Le cône est alors constitué de nombreuses couches de lave, de scories et de cendres. Ce type de volcan a tendance à entrer en éruption de façon violente et à augmenter rapidement en volume et en hauteur. Les volcans boucliers, eux, se forment lorsqu'un type de lave plus fluide entre doucement en éruption et que, une fois sortie de la cheminée, elle s'écoule sur de longues distances, créant un cône relativement plat, tel celui du mont Harkness dans le parc national du volcan Lassen. Les volcans à cône de scories se forment lorsque la lave, jaillissant vers la surface, se solidifie et se brise en fragments, qui, ensuite projetés, retombent en pluie pour former un cône de scories autour de la cheminée. La Schonchin Butte, du Lava Beds National Monument, est un exemple de ce type de volcan.

## PAYSAGES RÉGIONAUX

L'histoire géologique désordonnée de la Californie a créé dans cet État une remarquable diversité de paysages : des forêts luxuriantes sur les versants brumeux des chaînes montagneuses de la côte Nord, jusqu'aux fascinants déserts inhospitaliers du Sud-Est.

**Coast Ranges** – Avec des pics et des crêtes culminant entre 600 et 1 500 m, une frange montagneuse déchiquetée de 80 à 120 km de large s'étend sur près de 800 km de la frontière de l'Oregon au comté de Santa Barbara. Les **Chaînes côtières** ont commencé à se soulever il y a environ 25 millions d'années, lorsque le bord de la plaque Nord-américaine s'est plissé sous la pression de la plaque Pacifique. Émergeant à plusieurs endroits de façon abrupte, ces montagnes ceignent la côte et déferlent à l'intérieur du pays alternant crêtes et petites vallées fertiles généralement orientées, à l'instar de la côte, Nord-Ouest/Sud-Est.
La diversité géomorphologique de cette région provient de ce qu'elle est composée de différentes masses terrestres, dont certaines auraient pris naissance à des milliers de kilomètres.
Les chaînes côtières sont coupées en deux par la **baie de San Francisco**, la seule trouée qui, au niveau de la mer, se faufile entre les montagnes, reliant ainsi la vallée centrale à l'océan Pacifique. Les rivières qui coulent le long des versants Ouest de la sierra Nevada et dans les plaines de la Vallée centrale se rejoignent dans cette ouverture pour se jeter ensuite dans la mer.
Lorsque la glaciation du continent (période ne remontant qu'à 15 000 ans), en immobilisant d'énormes quantités d'eau, a abaissé le niveau de la mer de quelque 90 m, la baie actuelle était une vallée allongée typique de celles des Chaînes côtières. Avec la fonte des glaciers, la mer s'est élevée au niveau que nous connaissons aujourd'hui, engloutissant cette vallée et créant l'un des plus grands ports naturels du monde. La baie de San Francisco couvre environ 1 300 km².

**La Vallée centrale** – Entre la sierra Nevada à l'Est et les Chaînes côtières de l'Ouest, les mouvements de la plaque tectonique ont créé une grande dépression dans la croûte terrestre. La majeure partie de cet espace a été comblée par des sédiments arrachés aux montagnes environnantes, donnant naissance à une vaste étendue plate et fertile d'environ 650 km de long sur 80 km de large. Les parties Sud et Nord de cette immense prairie allongée portent les noms des fleuves qui les irriguent : **vallée du Sacramento** au Nord et **vallée de San Joaquin** au Sud. Avant d'atteindre la baie de San Francisco, les deux fleuves se joignent pour former le Delta, à l'origine un marécage soumis à l'influence des marées, aujourd'hui transformé par l'homme en un labyrinthe de petites îles agricoles, à l'image des polders des Pays-Bas. Avec ses quelque 2 900 000 ha irrigués, la Vallée centrale fait aujourd'hui partie des régions agricoles les plus productives et les plus diversifiées du monde.

**La chaîne des Cascades et la Lave Modoc** – Les monts Cascades de Californie (qui incluent le mont Lassen et le mont Shasta) constituent l'extrémité Sud de la chaîne des Cascades (Cascade Range), chaîne volcanique s'étendant tout au long de la côte Nord-Ouest du Pacifique jusqu'en Colombie britannique.
Les Cascades ont été créées, il y a environ 5 millions d'années, par une activité volcanique qui ne montre aucun signe de ralentissement. Le mont Shasta est un jumeau géologique du mont St Helens situé dans l'État de Washington, qui est entré violemment en éruption en 1980.
Plus à l'intérieur du continent (à l'Est du mont Lassen et du mont Shasta), dans l'extrême Nord-Est de la Californie, se trouve la Lave Modoc, plateau créé par de grands épanchements de lave qui n'ont cessé que depuis 30 000 ans. Les lits de lave du plateau sont ponctués de cônes de scories qui n'ont pas plus de 1 000 ans.

**La sierra Nevada** – Parallèle à la bordure Est de la Vallée centrale, la majestueuse sierra Nevada (en espagnol « chaîne enneigée ») est l'une des chaînes les plus élevées des États-Unis. Elle est constituée d'un énorme bloc de granit qui a commencé à se soulever il y a environ 10 millions d'années et qui, aujourd'hui, s'incline doucement vers l'Ouest. La puissance d'érosion des fleuves et des glaciers a creusé de profonds canyons dans les versants Ouest, créant ces formations à la beauté stupéfiante qui

# Californie

## CARTE DU RELIEF

100 mi
150 km

Oregon | Idaho

G R E A T   B A S I N

Excelsior Mtns.

no Lake

White Mtns.

White Mtn. Peak
△ 14246

Owens Valley

Inyo

Panamint

Death Valley

Amargosa Range

Spring Mtns.

Nevada

Utah
Arizona

Mt. Whitney
14494 △

Telescope Peak
11049 △

·282
Badwater

LAS VEGAS
○

Lake
Mead

N E V A D A

Range

Mtns.

Range

Kern

M O J A V E   D E S E R T

Los Angeles Aqueduct

Bullion Mtns.

an  Gabriel Mtns.

R A N G E S

San Bernadino Mtns.

Colorado River
Aqueduct

C O L O R A D O

anta Monica Mtns.

S ANGELES
○  Los Angeles
Basin

Santa Ana Mtns.

San Jacinto Mtns.

Coachella
Valley

Colorado

nta Barbara

P E N I N S U L A R

Santa Rosa Mtns.

D e s e r t

Salton
Sea

Chocolate Mtns.

COLORADO

Santa Catalina

Laguna Mtns.

R A N G E S

San Clemente

SAN DIEGO
○

Imperial
Valley

M E X I C O

font, entre autres richesses, la réputation des parcs nationaux de Yosemite, Sequoia et du Cañon Kings. À l'Est, la chaîne s'interrompt brusquement, faisant du dénivelé vertical de 3 000 m qui sépare le fond de la Vallée de la Rivière Owens du sommet de la sierra près du mont Whitney l'escarpement le plus impressionnant des États-Unis. En deux endroits la sierra est divisée en une double crête Est/Ouest : au Sud par le canyon de la rivière Kern, au centre par un profond bassin où s'est établi le lac Tahoe. La partie Sud de la chaîne, entre les cols Tioga et Walker, est souvent appelée **High Sierra**. Au milieu de ce repaire alpin se trouve le mont Whitney ainsi que plusieurs petits glaciers et des étendues de neige éternelle abritées dans des recoins orientés au Nord ou dans les crevasses.

**Les chaînes transversales** – L'extrémité Sud des Chaînes côtières se prolonge par une ligne Est-Ouest de montagnes qui ont commencé à se soulever il y a 25 millions d'années, pour accélérer leur mouvement au cours des trois derniers millions d'années. Bien que constituées de granit à l'instar de la sierra Nevada, ces chaînes révèlent peu de signes de glaciation et d'érosion, car situées plus au Sud. Elles bordent les lignes de faille prolongeant le réseau de la faille de San Andreas. Parmi les chaînes, citons les monts Santa Ynez, qui constituent une splendide toile de fond à la ville de Santa Barbara, les monts Santa Monica, bordant le bassin de Los Angeles, les monts San Gabriel et San Bernardino, dont les pics enneigés dominent Los Angeles.
Les chaînes transversales se poursuivent jusque dans l'océan où elles forment les Îles du Canal (Channel Islands).

**Les chaînes péninsulaires** – Chaînes côtières de l'extrémité Sud, ces montagnes constituent la partie Nord de l'arête principale de l'étroite péninsule de Basse-Californie, au Mexique. Dominant le paysage côtier des comtés de San Diego, d'Orange et de Riverside, les monts Santa Ana, San Jacinto et Santa Rosa culminent parfois à plus de 3 000 m. D'impressionnants affleurements de granit et des champs de rochers font la particularité de ces chaînes de montagnes.
À l'Ouest des chaînes péninsulaires et transversales se trouve une vaste plaine côtière qui se ramifie très loin à l'intérieur du continent, jusqu'aux déserts du Sud. Bénéficiant d'un climat sec et ensoleillé, tempéré par les vents de l'océan, ces terres basses (dont fait partie le bassin de Los Angeles) accueillent aujourd'hui de vastes métropoles : Los Angeles, San Diego et les villes de l'Inland Empire.

**Les déserts** – La suite ininterrompue de chaînes montagneuses constitue une barrière efficace à l'humidité atmosphérique transportée par les vents d'Ouest dominants provenant de l'océan Pacifique. Les régions situées à l'abri de cette **barrière** reçoivent moins de 250 mm d'eau par an et appartiennent donc à la catégorie des déserts.
Il existe trois types de désert en Californie. C'est principalement l'altitude qui les différencie. Le long de la frontière Est de l'État jusqu'à la Lave Modoc qu'elle englobe se trouve la partie californienne du **désert du Grand Bassin**, qui intègre le Nevada et certaines parties d'États voisins. Le Grand Bassin est plus une steppe semi-aride qu'un vrai désert. La Vallée de la Mort, en revanche, qui s'enfonce à 86 m au-dessous du niveau de la mer, est le désert le plus chaud et le plus sec des États-Unis. Les chaînes montagneuses de cette zone, dont les chaînes Panamint et Amargosa qui bordent le parc national de la Vallée de la Mort, possèdent certains des sommets les plus élevés de Californie : le pic Téléscope (3 368 m) et les monts Blancs (4 342 m). Au Sud, occupant la quasi-totalité du comté de San Bernardino et certaines parties des comtés environnants, se trouve le **désert Mohave**, aussi surnommé le « haut désert » en raison

Le désert californien

d'une altitude moyenne de 1 000 m, avec de vastes régions à plus de 1 200 m. Il reçoit de 250 à 380 mm d'eau par an ; comme ses températures sont relativement fraîches, l'évaporation est peu importante et permet à une vie végétale de se développer. Le plus méridional, le **désert du Colorado**, recouvre les parties Est des comtés de Riverside et de San Diego et l'intégralité du « comté impérial » ; on le nomme aussi le « bas désert », car il ne dépasse pas 600 m d'altitude et descend au-dessous du niveau de la mer autour du lac Salton. Il reçoit en général moins de 120 mm d'eau par an et subit des étés caniculaires.

## LE CLIMAT

Les régions côtières du Sud et du centre de la Californie jouissent d'un climat méditerranéen caractérisé par des étés chauds et secs, et des hivers frais. Les pluies tombent généralement de novembre à avril. Alors que les montagnes côtières du Nord connaissent des précipitations allant jusqu'à 2,50 m d'eau par an, les régions sèches qui entourent la Vallée de la Mort reçoivent moins de 50 mm d'eau par an. Les pluies sont rares en été le long de la côte et dans la Vallée centrale, où une pression atmosphérique élevée et persistante empêche la convection et la formation de nuages de pluie en éloignant vers le Nord les vents d'Ouest humides. En hiver, la zone de haute pression se déplace vers le Sud, permettant le passage des vents d'Ouest chargés d'humidité. Dans les régions situées au-dessus de 600 m, la plupart des précipitations tombent sous forme de neige.
Le long de la côte, les variations saisonnières de températures sont étonnamment faibles. À San Diego, par exemple, la température du mois le plus chaud, août, est de 25° alors qu'elle ne tombe qu'à 18° en janvier. Pour les mêmes mois, les moyennes à San Francisco sont de 17° et 9°.
À l'intérieur, les étés sont beaucoup plus chauds avec des hivers doux. Le froid hivernal est en effet bloqué par la grande barrière montagneuse de la sierra Nevada et de la chaîne des Cascades, qui bloque les masses d'air froid venant de l'intérieur du continent et permet une dominance des vents relativement doux soufflant du Pacifique. La chaleur potentielle de l'été sec et clair est fortement contrebalancée sur la côte par un **courant marin froid** qui passe juste au large en direction du Sud. Ce courant, qui fait partie d'un grand tourbillon affectant la moitié Nord de l'océan Pacifique, amène de l'eau froide venant de l'Alaska.

## LES RESSOURCES EN EAU

Près de 75 % des précipitations qui arrosent l'État se concentrent au Nord de Sacramento, alors que 75 % de la demande en eau vient du Sud de cette ville.
Pour compenser ce déséquilibre, la Californie a installé d'énormes réservoirs et des réseaux d'aqueducs qui transportent environ 60 % de l'eau de l'État vers les zones de demande. Cette infrastructure a rendu possible la croissance phénoménale de la Californie métropolitaine du Sud, et la création d'un gigantesque réseau d'irrigation qui a fait de la vaste prairie de la Vallée centrale l'une des régions agricoles les plus productives du pays.
Ces dernières années, l'eau est devenue un sujet de conflit entre les groupes d'intérêt urbain, agricole et écologique.
Les grands travaux d'adduction d'eau de ville ont commencé en 1913 avec la création de l'**aqueduc de Los Angeles**, qui franchit 386 km dans la Vallée de la Rivière Owens depuis l'Est de la sierra Nevada pour venir alimenter la ville. Inauguré en 1941, l'**aqueduc de la Rivière Colorado** transporte l'eau sur une distance similaire depuis le lac Havasu, sur la frontière Sud-Est de l'État, jusqu'à la région de San Diego. Oakland et des villes voisines purent recevoir de l'eau en provenance de la sierra Nevada grâce à l'**aqueduc Mokelumne**, ouvert en 1929, et l'**aqueduc de Hetch Hetchy** assura à partir de 1934 le transport vers San Francisco des eaux du parc national de Yosemite.
Le contrôle de l'ensemble du système hydrographique sierra Nevada/Vallée centrale a commencé en 1930 avec la naissance du **projet de la Vallée centrale**, financé par l'État fédéral et prévoyant la création d'énormes structures telles que le barrage Shasta et des centaines de kilomètres de canaux d'irrigation. À partir de 1972, l'aqueduc de Californie a permis d'alimenter en eau la Californie du Sud depuis le réservoir d'Oroville situé dans la vallée du Sacramento, à plus de 700 km. Conçue dans les années 1960, cette ultime réalisation d'État fournit l'eau d'irrigation à de larges secteurs de la Vallée centrale et pompe par-delà les monts Tehachapi l'eau nécessaire aux villes de Californie du Sud.

## LA FLORE

La végétation californienne reflète la diversité des environnements climatiques du pays, qui varient en fonction de la proximité de l'océan Pacifique et de l'altitude.
Les parties basses des versants Ouest des Coast Ranges septentrionales sont le royaume des séquoias toujours verts *(redwood)*. On y rencontre également d'autres conifères, tels le douglas et le pin à bois lourd, ou pin jaune *(pinus ponderosa)*. Dans les chaînes côtières du Sud et dans le secteur de la baie de San Francisco, les forêts de conifères cèdent la place au **chaparral**, sorte de maquis broussailleux peuplé de plantes de 2 m de

haut : ces arbustes dont la vie se ralentit durant l'été forment d'épais fourrés propices aux incendies, mais repoussent très vite grâce aux excroissances qui protègent leurs racines supérieures. Le chaparral occupe de grandes superficies dans les arides chaînes côtières du Sud et les chaînes transversales et péninsulaires.

Entre 700 et 2 000 m d'altitude, une grande ceinture de conifères – grandes forêts de pins à bois lourd, pins à sucre *(pinus lambertiana)*, douglas et cèdres blancs de Californie – occupe toute la longueur de la sierra Nevada. On rencontre quelques massifs disséminés de séquoias géants *(voir p. 333)* dans la moitié Sud de la chaîne montagneuse. Dans leur partie inférieure, les versants Ouest de la sierra Nevada sont couverts de chaparral et de bouquets de chênes espacés, auxquels succèdent conifères et végétation alpine dans les régions plus élevées.

Cholla

On reconnaît les lisières de la Vallée centrale, tant au pied de la sierra Nevada qu'à celui des Coast Ranges, aux forêts de chênes clairsemés qui les caractérisent. L'herbe, d'un vert éclatant avec les pluies hivernales, tourne à l'or dans la sécheresse de l'été. On pense que les chênes sont espacés du fait que leurs racines se disputent l'eau très rare. Les *coast live oaks (quercus virginiana)*, sortes de chênes verts de Californie, sont les espèces les plus répandues.

Les plantes des haut et bas déserts sont adaptées à la sécheresse permanente qui sévit dans ces régions. Les plus courantes sont la créosote, un arbrisseau épineux qui recouvre le sol et dont les racines s'enfoncent très profondément dans la terre pour aller puiser l'eau qui lui est nécessaire, tout comme l'arbre de Josué. L'**ocotillo**, acclimaté au bas désert, perd ses feuilles durant la saison sèche, mais fleurit dès les premières pluies. Le cactus **cholla** emmagasine de l'eau chaque fois que c'est possible et se protège des animaux assoiffés avec ses épines, très veloutées d'apparence, mais redoutablement acérées. Le **palmier éventail** survit dans les oasis et dans les zones proches des lignes de faille, où l'eau sourd en surface. Les fleurs sauvages très colorées du désert échappent à la sécheresse, car leurs graînes sommeillent – parfois pendant plusieurs décennies – jusqu'à ce que la pluie tombe en quantité suffisante pour entraîner la germination.

Ocotillo

## LA FAUNE

La vie animale de la Californie a été très affectée par l'importante augmentation du peuplement humain au cours des deux derniers siècles. Certaines espèces se sont éteintes, d'autres sont très menacées. Quelques-unes, qui étaient proches de l'extinction, ont opéré de remarquables retours grâce à des organisations de défense de l'environnement.

---

### Des Californiens bon teint

La Californie est, avec parfois certaines régions de l'Oregon, le pays d'origine d'arbres tout à fait uniques. Si le renom des séquoias géants *(big tree – voir p. 333)* et des séquoias toujours verts *(redwood – voir p. 201)* n'est plus à faire, on connaît moins le **pin rouge de Californie** *(Red Fir California – Abies magnifica)*, une variété de pin au profil conique atteignant jusqu'à 40 m de haut et habitant les pentes des montagnes les plus sèches. Ses aiguilles se dressent en hauteur autour des pousses terminales et son écorce vire au rouge chez les spécimens les plus âgés, d'où son nom. Le **muscadier de Californie** *(California Nutmeg – Torreya californica)*, autre conifère pouvant atteindre 30 m, beaucoup plus touffu, produit une abondance de petites fleurs blanches ou vertes selon le sexe de l'arbre, groupées sur les bourgeons terminaux. Son fruit, une graine unique enfermée dans une enveloppe verte virant au rouge, n'est pas sans rappeler par son apparence la noix de muscade. Le **marronnier de Californie** *(California Buckeye – Aesculus californica)* est un arbre à feuilles composées oblongues qui dépasse rarement les 10 m.

Mais le plus surprenant est le **laurier de Californie** *(California Laurel – Umbellularia californica)*, que l'on appelle aussi baie de Californie, olivier de Californie ou myrte de l'Orégon. Cette variété de lauracée peut aussi bien vivre dans des zones humides et abritées où elle atteint jusqu'à 30 m que dans des terrains secs et exposés où elle ne dépasse guère la taille d'un buisson. Broyées, ses feuilles émettent une odeur âcre qui passe pour provoquer des nausées et des maux de tête.

Les **ours grizzly**, qui ne survivent plus que sur le drapeau de l'État, se rencontraient autrefois dans toute la Californie, à l'exception du désert. Le dernier survivant fut tué en 1922. Les ours noirs, plus petits et moins féroces, sont encore très présents dans les régions montagneuses. Les moutons d'élevage, en occupant peu à peu tous les pâturages et en leur transmettant leurs maladies, ont contribué à la raréfaction des **moutons bighorns** dont il subsiste une petite population dans les régions montagneuses des déserts. Après avoir quasiment déserté la Californie en 1900, diverses espèces de **daims** y sont à nouveau nombreux. Une petite espèce de wapiti, le « **Tule elk** », autrefois répandue dans la Vallée centrale, a été réintroduite avec succès dans certaines régions telles que le littoral du cap Reyes. Le **cerf Roosevelt**, plus imposant, se multiplie à présent dans les parcs de séquoias situés à proximité de la côte Nord. Les **antilopes pronghorn** se sont à nouveau développées dans les territoires peu peuplés de la Lave Modoc.

Le **condor de Californie**, un vautour dont les ailes font 2,70 m d'envergure (le plus grand de tous les oiseaux d'Amérique du Nord), a été menacé de disparition. Les oiseaux mangeaient la viande que les éleveurs avaient empoisonnée pour tuer les coyotes. Vers 1987, il n'en restait plus que 27, tous en captivité. Aujourd'hui, leur nombre va croissant, grâce à des programmes d'élevage précédant le retour à la vie sauvage. Sans être menacés d'extinction, les oiseaux d'eau ont vu leur nombre baisser de façon très importante. Il y a encore 150 ans, avant qu'on ne construise les barrages au pied des montagnes et les levées au long des rivières, cygnes américains, oies des neiges, colverts, milouins à tête rousse, ibis et hérons sillonnaient encore les cieux de la Vallée centrale.

La riche population de mammifères marins comprend les **baleines grises**, que l'on peut apercevoir en différents endroits de la côte lorsqu'elles migrent au printemps vers le Nord, et à l'automne vers le Sud pour prendre leurs quartiers d'hiver en Basse-Californie. Parmi les habitants permanents des côtes, citons les sympathiques loutres de mer et les otaries combatives.

J. Warden / Travel Image

Otarie

# L'économie

La grande diversité de l'activité économique de la Californie est apparue très tôt dans l'histoire de l'État. Sa position isolée par rapport au reste du pays rendait les importations de denrées excessivement coûteuses, encourageant ainsi les entreprises locales de tous secteurs. Aujourd'hui, soutenue par des ressources naturelles abondantes et un support industriel très diversifié, son économie mettrait la Californie au sixième rang des nations industrielles du monde. Cet État, qui est le plus peuplé du pays, a rapporté près de 12 % du produit intérieur brut des États-Unis en 1996, se plaçant en leader dans des domaines aussi variés que l'agriculture, l'industrie aérospatiale et le spectacle.

**L'industrie aérospatiale** – La croissance économique considérable de la Californie au cours des décennies qui ont suivi la Seconde Guerre mondiale est en grande partie due à l'expansion de l'industrie aérospatiale : production d'avions, de missiles, de vaisseaux spatiaux et de tout l'équipement s'y rapportant. L'industrie aéronautique était déjà bien installée dans le Sud de la Californie avant la Seconde Guerre mondiale, grâce aux investisseurs régionaux qui n'hésitèrent pas à prendre des risques, ainsi qu'au climat tempéré qui permettait les essais en vol tout au long de l'année. Au lendemain de la guerre, fusées et engins spatiaux s'ajoutèrent aux produits de cette industrie. En 1990, la Californie s'est vu confier près d'un cinquième du budget américain de la Défense. La fin de la guerre froide a cependant porté un coup sévère à cette industrie, entraînant d'importants licenciements et obligeant les entreprises du secteur à adapter leur production au marché civil.

**L'industrie informatique** – Le développement qu'a connu l'industrie informatique en Californie au cours des 50 dernières années a commencé par des investissements du gouvernement fédéral durant la guerre froide, et s'est poursuivi grâce à la demande croissante d'ordinateurs personnels, de circuits intégrés et autres produits de technologie avancée. Les principaux centres de recherche californiens, dont l'Institut de Technologie de Californie à Pasadena et l'université Stanford de Palo Alto, ont constitué le terreau de petites entreprises d'électronique novatrices, elles-mêmes noyaux des premières sociétés de semi-conducteurs et d'informatique. La **Silicon Valley**, autrefois région de vergers au Nord-Ouest de San Jose, est devenue un centre de recherche et de développement informatique et électronique de renommée mondiale. En 1994 déjà, plus de 13 000 sociétés d'informatique, d'électronique et de technologies de l'information étaient basées en Californie.

**L'industrie du spectacle** – Autrefois paisible banlieue de Los Angeles, Hollywood est devenu le centre de production cinématographique le plus important du pays lorsque, dans les années 1920, les grands studios de cinéma quittèrent Chicago et New York pour la Californie. Dans les années 1950, l'avènement de la télévision réduisit la fréquentation des salles, mais l'industrie cinématographique réagit de plusieurs façons : en produisant moins de films de cinéma mais avec de plus gros budgets, en réalisant des télé-films et en allant jusqu'à s'associer avec la télévision, l'industrie du disque et le monde de la publicité pour constituer de gigantesques conglomérats. Plus de la moitié des longs métrages américains sont aujourd'hui produits en Californie. Cette industrie, qui emploie des ouvriers et des spécialistes issus de domaines très variés, a généré un chiffre d'affaires de 7,6 milliards de dollars en 1992.

**Le tourisme** – Ce sont environ 289 millions de personnes qui se se sont rendues en Californie pour des raisons professionnelles ou touristiques en 1995, faisant de cet État la principale destination touristique des États-Unis. Attirés par son climat, ses paysages spectaculaires et une myriade d'attractions, les visiteurs ont en 1997 dépensé quelque 64,8 milliards de dollars en Californie, une somme qui a profité à bon nombre d'industries, notamment à l'hôtellerie, la restauration, au commerce de détail, aux agences de voyages, aux transports, aux spectacles et aux loisirs.

**L'agriculture** – Regroupant huit des dix principaux comtés agricoles des États-Unis, proposant plus de 200 produits cultivés à des fins commerciales, la Californie est le premier État agricole des États-Unis.

Son haut niveau de productivité est le résultat d'une irrigation à grande échelle, d'un climat bénéfique qui, dans certaines régions, permet des récoltes à longueur d'année, et de tendances à la mécanisation et à la spécialisation qui ont donné une dimension industrielle à la production agricole.

Produisant la presque totalité des amandes, artichauts, dattes, figues, kiwis, olives et pistaches des États-Unis, la Californie est aussi le principal producteur d'abricots, de brocolis, de choux de Bruxelles, d'ail, de raisin, de laitues, de nectarines, de prunes, de fraises et de noix. L'immense Vallée centrale est la principale région agricole de Californie, suivie par la vallée de Salinas, la Vallée Impériale et la vallée de Coachella situées au Sud-Est de l'État. Parmi les petites régions maraîchères et fruitières très productives des vallées côtières, celles des vignobles du Pays du vin sont les plus réputées. L'élevage de bétail reste très important sur les plateaux et dans les collines non irriguées de l'État.

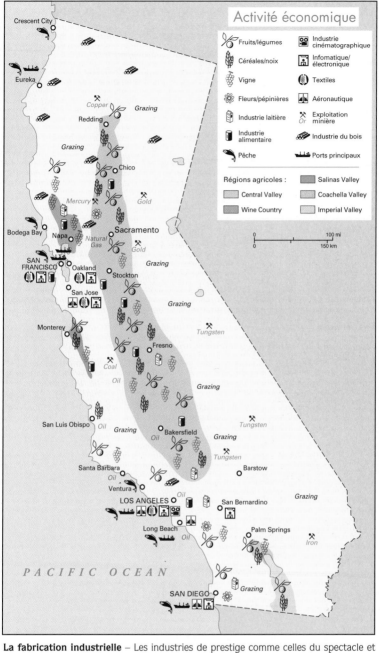

**Activité économique**

| | |
|---|---|
| Fruits/légumes | Industrie cinématographique |
| Céréales/noix | Infomatique/électronique |
| Vigne | Textiles |
| Fleurs/pépinières | Aéronautique |
| Industrie laitière | Exploitation minière (Or) |
| Industrie alimentaire | Industrie du bois |
| Pêche | Ports principaux |

Régions agricoles :
- Central Valley
- Wine Country
- Salinas Valley
- Coachella Valley
- Imperial Valley

0 — 100 mi
0 — 150 km

*PACIFIC OCEAN*

**La fabrication industrielle** – Les industries de prestige comme celles du spectacle et du tourisme ne doivent pas faire oublier que la Californie est le premier État industriel du pays. Avant que la construction de la ligne transcontinentale ne soit terminée en 1869, l'isolement géographique de l'État a motivé les fabricants, qui cherchaient à produire biens d'équipement et de consommation à moindre coût, en évitant notamment des frais d'expédition via le cap Horn. San Francisco commença à produire des équipements miniers vers 1850 et Stockton lui emboîta le pas avec la fabrication de machines agricoles. La mise en conserve et d'autres formes d'industrie alimentaire prirent de l'importance au début du 20ᵉ s. La construction automobile, aéronautique et navale se développa dans les années 30, puis connut une expansion sans précédent durant la Seconde Guerre mondiale. L'industrie californienne du vêtement commença à San Francisco en 1850 avec la fabrication, par un certain Levi Strauss, de pantalons de toile épaisse dite « denim », destinés aux mineurs. Aujourd'hui, San Francisco et Los Angeles ne sont précédés que par New York dans l'industrie de la confection, et Los Angeles est l'un des hauts lieux de la mode. Parmi les autres produits manufacturés importants, citons les produits chimiques et pétroliers, les plastiques, le papier, les machines de toutes sortes et les meubles.

**Les ressources naturelles** – La Californie arrive au deuxième rang de l'industrie du bois après l'Oregon. Les activités d'**exploitation du bois** dominent l'économie des villes du Nord des Coast Ranges et de la Cascade Range. Le séquoia *(redwood)*, le pin douglas, le pin jaune et le pin à sucre comptent parmi les arbres importants sur le plan commercial. La déforestation est cependant devenue un problème crucial et, ces dernières années, l'industrie du bois a été fortement remise en cause par l'opposition des groupes écologiques qui se consacrent à la protection des vieilles forêts de séquoias le long de la côte Nord. Les mesures de protection de la forêt prises au niveau fédéral, de l'État et des comtés, comprennent la création de 18 forêts nationales, du Redwood National Park et du Redwood State Park ; ces mesures ont ralenti l'exploitation du bois et entraîné les conséquences économiques redoutées, heureusement compensées en partie par le tourisme.

Avec plus de 1 600 km de côte, la Californie occupe une place de premier plan en matière de **pêche commerciale**. Le maquereau, le saumon, l'encornet, le thon, les anchois et la sole sont parmi les espèces océanes les plus pêchées. Le crabe, les moules, les huîtres et les palourdes sont aussi d'importants produits de pêche ; enfin, ces dernières années, les oursins, destinés à l'exportation vers le Japon, sont devenus l'une des principales ressources de la côte Nord. Los Angeles est désormais, et de loin, le plus grand port de pêche de l'État ; Crescent City et les environs de Ventura sont également d'importants centres de pêche.

L'**exploitation minière** n'a certes plus la place prépondérante qu'elle occupait à l'époque de la Ruée vers l'or *(p. 111)*, mais elle contribue toujours de façon significative à l'économie de la Californie. L'État assure la presque totalité de la production nationale de borax et de natron (carbonate de sodium naturel), et d'importants gisements de minerai de fer et de tungstène ont été exploités dans le désert Mohave. D'importants champs pétrolifères ont été mis en exploitation près de Bakersfield, Coalinga et Los Angeles au début du siècle, et l'on peut encore voir les bras articulés des pompes fonctionner en mer près de Long Beach et de certaines régions côtières.

**Les services** – Ainsi qu'il convient à l'État le plus peuplé des États-Unis, le secteur des services est devenu le point fort de l'économie californienne. En 1996, près d'un tiers des emplois non agricoles dans l'État était lié aux services concernant la santé, la finance, le gouvernement, l'administration, le commerce, l'éducation, les services personnalisés et les professions libérales. De plus, **immobilier** et **construction** se sont développés de concert en suivant l'augmentation par paliers de la population. Le développement de ce secteur s'est appuyé dans une certaine mesure sur l'anticipation d'une nouvelle expansion, alimentant une spéculation au sein du marché immobilier qui entraîne un coût du logement élevé par rapport au reste du pays.

# Un peu d'histoire

## DE LA PRÉHISTOIRE AUX INDIENS CALIFORNIENS

La région qui est aujourd'hui la Californie était déjà habitée il y a au moins 7 000 ans par des descendants de peuples venus d'Asie, arrivés via le détroit de Béring entre 20 000 et 15 000 avant J.-C. Au milieu du 16e s., époque où les Européens abordèrent pour la première fois les côtes du Pacifique, une population amérindienne relativement importante, estimée à 310 000 individus, était répartie sur ce territoire en quelque 500 petites tribus indépendantes, parlant plus de 300 dialectes issus d'environ 80 langues et ne se comprenant pas entre elles. Quelques groupes tribaux prédominaient : les **Pomo**, installés dans les régions côtières près de l'actuelle Mendocino ; les **Maidu** dans les régions volcaniques proches du pic Lassen ; les **Miwok** dans la sierra Nevada et ses contreforts Ouest ; les **Palute** à l'Est de la sierra Nevada ; les **Salinan** sur la côte centrale, non loin de Monterey ; les **Chumash** dans ce qui constitue aujourd'hui les régions de Santa Barbara et de Ventura ; les **Gabrieleño** dans la région de Los Angeles ; et, enfin, les **Cahuilla**, établis plus à l'intérieur des terres, en retrait du site actuel de San Diego.

Occupant un territoire difficilement cultivable en raison de la rareté des pluies, les tribus se nourrissaient des produits de la chasse et de la pêche, ainsi que de la cueillette de glands et de baies sauvages. De complexes réseaux de troc permettaient aux populations de la côte, des vallées et des montagnes d'échanger fruits secs, coquillages, perles ou peaux d'ours contre divers produits du Grand Bassin tels que des obsidiennes, des peintures minérales, du sel, des pignons ou des mouches de mer séchées, spécialité culinaire de Mono Lake. Très dépendants de la nature et du cycle des saisons, ces Indiens étaient surtout des nomades qui établirent, principalement dans les régions côtières, plusieurs centaines de villages de taille variable.

Bien que menant une vie simple, les Indiens californiens surent développer des cultures et des organisations sociales très sophistiquées. Ils pratiquaient des religions complexes fondées sur la nature et ses phénomènes. Les hommes de la tribu soignaient leurs troubles physiques et spirituels en s'isolant dans des abris hermétiques provoquant la sudation. En de nombreux endroits de l'État, les tribus brûlaient les prairies pour contrôler la croissance des herbes, et ainsi favoriser une production plus abondante des récoltes sauvages. Les Indiens ont fait un art de la vannerie, fabriquant des récipients pour la cueillette et pour préparer et conserver la nourriture. Certaines tribus de la côte construisaient des bateaux de planches pouvant prendre la mer. Les tribus utilisaient les colliers de coquillages comme monnaie d'échange pour se procurer la nourriture dans les moments difficiles.

## LA CALIFORNIE ESPAGNOLE

| | |
|---|---|
| 1542 | **Juan Rodríguez Cabrillo** pénètre dans la baie de San Diego. |
| 1564 | Des galions commencent à accoster en Haute Californie, sur la route de Manille, Philippines. |
| 1579 | L'explorateur **Francis Drake** jette l'ancre près du cap Reyes pour réparer son bateau, et revendique la Haute Californie au nom de l'Angleterre. |
| 1602 | L'explorateur espagnol **Sebastián Vizcaíno** s'ancre dans la baie de Monterey. |
| 1728-1741 | Des explorateurs au service de la Russie découvrent le détroit de Béring, les îles Aléoutiennes et l'Alaska. |
| 1768 | Le marin anglais James Cook aborde le détroit de Nootka, dans l'actuelle Colombie Britannique, et revendique ce territoire au nom de l'Angleterre. |
| 1769 | L'Expédition sainte, menée par le père **Junípero Serra** et **Gaspar de Portolá**, établit la chaîne des missions de Haute Californie. |
| | Fondation de San Diego de Alcala, la première des 21 missions de Californie. Le sergent José Ortega, à la tête d'un détachement de l'expédition de Portolá, consigne par écrit ce que lui inspire la baie de San Francisco. |
| 1774 | Juan Bautista de Anza ouvre l'**Anza Trail**, piste reliant la ville mexicaine de Sonora à la mission San Gabriel Arcángel. |
| 1776 | Fondation de San Francisco. |
| 1781 | Un groupe de colons conduit par Felipe de Neve fonde Los Angeles. |
| 1812 | Fort Ross est établi sur la côte Nord, marquant la limite Sud de la pénétration russe en Amérique du Nord. |
| 1819 | L'Espagne cesse de revendiquer le territoire de l'Oregon ; le **traité Adams-Onís** (1819) détermine les frontières Nord de la Haute Californie le long du 42e parallèle. |
| 1821 | Proclamation de l'**indépendance du Mexique**. |
| 1822 | L'Espagne cède la Californie au Mexique. |
| 1826 | Le trappeur américain Jedediah Smith traverse le continent américain d'Est en Ouest jusqu'en Californie. |
| 1833-1834 | Le gouvernement mexicain décrète la **sécularisation** des missions. |

**Les premières implantations européennes** – Les multiples voyages de Christophe Colomb aux Caraïbes, à partir de 1492, ouvrirent la voie à la conquête du Nouveau Monde par les Espagnols. Après avoir aperçu l'océan Pacifique à Panama en 1513, puis conquis le Mexique en 1521, les conquistadors poussèrent vers le Nord et l'Ouest. En 1535, Hernán Cortés (1485-1547) explora une mer étroite – le golfe de Californie – et débarqua près du site actuel de La Paz, au Mexique. Prenant pour une île la péninsule sur laquelle il venait d'accoster – et qui deviendrait plus tard l'État mexicain de Basse Californie –, il la baptisa Californie, s'inspirant de l'île imaginaire de *Las sergas de Esplandián (Les Aventures d'Esplandian)*, roman écrit par Garcí Ordóñez de Montalvo en 1510.

Afin de trouver le légendaire **détroit d'Anian**, un profond bras de mer reliant l'Atlantique au Pacifique, la couronne d'Espagne envoya en juin 1542 l'explorateur portugais **Juan Rodríguez Cabrillo** sillonner la côte Nord du Pacifique. Au cours d'un voyage de sept mois qui fit de lui le premier Européen à explorer la **Haute Californie**, Cabrillo accosta notamment sur le site actuel de San Diego, l'île de Catalina et les Îles du Canal, ainsi que sur les futurs sites de San Pedro et de Santa Monica ; il atteignit même la latitude de Fort Ross, au Nord, sans repérer l'entrée de la baie de San Francisco.

Pendant les années qui suivirent, l'Espagne négligea ses droits sur la Californie, laissant le champ libre au corsaire anglais Francis Drake qui ancra son navire, le *Golden Hind*, au cap Reyes en 1577 *(voir p. 193)*. L'Angleterre ne prit jamais possession du territoire baptisé par Drake Nova Albion, mais cette intrusion incita l'Espagne à le protéger. En 1587, elle dépêcha Pedro Unamuno, puis en 1595 Sebastián Rodríguez, pour reconnaître les côtes et trouver un point d'ancrage et de ravitaillement pour les galions espagnols. En 1602, **Sebastián Vizcaíno** jeta l'ancre dans la baie de Monterey. La description erronée qu'il en fit amena 167 ans plus tard les membres de l'Expédition sainte à pousser plus avant et à découvrir la baie de San Francisco.

**La chaîne des missions** – En 1697, des prêtres jésuites établirent le premier jalon d'une chaîne de missions catholiques destinées à faciliter la colonisation de la Californie tout entière par l'Espagne. Chaque mission était constituée d'une église, de résidences pour les prêtres, d'écoles et de dortoirs pour les Indiens convertis (les néophytes), et entourée de milliers d'hectares de terres cultivables. Après s'être bien établie et développée, chaque mission devait être sécularisée et devenir un *pueblo* ou village, destiné aux néophytes et aux colons espagnols.

Les Jésuites étant tombés en disgrâce auprès du gouvernement espagnol qui, par ailleurs, s'inquiétait fort de l'apparition de colonies russes le long de la côte Pacifique Nord, la Couronne s'adressa en 1767 à l'ordre des Franciscains pour étendre la domination espagnole plus au Nord, en Haute Californie. Le **père Junípero Serra** (1713-1784) fut nommé à la tête de ces nouvelles missions. Serra, un tout petit homme de 54 ans, était né, avait fait ses études et avait été ordonné prêtre sur l'île de Majorque, où il avait enseigné la philosophie pendant plus de 15 ans. Il commença son œuvre de missionnaire au Mexique en 1749, gagnant une réputation de travailleur infatigable, alliant ferveur, ascétisme et ténacité, d'autant plus méritoire qu'il boita pendant les 35 dernières années de sa vie.

Au printemps de 1769, l'**Expédition sainte** – deux colonnes sur terre et trois navires de ravitaillement – quitta la Basse-Californie pour rallier San Diego. Le trajet par voie de terre, déjà long et difficile, fut rendu plus ardu par le naufrage d'un des trois bateaux et le retard des deux autres. Près de la moitié des 300 prêtres, soldats et colons périrent au cours du voyage. Privée de vivres, l'expédition fut sur le point de rebrousser chemin. Mais la seconde colonne, menée par le père Serra et **Gaspar de Portolá** (1723-1786), nommé plus tard gouverneur espagnol de la Haute Californie, fonda finalement à San Diego la première mission du territoire en juillet 1769. Au cours des 54 années qui suivirent, 20 missions supplémentaires furent établies en une chaîne s'étendant du Nord de San Diego jusqu'à Sonoma. Au fur et à mesure de leur création, ces avant-postes, chacun situé à une journée de voyage du suivant, furent reliés entre eux par une piste appelée **El Camino Réal**, « le chemin du roi », voie que suit aujourd'hui en grande partie la Highway 101. Aux néophytes qui vivaient dans la mission, on enseignait l'espagnol et la foi catholique. Les pères leur apprenaient aussi l'agriculture, la fabrication des briques, la ferronnerie, le tissage, le filage, la tannerie et l'élaboration du vin. La vie dans ces missions était cependant loin d'être idyllique. Le ravitaillement et l'équipement, qui tardaient parfois à arriver du Mexique, venaient souvent à manquer. Les tremblements de terre détruisaient les bâtiments de briques d'adobe. Nombreux furent les Indiens qui périrent de maladies européennes comme la rougeole, la varicelle, la diphtérie, la

Le père Junípero Serra

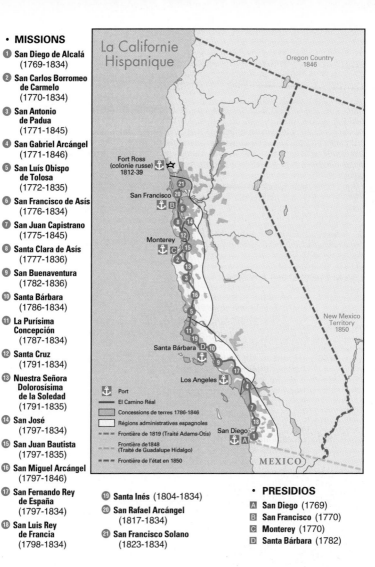

## • MISSIONS

1. **San Diego de Alcalá** (1769-1834)
2. **San Carlos Borromeo de Carmelo** (1770-1834)
3. **San Antonio de Padua** (1771-1845)
4. **San Gabriel Arcángel** (1771-1846)
5. **San Luís Obispo de Tolosa** (1772-1835)
6. **San Francisco de Asís** (1776-1834)
7. **San Juan Capistrano** (1775-1845)
8. **Santa Clara de Asís** (1777-1836)
9. **San Buenaventura** (1782-1836)
10. **Santa Bárbara** (1786-1834)
11. **La Purísima Concepción** (1787-1834)
12. **Santa Cruz** (1791-1834)
13. **Nuestra Señora Dolorosísima de la Soledad** (1791-1835)
14. **San José** (1797-1834)
15. **San Juan Bautista** (1797-1835)
16. **San Miguel Arcángel** (1797-1846)
17. **San Fernando Rey de España** (1797-1834)
18. **San Luis Rey de Francia** (1798-1834)
19. **Santa Inés** (1804-1834)
20. **San Rafael Arcángel** (1817-1834)
21. **San Francisco Solano** (1823-1834)

## • PRESIDIOS

- **A** San Diego (1769)
- **B** San Francisco (1770)
- **C** Monterey (1770)
- **D** Santa Bárbara (1782)

pneumonie, la tuberculose et la syphilis ; d'autres subirent aussi des violences physiques et des sévices sexuels de la part des colons. Il y eut des révoltes parmi les néophytes, et les Indiens non convertis qui vivaient en dehors du territoire des missions s'en prirent souvent à ceux qui y habitaient. San Diego, Santa Barbara, Monterey et San Francisco furent dotées de garnisons, les **presidios**, pour protéger les possessions espagnoles des attaques indiennes et étrangères.

La conversion des Indiens commença lentement, mais vers 1833, quelque 88 000 néophytes avaient été baptisés et 31 000 vivaient sur les terres de la mission. En 1834, toujours aux prises avec les troubles économiques et politiques qui avaient surgi 13 ans auparavant au lendemain de l'indépendance avec l'Espagne, le Congrès mexicain vota la sécularisation des missions de Haute Californie. José Figueroa (1792-1835), lui-même à moitié Indien et alors gouverneur de l'État, fit des proclamations de sécularisation qui devaient empêcher la confiscation des terres appartenant aux missions, mais ses ordres furent loin d'être suivis à la lettre. En 1845-1846, Pío Pico (1801-1894), qui lui succéda au poste de gouverneur, vendit 15 des missions à des acheteurs privés. En fin de compte, toutes les terres des missions tombèrent aux mains de propriétaires privés. Les bâtiments connurent toutes sortes d'utilisations séculières et profanes, et beaucoup se dégradèrent. Il fallut attendre 1865, date à laquelle le président Abraham Lincoln signa des décrets-lois restituant ces propriétés à l'Église catholique, pour qu'une partie des chapelles et des terres retrouvent leur usage religieux. Depuis le début du 20e s. on a restauré un grand nombre de missions, héritage du passé espagnol de la Californie, et leurs chapelles sont aujourd'hui des églises paroissiales locales.

**La période mexicaine** – Se rebiffant contre l'autorité d'une Espagne lointaine, les colons de la Nouvelle-Espagne (le Mexique) engagèrent une révolte contre leur mère patrie en 1810 et obtinrent finalement leur indépendance en 1821. La nouvelle république adopta une politique de laisser-faire envers la Haute Californie, nommant une succession de gouverneurs qui encouragèrent la colonisation du territoire en octroyant d'immenses parcelles de terre à de loyaux sujets et à des étrangers ambitieux. Ces **concessions** sont à l'origine des vastes ranchs d'élevage, ou *ranchos*. Certaines furent achetées par de riches familles qui se retrouvèrent à la tête de propriétés de 120 000 hectares et plus. À elle seule, la famille Pico contrôlait plus de 200 000 hectares au Sud de la Californie.

Dans ces vastes pâturages désolés naquit le commerce des peaux – « les billets de banque de Californie » – et du suif, qui attirait les clippers yankees de New York et de Boston ; ces bateaux prenaient la mer, via le cap Horn, pour des expéditions commerciales semblables à celle décrite par Richard Henry Dana dans *Two Years Before the Mast* (1840). En retour, les vaisseaux marchands apportaient les biens de consommation nécessaires à la population toujours croissante de Californie. Ils répandaient à l'Est toutes sortes de légendes sur le mode de vie agréable et accueillant de l'Ouest : réunions paisibles, rodéos passionnés et fiestas d'une semaine au sein d'immenses ranchs aux bâtiments en adobe. L'ère romantique des ranchos de Californie ne traversa guère que les années 1830 et 1840, mais son souvenir perdure dans l'architecture de certaines régions de la Californie moderne, ainsi qu'à travers les noms de grandes familles de propriétaires terriens comme Pico, Estudillo, Alvarado, Vallejo, Castro et Sepulvéda, que portent aujourd'hui villes et grandes rues, de San Diego au comté de Sonoma.

## L'AMÉRICANISATION

| | |
|---|---|
| 1839 | L'immigrant suisse **John Sutter** fonde la New Helvetia et construit Fort Sutter sur le site actuel de Sacramento. |
| 1841 | Le **groupe Bidwell-Bartleson**, chargé de frayer un chemin à travers les Rocheuses, arrive en Californie, ouvrant la voie aux futurs colons de la Grande Migration vers l'Ouest. |
| 1846 | Déclaration de la **guerre du Mexique** ; les États-Unis et le Mexique se disputent la possession du Texas et de la Californie. Les colons américains organisent la **Bear Flag Revolt** à Sonoma et proclament la Bear Flag Republic qui sera de courte durée. Un mois plus tard, le capitaine John Sloat hisse le drapeau américain dans la ville de Monterey et prend possession de la Haute Californie au nom des États-Unis, en y établissant un gouvernement militaire. |
| 1847 | Le capitaine José María Flores et le gouverneur Pío Pico se soumettent à l'armée américaine ; c'est la **capitulation de Cahuenga**, qui achève la conquête de la Californie par les Américains. |
| | Le premier journal californien, le *California Star*, est publié à San Francisco par Sam Brannan. |
| 1848 | James Marshall découvre de l'or dans le bief de la scierie de John Sutter à Coloma, déclenchant ainsi la **Ruée vers l'or** de 1849. |
| | Signature du **traité de Guadalupe Hidalgo**, qui met un terme à la guerre avec le Mexique. |
| 1849 | La Convention constitutionnelle de Californie se réunit au Colton Hall de Monterey ; le 13 novembre, un vote populaire ratifie la constitution. |
| 1850 | La Californie devient le 31e État de l'Union. À l'apogée de la Grande Migration vers l'Ouest, environ 45 000 personnes font route vers l'Ouest jusqu'à la Californie en suivant la California Trail. |
| 1854 | Succédant à Benicia, Sacramento devient la capitale de l'État. |
| 1859 | Les gisements d'argent de **Comstock Lode** sont découverts dans le Nevada voisin ; les richesses qui en résultent alimentent le commerce et l'industrie de San Francisco et de Los Angeles. |
| 1861 | Installation du 1er **télégraphe transcontinental**. |
| 1868 | Le Collège de Californie à Oakland est pris en charge par l'État, qui lui accorde une charte et le rebaptise **Université de Californie**. Le campus sera transféré à Berkeley en 1873. |
| 1869 | Les lignes ferroviaires Central Pacific et Union Pacific se rejoignent à Promontory Point dans l'Utah, créant ainsi la première **ligne transcontinentale**. |
| 1873 | La **guerre des Modocs** naît d'un conflit entre les Indiens modoc et les colons américains. |
| 1878 | Les orangers, importés du Brésil, prospèrent dans la région de Riverside et donnent le coup d'envoi de l'industrie des agrumes en Californie. |
| 1882 | Le **Chinese Exclusion Act** est voté par le gouvernement fédéral pour restreindre l'immigration des Asiatiques aux États-Unis. Cette loi sera abrogée en 1943. |
| 1890 | Une loi votée par le Congrès crée les parcs nationaux Yosemite et Sequoia. |
| 1891 | L'université Stanford s'installe à Palo Alto. |

**L'exploration – la constitution de l'État** – Durant les dernières années de la domination mexicaine, la croissance de la Californie se fit surtout à travers l'immigration de citoyens américains venus chercher des terres en concession. Pendant cette même période, la Californie attira bon nombre d'explorateurs et de colons aussi aventureux qu'entreprenants. Une expédition menée par Jedediah Smith (1799-1831) traversa le désert Mohave en 1826 et ses membres furent les premiers hommes blancs à franchir la sierra Nevada l'année suivante. En 1827, l'expédition de James Ohio Pattie rejoignit la Californie par le désert en suivant le lit de la rivière Gila. En 1833-1834, soixante trappeurs menés par Joseph Walker ouvrirent la voie qui allait devenir l'**Oregon Trail**, la piste préférée des immigrants vers la Californie et l'un des nombreux passages qu'on regroupera sous le nom de **California Trail**.

Dans les années 1840, la traversée de la sierra Nevada s'avéra très risquée malgré quelques succès retentissants tel celui du convoi de chariots de l'**expédition Bidwell-Bartleson** qui mit 24 semaines pour venir du Missouri. Les dangers inhérents à de telles équipées tournèrent au drame avec l'**expédition Donner** *(voir index)* qui vit 87 hommes, femmes et enfants bloqués par de fortes chutes de neige dans l'Est de la sierra pendant le terrible hiver 1846-1847. Il fallut attendre les années 1850 pour que des chemins carrossables traversent la sierra.

Craignant de plus en plus l'annexion de la Californie par les États-Unis, les Mexicains interdirent l'immigration américaine en 1845. Le gouvernement mexicain s'inquiétait particulièrement des reconnaissances conduites à travers la sierra par **John C. Frémont** (1813-1890), ingénieur topographe de l'armée américaine, qui parfois prenait pour guide le légendaire éclaireur **Kit Carson** (1809-1868). En mars 1846, on intima l'ordre aux étrangers possédant une arme de quitter la Californie. Provocateur, Frémont hissa le drapeau américain au sommet du pic Gabilan avant de battre en retraite dans l'Oregon.

Trois mois plus tard, après que la **guerre du Mexique** eut éclaté au Texas entre les États-Unis et le Mexique, des Américains hissèrent un drapeau orné d'un ours brun et d'une étoile au-dessus de la caserne mexicaine de Sonoma. À l'occasion de cette « Bear Flag Revolt », Frémont annonça la création d'une république indépendante de Californie. En quelques semaines, John D. Sloat s'empara de la capitale californienne de Monterey et déclara le territoire possession américaine. La guerre contre le Mexique se termina pour la Californie en janvier 1847. En février 1848, le **traité de Guadalupe Hidalgo** céda aux États-Unis la Californie et plusieurs autres possessions mexicaines situées au Sud-Ouest du pays. En septembre 1849, 48 députés se réunirent à Monterey pour rédiger, puis adopter une constitution ; le 9 septembre 1850, le président américain Millard Fillmore déclara officiellement la création de l'État de Californie.

**La Ruée vers l'or et la Grande Migration** – Quelques semaines avant que la paix ne soit officiellement signée avec le Mexique, des paillettes d'or furent découvertes dans le bief de la scierie de John Sutter, installée au bord de l'American River dans les contreforts de la sierra *(voir p. 111)*. L'annonce de cette découverte attira l'attention internationale, et dès l'année suivante, les chercheurs d'or, surnommés depuis les « Forty-Niners » (ceux de 1849), commencèrent à affluer par terre et par mer en Californie. Arrivant de l'Est des États-Unis, d'Europe, d'Asie et d'Amérique du Sud, ces milliers de mineurs improvisés entraînèrent à leur suite une foule de commerçants, conducteurs de chariots, prêteurs sur gages, aubergistes, prédicateurs, joueurs, prostituées et criminels.

Après la création de l'État, les opportunités qu'offraient les vastes étendues de la Californie attirèrent également des colons différents de ceux qui cherchaient fortune dans les mines. On estime que pour la seule année 1850, 45 000 personnes immigrèrent en suivant la California Trail. La population blanche de l'État, estimée à 15 000 personnes en 1848, était passée à près de 100 000 en 1850.

Une fois épuisés les filons de surface, qui avaient attiré tant de monde en Californie, des milliers de chercheurs d'or rentrèrent chez eux, ou se tournèrent vers d'autres entreprises. Toujours croissante, la population hétérogène de la Californie poursuivit ses activités d'élevage, d'agriculture, d'exploitation minière et bâtit des villes commerçantes qui connurent une expansion sans précédent comme San Francisco, Sacramento, Stockton et Marysville. Vers 1860, la population de l'État dépassait les 380 000 habitants et il y avait dix fois plus de têtes de bétail qu'en 1848. Le blé devint la culture principale des vallées du Sacramento et de San Joaquin. Dans les vallées côtières et le bassin de Los Angeles, on commença à produire à longueur d'année pratiquement toutes les variétés de fruits et légumes non tropicaux.

La découverte, en 1859, du gigantesque filon d'argent de **Comstock Lode** près de Virginia City, dans le Nevada, donna encore une nouvelle impulsion à la croissance de la Californie. Rapportant près de 400 millions de dollars en deux décennies, la mine permit de financer le développement industriel de la région et donna naissance, à San Francisco, à une élite financière formée de propriétaires miniers, d'entrepreneurs et de banquiers : les quatre propriétaires miniers de la firme Bonanza, John W. Mackay, James Fair, James C. Flood et William S. O'Brien ; les fondateurs de la Banque de Californie, William C. Ralston, William Sharon et Darius Ogden Mills ; Adolph Sutro, qui allait devenir le maire et le plus grand propriétaire foncier de San Francisco ; le magnat de l'exploitation minière, George Hearst, père du grand patron de presse William Randolph Hearst.

**Les chemins de fer** – En dépit de sa croissance, de sa prospérité et de son statut d'État, les communications entre la Californie et la partie des États-Unis située à l'Est du Mississippi restaient à la fois précaires et difficiles : diligences à quatre chevaux ; chariots à bœufs ; routes maritimes passant par le cap Horn ; liaisons hebdomadaires de bateaux à vapeur avec transit routier à travers le Nicaragua ou le Panama ; éphémère courrier du Pony Express, avant l'installation en 1861 du télégraphe transcontinental.

Pendant la guerre de Sécession (1861-1865), l'approvisionnement constant en or de Californie et argent de Comstock apporta un soutien capital à la campagne de l'Union, soulignant l'intérêt national d'un chemin de fer transcontinental. En 1857, l'ingénieur en construction ferroviaire **Theodore D. Judah** (1826-1863) avait mis au point et publié un projet de construction d'une voie ferrée empruntant le col Donner dans la sierra Nevada. En 1861, Collis P. Huntington, Mark Hopkins, Leland Stanford et Charles Crocker, quatre financiers que leur fortune et leur puissance fit surnommer **« Big Four »** (les 4 Grands), adoptèrent le projet de Judah et fondèrent la Central Pacific Railroad Company.

Le Congrès fédéral lui accordant 30 km de terrain de part et d'autre de la voie et des subventions s'élevant jusqu'à 30 000 dollars par kilomètre de voie sur terrain accidenté, la construction de la **Central Pacific Railroad** vers l'Est commença le 8 janvier 1863 au départ de Sacramento. Pas moins de 15 000 ouvriers chinois se lancèrent dans une course effrénée pour assurer la jonction avec l'**Union Pacific Railroad** qui venait de l'Est. Le 10 mai 1869, les deux lignes atteignirent Promontory Point, dans l'Utah. On planta un dernier tire-fond en or sur le rail reliant enfin l'Est à l'Ouest. Les autres voies ferrées construites durant les dix années suivantes (la Southern Pacific Railroad et la Santa Fe Railroad) relièrent San Francisco et Los Angeles au reste du pays en passant par l'Arizona, le Nouveau-Mexique et le Colorado.

**La fin du 19e s.** – Les chemins de fer favorisèrent la croissance de la Californie mais inondèrent aussi l'État de produits manufacturés bon marché venant des États de l'Est. Cela eut pour fâcheuse conséquence d'amener plusieurs entreprises californiennes à la faillite et de mettre leurs employés au chômage. Dans les années 1870, le sentiment de xénophobie s'ajoutant à la crise économique généra des violences des habitants à l'encontre des immigrants chinois, et entraîna le vote de lois fédérales pour l'exclusion des Chinois. Les tensions raciales provoquèrent d'autres tragédies en 1872 et 1873, lors de la répression par l'armée fédérale du soulèvement de la tribu modoc.

La Californie continua néanmoins d'attirer les immigrants, parfois piégés par de mirifiques opérations de spéculation foncière se terminant en fiascos, comme en Californie du Sud dans les années 1880. La crise de 1875 provoqua la faillite de nombreuses banques. En dépit d'une deuxième dépression en 1893, la Californie aborda le 20e s. avec un niveau de production économique plus que doublé par rapport aux années 1880.

## LE VINGTIÈME SIÈCLE

| | |
|---|---|
| 1905 | A.P. Giannini, un immigrant italien négociant en gros, fonde à San Francisco la Bank of Italy, qui deviendra plus tard la Bank of America. |
| 1906 | Un **fort tremblement de terre suivi d'un incendie** dévaste San Francisco ; la puissance du séisme est évaluée à 8,3 sur l'échelle de Richter. |
| 1911 | Le drapeau actuel de l'État de Californie est adopté par le corps législatif de l'État. |
| 1913 | L'**aqueduc de Los Angeles** apporte l'eau de la vallée de la Rivière Owens jusqu'à Los Angeles. |
| | Le premier long métrage d'Hollywood, *The Squaw Man*, est tourné dans une grange au coin des rues Selma et Vine. |
| 1914-1918 | **Première Guerre mondiale.** |
| 1915 | L'**Exposition internationale Panama-Pacifique** de San Francisco célèbre la résurrection de la ville après le tremblement de terre de 1906. L'**Exposition Internationale Panama-Californie** s'ouvre à San Diego. |
| 1927 | Sortie du premier film parlant à Hollywood. *Le Chanteur de jazz*, avec Al Jolson, met fin à l'ère des films muets. |
| 1929 | Le krach du marché boursier annonce le début de la Grande Dépression. |
| 1932 | Les **Jeux olympiques d'été** se déroulent à Los Angeles. |
| 1935 | Le **projet de la Vallée centrale** est terminé et permet d'irriguer la vallée avec l'eau des fleuves Sacramento et San Joaquin. |
| 1936-1937 | Inauguration des ponts **San Francisco-Oakland Bay Bridge** et **Golden Gate Bridge**, qui vont jouer un grand rôle dans le développement de la Californie du Nord et du secteur de la baie. |
| 1941 | Entrée des États-Unis dans la **Seconde Guerre mondiale**. Développement sans précédent de l'industrie aéronautique californienne. |

| | |
|---|---|
| 1942 | Le président Franklin D. Roosevelt signe le décret-loi 9066 ordonnant l'internement des Américains d'origine japonaise ; des milliers d'hommes sont parqués à Manzanar. |
| 1947 | Les « Dix d'Hollywood », un groupe de personnalités influentes de l'industrie cinématographique, sont mis sur une liste noire pour avoir refusé de témoigner devant la Commission du Congrès au sujet d'activités anti-américaines. |
| 1955 | Inauguration en fanfare de Disneyland dans les orangeraies des environs d'Anaheim. |
| 1958 | Première division de base-ball : les Brooklyn Dodgers s'installent à Los Angeles et les New York Giants déménagent à San Francisco. |
| 1961 | Formation du groupe des **Beach Boys**, qui vont devenir les idoles du « California sound ». Leurs tubes, dont le fameux *Surfin' USA*, propagent le rêve californien à travers toute l'Amérique. |
| 1963 | Le succès de *Beach Party*, avec Frankie Avalon et Annette Finicello, initie une série de films centrés sur le thème : « Voilà ce qui se passe lorsque 10 000 jeunes se retrouvent sur 5 000 tapis de plage. » |
| 1964 | Les manifestations organisées pour la liberté d'expression par les étudiants de l'université de Californie à Berkeley se soldent par l'arrestation en masse de manifestants. |
| 1965 | De violentes émeutes éclatent à Watts, enclave afro-américaine de la banlieue de Los Angeles, pour contester l'abrogation du Rumford Fair Housing Act – loi Rumford pour un « droit équitable au logement » interdisant la discrimination raciale. Il y a 34 morts. |
| 1967 | Le quartier Haight-Ashbury de San Francisco accueille les hippies pour le « Summer of Love » (L'Été de l'amour). |
| 1968 | Robert F. Kennedy est assassiné à Los Angeles. |
| 1969 | **Richard Nixon**, originaire de Yorba Linda et ancien sénateur de Californie (1950-1952), prend ses fonctions de 36e président des États-Unis. |
| **Fin des années 1960** | Devançant l'État de New York, la Californie devient l'État le plus peuplé des États-Unis, avec près de 20 millions d'habitants. |
| 1972 | Vote de la **Proposition 20** autorisant une commission d'État à réguler le développement côtier. |
| 1974 | **Edmund G. (Jerry) Brown** se présente sur la liste démocrate et est élu gouverneur de Californie. Son père, Edmund G. Brown Sr, avait été gouverneur de 1959 à 1967. |
| 1978 | Les Californiens votent la **Proposition 13** : cette initiative limite les impôts fonciers à 1% de la valeur des biens immobiliers estimée en 1976. |
| | **George Moscone**, maire de San Francisco favorable aux droits des homosexuels et **Harvey Milk**, conseiller municipal homosexuel, sont assassinés par Dan White, un autre responsable municipal en total désaccord avec eux. À l'annonce de la condamnation de White à 5 ans d'emprisonnement seulement, les homosexuels déclenchent d'importantes émeutes. C'est la « White Night ». |
| 1980 | **Ronald Reagan**, ancien acteur de cinéma et gouverneur de Californie (1966-1975) est élu 39e président des États-Unis. |
| 1983 | Le premier condor de Californie couvé en captivité sort de sa coquille au zoo de San Diego. |
| 1984 | Los Angeles reçoit les **Jeux olympiques d'été**. |
| 1989 | Le **tremblement de terre de Loma Prieta**, évalué à 7,1 sur l'échelle de Richter, frappe le Sud de la baie de San Francisco. |
| 1992 | De **violentes émeutes** éclatent à Los Angeles à l'annonce du verdict du procès Rodney King. |
| 1993 | Dianne Fenstein et Barbara Boxer entrent au Sénat américain ; la Californie est le premier État à avoir deux femmes sénateurs en fonction simultanément. |
| 1994 | Le **tremblement de terre de Northridge**, évalué à 6,8 sur l'échelle de Richter, bouleverse la vallée de San Fernando, au Nord de Los Angeles. |
| | Le Congrès vote le **Desert Protection Act** instaurant les parcs nationaux de la Vallée de la Mort et de l'Arbre de Josué, ainsi que la réserve nationale du désert Mohave. |
| 1997 | Le parc national de Yosemite est fermé de janvier à mars en raison d'inondations. |
| 1998 | Une loi nationale controversée interdit de fumer dans tous les lieux publics y compris les restaurants et les bars. |

**L'explosion démographique** – Au début du 20e s., la Californie s'approchait des 1,5 million d'habitants. Au cours des décennies qui suivirent, la population de l'État s'accrut presque deux fois plus vite que dans le reste de la nation, pour atteindre, en 1920, plus de 3,4 millions d'habitants et, en 1950, près de 10,6 millions.

Cette croissance fut surtout alimentée par l'expansion industrielle nouvelle de la Californie, concentrée principalement dans le Sud. L'amélioration des techniques agricoles au cours des années 1890 et la mise en place de marchés coopératifs avec la création, en 1905, de la Bourse californienne des producteurs fruitiers (California Fruit Growers Exchange) stimulèrent l'exploitation des agrumes. Au début du siècle, les forages pétroliers couvrirent le comté de Los Angeles et les comtés voisins, et la production passa de 4,3 millions de barils en 1900 à 105,7 millions en 1920. Avant la Première Guerre mondiale déjà, l'industrie cinématographique, appréciant l'agréable climat qui règne toute l'année en Californie et la diversité des décors naturels qu'offrent les alentours d'Hollywood à Los Angeles a fait de cette paisible bourgade la capitale mondiale autoproclamée du cinéma. Dans tout l'État, climat ensoleillé et paysages spectaculaires alimentaient aussi une industrie touristique en plein essor.

Les deux guerres mondiales ont renforcé les industries navale et aéronautique, alimenté l'économie des villes proches des bases militaires, et encore accru la population, une partie du personnel féminin et masculin choisissant de s'installer en Californie après la démobilisation. La population fit plus que doubler en vingt ans, passant de 6,9 millions en 1940 à plus de 15,6 millions en 1960 et 23,6 millions en 1980. En 1990, elle atteignait le chiffre de 29,9 millions d'habitants.

**La Californie contemporaine** – Une croissance d'une telle ampleur a eu un impact considérable sur l'histoire de l'État au 20e s. Les réserves en eau de la Californie, par exemple, ont été terriblement sollicitées. Bien que la densité humaine et les exploitations agricoles soient plus importantes dans le Sud de la Californie, près de 75 % de l'eau de l'État est fournie par des fleuves venant du Nord. Les plans de redistribution de l'eau, tels les projets de la Vallée centrale et de la rivière Owens ou le State Water Project, ont été au centre de luttes politiques enflammées tout au long du siècle.

Stimulé par un afflux constant de nouveaux citoyens, l'état est devenu un foyer d'activisme et d'avancée politiques. En 1911, des réformes adoptées dans tout l'État donnèrent aux Californiens plusieurs droits : le **référendum** ; l'**initiative**, par laquelle une pétition signée par 8 % des électeurs oblige de soumettre au suffrage populaire décrets, ordonnances ou amendements constitutionnels ; le **rappel**, qui offre aux électeurs la possibilité de démettre un élu de ses fonctions. En 1923, l'adoption d'une taxe sur l'essence permit de réunir des fonds pour la construction d'un réseau autoroutier dans l'État, ouvrant la voie à l'histoire d'amour qui lie les Californiens à l'automobile. À l'automne 1964, le **mouvement pour la liberté d'expression** (Free Speech Movement) né sur le campus de l'université de Berkeley fit entendre la voix des étudiants dans l'ensemble des dossiers politiques ou sociaux de la nation. Du début des années 1960 jusqu'à sa mort, **Cesar Chavez** (1927-1993) organisa les travailleurs agricoles des fermes de Californie et défendit leurs droits. Enfin, en juin 1978, l'initiative de Jarvis Gann, votée sous le nom de **Proposition 13**, exprima la volonté des électeurs de réduire la charge fiscale de l'État pesant sur la personne.

**L'avenir de la Californie** – Depuis les années 1970, la croissance de la population californienne s'est ralentie, et certaines enquêtes révèlent même que les gens seraient plus enclins à quitter l'État qu'à s'y installer. À en croire les médias nationaux et internationaux, le « rêve californien » qui avait attiré un si grand nombre de personnes, se serait étiolé. Comme les autres États de la nation et du monde, la Californie se trouve aux prises avec les problèmes économiques, sociaux et écologiques de la fin du 20e s. La récession du début des années 1990 et les réductions

---

### Le système administratif aux États-Unis

**Le niveau fédéral** – Les décisions concernant la politique étrangère, la défense, la justice, l'assistance publique et les grands projets de type réseau autoroutier sont prises par le gouvernement fédéral. Le pouvoir législatif est représenté par deux chambres (représentants et Sénat) et le pouvoir exécutif est confié à un président, élu pour 4 ans, et à ses 12 ministres (secrétaires d'État).

**Le niveau de l'État** – Chaque État possède sa propre constitution, ses propres lois et a le pouvoir d'un état européen pour les affaires intérieures. L'exécutif est représenté par un gouverneur et le législatif par deux chambres qui siègent à la « State House ».

**Le niveau local** – Les villes possèdent une autonomie exceptionnelle. Les grandes villes sont des *cities*. Leur maire, élu au suffrage universel, dispose de grands pouvoirs de décision : il dirige la police, la politique sociale, l'urbanisme.

budgétaires fédérales ont porté préjudice aux industries californiennes de défense, entraîné un chômage important et amorcé un sévère déclin économique. Dans certaines régions, l'air, les lacs, les rivières et les eaux côtières sont touchés par la pollution ; les pluies acides menacent la Vallée centrale et la sierra Nevada, et des marées noires, comme celle survenue dans le canal Santa Barbara en 1969, maculent parfois de goudron la côte. Les émeutes qui ont éclaté en 1992 à Los Angeles et ses banlieues après l'annonce des premiers verdicts du procès Rodney King ont jeté un jour cru sur la brutalité des inégalités sociales. L'immigration reste un sujet sensible avec les *boat people* qui arrivent d'Asie et les latinos qui passent la frontière mexicaine. L'État même semble déchiré de tensions politiques, puisque ses élus en sont venus à débattre de l'éventualité de diviser la Californie en deux ou trois entités plus facilement gouvernables.

La nature aussi peut se montrer imprévisible. L'état a subi des périodes de sécheresse contraignant par endroits ses habitants à de sévères rationnements en eau. À l'inverse, des pluies torrentielles et d'importantes chutes de neige ont produit des crues dévastatrices sur la côte Nord (1996), ainsi que dans la Vallée centrale et d'autres régions isolées, dont la vallée de Yosemite, en 1997. Aux incendies criminels frappant, entre autres, les environs d'Oakland (octobre 1992) et de Malibu (novembre 1993) a succédé la saison des pluies avec ses cortèges de boue et d'inondations. Des tremblements de terre importants, tels ceux de Loma Prieta près de San Francisco (octobre 1989) et de Northridge (janvier 1994) dans les environs de Los Angeles, laissent les habitants dans la hantise du « Big One », séisme majeur menaçant toujours les abords de la faille de San Andreas.

Des mesures ont été prises à l'encontre de ces menaces : création en 1960 du Centre de contrôle de la pollution des véhicules à moteur, chargé de surveiller l'émission d'oxyde de carbone des automobiles ; action d'organismes comme le Sierra Club, Tree People et Save the Whales (sauvez les baleines) qui luttent pour protéger l'environnement ; adoption de nouvelles normes de construction destinées à accroître la résistance au feu et aux tremblements de terre. Quant au débat sur la division de l'État, vieux déjà de plusieurs dizaines d'années, il est appelé à se prolonger au 21e s., l'indécision qui l'entoure valant peut-être constat que la Californie ne peut qu'être une et indivisible.

# L'architecture

Douceur méditerranéenne du climat, abondance de matériaux naturels de construction, vagues d'immigrants et chocs répétés entre romantisme et réalité ont façonné la mosaïque architecturale de la Californie.

**L'architecture indienne et espagnole** – Rares sont les vestiges architecturaux hérités des peuples qui occupaient la Californie avant l'arrivée des Espagnols. Des nombreuses traditions architecturales importées, les premières furent celles des prêtres, soldats et pionniers espagnols venus coloniser la Haute Californie. Ils érigèrent des forts *(presidios)*, des communautés agricoles *(pueblos)* et des édifices religieux (missions). Le père Junípero Serra établit neuf missions avant de mourir en 1784, mais c'est son successeur, le père Fermin Lasuén, qui développa réellement le style Mission de Californie. S'inspirant de monastères espagnols, plus précisément des monastères du Mexique, la

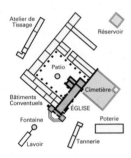

Plan d'une mission

mission californienne prenait généralement la forme d'une grande cour rectangulaire entourée d'une église étroite en adobe, d'arcades abritant les logis des prêtres *(conventos)*, de casernements, d'ateliers, d'une infirmerie et de dortoirs réservés aux Indiennes célibataires et aux jeunes enfants. L'église occupait toujours l'angle Nord-Est de la cour ; marquée par son clocher ou *campanario*, haute façade percée d'ouvertures en arcade pour les cloches. Les bâtiments situés à l'extérieur de la cour abritaient d'autres ateliers et les habitations des néophytes. Les Franciscains utilisèrent comme principal matériau de construction l'**adobe**, argile noire présente en abondance. Pour fabriquer les briques d'adobe, on remplissait des moules avec un mélange de paille et de boue que l'on faisait ensuite sécher au soleil. Les murs faisaient près d'un mètre d'épaisseur à la base et allaient en se rétrécissant vers

le haut. Toitures de tuiles en surplomb et revêtements de chaux protégeaient les briques des attaques de l'humidité. Formes et motifs décoratifs avaient de nombreuses sources d'inspiration, notamment l'Antiquité (mission de Santa Barbara), le style baroque et l'architecture mauresque d'Espagne (mission de Carmel). Les passages en arcades et les clochers dans le style des missions réapparurent à la fin du 19e et au début du 20e s.

**Le 19e s.** – La construction traditionnelle des colons mexicains de Californie consistait en un bâtiment rectangulaire de plain-pied en adobe, avec un sol de terre battue et des toits plats recouverts de goudron *(brea)*. Les demeures plus riches, telles que la Casa Estudillo de San Diego et la Casa de la Guerra de Santa Bárbara, ouvraient sur une cour intérieure à laquelle on accédait par un porche couvert ou *corredor*.
Les premières influences architecturales anglaises apparurent dans les années 1830, avec la construction de la maison Larkin à Monterey, maison à un étage entourée d'une véranda. Combinant adobe et charpente de séquoia, elle a des fenêtres à guillotine et des cheminées intérieures. Les balcons superposés et le toit de bardeaux de cette maison sont caractéristiques du style **Monterey Colonial**.
La Ruée vers l'or de 1849 entraîna un abandon soudain de l'architecture hispanique pour le style américain. Les colons arrivant dans le sillage de la Grande Migration vers l'Ouest bâtirent des maisons à ossature de bois avec des matériaux et des ornements importés de l'étranger ou de l'Est des États-Unis, comme les cheminées de briques, les manteaux de cheminée et les décorations de style néogothique. Certains pionniers expédièrent même d'endroits aussi éloignés que Boston, Londres ou Canton des maisons entières préfabriquées en tôle ou en bois.
Au fur et à mesure que le siècle avançait dans l'ère victorienne, les résidences de bois à formes arrondies devenaient à la mode : entre 1870 et 1890, cette vogue atteignit son apogée avec des rangées de maisons typiques à San Francisco et dans d'autres villes de la Californie du Nord, où le bois de séquoia était abondant. Communément qualifiées de victoriennes, ces maisons affichaient une combinaison fantaisiste de styles architecturaux mal définis, reflétant l'évolution rapide des procédés industriels, des goûts du public et des techniques commerciales. Les éditeurs de catalogues de modèles et d'échantillons contribuèrent à ce riche mélange des styles, adopté par une classe moyenne de plus en plus dépendante des modes.
Dans ces demeures victoriennes, le style **italianisant** prédominait dans les années 1870, avec des fenêtres de façade planes ou en saillie agrémentées de détails relativement simples et classiques comme les clefs de voûte. Ces maisons étaient en fait la version en bois des rangées de maisons en briques ou grès brun très répandues dans les villes de l'Est. Dans les années 1880 se développa un style plus anguleux laissant apparente la structure des maisons et considéré comme une variante du style Stick (ou « baguette ») américain. À l'époque, ce style était connu sous différents noms, comme celui d'**Eastlake** par exemple, du nom de l'écrivain et concepteur de mobilier Charles Eastlake. Il se caractérisait par une utilisation croissante du rectangle et des verticales, ainsi que par l'emploi nouveau d'ornements de bois travaillés de la même façon que

le mobilier. Durant les années 1880-1890, le fameux style **Queen Anne** donna quelques-unes des demeures victoriennes les plus pittoresques de Californie, comme la résidence Carson à Eureka. Variations de niveaux, ornementations variées, tours, tourelles, hautes cheminées, baies en saillie, balcons en retrait et frontons de toutes tailles y abondent.

**Le 20e s.** – Le classicisme devint à la mode en Californie, ainsi que dans le reste du pays, après avoir été popularisé à la foire de Chicago de 1893. Le centre administratif de San Francisco *(Civic Center, p. 278)* en est un très bel exemple. Avec le développement des

La résidence Carson

charpentes métalliques, les immeubles commerciaux du centre-ville – toujours recouverts de briques ou de pierres à l'épreuve du feu – montèrent jusqu'à dix étages et plus. Préfigurant les possibilités technologiques à venir, deux créations révolutionnèrent l'architecture : l'atrium au toit de verre du Bradbury Building, construit par George Wyman (1893) à Los Angeles *(p. 147)* et la façade en verre du Hallidie Building de Willis Pok (1917) à San Francisco *(p. 279)*. Au début du siècle, les idéaux du mouvement américain Arts and Crafts (« artisanat d'art ») avaient atteint l'Ouest et commençaient à s'épanouir dans l'œuvre d'architectes locaux tels

que Charles et Henry Green et Bernard Maybeck. Influencés par le Japon, les frères Greene s'attachèrent au détail, à l'expression de la ligne, à l'alliance de la maison et du jardin. En créant la très caractéristique Gamble House à Pasadena, ils produisirent ainsi le premier élément architectural californien exportable : le **bungalow**. Pendant les vingt premières années de ce siècle, d'innombrables variations du bungalow de Californie – maison de plain-pied en bois ou recouverte de stuc, avec une véranda ou un porche ouvrant sur un jardin – furent construites sur catalogue à travers tout le pays. La fin des années 1910 vit une approche plus sculpturale, plus révolutionnaire de la maison lorsque, inspiré par l'environnement paradisiaque du Sud de la Californie, le célèbre architecte américain Frank Lloyd Wright créa quelques-unes de ses œuvres les plus novatrices, comme la maison Hollyhock *(p. 167)* à Los Angeles. Le début des années 1920 vit la résurgence du style **colonial espagnol**, portée par l'enthousiasme que le public avait exprimé face au romantisme échevelé des bâtiments

Bâtiment de l'Eastern Columbia, à Los Angeles

installés pour l'exposition Panama-Californie de San Diego, en 1915. À cette occasion, l'architecte new-yorkais Bertram Goodhue s'inspira directement de l'architecture coloniale espagnole du Mexique, utilisant à foison coupoles, ornementations sophistiquées, carreaux de céramique et murs recouverts de stuc. Après le terrible tremblement de terre de 1923, Santa Barbara suivit la mode et reconstruisit ses principaux bâtiments administratifs dans le style colonial espagnol.

Vers la fin des années 1920, l'environnement de plus en plus industrialisé des États-Unis incita les architectes à chercher les moyens d'exprimer la modernité sans utiliser de références historiques. Le style **Arts déco** ou **moderne**, avec ses lignes élégantes, ses surfaces brillantes et sa décoration hautement stylisée, a été adopté sans réserve en Californie du Sud, terre de l'automobile et du cinéma, qui a trouvé là l'expression de son image séduisante. Les premières applications Arts déco

reprenaient des motifs cubistes ou en zigzag, comme ceux du grand magasin Bullocks Wilshire à Los Angeles *(p. 156)* ; les constructions bâties par la suite s'inspirèrent des lignes aérodynamiques conçues d'abord pour l'automobile et l'aéronautique.

D'autres approches éliminèrent les décorations surimposées, laissant le bâtiment exprimer seul sa fonction. De cette philosophie découlera le **style International**, qui apparaîtra pour la première fois en Californie à travers les œuvres (essentiellement des résidences privées) d'architectes tels que Rudolph Schindler et Richard Neutra, immigrant arrivé de Vienne dans les années 1920.

Manifestation du « dingue californien »

Allant jusqu'au bout de l'idée de « l'emballage architectural », de nombreux restaurants routiers adoptèrent une architecture locale originale pour prendre la forme d'objets aussi invraisemblables qu'un zeppelin ou un chapeau. L'exemple le plus célèbre fut le restaurant Brown Derby à Los Angeles *(aujourd'hui démoli)*. Ces édifices ont donné lieu à un nouveau type architectural, le **California Crazy** ou « dingue californien », dont l'incarnation la plus récente est le Chiat-Day-Mojo Building de Frank Gehry à Venice, construit en 1991, en forme de jumelles.

**Les lendemains de la Seconde Guerre mondiale** – L'industrie du bâtiment de la Californie connut un développement prodigieux après-guerre, avec l'essor de l'aéronautique et l'arrivée d'une véritable marée d'immigrants. L'État servit de laboratoire expérimental pour l'architecture résidentielle, en particulier autour de Los Angeles et de la baie de San Francisco, où les architectes mirent au point la gracieuse maison moderne, non cloisonnée. Partant du même principe, la **ranch house**, popularisée par le concepteur-promoteur Cliff May, devint synonyme de Californie des années 1950 au début des années 1960, et fut rapidement adoptée dans l'ensemble des États-Unis. Descendant du bungalow californien *(voir plus haut)*, le ranch, souvent très vaste, était bas et tout en longueur, possédait un garage pour deux voitures, et combinait confort moderne et touches romantiques de style néocolonial espagnol. Très éloigné sur le plan esthétique, mais partageant l'héritage de la grange californienne, l'ensemble d'immeubles résidentiels du Sea Ranch fut conçu en 1965 par Charles Moore et ses associés. Remarquable pour son intégration dans le paysage, le Sea Ranch initia un nouveau style qui fut adopté dans tout le pays pour la construction des stations balnéaires.

**Les tendances récentes** – Les centres de Los Angeles, de San Diego et de San Francisco ont été remaniés plusieurs fois depuis les années 1950, laissant surgir des buildings toujours plus hauts de styles variés, du style International à l'avant-garde en passant par le Post-modernisme. Frank Gehry, architecte de renom installé à Los Angeles, exprime les qualités pionnières de la Californie tant dans son œuvre américaine qu'à l'étranger et utilise des matériaux ordinaires comme le contreplaqué ou la clôture métallique de manière novatrice et souvent sculpturale. Parmi les architectes de renommée mondiale qui ont imprimé leur marque dans l'État, citons Louis Kahn (Institut Salk à La Jolla) ; Michael Graves (établissements vinicoles du Clos Pegase dans le Pays du vin, studios Disney à Burbank) ; Cesar Pelli (Pacific Design Center à Los Angeles) ; Philip Johnson (101 California Street, San Francisco). Plus récemment, une équipe internationale d'architectes dirigée par Fumihiko Maki a conçu le parc et le nouveau complexe artistique des Yerba Buena Gardens à San Francisco. Le musée d'Art moderne de San Francisco, qui a ouvert à Yerba Buena en 1995, est dû à Mario Botta, et, à Los Angeles, le complexe Getty *(p. 172)* inauguré en décembre 1997 à l'architecte Richard Meier.

# Les arts

Le climat, les paysages et la lumière exceptionnels de la Californie, ainsi que l'influence d'une myriade de cultures indigènes et immigrées, ont contribué au développement des arts visuels. Singularité et innovation alimentent la réputation grandissante de l'État comme centre international de l'art.

**L'art indien et l'art hispanique** – Plus de 7 000 ans avant l'arrivée des Européens, différentes cultures amérindiennes avaient déjà fleuri en Californie. On retrouve des pictogrammes de cultures anciennes au Lava Beds National Monument et des peintures rupestres Chumash près de Santa Barbara. Des parures royales en plumes et des objets tressés aux motifs élaborés ont été découverts dans toute la Californie.
L'art colonial espagnol fut introduit dans la région par les pères de la « chaîne des missions » établie après 1769. Les peintures murales qui ornent les murs et les plafonds des églises des missions San Juan Bautista et San Miguel Arcángel montrent une alliance étroite entre motifs et symbolique indigènes et tradition esthétique néoclassique du style colonial espagnol. Cette association se retrouve aussi dans les tableaux, les pièces d'argenterie, les objets de culte, les tissus et le mobilier de l'époque.

**Les influences du 19ᵉ s.** – L'afflux de population et de richesses dans le sillage de la Ruée vers l'or ouvrit la Californie à la peinture mondiale. Les immenses fortunes des magnats des chemins de fer et autres rois de l'industrie furent à l'origine d'importantes collections privées (collections Huntington à Pasadena et Crocker à Sacramento) et introduisirent l'art d'Europe et de l'Est des États-Unis, apportant à la peinture californienne l'influence des tableaux de genre, de l'impressionnisme et de l'éclectisme. Des artistes de la seconde moitié du 19ᵉ s., comme le peintre Albert Bierstadt et le photographe Carleton Watkins, inspirés par les paysages magnifiques de la région, conçurent des œuvres grandioses qui permirent à de nombreuses personnes de l'Est de découvrir les merveilles de la Californie. Dans la dernière partie du siècle, l'intérêt grandissant du public pour la peinture fut renforcé par la fondation de l'école des Beaux-Arts de Californie (California School of Fine Arts), aujourd'hui connue sous le nom d'Institut d'art de San Francisco *(p. 287)*, du M.H. Young Museum et du Southwest Museum.

**Le début du 20ᵉ s.** – Dès le début du siècle, des communautés artistiques se formèrent à Carmel, La Jolla, Long Beach et dans d'autres bourgades pittoresques de la côte. Les Impressionnistes californiens et les peintres du mouvement **« Plein-air »** dont fit partie Franz Bischoff et, plus tard, la « Société des Six » d'Oakland, créèrent des paysages chatoyants, inspirés par la lumière et les décors naturels exceptionnels de la région. Avec la croissance de Los Angeles à la fin des années 10 et le développement de l'industrie du spectacle, l'art en Californie du Sud adopta une ligne plus moderne et plus abstraite, que l'on remarque surtout dans l'œuvre de Stanton MacDonald-Wright : celui-ci s'inspira des formes cubistes pour créer un style qu'il baptisa « synchromiste ». Walter Arensberg, illustre collectionneur d'art primitif et moderne, fut le pivot d'une communauté artistique grandissante, dont faisait partie la céramiste Beatrice Wood. Durant les années 30, abstraction, surréalisme et réalisme social impré-

gnèrent tableaux et fresques murales. L'artiste mexicain Diego Rivera signa plusieurs peintures murales à San Francisco, tandis que José Orozco et David Siqueiros en réalisèrent à Los Angeles. Ces œuvres ont inspiré les peintures murales de la Works Progress Administration, de même que les fresques qui ornent les quartiers latino-américains et les communautés urbaines de la Californie contemporaine.

Au début du siècle, les impressionnants décors naturels de la Californie attirèrent des photographes de talent comme Edward Weston et Ansel Adams, surtout connu pour ses remarquables clichés pris dans le parc national de Yosemite. D'autres photographes, dont Dorothea Lange et Imogen Cunningham, ont choisi d'immortaliser les habitants de la Californie.

**L'après-Seconde Guerre mondiale** – Vers le milieu du 20e s., Clyfford Still et Mark Rothko, membres associés de l'Institut d'art de San Francisco, furent à l'origine d'une explosion de la peinture abstraite parmi leurs étudiants, dont Sam Francis et Robert Motherwell. Par réaction, des artistes tels que Elmer Bischoff, Richard Diebenkorn et David Park lancèrent un mouvement de peinture figurative qui prit le nom de **Bay Area Figurative**. La culture populaire inspira le Pop'Art et les Nouveaux Réalistes des années 1960 (Ed Ruscha, Wayne Thiebaud, Robert Bechtle), qui furent suivis par une vague de conceptualistes (Bruce Nauman, William T. Wiley).

Les musées d'art de la Californie du Sud connurent une grande expansion après-guerre, notamment le Los Angeles County Museum of Art. Des peintres de Los Angeles explorèrent la peinture abstraite *hard edge* « à bords francs » (John McLaughlin, Lorser Feitelson), mettant l'accent sur une « finition parfaite » de la surface et de la lumière qui se retrouvera de façon évidente dans les œuvres de Robert Irwin et James Turrel. Dans les années 1950, la Ferus Gallery constituera un noyau d'influence sur la scène artistique et lancera les peintres Edward Kienholz et Ed Moses. Dans les décennies qui suivront, plusieurs nouveaux musées et galeries feront leur apparition dans la région de Los Angeles, notamment le musée J. Paul Getty et le musée d'Art contemporain qui feront de la ville un grand centre artistique international. Des peintres locaux renommés, comme David Hockney, Jonathan Borofsky et Guillermo Gomez-Pena, attireront l'attention du monde des arts sur la Californie du Sud.

Éclectisme et pluralisme caractérisent aujourd'hui l'univers artistique de la Californie. Ces dernières années ont vu s'ouvrir des centres artistiques multiculturels comme les Yerba Buena Gardens de San Francisco, et des espaces réservés aux grandes installations, comme le musée d'Art de Santa Monica. Aujourd'hui, des artistes tels que Chris Burden continuent de diffuser les conceptions actuelles de l'art. On peut découvrir des œuvres novatrices dans des lieux tels que la Sushi Gallery de San Diego et Highways à Santa Monica, ou de nombreux espaces consacrés à l'art dans le quartier South of Market de San Francisco.

**Les arts du spectacle** – La Californie est toujours reconnue comme un foyer de la pop music, genre musical apparu dans les années 1960 avec les succès de groupes comme les Beach Boys et The Mamas and the Papas. De nombreux mélomanes de l'État sont férus de musique classique ; des concerts sont donnés régulièrement par les prestigieux orchestres de Los Angeles et San Francisco. D'autres formations classiques rencontrent un franc succès dans les villes moins importantes. Le Los Angeles Music Center Opera, le San Francisco Opera et le San Diego Opera organisent de grandes saisons musicales ; les danseurs du San Francisco Ballet y maintiennent une troupe permanente.

Attiré par un environnement ensoleillé et propice à la création, mais aussi par le chant des sirènes d'Hollywood, de nombreux auteurs et acteurs viennent exercer leur art sur les scènes californiennes, insufflant au théâtre un remarquable dynamisme. Jouées à San Francisco, Los Angeles, Pasadena, Berkeley, La Jolla et San Diego, pièces du répertoire classique et œuvres originales rencontrent un écho national.

Mickey Pfleger /San Francisco Ballet

Kathleen Mitchell dans
*Les Rubis* de Balanchine

## Mouvements et artistes principaux du 20e s.

Le tableau ci-contre a pour but d'aider à situer les principaux peintres et sculpteurs du 20e s.

L'appartenance d'un artiste à un mouvement n'exclut pas sa participation à un autre. Picasso fut créatif de 1900 à 1973… et Kandinsky, bien que cofondateur du mouvement expressionniste *Der Blaue Reiter*, est surtout connu pour sa participation active à la naissance de l'abstraction.

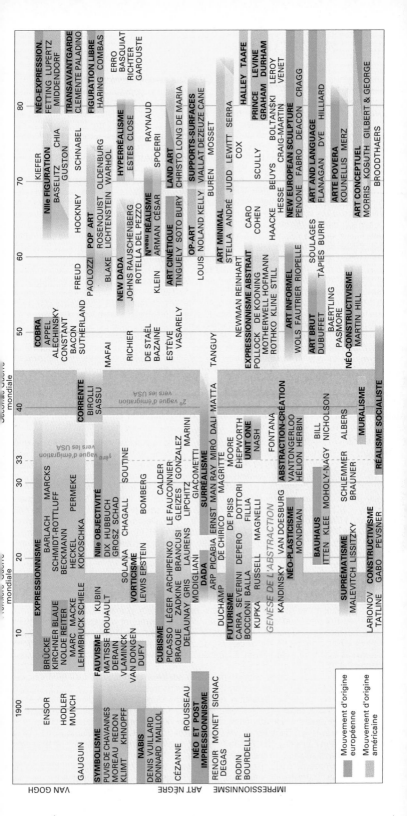

*Les couleurs dégradées indiquent l'origine
et l'influence des mouvements*

# La littérature

**Les origines** – Les tribus indiennes de Californie ne connaissaient pas l'écriture. Mais elles furent nombreuses à transmettre oralement de génération en génération leur riche héritage mythologique, répertorié ensuite par les historiens et anthropologues des 19ᵉ et 20ᵉ s., notamment Alfred L. Kroeber, auteur du *Handbook of the Indians of California* (1925). Les carnets de voyages des explorateurs du 18ᵉ s. sont riches aussi de vivantes descriptions des Indiens et de leurs territoires. Citons notamment le journal de voyage dans lequel le père Juan Crespi consigna les événements de l'Expédition sainte de 1769 et le mémoire que rédigea le père Francisco Garcés sur sa traversée du désert Mohave et des monts Tehachapi en 1776.

Les comptes rendus en langue anglaise sur les voyages et la vie dans la Californie hispanique constituent la première littérature proprement californienne, le plus remarquable étant *Two Years Before the Mast* (années 1840) de Richard Henry Dana, décrivant la vie maritime le long de la côte californienne. La Ruée vers l'or fut pour beaucoup dans le développement de l'édition, favorisant l'essor rapide des deux premiers journaux de l'État : *The Californian*, lancé en 1846, et le *California Star*, dont le premier numéro fut publié en 1848 par Sam Brannan. Plusieurs revues littéraires apparurent à la même époque, notamment la *Golden Era* (1852), qui publia les premières œuvres de Bret Harte, de **Mark Twain** (1835-1910), et des poètes Joaquin Miller et Charles Warren Stoddard. Ces auteurs, et d'autres, se forgèrent une réputation nationale et internationale en décrivant la vie rudimentaire dans la Californie de la deuxième moitié du siècle. À travers des nouvelles, réunies dans *Les Contes des argonautes* (1875), Harte brossa pour ses lecteurs un tableau plus grand que nature du pays de la Ruée vers l'or. Twain, qui séjourna à San Francisco et dans le Pays de l'or au début des années 1860, publia des croquis de la région dans *The Overland Monthly* et émailla de descriptions hautes en couleur ses livres *À la dure* et *Les Innocents en voyage*, ainsi que sa fameuse histoire *La Célèbre Grenouille sauteuse de Calaveras*.

Parmi les nombreux autres écrivains à qui l'on doit des chroniques mémorables sur l'État, on a notamment Ambrose Bierce, journaliste à San Francisco et auteur de nouvelles, le naturaliste John Muir *(voir index)* et l'écrivain écossais **Robert Louis Stevenson** *(voir index)* qui vécut un temps dans la vallée de Napa. En Californie du Sud, la romancière Helen Hunt Jackson écrivit *Ramona* (1884), immense succès populaire illustrant la vie à l'époque des missions.

**Le 20ᵉ s.** – L'éveil d'une conscience sociale, qui se manifestait dans la littérature américaine du début du siècle, trouva un écho chez de nombreux auteurs californiens, notamment chez le romancier Frank Norris et le poète Edwin Markham. **Jack London** (1876-1916), originaire d'Oakland, écrivit plus d'une vingtaine de romans d'aventures ouvertement autobiographiques illustrant son idéal social. Installé à Pasadena, le romancier Upton Sinclair (1878-1968) s'insurgea contre les inégalités sociales à travers quelque 90 ouvrages. **John Steinbeck** (1902-1968), seul prix Nobel de littérature californien (1962), décrivit avec compassion les travailleurs de la Vallée centrale et de Monterey dans plusieurs de ses romans, *Tortilla Flat* (1935), *Des souris et des hommes* (1937), *Les Raisins de la colère* (1939) et *Rue de la Sardine* (1945). La face sombre des usines à rêve d'Hollywood fut explorée par le scénariste Nathanael West (1903-1940), dans son roman apocalyptique *Le Jour du fléau* (1939), tandis que Raymond Chandler (1888-1959) se démarquait du roman policier traditionnel avec quatre récits mettant en vedette Philip Marlowe, le coriace détective privé de Los Angeles.

Originaire de Fresno, **William Saroyan** (1908-1981) sut nimber d'une beauté surréelle la vie quotidienne des gens ordinaires dans ses nombreux romans, nouvelles et pièces. Le poète Robinson Jeffers (1887-1962) célébra Carmel et ses environs, soulignant l'insignifiance de l'humanité face aux desseins souverains de la nature. Wallace Stegner (1909-1993), prolifique romancier et historien qui enseigna à l'université Stanford, évoqua la fascination de l'Ouest américain, remportant le Prix Pulitzer pour *Angle of Repose* (1971).

Au lendemain de la Seconde Guerre mondiale, un désir de rejeter la société américaine trouva son expression au sein d'un groupe d'écrivains et d'artistes de San Francisco, qui se baptisèrent la **Beat Generation** *(voir index)* : ils possédaient, selon les termes du romancier **Jack Kerouac** (1922-1969), « une connaissance profonde... une sorte de « pulsion intérieure ». La voix passionnée de la beat generation trouva sans doute sa meilleure expression dans les œuvres de poètes comme Lawrence Ferlinghetti (né en 1919) et Allen Ginsberg (1926-1997), jetant souvent un regard critique sur la société, et rencontrant souvent sa désapprobation.

Aujourd'hui, une nouvelle génération d'écrivains décline tous les sujets dans tous les styles, depuis les best-sellers de Maxine Hong Kingston (née en 1940) et Amy Tan (née en 1952), grandes fresques reliant l'Asie à la Californie, en passant par les étranges récits sur Los Angeles de T. Coraghessan Boyle, né en 1948 et habitant la vallée de San Fernando. Ou aussi les récits et la poésie de l'Afro-américaine Wanda Coleman (née en 1946), riches en émotion, et les vers novateurs de Gary Soto (né en 1952), poète chicano nationalement reconnu, né à Fresno. Les nouveaux écrivains californiens trouvent à s'exprimer dans des revues et magazines littéraires expérimentaux ou confirmés, comme *The Treepenny Review* de Berkeley et le *Zyzzyva* de San Francisco.

# La gastronomie

La célèbre critique gastronomique M.F.K. Fisher décrit la philosophie culinaire de sa Californie natale comme « une aimable acceptation de tout ce qui est bon », résumant ainsi l'intégration par la cuisine régionale d'une myriade de traditions ethniques, et son attachement à la fraîcheur et à la qualité.

Dans la plupart des villes de grande ou moyenne importance, Californiens et touristes peuvent goûter aux cuisines du monde entier sans se déplacer sur plus de quelques kilomètres. Restaurants mexicains, italiens, chinois, japonais et thaïlandais de l'État sont particulièrement appréciés.

**La cuisine californienne** – Imprégnée de ces influences internationales, la cuisine dite californienne mêle les styles culinaires américains, français, asiatiques et latino-américains. Alice Waters, fondatrice du très célèbre restaurant *Chez Panisse* de Berkeley, passe pour être la créatrice de cette cuisine, popularisée ensuite en Californie du Sud par Michael McCarty dans son Michael's Restaurant de Santa Monica, ville côtière de Los Angeles.

L'appellation « cuisine californienne » apparaît aujourd'hui sur des centaines – pour ne pas dire des milliers – de menus affichés dans l'État.

La qualité première de cette cuisine est qu'elle s'appuie sur d'excellents produits locaux : poissons et fruits de mer du Pacifique ; légumes, fruits et volailles de la vallée de San Joaquin et d'autres régions ; innombrables spécialités proposées par de petits producteurs, entre autres fromage de chèvre frais, agneau élevé en plein air, variétés rares de bananes, légumes nains dont on ne fait qu'une bouchée.

La préparation des aliments est généralement simple et rapide. Leur présentation dans l'assiette est souvent digne d'un artiste.

Les plats principaux, viandes, poissons et crustacés, sont habituellement grillés au barbecue, méthode de cuisson pleinement adaptée à la vie au grand air des Californiens. Ces dernières années, de nombreux chefs ont adopté le bois de mesquite (sorte d'acacia) qui fournit une chaleur intense et odorante, ou bien d'autres bois aromatiques.

Les salades, qui constituent souvent un repas complet, présentent un mélange exubérant de produits locaux, parfois agrémenté de viande, de volaille ou de fruits de mer, et souvent garni d'**avocat californien**, si courant qu'on le surnommait autrefois « beurre indien ». L'avocat a toujours sa place dans les sandwiches, ou dans le fameux *guacamole*, hors-d'œuvre mexicain composé de purée d'avocat mêlée de jus de citron jaune ou vert et de piments.

La cuisine californienne se conjuguant aussi sur le mode diététique, les desserts sont souvent légers et parfumés, par exemple sorbets ou salades de fruits frais. Mais les chefs prennent aussi plaisir à innover et seront fiers de proposer leurs merveilles aux inconditionnels du sucre ou du chocolat.

**Des vins de réputation internationale** – D'une fraîcheur et d'une saveur comparables à celles des produits du terroir et de la cuisine régionale, les vins de Californie sont les compagnons naturels de la table. Il ne leur a fallu que quelques décennies pour imposer leur qualité et donner à l'industrie vinicole californienne une réputation internationale.

Robert Holmes

Vendeur de fruits de mer sur Fisherman's Wharf, à San Francisco

Outre un sol fertile, le raisin nécessite une longue période de journées chaudes et de nuits fraîches, ce que plusieurs régions de Californie offrent en abondance. Les comtés de Napa et de Sonoma, connus sous le nom de Pays du vin (Wine Country), forment la meilleure région vinicole, mais ne sont pas les seuls producteurs de vins californiens. Au Nord-Ouest du Pays du vin, le comté de Mendocino fournit aussi d'excellents crus, tout comme la vallée de Livermore à l'Est de San Francisco, la région de Monterey, la haute vallée de Salinas près de Paso Robles, la vallée de Santa Ynez dans l'arrière-pays de Santa Barbara, et la vallée de Temecula dans le comté de Riverside, au Nord de San Diego.

La production vinicole actuelle de la Californie est en grande partie issue de boutures de *Vitis vinifera*, introduites ici au 19e s. Ces souches ont été testées et adaptées au fil des générations, grâce aux énormes progrès scientifiques réalisés au cours du siècle dans la culture et la vinification par le Département de viticulture et d'œnologie de l'université de Californie, à Davis. Le Cabernet Sauvignon, raisin du Médoc aux petits grains d'un noir bleuté, est le mieux adapté à la terre californienne. Il donne un vin rouge généreux. Le Pinot Noir de Bourgogne est surtout utilisé dans la fabrication des vins pétillants de Californie. Parmi les autres raisins rouges originaires d'Europe, citons le Cabernet Franc, la Petite-Sirah et le Napa Gamay (issu du Gamay français du Beaujolais) et le Zinfandel, cultivé aujourd'hui essentiellement en Californie.

Certains des meilleurs vins blancs de Californie sont fabriqués à partir du Chardonnay, premier raisin blanc de la région de Chablis et de la Bourgogne. Le Chardonnay donne un vin sec, fruité, au bouquet riche caractérisé par l'arôme des fûts de chêne dans lesquels on le laisse souvent vieillir. Le Sauvignon blanc, utilisé dans la fabrication des Sauternes et Pouilly-Fumé français, est un raisin qui se plaît dans les régions plus fraîches. Le Pinot blanc, de la même famille que le Pinot noir de Bourgogne, est très présent dans la composition des vins pétillants. Parmi les raisins blancs d'origine européenne figurent aussi le Riesling et le Chenin blanc.

# Les Californiens

Si les États-Unis forment dans leur ensemble un immense « melting-pot », la Californie donne vraiment l'image d'une immense marmite où des gens d'origines ethniques, raciales et culturelles radicalement différentes vivent côte à côte, tout en préservant leurs caractères distinctifs. Les 32,3 millions d'habitants de l'État (1998) viennent d'horizons multiples : les blancs d'origine européenne représentent environ 57 % de la population ; les Asiatiques à peu près 9 % ; les Afro-Américains 7,4 %. Au moins 25 % des Californiens sont de différentes origines latino-américaines.

Cette diversité n'est pas également répartie dans l'État. Un pourcentage très important de « latinos » vit dans le Sud de la Californie, montrant les solides attaches qu'a gardées la région avec le Mexique et l'Amérique centrale. On trouvera les plus grandes enclaves asiatiques dans le Nord, en particulier dans la région de la baie de San Francisco. Dans tout l'État, des communautés très unies préservent résolument les traditions de leurs pays d'origine. Laotiens de Fresno, Basques de Bakersfield, mondialement célèbre Chinatown de San Francisco... Les grandes métropoles de Los

La parade du Dragon d'Or, à Los Angeles

Angeles, San Francisco et San Diego affichent une grande diversité ethnique et attirent un flux constant d'immigrants venant des États-Unis et du monde entier pour tenter leur chance. En revanche, villes plus petites et régions rurales font presque penser au Middle West avec leur population homogène.

**L'art de saisir sa chance** – Quelles que soient leurs différences, les Californiens ont en commun d'avoir répondu à l'appel de la Californie, terre de toutes les chances où l'on peut faire table rase du passé et commencer une nouvelle vie. Lors de la Grande Migration vers l'Ouest au début du 19e s., ce territoire distant et inaccessible n'avait attiré qu'un petit nombre de pionniers de l'Est. Puis vint le raz de marée de la ruée vers l'or. Lorsque la fièvre de l'or se fut calmée, la voie ferrée transcontinentale, achevée aux alentours de 1870, continua à apporter un flot continu de colons en quête d'une nouvelle vie sous le ciel clément et dans les beaux paysages de Californie. Ouverture de nouveaux territoires, développement de l'agriculture, essor des industries de l'aéronautique et de la défense, explosion d'Hollywood puis de l'informatique dans la Silicon Valley : toutes ces opportunités, qui semblaient inépuisables, ont attiré hommes et femmes dans cette Californie dont le pouvoir attractif reste fort.

**Oppositions et contrastes** – Diversité et tolérance peuvent surprendre ou dérouter visiteurs ou nouveaux venus qui croisent pour la première fois des adeptes du rollerskate en bikini sur le front de mer de Venice Beach ou un défilé du Gay Pride (mouvement homosexuel) dans les rues de San Francisco. La liberté individuelle est une valeur californienne. Les visiteurs qui pensent que cette liberté va seulement dans le sens du libéralisme doivent se souvenir que si la Californie est le berceau du Mouvement pour la liberté d'expression, elle est aussi celui de la John Birch Society, un mouvement d'extrême droite apparu dans le comté d'Orange, et que si les Californiens ont élu au poste de gouverneur le démocrate « New Age » Jerry Brown, ils avaient élu aussi au même poste le conservateur Ronald Reagan.

L'écrivain anglais Rudyard Kipling a dit du Californien typique des années 1880 qu'il « ne connaît pas la peur, se conduit comme un homme, et possède un cœur aussi grand que ses bottes ». Au cours du siècle suivant, cet esprit de générosité et de tolérance continua d'attirer les colons, car des pionniers de toutes convictions avaient trouvé en la Californie une terre d'accueil.

Les contrastes, ce sont aussi les modestes bourgades rurales de la Vallée centrale ou l'extrême pauvreté qui règne dans le quartier de Los Angeles South Central. Ces constats mettent à mal le fameux mythe californien, même si l'on retrouve celui-ci bien vivant sur les magnifiques plages du Sud, dans les boutiques élégantes de Beverly Hills, sur les champs de ski dominant le lac Tahoe, dans les vignobles et les caves du Pays du vin. Finalement, politiquement, culturellement et socialement, la Californie est une terre – et les Californiens, un peuple – de contrastes et de démesure, qui défie toute définition.

San Francisco – Alamo Square

Dirk Dietrich

# Villes
# et curiosités

# Central Coast

Jadis économiquement dépendante de l'agriculture, de la pêche et des industries alimentaires, la zone côtière centrale tire aujourd'hui ses revenus d'une agriculture dynamique et d'une solide industrie touristique. Une beauté naturelle spectaculaire, des racines espagnoles, des traditions artistiques et littéraires bien vivantes, un subtil mélange de sophistication et de décontraction participent à sa popularité.

Depuis 25 millions d'années, les mouvements de la croûte terrestre ont graduellement soulevé les couches jadis immergées pour former les Coast Ranges. Les chaînes du Sud, relativement jeunes, sont composées d'un massif granitique ceinturé à l'Est et à l'Ouest de roches franciscaines (roches sédimentaires trouvées près de San Francisco). Les failles de San Andreas et de Nacimiento séparent les zones de roches sédimentaires plus tendres du massif granitique qui forme aujourd'hui la chaîne Santa Lucia.

Les montagnes sont parsemées d'une multitude de vallées très fertiles. La plus vaste d'entre elles, la vallée de Salinas, s'étend sur 160 km entre les chaînes Gabilan et Santa Lucia. Citons aussi la plaine côtière longeant la baie de Monterey, la baie de Carmel et La Cañada de los Osos, site de San Luis Obispo. Ces vallées autrefois riches en gibier servirent de base aux tribus Costanoan, Esselen et Salina. La colonisation, qu'elle ait été espagnole, mexicaine ou américaine, en favorisa le développement.

Après avoir navigué le long des côtes inhospitalières du « Grand Sud », les Espagnols finirent par trouver un havre dans la baie de Monterey. Gaspar de Portolá et le père Junipero Serra y arrivèrent en 1770 et y établirent un pueblo avec un presidio et une chapelle. Monterey fit office de capitale coloniale de la Haute Californie, point de départ de toute une série de missions qui s'égrenaient le long du Camino Real de San Luis Obispo au Nord jusqu'à San Juan Bautista au Sud, en traversant la vallée de Salinas. Lorsque la Californie fut rattachée aux États-Unis en 1846, les centres économique et politique se déplacèrent, transformant la Côte centrale en zone tampon entre les centres populeux du Nord et du Sud. Horticulture, pêche et conserverie, toutes activités à caractère traditionnel furent décrites avec beaucoup d'acuité par John Steinbeck, natif de Salinas. D'autres artistes vinrent chercher paix et inspiration dans le pittoresque village de Carmel ou dans la beauté sauvage du « Grand Sud ». Aujourd'hui, des touristes du monde entier visitent cette région, attirés par ces mêmes paysages enchanteurs et cette ambiance nonchalante qui, à d'autres époques, avaient enflammé les imaginations d'Henry Miller, George Sterling, Henry Weston, Robinson Jeffers ou encore celles de Jack Kerouac et Richard Brautigan.

# BIG SUR★★★

Le « GRAND SUD »

Carte Michelin n° 493 A 9

Cette côte spectaculaire, s'étendant sur environ 145 km depuis le Sud de Carmel jusqu'à San Simeon, symbolise depuis toujours autant un état d'esprit qu'un lieu géographique. Sa mystique perdure aujourd'hui dans le silence des canyons peuplés de séquoias, sur les crêtes de granit plongeant à pic dans l'écume des vagues, dans les mots du poète Robinson Jeffers, « telles les fières encolures d'un troupeau de chevaux enfiévrés par l'été ».

## UN PEU D'HISTOIRE

Les Indiens Esselen occupaient cet endroit sauvage depuis près de 1 800 ans quand vers 1770 les Espagnols débarquèrent et baptisèrent du nom de El Pais Grande del Sur (le grand pays du Sud) cette terre vierge, au Sud de leur mission de Carmel. Les premiers colons yankees entrèrent en petit nombre dans la région au milieu du 19ᵉ s. et installèrent des ranchs à bétail dans l'arrière-pays. Au tournant du siècle, le Grand Sud s'anima grâce à de nouvelles industries : récolte d'écorces utilisées en teinturerie, exploitation du bois et fours à chaux. Vers 1880, quelques colons aguerris se lancèrent dans l'exploitation du bois au Sud de la péninsule (la limite Sud des séquoias se trouve dans le comté de Monterey) et ouvrirent des carrières de calcaire dans la chaîne Santa Lucia. L'industrie prospéra et la population de la région augmenta jusqu'à épuisement des ressources naturelles locales au début du siècle.

En 1919, des ouvriers attaquèrent à la dynamite le flanc Ouest des montagnes, qui culminent à 1 700 m et plongent à pic dans le Pacifique, pour ouvrir la **Cabrillo Highway**, première des autoroutes touristiques construites aux États-Unis. Jusqu'en 1930, l'unique accès au Grand Sud se faisait par une ancienne piste de pionniers serpentant sur une quinzaine de kilomètres derrière les montagnes. L'achèvement de la route côtière en 1937 a ouvert la région aux visiteurs, et aussi aux hippies qui affluèrent dans les années 1960 pour échapper à « l'establishment ».

Aujourd'hui, de nombreux habitants trouvent à s'employer dans les stations balnéaires et les différents parcs naturels, les éleveurs ont investi les canyons isolés, tandis qu'artistes et écrivains continuent de chercher leur muse dans l'impressionnante beauté de la côte.

## EN PARCOURANT LA CÔTE *2 jours 1/2 – 190 km*

Certains endroits de cette côte sont propices à l'observation des baleines, mais le terrain devient vite très accidenté au Sud de Carmel, et les plages accessibles sont peu nombreuses au Nord de San Simeon. Le village de Big Sur offre des lieux d'hébergement et de restauration, et on y trouve une station-service. Les équipements sont rares entre Big Sur et San Simeon.

Grâce à l'influence du Pacifique, l'endroit jouit de températures modérées tout au long de l'année. Entre novembre et avril, des précipitations allant jusqu'à 1 500 mm détrempent le sol de la région. Bien que les mois d'été soient secs, le rivage est fréquemment enveloppé par un voile de brouillard. C'est en septembre et octobre que les journées sont les plus chaudes, les températures atteignant parfois 27 °. Il est tout de même préférable d'emporter un chandail pour la promenade, et ce à tout moment de l'année.

*Sortir de Carmel en prenant la Pacific Coast Highway (Highway 1) vers le Sud.*

★★**Point Lobos State Reserve** – *Voir p. 59.*

De nombreuses aires de repos jalonnent la route, ce qui permet de s'arrêter pour profiter du paysage spectaculaire. La belle **plage**⌒ de **Garrapata State Park** (*à 17 km de Carmel, parking uniquement sur les bas-côtés*) est l'une des rares plages accessibles de cette côte où la route domine parfois l'océan de 300 m. Enjambant le profond canyon traversé par la Bixby Creek, le **Bixby Creek Bridge**, pont de 215 m de long (*à 5,5 km de Garrapata State Park*), offre une **vue**★★ superbe sur la côte depuis le belvédère de son extrémité Nord.

**Point Sur State Historic Park** – *À 8 km de Bixby Creek Bridge. Visite guidée uniquement (3 h), d'avril à octobre le mercredi et le samedi à 10 h et à 14 h, le dimanche à 10 h ; le reste de l'année le lundi, le samedi et le dimanche à 10 h, ainsi qu'à 14 h le samedi. Fermé par mauvais temps. 5 $.* 🅿 *www.lighthousepointsur-ca.org* ☏ *831-625-4419.* Dressé sur un rocher volcanique relié au continent par une barre de sable, le phare de Point Sur construit en 1889 domine le ressac de 80 m.

Les visiteurs peuvent se faire une idée de la vie que menaient les habitants de cet avant-poste isolé en visitant le phare d'origine en pierre (il fonctionne aujourd'hui de façon automatique), ainsi que la maison et l'atelier du gardien.

**Andrew Molera State Park** – *À 4,5 km. Entrée sur la droite. Ouvert de 8 h au coucher du soleil. 4 $/véhicule.* ⚠ ✗ ☀ *www.castateparks.com* ☏ *831-667-2316.* Le parc porte le nom d'un petit-fils du capitaine de navire anglais John Rogers

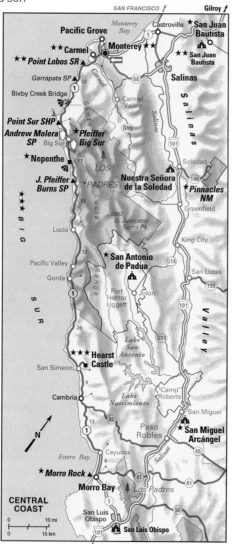

Cooper, qui s'était installé à Monterey. Parc d'État resté sauvage pour l'essentiel, il occupe sur près de 2 000 ha une partie de l'ancien Rancho El Sur acheté par Cooper en 1840. Partant du parking, un sentier facile, **Headlands Trail** *(4,5 km aller-retour)*, traverse de vastes prairies et passe devant la cabane en bois de séquoia de Cooper (1861) avant d'entreprendre la montée douce qui mène à la pointe Molera ; de là, on a une belle vue sur la grande plage Molera, avec l'arrière-plan spectaculaire de la chaîne Santa Lucia.

**★Pfeiffer Big Sur State Park** – *À 7 km. Entrée sur la gauche. Ouvert de 8 h à 19 h. 7 $/véhicule.* △ ✕ ⬧ ▣ *www.castateparks.com* ☏ *831-667-2315.* Plus de 320 ha de forêts de séquoias, de conifères et de chênes bordent les berges de la Big Sur River qui traverse ce parc très populaire, ainsi nommé en souvenir de la première colonie européenne à s'être installée dans la région. Un sentier, le **Pfeiffer Falls Trail** *(1,6 km aller-retour)*, grimpe à travers les forêts de séquoias jusqu'aux **chutes Pfeiffer★** où l'eau tombe de 18 m. Un autre sentier, le **Valley View Trail**, monte plus haut à travers une paisible forêt de chênes jusqu'à un plateau où la

**vue★** s'étend jusqu'à l'océan. D'autres pistes permettent d'accéder aux 66 000 ha de la région encore vierge et sauvage de Ventana, qui s'étend à l'Est de la côte du Big Sur.

**★★Pfeiffer Beach** – *À 1,8 km. Depuis la Highway 1, tourner à droite dans l'étroite Sycamore Canyon Road (chercher le panneau « Narrow Road »). 3,2 km jusqu'au parc de stationnement. Accessible du lever au coucher du soleil. 5 $/véhicule.* ▣ ☏ *831-995-1761.* Les adeptes du bain de soleil contempleront avec ravissement le ballet des vagues sur les rochers émergeant au large de cette crique isolée, où le ruisseau Pfeiffer se jette dans l'océan.

**★Le « Nepenthe »** – *À 3,2 km. Ouvert toute l'année de 11 h 30 à 22 h.* ✕ ⬧ ▣ *www.nepenthebigsur.com* ☏ *831-667-2345.* Dans la mythologie grecque, le népenthès est un remède contre la tristesse. C'est un nom qui convient parfaitement à ce restaurant, dont les terrasses, construites à flanc de falaise à 240 m au-dessus du Pacifique, offrent des **panoramas★★★** sur l'océan. Une cabane en rondins se dressait à l'origine sur ce site. Orson Welles l'acheta en 1944 pour l'offrir à son épouse Rita Hayworth.

À l'abri des arbres, la rustique bibliothèque en bois de séquoia **Henry Miller Memorial Library** *(entrée sur la gauche, 500 m après le Nepenthe)* abrite œuvres et souvenirs du romancier (1891-1980) qui vécut sur la côte pendant 18 ans *(visite du jeudi au dimanche de 11 h à 17 h. Participation demandée.* ▣ *www.henrymiller.org* ☏ *831-667-2574).*

**Julia Pfeiffer Burns State Park** – *12,4 km. Entrée sur la gauche. Ouvert de 8 h à 19 h. 6$/véhicule.* ♿ ▣ *www.castateparks.com* ☎ *831-667-2315.* Ce parc, qui porte le nom de la fille des pionniers Michael et Barbara Pfeiffer, occupe 730 ha dans la région méridionale accidentée de la côte du Big Sur. Du parc de station-nement établi le long du ruisseau McWay, un sentier, le **Waterfall Trail** *(800 m aller-retour),* passe sous la route et longe la falaise pour aboutir à un point de **vue**★ unique sur le ruisseau, qui plonge de 25 m dans les eaux vert jade du Pacifique.

Au Sud du parc, la route longe la côte sur une soixantaine de kilomètres désolés. Les seuls signes de présence humaine sont les petits villages de Lucia, Pacific Valley et Gorda. Le long de cette côte escarpée se succèdent les vues de versants grani-tiques plongeant dans les eaux turquoise de l'océan. En approchant San Simeon, la route se fait moins sinueuse et les falaises rocheuses font place à des pâturages vallonnés.

★★**Hearst Castle** – *Voir ce nom.*

En retrait du côté Ouest de la Highway 1, la somnolente ville côtière de **Cambria** *(15 km)* était, au 19ᵉ s., un important centre d'exportation de produits miniers locaux.

# CARMEL★★

4 000 habitants

Carte Michelin n° 493 A 9 – Voir schéma au chapitre MONTEREY p. 70

Office de tourisme ☎ 831-624-2522

Blotti sur le croissant de côte qui fait face à la péninsule de Monterey, Carmel-by-the-Sea (son nom officiel) est l'un des villages les plus pittoresques de Californie. Ses petites maisons soigneusement entretenues couvrent environ 3 km² sous la voûte ombragée des pins, des chênes et des cyprès ; Carmel attire depuis longtemps artistes, écrivains et célébrités.

**« Bohême-sur-Mer »** – Vers 1880, le village devait en principe devenir une station balnéaire pour catholiques. Mais au tournant du siècle, le projet n'avait pas abouti, et Frank Devendorf, jeune spéculateur immobilier de San José, acheta le terrain pour se lancer dans la création d'un village qui, tout en préservant la beauté intacte du décor, attirerait les « gens doués d'un sens esthétique ». En 1905, le poète George Sterling s'installa à Carmel, ce qui incita d'autres écrivains et artistes à venir. Très vite, le char-mant petit village gagna une réputation de retraite bohème grâce à Sterling qui organisait des festins d'ormeaux en l'honneur de personnalités du monde littéraire telles que Jack London, Upton Sinclair et Joaquin Miller. Cette aura artistique a perduré au long du siècle, attirant par exemple les photographes Edward Weston et Ansel Adams, l'écrivain Lincoln Steffens et le poète Robinson Jeffers.

Ces cottages au charme éclectique et l'ambiance villageoise de Carmel sont protégés par une ordonnance d'urbanisme très stricte datant de 1929 stipulant que tout déve-loppement commercial serait « pour toujours subordonné au caractère résidentiel de la communauté ». Conformément à la loi, aucun trottoir, lampadaire ou boîte aux lettres ne doit venir gâcher le cachet du village. Quoi qu'il en soit, on trouve nombre de boutiques chic, de galeries d'art, d'auberges et de restaurants dans le quartier com-mercial *(Ocean Avenue, Sixth Avenue et Seventh Avenue entre Junipero Avenue et Monte Verde Street).* **Scenic Road**, route que se partagent joggers, promeneurs et auto-mobilistes, serpente le long du bord de mer sur 2,5 km, jusqu'à la plage de la Rivière de Carmel *(accès par Ocean Avenue, en sens unique vers le Sud sur le premier km).*

## CURIOSITÉS *Une demi-journée.*

★★★**Mission San Carlos Borromeo de Carmelo** – *Angle de Rio Road et Lasuen Drive. Visite de 9 h 30 (10 h 15 le dimanche) à 16 h 15 (19 h 15 de juin à août sauf le dimanche). Fermé Thanksgiving Day et 25 décembre. Contribution attendue.* ♿ ▣ ☎ *831-624-3600.* Quartier général des missions de Californie au cours de leur développement intensif des premières années, la mission de Carmel vibre encore de l'esprit visionnaire de son fondateur, le père Junípero Serra, dont la dépouille repose à l'intérieur du sanctuaire de l'église. La vieille et majestueuse église et ses bâtiments restaurés sont aujourd'hui le centre d'un quartier résidentiel et servent d'église paroissiale et d'école communale.

**La naissance, la mort et la résurrection** – Lorsqu'en 1771 le père Serra décida de trans-férer la mission, alors située dans la garnison de Monterey, il choisit ce site proche du fleuve Carmel en raison de la qualité extraordinaire de cette terre et de cette eau. Baptisé en l'honneur de saint Charles Borromée, canonisé au 16ᵉ s., cet avant-poste situé à la limite des terres colonisées connut des difficultés pendant plusieurs années mais, grâce à la ténacité du père Serra, parvint à la prospérité. Comme Serra y résidait, la mission devint le quartier général de toutes les missions que le père avait fondées. Lorsque Serra mourut en 1784, la mission accueillait quelque 700 Espagnols et Indiens d'Amérique.

Carmel : la mission saint Charles Borromée

La mission continua de se développer sous la direction énergique du père Fermin Lasuén. L'actuelle église de pierre, dont la construction dura de 1793 à 1797, remplaça une chapelle en adobe construite en 1782. Manuel et Santiago Ruiz, deux frères tailleurs de pierre, vinrent de Mexico pour concevoir les plans de l'église et surveiller sa construction. À la mort de Lasuén en 1803, le quartier général des missions fut tranféré à Santa Barbara, et la mission de Carmel amorça un déclin. La vie de la mission se termina après la sécularisation de 1834 et le père qui y résidait s'installa dans une église de Monterey. Bien qu'on y célébrât encore des messes de façon intermittente, les bâtiments finirent par tomber en ruine. Pendant trente ans, la chapelle resta sans toit jusqu'à ce qu'en 1884 on la couvre d'un toit de bardeaux goudronnés pour préserver ce qui avait résisté au temps. En 1931, **Harry Downie**, un artisan local, en entreprit la restauration. Grâce à cinquante années d'efforts, aucune mission en Californie ne ressemble davantage à son aspect d'origine que celle-ci. En 1960, le pape Jean XXIII conféra à la chapelle le statut de basilique mineure.

**L'église** – Construite en blocs de grès grossièrement taillés, la façade est flanquée de deux clochers asymétriques de style mauresque et ornée d'une fenêtre en forme d'étoile. Cette église se distingue des autres édifices de mission par son intérieur unique.

Sa voûte, soutenue par une série d'arcs gracieux, s'élance de façon beaucoup plus pentue que les voûtes traditionnelles en berceau. Les murs sont décorés d'huiles du 18ᵉ s. ayant appartenu à l'église d'origine. Le tableau ***Notre-Dame-des-Lamentations*** *(à droite du retable)* est l'œuvre de Nicholas Rodríguez, fondateur de l'Académie royale de Mexico. Le **retable** aux décorations très riches fut sculpté par Downie et conçu sur le modèle de celui de la mission Dolores. Les sépultures des pères Serra et de ses adjoints, les pères Lasuén et Crespi, se trouvent sous le retable. Dans la chapelle latérale dite de la Passion du Christ se trouve une **statue** de la Vierge, dite Notre Dame de Bethléem, apportée du Mexique par Serra en 1769. Le baptistère possède encore ses fonts baptismaux d'origine.

À la sortie, une petite pièce présente des objets et photos retraçant l'historique des vaillants travaux de restauration de Harry Downie. Lui-même est enterré dans le paisible **cimetière** près de l'église.

**La résidence des Pères** – On entre dans cette construction restaurée par la salle Serra, que domine un cénotaphe du 20ᵉ s. dédié au père Serra par le sculpteur Jo Mora. Des pièces d'autel en argent apportées à la mission par Serra sont aussi exposées. Après avoir traversé la chapelle, on découvre des salles reconstituées d'après la mission d'origine. Ne pas manquer la bibliothèque, renfermant d'anciens ouvrages datant de 1534 à 1830, et la cellule du père Serra où il s'éteignit, épuisé, à l'âge de 71 ans.

★★**Carmel City Beach** – *Grosses vagues. Baignade déconseillée.* Les grosses vagues turquoise de la **baie de Carmel** viennent marteler cette vaste étendue de sable blanc. Au Sud, le doigt rocheux du cap Lobos s'avance dans le Pacifique, alors qu'au Nord les falaises de la baie sont tapissées par les *greens* du célèbre Golf-Club de Pebble Beach. On voit souvent des loutres de mer jouant entre les vagues, et, en saison de migration *(décembre et avril)*, on peut apercevoir des baleines grises au large.

★★**Tor House** – *Prendre Stewart Way à la sortie de Scenic Road, à 1,9 km au Sud d'Ocean Avenue. Visite guidée uniquement (1 h), les vendredis et samedis de 10 h à 15 h. Fermé les 1ᵉʳ janvier et 25 décembre. 7 $. Réservation obligatoire.*

*www.torhouse.org* ☏ *831-624-1813 (du lundi au jeudi de 10 h à 15 h)*. Dominant la baie de Carmel, cette charmante construction de pierre incarne l'esprit de son créateur, le poète Robinson Jeffers, dont l'œuvre fut inspirée par la beauté sauvage de la côte Pacifique. Jeffers et son épouse s'installèrent à Carmel en 1914. Une petite maison fut d'abord construite en 1918 sur le *tor*, éminence conique couronnat la pointe de Carmel. Au fil des ans, Jeffers agrandit Tor House qui devint un groupe de petits bâtiments de pierre. Toujours décorée avec le propre mobilier de Jeffers, la maison comprend aujourd'hui le petit salon d'origine, une salle à manger voûtée, et la petite chambre où Jeffers mourut en 1962 à l'âge de 75 ans. Dans la curieuse **Hawk Tower** (tour du faucon) sont installés son bureau et son fauteuil. Dans toute la maison, on peut voir des objets provenant du monde entier et des décorations à motifs gaéliques.

## EXCURSION

★★ **17-Mile Drive** – *Accès depuis Carmel par Carmel Gate ; prendre North San Antonio Avenue sur Ocean Avenue. Description et schéma au chapitre Monterey.*

★★ **Point Lobos State Reserve** – *À environ 6 km au Sud par la Highway 1. On peut se rendre à Sea Lion Point, Bird Island et Whalers Cove en voiture. Le reste de la réserve n'est accessible qu'à pied. Ouvert de 9 h à 17 h (19 h d'avril à septembre). 7 $.* 🖥 *http://tt-lobos.parks.state.ca.us/* ☏ *831-624-4909.* Cette péninsule, petite mais spectaculaire, forme l'extrémité Sud de la baie de Carmel. Les premiers explorateurs espagnols nommèrent le lieu Punta de los Lobos Marinos (Pointe des loups marins) parce que les aboiements des otaries de la baie leur rappelait le hurlement des loups. Donné à l'État en 1933, le site occupe aujourd'hui 500 ha, dont 300 en mer constituent la première réserve sous-marine du pays.
Commencer la visite par **Whalers Cove** (anse des Baleiniers), où une cabane élevée au 19e s. pour des pêcheurs chinois sert aujourd'hui de centre d'accueil et présente des expositons culturelles et historiques *(visite de 9 h à 17 h)*. Au cours du 19e s., la crique a accueilli successivement une station baleinière, une conserverie d'ormeaux et une carrière de granit. Les visiteurs peuvent découvrir d'autres sites en suivant différents sentiers côtiers courts et faciles, comme le **Sea Lion Point Trail** *(900 m aller-retour, se munir de jumelles)* et le **Cypress Grove Trail** *(1,3 km aller-retour)*. Ce dernier tourne autour des formes tourmentées d'un des deux derniers bosquets naturels de cyprès de Monterey (l'autre se trouve le long du 17-Mile Drive). Le **Bird Island Trail** *(1,3 km aller-retour)* serpente en surplomb de la mer turquoise et des sables blancs de la minuscule **China Cove**★.

# CHANNEL ISLANDS National Park★

Parc national des ÎLES DU CANAL
Carte Michelin n° 493 A/B 10

Ce parc national unique couvre cinq des huit Îles du Canal qui se trouvent au large de la côte de la Californie du Sud, entre Santa Barbara et San Diego. Il abrite toute une vie végétale, animale et marine, dont certaines espèces que l'on ne rencontre plus sur le continent. L'accès du public étant sévèrement contrôlé, les îles préservées d'Anacapa, Santa Cruz, Santa Rosa, San Miguel et Santa Barbara permettent d'imaginer la vie sauvage telle qu'elle était il y a plusieurs siècles en Californie du Sud.

## UN PEU DHISTOIRE

Ces îles sont en réalité les sommets de montagnes submergées. Sur les cinq îles, les quatre situées le plus au Nord forment une extension vers l'Ouest des monts Santa Monica. Ces derniers font partie des chaînes transversales ; ils furent orientés Est-Ouest à la suite du glissement des plaques Pacifique et Nord-américaine le long de la faille de San Andreas *(voir index)*. Le nom actuel des îles fut choisi en 1793 par le capitaine anglais George Vancouver. Mais le premier Européen à les découvrir et en faire la description fut Juan Rodríguez Cabrillo *(voir index)* qui débarqua sur ces îles en 1542 (une blessure qu'il se fit l'année suivante en abordant San Miguel ou Santa Rosa entraîna sa mort. On suppose que sa tombe, anonyme, est sur l'une de ces îles). À la fin du 18e s. et au 19e s., les trappeurs menacèrent l'existence de l'abondante population de loutres, phoques et otaries. C'est à peu près à la même époque que les Indiens gabieleños, qui vivaient sur ces îles depuis six millénaires, furent déplacés vers les missions du continent. Des ranches d'élevage de moutons et de bétail s'établirent ici au milieu du 19e s. et y prospérèrent pendant une bonne partie du 20e, notamment sur Santa Rosa.
En 1938, les îles Anacapa et Santa Barbara furent déclarées monument national et, en 1980, les cinq îles et l'océan les entourant sur un rayon de 1,6 km furent décrétés parc national, bien qu'une partie de Santa Cruz soit encore propriété privée. Toujours en 1980, l'océan fut classé réserve marine nationale dans un rayon de 10 km autour de chaque île.

<br>

# RENSEIGNEMENTS PRATIQUES

### Indicatif de la région : 805

**Pour s'y rendre** – Des liaisons par bateau vers les îles sont assurées au départ de la marina de Ventura par **Island Packers** *(1867 Spinnaker Drive, Ventura CA 93001 ; www.islandpackers.com ; réservations ☎ 642-1393 ; renseignements enregistrés ☎ 642-7688)* ou au départ du port de Santa Barbara par **Truth Aquatics**, *(301 W. Cabrillo Boulevard, Santa Barbara CA 93101 ; www.truthaquatics.com ; ☎ 962-1127).* Réservation recommandée pour toutes les traversées. Pour de plus amples informations, voir ci-dessous la description individuelle des îles.

Station de bus Greyhound la plus proche : *291 East Thompson Boulevard, Ventura, CA 93001* ☎ *800-231-2222.*

Un service Amtrak par train et autocar assure la liaison entre Los Angeles et Ventura Station *(Harbor Boulevard et Figueroa Street).* ☎ *800-872-7245.*

Des services aériens sont proposés pour la journée ou le séjour à destination de Santa Rosa, et l'Ouest de Santa Cruz (journée seulement) par Channel Islands Aviation, 305 Durley Avenue, Camarillo CA 93101 ☎ *987-1301.*

**Office de tourisme** – Le parc est ouvert tous les jours. Le **Channel Islands National Park Headquarters & Robert Lagomarsino Visitor Center** se trouve à Ventura Marina *(ouvert du lundi au vendredi de 8 h 30 à 16 h 30, le week-end de 8 h à 17 h. Fermé Thanksgiving Day et 25 décembre ♿ 🅿 www.nps.gov/chis/ ☎ 658-5730. Adresse postale : Superintendent, Channel Islands National Park, 1901 Spinnaker Drive, Ventura CA 93001).* On y trouve des cartes et des renseignements sur la plaisance, le camping, la randonnée, les circuits, la flore et la faune des îles.

Tout au long de l'année, le climat, très variable, peut passer d'un temps froid et venteux à une chaleur humide ; prévoir les deux éventualités. Les îles mettent à la disposition des visiteurs terrains de camping, toilettes et aires de pique-nique. Il est recommandé de se munir de chaussures de rechange (il peut y avoir des vagues à l'embarquement et au débarquement), d'emporter 4 l d'eau potable par jour et de la nourriture (paniers repas en vente près du bureau d'Island Packers). Tous les détritus doivent être remballés et sortis de l'île.

**Loisirs** – La **randonnée** reste une des activités principales, bien que les sentiers soient souvent difficiles, certains imposant la compagnie d'un guide du parc. On peut faire du camping sauvage toute l'année sur les îles. Se munir d'un permis *(gratuit et distribué jusqu'à 90 jours à l'avance).* On peut l'obtenir au bureau d'accueil du parc ou en appelant le ☎ 658-5711. Le quota de réservations dans les terrains de camping étant vite atteint, s'y prendre suffisamment tôt *(Biospherics Inc.* ☎ *800-365-2267).* Les campeurs doivent prévoir tout l'équipement nécessaire, l'eau pour la cuisine et les réchauds. En raison du temps souvent imprévisible, le débarquement n'est pas toujours garanti : prévoir des vivres pour une journée supplémentaire. Sur les îles, on pratique différents **sports nautiques** : baignade, découverte avec masque et tuba, plongée, kayak. Les boutiques locales, marchands d'équipement et Island Packers *(voir plus haut)* proposent équipements sportifs, circuits organisés et stages. La **période de migration des baleines** est un moment privilégié pour visiter les îles. Island Packers organise des excursions pour les voir de plus près *(baleines grises : fin janvier à mars, 22 $ ; baleines bleues et baleines à bosse : juillet à septembre, 57 $).*

Aujourd'hui, le parc national attire les touristes séduits par sa beauté naturelle, les campeurs en quête d'un merveilleux isolement, ainsi que les plongeurs désireux d'admirer la beauté de ses eaux à la transparence cristalline, ses lits de varech, la richesse de sa vie marine et les vestiges d'épaves proches de ses côtes.

## VISITE *Une journée par île*

**Anacapa** – *Passages quotidiens (traversée : 1 h 30). Croisière commentée et visite : de 6 à 8 h, 37 $ (possibilité de croisières commentées sans escale d'une demie journée d'avril à décembre ; appeler pour les dates et les horaires ; 22 $).* △. À 22 km au large des côtes de Ventura, l'île Anacapa est composée de trois îlots à la végétation clairsemée. Les pélicans bruns, espèce en danger de disparition, se reproduisent sur les régions inaccessibles à l'Ouest, et dans toute l'île on trouve des mouettes de la côte Ouest, des huîtriers noirs et des cormorans. Un phare et un poste de garde forestier se trouvent dans Anacapa Est, plus plate ; au large de ses côtes s'élève Arch Rock, arche sculptée par l'eau.

**Santa Cruz** – *Passages pour la partie Est de l'île le mardi et du vendredi au dimanche. 47 $. Transport de camping-car : 60 $. △. Excursions organisées dans la partie Ouest par le Conservatoire de la nature (Nature Conservancy) d'avril à novembre (les jours peuvent changer). 47 $. Traversée : 2 h. Croisière commentée et visite : 9 h.* La plus grande des îles offre un paysage varié de versants montagneux boisés et de falaises bordées de plages. La profonde vallée centrale de Santa Cruz montre que l'île fut formée par deux masses de terre distinctes aujourd'hui réunies. La **grotte peinte★** (Painted Cave), habitée par des otaries, est la plus vaste grotte marine de l'État. On y accède par bateau depuis le rivage Nord-Ouest de l'île. Renards des îles, mouffettes tachetées, moutons, cochons sauvages, deux espèces de souris et neuf sortes de chauves-souris ont élu domicile à Santa Cruz.

**Santa Rosa** – *Passages d'avril à novembre (jours variables). Traversée : 3 h 30. Croisière et visite : de 11 à 12 h, 62 $. Transport de camping-car : 80 $. △.* Après une traversée parfois mouvementée, on atteint cette île (la plus grande après Santa Cruz) dotée de belles plages de sable dont l'intérieur est constitué de vallons verdoyants recouverts de chênes et de pins Torrey. Dans la population animale, on compte plus de 195 espèces d'oiseaux.

**San Miguel** – *Passages d'avril à octobre (jours et heures variables). Traversée : 5 h. Excursions de deux jours sur l'île ou en combinaison à Santa Rosa, repas et couchettes compris (appeler pour les tarifs). Transport de camping-car : 90 $. △.* Relativement plate, cette île, la plus à l'Ouest, est balayée par le vent et recouverte d'une forêt où de vieux arbres sont pris dans une gaine de carbonate de calcium. Point Bennett, extrémité Ouest de l'île, est le seul endroit au monde où six différentes espèces de phoques et d'otaries viennent se reproduire en grand nombre.

**Santa Barbara** – *Passages depuis Ventura d'avril à octobre le vendredi et le dimanche à 7 h. Traversée : 3 h 30. Croisière commentée et visite : de 11 à 12 h, 58 $. Transport de camping-car : 75 $. △.* Cette île située à 53 km au Sud d'Anacapa est la plus petite. Les otaries et les éléphants de mer viennent s'y reproduire et c'est un endroit idéal pour observer les oiseaux.

# HEARST Castle★★★
## Château HEARST
Carte Michelin n° 493 A 9 – Voir schéma au chapitre BIG SUR p. 56

Dominant l'océan Pacifique du haut d'une crête des monts Santa Lucia près du village côtier de San Simeon, la somptueuse demeure qui règne sur un domaine de 500 ha reflète bien l'image flamboyante du magnat de la presse **William Randolph Hearst**. Éclectique dans son style, magnifiquement paré d'une éblouissante collection d'œuvres d'art et d'antiquités méditerranéennes, le château attire près de 800 000 visiteurs chaque année.

## UN PEU D'HISTOIRE

**La construction d'un empire** – Le fils unique de George et Phoebe Apperson Hearst hérita de l'appétit financier de son père, ainsi que de la passion pour l'art et les voyages de sa mère. George Hearst, simple mineur du Far West, fit fortune grâce à l'exploitation de riches filons à l'Ouest des États-Unis. Tandis que son père passait de mine en mine, le jeune William, resté avec sa mère, une intellectuelle soucieuse d'éducation, développait ses goûts pour l'art et la culture, qui devaient prendre plus tard la forme d'une véritable obsession.
Après avoir été renvoyé de Harvard pour, entre autres, absences répétées aux cours, Hearst trouva un emploi au *New York World*, journal à sensation de Joseph Pulitzer. Un an plus tard, en 1887, l'apprenti journaliste convainquit son père de le placer à la tête du *San Francisco Examiner* qu'il avait acheté en 1880. Ainsi naquit un empire de presse qui, à son apogée, employait 38 000 personnes et possédait 26 journaux, 16 magazines, 11 stations radiophoniques, 5 agences de presse et une société de production cinématographique. En 1902, Hearst fut élu à la Chambre des représentants des États-Unis et remplit deux mandats consécutifs. Il interrompit son activité politique en 1912, après deux échecs successifs dans la course à la présidence des États-Unis comme candidat indépendant.

**La Cuesta Encantada** – C'est ici que William Hearst enfant passa ses vacances, campant au ranch de San Simeon acheté par son père en 1865. Il resta attaché à cet endroit toute sa vie. Avec sa femme, l'actrice de vaudeville Millicent Willson, et leurs cinq fils, il passait souvent ses vacances à « Camp Hill », où ils firent installer un luxueux village de tentes. Quand Hearst hérita des terres de San Simeon en 1919, il loua les services de **Julia Morgan**, architecte de San Francisco, la première femme acceptée au département architecture de l'École des Beaux-Arts à Paris. Il lui demanda de « construire un bungalow » sur le terrain. Dans les 28 années qui suivirent, le projet fit boule de neige et la modeste petite résidence de campagne devint la *Cuesta*

*Encantada* (la Colline enchantée), nom que Hearst donna à cette demeure princière. En collaboration avec Hearst, Julia Morgan établit les plans de l'imposante maison principale, la **Casa Grande**, ainsi que ceux de trois résidences pour invités, s'inspirant toutes du style néo-méditerranéen. Depuis les tours jumelles de style colonial espagnol de la Casa Grande, avec leurs grilles en arabesques et leurs carillons belges, jusqu'aux colonnes étrusques qui achèvent la façade en temple gréco-romain du bassin de Neptune, cette création architecturale est un assemblage d'éléments éclectiques défiant toute classification. « Mon client est roi ! » rétorquait Julia Morgan, quand on l'interrogeait au sujet de la multiplicité des styles de la demeure de Hearst.

La propriété de Hearst multiplia les records. La demeure principale, de 6 000 m², était à l'époque, la plus grande résidence privée du pays. Elle comprenait 115 pièces, dont 38 chambres, 41 salles de bains, deux bibliothèques, une salle de billard, un salon de beauté et un théâtre, le tout décoré des somptueuses œuvres d'art de la collection privée de Hearst, l'une des plus belles des États-Unis. La propriété possédait également, dans le plus grand zoo privé du monde, une centaine d'espèces animales domestiques et sauvages, sans oublier la plus vaste piscine chauffée du pays.

La propriété retirée de San Simeon devint un lieu de détente pour Hearst, sa maîtresse Marion Davies, starlette rencontrée en 1915, et une foule de vedettes d'Hollywood, parmi lesquelles Gloria Swanson, Charlie Chaplin, Greta Garbo et Cary Grant. En 1947, des soucis de santé contraignirent le milliardaire à quitter la colline pour s'établir à Los Angeles. L'homme que le magazine *Life* décrivait comme « un feu d'artifice ambulant » mourut quatre ans plus tard à l'âge de 88 ans. La société Hearst a fait don de la propriété de 50 ha à l'État de Californie en 1957, mais la famille possède toujours le ranch qui entoure le château.

**Les collections** – La passion de Hearst pour les objets d'art s'éveilla lors du périple de dix-huit mois qu'il effectua avec sa mère en Europe à l'âge de 10 ans. Il les achetait en fonction de l'impression qu'elles lui faisaient, demandant à Julia Morgan de les intégrer dans les plans sans cesse modifiés de sa maison (le projet d'une galerie d'art, par exemple, ne vit jamais le jour). Durant les années 1920, Hearst amassa assez de trésors pour remplir six hangars. Des commissaires-priseurs de New York et de Londres parcouraient le monde pour lui à la recherche d'antiquités, de tissus, de sculptures, de tableaux et de plafonds anciens d'une valeur aujourd'hui inestimable. Les fleurons du château sont des objets en argent, des meubles précieux, des **tapisseries du 16ᵉ s.**, des terres cuites de la Renaissance florentine, et une splendide collection de **vases grecs anciens** qui ornent les étagères de la bibliothèque de Hearst, garnie de 5 000 volumes.

*Le personnage principal du chef-d'œuvre cinématographique* Citizen Kane*, tourné en 1941 par Orson Welles, s'inspire en partie de William Randolph Hearst.*

*Hearst essaya, mais sans succès, de faire interdire le film avant sa sortie.*

## VISITE *Une journée*

*À 75 km au Nord de San Luis Obispo par la Highway 1. À 158 km au Sud de Monterey par la Highway 1. Visite guidée (1 h 45) uniquement, tous les jours de 8 h 20* à 15 h 20. Fermé les 1ᵉʳ janvier, Thanksgiving Day et 25 décembre. 14 $. Réservation fortement recommandée. &. (prévenir au ☎ 805-927-2070) 🄿 *www.hearstcastle.org* ☎ 805-927-2020 (information enregistrée). Pour découvrir la propriété, les visiteurs peuvent suivre un circuit (ou plus) parmi les quatre proposés dans la journée. Une visite supplémentaire est organisée en soirée. Le moins fatigant et le plus complet est le circuit 1, recommandé aux visiteurs qui viennent là pour la première fois. Les visites durent toutes environ deux heures, au départ du centre d'accueil. Ce bâtiment moderne et fonctionnel aux lignes élégantes abrite une excellente exposition retra-

J. Blades/Hearst Monument

La salle à manger

çant les nombreuses facettes de W. Hearst et de son palais. En attendant les visites, on peut voir le film *Hearst Castle : Building the Dream* (40 mn) qui raconte l'histoire du domaine des débuts à sa réalisation ou d'autres films au **National Geographic Theater** *(7 $ ;* ☎ *805-927-6811).*

Pendant le trajet en bus *(10 mn)* qui mène à la Casa Grande, on peut apprécier de belles **vues** de l'océan loin en contrebas, au-delà des bosquets de chênes, pendant qu'un commentaire enregistré raconte brièvement l'histoire de la famille Hearst et de la propriété. Au bâtiment central, des guides accompagnent les groupes de visiteurs à travers jardins et maisons. Il est interdit de s'éloigner sur le site ou de s'y attarder pendant ou après les visites. Chaque circuit suppose de marcher sur près d'un kilomètre et de monter de 150 à 400 marches. Tous passent par les deux piscines spectaculaires installées pour W. Hearst : la **piscine de Neptune★** en plein air, de style classique et élégant, et la **piscine romaine★**, couverte d'un toit de tuiles vénitiennes finement incrustées d'or.

**Circuit 1** – *150 marches. Recommandé aux nouveaux visiteurs.* C'est lors de cette visite que l'on découvre les endroits les plus spectaculaires du château : la salle de réunion, la salle à manger, le petit salon, la salle de billard, le théâtre et la Casa del Sol, résidence pour invités de dix-huit pièces. La **salle à manger**, garnie de stalles provenant d'une cathédrale espagnole du 14ᵉ s., abrite une remarquable collection d'objets anciens en argent. Un exemplaire rare de tapisserie flamande aux mille fleurs (an 1500) est accroché dans la **salle de billard**.

**Circuit 2** – *377 marches.* On visite la suite des Doges, les cloîtres – avec la **salle Della Robbia** –, la **bibliothèque**, la suite et le bureau privés de Hearst, de style gothique, ainsi que l'office et l'immense cuisine.

**Circuit 3** – *316 marches.* Achevés pendant les dernières années passées par Hearst au château, les trois étages de chambres à coucher mettent en valeur d'anciens plafonds espagnols et d'inestimables tapis d'Orient. On peut également visiter la Casa del Monte, résidence d'invités de dix pièces, et assister à la projection d'un film *(8 mn)* retraçant la construction du domaine.

**Circuit 4** – *D'avril à octobre uniquement. 306 marches.* Lors de la visite des parcs et jardins, les visiteurs découvriront la **terrasse cachée**, avec un entrelacs d'escaliers, construite à l'abri des regards dans les années 1930, ainsi que la cave à vin de Hearst, les cabines de bains de la piscine de Neptune. Ils verront aussi la Casa del Mar (dix-huit pièces), qui est la plus grande des trois résidences d'invités et le premier bâtiment achevé sur le site.

**Circuit 5** – *377 marches. 25 $. Téléphoner pour connaître programme et disponibilités.* Débutant au coucher du soleil, ce circuit du soir permet d'apprécier la vie insouciante qui régnait au domaine pendant son âge d'or des années 1930. Des animateurs en vêtements d'époque, jouant des invités ou des membres du personnel, font revivre les salles, terrasses, bassins et jardins, laissant rêver les visiteurs qui s'imaginent être tombés au milieu d'une des fêtes légendaires données par Hearst.

# LA PURÍSIMA Mission★★

Carte Michelin n° 493 A 10

Nichée dans une paisible vallée aux abords de la ville de Lompoc, La Purísima est incontestablement l'une des missions les mieux restaurées de toute la Californie. Protégés aujourd'hui en tant que parc historique, les bâtiments et le **paysage★** pastoral ont été fidèlement reconstitués. Ils transportent les visiteurs à la grande époque des missions, au début du 19ᵉ s.

Officiellement baptisée Mission la Purísima Concepción de María Santísima (Mission de l'Immaculée Conception de la très sainte Vierge Marie), cette onzième mission fut d'abord établie en 1787 au pied des collines bordant le site actuel de Lompoc. Elle connut une expansion florissante sous l'impulsion du père Mariano Payeras jusqu'au début du 19ᵉ s. Construite malencontreusement sur une ligne de faille, elle fut frappée en décembre 1812 par une série de violents tremblements de terre, suivis d'une longue période de pluies, qui détruisirent l'église et d'autres bâtiments. Les néophytes refusant de retourner sur ces lieux maudits, le père Payeras transféra la mission à 5 km au Nord-Est.

Une large plaine dans la vallée de la Rivière Santa Ynez abrite le second site de La Purísima. Avec son sol fertile, de grandes réserves d'eau et un accès vers El Camino Réal *(voir index)*, le petit Cañada de los Berros (canyon du cresson de fontaine) se révéla un choix idéal. Pour des raisons encore inconnues, La Purísima fut la seule mission à être construite en ligne et non autour d'une cour carrée intérieure.

La mort du père Payeras en 1823, se conjuguant avec des difficultés économiques, déstabilisa la mission, qui connut l'année suivante une révolte des néophytes. Dès 1883, du fait de la sécularisation et de changements successifs de propriétaires, le complexe n'avait plus qu'un seul bâtiment. L'Église catholique et l'Union Oil Company, qui avait acquis la majeure partie du site en 1903, firent don de 200 ha à l'État. La restauration de la mission fut entreprise en 1934 par le Civilian Conservation Corps, dans le respect des méthodes de construction utilisées par les maîtres d'œuvre d'origine. La Purísima ouvrit ses portes au public avec le statut de State Historic Park. Le site couvre aujourd'hui 780 ha, avec, outre les bâtiments restaurés de la mission, un système d'irrigation, une trentaine de km de sentiers de randonnée équestre et pédestre, et une rare végétation de chaparral.

## VISITE *2 h*

*À 85 km au Nord-Ouest de Santa Barbara. Prendre la route 101 vers le Nord. Poursuivre sur la Highway 1 sur 30 km jusqu'au carrefour de la route 246. Prendre à droite sur 3 km, puis à gauche sur Mission Gate Rd. L'entrée du parc est sur la droite, 2295 Purísima Rd. Visite de 9 h à 16 h 30. Fermé 1er janvier, Thanksgiving Day, 25 décembre. 5 $/voiture. ♿. ☎ 805-733-3713.*

**La mission** – L'**église** (1818), longue et étroite, n'a pas de véritable façade. L'entrée principale a été construite sur le mur de côté pour faciliter l'accès des voyageurs de la route El Camino Réal. Les pères y ajoutèrent un cimetière et un campanile en 1821. Aucune description du *campanario* d'origine n'ayant été retrouvée, le clocher actuel est une copie de celui de la mission Santa Inés. Les motifs peints dans l'abside du sanctuaire s'inspirent pour partie de ceux découverts lors de la restauration de l'église d'origine. Des motifs trouvés dans d'autres missions y ont été ajoutés.

Le bâtiment près de l'église abritait le **quartier militaire** et des **échoppes** où l'on fabriquait tissus, bougies, cuirs et pièces de bois. Certaines salles contiennent des meubles d'époque qui restituent leur apparence d'origine.

La plus grande construction de la mission, longue de 97 m, servait de **résidence**★ aux pères de la mission. Ses murs en adobe ont 1,20 m d'épaisseur. Ses larges piliers carrés sont surmontés de corbeaux cannelés. À l'extrémité Sud, un arc-boutant de pierre renforce encore le bâtiment, qui abrite également une bibliothèque, un bureau, une cave à vin, des chambres d'hôte et une modeste chapelle.

La Purísima

**Dépendances** – Le **jardin de la mission**★, aménagé comme à son origine, contient les plantes que cultivaient les pères pour leurs vertus potagères et médicinales. Une promenade dans ce bel endroit permet de découvrir la fontaine centrale et deux lavoirs, qui faisaient partie du système sophistiqué d'alimentation en eau de la mission. Les dépendances comprennent également un atelier de forgeron, un lavoir, des casernements où étaient logés les néophytes et un dortoir pour les femmes.

## EXCURSION

**Lompoc** – *5 km. De la mission, suivre la Route 246 vers l'Ouest.* Cet ancien village chumasch est aujourd'hui l'un des plus grands producteurs mondiaux de graines de fleurs. L'été, une féerie de pétales multicolores recouvre les champs du voisinage. La base aérienne militaire Vandenburg, installée dans les environs, contribue également au développement économique de la ville. Le **musée** *(200 S. H St.)* retrace l'histoire de la ville et abrite une impressionnante collection d'objets d'artisanat chumasch : récipients de pierre, outils, pointes de flèche, bijoux et paniers *(visite de 13 h à 17 h (16 h le week-end) ; fermé le lundi et les principaux jours fériés ; ☎ 805-736-3888).*

# MONTEREY★★

28 000 habitants
Carte Michelin n° 493 A 9

À 185 km au Sud de San Francisco, la ville de Monterey s'élève à l'extrémité Sud de la baie du même nom. Longtemps capitale hispano-mexicaine de la Californie, elle a su préserver le charme de ses bâtiments en adobe, sans toutefois négliger son patrimoine moderne de port de pêche et de centre de conserverie.

## UN PEU D'HISTOIRE

**El Puerto de Monterey** – La région où se trouve aujourd'hui Monterey était déjà habitée depuis plus d'un millénaire par les Indiens ohlones, lorsqu'en 1542 une expédition espagnole menée par Juan Rodríguez Cabrillo aperçut la baie depuis la mer. En 1602, Sebastián Vizcaíno redécouvrit la région. Il débarqua à proximité de l'actuel quai des Pêcheurs et donna à la baie le nom du vice-roi de la Nouvelle-Espagne, le comte de Monte Rey. Les Espagnols ne réapparurent pourtant dans les environs qu'en 1770. Gaspar de Portolá fut envoyé de Basse Californie afin d'établir la première garnison *(presidio)* de Haute Californie à Monterey. Il était accompagné du père Junípero Serra, chargé de fonder une chaîne de missions le long de la côte. Une pierre commémorative signale l'endroit où débarquèrent Vizcaíno et Portolá *(Pacific St. à l'angle Sud-Est de l'actuel Presidio)*.

Portolá érigea la place forte d'origine au Sud-Ouest du lac El Estero. Le père Serra y établit sa mission et entreprit de convertir les Ohlone. Toutefois, la piètre qualité du terrain et l'influence néfaste exercée par les soldats sur ses convertis incitèrent le père à transférer sa mission un an plus tard sur son site actuel, non loin de là, près de la rivière Carmel.

En 1775, les Espagnols choisirent Monterey comme capitale de Haute et Basse-Californie, faisant d'elle la ville la plus importante de la côte Pacifique. Monterey conserva son statut de capitale provinciale après l'indépendance mexicaine en 1821, et la levée des anciennes restrictions commerciales imposées par l'Espagne la transforma en un port international florissant pour le commerce du cuir et du suif.

L'intérêt croissant porté par les États-Unis à la Californie trouva son aboutissement le 7 juillet 1846, date à laquelle le commodore John Sloat débarqua à Monterey avec 225 soldats et décréta que la Californie faisait partie du territoire américain. Mais peu après cette annexion pacifique, la chance cessa de sourire à Monterey. En effet, non seulement San Jose devint la capitale de l'État en 1849, mais, en même temps, la fièvre de l'or qui embrasait la Californie vida Monterey de bon nombre de ses habitants. En 1850, l'ancienne capitale avait sombré dans l'oubli.

**Station balnéaire mondaine et port de pêche** – En 1880, l'inauguration de l'élégant **Hôtel del Monte**, à l'instigation des magnats de la compagnie Southern Pacific, suscita un regain d'intérêt pour Monterey. Ce précurseur des clubs de loisirs de la côte Ouest permettait de pratiquer le golf, le tennis et de faire des promenades en calèche le long de la route côtière 17-Mile Drive. Aujourd'hui, l'Hôtel del Monte abrite l'École supérieure de la marine.

À la même période, des pêcheurs chinois et italiens avaient découvert la richesse sousmarine de la baie et du **canyon de Monterey**. Cette gorge sous-marine longue de 100 km, dont les eaux froides sont riches en plancton, abrite une faune aquatique d'une grande richesse. Au début du 20e s., une sardinerie fut implantée dans la ville et Monterey devint rapidement la « capitale mondiale de la sardine ». Cette industrie lucrative fut exploitée jusqu'au début des années 1950, époque où la sardine disparut subitement des eaux de Monterey. Depuis la création du **Monterey Bay National Marine Sanctuary** la vie sous-marine prospère de nouveau, mais il est interdit de pêcher à l'intérieur de cette réserve.

Vue de Monterey en 1842

## RENSEIGNEMENTS PRATIQUES

Indicatif de la région : 831

**Comment s'y rendre** – Au départ de **San Francisco** (209 km) : Route 101 vers le Sud, puis Route 15 vers l'Ouest. Au départ de **Los Angeles** (558 km) : Route 101 vers le Nord, puis Route 68 vers l'Ouest. Aéroport **Monterey Peninsula Airport** (MRY) : vols intérieurs. ☎ *373-1704* ; service de taxis *(10 $ pour le centre-ville)* et navettes assurées par les hôtels. Principales compagnies de location de véhicules p. 377. Gare de **chemin de fer** Amtrak : 11 Station Place, à Salinas *(à 32 km de Monterey)*, transfert compris dans le prix du billet. ☎ *800-872-7245.* Terminal des **autocars** Greyhound : 1042 Del Monte Ave (à la station-service Exxon). ☎ *800-231-2222.*

**Comment s'y déplacer** – Monterey-Salinas Transit W.A.V.E. : service de navette desservant les principales curiosités à travers la ville *(tous les jours de Memorial Day – juin – à Labor Day – septembre, 1 $/jour. ☎ 899-2555)*. Parkings couverts et emplacements avec parcmètres partout en ville. Le stationnement est strictement réglementé.

**Office de tourisme** – **Monterey Peninsula Visitors & Convention Bureau Visitor Center**, 380 Alvarado St. ; correspondance PO Box 1770, Monterey, CA 93942. ☎ 649-1770.

**Hébergement** – Répertoire hôtelier *Monterey County Visitors Guide* disponible à l'Office de tourisme. Des établissements de toutes catégories sont proposés, de l'hôtel-club de grand standing *(100 à 300 $/nuit)* jusqu'aux auberges à prix modérés *(60 à 135 $/nuit)*. La plupart des bed & breakfast se situent dans des quartiers résidentiels de la ville *(80 à 165 $/nuit)*. Services de réservation et d'information : **Monterey Peninsula Reservations**. ☎ 655-3487 ou 888-655-3424, **Resort II Me**. ☎ 646-9250 ou 800-677-1500. **Camping** au Veterans Memorial Park. ☎ 646-3865. *Les tarifs indiqués correspondent au prix moyen d'une chambre double.*

Depuis 1958, la ville organise chaque année un célèbre **festival de jazz** *(septembre)*, le plus ancien événement de ce genre aux États-Unis. Accueillant un institut de défense de la langue et un institut d'études internationales, la ville s'est également taillé une réputation de centre linguistique. La péninsule de Monterey est redevenue une destination appréciée des touristes et un lieu de villégiature pour les habitants de la conurbation de San Francisco.

## ★★LE MONTEREY HISTORIQUE

Le passé colonial espagnol de Monterey est encore présent à travers deux douzaines de bâtiments du milieu du 19e s., disséminés parmi les immeubles modernes du centre-ville. La défense de ce patrimoine débuta vers 1900, quand un groupe de citoyens fit classer monument historique le bureau de douanes *(voir plus loin)*. Au long du 20e s., les groupements d'intérêt locaux ont consacré beaucoup d'argent et d'énergie à la conservation d'autres bâtiments historiques. L'État s'engagea également dans cette cause en créant le California Park Service à la fin des années 1920. Aujourd'hui, plus d'une vingtaine de bâtiments et de jardins historiques sont entretenus par la ville, l'État ou même par des particuliers. *Les demeures historiques en adobe sont signalées par des plaques.*

### Visite *Une journée minimum*

La plupart des vieilles demeures d'adobe de Monterey se trouvent sur le trajet emprunté par le **Path of History Walking Tour**, circuit matérialisé par de petits disques dorés incrustés dans le trottoir. Chaque site est pourvu d'un panneau explicatif. L'association du Vieux Monterey en publie le plan, que l'on peut se procurer dans les offices de tourisme, les hôtels ou au parc historique de Monterey. On peut commencer le circuit à n'importe quel endroit.

Le parc historique d'État de Monterey *(fermé 1er janvier, Thanksgiving Day et 25 décembre ; www.mbay.net/~mshp ; ☎ 831-649-7118)* gère la plupart des bâtiments en adobe décrits ci-après ; plusieurs ne sont accessibles que dans le cadre de visites guidées. On peut choisir soit une visite régulière d'un bâtiment particulier *(horaires indiqués sur le site)*, soit prendre part à une des visites plus complètes partant du Stanton Center *(voir ci-après)*. Les billets *(5 $ ; valables une journée)* donnent accès à tous les sites du parc ; ils sont en vente sur tous les sites et au Stanton Center. Les sites gérés par la ville sont libres d'accès. Deux grandes visites sont traditionnellement organisées chaque année : Adobe Tour fin avril et

Christmas in the Adobes mi-décembre. *Les horaires d'ouverture et de visites étant variables, il est plus prudent de se renseigner au préalable en appelant le 831-649-7118.*

*Les sites ci-dessous se trouvent, en règle générale, sur le Path of History, dans le sens : Custom House Plaza-Presidio Chapel via Colton Hall.*

★**Custom House Plaza** – Plusieurs demeures historiques sont groupées sur le front de mer près du **Fisherman's Wharf**, un quai où s'activaient autrefois les pêcheurs de Monterey, et dont les boutiques et restaurants attirent aujourd'hui de nombreux touristes. Quelques équipements pour la pêche commerciale sont encore en service sur la digue municipale (Wharf II), près de l'endroit où les otaries jouent bruyamment dans les vagues.

Un bâtiment en adobe à un étage, **Pacific House**, construit en 1847 par Thomas Larkin pour héberger des troupes américaines, est un bel exemple de l'architecture coloniale de Monterey. Il abrite aujourd'hui le bureau d'information du parc historique ainsi qu'un musée d'histoire de la Californie *(visite de 10 h à 17 h (16 h d'avril à septembre) ; fermé 1ᵉʳ janvier, Thanksgiving Day, 25 décembre ; 2 $ ; www.mbay.net/~mshp ☎ 831-649-7118).*

Avant de commencer le circuit des bâtiments historiques, on peut s'arrêter au **Stanton Center** (1992) pour visionner un **film** de 14 mn retraçant le passé haut en couleur de Monterey et voir les expositions du **musée de la Marine★** (Maritime Museum : *visite de 10 h à 17 h ; fermé 1ᵉʳ janvier, Thanksgiving Day, 25 décembre. 3 $. & ☎ 831-373-2469*), dédié à l'histoire nautique de Monterey du 17ᵉ s. au 20ᵉ s. Les vitrines renferment des maquettes de navires, une exposition sur la pêche à la sardine ou encore des appareils de navigation comme la lentille de Fresnel à 1000 prismes (1887) qui équipait le phare de Point Sur *(voir index).*

Passant pour être le plus ancien bâtiment administratif de Californie, le **bureau de douanes★** (Custom House : *mêmes horaires que le Monterey Bay Historic Park ; ☎ 831-649-7118*) est le monument historique le plus connu de l'État. Sa partie Nord à étage a été construite en 1827 et le bâtiment, agrandi par la suite, a rempli

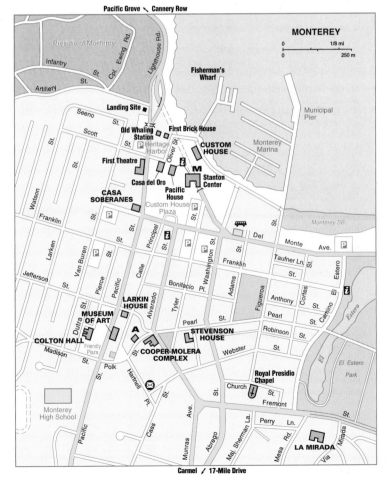

ses fonctions jusqu'en 1867. L'aménagement intérieur recrée son état dans la période 1830-1840, époque à laquelle il était au centre du cabotage sur la côte du Pacifique. Le mât planté au Nord de la maison marque l'endroit où l'on hissa le drapeau américain en 1846.

À l'extrémité de l'ensemble voisin Heritage Harbor se dresse **First Brick House**, dont la construction commença en 1847 et qui, comme son nom l'indique, fut la première maison de la ville bâtie en brique de terre cuite (et non en adobe). Récemment restaurée, elle retrace aujourd'hui les différents modes de vie de ses propriétaires successifs sur un siècle. Non loin de là se dresse l'**ancien poste baleinier** (Old Whaling Station – 1847), une construction à un étage en adobe inspirée de la maison des ancêtres du bâtisseur, dans son Écosse natale.

Sur Pacific Street, à un bloc plus loin vers le Sud, le **First Theatre** (1840), premier théâtre de Californie, fonctionne toujours. Il donne des représentations de mélodrames du 19e s. dans une aile en adobe ajoutée à la taverne d'origine construite en bois de séquoia. Dans Scott Street, à un bloc de là vers l'Est, se dresse la **Casa del Oro** ; cette ancienne épicerie construite par Thomas Larkin vers 1845 a été restaurée et abrite aujourd'hui une boutique de souvenirs.

★**Casa Soberanes** – *336 Pacific St. Visite guidée (30 mn) uniquement à 13 h ainsi qu'à 16 h d'avril à septembre. Fermé 1er janvier, Thanksgiving Day et 25 décembre. www.mbay.net/~mshp* ☎ *831-649-7118.* L'entrée de cette « maison au portail bleu » est agrémentée d'un jardin en pente bordé d'une haie de cyprès. Construite en adobe vers 1840 avec des murs de 1 m d'épaisseur, c'est un merveilleux exemple de l'architecture coloniale de Monterey. Sa façade à deux niveaux est ornée d'un balcon porté par des consoles. L'arrière de la maison, en pente, ne comporte qu'un étage. L'intérieur est décoré des objets personnels des différents propriétaires, pièces de Nouvelle-Angleterre datant du 19e s., objets importés de Chine et œuvres d'art populaire mexicain.

★**Colton Hall** – *Visite de 10 h à 12 h et de 13 h à 17 h (16 h de novembre à février).* 🖽 ☎ *831-646-5640.* Le premier administrateur américain de Monterey, le révérend Walter Colton, fit élever sur un tertre dominant Friendly Plaza ce majestueux bâtiment en argile schisteuse orné d'un portique pour servir de salle de réunion publique et d'école. C'est ici que se réunit en 1849 l'Assemblée constituante de la Californie. L'ameublement de la salle de réunion *(au 1er étage)* date de cette époque. On notera la petite table en pin sur laquelle fut paraphée la Constitution le 13 octobre 1849.

Au Nord de Colton Hall, l'**ancienne prison** de pierre (Old Monterey Jail) retrace dans plusieurs cellules remises en état un siècle d'histoire carcérale (1855-1959).

★**Monterey Museum of Art at Civic Center** – *559 Pacific St. Visite du mercredi au samedi de 11 h à 17 h, le dimanche de 13 h à 16 h. Fermé 1er janvier, Thanksgiving Day, 25 décembre. 3 $.* ♿ ☎ *831-372-7591.* Fondé en 1959, ce musée est dédié aux arts populaire, tribal, ethnique et contemporain. Les collections permanentes, centrées sur l'art californien et régional, présentent aussi les arts d'Asie et de la frange Pacifique, ainsi que des œuvres de Picasso et des photographies de Man Ray, Ansel Adams et Edward Weston.

★★**Larkin House** – *Angle de Calle Principal et Pearl St. ; entrée par le jardin. Visite guidée (45 mn) uniquement à 11 h, 14 h et 15 h. Fermé 1er janvier, Thanksgiving Day et 25 décembre. www.mbay.net/~mshp* ☎ *831-649-7118.* Cette vaste demeure en adobe fut construite en 1834 par Thomas O. Larkin, prospère marchand du 19e s., consul américain et agent secret avant et pendant l'annexion américaine de la Haute Californie. Originaire du Massachusetts, Larkin conçut une architecture combinant des éléments inspirés de la Nouvelle-Angleterre, hauts plafonds, toit presque plat et corridor central, et du style adobe local ; il donna ainsi naissance à un courant architectural appelé aujourd'hui le **style colonial de Monterey**. L'ameublement comporte des pièces de famille et des antiquités collectionnées dans le monde entier par la petite-fille de Larkin, Alice Larkin Toulmin, qui vécut là de 1922 à 1957. Dans l'enceinte du jardin se dresse un bâtiment de pierre ne comportant qu'une pièce, où a résidé le jeune lieutenant William Tecumseh Sherman lors de son cantonnement ici au milieu du 19e s.

★★**Cooper-Molera Complex** – *Pearl St., à l'angle de Munras Ave. et Polk St. Visite guidée (45 mn) uniquement, à 10 h, 12 h et 14 h. www.mbay.net/~mshp* ☎ *831-649-7118.* Sur ce site de près d'un hectare, on trouve non seulement un jardin moderne de plantes locales, une remise à voitures (1902), un centre d'accueil et un magasin de souvenirs, mais aussi une vaste demeure dont les ailes, séparées, reflètent les péripéties de la fortune de John Rogers Cooper, demi-frère de Thomas Larkin *(voir plus haut).* S'installant à Monterey en 1827, Cooper construisit une maison en adobe de plain-pied, qui fut par la suite agrandie à l'Est et à l'Ouest. Lorsqu'il connut des revers de fortune, Cooper installa sa famille dans l'aile Est et vendit l'autre moitié à la famille Diaz. Vers 1850, la fortune étant revenue, il ajouta un étage à son aile. La décoration des ailes Cooper et Diaz reflète le style anglo-californien de la seconde moitié du 19e s. alors que le premier étage de l'aile Cooper est meublé de pièces victoriennes plus récentes.

En traversant Polk Street, on aperçoit la **Casa Amesti** (**A**), autre exemple de l'élégance du style colonial de Monterey. Cette demeure à un étage, commencée vers 1830, a appartenu de 1918 à 1953 à la décoratrice Francis Elkins, et renferme toujours beaucoup de ses pièces d'ameublement. Aujourd'hui propriété d'une fondation privée, le bâtiment est loué à l'Old Capitol Club, réservé aux hommes.

★**Stevenson House** – *530 Houston St. Visite guidée (45 mn) uniquement à 10 h et 15 h, ainsi qu'à 16 h d'avril à septembre. Fermé 1er janvier, Thanksgiving Day et 25 décembre. www.mbay.net/~mshp* ☎ *831-649-7118.* L'aile à l'arrière de cette maison en adobe est d'origine. Elle a été construite vers 1830 pour servir de résidence à Rafael Gonzales, le percepteur des douanes de la ville. Après 1850, le bâtiment fut agrandi et transformé en grande pension de famille. Le célèbre écrivain britannique **Robert Louis Stevenson** y séjourna pendant plusieurs mois en 1879, tandis qu'il courtisait Fanny Osborne. L'ameublement intérieur comprend des pièces d'époque ainsi que des objets et souvenirs ayant appartenu à Stevenson. La plupart d'entre eux datent de la fin de sa vie, quand il résidait dans l'île d'Upolu aux Samoa.

**Royal Presidio Chapel** – *Angle de Church St. et Figueroa St.* Ce monument en pierre et en adobe (1795) est l'unique chapelle de presidio encore debout en Californie. Elle remonterait à la première mission fondée à Monterey par le père Serra en 1770. Après le transfert de la mission en 1771 à Carmel, la chapelle du presidio de Monterey continua à accueillir les militaires. Les maçons qui l'avaient bâtie, Manuel et Santiago Ruiz, travaillèrent également à la construction de l'église de la mission de Carmel. Bien que le clocher ait été ajouté ultérieurement, la façade richement décorée, surmontée d'une statue de la Vierge de Guadalupe, ainsi que le chemin de croix *(à l'intérieur)* sont d'origine. La niche d'entrée abrite une relique du chêne sous lequel le père Serra a dit sa première messe. En 1967, la chapelle devint la plus petite cathédrale des États-Unis après sa consécration comme cathédrale dédiée à saint Charles.

★**Monterey Museum of Art at La Mirada** – *720 Via Mirada. Visite du jeudi au samedi de 11 h à 17 h, le dimanche de 13 h à 16 h. Fermé 1er janvier et 25 décembre. 3 $.* ⬛ *www.montereyart.org* ☎ *831-372-3000.* Le bâtiment en adobe du début du 19e s. est juché sur une colline boisée au Sud-Est du centre-ville. Agrandi au début du 20e s. et meublé d'antiquités et d'œuvres décoratives contemporaines, il est entouré de merveilleux jardins. Une aile moderne a été ajoutée en 1993. Dans les galeries sont exposées les collections de *netsuke* (sculptures miniatures japonaises), d'anciennes céramiques et bronzes chinois, ainsi qu'un grand nombre d'œuvres d'Armin Hansen, un artiste originaire de San Francisco qui fut surnommé « le Winslow Homer de l'Ouest », pour ses huiles et ses eaux-fortes reprenant des thèmes maritimes.

## ★CANNERY ROW *3 h*

« Un poème, une puanteur, un raclement… », tels sont les termes employés par l'écrivain John Steinbeck dans son célèbre roman *Rue de la Sardine*, publié en 1945, pour décrire la rudesse de ce vieux quartier industriel situé au Nord-Ouest du centre-ville. Les sardineries commencèrent à s'implanter ici au début du 20e s. À la veille de la Première Guerre mondiale, on exportait des sardines de Monterey dans le monde entier ; des millions de caisses de poissons étaient préparées chaque année. En 1950, la sardine disparut brusquement de la baie, soit en raison de la surexploitation des bancs, soit parce que les conditions du milieu marin s'étaient modifiées, et la plupart des sardineries durent fermer. Aujourd'hui Cannery Row renaît, transformé en un quartier touristique très fréquenté. Les anciens bâtiments des sardineries, bars et maisons de passe abritent des magasins et des restaurants. Au n° 800, on peut encore trouver un vestige intact du passé : le laboratoire marin délabré de « Doc » Ricketts, ami personnel de Steinbeck et personnage principal de son roman.

★★**Monterey Bay Aquarium** – 🔲🔲🔲 *Extrémité Ouest de Cannery Row. Visite de 10 h (9 h 30 de juin à août) à 18 h. Fermé le 25 décembre. 15,95 $.* ✕ ♿ *www.mbayaq.org* ☎ *831-648-4888.* Construit en partie sur l'eau, cet aquarium ultramoderne a pour mission de préserver et de protéger la richesse des milieux marins de la baie de Monterey, foyer du Monterey Bay National Marine Sanctuary. Il présente l'ensemble de la faune et de la flore de la baie, soit plus de 300 000 animaux et plantes de 600 espèces différentes.
En 1978, des océanographes qui travaillaient non loin de là, à Pacific Grove, eurent l'idée de convertir en aquarium l'usine Hovden, la plus grande des sardineries de la ville et la dernière à fermer ses portes (1972). Par un heureux hasard, la fille et le gendre du philanthrope David Packard, fondateur du géant informatique Hewlett-Packard, faisaient partie de ce groupe de biologistes. La famille Packard apporta son

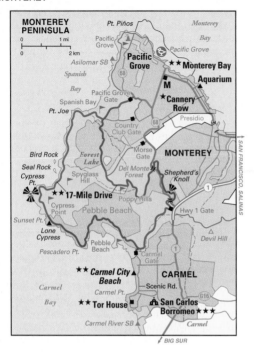

soutien financier au projet et contribua fortement à sa conception et à sa réalisation. Le bureau d'architectes Esherick, Homsey, Dodge et Davis de San Francisco dessina les plans de l'aquarium de 30 000 m², où les ponts et les espaces ouverts intègrent la mer comme élément d'architecture. L'aquarium fut inauguré en 1984 et une nouvelle aile consacrée à la haute mer ajoutée en 1996. Depuis 1999, l'exposition *Mysteries of the Deep* (Mystères des profondeurs) permet d'observer des spécimens de la faune abyssale.

L'aile Ouest accueille les galeries consacrées aux espèces habitant les rivages (Nearshore Galleries) et l'aile Est celles dédiées à la haute mer (Outer Bay Galleries). Des visites audioguidées sont possibles.

★ **Kelp Forest** – Pièce maîtresse de l'aquarium, la « forêt de varech » est un bassin de 8,5 m de profondeur et d'une capacité de 1,3 million de litres d'eau. C'est l'un des aquariums d'exposition les plus grands du monde. Il contient des algues géantes qui peuvent croître de 10 à 15 cm par jour. Requins léopards, sardines, poissons de rocher ainsi qu'une myriade d'invertébrés dont des crabes, des étoiles de mer et des concombres de mer nagent ou rampent au milieu des forêts d'algues ondulantes. *Tous les jours à 11 h 30 et 16 h, le public peut assister au repas des poissons.*

★ **Nearshore Habitats** – Section située dans la partie Ouest de l'étage principal du complexe. On y a reconstitué les différents biotopes de la baie et de la côte, peuplés de créatures comme le poulpe et le congre. On est invité à caresser les raies chauves-souris qui ondulent rapidement dans un bassin ouvert. Sandy Shore, une volière en plein air, abrite des oiseaux côtiers. La dernière exposition de cette partie du bâtiment est consacrée à l'immortel Doc Ricketts, héros du roman de Steinbeck *Rue de la Sardine*.

Un long bassin de 27 m recrée quatre biotopes différents de la baie. On peut y admirer requins, loups, raies et poissons de rocher. La longueur de l'aquarium a été spécialement étudiée pour permettre aux requins de nager sur une longueur suffisante pour respecter leur rythme respiratoire et leurs temps de pause.

★ **The Great Tide Pool** – Les eaux de la baie pénètrent dans ce bassin artificiel de marée, entraînant dans leur sillage des spécimens de ce milieu, comme les étoiles et anémones de mer, les crabes et même les otaries grises et les phoques-chiens de mer. Dans la même section se trouve également le bassin *(intérieur)* des **loutres de mer** (Sea Otter), l'une des attractions de l'aquarium les plus appréciées. *Le public peut assister aux repas des loutres à 10 h 30, 13 h 30 et 15 h 30.*

★ **The Outer Bay** – La partie la plus récente de l'aquarium est peuplée des habitants de la haute mer au-delà de la baie de Monterey, où récifs, plages et hauts-fonds laissent la place aux profondeurs aquatiques. D'épais bancs d'anchois argentés inscrivent des cercles nonchalants. Ils sont le prélude au fleuron de l'exposition, un énorme **aquarium en pleine mer**★★ à ciel ouvert de plus de 10 m de fond, qui renferme près de 4 millions de litres d'océan. Thons à nageoires jaunes, tortue marine verte, requins, barracudas de Californie et autres hôtes des profondeurs y évoluent, en compagnie du mérou de Californie, qui peut mesurer jusqu'à 3 m et peser 1,4 tonne. Des bataillons impressionnants de méduses flottent gracieusement dans une série de bassins éclairés spécialement pour mettre en valeur ces fascinantes et dangereuses créatures. D'autres galeries se consacrent au plancton, base de la chaîne alimentaire marine, aux efforts de protection de la vie des océans, et à des expositions temporaires.

★ **Mysteries of the Deep** – L'aile la plus récente de l'aquarium présente 60 espèces animales provenant des fonds abyssaux du canyon de Monterey (1 000 m de profondeur) et vivant à l'état naturel dans des conditions de pression et de froid extrêmes. Certaines espèces sont présentées au public pour la première fois.

## EXCURSIONS

**Pacific Grove** – À l'extrémité de la péninsule de Monterey, cette paisible commune pleine de charme garde la trace de ses débuts comme station balnéaire méthodiste vers 1870. Un grand nombre d'anciennes demeures victoriennes en planches bordent encore actuellement Lighthouse Avenue, ainsi que des demeures Queen Anne plus sophistiquées, dont certaines abritent aujourd'hui des auberges et restaurants. Le **cap Pinos**, une pointe sauvage balayée par les vents à l'Ouest de la ville, sert de point d'ancrage au plus ancien **phare** (1855) encore en service de l'Ouest américain *(visite du jeudi au dimanche de 13 h à 16 h ;* ☎ *831-648-3116)*.
Pacific Grove est surnommée « Butterfly Town, USA », la ville aux papillons des États-Unis. C'est ici que des milliers de **monarques** viennent passer l'hiver de novembre à mars. Pour observer ces papillons orangés, il faut se rendre au George Washington Park *(angle d'Alder St. et Spruce Ave.)* ou au Monarch Grove Sanctuary *(Ridge Rd sur Lighthouse Ave.)*. Le **muséum d'Histoire naturelle** (**M** *– 165 Forest Ave., au niveau de Central Ave.*) possède une collection très complète d'oiseaux naturalisés du comté de Monterey, des présentations de papillons monarques, de mammifères marins et terrestres. Exposition sur les peuples amérindiens *(visite du mardi au dimanche de 10 h à 17 h. Fermé 1ᵉʳ janvier, Thanksgiving Day, 24 et 25 décembre.* ♿ 🅿 ☎ *831-648-3116)*.

**★★ 17-Mile Drive** – *Accès de Pacific Grove par Pacific Grove Gate sur Sunset Dr ou par Country Club Gate sur Congress Ave. ; de Monterey par Highway 1 Gate ou par Samuel B. Morse Gate, le long de la Route 68. Ouvert du lever au coucher du soleil. 7,25 $/véhicule.* ✗ *www.pebblebeach.com* ☎ *831-624-6669.* Cette célèbre et pittoresque route à péage traverse des forêts, côtoie la flore et la faune sauvages et offre des points de vue magnifiques sur le Pacifique. Elle serpente à travers le quartier résidentiel huppé de Pebble Beach, bordant de luxueux terrains de golf au bord de l'océan, puis pénètre dans les 3 200 ha de la forêt de Del Monte avec ses bosquets de cyprès de Monterey aux troncs noueux.
De l'entrée Nord à Pacific Grove, la route se dirige vers l'Ouest pour rejoindre Spanish Bay, baptisée en mémoire de l'Espagnol Gaspar de Portolá, qui campa ici en 1769. La rencontre de deux courants crée des vagues impressionnantes qui se fracassent sur les rochers de **Point Joe**, lieu où viennent nicher les oiseaux de mer. Au-delà de la pointe se dessine un sentier, le **Coastal Bluffs Walking Trail**, qui invite les promeneurs à explorer les nombreux bassins que la mer découvre à marée basse.

© Marilyn Kazmers/DPA

Le cyprès solitaire

Sur **Seal Rock** et **Bird Rock**, on peut apercevoir des loutres de mer, des otaries, des phoques et des oiseaux. Du **belvédère de Cypress Point**, le **panorama★** embrasse les falaises s'étirant au Nord et les pans de roc détachés de la côte vers le Sud. Accroché à un promontoire rocheux pelé, un cyprès solitaire, **Lone Cypress**, surplombe le Pacifique. C'est un emblème de la péninsule de Monterey. Passé Pescadero Point, la route pénètre dans une enclave de terrains boisés, avant de parvenir à la célèbre station de Pebble Beach.

Au départ de Carmel Gate, extrémité Sud du 17-Mile Drive, la route serpente vers le Nord à travers les quartiers résidentiels cachés dans la forêt de Del Monte. Le **point de vue★** qu'offre **Shepherd's Knoll Vista Point** s'étend sur toute la baie de Monterey jusqu'à la masse menaçante de la chaîne Gabilan.

★★**Carmel** – *Une demi-journée. Voir ce nom.*

# SALINAS Valley

## Vallée de SALINAS

Carte Michelin n° 493 A 9 – Voir schéma au chapitre BIG SUR p. 56

Large, vallonnée et fertile, la vallée de Salinas est arrosée par le fleuve du même nom, qui prend sa source dans les montagnes de la sierra Madre, à l'Est de San Luis Obispo, puis poursuit sa course de 240 km vers le Nord jusqu'à la baie de Monterey. Les pères franciscains établirent ici des missions, afin de convertir les Indiens costanoan et salinan qui peuplaient la région. Plus tard, des fermiers anglophones cultivèrent ces terres fertiles pour y faire pousser orge, betteraves à sucre, salades, carottes, entre autres produits. La vallée a aussi été une importante source d'inspiration, donnant vie aux lieux et personnages des récits de John Steinbeck, prix Nobel de littérature, natif de Salinas.

## CURIOSITÉS *Une journée*

**Salinas** – *178 km au Sud de San Francisco par l'US 101.* Située dans une région encore renommée pour la richesse de son sol et la qualité et l'abondance de ses récoltes, Salinas a servi, pendant plus d'un siècle, de nœud de communication pour les fermes prospères disséminées dans la vallée. Fondée à la fin du 19e s. cette modeste localité se développa en un centre agricole important lorsque les marais environnants furent asséchés, laissant place à une terre riche et fertile. En 1898, Claus Spreckels, le « roi du sucre » de San Francisco, ouvrit une raffinerie de sucre dans la région, et les fermiers se reconvertirent dans la culture des betteraves sucrières, tout en développant les cultures maraîchères, apportant à la région l'appellation de « saladier de la nation ». Aujourd'hui, des vignobles prospèrent aussi dans la grande vallée.

C'est à Salinas que naquit et grandit **John Steinbeck** (1902-1968), célèbre auteur de romans et de nouvelles, dont beaucoup des récits les plus connus se déroulent dans la vallée de Salinas et le comté de Monterey. La famille de Steinbeck habitait une maison à proximité du centre-ville, aujourd'hui reconvertie en restaurant, **Steinbeck House** *(132 Central Ave.).* L'auteur est enterré dans le Jardin des souvenirs *(768 Abbott St.).*

★★**National Steinbeck Center** – *One Main St. Visite de 10 h à 17 h. Fermé les principaux jours fériés. 7 $.* ♿ ✗ 🅿 *www.steinbeck.org* ☎ *831-796-3833.* À la fois musée et archives de la vie et des écrits de John Steinbeck ce tout nouveau bâtiment de verre et de brique (1998 – Kasavan Architects et Thompson Vaivoda Associates) est situé au centre de Main St. dans la partie historique de Salinas – elle-même toile de fond du roman *À l'Est d'Eden.* Les thèmes et les lieux des romans, histoires, scripts et articles de Steinbeck sont repris ici, avec des expositions multimédias, des extraits de films et d'écrits. Plus de 30 000 manuscrits, lettres, éditions originales, photos, témoignages et autres souvenirs de l'auteur sont conservés aux **archives Steinbeck** au rez-de-chaussée *(visite sur rendez-vous uniquement).*

**Visite** – *3 heures.* Après avoir visionné un film *(12 mn)* sur la vie de Steinbeck, on entre par l'aile Ouest pour une visite libre de sept salles. « Growing Up East of Eden » présente du mobilier, une Ford Model T de 1917, un fourgon frigorifique et un ancien plan de Salinas évoquant ainsi l'enfance de Steinbeck tout en le rapprochant du livre *À l'Est d'Eden* par des extraits du texte et du film. « An' Live Off the Fatta the Lan' » explore la vie rurale des protagonistes de *Des Souris et des hommes* et du *Poney rouge.* « Grape of Wrath » s'intéresse à la période de la Grande Dépression et son impact sur la vie rurale californienne au travers de la migration de familles de l'Oklahoma réduites à la pauvreté (Dust Bowl families). En visitant « Cannery Row », on peut jeter un coup d'œil dans le laboratoire de « Doc » Rickett et dans une conserverie de Monterey. Les incursions en Europe de Steinbeck en tant que correspondant de guerre sont présentées dans la salle « Adventures on Land and Sea ». *Rocinante*, le camping-car que l'auteur utilisa pour visiter les États-Unis (*Mon Caniche, l'Amérique et moi*, 1962) est la pièce

## Un enfant du pays controversé

John Ernst Steinbeck (1902-1968) fut élevé dans un foyer cossu par des parents qui encouragèrent son goût pour la littérature. Jeune homme, il travailla dans les fermes de la vallée de Salinas et suivit de façon erratique des cours à l'université de Stanford, acquérant ainsi une réelle familiarité avec les personnages, les lieux et les traditions littéraires qui allaient plus tard enrichir son œuvre. En effet, ses ouvrages, peuplés d'êtres simples, voire frustes, mais aux nobles idéaux, mêlent réalisme social, symbolisme et allégories inspirées de la Bible et de la légende Arthurienne.

Steinbeck exerça plusieurs métiers en Californie puis à New York avant de venir s'installer à Pacific Grove, près de Monterey, en 1930. C'est là qu'il fit la connaissance d'Ed « Doc » Rickett, biologiste marin, que l'on retrouve dans nombre de ses œuvres. En 1935, Steinbeck trouva enfin la reconnaissance nationale avec son roman *Tortilla Flat*, un portrait de sympathiques marginaux de Monterey, sujet qu'il reprendra en 1945 avec *Rue de la Sardine*, puis de nouveau en 1954 avec *Sweet Thursday*.

En 1936 Steinbeck publia *En un combat douteux*, roman évoquant une très dure grève des saisonniers de la vallée de Salinas. Ce livre lui valut une grande et durable animosité des citoyens conservateurs de Salinas et du comté de Monterey. Beaucoup de propriétaires terriens et figures économiques lui reprochèrent en effet de prendre exagérément partie pour les ouvriers. Toutefois, l'environnement rural et les personnages d'humbles agriculteurs devinrent des thèmes récurrents de l'œuvre de Steinbeck, parmi lesquels on peut citer *Des Souris et des hommes* qui fut adapté avec succès pour le théâtre et le cinéma, *La Grande vallée* (1938) et *Le Poney rouge* (1945). Son chef-d'œuvre, *Les Raisins de la colère*, décrivant la migration des habitants de l'Oklahoma (les *Okies*) vers la Californie pendant la Grande Dépression lui valut le prix Pulitzer et fut également adapté à l'écran. Cela ne fit qu'accentuer une certaine hostilité à son égard ; aussi fut-il accusé de sympathies socialistes.

Steinbeck étendit par la suite son domaine littéraire en écrivant des articles (dépêches d'Europe pendant la Seconde Guerre mondiale) et des œuvres de fiction dont l'action se déroulait ailleurs qu'en Californie (*Nuits noires* (1942) décrivant l'invasion de la Norvège par les nazis ou *La Perle* (1948) un petit roman sur de pauvres villageois du Mexique).

Lorsque, en 1952, Steinbeck fit son retour littéraire dans la vallée avec *À l'Est d'Eden*, roman fleuve sur la nature du bien et du mal, il continua d'exciter l'animosité de certains notables de Salinas, choqués par les descriptions des maisons closes et des mauvaises vies. Malgré l'obtention du prix Nobel de littérature en 1962, Steinbeck continua d'être l'objet d'amères controverses et ce même après sa mort.

Les choses commencèrent à évoluer à partir de 1974 lorsque la Chambre de Commerce de Salinas décida qu'il était grand temps de rendre hommage au plus célèbre enfant du pays. C'est ainsi que fut créée la Fondation Steinbeck qui se chargea d'acquérir des manuscrits et autres souvenirs, ainsi que de réunir les fonds pour la construction du Centre national Steinbeck. Le musée, inauguré en 1998, fait la fierté de tous les habitants.

centrale de la salle « Steinbeck's America ». Dans la salle « Art of Writing Room », des CD-ROM mis à la dispositon des visiteurs leur présentent les travaux et souvenirs de Steinbeck conservés dans les archives. Des expositions d'art temporaires sont présentées dans l'aile Est.

★ **Pinnacles National Monument** – *19 km à l'Est de Soledad (35 km au Sud de Salinas). Accès Ouest : sur l'US 101, prendre la sortie route 146 vers l'Est, puis suivre la signalisation vers le site (19 km). Accès Est : suivre l'US 101 vers le Sud sur 31 km jusqu'à King City (sortie Broadway), puis la route G 13 en direction de l'Est et parcourir 23 km. Tourner à gauche sur la route 25 et continuer vers le Nord sur 22,5 km jusqu'à la route 146. Suivre les panneaux vers le site. Visite de 7 h 30 à 19 h (21 h d'avril à septembre). 5 $/véhicule.* ▯ ☎ *831-389-4485.* Sur le socle de granit de la chaîne Gabilan à l'Est de Soledad se dresse une forteresse rocheuse de hautes tours et de remparts, œuvre complexe de la dérive des continents, des océans aujourd'hui retirés et d'un volcan disparu. L'échine rocheuse qui caractérise le parc est le souvenir d'un volcan anonyme né il y a 23 millions d'années, lorsque la plaque Pacifique a glissé vers le Nord par rapport à la plaque Nord-américaine, le long d'une zone de faille appelée aujourd'hui faille de San Andreas. Ce mouvement a généré une grande fissure, d'où s'est échappée de la lave en fusion. La lave a formé un cône volcanique de 2 400 m de haut à cheval sur la faille. Au cours des millénaires suivants, la plaque continentale Pacifique a poursuivi son voyage vers le Nord, entraînant avec elle la moitié Ouest de la montagne. Les débris de la partie Est du volcan se trouvent aujourd'hui à 315 km au Sud. Durant la même période, l'érosion a emporté les couches superficielles du volcan, exposant directement une couche de roche volcanique ancienne d'un gris rosé, ou rhyolite. Les petites fissures de la surface solidifiée de la lave se sont agrandies et approfondies, pour donner le paysage actuel où d'impressionnantes tours de pierre ponctuent les douces collines arrondies du voisinage.

**Visite** – *Une demi-heure (sans compter les promenades).* Ce parc de 65 km² est accessible aussi bien par l'Est que par l'Ouest, les deux entrées n'étant reliées que par des sentiers de randonnée. L'entrée Ouest permet d'accéder à un petit poste de gardes forestiers et à des points de vue d'où l'on découvre des panoramas magnifiques sur les masses rocheuses des Pinnacles. L'entrée Est permet d'accéder au **bureau d'information** de Bear Gulch, avec son exposition consacrée à la géologie de la Californie. On trouvera de chaque côté aires de pique-nique et sentiers menant au cœur du parc. Plusieurs sentiers très raides, notamment le **Juniper Canyon Trail★** *(circuit de 4 km ; départ à l'entrée Ouest)* et le **High Peaks Trail** *(circuit de 8,5 km ; départ à l'entrée Est)*, permettent d'escalader les flancs des Pinnacles. D'autres chemins plus faciles permettent de se promener agréablement et de découvrir plusieurs grottes et sommets dans le parc.

**Nuestra Señora de la Soledad Mission** – *47 km au Sud de Salinas par l'US 101. Sortir à Arroyo Seco Rd, puis continuer environ 1,5 km vers l'Ouest jusqu'à Fort Romie Rd et tourner à droite ; se diriger ensuite vers le Nord sur 2,5 km jusqu'à la mission. Visite de 9 h à 18 h (17 h de novembre à février). Fermé le mardi et les principaux jours fériés. Contribution demandée.* &. ♿ ☎ *831-678-2586.* Fondée en 1791 par le père Fermín Lasuén pour faire la liaison entre la mission de San Antonio et celle de Carmel, cette 13e mission fut baptisée en l'honneur de Notre-Dame-de-la-Solitude. Malgré les étés torrides et secs, les hivers froids et pluvieux, et le manque de convertis volontaires, la mission de Soledad parvint à une prospérité relative. Moutons, bœufs et chevaux paissaient dans les pâturages avoisinants. On y cultivait la vigne, l'olivier et des céréales.

Mais une inondation détruisit l'église d'origine en 1824. Les chapelles reconstruites par la suite subirent le même sort en 1828 et 1832. Après la sécularisation de 1835, les tuiles qui recouvraient le toit du bâtiment durent être vendues pour payer une dette de la mission envers le gouvernement mexicain ; ainsi dépouillés, les murs en adobe donnèrent prise aux intempéries. Seuls quelques rares vestiges subsistaient encore en 1954, quand on entreprit de restaurer la mission.

**Visite** – *Une demi-heure.* Seules la modeste chapelle aux murs blanchis ainsi que le couvent de sept pièces ont été reconstruits. Les vestiges de la cour carrée intérieure sont encore en ruine. La cloche de l'ancienne mission est pendue à une poutre basse à l'extérieur de la chapelle, dont l'intérieur est orné d'un chemin de croix d'époque. Des tas de briques d'adobe désagrégées marquent l'endroit où se trouvaient les ateliers des ailes Nord et Est. Côté Sud, on voit encore des carreaux qui pavaient le sol de l'église d'origine. Au-dessous repose la dépouille de José Joaquín Arrillaga, premier gouverneur espagnol de Haute Californie, mort en 1814 pendant une visite à la mission.

**★San Antonio de Padua Mission** – *42 km au Sud-Ouest de King City. Emprunter l'US 101, sortir sur la Route G 14 (Jolon Rd), puis continuer vers le Sud sur 29 km jusqu'à Jolon Store. Tourner à droite et entrer dans Ft Hunter Liggett. Les sentinelles guident les visiteurs à travers la base militaire sur 8 km jusqu'à la mission. Attention : les limites de vitesse annoncées sont à respecter à la lettre. Visite de 8 h à 18 h (16 h de novembre à avril). Contribution demandée.* &. ♿ *www.missionsanantoniopadua.com* ☎ *831-385-4478.* La 3e mission californienne se trouve dans une vallée à l'Est de la chaîne Santa Lucia. Bien qu'elle soit désormais enclavée à l'intérieur du camp militaire fédéral Ft Hunter Liggett, des abords immédiats ne semblent pas avoir beaucoup changé depuis la fin du 18e s. Fondée par le père **Junípero Serra** en 1771, la mission se trouvait à l'origine sur les berges d'une rivière que Serra avait baptisée en l'honneur de saint Antoine de Padoue. Environ deux années plus tard, elle fut transférée sur le site actuel, 2,5 km plus loin. À son apogée, la mission recensait près de 1 300 néophytes, et possédait une importante infrastructure d'ateliers et de logements, ainsi qu'un système d'irrigation élaboré. L'église principale fut achevée en 1813.

Après la sécularisation de 1834, les terrains de la mission furent vendus. Malgré la restitution de 13 ha de terrain à l'Église catholique par le président Lincoln en 1862, San Antonio fut pratiquement abandonnée pendant 46 ans. En 1903, la Ligue des monuments historiques mit le site sous sa protection, et commença la restauration par la réfection du toit de l'église. Des moines franciscains revinrent en 1928, et engagèrent en 1948 d'importants travaux de rénovation. Une aile de la cour ainsi que l'église, utilisée aujourd'hui par la paroisse locale, sont ouvertes au public. Les deux autres ailes abritent un centre de retraite franciscain.

**Visite** – *Une heure.* Les panneaux qui parsèment les abords de la mission attirent l'attention sur les vestiges des bâtiments de San Antonio, dont une tannerie, un moulin et un aqueduc. Une élégante colonnade précède la cour intérieure restaurée et un clocher de briques rouges s'élève devant l'entrée de l'église. L'aile avant, qui abritait le couvent, est aujourd'hui un lieu d'exposition sur la vie des missions. On notera également la salle de musique où sont accrochées des reproductions fidèles de dessins illustrant la méthode que les pères avaient spécialement mise au point pour apprendre à chanter aux néophytes. La cave et la cuve à vin valent également le détour. Comme les grappes étaient pressées un demi-étage au-dessus du couvent, le jus s'écoulait par des tuyaux jusqu'aux tonneaux dans la cave.

★**San Miguel Arcángel Mission** – *Quitter l'US 101 à San Miguel. Visite de 9 h 30 à 16 h 30. Fermé les principaux jours fériés. Contribution demandée.* ♿ 🅿 ☎ *805-467-3256.* Son jardin bien entretenu, ses revêtements de stuc et ses tuiles d'un rouge passé confèrent à la 16e mission californienne un air de sérénité malgré la proximité de la bruyante US 101. Gérée par les pères franciscains depuis 1928, la mission est renommée pour l'intérieur de son église.

Baptisée d'après l'archange saint Michel, cette mission fut fondée en 1797 par le père Fermín Lasuén, relais entre les missions San Antonio et San Luís Obispo. Sous la direction des pères, les néophytes bâtirent une série de digues et de canaux à partir de la Salinas pour irriguer les champs de céréales et les vergers. Jusqu'à l'incendie qui ravagea la mission en 1806, les messes étaient célébrées dans une vaste église au toit de boue séchée. Le sinistre incita les pères à concevoir une nouvelle église au toit de tuiles, mieux parée pour résister à ce genre de désastre.

San Miguel fut la dernière mission touchée par la sécularisation. Au cours des années qui suivirent, elle abrita tour à tour un saloon, un dancing, un magasin et des résidences privées. Plusieurs bâtiments non entretenus tombèrent en ruine. Toutefois, les pères qui ont continué à y habiter pendant tout le 19e s. ont maintenu l'église et son intérieur en bon état.

En 1859, le domaine a été rendu à l'Église catholique. En 1928, il a été confié à l'ordre franciscain qui l'entretient et le gère aujourd'hui en tant que monastère.

**Visite** – *Une heure. Entrée par le magasin de souvenirs du couvent.* Un paisible jardin rassemblant 34 variétés de cactus est aménagé devant la mission, dont il souligne l'harmonie. La façade du couvent est unique parmi les missions californiennes, car ses arcs sont de tailles et de formes différentes. À l'intérieur, six salles présentent des statues et objets artisanaux datant de l'époque des missions, dont une statue expressive de l'archange saint Michel vainqueur de Satan, et le crucifix d'origine de l'église.

L'**intérieur**★★ bien conservé de l'église est orné de fresques réalisées en 1820 par des artisans indiens sous la direction d'Estéban Munras, un Barcelonais venu s'établir à Monterey en 1812. Les **peintures murales** en trompe-l'œil représentant arcs, draperies et balustrades sont d'origine et n'ont jamais été modifiées. Richement colorées à l'aide d'ocre, de charbon de bois, de cinabre (vermillon) et de cobalt (bleu), on les considère comme les plus beaux exemples de décoration intérieure des missions californiennes.

# SAN JUAN BAUTISTA★

1 635 habitants

Carte Michelin n° 493 A 9 – Voir schéma au chapitre BIG SUR p. 56

Office de tourisme ☎ 831-623-2454

Niché dans les contreforts de la chaîne Gabilan, cet ancien village de mission plein de charme possède deux curiosités antinomiques : un paisible établissement de mission, et, sur sa limite Nord-Est, la faille de San Andreas. Avec son architecture simple de planches et d'adobe, San Juan Bautista a su garder l'atmosphère des communautés rurales du 19e s. La ville se tient au Nord de la vallée de Salinas, au milieu d'une riche région agricole parsemée de petits villages.

## UN PEU D'HISTOIRE

En mai 1797, un petit contingent de soldats espagnols arriva dans la région pour y élever une chapelle et d'autres bâtiments en vue de l'établissement d'une nouvelle mission. À cet emplacement, choisi en raison de l'importante population d'Amérindiens habitant la région, la mission connut rapidement un bel essor et, vers 1814, une ville commença à se fixer autour. À la suite de la sécularisation de la mission en 1834, la ville prit un temps le nom de San Juan de Castro, du nom de son administrateur civil, José Tiburcio Castro. Dans la décennie 1850-1860, de nouveaux colons venus de l'Est vinrent peupler la ville qui, placée à l'intersection des grandes routes Nord-Sud et Est-Ouest empruntées par les diligences, devint un relais et un centre de ravitaillement vital pour la région. Mais en 1876 la ligne ferroviaire Southern Pacific évita San Juan, mettant brutalement fin à la prospérité de la ville.

La *plaza* d'origine et les bâtiments historiques qui l'entourent constituent aujourd'hui le parc historique de San Juan Bautista, bien que la mission appartienne toujours à l'Église et serve de centre paroissial. Au cours des dernières décennies, la mission et le parc ont attiré un nombre croissant de visiteurs. La ville est pour sa part devenue une étape touristique très appréciée, avec un agréable quartier commerçant regroupant boutiques, petits commerces et services divers.

## CURIOSITÉS *2 h*

**★★San Juan Bautista Mission** – En arrivant ici en juin 1797, le père Fermín Lasuén inaugura la 15e mission californienne qu'il baptisa en hommage à saint Jean Baptiste. La population amérindienne de la région réagit positivement à l'appel des pères et la croissance de la mission fut rapide : vers 1800, quelque 500 Indiens y vivaient déjà et de nombreux bâtiments avaient été construits, parmi lesquels une église, un monastère et des casernements. Ayant malheureusement été construits en bordure de la faille de San Andreas, les bâtiments de la mission étaient très sensibles aux tremblements de terre. En 1800, une série de secousses en endommagea plusieurs, dont l'église. C'est en 1803 que commença la construction d'une nouvelle grande église en adobe, qui fut terminée en 1812.

Après sa sécularisation, la mission continua de célébrer la messe. Elle fut restituée au diocèse catholique en 1859. L'église a été sérieusement touchée par le grand tremblement de terre de 1906, mais elle a été réparée et demeure aujourd'hui la plus grande de toute la chaîne des missions. En 1976, on a procédé à d'importants travaux de restauration de l'édifice, auquel fut alors ajouté un nouveau clocher inspiré de celui d'origine.

**Visite** – *Ouvert de 9 h 30 (10 h le dimanche) à 16 h 45. Fermé les principaux jours fériés.* ♿ *Contribution de 2 $ demandée.* ♿ 🅿 ☎ *831-623-4528.* Une arcade embellit la façade du **quartier des pères,** bâtiment en adobe de plain-pied, qui donne sur un jardin clos. Il abrite aujourd'hui un petit musée où sont exposés divers objets fabriqués dans la mission et où l'on a reconstitué une cuisine, une bibliothèque, une salle à manger et un parloir de l'époque des missions.

L'intérieur de l'**église** en adobe gagne en originalité grâce à ses trois nefs séparées par des arches peintes de fresques. Les riches motifs des peintures murales et du retable ont été exécutés en 1820 par Thomas Doak, un marin américain qui avait fui son navire à Monterey et entreprit ces travaux en échange du gîte et du couvert. Doak serait, dit-on, le premier citoyen américain à s'être installé en Californie.

Le cimetière renferme les tombes de quelque 4 000 néophytes. La pente abrupte qui s'élève derrière le mur du cimetière suit en fait la faille de San Andreas. Au Nord du cimetière, on peut voir une petite partie de la chaussée originelle du Camino Réal *(voir index),* le chemin du Roi qui traversait autrefois cette partie de la Californie.

**★San Juan Bautista State Historic Park** – *Billets d'entrée au Plaza Hotel. Visite de 10 h à 16 h 30. Fermé 1er janvier, Thanksgiving Day, 25 décembre. 2 $.* ♿ ☎ *831-623-4881.* La **plaza** verdoyante qui fait face à la mission est bordée au Sud et à l'Est par des bâtiments du milieu du 19e s. faisant partie du parc d'État. L'immense **Plaza Hotel,** à l'origine un bâtiment en adobe à un seul niveau, a été construit en 1814 pour servir de casernement ; il fut transformé en hôtel vers 1850 par Angelo Zanetta, qui le surmonta d'un étage en bois. Certaines salles y ont été restaurées dans le style de l'époque, dont un **saloon** encore doté de son comptoir d'origine en bois sculpté.

L'extérieur de la charmante **Castro Adobe** a conservé son allure de 1840, mais l'intérieur reflète l'époque où la famille Breen y vivait après avoir survécu à l'infortunée expédition Donner *(voir Truckee).* Le **Plaza Hall,** bâtiment de plain-pied, fut aussi agrandi en 1868 par Zanetta, qui espérait en faire le futur palais de justice du comté. Cette ambition ayant tourné court, Zanetta en fit sa résidence. Le décor d'aujourd'hui est celui de l'époque durant laquelle la famille y vécut. D'autres objets du 19e s sont exposés dans les écuries, au lavoir et dans l'échoppe du maréchal-ferrant.

## EXCURSIONS

**Gilroy** – *22,5 km au Nord-Ouest de San Juan Bautista par l'US 101.* Fière de son appellation de « capitale mondiale de l'ail », Gilroy marque l'extrémité Sud de la fertile vallée de Santa Clara. Au-delà de ses rues résidentielles s'étendent d'immenses champs d'ail qui donnent chaque année d'abondantes récoltes de « roses puantes ». La ville célèbre chaque été cet événement lors du très populaire **Gilroy Garlic Festival** (Festival de l'ail de Gilroy – *Voir Calendrier des manifestations*) qui attire des milliers d'amateurs d'ail de la région et d'ailleurs.

**Castroville** – *24 km à l'Ouest de San Juan Bautista par la route 156.* Au milieu d'une mer de champs d'artichauts, cette petite communauté qui longe la route s'est elle-même octroyé le titre de « centre mondial de l'artichaut ». Il est vrai que les champs qui l'entourent produisent 90 % des artichauts récoltés aux États-Unis. Le festival de Castroville qui honore chaque année la délicate saveur de ce légume se déroule la quatrième semaine de septembre.

# SAN LUIS OBISPO

· 42 433 habitants

Carte Michelin n° 493 A 9 – Voir schéma au chapitre BIG SUR p. 56

Office de tourisme ☎ 805-781-2777

Nichée au pied de la chaîne Santa Lucia, à mi-chemin entre Los Angeles et San Francisco, cette petite ville dynamique s'est développée autour de la mission fondée en 1772 par le père Junípero Serra au-dessus de la Cañada de los Osos (« Vallée aux ours »). D'abord riche région agricole, San Luis Obispo se transforma en un centre de marché régional avec l'arrivée, en 1894, de la ligne ferroviaire Southern Pacific. Objets et photographies d'époque retraçant cette période historique de la région sont exposés au **musée d'Histoire du comté de San Luís Obispo** *(696 Monterey Street ; visite du mercredi au dimanche de 10 h à 16 h ; fermé les principaux jours fériés ; contribution attendue ; www.slonet.org ; ☎ 805-543-0638)*. San Luis Obispo tire aujourd'hui ses revenus de sa fonction administrative de chef-lieu du comté, du tourisme, du commerce de détail, de l'agriculture ainsi que de la présence de l'université polytechnique de l'État de Californie.

## CURIOSITÉS  *Une demi-journée*

**La mission San Luís Obispo de Tolosa** – *751 Palm Street. Visite de 9 h à 16 h (17 h de juin au Labor Day). Contribution demandée.* ♿ ☎ *805-543-6850.* Le père Serra choisit un terrain fertile bordé de deux cours d'eau pour y installer la 5e mission qu'il baptisa en hommage à saint Louis d'Anjou, évêque de Toulouse au 13e s. et petit-neveu de Saint Louis, roi de France. Ravagés par trois incendies en dix ans, les premiers bâtiments, qui avaient été construits avec des joncs, de l'adobe et du goudron, furent rebâtis en 1794 avec des toits en tuiles à l'épreuve du feu. L'élevage de bétail et une production agricole importante permirent à la mission de devenir autonome à la fin du 18e s. Avec le terrible tremblement de terre de 1830 commença un déclin de quarante années, encore aggravé par la sécularisation en 1834 des terres appartenant aux missions. À l'approche du centenaire de la mission, en 1872, on entreprit une restauration qui, fortement influencée par le style très prisé à l'époque de l'architecture victorienne de la Nouvelle-Angleterre, modifia considérablement l'apparence initiale des bâtiments. À la fin du 19e s., une aile de briques en forme de L fut ajoutée à un côté de l'église pour répondre à l'augmentation du nombre de paroissiens. La remise en état des lieux ne commença qu'en 1933.

**Visite** – L'**église** de la mission (1793) possède un beffroi-vestibule unique. Des cloches péruviennes coulées en 1920 sont suspendues dans trois ouvertures découpées dans le mur de façade. À l'intérieur du sanctuaire, un retable en bois sculpté, peint à la plume de dinde pour lui donner l'apparence du marbre vert, orne le mur situé derrière l'autel. La statue de saint Louis d'Anjou placée dans la niche centrale et les poutres de chêne équarries à la main sont des pièces d'origine.

Le **musée** attenant à l'église expose avec goût une collection d'objets religieux et historiques composée de vêtements sacerdotaux, de pièces d'autel, de statues, d'outils et de costumes ayant appartenu aux premiers colons de la région. Plusieurs salles se consacrent à une belle collection d'**objets Chumash★**, incluant des poteries anciennes, des outils de pierre, des bijoux et des paniers.

**Centre-ville** – *Plans disponibles à la Chambre de commerce, 1039 Chorro Street.* Une route traversait autrefois l'actuelle **Mission Plaza**, édifiée en 1961 le long du ruisseau San Luis. Centré autour de la plaza, le centre-ville illustre toute une gamme de styles architecturaux, depuis les constructions en adobe du milieu du 19e s. jusqu'au **Fremont Theater** Art déco *(1035 Monterey Street)*.

Le grand magasin Ah Louis *(800 Palm Street)*, que fit bâtir le marchand chinois Ah Louis il y a 110 ans, est en briques façonnées à la main. Cet édifice abritait le marché, la banque et le bureau de poste des ouvriers chinois qui, à l'époque, travaillaient au chantier des tunnels ferroviaires du Cuesta Pass.

Le décor kitsch de l'auberge **Madonna Inn** *(100 Madonna Road)*, célébrité locale non loin de l'US 101, illustre la fantaisie de son propriétaire Alex Madonna.

★**Cuesta Ridge** – *Prendre l'US 101 et parcourir 8 km vers le Nord. Tourner à gauche dans une route sans signalisation au sommet de la Cuesta Grade.* Cette petite route à voie unique trouée de nids-de-poule grimpe sur 8 km le long de la crête qui domine les collines Atascadero (au Nord) et la région sauvage de Santa Lucia *(à l'Est)*. Un terre-plein non goudronné *(à 2,5 km)* offre une **vue★★** grandiose sur les pics des « Nine Sisters », montagnes vieilles de 21 millions d'années, avec la silhouette du Morro Rock se détachant sur le bleu du Pacifique.

## EXCURSION

**Morro Bay** – *21 km au Nord-Ouest de San Luis Obispo. Prendre la sortie Main Street sur la Highway 1.* La vie de ce petit port de pêche tourne autour du quai, qui s'étend sur 2,5 km le long de la baie. Bordé aujourd'hui de boutiques et de restaurants, l'*Embarcadero* accueillait, vers 1870, les flottes de goélettes qui transportaient les produits laitiers et fermiers de la région jusqu'au marché de San

Francisco. Au milieu du 20ᵉ s., la pêche commerciale devint la principale activité. Bien que les pêcheurs rapportent encore d'importantes quantités de thons, de saumons et de juliennes, le tourisme constitue désormais la source la plus importante de revenus.

Le **Morro Rock**★ (175 m) est l'une des particularités géographiques les plus étonnantes de la baie *(prendre Main Street et tourner à droite dans Beach Street, puis suivre les panneaux)*. C'est l'une des « Nine Sisters », série de neuf anciens volcans disséminés le long d'une ligne de 19 km reliant San Luis Obispo à Morro Bay. Baptisé El Moro par l'explorateur espagnol Juan Rodríguez Cabrillo qui en aperçut le sommet arrondi en 1542, le Morro Rock abrite aujourd'hui dans ses crevasses aériennes des nids de faucons pèlerins, menacés de disparition.

**Morro Bay State Park Museum of Natural History** – *State Park Road (continuer dans le prolongement de Main Street). Visite de 10 h à 17 h. Fermé 1ᵉʳ janvier, Thanksgiving Day et 25 décembre. 3 $.* ♿ 🅿 *www.mbspmuseum.org* ☎ *805-772-2694.* Installé au milieu d'une odorante forêt d'eucalyptus dominant le port très actif de Morro Bay, ce petit musée d'histoire naturelle propose des expositions sur la géologie, l'histoire culturelle et la vie marine de la région. Un centre de découverte présente une exposition interactive.

# SANTA BARBARA★★

86 154 habitants
Carte Michelin n° 493 B 10

Les toits de tuile rouge, les bâtiments en stuc blanchis à la chaux et les plages bordées de palmiers donnent sans conteste une allure méditerranéenne à cette ville élégante mais décontractée de la Californie du Sud. Déployée sur une saillie côtière et se prolongeant jusque dans les collines séparant l'océan Pacifique des monts Santa Ynez, à quelque 140 km au Nord-Ouest de Los Angeles, Santa Barbara profite de sa réputation de villégiature à la mode acquise depuis le 19ᵉ s.

## UN PEU D'HISTOIRE

**Les débuts espagnols** – Soixante ans après que Juan Rodríguez Cabrillo eut pénétré dans le bras de mer connu aujourd'hui sous le nom de Canal de Santa Barbara, le roi Philippe III d'Espagne dépêcha **Sebastián Vizcaíno** et une flotte de trois vaisseaux afin de trouver un port convenable sur la côte californienne. Vizcaíno débarqua ici le jour de la Sainte-Barbe (le 4 décembre 1602) et s'empressa de baptiser ce bras de mer du nom de cette martyre d'Asie Mineure du 4ᵉ s.

Après le voyage de Vizcaíno, les Espagnols ne revinrent plus en Haute Californie (*Alta California* – ancienne province mexicaine et espagnole représentant l'État actuel de Californie) pendant près de 150 ans. En 1782, le père Junípero Serra, accompagné par un régiment de soldats, fit voile à quelque neuf lieues (environ 50 km) au Nord de la mission San Buenaventura et choisit l'emplacement d'un bosquet de chênes dominant l'océan pour y établir la quatrième et dernière forteresse militaire espagnole de la côte. Le Presidio de Santa Bárbara, aujourd'hui classé parc historique d'État *(voir plus loin)*, formait le cœur de cette petite communauté, composée à l'origine de soldats et d'Indiens de la tribu Chumash qui habitaient la région depuis environ 10 000 ans.

**De la colonie à la ville** – En nombre toujours croissant, des colons affluèrent à Santa Barbara durant les années turbulentes de la domination mexicaine. Lorsque les Américains eurent finalement pris possession de la Californie en 1846, des colons yankees attirés par l'or ou les terres d'élevage à bas prix vinrent grossir les rangs des résidents. Bientôt, des maisons en bois de plain-pied ou à un étage surpassèrent en nombre les constructions en adobe qui entouraient le presidio, donnant à l'endroit l'apparence d'une ville côtière de la Nouvelle-Angleterre. Vers la fin du 19ᵉ s., la construction du quai Stearns et le prolongement de la ligne de chemin de fer de la Southern Pacific incitèrent les riches habitants de l'Est à venir à Santa Barbara y jouir de son climat agréable et des bienfaits de ses sources thermales.

Dans les années 1920, un groupe de citoyens revendiqua son héritage espagnol, et Santa Barbara entreprit alors une transformation architecturale, délaissant le style victorien de la Nouvelle-Angleterre pour privilégier le style colonial espagnol. Une arcade commerciale du centre-ville, **El Paseo** *(814 State Street)*, conçue sur le modèle d'un village andalou, fut le premier grand ensemble construit dans ce nouveau style. Lorsqu'en 1925 un violent tremblement de terre rasa la majeure partie du quartier des affaires, les habitants saisirent cette opportunité malheureuse pour reconstruire la ville dans un style rappelant ses racines espagnoles. Le palais de justice du comté de Santa Barbara, réplique d'un château mauresque, est la pièce maîtresse de cette volonté de rénovation.

Aujourd'hui, cette ville animée tire ses principales ressources du tourisme et de l'agriculture. Les institutions d'enseignement locales, dont l'université de Californie de Santa Barbara, le collège de Santa Barbara et le prestigieux Institut Brooks de Photographie, ont un impact incontestable sur l'économie de la région.

# RENSEIGNEMENTS PRATIQUES

Indicatif de la région : 805

**Pour y venir** – De Los Angeles (153 km), prendre la I-110 vers l'Est, puis l'US 101 vers le Nord ; de **San Francisco** (508 km), prendre l'US 101 vers le Sud. **Aéroport municipal de Santa Barbara** (SBA) : lignes intérieures ☎ 683-4011. Service de taxis *(16-22 $ jusqu'au centre-ville)* et navettes mises à disposition par les hôtels. Principales agences de location de voitures p. 377. **Train** : gare Amtrak : 209 State Street. ☎ 800-872-7245. Station de **bus** Greyhound : 34 Carrillo Street. ☎ 800-231-2222.

**Pour y circuler** – Il y a des parcs publics de stationnement dans toute la ville et les premières 90 mn sont gratuites. Des navettes assurent un service gratuit pour le **centre-ville** *(downtown)* et le **front de mer** *(waterfront)* de 10 h à 18 h (21 h le week-end) ☎ 683-3702. Le **Trolleybus de Santa Barbara** propose des visites commentées permettant de découvrir tous les endroits importants de la ville *(fonctionne toute l'année, sauf 1ᵉʳ janvier, Thanksgiving Day et 25 décembre. Départ toutes les 90 mn. 5 $. ☎ 965-0353)*. **Location de bicyclettes** : Beach Rentals *(☎ 966-6733)* et Cycles 4 Rent *(☎ 652-0462)*.

**Offices de tourisme** – Centre d'information de la Chambre de commerce de Santa Barbara : **Visitor Information Center**, 1 Garden Street *(☎ 965-3021)*. Le **Santa Barbara Conference & Visitors Bureau** *(12 E. Carrillo St., Santa Barbara CA 93101, ☎ 966-9222)* distribue des dossiers d'information gratuits.

**Hébergement** – Services de réservation : **Coastal Escapes** *(☎ 684-7679* ou *800-292-2222)* ; **Santa Barbara Hot spots** *(☎ 564-1637* ou *☎ 800-793-7666)*. Gamme d'hébergement variée, des grands hôtels *(170-200 $ par jour)* jusqu'aux auberges modestes *(85 $ par jour)*. On trouve de nombreux Bed & Breakfast dans les quartiers résidentiels de la ville *(100 $ à 150 $ par jour)*. **Auberge de jeunesse** : Santa Barbara International Hostel *(☎ 963-0154)*. **Terrains de camping** dans les parcs d'État de Santa Barbara *(☎ 800-444-7275)* et auprès de Santa Barbara Sunrise RV Park *(☎ 966-9954)*.

# CURIOSITÉS *2 jours*

## Front de mer

Très séduisante, la côte de Santa Barbara est constituée d'immenses plages de sable blanc bordées de majestueux palmiers. Le quai Stearns et le port de Santa Barbara délimitent le front de mer, long de 1,5 km, où se succèdent les plages très fréquentées de **East Beach★**, **West Beach** et **Leadbetter Beach**.

Le dimanche, les visiteurs peuvent admirer les œuvres des artistes locaux qui exposent à l'Est du quai, le long de Cabrillo Boulevard. Celui-ci longe tout le front de mer au-delà du **Chase Palm Park** qui vient juste d'être réhabilité et où se trouvent un vieux manège et un amphithéâtre en plein air. La falaise verdoyante du **Shoreline Park**, qui domine Leadbetter Beach, est un point de vue idéal pour observer le passage des baleines durant la saison migratoire *(de novembre à avril)*. Par temps clair, on a de très belles **vues** sur deux des îles du Canal, Anacapa et Santa Cruz.

**★Stearns Wharf** – *Au bas de State Street. Parking possible sur le quai*. Bâti en 1872 par un exploitant forestier de la région nommé John P. Stearns, ce quai de 800 m bordé de petites boutiques et de restaurants est le plus ancien quai en bois de Californie encore utilisé. L'amusante **fontaine du Dauphin**, commémorant le bicentenaire de la ville, orne l'entrée de State Street. Situé près du Sea Center *(voir ci-après)*, le **centre d'accueil du Conservatoire de la nature** (Nature Conservancy Visitor Center) propose des expositions sur les îles du Canal et sur d'autres programmes de sauvegarde de la nature *(visite les jours ouvrables de 12 h à 16 h, le week-end de 11 h à 17 h. Fermé 1ᵉʳ janvier, Thanksgiving Day, 25 décembre. ♿ www.tnc.org ☎ 805-962-9111)*.

**Sea Center** – ▣Enfants *211 Stearns Wharf. Visite de 12 h (10 h les week-ends et jours fériés, ainsi que les jours ouvrables de juin à Labor Day) à 17 h. Fermé 1ᵉʳ janvier, Thanksgiving Day et 25 décembre. 3 $. ♿ ▣ www.sbnature.org ☎ 805-962-0885*. Ce petit aquarium, destiné à instruire les visiteurs sur la vie marine et la géologie de la côte, est un projet réalisé en association par le muséum d'Histoire naturelle de Santa Barbara et la réserve marine nationale des îles du Canal. À l'extérieur du bâtiment, un bassin permet aux curieux de toucher les animaux marins de la région.

**Santa Barbara Maritime Museum** – *113 Harbor Way. Visite de 10 h à 16 h. Fermé dimanche de Pâques et 25 décembre. ✗ ♿ www.sbmm.org ☎ 805-962-8404*. Le **musée de la Marine** retrace l'histoire maritime du Canal de Santa Barbara, de la vie des Chumash sur la côte à la pêche commerciale en passant par l'intérêt militaire, le yachting ou encore le commerce côtier.

SANTA BÁRBARA MISSION,
MUSEUM OF NATURAL HISTORY, *Botanic Garden*

Almeda Park · Laguna St. · Victoria St. · Santa · Garden St. · De La Guerra · Cota St. · Haley St. · Alisos St. · Voluntario St.

Sola St. · Victoria St. · COURTHOUSE · Barbara · St. · Ortega Park · Ortega St. · Salsipuedes · St. · Milpas St. · Yanonali St. · LOS ANGELES ↑

MUSEUM OF ART

Adams Park

KARPELES LIBRARY · State St. · El Presidio de Santa Bárbara SHP · B · A · Historical Museum · Olive St. · Montecito St. · Quarantina · Nopal St. · Mason St.

Anapamu St. · Figueroa St. · El Paseo · City Hall

Carrillo St. · Casa De la Guerra · Anacapa · Vera Cruz Park · Gutierrez

Canon Perdido St. · De · La · Vina St. · Chapala St.

Castillo St. · Bath St. · Brinkerhoff Avenue · Chamber of Commerce · E. Cabrillo Blvd. · (225) · ZOO ↓

San Pascual St. · Chase Palm Park · EAST BEACH

Loma · Alta Dr. · Rancheria · Yanonali St. · W. Cabrillo Blvd. · Dolphin Fountain

Arroyo Ave. · Cliff Dr. · Ladera St. · Pershing Park · STEARNS · Sea Center · Nature Conservancy Visitor Center

Oceano Ave. · Santa Barbara City College · West Beach · WHARF

Shoreline Dr. · Yacht Harbor · Maritime Museum

La Marina · Harbor Way · Point Castillo

Shoreline Park · Leadbetter Beach · SANTA BARBARA

Santa Barbara Point

SAN LUIS OBISPO / Chumash Painted Cave SHP

Promenade de "la tuile rouge"

0 — 1/4 mi
0 — 500 m

---

**Santa Barbara Yacht Harbor** – *West Cabrillo Boulevard, à 800 m à l'Ouest du quai.* Lieu d'approvisionnement pour la flotte de pêche commerciale de la ville, le quartier du port rassemble des magasins de pêche et d'accessoires pour les bateaux, des boutiques de cadeaux et des restaurants. Une promenade le long de la digue artificielle bordée de mâts offre de très belles **vues** sur le Canal de Santa Barbara, de même que sur la ville et les montagnes environnantes.

★**Santa Barbara Zoo** – Enfants *500 Niños Drive, à 2,5 km à l'Est du quai. Visite de 10 h à 17 h. Fermé Thanksgiving Day et 25 décembre. 7 $.* ✗ ♿ ℗ *www.santa-barbarazoo.org* ☎ *805-962-6310.* Sur ses 16 ha de jardins de cactus et de palmiers luxuriants dominant l'océan, le zoo abrite quelque 700 animaux présentés dans un environnement proche de leur habitat naturel.

À côté du zoo, le **refuge pour oiseaux Andree Clark** *(1400 Cabrillo Boulevard)* entoure sur 16 ha un paisible lagon où vivent environ 200 espèces d'oiseaux *(Visite de 6 h à 22 h.* ℗*).*

## Downtown

*Un plan de la promenade dite de « la Tuile rouge » (Red Tile Walking Tour), dans le cœur historique de Santa Barbara, est disponible à la Chambre de commerce (à l'angle de Santa Barbara Street et de Cabrillo Boulevard).*

Cette partie de la ville n'était à l'origine qu'un groupe de maisons en adobe disséminées autour du presidio. Elle s'est développée en un quadrillage de rues régulières dessinées au milieu du 19ᵉ s. Autrefois centre de la vie sociale et politique de la ville, la **Casa De la Guerra** *(15 East De la Guerra Street)* est typique des premières constructions en adobe. Érigée en 1827, elle fut la résidence de José De la Guerra, cinquième commandant de la forteresse. Aujourd'hui, le cœur du quartier des affaires de Santa Barbara se trouve sur la portion de **State Street** comprise entre Ortega Street et Victoria Street. L'empreinte espagnole s'inscrit dans la terre cuite des trottoirs et dans les ornements de faïence des objets même les plus ordinaires, comme les boîtes aux lettres ou les poubelles.

On retrouve quelques vestiges de l'architecture du 19ᵉ s., copiée sur celle de la Nouvelle-Angleterre, sur **Brinkerhoff Avenue** *(à 2 blocs d'immeubles au Sud-Ouest de State Street, entre Cota St. et Haley St.).* Non loin de là se dresse un **figuier de la baie de Moreton** (**1**) qui serait le plus grand des États-Unis. Planté en 1877, cette curiosité locale a une envergure de près de 60 m.

★**Santa Barbara Museum of Art** – *1130 State Street. Visite de 11 h (12 h le dimanche) à 17 h (21 h le jeudi). Fermé le lundi et les principaux jours fériés. 5 $.* ✗ ㊥ *www.sbmuseart.org* ☎ *805-963-4364.* Installé dans un élégant bâtiment de style Renaissance italienne agrandi en 1998, ce musée a été fondé en 1941 grâce à la collaboration des citoyens et de la municipalité ; il est considéré comme l'un des plus remarquables musées régionaux des États-Unis. Treize salles présentent 4 500 ans d'art asiatique, européen et américain.

**Niveau principal** – Parmi les expositions permanentes, la collection d'**antiquités** est des plus remarquables. Elle rassemble des sculptures grecques et romaines du 4ᵉ s. avant J.-C., dont le célèbre Hermès de Lansdowne (2ᵉ s. avant J.-C.), qui règne sur le hall d'entrée ouvrant sur Ludington Court. Les pièces maîtresses de la salle Ridley-Tree, consacrée à l'art **français et britannique** du 19ᵉ-début 20ᵉ s., sont des tableaux de Marc Chagall et d'Henri Matisse et trois toiles de Claude Monet. Les salles consacrées à la **peinture américaine** des 18ᵉ et 19ᵉ s. présentent notamment des œuvres d'Albert Bierstadt, Georgia O'Keefe, William Merrit Chase et John Singer Sargent. L'**art du 20ᵉ s.** est représenté dans la salle Davidson par des œuvres de Hans Hofman, Rufino Tamayo et Javier Marin. L'intérêt grandissant du musée pour l'**art californien** contemporain s'exprime au travers des expositions temporaires thématiques ou consacrées à un seul artiste, présentées dans la salle Emmons.

**Niveau supérieur** – Une belle collection d'objets d'**art asiatique** est présentée dans des salles donnant sur Ludington Court. On peut y admirer une sélection faite parmi une collection de 2 200 objets, dont des céramiques chinoises, des lithographies japonaises, des tissus d'Asie du Sud-Est, des sculptures religieuses indiennes et tibétaines, des peintures et des objets d'art décoratif de plusieurs cultures. La section **photographie** se trouve dans la salle Sterling Morton.

★**Karpeles Manuscript Library** – *21 West Anapamu Street. Bibliothèque ouverte de 10 h à 16 h.* ㊥ ☐ *www.karpeles.com* ☎ *805-962-5322.* Des documents historiques originaux, dont le traité de Gand et la Constitution des États confédérés d'Amérique, de même que des écrits d'auteurs, de scientifiques et d'hommes d'État célèbres, sont conservés dans cette demeure décorée avec goût. À partir de sa collection permanente riche de plus d'un million de manuscrits, la bibliothèque organise de petites expositions temporaires itinérantes dans ses six établissements aux États-Unis.

★★**Santa Barbara County Courthouse** – *Block 1100, Anacapa Street. Visite de 8 h 30 (10 h le week-end) à 16 h 30. Fermé 25 décembre.* ☎ *805-962-6464.* Joyau de l'architecture Renaissance espagnole de Santa Barbara, le **palais de justice du comté** (1929) de style mauresque forme un L encadrant une cour et un jardin luxuriant en contrebas. Au-dessus de la corniche de l'arche donnant sur Anacapa Street est gravée la devise de la ville : « Dieu nous a donné ce pays. Le talent de l'homme a façonné cette ville. » Portes cintrées, galeries ouvertes et escaliers gracieusement incurvés agrémentent l'intérieur du bâtiment à l'armature d'acier. On voit partout de savantes mosaïques tunisiennes et des ouvrages de ferronnerie. Même les cabines téléphoniques sont dissimulées par des panneaux en bois sculpté. À l'étage, dans la salle de réunion du Conseil de direction à l'étage, les murs sont décorés de **peintures murales** illustrant l'histoire de la région, dues à Dan Sayre Groesbeck. La plate-forme d'observation située au sommet de la tour-horloge de 25 m offre de très beaux **panoramas**★★ sur la ville.

**El Presidio de Santa Bárbara State Historic Park** – *123 East Canon Perdido Street. Visite de 10 h 30 à 16 h 30. Fermé 1ᵉʳ janvier, Thanksgiving Day et 25 décembre.* ㊥ ☎ *805-965-0093.* Environnée de l'animation trépidante de la Santa Barbara moderne, la forteresse espagnole, aujourd'hui reconstruite, fut le premier noyau de la ville, occupant autrefois une superficie équivalant à un bloc d'immeubles. Terminé en 1788, le presidio était le quartier général des militaires et du gouvernement de la région. Les seuls bâtiments d'origine sont les casernements (vers 1788), connus sous le nom de **El Cuartel** (**A** – *122 East Canon Perdido Street. Fermé pour rénovation*), et le Cañedo Adobe (vers 1782), qui abrite aujourd'hui un centre d'accueil des visiteurs et des expositions sur l'histoire du site. Flanquée du logis des prêtres et de celui du commandant, la **chapelle** (**B**) a été reconstruite d'après des documents d'époque. Des travaux ont été entrepris pour redonner à une partie de la cour carrée intérieure son apparence d'origine.

**Santa Barbara Historical Museum** – *136 East De la Guerra Street. Visite de 10 h (12 h le dimanche) à 17 h. Fermé le lundi et 1ᵉʳ janvier, Thanksgiving Day, 25 décembre. Contribution demandée.* ㊥ ☐ ☎ *805-966-1601.* Administré par la Société Historique de Santa Barbara, le musée présente une collection bien organisée d'objets illustrant le pittoresque passé de la région. Parmi les clous de la collection, citons un autel provenant d'un temple qui se trouvait dans le quartier chinois au 19ᵉ s., des costumes de l'époque victorienne et tout un ensemble de selles de la période rancho.

## Mission Canyon

★★★**Santa Barbara Mission** – *2201 Laguna Street. Visite de 9 h à 17 h. Fermé dimanche de Pâques, Thanksgiving Day et 25 décembre. 3 $.* 🅿 ☎ *805-682-4149.*
Avec ses tours jumelles qui se découpent majestueusement sur les collines entourant le canyon, cette église de la 10ᵉ mission californienne domine la ville autant physiquement que sur le plan spirituel. Santa Bárbara n'a en effet jamais cessé d'être église paroissiale au cours de ses deux siècles d'histoire.

Le père Serra souhaitait établir la mission pendant que s'édifiait le presidio situé à proximité, mais le gouverneur espagnol de l'époque, Felipe de Neve, se méfiant de la puissance économique grandissante de la chaîne des missions, insista pour que le presidio soit bâti d'abord. La mission fut consacrée par le père Fermín Lasuén en 1786 (deux ans après la mort du père Serra).

La première église, érigée en 1787, fut remplacée trois fois par des sanctuaires plus importants. Non loin de la cour principale se trouvaient 250 cellules en adobe réservées aux néophytes. Le domaine fut doté du système d'alimentation en eau le plus sophistiqué de toutes les missions. On peut d'ailleurs encore voir le barrage de la mission dans le jardin botanique voisin.

En 1812, un terrible tremblement de terre fit table rase de toutes les constructions existantes, et le complexe dut être entièrement rebâti. En 1820, avec l'achèvement des travaux de l'église actuelle, la mission Santa Bárbara connut son âge d'or et surpassa rapidement le presidio, aussi bien en taille et en richesse que par son influence politique. La mission est aujourd'hui plus qu'une église paroissiale : c'est aussi une bibliothèque d'études et d'archives pour toutes les missions californiennes.

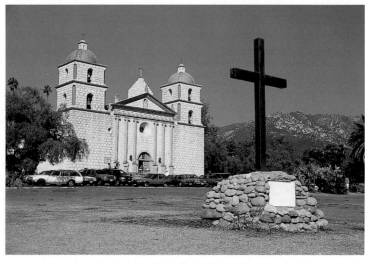

La « Reine des missions »

**Visite** – Les concepteurs de la **façade** de l'église puisèrent librement dans le *De architectura*, œuvre encyclopédique que l'architecte romain Vitruve rédigea un siècle avant J.-C. Avec son fronton central soutenu par six semi-colonnes ioniques et couronné, de chaque côté, de deux tours identiques à dôme rose, cette façade royale explique sans doute le surnom de « Reine des missions » attribué au site.

Les salles aux murs épais et aux grosses poutres du **logis des prêtres** abritent une collection d'objets de la fin 18ᵉ-début 19ᵉ s., rassemblant œuvres artisanales, vêtements sacerdotaux et instruments de musique. On remarquera particulièrement le grand **psautier** de 1792, composé de 75 pages calligraphiées sur parchemin.

Dans le ravissant **jardin sacré** *(derrière le logis des prêtres)* s'élevaient autrefois de nombreux ateliers de novices.

L'**intérieur** de la longue église étroite est pratiquement tel qu'il était à l'origine. Les murs, ornés de motifs aux couleurs vives, et la toile peinte du retable (1806), dont il ne reste que quelques fragments, formaient la base de la décoration d'ensemble. Deux grandes peintures à l'huile furent rapportées du Pérou en 1789 : *L'Assomption et le Couronnement de la Vierge* et *La Crucifixion* ; elles sont aujourd'hui accrochées de chaque côté de l'autel. *Avant de sortir, noter qu'on ne peut pas entrer à nouveau dans l'église depuis le cimetière.*

Un crâne et des os disposés en croix sur la porte latérale de l'église indiquent l'entrée du **cimetière** ombragé, où reposent quelque 4 000 convertis.

★**Santa Barbara Museum of Natural History** – *2559 Puesta del Sol. En quittant la mission, tourner à droite dans Los Olivos Street et suivre la signalisation. Visite de 9 h (10 h le dimanche) à 17 h. Fermé 1ᵉʳ janvier, Thanksgiving Day et 25 décembre. 5 $. ৬ ▯ www.sbnature.org ☎ 805-682-4711.* Dans un canyon boisé de 4 ha, ces bâtiments en stuc de style espagnol présentent la flore, la faune, la géologie et l'ethnographie de la côte Ouest. La **salle des Indiens Chumash** abrite l'une des plus importantes collections d'objets de cette tribu californienne. Dans d'autres galeries, des dioramas décrivent les habitats naturels de toutes sortes d'animaux sauvages de la région, depuis les requins jusqu'aux mouettes. Les curieux peuvent explorer les liens qui existent entre l'eau, les plantes et les insectes au moyen d'une présentation utilisant spécimens vivants, vidéos et terminaux informatiques. Tous les week-ends, le planétarium Gladwin présente un spectacle sur les phénomènes célestes de la saison *(mercredi, samedi et dimanche, 1 $ avec le billet du musée, gratuit le mercredi. Pour les horaires, ☎ 805-682-3224).*

**Santa Barbara Botanical Garden** – *1212 Mission Canyon Road. En quittant la mission, prendre deux fois à droite, d'abord Los Olivos Street, puis Foothill Road, et suivre la signalisation. Visite de 9 h à 17 h (18 h le week-end). Fermé les principaux jours fériés. 5 $. ▯ www.sbbg.org ☎ 805-682-4726.* Huit kilomètres de pistes serpentent dans ce très beau site, 26 ha de canyons boisés, de larges prairies et de crêtes élevées. Plus de 1 000 espèces de plantes indigènes de Californie poussent ici, dont des séquoias, des cactus et certaines espèces rares des îles du Canal. Dans la partie Nord, les visiteurs peuvent voir l'ancien **barrage de la mission** construit par des néophytes Chumash en 1806 pour alimenter en eau l'importante population de la mission.

## EXCURSION

**Chumash Painted Cave State Historic Park** – *À 16 km au Nord-Ouest de Santa Barbara. Prendre la Route 154 vers l'Ouest jusqu'à San Marco Pass ; tourner à droite dans Painted Cave Road et continuer sur 3 km. La grotte se trouve sur la gauche. Visite de 9 h (10 h le dimanche) à 17 h. Fermé 1ᵉʳ janvier, Thanksgiving Day et 25 décembre. 5 $. ৬ ▯ ☎ 805-682-4711.* Dissimulée dans les rochers près de la route à voie unique qui monte au San Marcos Pass, cette petite grotte *(fermée par une porte en métal)* est, pour le visiteur, une occasion unique d'entrevoir les rares **pictogrammes Chumash**. Bien que le secret de l'interprétation de ces symboles – exécutés il y a quelque 400 ans – se soit éteint avec la disparition du dernier adepte du culte 'antap, on suppose qu'ils ont été peints par des chamans Chumash au cours de rituels sacrés. Ces motifs primitifs dépeignent le monde surnaturel. On y voit un disque noir qui pourrait représenter une éclipse solaire. Pour les réaliser, les Indiens utilisèrent des pinceaux en poils d'animaux et des pigments minéraux rouge, noir et blanc.

# SANTA INÉS Mission★

Carte Michelin n° 493 A 10
Office de tourisme ☎ 805-688-6144

Fondée en 1804, cette imposante mission s'étend à l'extrémité Est de la ville de **Solvang**, dans la vallée pastorale de Santa Ynez, région vinicole qui prend aujourd'hui de plus en plus d'importance. Autour de la cour intérieure d'origine, il ne reste plus que l'église, une partie du couvent et les jardins. Mais les membres de cette paroisse active dédiée à Agnès, martyre du 4ᵉ s., ont entrepris de redonner au site son apparence d'origine.

Cette 19ᵉ mission californienne, dernier maillon de la chaîne du Sud allant de San Francisco à San Diego, servait de relais entre la mission La Purísima et la mission Santa Bárbara. Réputée pour ses grands troupeaux de bétail, son beau cuir et ses objets en argent, la mission Santa Inés prospéra jusqu'en 1824, en dépit de son isolement et malgré le tremblement de terre de 1812, qui fit s'écrouler la majeure partie de l'église. Il fallut cinq ans aux néophytes pour réparer les bâtiments endommagés et élever une nouvelle église.

En 1824, les néophytes, voyant un garde fouetter un autre Indien converti, se révoltèrent et mirent le feu à la mission. L'ordre fut rapidement rétabli, mais la sacristie avait disparu dans les flammes. Après ce soulèvement, la mission ne réussit jamais à retrouver sa prospérité d'antan. À la suite de la sécularisation, la propriété resta à l'abandon jusqu'à ce qu'au début du 20ᵉ s. on entreprenne sa restauration, qui dura vingt ans.

**VISITE** *Une heure*

*1760 Mission Drive, à 1 bloc à l'Est du centre-ville de Solvang. Visite de 9 h à 17 h 30 (19 h de mi-juin à Labor Day). Fermé 1er janvier, dimanche de Pâques, Thanksgiving Day et 25 décembre. 3 $. Les visites libres commencent à la boutique de souvenirs.* & ▯ *www.missionsantaines.org* ☎ *805-688-4815.*

**Musée** – *Entrée par la boutique de souvenirs.* Un commentaire enregistré *(30 mn)* résume l'histoire de la mission et présente les objets intéressants du musée. On peut notamment y voir une collection de **vêtements sacerdotaux★** réalisés à la main, certains datant même du 15e s., tous soigneusement restaurés.

★**Église** – Il se peut que la gravure d'une scène de théâtre romain ait inspiré la peinture en trompe-l'œil ornant le mur au fond du sanctuaire : une succession de panneaux de marbre, en apparence en retrait, séparés par des colonnes ioniques. Dans une niche au-dessus de l'autel se dresse la statue originale en bois polychrome de sainte Agnès, sculptée au Mexique au début du 17e s. Les murs latéraux sont ornés d'un *Ecce Homo* peint par un artiste péruvien du 17e s., et d'un chemin de croix (18e s.) réalisé d'après des gravures sur bois italiennes. La chapelle dorée de la Madone renferme un bois sculpté peint datant du 17e s. représentant une Mater dolorosa. Derrière l'église, on découvre un jardin ravissant et un cimetière où reposent 1 700 néophytes.

## AUTRE CURIOSITÉ

**Solvang** – Avec son sol fertile et son climat doux, la vallée de Santa Ynez séduisit immédiatement les pionniers danois du Middle West qui, en 1911, rallièrent la côte Ouest pour y installer une colonie. La vie du village agricole baptisé Solvang (« champ ensoleillé ») était centrée autour d'une école traditionnelle danoise. En 1945, Ferd Sorensen construisit la première habitation de style campagnard danois, et cette architecture fut rapidement imitée dans toute la ville. Attirés par un article du *Saturday Evening Post* sur la ville danoise, de très nombreux curieux visitèrent bientôt Solvang. Aujourd'hui, avec ses versions contemporaines de moulins à vent et de maisons à ossature de bois, la bourgade continue d'attirer les touristes.

La culture danoise y est préservée au **musée Elverhøj** *(1624 Elverhoy Way)*, ancienne résidence (1950) de l'artiste Viggo Brandt-Erichsen. Cette charmante demeure tient son nom d'une pièce connue du théâtre populaire danois, dont le titre signifie « La colline des elfes ». Harmonieusement conçue, elle ressemble à une ferme de Jutland (Nord du Danemark) du 18e s. *(visite du mercredi au dimanche de 13 h à 16 h. Fermé les principaux jours fériés.* & ▯ ☎ *805-686-1211).*

# VENTURA

97 205 habitants
Carte Michelin n° 493 B 10
Office de tourisme ☎ 805-648-2075

Cette ville côtière discrète s'est constituée autour de la mission San Buenaventura, implantée au Nord-Est de la plaine d'Oxnard en 1782. Les prêtres espagnols ont vite découvert que le bassin des fleuves Santa Clara et Ventura fournissait d'abondantes récoltes de blé, de fruits et de légumes. Mais ce n'est que dans la deuxième moitié du 19e s. que l'agriculture prit le pas sur l'élevage, quand les colons yankees et européens ont commencé à acheter des ranchs dans la région.

## UN PEU D'HISTOIRE

Bien que Juan Rodríguez Cabrillo ait pris possession de cette terre en 1542 au nom du roi d'Espagne, il fallut attendre la fondation de la mission deux siècles et demi plus tard pour qu'une communauté s'y installe. Ce n'est qu'en 1866 que la ville fut officiellement constituée sous le nom de San Buenaventura. La région a connu deux grands moments d'expansion dans la seconde moitié du 19e s. lorsqu'arrivèrent les lignes de chemin de fer venant de la côte Est. À la même époque, des colons nouvellement arrivés remplacèrent les modestes habitations en adobe du centre-ville par des bâtiments de brique à un étage. L'**Ortega Adobe**, construite en 1857, est la seule maison en adobe de cette période à subsister *(215 West Main Street. Visite de 10 h à 15 h. Fermé 1er janvier, dimanche de Pâques et 25 décembre.* & ▯ ☎ *805-658-4728).*

Vers 1920, la ville vit sa population presque tripler avec le développement de champs pétrolifères le long de Ventura Avenue. Dans les années 1950, la région connut une nouvelle période d'expansion avec l'achèvement de l'autoroute de Ventura (Ventura Freeway).

Aujourd'hui, contrastant avec Main Street, autour de laquelle les sites historiques ont été préservés, la cité commerciale moderne a fleuri autour du **Ventura Harbor** *(accès par Spinnaker Drive)*, animé de boutiques et de restaurants, où viennent mouiller 1 500 bateaux de plaisance.

## CURIOSITÉS *Une demi-journée*

**Mission San Buenaventura** – *225 East Main Street. Visite de 10 h (9 h le samedi) à 17 h (16 h le dimanche). Fermé dimanche de Pâques, Thanksgiving Day et 25 décembre. 1 $. ☎ 805-643-4318.* Le père Junípero Serra installa cette 9ᵉ mission (la dernière avant sa mort en 1784) au pied du mont Sulphur, qui domine le Pacifique à mi-chemin entre San Diego et Carmel. Cette mission, baptisée en l'honneur de saint Bonaventure, aurait dû être la troisième de la chaîne, mais des conflits de pouvoirs retardèrent sa création d'une douzaine d'années.

La première église brûla après 10 ans d'existence, et il fallut 15 ans pour bâtir l'église actuelle, énorme édifice de pierre (1809) qui accueille toujours des paroissiens. La mission a hébergé plus de 1 300 néophytes durant ses années fastes et s'est forgé une bonne réputation dans la production horticole, en particulier dans la culture de fruits exotiques tels que bananes, noix de coco et figues. Environ soixante ans après la sécularisation, un prêtre pris d'un excès de zèle a blanchi à la chaux les superbes peintures indiennes qui ornaient les murs intérieurs (on peut voir des vestiges de ces peintures dans la chapelle Serra) ; mais des travaux de restauration commencés en 1956 ont corrigé cette erreur et d'autres « améliorations » intempestives.

**Visite** – *Entrée par la boutique de souvenirs.* Dans l'unique salle du **musée** sont exposées toutes sortes d'objets religieux anciens, dont des vêtements sacerdotaux, les portes latérales d'origine de l'église et les seules cloches en bois des 21 missions. L'**église** a presque retrouvé son aspect d'origine, quoique les contreforts de façade aient été ajoutés après le tremblement de terre de 1812. Elle se distingue par sa construction en pierre et brique, son entrée latérale en arche et son clocher étagé surmonté d'un dôme rayé. Une décoration mauresque couronne les portes latérales, qui sont des reproductions d'originaux gravées de motifs représentant le « Fleuve de la vie ». À l'intérieur, le retable de style roman, peint à l'imitation du marbre, a été réalisé à Mexico et expédié à la mission pour la consécration de l'église en 1809.

Les jardins réputés de San Buenaventura, qui occupaient autrefois plusieurs hectares autour de la mission, sont aujourd'hui réduits à une petite cour à côté de l'église.

★**Olivas Adobe Historical Park** – *4200 Olivas Park Drive. Visite de 10 h à 16 h. Fermé principaux jours fériés. Contribution demandée. ☎ 805-658-4728.* Sur une falaise au bord de la Santa Clara, cette hacienda de style colonial de Monterey (1847) est très bien conservée. Elle appartenait autrefois à un riche éleveur, Raymundo Olivas. Le domaine sur lequel il construisit sa résidence faisait partie du ranch San Miguel, une concession de 1 900 ha octroyée à Olivas et son associé en 1841. Don Raymundo, son épouse et leurs 21 enfants ont vécu dans cette maison pendant 50 ans, jusqu'à ce que la famille vende le ranch en 1899. Le domaine fut confié à la ville de Ventura en 1963.

Entourée par une cour fermée, cette maison à un étage est aménagée avec d'authentiques meubles d'époque. Dans un petit centre d'information sont exposés des objets et des photographies anciennes de la période rancho. Les beaux jardins du domaine sont plantés de toutes sortes de simples et de roses.

## EXCURSIONS

**Channel Islands National Park** – *Une journée par île. Les bureaux du parc sont au 1901 Spinnaker Drive dans le port de Ventura. Voir ce nom.*

**Oxnard** – *Suivre Harbor Boulevard vers le Sud sur 16 km.* En 1898, afin d'exploiter les abondantes récoltes de la région, les frères Harry, Robert, Benjamin et James Oxnard créèrent une sucrerie sur une bande de terre plate au Sud de la Santa Clara. Cette première usine donna un coup de fouet à l'expansion de la ville, aujourd'hui centre industriel incontesté du comté de Ventura.

**CEC and Seabee Museum** – *Naval Construction Battalion Center, Port Hueneme. Du Channel Islands Boulevard, tourner à droite dans Ventura Road ; passer Sunkist Gate et demander un laissez-passer au garde. Visite de 8 h (9 h le samedi, 12 h 30 le dimanche) à 16 h 30. Fermé principaux jours fériés et du 26 au 31 décembre. Participation demandée. ♿ 🅿 www.cbcph.navy.mil/museum ☎ 805-982-5165.* Ce musée est dédié aux membres des bataillons de construction de la marine américaine (*Seabees* ou abeilles des mers) qui ont servi dans les zones de combat depuis 1942.

# Central Valley

La Sierra fermant la Vallée centrale près de Merced/Galen Rowell/Mountain Light

La **Vallée centrale** est considérée comme le plus important domaine agricole des États-Unis. Également appelée la « vallée magnifique » (Great Valley), elle produit une impressionnante variété de légumes, fruits et autres produits agricoles sur de vastes domaines organisés, pour la plupart, en coopératives.

Cette région est située sur un axe de migration d'oiseaux connu sous le nom de **Pacific Flyway**. Des milliers d'oiseaux venant du Canada ou de l'Alaska s'arrêtent ici pour se reposer et se nourrir dans les zones marécageuses qui sont, pour la plupart, devenues réserves naturelles fédérales ou d'état.

Délimitée à l'Ouest par les Coast Ranges, à l'Est par la sierra Nevada, au Sud par les chaînes péninsulaires et au Nord par la chaîne des Cascades et les montagnes Klamath, la Vallée centrale est en fait composée de deux vallées. La vallée de San Joaquin au Sud et celle du Sacramento au Nord sont arrosées par deux fleuves de même nom qui se rejoignent au **Delta**, région marécageuse de 1 200 km² à l'Est de la baie de San Francisco. L'importante construction de digues aux 19e et 20e s. est à l'origine de nombreux îlots fertiles et de voies navigables. La **vallée de San Joaquin**, longue de 416 km, est la plus sèche des deux ; elle commence à Stockton, au bord du Delta, et se termine à Bakersfield au Sud, en passant par Fresno, Merced et Modesto. La **vallée du Sacramento**, quant à elle, fait 288 km de long et s'étend de Redding, au Nord, jusqu'au Delta en passant par Chico, Yuba City et Sacramento.

La Vallée centrale résulte du soulèvement hors de la mer, il y a 130 millions d'années, de la sierra Nevada, des montagnes Klamath et des chaînes péninsulaires. Les dépôts apportés par le ruissellement formèrent des amas sablonneux qui évoluèrent en deltas puis en plaine côtière. Lorsque les chaînes côtières se soulevèrent à leur tour, il y a environ 25 millions d'années, cette large plaine fut transformée en une vallée fermée. Pendant l'ère glaciaire, la fonte des glaciers transforma la vallée en un lac d'eau douce. Il y a 10 millions d'années, l'érosion fit de nouveau son œuvre et les débris sédimentaires firent disparaître le lac (bien que les inondations d'hiver rendent parfois à de grandes parties de la vallée son aspect de mer intérieure). Un groupe de volcans isolés, Sutter Buttes, apparut dans la vallée du Sacramento il y a environ 3 millions d'années. Certains scientifiques considèrent cette petite chaîne volcanique vigoureuse comme l'extrémité Sud des volcans de la chaîn des Cascades.

La Vallée centrale fut pour les Indiens qui y vécurent un véritable paradis de la chasse en raison de l'abondance du gibier. Des expéditions militaires espagnoles explorèrent la vallée et en nommèrent la plupart des cours d'eau entre la fin du 18ᵉ s. et le début du 19ᵉ s. (de façon plus méthodique pendant une série d'expéditions dirigées par le lieutenant Gabriel Moraga de 1805 à 1817). Les autoritées gouvernementales, qu'elles soient espagnoles ou mexicaines concentrèrent pourtant la colonisation le long des côtes.

Lorsque l'aventurier suisse alémanique Johann August Sutter proposa de faire opposition à l'immigration yankee en colonisant la vallée du Sacramento, il obtint la nationalité mexicaine assortie de 19 355 ha de terres au confluent du fleuve Sacramento et de la Rivière Américaine (site actuel de Sacramento, capitale de l'État). Avec l'aide d'ouvriers indiens et d'artisans, il construisit un fort en 1839 et créa une sorte d'empire privé qu'il nomma « Nouvelle Helvétie ». Cette entreprise prospéra jusqu'à la découverte d'or en 1848 par James Marshall, un employé chargé de construire une scierie sur la branche Sud de l'Américaine. Ce fut le point de départ de la fameuse Ruée vers l'or. Des hordes de chercheurs d'or déferlèrent alors dans la région et mirent un terme au rêve de Sutter.

Cesar Chávez (1927-1993) est certainement la personnalité de la fin du 20ᵉ s. la plus connue de la vallée. Élevé dans la pauvreté à Delano au Nord de Bakersfield, il lutta sans relâche pour les droits des travailleurs saisonniers hispaniques réduits à la pauvreté. Il fonda le syndicat United Farm Workers et, pour attirer l'attention de la nation sur ce problème, organisa de nombreuses grèves et boycotts. Ses efforts débouchèrent sur des accords pour une convention collective du travail et des salaires plus élevés.

# BAKERSFIELD

206 000 habitants
Carte Michelin n° 493 B 10
Office de tourisme ☎ 661-325-5051

Vers 1860, la découverte d'or dans le lit de la rivière Kern attira une vague de colons dans la région : c'est ainsi que la ville tentaculaire et bruyante de Bakersfield vit le jour. À la fin du 19ᵉ s., les canaux d'irrigation de la rivière Kern et l'installation de moto-pompes pour puiser l'eau souterraine favorisèrent le rapide développement agricole de la région, qui privilégia surtout la culture du coton vers le milieu des années 1920. Au début de ce siècle, la production de pétrole connut un essor rapide dans le comté de Kern et des installations continuent aujourd'hui de pomper le pétrole dans un grand champ pétrolifère au Nord de la ville. Depuis les années 1950, Bakersfield a acquis la réputation de capitale de la Californie pour la country music et western.

★**Kern County Museum and Pioneer Village** – Enfants *3801 Chester Avenue, à 1,5 km environ au Nord du centre-ville. Visite (2 h) de 8 h (10 h les samedis et jours fériés, 12 h le dimanche) à 17 h (la vente de billets cesse à 15 h). Fermé les 1ᵉʳ janvier, Thanksgiving Day, 24, 25 et 31 décembre. 5 $.* ▣ *www.kcmuseum.org* ☎ *661-852-5000. Sur quelque 6 ha, d'anciens bâtiments historiques renfermant de nombreux objets d'époque transportent le visiteur dans l'ambiance du comté de Kern entre 1860 et 1930. Le bâtiment principal du musée abrite une collection de vieux véhicules et des expositions sur l'histoire des pionniers et la contribution

David R. Frazier

La récolte du céleri

de Bakersfield à la musique country et western – genre importé par les populations ayant quitté le Midwest au moment de la Grande Dépression pour trouver du travail en Californie.

Au dehors, plus de 50 édifices anciens, soit transférés de leur site d'origine, soit reconstitués à partir de photographies, invitent à une promenade dans le passé. Une cabane de berger, un chariot-cantine ambulant pour cow-boys, un cabinet de dentiste, un dépôt mortuaire et une demeure victorienne de 1891 ponctuent, entre autres, cette surprenante promenade. On peut aussi y découvrir une importante collection de matériel de forage, dont un derrick en bois du début du siècle, une station-essence de 1936 entièrement restaurée ; et un Centre de Découverte pour les enfants, avec des objets que l'on peut toucher et des animations.

## EXCURSION

**Col. Allensworth State Park**, à **Allensworth** – *Avenue 81 et Palmer Avenue. À environ 65 km au Nord de Bakersfield. Prendre la Route 99 vers le Nord (direction Delano) sur 40 km environ, tourner à gauche sur Cecil Road parcourir 10 km puis emprunter la Route 43 vers le Nord sur 12 km. Visite (1 h) du lever au coucher du soleil. 3 $. ✗ ⴵ ▯ ☎ 805-861-2132. Réservation nécessaire pour visionner le film au centre d'accueil et pour visiter l'intérieur des bâtiments.* Ce village de pionniers restauré du Sud de la vallée de San Joaquin rend hommage à son fondateur, le **colonel Allen Allensworth** (1842-1914), prêtre, officier et défenseur de l'autarcie des Afro-Américains.

**De l'esclavage à l'autarcie** – Né esclave, Allen Allensworth s'enfuit pendant la Guerre de Sécession, servant comme infirmier dans l'armée de l'Union avant de s'engager dans la marine. En 1871, il devint prêtre et en 1886 s'engagea dans l'armée américaine en tant qu'aumônier du 24e régiment, constitué exclusivement de Noirs. Lorsqu'il prit sa retraite en 1906, il avait atteint le grade de lieutenant-colonel, ce qui, à l'époque était le plus haut grade obtenu par un Afro-Américain.

Le colonel Allensworth consacra sa retraite à son ministère et à la promotion de l'autarcie parmi les Noirs Américains. Il mit ses principes en pratique en concourant à la fondation de la California Colony and Home Promoting Association, dont l'objectif était la création d'une ville pour les Afro-Américains. Les plans de la ville furent déposés en 1908. Dans un premier temps, la ville grandit et prospéra en tant que centre de transport ferroviaire de produits agricoles.

Après la mort du colonel en 1914 dans un accident de la route, la direction politique de la ville s'embourba. La population commença à diminuer, les habitants partant chercher du travail dans de plus grandes cités, mouvement amplifié par la baisse de la qualité de l'eau. Le coup de grâce lui fut infligé au moment de la Seconde Guerre mondiale lorsque ses forces vives la désertèrent, soit pour s'enrôler dans l'armée, soit pour aller travailler pour l'industrie de guerre. Après avoir en 1976 déclaré une partie d'Allensworth parc historique, la Californie a restauré un certain nombre de bâtiments tout en prévoyant d'en reconstruire une vingtaine d'autres.

**Visite** – Adjacentes au centre d'accueil, les deux pièces de l'école d'Allensworth servaient autrefois, à la fois, de salle municipale, de bureau de vote et d'église. Le colonel Allensworth avait conservé une résidence à Los Angeles, mais il habitait la moitié du temps Allensworth Home (1911), un bungalow préfabriqué au coin de Dunbar Road et Sojourner Avenue, aujourd'hui remeublé dans le style de l'époque. À la périphérie Nord de la ville se trouvent le magasin Singleton General Store (1910), l'hôtel Allensworth et la bibliothèque du comté de Tulare.

# CHICO

46 000 habitants
Carte Michelin n° 493 A 7
Office de tourisme ☎ 916-891-5556

Cette charmante ville agricole et universitaire est installée près de l'extrémité Nord de la « ceinture de riz » de la vallée du Sacramento, où les marécages naturels de plaine fluviale ont été utilisés pour la culture du riz. L'agréable **Bidwell Park★**, avec ses jardins et ses plantations de chênes gigantesques bordant le ruisseau Big Chico, forme une liaison verdoyante entre le centre-ville et les contreforts de la sierra Nevada à l'Est. Avec les nombreuses entreprises d'industrie légère qui y sont installées, Chico apparaît comme le principal centre d'affaires entre Redding et Sacramento. C'est aussi le site de l'un des campus très animés de l'université de Californie.

**Bidwell Mansion State Historic Park** – *525 Esplanade. Visite guidée uniquement (1 h, d'heure en heure) de 12 h (10 h le week-end) à 16 h. Fermé 1er janvier, Thanksgiving Day et 25 décembre. 3 $. ⴵ ☎ 530-895-6144.* Le manoir rose italianisant en limite du campus de l'université de Californie fut construit en 1868 par **John Bidwell** (1819-1900). Ce brillant homme d'affaires et politicien arriva en Californie en 1841, à la tête de l'un des premiers groupes américains à venir par la terre de la frontière du Missouri. Vers le milieu de l'année 1848, employé de John Sutter *(voir index)*, Bidwell découvrit des sables aurifères dans le fleuve Feather. Il accumula une fortune suffisante pour acheter 8 900 ha de terres et se lancer dans la culture expérimentale de fruits, noix et autres produits, qui allaient former la base de l'agriculture dans la Vallée centrale. En 1860, Bidwell fonda la ville de Chico ; il s'engagea dans la vie politique de l'État, puis fut élu à la Chambre des représentants des États-Unis (1865-1867). En 1964, le service des parcs d'État fit l'acquisition de la résidence Bidwell, qui fut restaurée vers 1970.

Sa décoration, fidèle au style de la fin 19e s., recrée l'atmosphère de cette époque et donne un aperçu de la vie de son propriétaire. Le rôle tenu par la famille Bidwell dans l'histoire et le développement de Chico est largement évoqué au travers des expositions qui se tiennent dans le nouveau Visitor Center.

## EXCURSIONS

**Temple chinois d'Oroville** – *1550 Broderick Street, Oroville. À 33 km au Sud-Est de Chico. Visite (30 mn) du mercredi au dimanche de 11 h à 16 h 30. Visite guidée (1 h 15) de 13 h à 16 h sur rendez-vous. Fermé de mi-décembre à janvier et les principaux jours fériés. 2 $. www.or-city.com ☎ 530-538-2415.* Ce complexe (1863) réunit un temple taoïste, un temple bouddhiste plus petit, une chapelle familiale confucéenne, une salle décorée de tapisseries illustrant les arts populaires chinois et un jardin rempli de plantes d'origine chinoise. C'est l'un des rares souvenirs du passage des 10 000 ouvriers chinois qui travaillaient dans les mines d'or de la région d'Oroville à la fin du 19e s. En 1907, des inondations faillirent détruire le temple, mais il fut restauré et consacré à nouveau en 1949.

**Gray Lodge Wildlife Area** – *À 43 km de Chico. Prendre la route 99 sur 28 km en direction du Sud jusqu'à Gridley, puis emprunter Sycamore Road (qui devient Colusa Road) vers l'Ouest sur 10 km environ ; prendre ensuite Pennington Road sur 5 km jusqu'à l'entrée Ouest de la zone protégée, continuer encore sur 3 km jusqu'au parking 14. Ouvert toute l'année. 2,50 $/voiture. Visite guidée samedi et dimanche à 13 h. ☎ 530-846-5176.* Avec plus de 3 000 ha de marécages, d'étangs, de marais et de prairies, ce parc d'État pour la préservation de la vie sauvage accueille quelque 300 espèces animales parmi lesquelles on citera des castors, des chevreuils et d'innombrables oiseaux. Venant du Canada ou de l'Alaska et migrant vers le Sud en suivant la côte Pacifique, oies, canards et autre gibier d'eau se rassemblent ici pour se reposer ou pour passer l'hiver.

Créé en 1931 pour protéger l'habitat des marécages de la vallée du Sacramento, cette réserve est entourées de vergers et de riches terres cultivables. Elle est bordée au Sud par les Sutter Buttes, un impressionnant ensemble de volcans vieux de 3 millions d'années se dressant de façon abrupte à 635 m au dessus de la plaine. Un système de digues et de canaux permet aux administrateurs du refuge de contrôler la fluctuation de l'eau dans les marécages de Gray Lodge et de simuler les cycles naturels d'inondation et de drainage qui se déroulaient avant que la zone ne soit asséchée à des fins agricoles (fin 19e-début 20e s.).

Plus de 90 km de sentiers sur digues sont ouverts au public excepté pendant la saison de chasse *(de mi-octobre à mi-janvier)*. Cependant, les chasseurs sont exclus toute l'année d'une vaste zone située autour du parking 14. Un circuit de 5 km permet aux observateurs d'oiseaux de visiter les marécages à pied ou en voiture. Un chemin pavé, **Viewing Platform Trail** *(1 km)*, mène à une plateforme en bois surplombant les marais au Nord. Un petit circuit sur les digues, **Wetlands Loop Trail** *(3 km)*, permet de se promener dans les marécages et offre, au Sud, une très belle vue sur les Sutter Buttes.

# FRESNO

396 000 habitants
Carte Michelin n° 493 B 9
Office de tourisme ☎ 209-233-0836

Huitième agglomération de Californie par la taille, Fresno est le siège du comté du même nom, premier comté agricole du pays (il assure 5 % de la production mondiale de raisin). On y produit aussi oranges, figues, olives, légumes, coton, et on élève dindes, bœufs et vaches laitières.

## UN PEU D'HISTOIRE

Fresno fut fondée au lendemain de la Grande Ruée vers l'or et sa proximité de grandes régions agricoles orienta tout naturellement son développement vers l'industrie alimentaire. Au cours du 20e s., la ville est devenue un centre important de services, d'expédition et de distribution alimentaires. De plus, l'installation d'un grand campus appartenant au réseau de l'université de Californie, de même que celle de divers établissements de soins médicaux, ont permis de diversifier l'économie locale.

FRESNO

La population de Fresno est d'une grande diversité ethnique. Il y a un siècle, la ville devint un centre d'immigration arménienne. Aujourd'hui, on y trouve la plus grande concentration aux États-Unis de Hmongs, un peuple du Laos. Le **Musée métropolitain** (Fresno Metropolitan Museum – *1555, Van Ness Avenue. Visite de 11 h à 17 h. Fermé lundi et principaux jours fériés. 5 $.* & ▯ *www.fresnomet.org* ☎ *559-441-1444*) consacre une salle à l'enfant le plus célèbre du pays, l'auteur américano-arménien **William Saroyan**.

## CURIOSITÉS *Une demi-journée*

**Chaffee Zoological Gardens** – Enfants *894 West Belmont Avenue dans Roeding Park, à environ 3 km au Nord-Ouest du centre-ville. Ouvert de mars à octobre de 9 h à 17 h, le reste de l'année de 10 h à 16 h. 4,95 $.* ✕ & ▯ *www.chaffeezoo.org* ☎ *559-498-2671.* Installé au milieu d'un ravissant parc, ce charmant zoo de 7 ha abrite quelque 700 espèces animales. Il a réussi un programme de reproduction d'espèces rares et en voie de disparition, tigre de Sumatra, hippotrague noir (antilope au poil noir) et tortue des Galapagos. Les visiteurs peuvent se promener dans une forêt tropicale reconstituée où volent des oiseaux tropicaux.

**Meux Home Museum** – *1007 R Street, sur Tulare Street. Visite guidée uniquement (45 mn) du vendredi au dimanche de 12 h à 15 h 30. Fermé en janvier et les principaux jours fériés. 4 $.* ✕ & ▯ ☎ *559-233-8007.* À l'époque de sa construction (1889), cette demeure victorienne très travaillée passait pour la plus belle de Fresno. Elle fut construite par le Dr Thomas R. Meux, un ancien chirurgien de l'armée des Confédérés qui s'installa ici après la guerre de Sécession. En 1973, la maison fut restaurée, avec mobilier et décoration d'origine, pour devenir un musée. Des plantes et fleurs très prisées à l'époque victorienne fleurissent dans les jardins.

**Kearney Mansion Museum** – *7160 West Kearney Boulevard, dans le parc Kearney. Visite guidée uniquement (45 mn) du vendredi au dimanche de 13 h à 15 h. Fermé les principaux jours fériés. 4 $.* & ▯ *www.valleyhistory.org* ☎ *559-441-0862.* Cette jolie demeure de style Renaissance française fut érigée en 1903 par M. Theo Kearney, entrepreneur novateur qui avait fait creuser tout un réseau de canaux pour transformer les vastes pâturages autour de Fresno en vergers et en vignobles à haut rendement. Cette demeure est toujours décorée avec une partie de son mobilier d'origine, luminaires de style Art nouveau et tentures murales importées de France.

**Fresno Art Museum** – *2233 North First Street, entre Clinton et McKinley Avenues, dans Radio Park. Visite de 10 h (12 h le week-end) à 17 h. Fermé lundi et principaux jours fériés. 2 $.* & ▯ ☎ *559-441-4221.* Ce musée d'art aux dimensions modestes monte des expositions à partir de ses collections de gravures et de dessins de post-impressionnistes français, d'objets d'art mexicain de la période précolombienne jusqu'à aujourd'hui, d'art californien et d'art d'Asie, ainsi que de sculpture américaine.

# SACRAMENTO★★

376 000 habitants
Carte Michelin n° 493 A 8
Office de tourisme ☎ 916-264-7777

On considère parfois Sacramento comme un village qui aurait grandi trop vite, mais la capitale de la Californie possède un riche héritage historique et séduit par sa distinction typiquement américaine. Située dans un zone plate au confluent du fleuve Sacramento et de la Rivière Americaine, son plan établi selon un quadrillage de rues longues et rectilignes bordées d'arbres évoque pour plus d'un visiteur les villes du Middle West. Apparemment indifférents à la plupart des lubies qui font rage dans les hauts lieux branchés de Californie, les habitants renforcent encore cette impression. Mais la capitale s'est donné l'aura d'une métropole moderne, complétant l'héritage de son passé pionnier par de nombreux atouts culturels contemporains.

## UN PEU D'HISTOIRE

**La Nouvelle Helvétie** – À sa fondation, Sacramento portait le nom de Sutter's Fort, forteresse en adobe construite en 1839 par l'aventurier suisse alémanique **John Sutter**, qui rêvait d'établir son propre empire marchand sur les terres intérieures sauvages de Haute Californie. Cet entrepreneur intrépide avait persuadé le gouvernement de Monterey qu'il tirerait de grands bénéfices de l'établissement de colonies dans la région de la Vallée centrale, longtemps délaissée, si bien qu'on lui fit don de 19 355 ha. En l'espace de quelques années, des centaines d'ouvriers agricoles indiens travaillaient la terre de sa « Nouvelle Helvétie », qui faisait venir des artisans qualifiés de régions aussi lointaines que l'Europe. Le fort attirait des colonnes de chariots, qui traversaient le pays à destination de la Californie dix ans avant la Ruée vers l'or. Sutter espérait bénéficier de ce courant de voyageurs, pouvant fournir main-d'œuvre et acheteurs de fermes familiales. Pendant plusieurs années, ses affaires prospérèrent. En 1844, le gouverneur du Mexique attribua même à Sutter 39 174 ha supplémentaires, pour le remercier de l'avoir aidé à réprimer une révolte indienne avec sa petite armée privée. En 1848, un employé de Sutter, **James Marshall**, découvrit de l'or dans le bief d'une nouvelle scierie dont Sutter lui avait commandé la construction à Coloma. Avec cette découverte, Marshall avait lancé sans le vouloir la Ruée vers l'or en Californie. En l'espace d'un an, la plupart des employés de Sutter quittèrent le travail et des hordes de squatters envahirent ses terres. Le nouveau gouvernement américain en Californie reconnut, tardivement et seulement partiellement, la légitimité des titres de propriété de Sutter. Celui-ci eut aussi le sentiment d'être dupé par son propre fils, qui participa à la fondation de Sacramento à environ 3 km à l'Ouest du fort, sur les rives du Sacramento, au lieu de soutenir son père dans sa volonté de créer « Sutterville » à 3 km au Sud de Sutter's Fort.

**Or et chemin de fer** – Il était presque inévitable qu'une implantation ait lieu sur les berges du Sacramento. Les navires en provenance de la baie de San Francisco accostaient là avec leur charge d'hommes en route vers les camps de prospecteurs d'or. Les propriétaires d'hôtels, forges, saloons, magasins d'équipement, compagnies de diligences et autres commerces liés au ravitaillement des mines trouvaient avantage à s'établir à proximité des quais. Après avoir été dévastée par plusieurs inondations et incendies au milieu du 19e s., la ville fut dotée de bases plus solides grâce à l'édification d'une levée de protection et à l'emploi de la brique comme principal matériau de construction. La **vieille ville** de Sacramento date de cette période. Parti défendre son projet à Washington, Sutter n'obtint pas gain de cause et ne revint jamais en Californie. Il s'installa en Pennsylvanie et mourut en 1880 dans un hôtel de Washington.

Sacramento resta une plaque tournante et un port fluvial importants pour les prospecteurs d'or jusqu'en 1860. À cette époque, un consortium d'hommes d'affaires de Sacramento, les « Big Four » *(voir 38)*, inspirés par un jeune ingénieur visionnaire du nom de Theodore Judah, entamèrent la construction d'une ligne de chemin de fer à travers la sierra Nevada, faisant de Sacramento le terminus du premier chemin de fer transcontinental. Plus tard, la ville devint le carrefour des grandes autoroutes qui traversent les sierras et qui desservent la Vallée centrale.

**Capitale de la Californie** – En 1854, Sacramento fut choisie pour capitale de la Californie. L'actuel Capitole, commencé en 1860, abritait le corps législatif et le bureau du gouverneur. Jusqu'en 1869, la Cour suprême se réunissait au premier étage d'un relais de diligence et de courrier de la vieille ville. Elle fut transférée par la suite à San Francisco, où elle siège encore aujourd'hui. L'importance du gouvernement de l'État est restée réduite jusque dans les années 1930, mais le nombre de bâtiments et d'employés n'a cessé de croître depuis. Cette expansion, ainsi que la présence de bureaux régionaux de nombreuses institutions fédérales font de l'administration locale l'une des principales activités de Sacramento. L'industrie agroalimentaire, le transport et la distribution, notamment des produits agricoles, sont depuis longtemps des pivots de son économie.

## ★★LE VIEUX SACRAMENTO *Une journée*

Le centre ancien de la ville possède le plus grand groupe de bâtiments datant de la Ruée vers l'or des États-Unis. La vieille ville, qui s'étend aujourd'hui entre les rues I et L et entre le Sacramento et l'autoroute Interstate 5, fut construite vers 1850 autour de l'embarcadère qui desservait Sutter's Fort. Pendant plusieurs décennies, ce quartier prospéra comme centre commerçant de Sacramento. Son déclin commença à la fin du 19e s. lorsque les activités commerciales furent transférées plus à l'Est, à proximité du Capitole. Longtemps négligés, ses quelques pâtés de maisons échappèrent de peu aux bulldozers lors de la construction de l'Interstate 5 pendant les années 1960.

Un projet de restauration ambitieux transforma une grande partie du vieux centre-ville en un parc historique d'État de 10 ha, remarquable par l'intégration judicieuse de nouvelles constructions dans le vieux tissu urbain. Situés sur trois blocs entre **Second Street** et **Front Street**, les bâtiments à un ou deux étages bordés de trottoirs de bois couverts évoquent l'ambiance de ville de l'Ouest prospère qui régnait ici au 19e s., en dépit de la multitude de snack-bars et boutiques de souvenirs qui occupent nombre de devantures aujourd'hui. *Parcs de stationnement dans I St. sous I-5 et à l'angle de Front St. et L St. Un livret décrivant la visite à pied de la vieille ville est disponible à l'Office de tourisme à l'angle de Fort St. et K St.*

★★ **California State Railroad Museum** – Enfants *125 I Street au niveau de 2nd Street. Visite de 10 h à 17 h. Fermé 1er janvier, Thanksgiving Day et 25 décembre. 6 $. www.csrmf.org ☎ 916-445-6645.* Situé comme il convient dans la ville-terminus du premier chemin de fer transcontinental, ce musée d'un étage en brique rouge (1981) est consacré aux activités ferroviaires et à leur rôle déterminant dans le développement de l'Ouest américain. Dans le couloir menant au rez-de-chaussée

Le vieux Sacramento

sont présentés des documents relatant les défis relevés lors de la conception et de la construction de la ligne ferroviaire Central Pacific à travers la sierra Nevada. Dans le vaste hall d'exposition ouvert, conçu à la façon des rotondes ferroviaires du 19ᵉ s., se tiennent 21 locomotives méticuleusement restaurées, dont la **locomotive Nº 1** de la Central Pacific, des alentours de 1865, et un monstre avec une cabine de mécanicien à l'avant encore utilisée jusqu'à la disparition des machines à vapeur dans les années 1940 et 1950. Dans un dépôt reconstitué datant de 1876, on peut également admirer nombre de wagons : wagon postal, luxueuse voiture privée, et un wagon-lit simulant de façon réaliste un voyage, avec secousses réelles et effets sonores. Les galeries du premier étage présentent une merveilleuse collection de trains miniatures.

À côté du musée, on voit une série de devantures de magasins en brique dont le **Huntington, Hopkins & Co. Hardware Store** (**A**), reproduction de l'original, édifié vers 1850 à quelques blocs de là, sur un site aujourd'hui traversé par l'autoroute I 5. Le magasin a été le point de départ de la fortune de Collis Huntington et Mark Hopkins, deux membres du groupe des « Big Four », les quatre hommes d'affaires de Sacramento qui ont fondé et dirigé la Central Pacific.

★ **Discovery Museum** – *101 I St. Visite du mardi au dimanche de 10 h à 17 h. Fermé les principaux jours fériés. 4 $.* ⅏ ▯ *www.thediscovery.org* ☎ *916-264-7057.* Une reconstitution en brique du bâtiment de 1854 de l'hôtel de ville et du Service des eaux renferme un musée qui raconte l'histoire de Sacramento et de ses environs, mise en relief par une présentation chronologique d'objets de la vie quotidienne allant de l'époque amérindienne à nos jours. Une galerie présente les activités agricoles et l'industrie agroalimentaire de Sacramento, alors qu'une autre, reproduisant un village de l'époque de la Ruée vers l'or, s'intéresse aux méthodes minières.

À proximité, dans Front Street, se trouve une réplique de la **gare de voyageurs** (**B**) de la compagnie Central Pacific, telle qu'elle existait en 1876. Équipés de « bâtons sonores » émettant commentaires et bruitages, les visiteurs sont emportés au cœur de l'animation d'une gare en pleine activité, avec les trains anciens qui les attendent aux quais. Depuis la **gare de marchandises** (**C**) voisine, les trains à vapeur emmènent les passagers pour une excursion de 11 km le long de la rivière *(départs d'avril à septembre le week-end de 11 h à 17 h ; circuit commenté de 40 mn. 6 $. California State Railroad museum. www.csrmf.org* ☎ *916-445-6645).*

Le *Delta King*, bateau à vapeur des années 1930 accosté en permanence derrière la gare, a aujourd'hui été reconverti en hôtel flottant *(1000 Front Street,* ☎ *916-444-5464).* De l'autre côté de la rue se trouve l'**Eagle Theatre** (1849), qui fut le premier théâtre californien. On y présente encore des spectacles ainsi qu'un diaporama sur l'histoire du vieux Sacramento *(975 Front Street,* ☎ *916-323-6343).*

**B.F. Hastings and Co. Building** (**D**) – *Angle 2nd St. et J St.* Ce beau bâtiment (vers 1850) a abrité d'importantes compagnies de transport, comme la Wells Fargo, et a servi de terminus Ouest au courrier à cheval Pony Express et à la première ligne télégraphique transcontinentale. C'est là que s'est installé le **Wells Fargo History Museum** *(visite de 10 h à 17 h,* ☎ *916-440-4263)* présentant des documents, des photographies, des pépites d'or et d'autres souvenirs de l'époque de la Ruée vers l'or. Des années 1850 aux années 1860, la Cour suprême de

Californie se réunissait au premier étage. Le tribunal est actuellement en cours de restauration. À l'extérieur, un monument rend hommage aux 80 jeunes cavaliers de Pony Express qui, pour transporter le courrier, parcoururent, d'avril 1860 à octobre 1861, les 3 145 km séparant St Joseph dans le Missouri et Sacramento.

## QUARTIER DU CAPITOLE *Une demi-journée*

**★★California State Capitol** – *10th St., entre L St. et N St. Visite guidée toutes les heures de 9 h à 16 h. Fermé 1er janvier, Thanksgiving Day et 25 décembre.* ✗ ♿ ☎ *916-324-0333.* Repérable à sa coupole de 64 m de haut, le monument le plus célèbre de Sacramento reprend le style néoclassique du capitole fédéral à Washington. On s'est servi de granit pour le rez-de-chaussée, alors que les façades des deux étages supérieurs sont recouvertes de briques blanches plus légères. Soutenu par des colonnes corinthiennes, le fronton de l'entrée principale côté Ouest représente Minerve entourée de la Justice, des Mines, de l'Éducation et de l'Industrie. (Minerve est l'effigie centrale du sceau de l'État, qui figure à plusieurs endroits sur le Capitole. À l'instar de Minerve qui, dans la mythologie, serait sortie adulte du front de son père Jupiter, la Californie a acquis le statut d'État sans passer par la phase de transition généralement imposée aux territoires des États-Unis.)

Le Capitole, dont la construction a débuté en 1860, a subi au fil des ans plusieurs transformations, et se trouvait en assez mauvais état au début des années 1970. Son existence fut même remise en cause lorsqu'il fut question de transférer les services gouvernementaux dans des tours de bureaux avoisinantes. Mais la perspective du bicentenaire des États-Unis entraîna une forte mobilisation des habitants de la ville pour la préservation de ce patrimoine historique. En quelques années de rénovation, il retrouva sa splendeur d'origine, de ses pavements de mosaïque à ses lustres de cristal. Plusieurs pièces du rez-de-chaussée, dont les bureaux du gouverneur et du trésorier général, ont été restaurées dans leur style du début du 20e s. La grande **rotonde** est surmontée par une coupole superbement décorée, s'élevant à 36 m au-dessus du sol. Les visiteurs ont la possibilité d'assister aux débats du Sénat et de l'Assemblée qui ont lieu dans les salles du deuxième étage.

Le **parc** (State Capitol Park) s'étend sur 10 ha, et contient plus de 300 essences d'arbres *(plan avec la liste des noms disponible au bureau d'information)*. À l'Est du parc se trouve le **California Vietnam Veterans Memorial**, monument composé de 22 panneaux de granit noir sur lesquels sont inscrits les noms de 5 822 Californiens morts ou portés disparus pendant la guerre du Vietnam, dans les années 1960 et 1970 *(15th Street et Capitol Avenue)*.

**California State Library** – *914 Capitol Mall. Ouvert du lundi au vendredi de 9 h 30 à 16 h. Fermé les jours fériés.* ♿ *www.library.ca.gov* ☎ *916-654-0261.* Ce bâtiment néoclassique construit en granit (1926) est situé à l'Ouest du Capitole. Les couloirs et les salles de lecture sont ornés de motifs Art déco et de fresques allégoriques. La **salle California** *(bâtiment-annexe de la bibliothèque, 900 N Street, pièce 200 ☎ 916-654-0176)* renferme les plus importantes archives historiques de la Californie. Sa rotonde en mezzanine reçoit des expositions temporaires présentant ses collections de documents originaux, tels que photographies et affiches politiques.

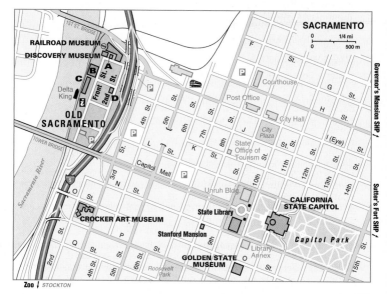

**Stanford Mansion State Historic Park** – *8th St. et N St. Actuellement fermé pour restauration.* ☎ *916-324-0575.* Leland Stanford, gouverneur de l'État, magnat des chemins de fer et fondateur de l'université Stanford, acheta cette élégante villa de style italianisant en 1861 pour en faire sa résidence de gouverneur jusqu'en 1863.

★**Golden State Museum** – *1020 O Street. Visite de 10 h (12 h le dimanche) à 17 h. Fermé Thanksgiving Day et 25 décembre. 6,50 $ (prix incluant le prêt d'un audio-guide).* ♿ ⊡ *www.ss.ca.gov/museum/intro.html* ☎ *916-653-7524.* Situé dans le bâtiment des Archives de l'État de Californie, ce musée tente au travers d'une sélection minutieuse de documents d'archives, d'objets et d'actualités filmées présentés sous la forme d'expositions multimédias, de faire ressortir les spécificités californiennes, que se soit sur un plan historique, politique, local ou démographique. Le musée, qui a ouvert ses portes en 1998, s'organise autour de quatre grands thèmes : The Place (l'endroit), The People (les gens), The Politics (la politique) et The Promise (la promesse). Des expositions évoquent l'importance de l'eau dans l'économie de l'état, la contribution des immigrants, la beauté naturelle des paysages, le processus de création d'une législation réussie et le pouvoir des institutions culturelles (Hollywood et l'industrie du cinéma par exemple) pour créer « l'image » de la Californie.

**Governor's Mansion State Historic Park** – *16th Street et H St. Visite guidée (45 mn) uniquement, d'heure en heure de 10 h à 16 h. Fermé 1ᵉʳ janvier, Thanksgiving Day et 25 décembre. 3 $. www.cal-parks.ca.gov* ☎ *916-323-3047.* Cette célèbre demeure de style Second Empire fut construite en 1877 par le magnat de la quincaillerie Albert Gallatin, puis rachetée par l'État en 1903 pour en faire la résidence officielle du gouverneur. L'intérieur renferme une collection fantaisiste de meubles et d'objets, dont les robes de soirée des « First Ladies », laissés par les familles des treize gouverneurs ayant séjourné ici, le dernier étant Ronald Reagan dans les années 1960. Son successeur, Jerry Brown, préféra un appartement en face du Capitole, et les gouverneurs suivants établirent leurs quartiers dans une maison moderne située ailleurs dans la ville.

## AUTRES CURIOSITÉS *Une demi-journée*

★**Crocker Art Museum** – *Entrée à l'angle de 2nd St. et O. Street. Visite de 10 h à 17 h (21 h le jeudi). Fermé lundi et principaux jours fériés. 4,50 $.* ♿ ☎ *916-264-5423.* Logée au Sud de la vieille ville dans un élégant manoir de style italianisant, cette vénérable institution, qui a ouvert ses portes en 1872, a été le premier musée d'art public de l'Ouest américain. Le bâtiment d'origine à trois niveaux, à l'angle de 3rd Street et O Street, fut commandé par le juge Edwin Bryant Crocker afin d'y présenter sa collection d'environ 700 tableaux, la plupart signés d'artistes allemands et américains du 19ᵉ s. De son vivant, Crocker rassembla également une belle collection de plus de 1 200 dessins de maîtres européens, dont une partie fait parfois l'objet d'expositions temporaires. Afin de contenir les collections de plus en plus importantes, le musée dut s'agrandir, occupant à la fin du 19ᵉ s. certaines pièces de la résidence voisine des Crocker (vers 1850). Depuis les années 1960, on a ajouté, pour présenter des expositions temporaires, des ailes modernes, alliance de verre et de béton, qui contrastent vivement avec les lignes élégantes du bâtiment 19ᵉ s.

L'**intérieur**★★ du manoir merveilleusement restauré – en particulier le vestibule et la salle de bal voisine – est orné de boiseries, de plafonds ouvragés, de décors au pochoir et de carrelage. La galerie Californie *(1ᵉʳ étage)* se consacre aux paysagistes californiens du 19ᵉ s. L'œuvre la plus célèbre du musée, *Dimanche matin à la mine* (1872), tableau de Charles Nahl fréquemment reproduit, est accrochée dans le vestibule à côté.

★★**Sutter's Fort State Historic Park** – *À l'angle de 27th Street et L St. Visite de 10 h à 17 h. Fermé 1ᵉʳ janvier, Thanksgiving Day et 25 décembre. 3 $.* ☎ *916-445-4422.* Ce monument important était autrefois le « château fort » du domaine de John Sutter ; différents ateliers et quartiers d'habitation sont adossés à la paroi interne de l'épaisse enceinte en adobe. Au centre des vastes pelouses se dresse le bâtiment administratif de Sutter, le seul qui soit presque entièrement d'origine. Le reste de l'ensemble était en ruine à la fin du 19ᵉ s. quand on entreprit sa restauration, en reconnaissance tardive des nombreuses contributions de Sutter au développement initial de la Californie.

Les visiteurs font librement la découverte du domaine équipé de bornes sonores commentant l'historique et les activités du fort. Les équipements et outils de la vie quotidienne utilisés dans l'empire agricole de Sutter ont été rassemblés dans les différentes pièces et bâtiments du domaine : ils sont présentés dans le cadre d'expositions permanentes ou servent au cours de **reconstitutions historiques** *(téléphoner pour les horaires).*

★**California State Indian Museum** – *2618 K St. Voisin de Sutter's Fort. Visite de 10 h à 17 h. Fermé 1ᵉʳ janvier, Thanksgiving Day et 25 décembre. 3 $.* ♿ ☎ *916-324-0971.* Cette riche collection de parures de danse, paniers, armes pour la chasse et la pêche et autres objets, dont un canoë yurok taillé dans un seul tronc de séquoia, est illustrée par de nombreuses photographies historiques et contemporaines ; elle souligne la pérennité de la culture amérindienne, d'avant la conquête espagnole à nos jours.

★**Towe Auto Museum** – *2200 Front St, à environ 1,5 km au Sud de la vieille ville. Visite de 10 h à 18 h. Fermé 1er janvier, Thanksgiving Day et 25 décembre. 6 $.* ⛄ 🅿 ☎ *916-442-6802.* Ce musée de véhicules de collection célèbre la longue histoire d'amour de l'Amérique et de l'automobile par une série d'expositions construites autour des « thèmes de rêve », design, style et performance. Une exposition tournante présente à chaque fois environ 160 véhicules, d'environ deux douzaines de marques différentes. Parmi les nombreux objets particuliers exposés, citons le quadricycle d'Henry Ford et des croquis de pièces de moteur.

**Zoo de Sacramento** – Enfants *3930 W. Land Park Dr. 5 km du centre-ville. Prendre l'autoroute I 5 vers le Sud jusqu'à la sortie Sutterville Rd et suivre la signalisation. Visite de 10 h à 16 h. Fermé Thanksgiving Day et 25 décembre. 5 $ en semaine. 6 $ le week-end.* 🍴 ⛄ 🅿 *www.saczoo.com* ☎ *916-264-5166.* Situé au sein d'un grand parc récréatif, avec un terrain de jeux à thème très apprécié, ce petit zoo abrite environ 340 animaux, parmi lesquels des félins exotiques comme tigres de Sibérie, jaguars et margays. Juste en face se trouve un petit parc à thème pour les enfants, **Fairytale Town** (Un village de conte de fée).

## EXCURSION

**Locke** – *44 km au Sud de Sacramento, sur la route 160.* Fondé en 1915 par une communauté chinoise ayant échappé à l'incendie de la ville voisine de Walnut Grove, ce petit village sur le delta du Sacramento est un ensemble inattendu, pittoresque et composite d'architecture style western orné d'enseignes et de décors chinois. Bordé à l'Ouest par la digue du fleuve et cerné par des vergers de poiriers, Locke, dans ses beaux jours, possédait une poste, cinq hôtels et pensions de famille, un théâtre, une église, une cordonnerie, deux kiosques à cigares, deux saloons et une salle de billard. Ses 400 habitants travaillaient pour la plupart pour la digue, le chemin de fer ou l'agriculture. Bien qu'une poignée de gens y réside encore, beaucoup des bâtiments aux fausses devantures de bois de la rue principale sont délabrés et partiellement ou complètement abandonnés.

# STOCKTON

232 700 habitants
Carte Michelin n° 493 A 8
Office de tourisme ☎ 209-943-1987

Charles Weber, immigrant allemand membre de l'expédition Bidwell *(voir index)*, arriva en Californie en 1841 et fonda Stockton juste avant le début de la Ruée vers l'or. Sa situation sur les rives du fleuve San Joaquin permit à la ville de devenir un centre de transport vers le Pays de l'Or (Gold Country) au Sud et de connaître au milieu du 19e s. une expansion sans précédent. Avec l'épuisement des mines d'or et le développement de l'agriculture, Stockton réorienta son économie. La ville s'imposa dans la fabrication des grandes machines agricoles utilisées dans les immenses fermes à blé qui ont remplacé beaucoup des ranchs d'élevage de la Vallée centrale entre 1860 et 1870. Basée à Stockton, l'entreprise Holt, fabricante des tracteurs à chenilles Caterpillar, révolutionna les équipements agricoles et de travaux publics, mais aussi les chars d'assaut en inventant le premier système de roues motrices à chenilles au début du 20e s. Construction navale et industrie agroalimentaire comptèrent aussi parmi les premières activités importantes de la ville. À la fin du 19e et au début du 20e s., Stockton arrivait au deuxième rang après San Francisco pour l'activité économique.
Le centre-ville de Stockton a perdu son dynamisme depuis plusieurs décennies, car la plupart des commerces de détail se sont regroupés dans de grandes galeries commerciales au Nord de la ville. Le port n'en continue pas moins de recevoir des navires au long cours et la ville demeure fière de ses quartiers anciens toujours séduisants, dont plusieurs se trouvent aux environs de l'**université du Pacifique**, la première université ouverte en Californie.

★**Haggin Museum** – *À 2,5 km du centre-ville. Prendre la I-5 vers le Nord, sortir à Pershing Avenue et continuer jusqu'à Victory Park. Visite (1 h) de 13 h 30 à 17 h. Fermé lundi, 1er janvier, Thanksgiving Day et 25 décembre. Contribution demandée.* ⛄ ☎ *209-462-4116.* Cette construction en brique de style néoclassique située dans un parc public abrite une **collection d'art**★★ riche en paysages américains du 19e s. (toiles de Bierstadt, Moran, Keith, Hill et Inness), en peintures académiques et tableaux de genre français (œuvres de Renoir, Gauguin et Bouguereau). On y trouve également une collection éclectique d'objets amérindiens, mayas et égyptiens. Le reste du musée se consacre à l'histoire de Stockton. On y voit notamment des devantures de magasins datant du 19e s., une **machine agricole** d'époque et, à l'étage principal, un intérieur meublé dans le style des années 1860.

# The Deserts

Le pic Télescope, dans la Vallée de la Mort/© Galen Rowell /Mountain Light

Journées torrides, nuits glaciales, montagnes sculptées par cette eau si cruellement absente, roches riches en minéraux exhibant toute une palette de couleurs, voilà ce que les déserts californiens offrent à première vue. Mais le voyageur s'aventurant dans ces vastes contrées apprend vite à attendre l'inattendu... Des sources invisibles formant des zones marécageuses ou des oasis dont les palmiers entrelacés attirent les oiseaux... Une faune rare, telles les tortues du désert ou les petits poissons de Salt Creek, qui a réussi à s'adapter à des conditions de vie étrangères à la plupart des espèces, l'homme inclus. Et, parmi la végétation insolite de ces contrées aux pluies rares, des forêts de cactus et des arbres de Josué aux branches tendues vers le ciel. Les déserts s'étendent sur quelque 560 km, du parc national de la Vallée de la Mort à la frontière mexicaine, et sont en fait composés de deux régions distinctes : le **désert Mohave**, plus frais et plus haut, qui descend vers le **désert du Colorado**, plus chaud et plus sec, situé dans le parc national de l'Arbre de Josué. À Key View, on peut observer la transition botanique qui s'opère lorsque les arbres de Josué cèdent petit à petit la place aux épineux verts utilisés par les résidents de Coachella Valley (dans la région de Palm Springs) ou de Borrego Springs pour agrémenter leur jardin. Plus au Sud, les étendues arides du désert d'Anza-Borrego et de la Vallée impériale (Imperial Valley) se prolongent jusqu'à la région mexicaine de la Basse-Californie.

Il n'existe aucune route Nord-Sud reliant les déserts, mais, avec un 4x4, et si on a la fibre aventurière, on peut créer son propre itinéraire pour rallier Palm Springs ou le lac Salton, de la Vallée de la Mort, en passant par la réserve Mohave et le parc de l'Arbre de Josué. Les multiples chaînes de montagnes constituent une barrière continue, particularité qui, au milieu du 19e s., causa la mort de beaucoup d'immigrants venant de l'Est et cherchant dans cette région un passage vers la côte californienne.

Ces sites et leurs conditions atmosphériques particulières sont utilisés par l'armée américaine pour l'entraînement à la survie en milieu désertique, l'essai des armes et les manœuvres des avions de chasse. Des bases à l'accès réglementé ponctuent la région et constituent une intéressante source de revenus pour des villes comme Ridgecrest ou Twentynine Palms.

Malgré un nom terriblement évocateur, la Vallée de la Mort attire chaque année, et ce même en été, cyclistes et randonneurs désireux de braver des conditions extrêmes. En février, l'éclosion des fleurs sauvages et des cactus, phénomène progressif qui peut perdurer jusqu'en mai dans les régions plus élevées, offre un spectacle d'une rare beauté.

Tout au long de l'année, au lever et au coucher du soleil, le ciel emprunte les teintes roses et jaunes du relief, pour former une bande inversée d'un rose profond sur son bleu électrique. Ce phénomène est d'une beauté saisissante lorsque le soleil se lève sur le sommet incliné du Manly Beacon à Zabriskie Point, dans la Vallée de la Mort. Dans la réserve Mohave, on a l'étrange impression que les dunes Kelson « fredonnent », alors que celles de la Vallée de la Mort sont à elles seules une étude minimaliste sur la lumière et l'ombre. Enfin, autre spectacle étonnant, ces centaines de personnes qui s'en vont, marchant à la queue leu leu tels des pèlerins, vers les aveuglantes étendues de sel blanc de Badwater, mare alcaline de la Vallée de la Mort près du point le plus bas d'Amérique du Nord.

# BARSTOW

22 640 habitants
Carte Michelin n° 493 C 10
Office de tourisme ☎ 760-256-9617

Au 19ᵉ s., Barstow était une ville-étape pour les mineurs, les pionniers et les fermiers sur l'Old Spanish Trail. Située à mi-chemin entre Los Angeles et Las Vegas et à 96 km de la réserve Mohave, Barstow, qui abrite de nombreux magasins d'usine, est une véritable aubaine pour qui recherche de bonnes affaires. Ancien centre de la Southern Pacific Railway, sa gare est toujours en activité, 24 h sur 24. La ville est aussi connue comme étape (dans les années 1940 et 1950) de la mythique route 66.

## CURIOSITÉS *Une journée*

★**Calico Ghost Town** – 🏳Enfants *À partir de Barstow, rouler sur 13 km vers l'Est sur la I-15 jusqu'à la sortie Ghost Road, puis parcourir 5 km vers le Nord jusqu'à l'entrée. Visite de 8 h au coucher du soleil. Fermé 25 décembre. 6 $. ⚠ ✗ ♿* ☎ *760-254-2122 ou 800-862-2542.* Ce pittoresque parc d'attractions a été construit à partir des vestiges restaurés d'une ancienne ville-champignon, apparue lors des débuts d'exploitation de l'argent et du borax. En 1881, on découvrit ici des gisements d'argent, et la bourgade de Calico fut créée pour subvenir aux besoins des prospecteurs. En 1896, l'exploitation de l'argent devenant moins rentable à cause de la chute des cours, la ville échappa à la disparition grâce à la découverte de gisements de borax dans la région. Leur exploitation soutint l'économie de la ville jusqu'en 1907. La production des mines d'argent apporta 13 à 20 millions de dollars à Calico, celle du borax près de 9 millions de dollars, et la ville connut son âge d'or en 1894, avec une population record de 3 000 habitants. Mais elle amorça son déclin avec l'épuisement des gisements, et elle tombait pratiquement en ruine lorsque Walter Knott, le créateur de la Knott's Berry Farm *(voir p. 210)* en fit l'acquisition en 1951. Il lui rendit une partie de son atmosphère de Far West avant d'en faire don au comté de San Bernardino.

**Visite** – Une longue volée de marches (ou un petit chemin de fer en pente) relie l'aire de parking à la rue principale de la ville, aujourd'hui pavée et réservée aux piétons, qui flânent devant les boutiques de Calico et devant ses bâtiments historiques. Si le **Lil's Saloon**, le bureau municipal, la maison de Lucy Lane, le magasin R&D et le **General Store** sont d'origine, tous les autres bâtiments ont été reconstruits. Sur la voie étroite du **Calico & Odessa Railroad**, qui contourne la colline à l'Est de la ville, on peut faire de courts trajets en train accompagnés de commentaires historiques *(10 mn)*.

★**Calico Early Man Site** – *De Barstow, prendre la I-15, rouler sur 24 km vers l'Est jusqu'à la sortie Minneola Road. Continuer vers le Nord et l'Est jusqu'à la fin de la piste de terre (4 km). Visite le mercredi de 12 h à 16 h 30, du jeudi au dimanche de 9 h à 16 h 30. Fermé principaux jours fériés. Contribution demandée.* 🅿 ☎ *760-256-5102.* En procédant à des fouilles dans le désert sur un flanc de colline dénudé, on a découvert, dans les strates formées il y a 200 000 ans, ce qui pourrait être des racloirs et des haches rudimentaires façonnées par d'anciens groupes humains. Ceux-ci vivaient autrefois de l'abondant gibier des rivages du lac recouvrant alors les plaines de l'Est et du Sud. Le site est une excellente introduction aux aspects techniques et logistiques de grandes fouilles archéologiques.

Les objets découverts sur le site appuient une théorie selon laquelle il aurait existé sur le continent américain une espèce humaine plus ancienne que l'*homo sapiens*. Elle serait arrivée il y a 20 000 ans par le Nord, via la bande de terre qui formait alors un pont entre l'Asie et l'Alaska (aujourd'hui détroit de Béring). L'archéologue Louis S.B. Leakey, qui découvrit des restes humains parmi les plus anciens du monde dans la gorge Olduvai en Afrique de l'Est, pensait que le site de Calico était un atelier de fabrication d'outils en pierre. Il y dirigea des fouilles de 1964 jusqu'à sa mort en 1972.

**Visite** – On commencera par un petit centre d'accueil des visiteurs assez rustique, où sont exposés plusieurs objets découverts lors les fouilles. Les visites, conduites par des archéologues du site, partent de la cabane de mineur dans laquelle Leakey avait établi son quartier général de fouilles. Ensuite, on peut observer de près trois grandes excavations et plusieurs petites excavations, dont certaines atteignent 10 m de profondeur. Elles sont protégées des intempéries par des auvents.

**Roy Rogers/Dale Evans Museum**, *15650 Seneca Road*, **Victorville** – *De Barstow, prendre la I-15 vers le Sud-Ouest, parcourir 51 km et tourner à gauche dans Roy Rogers Drive, puis de nouveau à gauche sur Civic Drive. Visite de 9 h à 17 h. Fermé à Pâques, Thanksgiving et 25 décembre. 7 $.* ☏ *760-243-4547.* Ce musée rappelle la vie et la carrière du célèbre couple d'acteurs et chanteurs qui s'immortalisa dans les westerns. En face de l'estacade de bois de plus de 3 500 m² se dresse la statue cabrée du cheval de Rogers, Trigger ; naturalisé, l'animal même est en place pour l'éternité dans le bâtiment, avec celui de Dale Evans, Buttermilk, avec Bullet, la « merveille des chiens », et avec des trophées de chasse (grands fauves de l'Ouest américain, d'Alaska et d'Afrique). On entend sans arrêt en sourdine *Happy Trails to You*, chanson générique du spectacle télévisé de Rogers dans les années 1950, et d'autres chants de pionniers, tandis que les nostalgiques se repaissent de souvenirs à la vision de la garde-robe du couple, de photos de famille, d'affiches de films ou de véhicules comme *Nellybelle*, la jeep utilisée dans l'émission télévisée. Surnommé « le roi des cow-boys », Roy Rogers (1911-1998) fut certainement le cow-boy le plus prisé de l'industrie du cinéma entre 1943 et 1955, période durant laquelle il apparut dans 87 films. Dans la plupart d'entre eux, il avait pour partenaire Dale Evans (1912), la « reine de l'Ouest », qu'il épousa en 1947.

# DEATH VALLEY National Park★★★
Parc national de la VALLÉE DE LA MORT
Carte Michelin n° 493 C 9

Écrasé par le soleil, ce royaume de la pierre, du sable et des grands espaces s'étend le long de la frontière Est entre Californie et Nevada. Ce territoire connaît l'altitude la plus faible et les températures les plus élevées de tout l'hémisphère occidental. Loin des centres de population et des grands axes routiers, la Vallée de la Mort place le visiteur devant le spectacle d'une terre en formation, immensité silencieuse et nue sur laquelle ni la végétation ni l'homme ne sont encore venus empiéter.

**Un bassin incliné** – La Vallée de la Mort n'est pas à proprement parler une vallée. C'est un bassin profond, sans issue, formé par l'affaissement progressif d'une portion de la croûte terrestre, qui laissa de chaque côté deux blocs en hauteur, formant aujourd'hui les chaînes Panamint et Amargosa. Ce processus, qui commença il y a environ 3 millions d'années, se poursuit aujourd'hui, plus rapidement à l'Est qu'à l'Ouest, inclinant le fond du bassin vers l'Est. Les montagnes sont flanquées de **cônes alluviaux**, reliefs triangulaires formés par les débris rocheux arrachés des canyons lors de crues subites. Ces cônes sont plus larges côté Ouest du fait de l'inclinaison du bassin qui entraîne plus loin les fragments de roches. Au cours des deux derniers millions d'années, des périodes de climat humide remplirent le bassin d'une succession de lacs d'eau douce. Le plus grand, le lac Manly, atteignait, il y a environ 25 000 ans, une profondeur de 180 m. Ces lacs ont déposé des couches de sédiments au fond du bassin. Mises au jour plus tard par les mouvements au long des failles, elles ont été sculptées par l'érosion, prenant la forme que les géologues appellent *badlands*.

Aujourd'hui, le bassin mesure 210 km de long, et sa largeur varie de 8 à 40 km. Dans le parc, l'altitude va de 3 367 m à 85 m au-dessous du niveau de la mer. La chaîne de la sierra Nevada arrête la plupart des nuages provenant de l'océan Pacifique. L'oasis de Furnace Creek, endroit où se trouve le bureau du parc, ainsi qu'un centre de restauration, d'hébergement et autres équipements, reçoit en moyenne 46 mm de pluie par an. Dans l'air sec et clair, le soleil frappe implacablement le sol presque nu du bassin, générant une moyenne de température parmi les plus élevées de la planète. À Furnace Creek, la moyenne des maximums de température en juillet est de 47 °C. Quant à la température record de 56 °C enregistrée ici, elle n'a été dépassée que dans le Sahara libyen.

**La flore et la faune** – Des bouquets de pins *limber* et *bristlecone* poussent dans les hauteurs de la chaîne Panamint. Dans les zones moins élevées, on rencontre divers types de végétation clairsemée et broussailleuse, suivant la quantité d'eau et de sel contenue dans le sol. Le cactus, souvent associé à la végétation du désert, n'est pas très présent dans la Vallée de la Mort. Le buisson épineux de créosote est la plante la plus répandue dans la région. Le houx du désert pousse sur les terrains les plus secs et les plus salés du fond du bassin. Dans les endroits où l'eau souterraine n'est pas trop saline prolifèrent les fourrés de prosopis. Dans les régions à forte concentration de sel, souvent au bord des cuvettes d'eau salée, il ne pousse que des plantes halophytes. Il n'y a aucune vie végétale sur les 500 km² de plaque saline qui couvrent l'endroit le plus profond du bassin. Lors de rares hivers pluvieux, de minuscules graines, endormies pendant des années, germent et couvrent la région de fleurs sauvages.

# RENSEIGNEMENTS PRATIQUES

### Indicatif de la région : 760

*Consignes de sécurité pour visiter le désert : lire attentivement le chapitre Nature et Sécurité p. 384.*

**Pour s'y rendre** – Il n'existe pas actuellement de transport public organisé permettant l'accès à la Vallée de la Mort. **Furnace Creek** *(centre du parc sur la Highway 190)* est le meilleur point de départ pour une visite. Pour s'y rendre de Los Angeles *(405 km)*, prendre la I-10 vers l'Est, puis la I-15 vers le Nord jusqu'à la Highway 127. Continuer vers le Nord pour prendre la Highway 178 vers l'Ouest. De San Francisco *(765 km)*, prendre la I-80 vers l'Est jusqu'à la I-580 en continuant vers l'Est. Arrivé à la I-205, poursuivre vers l'Est jusqu'à la Highway 99. Prendre alors la direction Sud jusqu'à la Highway 178, la prendre vers l'Est pour rejoindre la Highway 190, continuer vers l'Est. De Las Vegas, aéroport le plus proche *(225 km à l'Est)*, prendre la US-95 vers le Nord pour rejoindre la Highway 127 et se diriger vers le Sud jusqu'à la Highway 190 qu'on suivra vers l'Ouest. Information sur les agences de **location de voitures** de la région p. 377.

**Pour y circuler** – Il est préférable de visiter la Vallée de la Mort en voiture. Rester sur les routes numérotées. Prévenir le bureau des gardes du parc avant de partir explorer Titus Canyon ou d'autres pistes où les véhicules tout terrain sont recommandés. On peut se ravitailler en eau pour les voitures aux entrées sur les routes 190 et 374 et à Furnace Creek. On trouve des stations d'essence à Furnace Creek, Scotty's Castle, Panamint Springs et Stovepipe Wells.

**Quand s'y rendre** – Il est préférable de s'y rendre d'octobre à mai, le temps étant généralement sec et doux. Au printemps, on peut y admirer l'éclosion des fleurs sauvages. Éviter la saison d'été *(entre juin et septembre)*, de plus en plus fréquentée et durant laquelle la chaleur est facilement insupportable.

**Où s'informer** – S'adresser au Superintendant, Death Valley National Park, PO Box 579, Death Valley CA 92328 www.nps.gov/deva ☎ 786-2331. On peut obtenir des renseignements au **Furnace Creek Visitor Center** *(ouvert toute l'année de 8 h à 18 h.* ☎ *786-2331)* ; aux **postes de gendarmerie montée** (Ranger) de **Beatty** *(route 374, Beatty, Nevada. Horaires variables.* ☎ *775-553-2200)* et de **Shoshone** *(route 127, Shoshone. Horaires variables.* ☎ *852-4308)* ; à l'**Eastern Sierra InterAgency Visitor Center** *(Lone Pine ; ouvert de 8 h à 17 h.* ☎ *876-6222)* ; au **Mojave Desert Information Center** *(Baker ; ouvert de 9 h à 17 h, fermé le 25 décembre.* ☎ *733-4040)*.

**Horaires et tarifs** – Le parc est ouvert tous les jours de l'année. Un plan officiel du parc est fourni en acquittant le droit d'entrée de 10 $ par voiture *(valable 7 jours)* aux postes de Rangers de Furnace Creek, Grapevine, Stovepipe Wells ou Beatty.

**Hébergement** – Possible à l'intérieur du parc au Furnace Creek Ranch *(98 $/120 $ ; www.furnacecreekresort.com ;* ☎ *786-2345)*, au Furnace Creek Inn *(145 $/325 $ ;* ☎ *786-2361)* ; motels : Panamint Springs Resort *(50 $/75 $ ;* ☎ *702-482-7680)* et à Stovepipe Wells *(53 $/76 $ ;* ☎ *786-2387)*. Hébergement également possible à Shoshone *(35 km à l'Est)*, Trona *(43 km à l'Ouest)*, Lone Pine *(97 km à l'Ouest)* et à Beatty dans le Nevada *(16 km à l'Est)*. Réservation fortement recommandée.

**Camping** – Sur les neuf terrains de camping, seuls Furnace Creek, Mesquite Spring et Wildrose sont ouverts toute l'année. On peut réserver au camping de Furnace Creek *(*☎ *800-365-2267 ou via Internet : www.reservations.nps.gov)*. Les autres campings fonctionnent sur le principe « premier arrivé, premier servi ». Pour d'autre renseignements s'adresser au National Park Service *(*☎ *786-2331)*. Beaucoup de campings sont fermés de mai à septembre. On peut s'installer en dehors des campings dans un périmètre de 3 km autour des agglomérations ou des routes et de 200 m autour des points d'eau. Inscription obligatoire, mais gratuite, auprès du bureau d'accueil ou des gardes du parc avant de s'installer.

**Services** – C'est à Furnace Creek que les visiteurs trouveront l'offre la plus importante : magasin général, boutique de cadeaux, distributeur automatique de billets et bureau de poste. Il y a aussi un petit magasin à Stovepipe Wells. On trouve distributeurs de billets, mécaniciens auto, hôpitaux et cliniques à proximité dans les localités de Bishop, Tonopah, Lone Pine, Ridgecrest, Pahrump et Beatty au Nevada.

**Loisirs** – La vallée de la Mort propose de nombreuses possibilités de randonnées. Le bureau d'accueil fournit cartes détaillées et renseignements sur les sentiers. Il est préférable de signaler le parcours que l'on va suivre. Les guides du parc organisent régulièrement des randonnées encadrées pendant la haute saison *(de novembre à avril)*. Des randonnées équestres *(octobre à mi-mai ; 20 $/35 $)* sont offerts au départ de Furnace Creek Ranch *(*☎ *786-2345, poste 222)*.

Les plus gros animaux de la Vallée de la Mort – moutons bighorns, daims, couguars, lynx, coyotes et renards – restent invisibles. On rencontre plus souvent de gros lièvres de Californie, des rongeurs et des lézards. Le crotale, serpent qui se déplace latéralement, vit dans la région mais fuit l'homme. Quelle que soit leur taille, la plupart des animaux sont nocturnes et, souvent, seules leurs empreintes confirment leur présence, notamment sur les dunes de sable au lever du jour.

**Le boom du borax** – Pendant dix millénaires au moins, le bassin fut visité de façon saisonnière par différentes tribus de chasseurs-cueilleurs, dont les Shoshone et les Paiute. En décembre 1849, deux groupes de chercheurs d'or, cherchant à contourner les hauteurs enneigées des sierras, pénétrèrent dans la région et errèrent pendant plusieurs semaines à la recherche d'une sortie. Pendant leur séjour dans le bassin, ils souffrirent tellement de la faim et de la soif qu'ils baptisèrent l'endroit « Vallée de la Mort ».

Le bassin connut plusieurs booms miniers vers la fin du 19e s., mais le seul minerai à avoir une importance économique durable fut le borax (un sel contenant du bore), déposé au fond des lacs desséchés. Dès 1873, le milieu industriel réalisa le potentiel des gisements de borax de la région, mais les difficultés de transport en découragèrent longtemps l'exploitation minière. En 1883, William T. Coleman mit en place une piste et des attelages de vingt mules pour transporter le minerai sur les 265 km de désert séparant son exploitation, Harmony Borax Works, de la gare de Mojave (sur la ligne Southern Pacific). Cinq ans plus tard, la découverte du riche gisement de borax de Calico, situé à 20 km seulement de la voie ferrée, éclipsa ceux de la Vallée de la Mort ; les mules et les chariots y furent transférés. En 1907, l'exploitation de borax reprit dans la Vallée de la Mort et se poursuivit jusqu'en 1927, en utilisant, cette fois, le chemin de fer de cette vallée (aujourd'hui abandonné) ; on transportait ainsi le minerai jusqu'aux embranchements des voies de Tonopah et Tidewater à Death Valley Junction, à la limite Est du bassin.

Les directions des lignes de Tonopah et Tidewater eurent l'idée d'augmenter le chiffre d'affaires des chemins de fer en ouvrant au tourisme l'oasis de Furnace Creek, et bâtirent l'auberge Furnace Creek Inn en 1927. Le nombre de billets vendus n'augmenta pas de façon significative, mais au début des années 1930, des touristes commencèrent à s'aventurer en automobile dans la vallée. L'auberge prospéra et on construisit des bungalows à prix plus modéré à Furnace Creek Ranch. Le succès du tourisme dans la région et l'abandon définitif de l'exploitation de borax furent à l'origine du classement du bassin comme monument national en 1933. En 1994, le Death Valley National Park fut instauré à l'occasion de l'adoption d'une loi sur la protection du désert californien. D'une superficie approchant 1,4 million d'ha, c'est le plus grand parc national des États-Unis.

## VISITE  *2 jours*

*Les sites suivent à peu près l'ordre géographique en progressant du Sud vers le Nord.*

Le **Jubilee Pass** (alt. 393 m) porte le nom d'une mine proche. Ce col offre aux visiteurs arrivant par la Route 178 à l'entrée Sud du parc leur première vue sur la Vallée de la Mort. On aperçoit de l'autre côté du bassin la Shoreline Butte et ses terrasses littorales, sculptées par les vagues des lacs qui emplissaient la Vallée de la Mort durant la période glaciaire.

★**Badwater** – Cette cuvette peu profonde remplie d'eau alcaline, située à 85 m au-dessous du niveau de la mer, constitue virtuellement le point le plus bas des Amériques (deux endroits plus bas, atteignant 86 m au-dessous du niveau de la mer, sont situés à 5,3 km et à 7,4 km sur le salant mais pas signalés). Même dans ce lieu extrême, la vie continue : les plantes halophytes poussent sur le bord et différentes espèces d'insectes aquatiques s'activent dans les eaux saumâtres. En levant les yeux, on apercevra la marque indiquant le niveau de la mer, sur le flanc Est de la vallée.

Le **« Terrain de golf du diable »** (Devil's Golf Course – *à 9 km au Nord de Badwater et à 2 km de la fin de la piste*) est un chaos déchiqueté de petites colonnes de sel en formation perpétuelle, car l'eau salée du sous-sol y remonte par capillarité et dépose, en s'évaporant, de nouveaux cristaux de sel.

★**Artist's Drive** – Cette route pittoresque à sens unique serpente sur 14 km le long des cônes alluviaux au pied de la chaîne Amargosa. Le paysage, déjà éclaboussé par les teintes vives des cendres volcaniques et des gisements d'anciens lacs, semble pris dans un véritable feu d'artifice de couleurs au lieu dit **Artist's Palette**★★, environ à mi-chemin. Les rouges, les roses et les jaunes proviennent de composés ferreux, les verts du mica et du cuivre, les violets du manganèse.

Au Nord, juste à la sortie d'Artist's Drive, se dresse le **Mushroom Rock** (rocher champignon) excroissance de basalte sculptée par le sable emporté par les vents et par la formation des cristaux de sel dans ses fissures.

**★★Golden Canyon** – Une piste *(3,5 km aller-retour)* s'élève doucement en serpentant à travers un canyon aux contours déchiquetés, créé par les crues subites qui ont entaillé les couches sédimentaires inclinées d'un ancien cône alluvial. Au fur et à mesure qu'elle s'élève, les parois rocheuses font place à des couches de sédiments plus tendres, provenant d'anciens lacs qui, ayant subi une érosion moins rapide, forment des badlands aux formes moins tourmentées. Après 1,5 km, la piste se sépare en deux. La voie de droite parcourt 3 km de badlands avant d'atteindre Zabriskie Point ; celle de gauche continue sur 800 m jusqu'au pied d'un escarpement appelé la Cathédrale rouge, en raison de sa ressemblance supposée avec une structure gothique. *Il est recommandé de s'y rendre en fin d'après-midi car la lumière y est plus belle.*

**Furnace Creek** – *À l'intersection des routes 178 et 190.* Cette agréable oasis de la Vallée de la Mort, où sont aujourd'hui concentrés hébergement et autres commodités, fut créée autour d'une source naturelle. C'est le centre historique de l'activité humaine du bassin. Des hommes s'y installèrent de façon permanente à partir de 1874, lorsque le ranch Greenland y fut créé pour cultiver les produits nécessaires à l'alimentation des mineurs et des mules travaillant dans la chaîne. En 1883, après avoir lancé son exploitation minière, Harmony Borax Works, William Coleman acheta ce ranch voisin et en augmenta considérablement la production. En 1927, dans la palmeraie à 800 m à l'Est, le **Furnace Creek Inn**, bâtiment en pierre de style vaguement mauresque, à la décoration élégante, devint le client principal pour les produits du ranch. Créée en 1924, la palmeraie, maintenant pièce maîtresse du paysage, est encore exploitée pour les dattes.

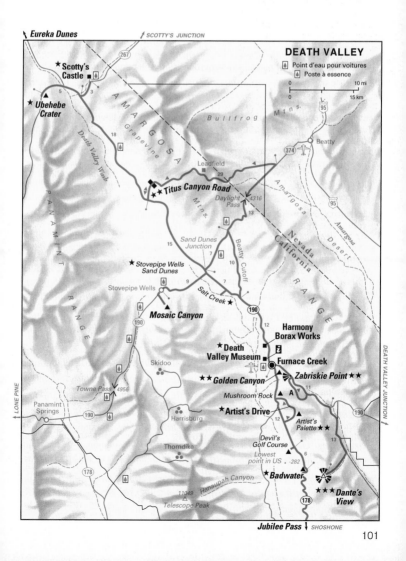

Des maisons de toile, des bungalows et le terrain de golf le plus bas du monde (certains de ses greens se trouvent à 65 m au-dessous du niveau de la mer) apparurent ici dans les années 1930. Depuis, le **Furnace Creek Ranch** est devenu une villégiature hivernale très fréquentée. Le **Borax Museum**★, sur le domaine du Furnace Creek Ranch (*visite d'octobre à mai de 8 h 30 à 16 h 30, le reste de l'année de 10 h à 14 h 30.* ♿ 🖳 *www.furnacecreekresort.com* ☎ *760-786-2345*) occupe un petit bâtiment de bois (1885) qui servit de bureau et de dortoir dans le 20-Mule Team Canyon, avant d'être transporté ici en 1954. Aujourd'hui, ce musée abrite une exposition d'outils ayant servi à l'exploitation du borax, ainsi qu'une collection de minéraux trouvés dans la Vallée de la Mort et ses alentours. De gros outils et des équipements de transport, dont une locomotive de mine et des wagons autrefois tirés par des attelages de vingt mules, sont exposés au-dehors à l'ombre des tamaris.

★**Death Valley Museum** – *Juste au Nord du Furnace Creek Ranch. Visite de 8 h à 18 h.* ♿ ☎ *760-786-2311.* Le petit **musée de la Vallée de la Mort** est une excellente introduction à la géologie, à l'histoire naturelle, à l'ethnographie et à l'histoire minière de la vallée. Une remarquable carte en relief du parc y est exposée. Dans le même bâtiment, le **centre d'accueil de Furnace Creek** a une librairie bien fournie, avec toute une gamme de brochures naturalistes. C'est un bon endroit pour se fournir en guides sur l'histoire naturelle de certains sites du parc et obtenir des renseignements auprès des gardes.

★★**Zabriskie Point** – *7 km de Furnace Creek en prenant la route 190 vers l'Est.* Cette crête surplombe les badlands du Golden Canyon à l'Est. Elle offre une **vue splendide**★★★ sur les sédiments multicolores des lacs asséchés qui furent soulevés et inclinés par les mouvements tectoniques, puis érodés par la pluie et le vent. La butte remarquable en forme de dent se nomme Manly Beacon, en hommage à William Manly, l'un des chercheurs d'or malchanceux qui s'aventurèrent dans le bassin en 1849. La crête, elle, porte le nom de Christian Zabriskie, une personnalité importante dans l'histoire de l'industrie minière de la Vallée de la Mort.
À environ 2 km à l'Est sur la route 190 se trouve l'entrée d'un chemin à sens unique invitant le visiteur à une balade pittoresque de 5 km dans le **20-Mule Team Canyon** (**A**), qui traverse les mêmes badlands. Des gisements de borax de très bonne qualité, naturellement concentrés par la sédimentation, furent exploités ici au début du siècle.

★★★**Dante's View** – *38 km de Furnace Creek par la route 190 vers l'Est et la Dante's View Road.* Du haut des 1 668 m d'un pic de la chaîne Amargosa, barrière rocheuse Est de la Vallée de la Mort, le site de la Dante's View offre un fantastique et célèbre **panorama**★★★ de l'énorme bassin et des phénomènes géologiques qui lui ont donné forme. Les rivages couverts de sel des cuvettes de Badwater se trouvent directement au-dessous. À l'Ouest, dominant la chaîne Panamint de l'autre côté de la vallée, on aperçoit le pic Télescope (3 367 m), au sommet recouvert de neige la majeure partie de l'année. Sous le pic, légèrement à droite, se trouve le grand cône alluvial de Hanaupah Canyon, qui en rejoint d'autres pour former une sorte de gigantesque delta, ou *bajada*, tout au long de la vallée, côté Ouest. *Il est recommandé d'y aller tôt le matin car la visibilité est meilleure.*

**Harmony Borax Works** – Les ruines de l'usine de traitement du borax, ainsi qu'un chariot pour attelage de vingt mules, entièrement restauré, rappellent le boum minier des années 1880. À l'époque, des manœuvres chinois s'échinaient à gratter le sol de la vallée pour y ramasser l'ulexite, minerai à l'apparence de boules de coton, qu'ils apportaient ici pour la première étape de traitement et concentration. Des attelages de vingt mules tiraient ensuite les chariots de borax concentré jusqu'à la gare de Mojave, trajet de trois semaines aller et retour.

À 19 km au Nord de l'ancienne usine, **Salt Creek**★ et son marais forment un lieu de vie impressionnant au milieu des étendues de rochers et de sable. Un sentier de nature en planches s'avance dans le marais, oasis d'eau salée formée par l'eau souterraine contrainte de remonter à la surface par une couche de roches imperméable. À la fin de l'hiver et au tout début du printemps, on peut voir le Salt Creek Pupfish (*Cyprinodon salinus*), minuscule descendant de poissons qui vivaient dans les eaux douces du lac de la Vallée de la Mort il y a 20 000 ans, et qu'on ne trouve qu'ici.

★**Stovepipe Wells Sand Dunes** – *Accessible à pied, soit de la route 190 (parking sur l'accotement au niveau des dunes), soit d'un embranchement à 1,5 km à l'Ouest de Sand Dunes Junction, 9,5 km à l'Est de Stovepipe Wells (cette route risque d'être fermée).* Les **dunes de Stovepipe Wells** ont été formées de sable et autres matériaux apportés par le vent des montagnes environnantes. Malgré leur aspect désolé, elles sont le refuge de toutes sortes d'animaux : scarabées, serpents à sonnette, rats, lièvres, oiseaux, etc. Plusieurs films célèbres ont été tournés sur ces lieux, parmi lesquels on citera *La Guerre des étoiles* de George Lucas ou *Les Doors* d'Oliver Stone. *Le meilleur moment pour y aller est le lever du jour car la lumière est très belle et on peut voir des empreintes d'animaux. Pour s'orienter au fur et à mesure que l'on s'avance dans ces immenses dunes, il est recommandé aux marcheurs de repérer régulièrement l'endroit où est stationné leur véhicule.*

**Mosaic Canyon** – *Circuit de 3 km aller retour. Le début de la piste se trouve à 3,7 km de la route de graviers de Stovepipe Wells.* Le canyon doit son nom à la brèche, conglomérat naturel de morceaux de roches très anciennes qui recouvre ses parois. Il se distingue également par une couche de dolomite qui s'est métamorphosée en un marbre de couleur ivoire rosé, poli et strié ensuite par le passage de l'eau. Les formations les plus belles se trouvent sur les premiers 800 m de la piste.

★★**Route de Titus Canyon** – *Prévoir une demi-journée. Circuit de 157 km à partir de Furnace Creek. Prendre la direction Nord sur la route 190, puis le raccourci de Beatty (Beatty Cutoff) jusqu'au Daylight Pass et à la route 374 du Nevada. Véhicules tout terrain fortement recommandés.* Cette route de terre battue à voie unique offre un des circuits les plus spectaculaires du parc. Elle traverse un paysage stupéfiant d'escarpements stratifiés, de pics formés de sédiments tordus et inclinés et de vestiges de grandes éruptions volcaniques. Traversant les monts Grapevine par le White Pass et le Red Pass, la route plonge dans les contours accidentés du Titanothere Canyon, ainsi baptisé parce que le fossile d'un mammifère disparu de type rhinocéros y fut découvert. À 1 600 m d'altitude, la route serpente et se fraye un passage à travers les étroits défilés du Titus Canyon, puis descend jusqu'au niveau de la mer dans la Vallée de la Mort. Il est recommandé de consulter la brochure explicative pour comprendre la complexité géologique du terrain *(disponible dans les centres d'accueil du parc)*. Près du point haut du canyon se trouve la ville fantôme de Leadfield qui, au milieu des années 1920, connut un boom minier de 6 mois. *Il est préférable d'y aller au lever du jour car la lumière est plus belle.*

★**Scotty's Castle** – *85 km au Nord de Furnace Creek. Visite guidée (50 mn) uniquement de l'intérieur du château de 9 h à 17 h. 8 $. Longues files d'attente en pleine saison.* △ ✗ ♿. ☎ 760-786-2331. Commencé en 1924, ce château éclectique de style mauresque espagnol entouré d'un parc fut commandé par Albert Johnson, magnat des assurances de Chicago désireux de vivre une retraite paisible. Johnson était l'ami et le soutien financier de Walter Scott, un ancien cow-boy de rodéo et chercheur d'or qui prétendait disposer de grandes richesses grâce à une mine d'or secrète située dans la Vallée de la Mort. Pendant des années, Scott, surnommé « Death Valley Scotty », vécut uniquement de ses dons extraordinaires de fabulateur.

Johnson engloutit 2,5 millions de dollars dans cette folie architecturale, installée dans un cadre des plus invraisemblables. L'aménagement des parcs ne fut jamais terminé mais l'intérieur, d'un style luxueux bien que rustique, avec de belles céramiques et boiseries, fut décoré de meubles et d'objets de superbe facture. La **grande salle** est meublée d'imposants fauteuils et canapés de cuir et dotée d'une fontaine intérieure en pierre, créant une ambiance humide de caverne. Des photographies et vêtements de Scotty sont accrochés dans sa chambre, et des services de table rapportés du Mexique, d'Espagne et d'Italie ornent la salle à manger. La visite se termine par la somptueuse **salle de musique** dont l'impressionnant plafond aux poutres en arcs protège un orgue de théâtre de 1 121 tuyaux.

★**Ubehebe Crater** – *13 km à l'Ouest de Scotty's Castle.* Ce chaudron naturel de 180 m de profondeur et 800 m de large, aux parois striées d'orange et de gris, fut créé il y a juste quelques milliers d'années par une explosion de vapeur titanesque, quand le magma enfoui sous la croûte terrestre a surchauffé et pressurisé une poche d'eau souterraine. On trouve des débris de l'explosion disséminés sur 15 km².

**Eureka Dunes** – *157 km au Nord de Furnace Creek. 4,5 km après l'embranchement pour Scotty's Castle, prendre sur la droite la Death Valley Road (non goudronnée). Poursuivre sur 33,5 km jusqu'à Crankshaft Junction et prendre à gauche. Poursuivre sur moins de 20 km jusqu'à South Eurka Rd., puis sur 16 km jusqu'aux dunes. Véhicule tout terrain recommandé.* Cet impressionnant champ de dunes s'étire mystérieusement à l'extrémité Sud de la Vallée d'Eureka, longue dépression encadrée par les chaînes Last Chance et Saline. Les hautes dunes arrondies de sable doré invitent à l'ascension et à l'exploration. On a de leur sommet une **vue** spectaculaire sur la vallée, vers le Nord, et sur les stries vivement colorées des montagnes Last Chance.

# JOSHUA TREE National Park★★

Parc national de l'ARBRE DE JOSUÉ

Carte Michelin n° 493 C 11

Ce parc de 3 200 km² porte le nom d'une variété de yucca, dont les branches étrangement tordues ont évoqué pour les premiers pionniers mormons la silhouette de Josué indiquant la terre promise. Ce territoire est composé de deux déserts bien distincts : le haut désert (Mohave) et le bas désert (Colorado). Un court trajet suffit pour passer de l'un à l'autre. Le parc est également connu pour ses pittoresques collines arrondies.

## UN PEU D'HISTOIRE

Les monumentaux assemblages de blocs de quartz que l'on voit presque partout dans le parc se formèrent il y a 135 millions d'années. Poussé vers le haut, le magma souterrain s'efforça de percer la surface mais, n'y parvenant pas, se solidifia lentement en dessous. L'érosion finit par éliminer les couches supérieures de roche plus tendre, exposant la roche solidifiée, puis élargit les fissures formées lors de son refroidissement, et arrondit les blocs restants, pour donner les formations harmonieuses que l'on voit aujourd'hui.

L'**arbre de Josué** *(Yucca brevifolia)* est caractéristique du frais désert Mohave situé en altitude (plus de 900 m) et se distingue des autres types de yuccas par sa taille (il peut atteindre 12 m). Il se reproduit à la fois par graines et par des stolons souterrains qu'il envoie sur de longues distances pour former des « forêts » éparses.

Les parties Est et Sud du parc font partie du désert du Colorado, plus sec, plus chaud (altitude inférieure à 900 m), caractérisé par de grands espaces plats couverts çà et là de maigres buissons d'ocotillo et de cactus cholla floconneux. La route *(60 km)* qui relie la partie Nord-Ouest du parc à l'entrée de Cottonwood Springs, au Sud-Est, traverse une zone de transition où l'on a une synthèse des deux types de déserts.

Les Indiens Chemehuevi, Serrano et Cahuilla, tribus de chasseurs-cueilleurs et de cultivateurs, occupaient ces terres à l'origine. Entre 1870 et 1880, ils furent chassés par une horde de colons quand les gisements d'or y furent découverts. Au début du 20ᵉ s., les gisements étant épuisés, des ranchs prospérèrent ici pendant une brève période. La région fut déclarée monument national en 1936 et parc national en 1994.

### VISITE *Une journée*

Le parc *(ouvert toute l'année. Droit d'entrée valable une semaine 10 $/véhicule.* ⚠ *☎ 760-367-7511)* se trouve à environ 225 km de Los Angeles. On y accède par la I-10 et la Route 62 (Twentynine Palms Highway). Celle-ci traverse des villes offrant de nombreux services. Le **centre d'accueil de l'oasis** (Oasis Visitor Center – *à 800 m au Sud de la Route 62 dans Twentynine Palms, suivre les indications. Ouvert de 8 h à 17 h. Fermé 25 décembre.* ⚠ ▣ *www.nps.gov/jotr* ☎ *760-367-7500)* comprend un petit musée, une librairie et un bureau d'information. On gagne l'entrée Sud et le **centre d'accueil Cottonwood** (Cottonwood Visitor Center – *ouvert de 8 h à 16 h. Fermé 25 décembre)* depuis Palm Springs, via la I-10 *(80 km)* et Cottonwood Springs Road. Les terrains de camping sont la seule possibilité d'hébergement offerte dans le parc. Attention : on n'y trouve ni eau ni nourriture.

★**Geology Tour Road** – *22 km à partir du centre d'accueil de l'Oasis ; suivre les panneaux. Brochure disponible au centre d'accueil. Il est préférable de circuler en véhicule tout terrain.* Traversant le pittoresque arrière-pays du parc, cette rustique piste de terre *(29 km)* est jalonnée de seize arrêts dotés de panneaux explicatifs. Les blocs de monzogranite présentent des stries horizontales à un mètre et plus au-dessus du sol. Ces stries furent creusées par le sable transporté par le vent avant que l'érosion n'ait abaissé le niveau du sol. Malapai Hill, une cheminée volcanique, dresse sa silhouette de basalte noir à l'Ouest de la piste. À Squaw Tank, on peut apercevoir des mortiers creusés par des générations d'Amérindiens, ainsi que les fossés linéaires créés par d'anciennes coulées de roches en fusion dans les fissures de la roche. La route suit ensuite un cône alluvial qui descend dans Pleasant Valley, vallée d'effondrement formée par des mouvements le long de la faille de Blue Cut. On peut apercevoir sur la ligne de faille les vestiges de mines d'or abandonnées.

★**Keys View** – *Du centre d'accueil de l'Oasis, suivre la route principale du parc sur 30 km, puis tourner à gauche au niveau du terrain de camping Ryan et continuer sur 10 km. Il est recommandé d'y aller le matin car la lumière y est plus belle.* À 1 580 m d'altitude, une plate-forme sur la crête des montagnes de Little San Bernardino offre une **vue**★★ étendue sur la vallée de Coachella, balayant toute la région de Palm Springs jusqu'au lac Salton. Au Sud et à l'Ouest se dressent le mont San Jacinto (3 293 m) et le pic de San Gorgonio (3 500 m, le plus haut sommet de la Californie du Sud), recouverts de neige la majeure partie de l'année.

Arbres de Josué

★**Cholla Cactus Garden** – *29 km au Sud-Est du centre d'accueil de l'Oasis par la route principale du parc et la Pinto Basin Road.* D'aspect faussement doux et pelucheux, le cholla *(Opuntia bigelovii)* pousse ici en abondance grâce à une irrigation naturelle favorable. Ses épines pénètrent facilement dans la peau et sont difficiles et douloureuses à extraire. À environ 2,5 km à l'Est, **Ocotillo Patch** est planté d'un superbe bouquet d'arbustes du même nom *(Fouquieria splendens)*. L'ocotillo appartient à la végétation du bas désert. Pendant presque toute l'année, il ressemble à une botte de tiges épineuses, mais après la pluie il arbore un manteau de feuilles vertes et brillantes, et, au printemps, de larges fleurs d'un orange lumineux.

★**Promenades parmi les rochers** – *Brochures disponibles au centre d'accueil de l'Oasis.* Ces courts sentiers de randonnée, dont certains sont équipés d'écriteaux décrivant les plantes du désert, permettent un accès facile aux formations de quartz-monzogranite, fascinantes et mystérieuses.

★**Hidden Valley Nature Trail** – *Boucle de 1,5 km. Départ à 35 km au Sud-Ouest du centre d'accueil de l'Oasis sur la route principale du parc.* Ce chemin facile serpente au travers d'un enclos naturel formé par les collines de monzogranite. On raconte que, vers la fin du 19e s., il servait aux voleurs de bétail pour y cacher leur butin. Aujourd'hui, c'est un paradis pour les amateurs d'escalade.

★**Skull Rock Nature Trail** – *5 km aller-retour. Départ à 14 km au Sud du centre d'accueil de l'Oasis sur la route principale du parc.* Ce sentier de difficulté moyenne court en terrain découvert jusqu'à un rocher dont la forme rappelle un crâne humain. Il traverse ensuite la route et devient plus ardu en remontant un lit de rivière asséché. Les formations rocheuses, ici, révèlent de remarquables traînées de pierre plus claire qui se sont formées lorsque de la roche en fusion a forcé son chemin dans les fissures des blocs de monzogranite.

**Indian Cove Nature Trail** – *800 m aller-retour. De Twentynine Palms, suivre la Route 62 sur 8 km vers l'Ouest, puis prendre à gauche et parcourir 4 km. Le départ du sentier se trouve à la limite Ouest du terrain de camping.* Ce sentier facile passe devant des formations de monzogranite et s'engage dans un lit asséché de torrent typique du désert Mojave, donnant un large aperçu de ce désert au Nord.

**Cap Rock Nature Trail** – *700 m aller-retour. Le départ du sentier se trouve à l'intersection de la route circulaire principale du parc et de l'embranchement vers Keys View.* Cette piste goudronnée et horizontale contourne un dôme de monzogranite caractéristique. Près de l'aire de stationnement, un autre dôme supporte un bloc posé en équilibre, semblable à la visière d'une casquette de base-ball.

# MOJAVE National Preserve★

Réserve nationale MOHAVE

Carte Michelin n° 493 C 10

Cette région de quelque 560 000 ha proche de la fontière du Nevada, entre Los Angeles et Las Vegas, est encadrée par les autoroutes I-15 et I-40. Gérée par le Service des parcs nationaux depuis l'adoption de la loi de protection des déserts (Desert Protection Act, 1994), cette vaste étendue est ponctuée de chaînes de montagnes escarpées, de lacs asséchés, de plateaux de lave, de cônes de scories, de dômes granitiques, de dunes de sable et de grottes calcaires. Cette région sauvage, dont l'altitude varie de 275 m à 2 416 m, abrite environ 700 espèces végétales et 300 espèces animales. Un tapis élimé de buissons de créosote recouvre les plaines, tandis que de larges forêts de pins et de genévriers, ainsi que de grands bouquets d'arbres de Josué poussent dans la fraîcheur des hauteurs où l'on peut également voir du bétail paître dans des pâturages.

## UN PEU D'HISTOIRE

La partie Est du désert Mohave est depuis longtemps sillonnée d'importantes routes commerciales. Pour leurs échanges commerciaux, les Amérindiens de la côte Pacifique et du Colorado suivaient la rivière Mohave, le plus souvent à sec, mais dont l'eau affleure sous le lit de sable. Les premiers explorateurs espagnols, notamment le célèbre explorateur franciscain **Francisco Garcés** au 18e s., suivirent leurs traces. Depuis 1885, la ligne de la Santa Fe Railroad, reliant Chicago à Los Angeles, passe juste au Sud de la région, et la ligne Union Pacific, reliant Salt Lake City à Los Angeles, la traverse depuis 1905. L'ancienne gare de Kelso Station, construite dans le style des missions, servait au changement d'équipe des trains.

La région vit s'implanter quelques exploitations minières occasionnelles à la fin du 19e s. et au début du 20e s., mais la seule activité permanente demeurait l'élevage dans les régions élevées plus humides. Il y a toujours des ranches, mais les activités de loisirs, randonnée et camping occupent une place de plus en plus importante dans l'économie de la région.

## CURIOSITÉS *Au moins une journée*

La population de la région est très clairsemée, et une grande partie de cette zone n'est accessible qu'en véhicules tout terrain. Le **centre d'information du Désert Mohave** (Mojave Desert Information Center), à Baker, sur la bordure Nord de la réserve, propose cartes et renseignements sur le camping, l'état des routes et les activités dans la région *(72157 Baker Blvd ; ouvert de 9 h à 17 h ; fermé 25 décembre ; ☎ 760-733-4040)*. Les personnes arrivant de l'Arizona trouveront à Needles, au Sud-Est de la réserve sur la I-40, le **centre d'information des Aiguilles de Mohave** (Mojave National Preserve Needles Information Center – *707 W. Broadway ; ouvert de 9 h à 17 h ; fermé 1er janvier et 25 décembre ; ♿ ☎ 760-326-6322)*. On peut camper dans la réserve mais aucun service n'y est offert. Barstow, à 130 km à l'Ouest, est la ville la plus proche proposant de nombreux hôtels, restaurants et stations-service. On peut aussi aller voir les deux sites naturels classés que sont le cône de scories **Amboy Crater** *(3 km à l'Ouest d'Amboy sur la route 66)* et les restes chaotiques des coulées de lave des **Cinder Cone Lava Beds** *(27 km à l'Est de Baker sur Kelbaker Road)*.

**Dunes de Kelso** – Enfants *De Barstow, parcourir 100 km vers l'Est sur la I-15 jusqu'à Baker, puis direction Sud jusqu'à Kelso sur la Kelbaker Road (53 km). Accès à pied sur un chemin de terre qui prend sur Kelbaker Road à 12 km au Sud de la voie ferrée de l'Union Pacific. Il est préférable d'y aller en fin de journée ou tôt le matin car la lumière y est plus belle.* Certaines des plus hautes dunes de Californie, pouvant atteindre 180 m par rapport au fond de vallée, se sont accumulées ici, car les montagnes ralentissent les vents dominants de Nord-Ouest en provenance du bassin asséché de la rivière Mohave, chargés de sable et de poussière. On a un point de vue idéal sur plusieurs kilomètres de dunes le long de la Kelbaker Road, au Nord-Ouest de la ville de Kelso.

**Mitchell Caverns** – Enfants *Dans la zone de loisirs des monts Providence. De Barstow, prendre la I-40 vers l'Est sur 130 km, sortir à Essex Road et continuer vers le Nord-Ouestsur 25 km jusqu'au bout de la route. Visite guidée uniquement (1 h 30) de septembre à mai tous les jours à 13 h 30, ainsi qu'à 10 h les week-ends et jours fériés, le reste de l'année uniquement le week-end à 13 h 30. 6 $ ⛺ 🅿 ☎ 760-928-2586. Vêtements chauds conseillés.* Dans le décor montagneux du désert, on peut visiter six **grottes** calcaires aux formations rocheuses superbes, curieuses et très colorées : stalactites, stalagmites, piliers, boucliers, feuilles de nénuphar ou bouquets coralliens. Ces formations, pour l'essentiel fossilisées, ont été créées par l'eau souterraine chargée de calcaire qui tombait goutte à goutte il y a des millions d'années quand le climat était humide. Depuis, le soulèvement des chaînes montagneuses de San Gabriel et de la sierra Nevada a barré la route aux vents chargés d'humidité en provenance de l'océan.

# PALM SPRINGS★★

43 000 habitants
Carte Michelin n° 493 C 11
Office de tourisme ☎ 760-778-8418

Aux confins Ouest de la vallée de Coachella, large bassin encadré par les chaînes montagneuses de San Jacinto et de Little San Bernadino, s'échelonnent des villes recherchées par les vacanciers et les retraités. Palm Springs en est la plus grande et la plus célèbre. Baptisée « capitale mondiale du golf », elle accueille tous les ans quelque 2 millions de visiteurs et de résidents saisonniers parmi lesquels figurent des célébrités du monde du spectacle et de la politique, qui viennent arpenter ses immenses terrains de golf et flâner dans ses nombreuses galeries et boutiques élégantes.

## UN PEU D'HISTOIRE

**Un avant-poste du désert** – Les premiers habitants connus de la région appartenaient à la tribu Agua Caliente du groupe amérindien cahuilla. Une grande partie du Palm Springs d'aujourd'hui occupe des terrains achetés ou loués à cette tribu. En 1884, le premier pionnier blanc bâtit une maison en adobe sur le site, et dès 1893 le propriétaire du premier hôtel de la ville y avait construit sa demeure. Ces deux bâtiments historiques ont été déplacés dans le **Village Green Heritage Center**, où ils servent de musée à la Palm Springs Historical Society *(près du centre-ville au 221 S. Palm Canyon Dr. Visite du jeudi au samedi de 10 h à 16 h, mercredi et dimanche de 12 h à 15 h. Fermé dimanche de Pâques, Thanksgiving Day et 25 décembre. 1 $ (pour les deux musées).* &. 🅿 ☎ 760-323-8297).

Ses sources chaudes naturelles et son climat sec firent de Palm Springs au début du 20ᵉ s. une petite ville de cure. Mais elle ne se développa vraiment que dans les années 1930, une fois que les stars d'Hollywood eurent découvert les attraits de la vie à proximité du désert. Hommes d'affaires et entrepreneurs prospères suivirent le mouvement, asseyant ainsi la réputation de Palm Springs. Un plan d'occupation du territoire respecté à la lettre a su conserver à la ville son caractère élégant : enseignes lumineuses tapageuses et immeubles hauts sont interdits, et les nouveaux bâtiments doivent être construits en évitant de faire de l'ombre aux maisons déjà existantes.

**Un paradis hivernal** – L'après-midi ou le soir, surtout pendant la saison touristique hivernale, les visiteurs envahissent **North Palm Canyon Drive**, goûtant aux nombreuses possibilités de faire des achats, se restaurer et se distraire. Complexes luxueux et élégantes villas sont regroupés dans les riches localités avoisinantes de Rancho Mirage et d'Indian Wells. La ville voisine de Palm Desert possède **El Paseo**, un boulevard de plus de 3 km bordé de boutiques élégantes.

Le golf, sport né sur les landes brumeuses d'Écosse, a atteint le sommet du succès commercial dans ce coin de désert

Golf à l'ombre du mont San Jacinto

*James Randklev/Tony Stone Images*

californien : quelque 80 terrains sont disséminés dans la vallée de Coachella, et la région organise tous les ans des tournois renommés comme le Bob Hope Desert Classic, le championnat Dinah Shore LPGA et le Frank Sinatra Celebrity Invitational. La plupart des nouveaux quartiers résidentiels sont établis autour de golfs.

## CURIOSITÉS *Une journée minimum*

★★★**Palm Springs Aerial Tramway** – 🄴🄽🄵🄰🄽🅃🅂 *Route 111 en direction du Nord, puis Tramway Road, à environ 3 km du centre-ville et 6 km jusqu'au parc de stationnement. Visite de 10 h (8 h le week-end) à 21 h 45. 17,95 $. &. ☎ 760-325-1391.* Des télécabines de la taille d'un bus et à vitres panoramiques assurent l'ascension de la chaîne vertigineuse de San Jacinto, tirées par des câbles soutenus par 5 pylônes ancrés dans la roche. Le trajet *(14 mn)* commence à 805 m d'altitude à la gare inférieure pour rejoindre la gare supérieure à 2 596 m. On traverse cinq biotopes différents, allant du désert stérile à la forêt alpine couverte de neige en hiver.

Durant le trajet, les passagers peuvent profiter de **vues**★★ spectaculaires sur les montagnes jusqu'à apercevoir, de l'autre côté de la vallée de Coachella, les hauteurs du parc national de l'Arbre de Josué et même au-delà. La gare supérieure, qui possède un restaurant, une boutique de souvenirs et une salle de projection vidéo sur la construction du téléphérique, au début des années 1960, sert de point de départ pour l'exploration du parc d'État du mont San Jacinto. Différentes activités sont proposées : escalade du sommet (3 293 m), ski de randonnée, balades en raquettes *(de novembre à avril ; location de matériel dans Long Valley)* et excursions à dos de mulet en compagnie de guides.

★★**Palm Springs Desert Museum** – *101 Museum Drive, voisin de Desert Fashion Plaza, à l'angle de North Palm Canyon Drive et Tahquitz Way. Visite de 10 h à 17 h. Fermé lundi et principaux jours fériés. 7,50 $.* ✗ ♿ ☎ *760-325-0189 ou 325-7186.* Logé dans un bâtiment contemporain aux lignes épurées (1976), ce musée donne une excellente vue d'ensemble de l'histoire naturelle et culturelle de la région, ainsi que de l'art des déserts californiens.

Le musée d'anthropologie et d'histoire naturelle de la vallée de Coachella a été ouvert en 1938. Alors que Palm Springs attirait de plus en plus de vacanciers et de retraités, parmi lesquels figuraient des collectionneurs d'art de la Côte Est et du Middle West, le musée commença à acquérir des œuvres contemporaines signées par des artistes californiens et de l'Ouest des États-Unis. La collection permanente des beaux-arts regroupe aujourd'hui plus de 4 000 objets, et les collections d'anthropologie et d'histoire naturelle ont suivi un développement semblable.

La présence de la salle de théâtre Annenberg et de ses 450 places permet au musée d'inclure les arts du spectacle. En 1996, un troisième niveau a été ajouté, et les espaces d'exposition agrandis et rénovés pour suivre l'accroissement constant des collections.

**Visite** – En face de l'entrée principale, on peut voir la sculpture grandeur nature de Duane Hanson *Vieux Couple sur un banc*. La salle centrale propose des expositions temporaires thématiques à partir des collections permanentes du musée – qui incluent un grand nombre de vanneries indiennes, des pièces asiatiques collectionnées par l'acteur William Holden, du mobilier et des bronzes de la collection de l'acteur de western George Montgomery.

L'**aile des Sciences naturelles** (Natural Science wing – *à droite de l'entrée principale*), représente une bonne introduction à la géologie, la flore et la faune des déserts, en expliquant les liens entre ces différents domaines. Des grands dioramas du désert de Californie, des représentations du relief et une série de terrariums abritant scorpions, rongeurs et serpents à sonnette montrent comment s'est formée la région et comment les créatures du désert se sont adaptées pour survivre dans un climat chaud et aride. Une série de **présentations vidéo** de grande qualité expliquent l'écologie des déserts.

Les œuvres en provenance des **collections d'art** du musée sont présentées par roulement dans la mezzanine principale et aux niveaux supérieurs ; le musée accueille également des expositions itinérantes. Une large place est donnée aux arts californiens et du 20e s. : on pourra certainement voir des œuvres de William T. Wiley, Edward Keinholz, Sam Francis, Ed Moses, Robert Graham, Nathan Oliveira, Manuel Neri et Joan Brown. Dans les galeries supérieures, et dans le jardin de sculptures à l'extérieur du musée, sont exposées des pièces signées Henry Moore, Barbara Hepworth, Nancy Graves, Mark di Suvero et Jesus Morales. On peut aussi admirer, dans une autre partie du jardin, *End of the Day #2* de Dale Chihuly, un ensemble coloré de rubans de verre entrelacés sur une armature d'acier.

L'Annenberg Theater *(rez-de-chaussée ; ☎ 760-325-4490)* organise des concerts tous les dimanches après-midi, ainsi que diverses représentations musicales, théâtrales et chorégraphiques.

★**Palm Springs Air Museum** – ▉Enfants *745 Gene Autry Trail. Visite de 10 h à 17 h. Fermé Thanksgiving Day et 25 décembre. 7,50 $.* ♿ 🅿 ☎ *760-778-6262.* L'histoire militaire de la Seconde Guerre mondiale est le thème central de ce beau musée flambant neuf, qui organise des expositions tournantes sur une trentaine d'avions restaurés. Aux accents de la musique de l'époque, les visiteurs peuvent s'approcher pour admirer de près des pièces de collection comme le Curtiss P-40 Warhawk, le P-51 Mustang et une forteresse volante Boeing B-17. Tous les avions présentés, excepté deux, ont été restaurés et peuvent encore voler. Des panneaux fournissent les renseignements techniques relatifs à chaque appareil, des guides sont disponibles pour répondre aux questions. Sur les murs, des vitrines présentent des souvenirs de la vie militaire, et une petite salle donne à intervalles réguliers des projections de films sur l'histoire de l'aviation militaire.

★**Indian Canyons** – *À l'extrémité de South Palm Canyon Drive, à environ 6,5 km du centre-ville. Visite de 8 h à 18 h (17 h de novembre à avril). 6 $.* 🅿 *www.agua-caliente.org* ☎ *760-325-3400.* Les Indiens Agua Caliente de l'ethnie cahuilla sont toujours propriétaires de trois canyons sur les pentes inférieures des San Jacinto

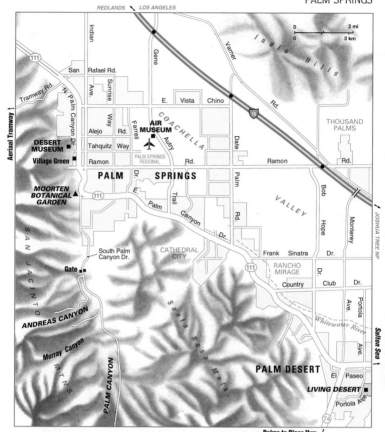

Mountains, tapissées de grandes **palmeraies** de *Washingtonia filifera*, les seuls palmiers originaires de Californie. Ils parviennent à croître dans la chaleur du désert à condition que leurs racines atteignent l'eau nécessaire à leur survie.

À partir de l'entrée, une route goudronnée conduit au parc de stationnement dominant **Palm Canyon**★★, qui abrite le plus grand peuplement de palmiers de Californie, avec 3 000 arbres. La palmeraie principale s'étend sur 3 km à l'intérieur du canyon et encore en amont, on rencontre des bosquets moins importants, disséminés ici et là. Un chemin facile traverse le domaine sablonneux à l'ombre des palmiers, devenant plus escarpé aux abords de la partie supérieure et resserrée du canyon fréquentée par les moutons des Rocheuses.

Le sentier qui mène à **Andreas Canyon**★ *(tourner à droite à environ 100 m du portail d'entrée et continuer sur 1 300 m)*, gorge plus petite mais aussi verdoyante, est plus ardu car il faut escalader des rochers détachés des parois rocheuses.

Le sentier qui parcourt le canyon plus retiré de **Murray** *(environ 1,5 km au départ du parc de stationnement d'Andreas Canyon)* traverse à découvert une végétation basse, puis pénètre brusquement dans un bouquet dense de palmiers poussant dans le lit rocailleux d'un ruisseau.

**Moorten Botanical Garden** – *1701 S. Palm Canyon Drive, à environ 3 km au Sud du centre-ville. Visite du lundi au samedi de 9 h à 16 h 30, le dimanche de 10 h à 16 h. 2 $.* ☎ *760-327-6555.* Conçu à partir d'une idée originale, se démarquant des présentations scientifiques et formelles des jardins botaniques nationaux et régionaux, ce jardin foisonne de plantes bizarres et rares des différents déserts du monde, présentées avec une exubérance rappelant plus la forêt tropicale que le désert : 3 000 espèces voisinent dans 8 000 m² de jardin. Certaines sont en vente, mais la plupart sont réservées à l'exposition.

## EXCURSIONS

★★ **Living Desert Wildlife & Botanical Park** à **Palm Desert** – ▣ *24 km à l'Est de Palm Springs, 2 km au Sud de la Route 111 sur Portola Ave. Visite en juillet et août de 8 h à 13 h 30, le reste de l'année de 9 h à 17 h. Fermé 25 décembre. 7,50 $.* ✗ ⅋ ▣ *www.livingdesert.org* ☎ *760-346-5694.* Ce jardin botanique et zoologique offre un aperçu très complet des espèces végétales du désert Nord-américain, ainsi que des animaux adaptés aux terres arides.

Toujours en cours d'agrandissement, ce vaste domaine de près de 500 ha permet d'observer 1 500 sortes de plantes et 130 espèces animales. Une allée centrale relie une suite de jardins, figurant chaque partie représentative des déserts Nord-américains, y compris le haut désert du Colorado, le désert de Yuma et les terres arides de la péninsule de Basse-Californie.

Des volières et des enclos hébergent des hôtes du désert, tels que coyotes et tortues du désert. Un campement cahuilla a été reconstruit dans un jardin où croissent les plantes utilisées par ces Amérindiens pour se nourrir et se soigner. Moutons bighorns, antilopes oryx, gazelles et zèbres paissent dans des enclos plus larges dans le périmètre de la réserve.

Le zoo joue un rôle important sur le plan mondial en matière de protection de la nature et de reproduction en captivité. Nombre des animaux qu'il abrite, dont l'antilope oryx et le wapiti Bactrian, sont menacés d'extinction ou n'existent plus à l'état sauvage. Eagle Canyon simule des affleurement du désert dans des volières ou des enclos pour les aigles royaux, les pumas et les lynx, trois expèces également menacées. Le tout nouveau Village WaTuTu, construit à la manière des villages commerçants traditionnels, abrite des espèces d'Afrique orientale telles que des hyènes, des dromadaires et des léopards.

Des visites guidées en tramway *(50 mn)* offrent une vaste présentation des espèces animales et végétales du zoo. Dans un amphithéâtre en plein air, des spectacles avec des animaux vivants sont présentés plusieurs fois par jour.

★**Palms to Pines Highway**, à partir de **Palm Desert** – *67 km jusqu'à Idyllwild ; débute au croisement des routes 111 et 74.* Classée route touristique nationale (National Scenic Byway) en 1993, la route de montagne dite « des palmeraies aux pinèdes » offre des vues superbes et étonnantes sur l'incroyable diversité du désert et du paysage alpin. Au cours de la montée en lacet au départ du désert, la route offre des **points de vue** sur la vallée de Coachella en contrebas, sur la région touristique des monts Santa Rosa, et plus haut, sur les sommets des mêmes monts et des monts San Jacinto. La végétation désertique composée de cactus cholla et d'arbres de Josué, laisse progressivement la place au chaparral, lui-même remplacé, à plus haute altitude, par la splendeur alpine de la forêt de San Bernardino. Dans la petite ville de Mountain Center, la route s'oriente vers le Nord, traversant des flancs montagneux avant d'arriver au charmant village d'**Idyllwild**★, rustique petite localité riche en boutiques, restaurants et hôtels, nichée au milieu des grands pins. Site de la célèbre académie musicale et artistique Idyllwild School of Music and Arts, ce village a la réputation d'être une retraite d'artistes.

★★**Joshua Tree National Monument** – *Une journée. Voir ce nom.*

**Salton Sea** – *Une demi-journée. Voir Anza-Borrego.*

# Gold Country

Orpailleur en action au parc de Columbia/Robert Holmes

Les contreforts vallonnés séparant sur une bande étroite les versants Ouest de la majestueuse sierra Nevada et le bord Est de la plaine de la Vallée centrale furent le cœur de la **Ruée vers l'or** de 1849, d'où leur nom. Les quinze années frénétiques qui suivirent la découverte de l'or dans la Rivière Américaine à Coloma attirèrent des foules de prétendants à la fortune – la plupart comptant devenir riches du jour au lendemain et s'en retourner chez eux – et d'immigrants cherchant une vie meilleure dans l'Ouest des États-Unis. La Ruée plaça la Californie au premier rang de l'économie américaine pendant plusieurs décennies. Surnommée « Mother Lode » (la veine mère) en raison de la découverte d'un gros filon de quartz aurifère, cette région est aujourd'hui un arrière-pays paisible aux magnifiques panoramas, où beaucoup de villégiatures ont su conserver l'atmosphère du 19e s.

Pratiquement ignorée durant les périodes espagnole et mexicaine, la région resta sauvage jusqu'au début du 19e s. seules des tribus d'Amérindiens chasseurs et cueilleurs, tels les Miwok et les Maidu habitaient alors ses prairies vierges et ses forêts de pins et de chênes.

En 1839, l'immigrant suisse **John Sutter** arriva en Californie, initiant la série d'événements qui allait transformer la région. Homme d'affaires et propriétaire terrien, Sutter fonda la colonie de New Helvetia (Nouvelle Suisse) sur le site actuel de Sacramento, avec l'intention d'établir un vaste domaine agricole dans la Vallée centrale. Pour produire les charpentes nécessaires à ses nombreux projets de construction, Sutter s'associa, en 1847, à **James Marshall**, avec qui il fonda une scierie à Coloma sur les rives du South Fork, bras Sud de la Rivière Américaine, à environ 72 km au Nord-Est de New Helvetia.

Le matin du 24 janvier 1848, alors qu'il supervisait la construction de la scierie, Marshall découvrit des paillettes de métal brillant dans le bief d'aval ,retournant à la rivière. Il court aussitôt en informer Sutter. Après plusieurs tests, ils se rendirent à l'évidence : c'était bien de l'or pur ! Sutter essaya d'étouffer la nouvelle de cette découverte, craignant de voir ses terres envahies de gens cherchant fortune. Bien qu'ayant juré de garder le secret, Marshall fut incapable de tenir sa langue et, bientôt, les ouvriers de l'équipe de construction négligèrent la scierie, parcourant les rives à la recherche d'or et extrayant des pépites avec leurs canifs.

# GOLD COUNTRY

D'après la légende, Sam Brannan *(voir index)*, constatant que l'or brut commençait à être utilisé en paiement dans son épicerie générale de New Helvetia, approvisionna soigneusement ses stocks. Puis il se rendit à San Francisco, et apparut sur Portsmouth Square, agitant un bocal de pharmacie rempli de pépites et hurlant : « De l'or ! Il y a de l'or dans la Rivière Américaine ! »

En mai 1848, beaucoup de villes de Californie étaient déjà pratiquement désertées, leurs habitants s'étant rués dans les contreforts de la sierra pour y chercher de l'or. La nouvelle de la découverte atteignit la côte Est vers le mois de septembre. Le président des États-Unis du moment, James K. Polk, afin de justifier les efforts de la nation pour acquérir ces territoires, insista sur ses richesses minières encore inexploitées lors d'un discours devant le Congrès en décembre. Et la ruée démarra pour de bon.

## L'extraction de l'or

Au cours de la formation du massif granitique de la sierra, il y a environ 100 millions d'années, l'or s'est concentré dans les veines de quartz à la suite de processus géochimiques souterrains. Au cours des 50 millions d'années suivantes, les pépites et les paillettes de minerai d'or furent, grâce à l'érosion, libérées de leur prison de granit et s'accumulèrent dans les graviers des ruisseaux, plus tard recouverts par les coulées de lave provenant d'éruptions volcaniques. Les derniers millions d'années ont vu la chaîne de montagnes s'élever et s'incliner tout entière vers l'Ouest, permettant à l'érosion de creuser de nouveaux réseaux de ruisseaux dans les couches de lave et de graviers, libérant de nouveau l'or, qui se déposa dans le lit des ruisseaux.

Au début du 19e s., on pouvait donc trouver l'or soit mêlé au sable et aux graviers des rivières et ruisseaux, soit retenu dans d'anciens lits de rivières enfouies, soit pris dans des veines de quartz sous terre. Les trois méthodes principales d'extraction de l'or correspondent à ces trois situations géologiques.

**Exploitation des placers** – La méthode consiste à remuer les graviers ramassés au fond des ruisseaux pour séparer l'or du sable et des cailloux. Dans le cas où l'on utilise un tamis, on remue celui-ci pour évacuer l'eau chargée de sable et de graviers par-dessus bord, l'or, plus lourd, restant au fond du tamis. Un autre système plus élaboré, le *rocker*, tamis monté sur une bascule installée directement sur la rivière, se servait de la force du courant de l'eau et de la pesanteur pour recueillir les paillettes d'or. En moins d'une décennie, après la première vague de prospecteurs, la plupart des ruisseaux du Pays de l'or furent dépouillés de cet or de surface.

**Extraction hydraulique** – Elle apparut lorsqu'on découvrit que d'autres gisements d'or reposaient dans des anciens lits de ruisseaux, dans les collines de la région. En 1853, des mineurs proches de Nevada City inventèrent un procédé utilisant un fort courant d'eau pour ameublir ces affleurements et entraîner dans un bassin de récupération les graviers et leur chargement d'or. À la grande époque de l'abattage hydraulique, toutes les collines furent « nettoyées » par d'énormes jets d'eau appelés **monitors**. La boue et les graviers formèrent de véritables barrages, provoquant de graves inondations jusque dans la Vallée centrale. Vers 1884, les dégâts étaient devenus si importants pour l'environnement que l'extraction hydraulique fut interdite par décision judiciaire. Aujourd'hui, après plus d'un siècle, ces cicatrices (sur lesquelles la végétation n'a toujours pas repoussé) sont encore visibles en de nombreux endroits de la région.

**Exploitation des filons** – La méthode employée pour récupérer le minerai contenu dans les veines de quartz enfouies était appelée extraction « **hardrock** ». Des équipes de mineurs creusaient profondément la terre pour faire sauter les veines à la dynamite et remonter les fragments à la surface. L'or était ensuite extrait par des procédés physiques et chimiques. Les investissements financiers et technologiques indispensables à l'extraction et au traitement industriels du quartz apportèrent une certaine stabilité économique et sociale à la région, d'abord exploitée de façon chaotique.

De grandes entreprises comme la Sutter Creek's Central Eureka Mine et la Grass Valley's Empire Mine ont fonctionné pendant plus d'un siècle.

L'exploitation des filons engendra deux inventions importantes : le **stamp mill**, sorte de marteau-pilon servant à écraser le minerai pour en extraire l'or, et la **roue Pelton**, mise au point par Leston Pelton en 1878 pour alimenter en électricité les machines d'extraction. La roue se servait de la force de l'eau qu'on amenait dans des coupelles fixées sur son pourtour. Ce système efficace utilisait la force du courant en retenant un maximum d'eau à l'intérieur des coupelles. Aujourd'hui, on aperçoit les carcasses rouillées des stamp mills et des roues Pelton à travers la région.

Tout au long de l'année 1849, des nuées de chercheurs d'or, surnommés les « Forty-niners » (ceux de 49), arrivèrent de la côte Est par la California Trail ou par mer, soit en faisant le tour du cap Horn, soit en rejoignant le Panama, en le traversant par voie de terre et en embarquant pour la Californie. Les chercheurs d'or arrivèrent aussi d'Europe, d'Amérique du Sud, d'Australie et de Chine, s'installant dans les camps qui fleurissaient partout où on découvrait de l'or.

La **Ruée vers l'or** atteignit son apogée en 1852. Près de 90 000 mineurs avaient envahi la région. Elle décrut lentement vers la fin des années 1950, les gisements devenant de plus en plus difficiles à trouver. L'exploitation minière de filons souterrains se développait, offrant de nombreux emplois, mais ceux-ci, ne laissant pas espérer d'enrichissement immédiat comme les sables aurifères ou l'exploitation hydraulique *(voir ci-après)*, présentaient peu d'attraits pour les fiévreux « Forty-niners » ; souvent, ce sont des émigrants des régions minières d'Europe comme la Cornouailles et la Serbie qui les occupèrent. En l'espace de dix ans, une solide industrie minière était en place, mais la Ruée vers l'or était terminée. D'après les estimations, 3 300 tonnes d'or furent extraites dans la région de 1848 à 1867.

Un grand nombre de villes champignons, surgies durant cette période, se sont converties en centres d'affaires et sièges administratifs de comtés. D'autres sont en revanche devenues de petits hameaux bucoliques, quand elles n'ont pas complètement disparu. Le temps a poli et recouvert les cicatrices laissées par la prospection sur le paysage et, aujourd'hui, le Pays de l'or présente un visage plus pastoral qu'industriel.

# NORTHERN GOLD COUNTRY★★

## Le NORD DU PAYS DE L'OR
### Carte Michelin n° 493 B 7 & 8

Les principales curiosités se trouvent au long ou à proximité de la route 49, la « chaîne dorée » (The Golden Chain) qui serpente à travers neuf comtés entre Mariposa et Sierra City. Les villes et les villages qui bordent cette route proposent tous les types d'hébergement, du motel standard au charmant bed & breakfast.

Dans la région, en été, il peut faire très chaud l'après-midi, mais les soirées sont généralement agréables. Les hivers sont froids et pluvieux et la neige tombe souvent en altitude, mais cette saison connaît aussi ses périodes de douceur.

Contrairement au Sud du Pays, de nombreuses mines sont ouvertes au public. On peut rayonner à partir de Placerville, ville située sur l'US-50 à 80 km de Sacramento et à quelques kilomètres du bras Sud de la Rivière Américaine où John Marshall fit son extraordinaire découverte.

## DE PLACERVILLE A SIERRA CITY PAR LA ROUTE 49
*Une journée et demie. 180 km (excursions non comprises)*

**Placerville** – Le camp minier fondé ici en 1848 fut baptisé « Hangtown » à cause de la propension de ses habitants à passer rapidement la corde au cou des malfaiteurs. Située sur l'actuelle route 50, autrefois voie principale à travers la sierra Nevada pour aller de Californie aux mines d'argent du Nevada, cette agglomération devint un centre de transport et fut rebaptisée Placerville en 1854. C'est aujourd'hui le chef-lieu animé du comté d'El Dorado. Son pourtour plus récent entoure un noyau de bâtiments du 19ᵉ s. qui ont conservé un charme historique, comme la maison de brique et de pierre brutes abritant aujourd'hui le **musée d'Histoire** (Placerville Historical Museum – *524 Main Street. Visite de mai à septembre du vendredi au dimanche de 12 h à 16 h, le reste de l'année uniquement le week-end de 12 h à 16 h. Contribution attendue.* ☎ *530-626-0773*). Le secteur d'**Apple Hill**, une étendue vallonnée de vergers et de fermes enserrant la route US-50 à l'Est de Placerville, est particulièrement agréable en automne pendant les récoltes. Les visiteurs peuvent se promener le long de cette route et des petites routes pittoresques de l'arrière-pays, en goûtant les gâteaux et produits locaux des étals en bord de route, des boulangeries, restaurants et établissements vinicoles.

**El Dorado County Historical Museum** – *104 Placerville Drive, sur le terrain de foire du comté (4 km à l'Ouest de la ville). Visite du mercredi au samedi de 10 h à 16 h, le dimanche de 12 h à 16 h. Fermé principaux jours fériés.* ♿ 🅿 ☎ *916-621-5865*. Au milieu d'une grande variété d'objets exposés, on verra une magnifique **diligence de Concord** restaurée et équipée, telle qu'elle traversa la sierra Nevada en passant par Placerville ; la reconstitution d'une épicerie de campagne ; et une importante exposition en plein air de matériel minier et ferroviaire, dont une locomotive Shay toujours en état de marche (1907).

**Hangtown's Gold Bug Park** – *1,5 km au Nord de l'US-50 sur Bedford Avenue. Visite de mi-avril à octobre tous les jours de 10 h à 16 h, le reste de l'année seulement le week-end de 12 h à 16 h. Fermé de début décembre à fin février. 3 $.* ♿ 🅿 *www.goldbug.getonline.org* ☎ *530-642-5232*. Dans le parc municipal se trouve aujourd'hui une mine qui fut exploitée de 1888 jusqu'au début de la Seconde Guerre mondiale. Un commentaire enregistré sur l'histoire de la mine accompagne

Vue de Coloma en 1857

les visiteurs tout au long de leur descente dans le tunnel. Au bout de 91 m, ils découvriront la veine de quartz qui incita les mineurs à creuser quelque 250 puits dans les environs immédiats. À peu de distance se trouvent un marteau-pilon *(stamp mill)* d'origine et un musée.

** **Marshall Gold Discovery State Historic Park,** à **Coloma** – *13 km au Nord de Placerville.* Niché au pied d'une colline verdoyante sur les rives de la Rivière Américaine, ce parc de 110 ha commémore la ville de Coloma, à l'endroit où James Marshall découvrit ses premières pépites d'or. Coloma fut fondée en 1847, lorsque Marshall et John Sutter choisirent le site de leur nouvelle scierie. La ville devint le siège du comté d'El Dorado, qui a attiré nombre de prospecteurs durant l'époque frénétique de la Ruée vers l'or, mais est tombée dans un oubli relatif lorsque les gisements de sables aurifères furent épuisés. En 1856, le siège administratif du comté fut transféré à Placerville et Coloma devint un village agricole.

Aujourd'hui, **Coloma** (200 habitants) se trouve pour les trois quarts protégé dans l'enceinte du parc. Des bâtiments historiques longent les paisibles Main St., Back St. et Brewery St., et les modestes rapides de cette partie de la célèbre rivière invitent les amateurs de kayak et de raft, ainsi que les prospecteurs d'occasion à tenter leur chance.

**Visite** – *Le parc est ouvert de 8 h au coucher du soleil. 5 $/véhicule.* 🅿 *www.coloma.com* ☎ *530-622-3470.* Il est bon de commencer par le **musée de la Découverte de l'or** (The Gold Discovery Museum – *Visite de 10 h à 16 h 30 ; fermé 1ᵉʳ janvier, Thanksgiving Day et 25 décembre ; admission comprise dans le prix du parking*) qui, au moyen d'expositions et d'une excellente présentation vidéo *(12 mn),* informe sur la géologie de l'or et sur l'histoire de la Ruée vers l'or, en décrivant les effets désastreux qu'eut cette découverte sur les fortunes de Marshall et de Sutter. Des équipement miniers, incluant *monitors, stamp mills* et concasseurs mus par des chevaux, sont exposés à proximité. Un sentier mène à deux **épiceries chinoises** restaurées, autrefois tenues par des membres de la communauté chinoise de Coloma.

Une réplique de la **scierie** à charpente de bois, reconstituée d'après des croquis de Marshall, se dresse en amont du site de la scierie originale. Sur la rive opposée, à laquelle on accède par un pont étroit, les visiteurs peuvent s'exercer à chercher des pépites à l'aide d'un tamis.

Une petite route longe les bâtiments du Coloma historique, pour la plupart élevés à l'époque de la Ruée vers l'or, avant de serpenter jusqu'à la cabane de Marshall, remise en état, sur la colline voisine. Au sommet, sa tombe est signalée par un grand monument en bronze dominant le site où l'or fut découvert.

** **Auburn** – C'est aujourd'hui la ville la plus importante du Pays de l'or. Elle fut fondée en 1848, lorsqu'une équipe de prospecteurs dirigés par l'immigrant français Claude Chana quitta le ranch Sigard, proche du site actuel de Sacramento, pour se joindre aux chercheurs de Coloma. Ayant installé un camp près du ruisseau pour passer la nuit, Chana fit un essai avec un tamis et trouva rapidement trois pépites d'or. L'équipe n'alla pas plus loin et son campement devint bientôt un important centre de transport. Le chemin de fer de la Southern Pacific traverse Auburn, et son site au croisement de la route 49 et de la voie principale reliant Sacramento au lac Tahoe (l'actuelle I-80) permit à l'agglomération d'échapper au déclin qui frappa les autres villes champignons après l'épuisement des filons.

**Old Town** – Noyau originel du petit village d'Auburn, cet endroit est aujourd'hui un assemblage séduisant de magasins d'antiquités, de boutiques spécialisées et de restaurants, pour beaucoup installés dans des bâtiments datant du milieu du 19ᵉ s. On notera la **vieille caserne de pompiers** rayée de rouge et de blanc (1891), ainsi que l'imposante **statue** de Claude Chana. Sur une colline voisine, dominant le vieux quartier, l'impressionnant bâtiment néoclassique surmonté d'un dôme abrite le **palais de justice** (1898) du comté de Placer.

**Gold Country Museum** – [Enfants] *1273 High Street, sur le terrain de foire du comté. De la vieille ville, emprunter Sacramento Street vers le Nord, traverser Auburn-Folsom Road et poursuivre sur 800 m vers l'Est jusqu'à l'entrée du terrain de foire. Visite du mardi au vendredi de 10 h à 15 h 30, le week-end de 11 h à 16 h. Fermé principaux jours fériés et 1re semaine de janvier. 1 $.* 🚻 🅿 *www.placer.ca.gov/museum* ☎ *530-889-6500.* Pour illustrer l'extraction, le traitement et l'utilisation de l'or, ce petit musée entraîne les visiteurs dans une galerie de mine reconstituée et une exposition de minéraux. Tout près de là se trouve le **musée Bernhard**, bâtiment de 1851 destiné à l'origine au logement de voyageurs et maintenant transformé en musée et établissement vinicole de l'époque victorienne *(291 Auburn-Folsom Road. Visite guidée uniquement (1 h) du mardi au vendredi de 10 h 30 à 15 h, le week-end de 12 h à 16 h ; fermé principaux jours fériés et 1re semaine de janvier. 1 $.* 🚻 🅿 ☎ *530-889-6500).*

**Grass Valley** – *38 km au Nord d'Auburn.* Ce centre de commerce, petit mais actif, doit sa longue prospérité aux importantes innovations techniques dans l'extraction en profondeur du minerai mises au point et appliquées dans les mines locales. On allait chercher les mineurs dans des régions aussi lointaines que la Cornouailles anglaise, où des mines d'étain fonctionnaient déjà depuis plusieurs siècles. Les *pasties* de Cornouailles (carrés de pâte fourrés de viande) restent aujourd'hui une spécialité locale.

L'essentiel du quartier entourant Main Street et Mill Street fut reconstruit après l'incendie qui embrasa la ville en 1855. On remarquera l'opulent **Holbrooke Hotel** *(West Main Street).* Construit en 1862, il hébergea les présidents Ulysses Grant, James Garfield, Benjamin Harrison et Stephen Cleveland à la fin du 19e s.

★★ **Empire Mine State Historic Park** – *2,5 km au Sud-Est du centre-ville en suivant Mill St. et Empire St. Visite de mai à août de 9 h à 18 h (17 h en mai), le reste de l'année de 10 h à 17 h. Fermé 1er janvier, Thanksgiving Day et 25 décembre. 3 $.* 🅿 ☎ *530-273-8522.* Cette mine, la plus grande et la plus riche de Californie, comprend 590 km de galeries ; elle a produit 180 tonnes d'or durant son siècle d'activité (1856-1956). Dans le puits principal, les visiteurs peuvent descendre sur une plateforme pour apercevoir la galerie, qui s'enfonce sur une longueur de 3 000 m à une profondeur de 1 600 m. Auprès de l'ouverture, on voit un ensemble d'équipements, d'installations de traitement et de bureaux. Dans le **centre d'accueil** sont exposées d'émouvantes photographies rendant hommage à la vie rude des mineurs cornouaillais et dans le parc, enfin, on découvre la belle demeure recouverte de panneaux de séquoia et les jardins paysagers de William Bound, propriétaire de la mine de 1879 à 1929.

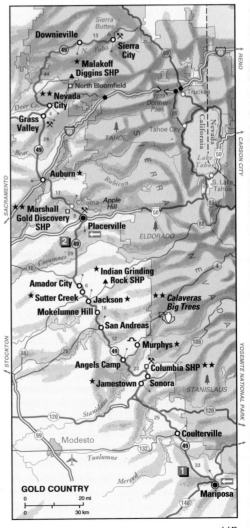

**GOLD COUNTRY**

0    20 mi
0    30 km

★ **North Star Mining Museum** – *Au Sud du centre-ville sur Mill Street, juste après le via-duc de la route 20. Visite de mai à octobre de 10 h à 16 h.* 🅿 ☎ 530-273-4255. L'ancienne centrale électrique (1885) de la mine de « l'Étoile du Nord » est deve-nue l'un des musées les plus complets de la région en matière de technologie mi-nière. La pompe à eau importée de Cornouailles *(elle fonctionne avec des pièces de monnaie)* était utilisée pour évacuer l'eau des profondeurs de la mine, et la roue Pelton est probablement la plus grande du monde.

★★ **Nevada City** – *6 km au Nord de Grass Valley.* Destination idéale pour les amou-reux de l'architecture du 19e s., cette ville pittoresque est parsemée d'agréables boutiques et restaurants. C'est le lieu de résidence de plusieurs compagnies artis-tiques. Une concentration de concessions sur le Deer Creek (ruisseau du Cerf) où s'exerçait l'extraction au tamis amena tout naturellement la création d'une agglo-mération. Celle-ci se vit accorder le statut de municipalité en 1851 sous le nom de Nevada. Le terme « City » fut ajouté plus tard afin d'éviter toute confusion avec le territoire du Nevada, créé en 1862. Aujourd'hui, le charmant quartier des affaires de Nevada City vit au rythme de **Broad Street**, qui descend doucement de l'église méthodiste à tour carrée (1864) jusqu'au **National Hotel**★ orné de balcons finement ciselés (1856). Sur une colline dominant le centre-ville se dresse le superbe **palais de justice** Art déco du comté du Nevada (1937). La pittoresque **caserne de pompiers** victorienne à un étage *(214 Main Street)*, construite en 1861, abrite aujourd'hui une collection d'objets locaux, dont un autel provenant d'un temple chinois du milieu du 19e s.

★★ **Malakoff Diggins State Historic Park** – *Excursion : circuit de 87 km à partir de Nevada City. Parcourir 17 km vers le Nord sur la route 49. Au croisement de Tyler Foot Road, tourner à droite, puis prendre Cruzon Grade Road sur la gauche. Suivre ensuite la signalisation (les routes du parc ne sont pas revêtues). Parc ouvert du lever au coucher du soleil. 5 $/voiture.* ⛺ 🅿 ☎ *530-265-2740.* L'extraction hydraulique commença sur ce site en 1855. Vingt-cinq ans plus tard, Malakoff était devenu le plus grand centre minier de ce genre en Californie. Aujourd'hui, plus d'un siècle après l'interdiction juridique de ce type d'extraction, les parois érodées de la gigantesque **Malakoff Pit** (carrière de Malakoff) sont toujours vierges de végé-tation et forment un badland dénudé au milieu des luxuriantes forêts montagneuses. Les quelques bâtiments de l'époque de la Ruée vers l'or qui ont survécu sont regroupés à l'ombre des arbres, sur le site historique de **North Bloomfield**. Le village atteignit une population de 1 200 habitants vers 1880. Un documentaire montrant l'extraction hydraulique est projeté dans le petit musée *(visite de mai à août tous les jours de 9 h à 17 h, le reste de l'année le week-end seulement de 10 h à 16 h ;* ♿ 🅿*)*, et un petit chemin *(3,4 km)* conduit au site d'où l'on aperçoit l'extrémité Sud de la carrière, au-delà du tunnel Hiller, par où s'écoulaient les rejets de la carrière jusqu'au bras Sud de la Yuba River.

**Downieville** – *75 km au Nord-Est de Nevada City.* Isolé au cœur d'un canyon tapissé de forêts, au confluent des rivières Yuba et Downie, le petit bourg de Downieville possède une étroite rue principale ornée de maisons du 19e s. en brique ou en pierre, garnies de volets de fer. Cette ville est l'un des plus petits chefs-lieux de comté des États-Unis. Ses maisons s'accrochent aux pentes raides descendant vers les rivières. Le **Sierra County Museum** *(Main Street. Visite de mi-mai au 2e week-end d'octobre de 10 h (11 h le dimanche) à 17 h, le reste de l'année le week-end uniquement. Contribution attendue.* ☎ *530-289-3423)* occupe un ancien magasin chinois (1852) aux murs en blocs de schiste, et présente des objets et des photo-graphies de l'époque minière.

**Sierra City** – *21 km à l'Est de Downieville.* Le village le plus haut du Pays de l'or bénéficie d'une **situation** spectaculaire au pied des sommets déchiquetés de la Sierra Buttes (2 618 m). La petite communauté a survécu à plusieurs avalanches désas-treuses, qui ont emporté de nombreux habitants et ouvriers de la mine. Les quelques maisons sont aujourd'hui installées sur les pentes dominant le centre commerçant.

★ **Kentucky Mine Historical Park et Museum** – *1,5 km au Nord de Sierra City par la route 49. Visite de Memorial Day à octobre du mercredi au dimanche de 10 h à 17 h. 1 $ (musée).* ♿ 🅿 ☎ *530-862-1310.* La mine Kentucky fut exploitée jusqu'en 1953. Attraction unique, on y voit broyer le minerai aurifère au *stamp mill.* Les visites guidées commencent à l'entrée de la mine. On traverse un portique sur chevalets où sont garés des wagonnets, puis en descendant on découvre chaque étape du concassage et du traitement du minerai.

# SOUTHERN GOLD COUNTRY★★

## Le SUD DU PAYS DE L'OR

Carte Michelin n° 493 B 8

Voir schéma au chapitre NORTHERN GOLD COUNTRY p. 115

La présence de villes anciennes proposant une hôtellerie de charme et de bons restaurants semble distinguer la partie Sud de la route 49 de sa section au Nord de Placerville. Dans cette région, histoire indienne et histoire des chemins de fer viennent compléter celle de l'or.

La meilleure période pour s'y promener reste pourtant le printemps, après que les pluies hivernales eurent recouvert les collines de verdure, et l'automne, lorsque le flux de touristes a diminué et que les arbres flamboient de superbes couleurs.

## DE PLACERVILLE À MARIPOSA PAR LA ROUTE 49

*Deux jours. 230 km (excursions non comprises)*

**Placerville** – *Voir Northern Gold Country.*

*Quitter Placerville vers le Sud.*

**Amador City** – *46 km au Sud de Placerville.* Plus petit village de Californie à avoir obtenu le statut de commune, ce charmant hameau niché dans une petite vallée au creux d'un virage de la route 49 fut fondé en 1848 par le soldat mexicain José María Amador. Amador City est aujourd'hui connu pour ses magasins d'antiquités et son élégant Imperial Hotel en brique (1879).

Main Street, à Sutter Creek

Robert Holmes

★**Sutter Creek** – *3 km au Sud-Est d'Amador City.* Aujourd'hui l'un des plus charmants villages du Pays de l'or, Sutter Creek fut créé en 1848 par les chercheurs d'or. John Sutter lui-même n'y séjourna que brièvement, étant resté bredouille avec son tamis. Au milieu du 19e s., le camp trouva une stabilité avec l'établissement de la mine de Central Eureka, juste au Sud de la ville. La mine fonctionna pendant près d'un siècle, et la prospérité qu'elle apporta à Sutter Creek se retrouve aujourd'hui le long de la ravissante **Main Street**, où magasins d'antiquités et boutiques spécialisées occupent les échoppes d'origine.

★**Jackson** – *6 km au Sud-Est de Sutter Creek.* Siège administratif du comté d'Amador, cette bourgade affairée fut fondée en 1849 comme camp de chercheurs d'or. Vers 1859, l'extraction minière commença sur la riche veine de quartz qui fait du comté d'Amador le deuxième producteur d'or après le comté du Nevada. Aujourd'hui, Jackson mêle harmonieusement les styles ancien et nouveau, notamment dans l'architecture des bâtiments du 19e s. le long de Main Street. Le **National Hotel** *(au bas de Main Street)* affirme être le plus vieil hôtel de Californie (1863) encore en fonctionnement. Du belvédère situé à 2,5 km au Nord de la ville, sur la route 49, la **vue** dépasse les chevalets rouillés des anciennes mines Kennedy et Argonaut.

★**Amador County Museum** – *225 Church Street. Visite du mercredi au dimanche de 10 h à 16 h. Fermé dimanche de Pâques et 25 décembre. Contribution attendue.* ▣ ☎ *209-223-6386.* Au sommet d'un petit tertre, à un pâté de maisons au Nord-Est du quartier des affaires, une ancienne demeure en brique (1859) héberge le Musée du comté, ses nombreux objets et ses expositions thématiques. Sa visite est une agréable introduction à la vie quotidienne de Jackson, de la Ruée vers l'or aux années 1920. Dans un bâtiment voisin *(visite guidée uniquement toutes les 30 mn chaque week-end, 1 $)* sont exposés des modèles animés du chevalet et des roues à résidus de la mine Kennedy *(voir ci-après)*. L'agréable parc paysager de la propriété est couronné par deux cèdres majestueux.

Sur une petite élévation, cinq pâtés de maisons plus loin sur N. Main Street, se dresse l'**église orthodoxe serbe St Sava**, petit édifice blanc bâti en 1894 pour la population immigrée serbe de Jackson. C'est « l'église mère » de l'orthodoxie serbe aux États-Unis.

**Kennedy Mine Tailing Wheels** – *North Main Street, à 1,6 km au Nord du centre-ville. Kiosque d'information en limite du parking. Visite mi-mars à octobre le week-end de 10 h à 15 h. 5 $.* ☎ 209-223-9542. Construites en 1912, ces **roues à résidus** en bois de 17 m de diamètre furent conçues pour transporter roches et déchets sortis de la mine Kennedy. Par une série de plans inclinés, elles devaient passer deux crêtes pour aboutir à une décharge. Vestiges fantomatiques d'une industrie autrefois florissante, les roues, auxquelles on accède par des sentiers cailouteux, tombent aujourd'hui en ruine.

★**Indian Grinding Rock State Historic Park** – *Excursion : circuit de 39 km aller-retour au départ de Jackson par la route 88 et Pine Grove-Volcano Road. Visite du lever au coucher du soleil. 5 $/voiture.* △ ♿ 🅿 *www.sierra.parks.state.ca.us/igr/igrmain.htm* ☎ 209-296-7488. Avant la Ruée vers l'or, les Indiens miwoks vivaient paisiblement dans cette prairie entourée de bois, aujourd'hui transformée en un petit parc qui offre aux visiteurs une occasion unique de s'imprégner de la culture miwok. Ne pas manquer la **roche à pilage**, affleurement calcaire horizontal troué de centaines de *chaw'se*, ou trous de mortier, utilisés pour piler les glands. Non loin de là ont été reconstituées des habitations en écorce, ainsi qu'une maison de cérémonie ronde qui accueille toujours des rassemblements de tribus locales. Un petit musée régional, le **Chaw'se Regional Indian Museum**, est dédié aux Amérindiens de la sierra Nevada *(visite du lundi au vendredi de 11 h à 15 h, le week-end de 10 h à 16 h. Fermé 1ᵉʳ janvier, Thanksgiving Day et 25 décembre)*.

**Mokelumne Hill** – *13 km au Sud-Est de Jackson*. Aujourd'hui minuscule village perché sur une crête montagneuse dans un cadre superbe, « Moke Hill » affirme avoir abrité, au milieu du 19ᵉ s., une population de 15 000 personnes et avoir été au centre de l'une des régions aurifères les plus riches de Californie. Une grande concentration d'immigrants français s'installa ici et l'historique **Hôtel Léger** (1851) appelé autrefois l'Hôtel de France, accueille toujours ses clients.

**San Andreas** – *13 km au Sud de Mokelumne Hill*. Fondée en 1848 par des colons mexicains, aujourd'hui chef-lieu du comté de Calaveras, la somnolente San Andreas fut, en 1883, le théâtre du procès de Charles E. Bolton, plus connu sous le nom de **Black Bart**. Éminent personnage de la haute société de San Francisco, Bolton détroussa les passagers de 28 diligences entre 1875 et 1883. Ce « bandit gentilhomme » fut déclaré coupable par le tribunal de San Andreas et passa près de six ans dans la prison de San Quentin.

★**Calaveras County Museum** – *30 North Main Street. Visite de 10 h à 16 h. Fermé principaux jours fériés. 1 $.* ♿ ☎ 209-754-3910. Installé au premier étage de la Salle des Registres rénovée, ce musée contemporain met l'accent sur l'histoire des Indiens miwok, ainsi que sur les industries minières, agricoles et du bois dans le comté de Calaveras. L'excellente exposition sur l'histoire géologique de la région vaut le détour.

Une courte promenade à travers l'agréable jardin clos situé derrière le bâtiment conduit aux **cellules** où Black Bart fut incarcéré durant son procès. L'ancien tribunal où le jugement eut lieu fait aussi partie de l'ensemble de bâtiments.

**Angels Camp** – *19 km au Sud-Est de San Andreas*. Ayant servi de cadre à la nouvelle de Mark Twain *La Grenouille sauteuse de Calaveras*, cette ville pittoresque commémore ce conte en organisant, le troisième week-end de mai, des concours de sauts de grenouilles. Le **Musée de la ville** expose boghies, cabriolets et autres véhicules attelés, ainsi que des objets sur le thème de la Ruée vers l'or *(route 49, à 800 m au Nord du centre-ville. Visite de mars à novembre de 10 h à 15 h. Fermé dimanche de Pâques, Thanksgiving Day. 2 $.* ✗ ♿ 🅿 ☎ 209-736-2963*)*.

★**Murphys** – *Excursion : 29 km aller-retour d'Angels Camp par la route 4*. Ce charmant village aux beaux bâtiments du 19ᵉ s. en brique et en pierre est orné de grands arbres. Parmi les maisons bordant Main Street se dresse le **Murphys Hotel★** (1856), toujours ouvert, dont le registre recèle les noms de clients aussi prestigieux que Mark Twain, Ulysses Grant, J.P. Morgan et Horatio Alger. Le **Old Timers Museum**, lui, relate l'histoire insolite du E Clampus Vitus, un ordre confraternel qui se constitua durant la Ruée vers l'or. Cet ordre cherchait à parodier le sectarisme d'organisations telles que les francs-maçons et les Odd Fellows. Le musée présente aussi une riche collection de vannerie indienne et de souvenirs des premiers pionniers californiens *(visite du vendredi au dimanche de 11 h à 16 h.* ♿ ☎ 209-728-1160*)*.

**Mercer Caverns** – Enfants *À 2 km de Main Street via Sheep Ranch Road. Visite guidée uniquement (20 mn) de Memorial Day à septembre de 9 h à 18 h (20 h vendredi et samedi), le reste de l'année de 10 h à 16 h 30 (18 h vendredi et samedi). Fermé 25 décembre. 7 $.* ▯ *www.mercercaverns.com* ☎ *209-728-2101.* Les visiteurs descendent à 50 m de profondeur à travers une série de grottes contenant de spectaculaires formations calcaires : stalactites, stalagmites et rideaux calcaires inondés de couleurs.

★★**Calaveras Big Trees State Park** – *Excursion : circuit de 77 km au Nord-Est d'Angels Camp via la route 4 (24 km au Nord-Est de Murphys). Ouvert tous les jours. 5 $/voiture.* △ ♿ *www.sierra.parks.state.ca.us/cbt/cbt.htm* ☎ *209-795-2334.* Cette luxuriante réserve de 2 400 ha plantés de pins, sur les contreforts Ouest de la sierra Nevada, abrite deux remarquables bosquets de séquoias géants *(voir encadré p. 333).*
À partir de 1850, la taille stupéfiante de ces prodiges botaniques a attiré des amateurs du monde entier vers le **bosquet Nord**. Les touristes arrivaient en foule, et plusieurs arbres furent abattus pour être exposés ailleurs. Aujourd'hui, une piste bien entretenue *(1,5 km)* serpente doucement à travers la forêt, où 150 séquoias géants vivent en harmonie avec les pins, les cornouillers et d'autres espèces forestières. Le **bosquet Sud**, plus éloigné *(à 1,5 km de la fin de la route goudronnée à Beaver Creek, fermé de novembre à mars),* a été conservé dans son état naturel. Une piste en boucle de 6 km offre la chance rare de se promener dans une véritable forêt vierge.

★★**Columbia State Historic Park** – Enfants *24 km au Sud-Est d'Angel Camps.* Fondée en 1850 au moment de la Ruée vers l'or, la ville champignon de Columbia a survécu à plusieurs incendies et au lent déclin de la région, lié à l'épuisement des gisements d'or à la fin du 19e s. En 1945, Main Street et Broadway furent achetées par l'État pour en faire un charmant parc historique.

**Visite** – *Ouvert de 10 h à 17 h. Fermé Thanksgiving Day et 25 décembre.* ✗ ☎ *209-532-0150.* Le parc englobe 12 pâtés de maisons. Ses rues sont interdites aux voitures, et des figurants évoluent en costumes sur ses trottoirs de briques ombragés : la vie quotidienne de l'époque 1850-1870 s'anime sous les yeux des visiteurs et Columbia devient l'image authentique d'une ville champignon à l'époque de la Ruée vers l'or.
Plusieurs bâtiments, dont la Loge maçonnique et le dépôt de la Wells Fargo, sont devenus des musées, et d'autres sont des concessions privées qui doivent, sous le contrôle de l'État, conserver leur authenticité historique. Des spectacles sont présentés dans l'élégant théâtre du Fallon Hotel. Quant au City Hotel aujourd'hui restauré, il s'enorgueillit d'une salle à manger réputée pour sa cuisine raffinée. Le musée *(State St. et Main St.),* installé dans un ancien magasin fréquenté par les mineurs (1854), propose une exposition sur l'histoire locale et présente une vingtaine de spécimens de minéraux de grande dimension. Un diaporama *(13 mn)* fournit une bonne introduction à l'histoire de Columbia.

★**Hidden Treasure Mine** – *Visite de mars à septembre tous les jours de 10 h à 17 h, le reste de l'année du mercredi au dimanche de 10 h à 17 h. Fermé en cas de mauvais temps et principaux jours fériés. 8 $. Départ en minibus du carrefour de Main St. et Washington St.* ☎ *209-532-9693.* La **mine du trésor enfoui** pénètre le flanc d'une colline surplombant un canyon profond et pittoresque. Pendant les tours et détours du trajet vers la mine *(7 km),* les guides racontent l'histoire de Columbia, vue par un mineur. Tout le monde se coiffe d'un casque de protection avant de pénétrer dans ce tunnel profond de 243 m, où on peut apercevoir une ancienne veine de minerai aurifère.

**Sonora** – *6 km au Sud de Columbia.* Établi en 1848 par des mineurs de l'État mexicain de Sonora, ce séduisant centre commercial, chef-lieu du comté de Tuolumne, marie agréablement le charme du 19e s. au dynamisme du 20e s. La prospérité économique et la longévité de Sonora ont donné une variété de styles architecturaux qui égaient les rues sinueuses et pentues de la ville.
Installé dans l'ancienne prison du comté, le **Tuolumne County Museum and History Center**★ présente une belle collection de photographies historiques du 19e s., ainsi que des objets et pièces se rapportant aux industries de la mine et du bois, et aux différentes pistes empruntées par les émigrants à travers la sierra Nevada *(158 West Bradford Street, à trois pâtés de maisons à l'Ouest de Washington Street. Visite de 10 h (9 h lundi et mercredi) à 16 h. Fermé 1ᵉʳ janvier, Thanksgiving Day, 24, 25 et 31 décembre. Contribution demandée.* ♿ ☎ *209-532-1317).*

★**Jamestown** – *6 km au Sud de Sonora.* Fondée en 1848, cette séduisante ville arbore sur Main Street des bâtiments maquillés d'originales fausses façades et des trottoirs en planches. « Jimtown », comme on la surnomme affectueusement, est connue pour ses nombreux restaurants.

Rotonde

*Railtown 1897 State Historic Park* – [Enfants] *5th Avenue et Reservoir Avenue, juste à l'Est de Main Street. Visite de 9 h 30 à 16 h 30. Fermé Thanksgiving Day et 25 décembre. 2 $.* ♿ ℗. *D'avril à octobre, des excursions commentées en train à vapeur sont organisées le week-end de 11 h à 15 h (circuit de 45 mn). 6 $. www. csrmf.org* ☎ *209-984-1600.* Ce complexe d'ateliers et d'équipements servait de poste de maintenance pour l'historique voie de la Sierra. Fondé en 1897, il fonctionne toujours. Le train reliait les mines d'or de la « Mother Lode » aux centres d'approvisionnement et financiers à l'Est et à l'Ouest. Des visites guidées *(50 mn)* commencent au centre d'accueil situé dans l'ancien hangar de marchandises : elles permettent de découvrir dans le parc historique la rotonde★ des locomotives, toujours en fonctionnement, des ateliers mus par des courroies d'entraînement et quatre locomotives à vapeur du début du siècle. Une excellente vidéo *(17 mn)* présente l'histoire du Sierra Railway.

**Coulterville** – *40 km au Sud-Est de Jamestown.* Installée dans une vallée en pente douce entre de majestueuses collines, la minuscule Coulterville accueillit un millier d'immigrants chinois à la grande époque de la Ruée vers l'or. L'imposant **Hotel Jeffery** et quelques autres bâtiments du 19ᵉ s. ont survécu sur Main Street. Des expositions sur l'histoire locale sont organisées dans le **Northern Mariposa County History Center** *(10301 route 49. Visite du mercredi au dimanche de 10 h à 16 h. Fermé janvier et principaux jours fériés.* ℗ ☎ *209-878-3015).*

**Mariposa** – *53 km au Sud-Est de Coulterville.* Autrefois ville-champignon de la Ruée vers l'or, Mariposa (« papillon » en espagnol) comptait 5 000 habitants. C'est aujourd'hui le chef-lieu animé du comté. Construit en 1854, le beau palais de justice de style néo-grec *(Bullion Street, entre 9th et 10th Street)* passe pour être le plus ancien **palais de justice** de comté de l'Ouest des États-Unis toujours en activité.

★★ **California State Mining and Mineral Museum** – [Enfants] *3 km au Sud de la ville, sur le champ de foire du comté. Visite de mai à septembre du mercredi au lundi de 10 h à 18 h, le reste de l'année du mercredi au dimanche et les jours fériés de 10 h à 16 h. Fermé 25 décembre. 3,50 $.* ♿ ☎ *209-742-7625.* Abritant la **collection de minéraux** de l'État et ses quelque 20 000 spécimens, ce musée propose des expositions temporaires qui présentent à la fois des échantillons d'or et des minéraux, avec des merveilles ou des curiosités minéralogiques. Un prototype de *stamp mill* (marteau-pilon) de l'Union Iron Works, datant de 1904, fonctionne encore. C'est la pièce maîtresse de l'exposition sur les techniques d'extraction et l'histoire de la mine en Californie.

**Mariposa Museum and History Center** – *Sur le côté Ouest de la route 49, à la hauteur de 12th Street. Visite de 10 h à 16 h 30 (16 h de novembre à février). Fermé Thanksgiving Day, 25 décembre et en janvier. Contribution de 2 $ demandée.* ☎ *209-966-2924.* Ce petit musée contient une foule d'objets et de souvenirs décrivant la vie quotidienne à Mariposa vers 1850. Les extraits de lettres écrites par un jeune pionnier à sa famille en Nouvelle-Angleterre donnent à l'exposition son unité. Ce musée rend également hommage à l'œuvre de John C. Frémont *(voir index).*

# Inland Empire

Mission Inn, à Riverside/Robert Holmes /Robert Holmes Photography

Nichée à l'Est du bassin de Los Angeles, à l'Ouest de Palm Springs, calée entre le désert Mohave et les chaînes péninsulaires, cette région du Sud californien a su développer un cachet bien à elle.

Lassés d'être ignorés, alors que la Seconde Guerre mondiale avait apporté population et richesse à d'autres régions du Sud de la Californie, les comtés de San Bernardino et de Riverside choisirent le nom de Inland Empire pour promouvoir leur région. Mais relations publiques et promotion civique mises à part, ce nom allait comme un gant à ce royaume de l'agrume. Vers la fin du 19ᵉ s., oranges, citrons, pamplemousses et autres fruits avaient transformé ces terres semi-arides en paradis verdoyant. C'est à cette orientation agricole que Riverside, Redlands et San Bernardino doivent leurs magnifiques propriétés et… quelques milliardaires ! Pommes, vignes et production laitière ajoutèrent à la richesse de la région.

Aujourd'hui l'« Empire intérieur » est une des régions californiennes qui connaît la plus forte croissance. La population des deux comtés atteint les 3 millions de personnes. Les vergers d'agrumes sont de plus en plus sacrifiés pour laisser la place à des quartiers résidentiels ou d'activités. Consciente de cette évolution, la ville de Riverside décida de réserver définitivement une bande de terrain de 18 km sur Victoria Avenue à cette culture, dont l'histoire est évoquée au **California Citrus Historic Park** de Riverside, financé par l'État. Les vigoureux monts San Bernardino dominent le paysage jusqu'au Nord de la ville homonyme. Couverts de neige en hiver – le mont San Georgino culmine à 3 450 m –, ils recèlent de magnifiques lacs permettant la pratique d'activités sportives et de loisirs tout au long de l'année. Le plus connu est le **Big Bear Lake★** (lac du Grand Ours), un lac artificiel de 10 km de long dont les rives découpées mesurent 38 km. Ski en hiver, randonnée ou sports nautiques en été, telles sont les options offertes aux personnes voulant fuir le stress de Los Angeles. Sur 64 km, la route 18, dite **Rim of the World Drive★★** (promenade du limbe du monde), relie le lac à d'autres sites de la forêt de San Bernardino, dont le **lac Arrowhead**, bordé de résidences d'été.

La **vallée de Temecula**, à mi-chemin entre San Bernardino et San Diego, sur la bordure Sud de l'Inland Empire, s'est récemment transformée en région viticole. Les visiteurs les plus assidus viennent de San Diego, attirés non seulement par la vigne mais aussi par les boutiques d'antiquaires de Temecula, à l'Ouest des vignobles.

# REDLANDS

67 000 habitants

Carte Michelin n° 493 C 10

Office de tourisme ☎ 909-793-2546

Cette localité tire son nom – « Terres rouges » – de la couleur du sol de la région, coloré par l'oxyde de fer. Située au pied des monts San Bernardino à une centaine de kilomètres de Los Angeles, elle prospère, à l'instar de la ville voisine de **Riverside**, comme centre agricole et station de sports d'hiver. Les habitants, qui avaient fait fortune grâce au commerce florissant des oranges navel, ont construit de vastes et luxueuses demeures qu'on a surnommées **« villas marmelade »**. Plus de 300 d'entre elles existent encore aujourd'hui, tout comme un grand nombre de maisons de style victorien bien conservées. L'agriculture est toujours un pilier de l'économie locale, qui profite également des retombées économiques de l'université de Redlands.

## CURIOSITÉS *Une demi-journée*

**San Bernardino County Museum** – *2024 Orange Tree Lane ; prendre la sortie California St sur la I-10, puis continuer sur 1,5 km vers le Nord. Visite de 9 h à 17 h. Fermé le lundi et 1ᵉʳ janvier, Thanksgiving Day, 25 décembre. 4 $.* ⬥ 🅿 *www.co.san-bernardino.ca.us/museum* ☎ *909-307-2669.* Installé dans un grand bâtiment beige au milieu d'une orangeraie, ce musée se consacre à l'anthropologie locale, l'agriculture et l'héritage minier de la ville. La **salle d'Anthropologie** *(rez-de-chaussée)* présente les tribus d'Indiens qui peuplaient la Californie du Sud aux temps préhistoriques. On notera plus particulièrement les objets du pléistocène trouvés au lac Manix dans le désert Mohave, sur le site dit Calico Early Man, théâtre aujourd'hui de fouilles archéologiques. Dans la salle voisine sont exposés un chariot de Conestoga ou *prairie schooner* (goélette de la Prairie) et d'autres souvenirs de la Grande Migration vers l'Ouest, illustrant l'arrivée des colons anglophones dans la région. Le premier étage est consacré aux collections ornithologiques, dont la plus remarquable est celle de Wilson Hanna, regroupant quelque 30 000 œufs d'oiseaux du monde entier.

La musée organise des expositions temporaires dans la **salle de la Découverte** Enfants voisine, où sont également mises à la disposition des enfants des présentations scientifiques conçues à leur intention.

Juste derrière le musée, **Edwards Mansion** *(fermé au public)*, une remarquable demeure italianisante construite en 1890, mérite un détour pour sa riche décoration extérieure magnifiquement restaurée.

**Lincoln Memorial Shrine** – *125 W. Vine St. Visite du mardi au samedi de 13 h à 17 h. Fermé principaux jours fériés, sauf le jour de l'anniversaire de Lincoln.* ⬥ 🅿 ☎ *909-798-7632.* Seul monument commémoratif dédié au président Abraham Lincoln à l'Ouest du Mississippi, ce petit bâtiment octogonal contient la troisième collection d'objets ayant appartenu à Lincoln, après celles de Washington et de Sprinfield dans l'Illinois. On peut voir plusieurs manuscrits de la main de Lincoln, des armes de la guerre de Sécession, et un buste en marbre de « l'honnête Abe » signé George Barnard. Les murs extérieurs portent des citations extraites de discours de Lincoln, et les peintures murales intérieures présentent sous forme allégorique des événements ayant marqué la vie du 16ᵉ président des États-Unis.

★**Kimberly Crest House and Gardens** – *1325 Prospect Dr. Visite guidée (1 h 30) de la maison du jeudi au dimanche de 13 h à 16 h. Fermé en août et principaux jours fériés. 5 $.* ⬥ ☎ *909-792-2111.* Construite en 1897, cette élégante résidence ressemblant à un château français fut achetée en 1905 par J. Alfred Kimberly, fondateur de la société Kimberly-Clark, pour s'y retirer. À la mort d'Alfred et de son épouse, leur fille, Mary Shirk, hérita du domaine de 2,5 ha, dont elle promit de faire don à la communauté de Redlands à condition que celle-ci achète la propriété voisine, devenue aujourd'hui Prospect Park, pour la protéger du développement immobilier.

La maison est juchée sur une colline aux pentes douces aménagée dans le style néo-Renaissance italien, avec cascades, escaliers, balustrades et jardins en terrasses foisonnant de plus de 50 espèces de plantes. L'intérieur, luxueux, rénové entre 1905 et 1910 par Mme Kimberly, est une excellente illustration des tendances décoratives au début du siècle, réunissant de riches travaux de marqueterie, d'élégants revêtements muraux (damas rose, satin argenté peint), des vitraux et des lampes Tiffany. Les meubles sont d'origine.

# RIVERSIDE

255 000 habitants
Carte Michelin n° 493 B 10
Office de tourisme ☎ 909-787-7950

Implantée sur les berges de la rivière Santa Ana, à environ 90 km à l'Est de Los Angeles, cette ville tentaculaire se présente comme le berceau de la culture intensive des agrumes en Californie.

Jusqu'au milieu du 18ᵉ s., la région était peuplée par les Indiens cahuilla qui occupaient près de la rivière un village appelé Jurupa. Après l'indépendance du Mexique, les terres correspondant à l'actuel centre-ville furent rattachées au ranch Jurupa, un domaine de 13 000 ha attribué à don Juan Bandini. En 1870, plusieurs investisseurs de l'Est des États-Unis s'unirent dans le but d'acquérir une partie du *rancho*, sur laquelle ils bâtirent une ville de 2,5 km².

## UN PEU D'HISTOIRE

**Le berceau de la culture des oranges** – Riverside était déjà un centre agricole prospère en 1873, lorsque Eliza Tibbets, épouse de l'un des fondateurs de la ville, reçut deux plants d'orangers envoyés par un ami attaché au ministère fédéral de l'Agriculture. Les arbres, en provenance de Bahia au Brésil, s'épanouirent dans le sol fertile et le doux climat de Riverside. Leur abondante production de fruits sans pépins surpassa en qualité toutes les autres variétés d'oranges cultivées jusque-là dans la région. Dès 1895, la culture des oranges s'était implantée dans tout le Sud californien et les habitants de Riverside bénéficiaient du plus haut revenu par habitant des États-Unis. En 1907, l'université de Californie ouvrit à Riverside un centre de recherches sur les agrumes et, en 1954, une annexe de l'université s'établit ici sous le nom de **University of California, Riverside**. L'un des deux arbres qui avaient été envoyés à Eliza Tibbets, le **Parent Navel Orange Tree**, produit encore ; c'est aujourd'hui un symbole de la ville *(angle de Magnolia Ave. et Arlington St.)*.

**Une retraite hivernale** – Au début du 20ᵉ s., Riverside se forgea une réputation comme villégiature d'hiver pour les riches bourgeois de la côte Est des États-Unis ; d'élégantes maisons et de somptueux hôtels vinrent orner ses larges avenues bordées d'arbres. Les demeures du centre-ville adoptèrent le style architectural hispanisant alors à la mode dans le Sud de la Californie. Illustrent parfaitement cette tendance la **First Church of Christ Scientist** *(3606 Lemon St.)* et l'auditorium municipal de Riverside *(angle Lemon St et 7th St.)*, tous deux dans le style néo-Mission, la **First Congregational Church** *(3755 Lemon St.)*, de style Renaissance espagnol, et le **Fox Theatre** *(3801 7th St.)* de style néocolonial espagnol.

Ces dernières années, le centre de Riverside a bénéficié d'un projet de rénovation de grande envergure, dont la restauration de Mission Inn est un bon exemple. Quatre pâtés de maisons de Main Street ont été reconvertis en zone piétonnière avec magasins de détail, bancs publics, fontaines et œuvres d'art en plein air. Au Sud de la zone piétonne se dresse le **tribunal du comté** (Riverside County Courthouse – *1904, Franklin Pierce Burnham*), inspiré du Palais des Beaux-Arts de l'exposition universelle de 1900 à Paris. Le **musée municipal** *(3580 Mission Inn Ave. Visite de 9 h (10 h le samedi, 11 h le dimanche) à 17 h (13 h le lundi). Fermé les principaux jours fériés. ᪥ www.ci.riverside.ca.us/museum ☎ 909-782-5273)*, aménagé dans l'ancien bureau de poste de style néo-Renaissance italien (1912), retrace l'histoire de la région au moyen d'objets illustrant les périodes amérindienne, agricole et industrielle de Riverside.

## CURIOSITÉS *Une demi-journée*

★★ **Mission Inn** – *3649 7th St. Visite du musée de 9 h 30 à 16 h. Fermé dimanche de Pâques, Fête des Mères, Thanksgiving Day et 25 décembre. Visite guidée de l'hôtel (1 h 15) en semaine à 10 h, 10 h 30, 13 h 30 et 14 h, le week-end de 10 h à 11 h 30 et de 13 h à 15 h. 8 $. ᪥ ᪥ 🅿 ☎ 909-788-9556.* Monument le plus célèbre de Riverside, ce mélange éclectique d'art et d'architecture trône comme un palais espagnol au milieu de l'animation du centre-ville.

L'hôtel fut fondé en 1876 par Christopher Columbus Miller, ingénieur local qui fit construire une maison en adobe de deux étages pour y loger les siens et ouvrir une auberge. Son fils, Frank Augustus Miller, se porta acquéreur de la maison en 1880. En 1902, avec l'appui financier du roi des chemins de fer Henry E. Huntington *(voir index)*, Miller entreprit d'agrandir l'hôtel en y ajoutant une série de nouvelles ailes. Il en résulta un complexe de 240 chambres, pastiche de différents styles architecturaux, oriental, Mission et néo-Renaissance espagnol pour n'en citer que quelques-uns. La réputation grandissante de Mission Inn attira des personnalités américaines et étrangères aussi célèbres que Theodore Roosevelt et Andrew Carnegie.

L'hôtel a été racheté en 1985 par des investisseurs privés, qui ont décidé de le fermer pour le rénover de fond en comble et le mettre aux normes antisismiques. Il a rouvert ses portes en 1993, entièrement restauré.

**Visite** – L'aile Mission en forme de U (1902) a été dessinée par Arthur B. Benton, fervent adepte du style néo-Mission ; elle entoure une cour verdoyante appelée « cour aux oiseaux », qui abritait autrefois des perroquets et des aras. L'aile dite du cloître (1910) est dotée de catacombes *(fermées aujourd'hui)* et de façades s'inspirant des missions de Carmel et San Gabriel Arcángel. L'aile internationale de la Rotonde (1931, G. Stanley Wilson) abrite des bureaux, des magasins ainsi que la **chapelle St.-Francis★**, construite pour mettre en valeur les trésors acquis par Miller : un autel mexicain du 18e s. incrusté de feuilles d'or et sept vitraux Tiffany.

Les objets et photographies exposés au **Mission Inn Museum** *(angle de 7th St. et Main St)* évoquent l'histoire de l'hôtel et son influence sur l'essor de Riverside. Sont également exposés des œuvres d'art et des souvenirs appartenant aux collections de la famille Miller, parmi lesquels des tableaux des missions californiennes signés Henry Chapman Ford, et des objets d'art décoratif d'Asie et d'Europe.

**Riverside Art Museum** – *3425 Mission Inn Ave. Visite de 10 h à 16 h. Fermé le dimanche. 2 $.* ☎ *909-684-7111.* C'est Julia Morgan, l'architecte du château Hearst, qui conçut ce bâtiment en 1929 pour l'association des jeunes femmes chrétiennes (Young Women's Christian Association). Le musée accueille de nombreuses expositions temporaires qui suppléent la minceur de ses fonds propres.

**UCR/California Museum of Photography** – *3824 Main St., dans la zone piétonne. Visite du mercredi au samedi de 11 h à 17 h, le dimanche de 12 h à 17 h. Fermé 1er janvier, Thanksgiving Day et 25 décembre. 2 $.* ♿ *www.cmp.ucr.edu* ☎ *909-784-3686.* Inauguré en 1973, ce musée d'art et de technique photographiques occupe un ancien grand magasin populaire (1929).

Sa principale richesse est sans conteste la collection Keystone-Mast, 350 000 négatifs de stéréogrammes (images en deux dimensions qui donnent un effet de relief), datés de 1870 à 1940, qui serait la plus riche de cette forme ancienne de photographie. Des exemples de la collection sont proposés au public. Les expositions temporaires de photographies contemporaines et historiques sont complétées par des objets puisés dans la collection permanente, qui retracent le développement artistique et technique de la photographie, de son invention en 1837 jusqu'à nos jours. Les enfants seront particulièrement intéressés par la galerie interactive *(étage supérieur)*, où des stands invitant à des manipulations expliquent les couleurs, la lumière, la perception et autres phénomènes optiques.

**UC Riverside Botanic Garden** – *Sur le campus de l'université. Depuis le centreville, prendre University Ave. vers l'Est jusqu'à l'entrée du campus, suivre ensuite les panneaux indiquant le jardin. Visite de 8 h à 17 h. Fermé 1er janvier, 4 juillet, Thanksgiving Day et 25 décembre.* 🅿 ☎ *909-787-3706. Brochures pour la visite libre disponibles au portail d'entrée du jardin.* Une promenade à travers ce merveilleux jardin botanique niché dans deux canyons peu profonds à l'Est du campus sera couronnée par les vues sur les monts San Gabriel et San Bernardino en arrièreplan. Les collections rassemblent des espèces indigènes de la Californie, d'Australie et d'Afrique du Sud. Une construction arrondie en treillis abrite des plantes rares.

**★Heritage House** – *8193 Magnolia St. Depuis le centre-ville, prendre Market St. vers le Sud, puis Magnolia St. dans le prolongement. Visite guidée uniquement (45 mn) chaque dimanche de 12 h à 15 h 30, ainsi que les jeudis et vendredis de 12 h à 15 h de septembre à juin. Fermé les principaux jours fériés. Contribution demandée.* 🅿 *www.ci.riverside.us/museum* ☎ *909-689-1333.* Cette résidence victorienne magnifiquement conservée (1891, John Walls) présente un travail de décoration exceptionnel, caractéristique des riches demeures bordant Magnolia Avenue à la fin du 19e s. L'ensemble fut commandé par Catherine Bettner, qui, peu après son veuvage, voulait y recevoir et y séduire ses visiteurs. La décoration sophistiquée reprend les nombreux éléments traditionnels du style Queen Anne, y ajoutant des ornements extérieurs d'influence mauresque, palladienne ou chinoise. Pendant la construction, on installa une scierie dans le hangar à voitures voisin, pour le bois des lambris de chêne sculptés, des encadrements de cheminée et des montants de porte hauts de 2,7 m. Certaines pièces d'ameublement sont d'origine, toutes remontent à l'époque victorienne. L'intérieur comporte également de nombreux exemples du « hobby art » de cette période, simples travaux d'artisanat bon marché, par exemple des cadres de photos faits main.

# EXCURSIONS

**March Field Museum**, sur la **base aérienne de March** – *18 km à l'Est du centre-ville, par la I-215, que l'on quitte à la sortie Van Buren. Visite de 10 h à 16 h. Fermé 1er janvier, dimanche de Pâques, Thanksgiving Day et 25 décembre. Contribution de 5 $ demandée.* ♿ 🅿 ☎ *0909-697-6600.* Ce musée de 18 ha, inauguré en 1993, se trouve sur le site d'une ancienne école d'aviation devenue ultérieurement base de l'US Air Force. Dans un hangar se trouvent des dioramas et des vitrines de photos, des uniformes et des armes utilisés par les pilotes de l'armée de l'Air pendant la Première et la Seconde Guerre mondiale ainsi que les guerres du Vietnam, de Corée et du Golfe. À l'extérieur sont exposés 43 avions restaurés.

**Orange Empire Railway Museum**, à **Perris** – Enfants *2201 South A St. 32 km au Sud de Riverside par la I-215. Visite de 9 h à 17 h. Fermé Thanksgiving Day et 25 décembre. Week-end et jours fériés, possibilité de promenades en train et tramway (de 11 h à 17 h – 7 $).* ▯ *www.oerm.mus.ca.us* ☎ *909-657-2605.* Situé dans l'ancien dépôt de Pinacate, ce musée d'histoire ferroviaire a été créé au milieu des années 1950 afin de conserver les témoignages d'une époque où les trains à vapeur, diesel ou électriques étaient encore un mode de transport essentiel. Les plus anciennes des 200 machines remontent à 1870-1875. On notera particulièrement les « Big Red Cars » de la Pacific Electric Railway de Los Angeles. On voit aussi un wagon postal de la Santa Fe Railway datant de 1924, le dernier centre de tri postal roulant du service postal fédéral. Parmi les acquisitions récentes figure le « Grizzly Flats Railroad », chemin de fer construit dans les années 1950 par Ward Kimball, animateur des studios Disney. Bien d'autres véhicules sont en cours de restauration par des bénévoles.

**Planes of Fame Air Museum**, sur l'**aérodrome de Chino** – Enfants *7000 Merrill Ave. 24 km à l'Ouest de Riverside par la route 60 ; sortir à Euclid Rd (route 83), poursuivre vers le Sud sur 5,5 km, tourner à gauche dans Merrill Ave. et continuer sur 1,5 km jusqu'à l'aérodrome. Visite de 9 h à 17 h. Fermé Thanksgiving Day et 25 décembre. 8,95 $.* ⵕ ▯ *www.planesoffame.org* ☎ *909-597-3722.* Les passionnés d'aviation seront comblés par la mise à l'honneur de l'histoire aérienne proposée dans ce musée aéronautique. Présentée sur l'ancien site de l'académie Cal Aero, un camp d'entraînement de pilotes pendant la Seconde Guerre mondiale, la collection rassemble plus de cent appareils anciens restaurés, dont une trentaine en état de voler. Les plus récentes acquisitions sont encore en cours de réfection. À l'extérieur du musée, les visiteurs sont invités à monter à l'intérieur d'une forteresse volante B-17, qui a servi dans les années 1960 au tournage de la série télévisée *Twelve O'Clock High*. Le hangar n° 2 présente la plus grande collection connue d'avions de guerre japonais, avec l'unique Zéro de Mitsubishi encore en mesure de voler. À côté, le musée des avions de chasse expose notamment un Messerschmidt-262 « Schwalbe », le premier avion de combat à réaction, mis au point par l'Allemagne pendant la Seconde Guerre mondiale.

# Los Angeles Area

Los Angeles centre/David R. Frazier

Immense conurbation inondée de soleil, Los Angeles se déploie sur une vaste plaine côtière dominée en arrière-plan par de hautes montagnes. Mégalopole constituant la plus grande zone urbaine des États-Unis, sa situation géographique enviable et son climat agréable, son rôle comme centre de divertissement et sa remarquable diversité ethnique et culturelle, s'ils plongent le visiteur dans un tourbillon de visions et de sensations parfois ahurissant, génèrent une ambiance décontractée.

Le Grand Los Angeles s'étend à l'intérieur du bassin de Los Angeles, plaine adossée à des montagnes et s'inclinant au Sud et à l'Ouest vers l'océan Pacifique. Au Nord-Ouest du bassin, les modestes monts Santa Monica émergent à Oxnard, à 110 km de Los Angeles, et viennent constituer les hauteurs de Beverly Hills, d'Hollywood et de Griffith Park. Les monts San Gabriel, au Nord, s'incurvent vers les monts San Bernardino à l'Est ; au Sud-Est, les monts Santa Ana ferment la barrière montagneuse.

L'instabilité géologique de la région se manifeste souvent par des **tremblements de terre**. Le bassin de Los Angeles a été formé, il y a plus de un million d'années, de couches successives poussées vers le haut par l'activité volcanique au fond de l'océan Pacifique. Les montagnes forment une barrière naturelle qui arrête le **brouillard** *(smog)*, chargé de fumées et de nuages chimiques (notamment de gaz d'échappement automobile). Ces dernières années, la réglementation locale et fédérale a réussi à réduire la pollution, mais le *smog* de Los Angeles peut encore être pénible, surtout pendant les chaudes journées d'été. Les temps modernes n'ont pourtant pas le monopole de ce phénomène. L'explorateur espagnol Juan Rodríguez Cabrillo, faisant voile au large de Los Angeles en 1542, fut impressionné par la fumée sombre des feux de camp indigènes stagnant au-dessus de la plaine, et surnomma l'endroit « la baie aux fumées ». La région était habitée par les Indiens gabrieleños, dont près de 5 000 occupaient un territoire s'étendant approximativement de l'actuel comté d'Orange à Malibu, lorsque le 2 août 1769 une expédition espagnole dirigée par Gaspar de Portolá arriva à Yang-Na, un village qui se trouvait près du site actuel de l'hôtel de ville. Le jubilé de Notre-Dame-des-Anges de Porciúncula ayant eu lieu la veille, la rivière fut baptisée Porciúncula en son honneur.

La ville de Los Angeles occupe plus de 1 200 km², mais le comté est presque dix fois plus grand et la mégalopole s'étire au-delà des frontières du comté, sur près de 88 000 km². Ville et comté, que l'on différencie mal, sont tous deux régis depuis l'hôtel de ville de Los Angeles. À la tête de la ville siègent un maire et un conseil municipal, à la tête du comté, un conseil général. Le comté comprend quelque 80 communes, dont beaucoup enclavées dans la ville même. Celle-ci compte aujourd'hui plus de 3,5 millions d'habitants, le comté 9,4 et la mégalopole plus de 13,5 millions.

# CATALINA Island★

Île de CATALINA
Carte Michelin n° 493 B 11

Surgissant à une quarantaine de kilomètres au large des côtes de Californie au Sud de Los Angeles, cette île montagneuse est un lieu d'évasion très apprécié des Californiens du Sud. Ils sont attirés par le charmant petit port d'Avalon, les paysages vierges de l'intérieur et les plaisirs de la pêche et de la plaisance au long de ses 90 km de côtes.

## UN PEU D'HISTOIRE

**Un avant-poste isolé** – Visitée en 1542 par l'explorateur portugais Juan Rodríguez Cabrillo, l'île fut déclarée espagnole le 24 novembre 1602 par Sebastián Vizcaíno, qui la baptisa Santa Catalina pour honorer sainte Catherine dont la fête se célébrait le lendemain. La population indienne de l'île, 2 000 Gabrieleños pacifiques, diminua considérablement en raison des épidémies et des déplacements imposés par les prêtres de la mission. En 1832 déjà, il ne restait pratiquement plus d'Indiens.

Au 19ᵉ s., l'intérêt des Européens et des Américains pour cette île isolée s'accrut. En 1887, elle fut vendue pour 200 000 dollars à l'entrepreneur George Shatto, qui implanta un village balnéaire sur un site baptisé par sa sœur Avalon. En 1919, l'île (aujourd'hui simplement appelée Catalina) fut achetée pour 3 millions de dollars par William Wrigley Jr., magnat du chewing-gum de Chicago. De 1921 à 1951, elle servit de base d'entraînement pour l'équipe de base-ball des Chicago Cubs, qui appartenait à Wrigley.

Pour le tournage sur l'île d'un film de Cecil B. De Mille, *The Vanishing American* (1924), on utilisa 24 bisons qui, rendus à l'état sauvage, se sont multipliés pour former aujourd'hui un troupeau de 300 têtes. Zane Grey, romancier de l'Ouest, s'installa sur la colline d'Avalon où il fit construire une maison en adobe, aujourd'hui transformée en hôtel. Bâtie dans les collines du Sud-Est à une centaine de mètres au-dessus de la baie d'Avalon et dominant la ville, la majestueuse demeure (1921) de W. Wrigley est devenue une auberge de campagne. La plus grande partie des 200 km² a gardé son aspect d'origine. En 1975, la famille Wrigley fit don de 86 % de l'île (17 000 ha) au Centre de conservation de Catalina, qui a pour vocation d'en sauvegarder et d'en faire respecter la beauté naturelle.

## CURIOSITÉS *Une journée*

**Avalon** – Accrochée aux collines qui dominent la baie, la seule ville de Catalina rassemble maisons et bungalows aux couleurs pastel, hôtels, restaurants et boutiques de souvenirs. La circulation automobile étant réglementée sur l'île, les rues d'Avalon sont bondées de piétons et de voiturettes de golf. Depuis **Pleasure Pier**, des bateaux à fond transparent emmènent les visiteurs admirer la vie sous-marine le long de la côte ; d'autres excursions permettent d'approcher les colonies d'otaries et de suivre les bancs de poissons volants. En prenant le bus dans le centre-ville, on peut découvrir l'intérieur sauvage de l'île, se rendre à l'aéroport et visiter le ranch de chevaux arabes de la famille Wrigley *(Tour Plaza, entre Catalina et Sumner Avenues, en face de Third Street).*

★★**Casino** – *1 Casino Way. Visites guidées uniquement (50 mn) tous les après-midi. Réservation obligatoire. 9 $ (entrée au musée comprise).* ♿ 🅿 ☎ *510-2500.* Point de mire d'Avalon, un remarquable bâtiment Art déco circulaire (1928-1929) de 42 m de haut, décoré de fioritures espagnoles et mauresques, domine la ville depuis l'extrémité Nord-Ouest de la baie. Construit à l'intention des touristes par William Wrigley Jr., ce casino connut son âge d'or durant la période 1930-1940. Les passionnés de danse se retrouvaient dans la très élégante salle de bal au son de big-bands légendaires, dirigés par des artistes tels que Benny Goodman, Kay Kyser et Freddy Martin. La musique du casino était diffusée en direct par la radio dans tous les États-Unis.

La visite commence près de la billetterie ornée de peintures murales Art déco de John Gabriel Beckman, très inspiré par le monde sous-marin. D'autres peintures murales de Beckman représentant l'histoire et les paysages du Sud de la Californie recouvrent les murs du cinéma d'Avalon, où l'on projette des films en avant-première. Le théâtre s'enorgueillit de son plafond ovale recouvert de quelque 60 000 carrés de feuilles d'argent, ainsi que de ses grandes orgues. La **salle de bal**, richement décorée, attire toujours les danseurs. Elle possède la plus grande piste circulaire du monde, une surface surélevée de 930 m² plaquée d'érable, de chêne blanc et de bois de rose. Face à la baie, le niveau inférieur du casino abrite un petit **musée** retraçant l'histoire, l'histoire naturelle et l'archéologie de Catalina *(visite de 10 h à 16 h ; fermé le jeudi de janvier à mars ; 1,50 $ ;* ♿ ☎ *510-2414).*

# RENSEIGNEMENTS PRATIQUES

Indicatif local : 310

**Pour y accéder** – Des bacs pour passagers assurent la liaison avec l'île tous les jours de l'année *(traversée 45 mn à 2 h, 34 $ en moyenne aller-retour, réservation nécessaire, transport de bicyclette possible sur réservation)*. Départs de San Pedro *(32 km de Los Angeles : prendre I-110 vers le Sud jusqu'à la sortie Terminal Island/Long Beach, puis suivre Harbor Blvd)*, de Long Beach *(34 km de Los Angeles ; I-5 vers l'Est, puis I-110 vers le Sud)* et de Newport Beach. Les services sont assurés par **Catalina Express** *(☎ 519-1212 ou 800-805-9201)* au départ de San Pedro et de Long Beach et **Catalina Cruises** *(www.catalinacruises.com ☎ 436-5006 ou 800-228-2546)* depuis Long Beach. La liaison entre Newport Beach *(72 km de Los Angeles ; prendre vers l'Est la I-5, puis la route 55 vers le Sud, enfin Newport Blvd. jusqu'à Balboa Blvd direction Est ; suivre les panneaux jusqu'à Balboa Pavilion)* et Avalon est assurée par **Catalina Passenger Service** *(départ de Newport Beach à 9 h, d'Avalon à 16 h30 ; www.catalinainfo.com ☎ 949-673-5245 ou 800-830-7744, de Californie uniquement)*. **Island Express** propose des passages en hélicoptère tous les jours de l'année à partir des ports de Long Beach et de San Pedro *(121 $ aller-retour, réservation obligatoire ; ☎ 510-2525)*.

**Pour s'y promener** – Il n'y a pas de voitures de location sur l'île. Un service de navette **Catalina Safari Bus** relie quotidiennement Avalon et Two Harbors *(29 $ aller-retour, réservation obligatoire ; ☎ 510-0303 ou 800-785-8425)*. Un service supplémentaire *(45 mn)* est assuré entre les deux mêmes localités de juin à septembre par **Catalina Express Coastal Shuttle** *(☎ 519-1212)*. Il y a aussi un service de taxi *(Catalina Cab Company – ☎ 510-0025)* et de bateau-taxi *(Avalon Shoreboat – ☎ 510-0409)*. Location de voiturettes de golf *(30 $/h, Island Rentals – ☎ 510-1456)* ; location de bicyclettes *(5 à 9 $/h, prix à la journée possible ; Brown's Bikes – ☎ 510-0986)*. Un permis *(50 $ par personne ou 75 $ par famille, valide un an)* délivré par le **Santa Catalina Island Conservancy** *(125 Claressa, Avalon CA 90704 ☎ 510-2595)* est obligatoire pour circuler à vélo hors d'Avalon ; on peut le retirer auprès du Conservancy, Catalina Airport *(☎ 510-0143)* ou auprès du Two Harbors Visitors Service *(voir ci-dessous)*.

**Office de tourisme** – Le **Catalina Island Visitors Bureau & Chamber of Commerce** *(1 Green Pleasure Pier, PO Box 217, Avalon CA 90704 ☎ 510-1520)* a un centre d'accueil garni de dépliants, cartes et renseignements sur les visites. Le **Two Harbors Visitor Services** *(PO Box 5044-I, Two Harbors CA 90704 ☎ 510-2800)*, situé juste à côté de l'embarcadère principal, fournit des renseignements sur Two Harbors, l'hébergement, les campings, et les transports tant sur l'île que pour y accéder. On peut obtenir autorisations de randonnée et cartes des sentiers au **Santa Catalina Island Interpretive Center** *(Avalon Canyon Road, ☎ 510-2514)*, au Catalina Island Conservancy *(voir plus haut)*, à l'aéroport *(☎ 510-0143)* et au Two Harbors Visitor Services. Les renseignements sur la navigation de plaisance sont fournis par les **services du port** *(Avalon Harbor Dept., PO Box 1085, Avalon CA 90704 ☎ 510-0535)*.

**Hébergement** – Il est fortement recommandé de réserver, surtout l'été. Il y a plusieurs formules d'hébergement : hôtels modestes, bed & breakfast, cottages et bungalows de plage. Se procurer l'annuaire des locations *(gratuit)* auprès de la Chambre de commerce *(voir plus haut)*, qui fournit aussi la liste des agences de location de cottages et de bungalows de plage. Contacter **Catalina Island Accommodations** *(☎ 510-3000)* pour les réservations d'hôtels et d'appartements. Pour le camping, se munir d'un permis et réserver en contactant ☎ 510-2800.

**Excursions** – Des excursions en mer et sur terre sont proposées dans l'île à des tarifs de 8,50 $ à plus de 40 $. **Santa Catalina Island Company's Discovery Tours** *(PO Box 737, Avalon CA 90704 ☎ 510-2500 ou 800-626-1496)* organise des visites, dont le Casino Tour, un circuit en mer pour découvrir les poissons volants, des promenades en bateau à fond transparent ou en « semi-sous-marin » pour admirer les fonds. **Catalina Adventure Tours Inc.** *(PO Box 797, Avalon CA 90704 ☎ 510-2888)* propose la découverte en autocar d'Avalon et de l'intérieur, ainsi que des promenades en bateau à fond transparent et des circuits combinés. On peut également se procurer les billets auprès du Visitors Center d'Avalon.

**Catalina Island Expeditions** *(PO Box 386, Avalon, CA 90704 ; renseignements et réservation : ☎ 510-1226)* propose des activités telles que visites guidées en kayak *(15 à 72 $)*, randonnées kayak + camping *(1 à 3 nuits ; 195 à 295 $ par personne)* ainsi qu'un service de location de kayak. **Island Kayak Adventures/Wet Spot Rentals** *(120 Pebbly Beach Road, ☎ 510-2229)* propose également des visites en kayak et des sorties camping ainsi que des locations de pédalos. **Plongée** : Catalina Divers Supply *(PO Box 126, Avalon, CA 90704, ☎ 510-0330 ou 800-353-0330)* propose des plongées et loue du matériel. Catalina Scuba Luv *(126 Catalina Ave, PO Box 2009, Avalon, CA 90704, ☎ 510-7270 ou 800-262-3483)* est un magasin de matériel de plongée qui propose également des cours de plongées, des excursions et des formules « plongée et tourisme » comprenant le transport depuis San Pedro ou Long Beach.

**Casino Point Marine Park** – *Au large du casino. Ouvert tous les jours.* ▯ *www.cata-lina.com/eds* ☎ *510-0330*. Créée en 1965, cette réserve marine fut le premier parc sous-marin financé par une ville en Californie. C'est le seul endroit au large d'Avalon où la plongée sous-marine soit autorisée. Quelques épaves, des récifs artificiels mais surtout une abondante faune attirée par ces eaux protégées font le bonheur de beaucoup de plongeurs !

**Wrigley Memorial and Botanical Garden** – *1400 Avalon Canyon Road. Visite de 8 h à 17 h. 3 $.* ⛊ ▯ ☎ *510-2288*. Au fond du canyon d'Avalon, à 2 km environ de la baie, on découvre dans le **jardin botanique** d'une quinzaine d'hectares la végétation indigène de Catalina, ainsi que des cactus et d'autres plantes grasses. Un **mémorial** de style espagnol s'élève sur 40 m. Construit en 1934 en béton armé fait de pierres de l'île broyées sur place, ce monument honore William Wrigley Jr. Des marches mènent à une plate-forme, sous la tour de 25 m, d'où l'on a de belles **vues** d'Avalon. À 400 m en contrebas du jardin, le **Santa Catalina Interpretive Center** (*Avalon Canyon Rd.,* ☎ *510-2514*) propose à travers dix salles à thème des expositions sur la faune, la flore, l'écologie marine et l'histoire des Indiens de l'île.

# LONG BEACH★

422 000 habitants
Carte Michelin n° 493 B 10
Office de tourisme ☎ 562-436-3645

La ville de Long Beach, qui couvre les abords de la baie de San Pedro à environ 50 km de Los Angeles, est un important maillon de la chaîne urbaine côtière reliant Los Angeles à San Diego. La ville possède un port important. De grands secteurs d'activités, transport, industrie lourde, alternent avec de charmantes artères résidentielles et une côte et des plages joliment aménagés.

## UN PEU D'HISTOIRE

Avant la conquête espagnole, la région était habitée par les Indiens gabrieleño ; après l'indépendance mexicaine, elle fut rattachée aux ranches de Los Cerritos et de Los Alamitos. Une ville se développa en bord de mer parallèlement à l'expansion des ranchs d'élevage de la région. À l'époque où le commerce des peaux et du suif battait son plein, son vaste port naturel était le premier lieu d'embarquement de grandes quantités de marchandises pour la Nouvelle-Angleterre. En 1906, le chemin de fer de la Pacific Electric Railway relia Long Beach à Los Angeles. Cela permit aux visiteurs de toute la région de venir, l'espace d'une journée ou d'une saison, profiter du Pike, parc d'attraction situé au bord de mer et offrant, sur plusieurs jetées, des établissements balnéaires, des manèges et autres amusements.
L'agglomération connut un nouvel élan en 1921 avec la découverte de gisements pétroliers non loin de là, à Signal Hill. Pendant la Seconde Guerre mondiale, un port militaire et des chantiers navals furent aménagés à Terminal Island, un îlot artificiel créé à l'embouchure du port de Los Angeles par le dragage des fonds de la baie. Aujourd'hui, le **port de Long Beach**, avec une superficie de près de 1 140 ha, est le pivot de l'économie de la ville. C'est le premier port de la côte Pacifique américaine en termes de tonnage. Avec le port voisin de Worldport, il constitue le centre de tranport maritime le plus grand et le plus actif des États-Unis.

## CURIOSITÉS *Une demi-journée*

★★★**Queen Mary** – ▱▱▱ *1126 Queens Hwy*. Dominant le port de Long Beach à l'embouchure de la Los Angeles River, ce célèbre paquebot est amarré ici en permanence depuis son désarmement en 1967 après 31 ans de service. Construit entre 1930 et 1934 par les chantiers navals de la Clyde à Glasgow, le *Queen Mary* fit son voyage inaugural en mai 1936.
Converti en transport de troupes pendant la Seconde Guerre mondiale, il convoya plus de 750 000 soldats, parcourant au total près de 885 000 km. Couvert de peinture de camouflage grise, voguant en zigzag à travers l'océan, le navire reçut le surnom de « Gray Ghost » (le fantôme gris). Il reprit son affectation civile en juillet 1947.
L'énorme bâtiment de 80 000 tonnes mesure 310 m de long. Réputé comme le plus grand et le plus luxueux transatlantique du monde après la disparition du *Normandie*, le *Queen Mary* attira à son bord des célébrités et des membres de la haute société comme Greta Garbo, Fred Astaire, Clark Gable, Elizabeth Taylor, Bob Hope, Beatrice Lillie, le duc et la duchesse de Windsor. Mais dans les années 1950, la baisse des prix du transport aérien mit fin à l'ère des grands paquebots et le *Queen Mary* accomplit sa 1 001ᵉ et dernière traversée le 19 septembre 1967. Vendu à la commune de Long Beach pour 3,5 millions de dollars, il est aujourd'hui le point de mire du Queen Mary Seaport et l'attraction la plus populaire de Long Beach.

**Visite** – *De 10 h à 18 h (prolongation en été). 15 $.* ✘ ☎ *562-435-3511.* À bord du paquebot, les visiteurs peuvent parcourir le pont, les quartiers des officiers et les différents centres opérationnels, visiter les suites et salles à manger réservées aux passagers, voir la salle des machines avec les énormes engrenages des réducteurs de vitesse, et enfin admirer une exposition de modèles réduits de navires. Des visites guidées donnent accès aux cabines luxueusement meublées du bateau et, selon le guide, de savourer quelques bonnes histoires de… fantômes ! À chaque détour, des vitrines et des photographies illustrent la vie à bord du *Queen Mary* et notamment celle de ses passagers les plus célèbres. Le paquebot est équipé de restaurants, buvettes et magasins de souvenirs. Un hôtel occupe aujourd'hui trois des douze ponts.

★**Sous-marin « Scorpion »** – Enfants *1126 Queens Hwy. Visite de 10 h à 18 h (19 h le samedi de mi-juin à Labor Day). 10 $.* ☎ *562-435-3511.* Le *Scorpion* est un sous-marin soviétique – modèle Foxtrot, plus connu sous le nom de Povodnaya Lodka B427 – de 3 000 tonnes datant de 1972. Il a été mis hors service en 1994 et mouille aujourd'hui juste à côté du *Queen Mary.* Les salles de torpilles avant et arrière, les quartiers des officiers et de l'équipage, la salle du sonar, la salle de contrôle, la cambuse et la salle des machines sont ouverts au public. Au cours de la visite sont projetées des vidéos sur le bâtiment et sur l'histoire, le mystère et les traditions des sous-marins vus au travers des témoignages de marins soviétiques et américains de l'époque de la guerre froide. *Il est vivement recommandé de porter des chaussures plates.*

★★**Long Beach Aquarium of the Pacific** (**A**) – Enfants *100 Aquarium Way (sur Shoreline Dr. au Sud d'Ocean Boulevard). Visite de 10 h à 18 h. Fermé 25 décembre. 14,95 $.* ✘ ♿ 🅿 *(7 $) www.aquariumofpacific.org* ☎ *562-590-3100.* Inauguré en 1998, cet aquarium en forme de vague est l'un des plus complets de Californie. Ainsi que son nom le laisse supposer, il se consacre uniquement à l'océan Pacifique, observé ici à travers trois zones : les eaux glaciales du Pacifique Nord, les eaux tempérées des côtes californiennes et mexicaines, et les îles et lagons du Pacifique tropical. 17 grands habitats, reconstitués à l'intérieur et à l'extérieur, et 30 expositions de moindre importance présentent plus de 550 espèces de poissons, oiseaux, mamifères marins, tortues et petites créatures de l'océan Pacifique.

Habitat de la forêt de varech

Elizabeth Annas/Aquarium of the Pacific

**Great Hall of the Pacific** – Du plafond de ce hall d'accueil pend la reproduction grandeur nature d'une baleine bleue, le plus grand mammifère du monde. Trois présentations donnent un aperçu de ce que l'on trouvera dans les différentes salles.

**Southern California & Baja** – Phoques et otaries sont les vedettes de cette section consacrée à la vie marine de la région. À ne pas manquer ici : les forêts de varech, les tortues de mer et, au deuxième niveau, un aquarium destiné aux enfants appelé « Please touch » (« Prière de toucher ! »).

**Northern Pacific** – Loutres de mer, pieuvres géantes, étoiles de mer et d'autres créatures des régions arctiques sont présentées ici. On peut également observer des macareux et autres oiseaux de ces latitudes, installés dans un décor simulant leur habitat naturel.

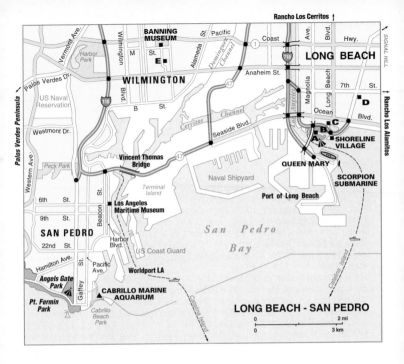

**Tropical Pacific** – Des lampes à rayons ultraviolets renforcent l'atmosphère tropicale des lagons et récifs coralliens grouillant de poissons multicolores. Quatre vitrines recrèent le « Blue Corner », paradis de la plongée sous-marine. Une fois par jour des plongeurs du musée, équipés de micros spéciaux répondent aux questions des visiteurs et font découvrir quelques discrets habitants des coraux. L'aquarium cultive ses propres coraux en laboratoire avec pour objectif de remplacer à terme tous les artificiels.

★★**Shoreline Park** (**B**) – *Shoreline Drive au Sud d'Ocean Blvd.* Ce joli parc en bord de mer est destiné à relier harmonieusement entre eux les éléments disparates du littoral de Long Beach. De ses buttes verdoyantes et de ses agréables sentiers on a un **panorama**★ splendide, qui embrasse le *Queen Mary* et toute la Queensway Bay, où la Los Angeles River se jette dans le Pacifique. Au Nord s'élèvent les tours de bureaux du centre-ville, derrière l'imposant **Centre de congrès et de spectacles** (Convention and Entertainment Center – **C**). Le mur extérieur de la cour circulaire au milieu du centre présente une fresque monumentale de 1 080 m², appelée *Whaling Wall XXXIII : Planet Ocean* ; réalisée en 1992 par l'artiste californien Wyland, c'est l'une des plus grandes peintures murales du monde.

Aux confins Est du parc s'étire **Shoreline Village**★, reconstitution d'un village de pêcheurs, avec ses boutiques, ses restaurants, ses artères piétonnières. C'est là qu'est installé un merveilleux **manège**★ ancien Enfants conçu par Charles I.D. Looff en 1906, où l'on peut chevaucher 62 chameaux, girafes, chevaux, et béliers aux belles cornes. À l'heure actuelle, des travaux de réaménagement sont en cours sur 120 ha le long de Queensway. La première phase comprenait la réalisation de l'Aquarium du Pacifique et la construction du **Rainbow Harbor** (Port de l'arc-en-ciel). C'est là que mouillent d'immenses navires tels que l'*American Pride* ou le *Californian* (qui servit dans *Amistad* de Steven Spielberg) mais aussi toute une flotte de bateaux de croisières et de pêche. L'ouverture d'un immense centre commercial adjacent est prévue pour 2001.

★**Museum of Latin American Art** (**D**) – *628 Alamo Ave. Visite du mardi au samedi de 11 h 30 à 19 h 30, le dimanche de 12 h à 18 h. Fermé 1ᵉʳ janvier, Thanksgiving Day et 25 Décembre. 5 $.* ✕ ⅋ *www.molaa.com* ☏ *562-437-1689.* Une ancienne patinoire datant de 1928, restaurée et agrandie, héberge ce musée, le seul des États-Unis à se consacrer uniquement à l'art contemporain d'Amérique du Sud. Une partie de la collection permanente – 300 pièces postérieures à la Seconde Guerre mondiale – partage l'espace avec des expositions itinérantes.

**Rancho Los Cerritos Historic Site** – *4600 Virginia Rd. Visite du mercredi au dimanche de 13 h à 17 h.* 🅿 ☏ *562-570-1755.* Point central d'un des premiers ranches du Sud de la Californie, ce bâtiment (1844) construit en adobe dans le style de Monterey a été restauré et meublé pour illustrer la vie dans les années

1870 au moment où la région commençait son rapide passage de la société agricole à la société urbaine. Les jardins de 1,2 ha qui entourent cette maison sont les vestiges d'un domaine qui comptait autrefois quelque 10 800 ha.

**Rancho Los Alamitos Historic Ranch and Gardens** – *6400 Bixby Hill Rd. Visite du mercredi au dimanche de 13 h à 17 h.* ♿ 🅿 *www.rancholosalamitos.com* ☏ *562-431-3541.* Cette demeure ancienne entourée de jardins illustre la vie sur un ranch au début du 20e s. La propriété de 2,6 ha possède également une maison en adobe datant des années 1800, plusieurs granges du début du 20e s. ainsi qu'une forge.

## EXCURSIONS

**San Pedro** – *2 h.* Reliée à Long Beach par l'imposant **Vincent Thomas Bridge**, la ville de San Pedro fut la principale communauté portuaire du Sud de la Californie entre l'époque des missions et 1920. Bien que la ville ait perdu de son importance après l'expansion pétrolière de Long Beach, son gigantesque **Worldport L.A.** est le plus grand port américain pour les conteneurs et le port passagers le plus importants de la côte Ouest. Pouvant accueillir 75 cargos et navires de croisières, ce complexe de 3 000 ha se classe deuxième après Long Beach pour le tonnage et la valeur marchande.

En 1909, San Pedro fut rattaché à la ville de Los Angeles par une minuscule bande de terre, large par endroits de 800 m seulement, qui relie le centre-ville de Los Angeles et les quartiers portuaires. Au sommet de la péninsule de Palos Verdes, **Angels Gate Park** *(au bout de Gaffey St.)* offre des **vues** magnifiques sur la mer et l'on peut même apercevoir l'île de Catalina par beau temps. Juste au-dessous s'étend le **Point Fermin Park**, un espace vert paysager de 15 ha, avec son phare en bois datant de 1847 *(fermé au public)* et des lunettes à pièces permettant aux visiteurs d'observer en saison le passage des baleines.

★**Cabrillo Marine Aquarium** – Enfants *3720 Stephen White Dr, sur Pacific Avenue. Stationnement à Cabrillo Beach Park. Visite de 12 h (10 h le week-end) à 17 h. Fermé lundi, Thanksgiving Day et 25 décembre. Contribution demandée : 1 $.* 🅿 *(6,50 $) www.cabrilloaq.org* ☏ *310-548-7562.* Ce petit aquarium doublé d'un musée occupe un bâtiment avant-gardiste (architecte Frank Gehry, 1981) de couleur grise, orné de maillons de chaîne. Sa forme a été conçue pour évoquer des images marines : coquillages, filets de pêche et voiles déployées. Ses présentations constituent une excellente introduction au monde marin de la Californie du Sud. Plus de 500 espèces de poissons et autres créatures aquatiques évoluent dans les 35 aquariums qui reflètent la diversité de l'environnement dans la région : côtes rocheuses, rivages sablonneux, grèves de boue ou grand large. À l'intérieur d'un réservoir de 12 000 litres évoluent les espèces qui peuplent les forêts d'algues sous-marines. Un bassin « tactile » permet de toucher différentes créatures des mers.

**Los Angeles Maritime Museum** – Enfants *En bas de la 6th St, jetée 84. Visite de 10 h à 17 h. Fermé lundi et principaux jours fériés. Contribution demandée : 1 $.* ♿ 🅿 ☏ *310-548-7618.* Au bord du principal chenal du port, le bâtiment municipal de style Art déco, qui jusqu'en 1968 servit de débarcadère aux bacs de Terminal Island, abrite une impressionnante collection d'objets de marine. La fierté du musée est sans conteste sa collection exceptionnelle de modèles réduits, avec une copie en coupe du paquebot *Titanic* (longueur 5,5 m). On pourra tester son habileté à nouer une corde sur le modèle de l'un des 64 nœuds utilisés dans la marine ; une station de radioamateurs en opération permet aux curieux d'écouter les communications du port.

**Wilmington** – Fondée en 1858 par Phineas Banning, « père des transports urbains de Los Angeles », cette banlieue animée de l'Ouest de Long Beach porte le nom de la capitale du Delaware, d'où Banning était originaire.

★**General Phineas Banning Residence Museum** – *401 E. M St. De Long Beach, prendre la Highway 1 vers l'Ouest et tourner à gauche sur Avalon Blvd ; prendre ensuite à gauche M St. Visite guidée uniquement (1 h) à 12 h 30, 13 h 30 et 14 h 30, ainsi qu'à 15 h 30 le week-end. Fermé lundi et principaux jours fériés. Contribution demandée : 3 $.* 🅿 *www.banning.org* ☏ *310-548-7777.* Avec son fronton triangulaire et ses colonnes carrées, cette élégante résidence à bardeaux a introduit l'architecture néogrecque en Californie à une époque où l'adobe triomphait. Ce manoir de 25 pièces fut construit en 1864 par Phineas Banning, émigré en Californie en 1851, promoteur du développement du port de Los Angeles. Le manoir a été restauré et orné de mobilier d'époque, dont un piano à queue Steinway de forme carrée. Des photographies anciennes *(rez-de-chaussée)* donnent un aperçu du développement du port au tournant du siècle.

**Drum Barracks** (E) – *1052 Banning Blvd. Visite guidée uniquement (1 h) du mardi au jeudi de 10 h à 13 h, le week-end de 11 h 30 à 13 h 30. Fermé principaux jours fériés. 2,50 $.* ♿ ☏ *310-548-7509.* Le quartier des officiers est le seul vestige des casernes où, durant la guerre de Sécession et les guerres indiennes des années 1860, était établi le quartier général de l'armée fédérale en Californie du Sud. Cet avant-poste, qui pouvait aisément contrôler le trafic du port, servait à protéger les intérêts des États de l'Union dans la région. Aujourd'hui, les salles d'époque abritent un musée sur la guerre de Sécession et une collection d'armes datant de la même période.

## Péninsule de Palos Verdes *Une demi-journée*

Cette péninsule de 6 500 ha est presque entièrement occupée par une enclave résidentielle très élitiste, conçue et aménagée dans les années 1920 par John et Frederick Law Olmsted. Le **Palos Verdes Drive**, parallèle à la côte sur près de 18 km, offre de belles vues vers le Nord sur Malibu, vers l'Ouest sur l'île de Catalina et vers le Sud sur San Pedro.

★**Wayfarers Chapel** – *5755 Palos Verdes Drive South. Visite de 9 h à 16 h 30. Fermé 25 décembre. Contribution demandée.* ♿ 🅿 *www.wayfarerschapel.org* ☎ *310-377-2692.* Érigée à l'intention des passants désireux de s'arrêter pour méditer, cette chapelle s'inspire des enseignements d'Emanuel Swedenborg *(voir p. 303)*, théologien suédois du 18e s. Terminée en 1951, c'est l'œuvre la plus connue de l'architecte Lloyd Wright, fils de Frank Lloyd Wright. Cadre recherché pour les mariages, le bâtiment à pans coupés en pierre de Palos Verdes, en poutres de séquoia et en verre, est entouré de séquoias géants et de 14 000 m² de jardins luxuriants, également dessinés par Wright pour créer, de l'intérieur, l'illusion d'une communion avec la nature. La tour de pierre de 15 m date de 1954 ; le carillon a été ajouté en 1978.

# LOS ANGELES★★★

3 554 000 habitants

Carte Michelin n° 493 B 10

« Los Angeles, comme l'Amérique, comme la liberté en marche, est une pilule dure à avaler », a déclaré un jour le commentateur politique George Will, qui ajoutait : « C'est un mélange déconcertant de diversité et de perversité. »

En 1990, la population du comté se composait en effet de 49,7 % de blancs, 32,9 % de Latino-Américains, 8 % d'Afro-Américains, 8,8 % d'Asiatiques et 0,6 % d'Amérindiens et autres groupes ethniques. Bien que ces groupes soient dispersés dans toute la ville, il y a quelques communautés ethniques bien spécifiques, comme Chinatown, Little Tokyo, l'enclave mexicaine d'East Los Angeles, les quartiers afro-américains de South Central Los Angeles, Koreatown (au Sud de Wilshire Boulevard) et Little Saigon (à Westminster, dans le comté d'Orang).

Bien que cette diversité ait entraîné d'inévitables affrontements tout au long de l'histoire de la ville, elle continue d'insuffler à Los Angeles une vitalité toute particulière et ouvre un champ d'opportunités infini.

## UN PEU D'HISTOIRE

**Le pueblo espagnol et mexicain** – En 1781, **Felipe de Neve**, gouverneur espagnol de la Californie, fit appel à des volontaires mexicains pour devenir les *pobladores* (« colons ») fondateurs d'une nouvelle ville sur la rivière Porciúncula. Après un éprouvant voyage par voie de terre, onze familles atteignirent enfin le site choisi le 4 septembre de la même année. Ils baptisèrent leur nouvelle patrie El Pueblo de Nuestra Señora la Reina de Los Angeles de Porciúncula, « la ville de Notre-Dame la Reine des Anges au bord de la Porciúncula » (au milieu du 19e s., l'usage commun abrégera ce nom en Los Angeles).

La petite ville poussiéreuse restera sous domination espagnole jusqu'à la création de la République mexicaine en 1825. Quand, en 1845, elle fut désignée capitale de la Californie mexicaine, elle était devenue le grand centre administratif et commerçant d'une région de vignobles et de ranches d'élevage, contrôlés par de riches familles de Californie comme les Pico et les Sepulveda.

**L'américanisation** – Des colons de l'Est des États-Unis arrivèrent à Los Angeles dès 1826. Ils réussirent à se faire accepter en adoptant la langue et le style de vie de la majorité latino-américaine. En 1848, à la fin de la guerre du Mexique, la ville passa aux mains des Américains mais demeura bilingue pour une longue période, l'anglais restant même secondaire pendant une vingtaine d'années.

Los Angeles s'américanisa inexorablement. Pendant l'été 1849, pour pouvoir mettre en vente les terrains et renflouer les caisses de la ville, le conseil municipal engagea le lieutenant Edward O.C. Ord pour faire des relevés et cartographier la concession donnée par l'Espagne au *pueblo* d'origine, qui recouvrait une grande partie du centre-ville actuel. Son **Plan de la Ciudad de Los Angeles** traça un maillage de rues ordonné et rectangulaire que l'on retrouve aujourd'hui dans les vieux quartiers du centre-ville. La Ruée vers l'or de 1849 *(voir p. 113)* amena un flot d'aventuriers sur la route de la Californie du Nord et de ses terrains aurifères. Cette invasion soudaine gonfla la demande en viande de bœuf pour les ranches de Los Angeles, qui connurent une prospérité sans précédent. La combinaison de cet apport apparemment illimité d'argent et d'une importante population en transit donna au milieu du 19e s. à Los Angeles une réputation infamante de repaire du jeu, de l'alcool, du crime et de la violence.

À la même époque, le Congrès fédéral chargea des commissions d'examiner et homologuer les concessions espagnoles et mexicaines ; les propriétaires de ranches de Los Angeles se virent bientôt empêtrés dans un bourbier juridique. À partir de 1860, trois années de sécheresse poussèrent de nombreux propriétaires à la faillite, et leurs terres finirent par passer dans des mains américaines.

**Fin du 19e s. : la croissance urbaine** – En 1870, la population de Los Angeles s'élevait à 5 000 habitants. Dix ans après, ce chiffre avait pratiquement doublé grâce à l'habile promotion d'un entrepreneur de chemin de fer, Henry E. Huntington. Ce dernier s'offrit, en 1872, les services du journaliste Charles Nordhoff, à qui il demanda d'écrire un livre vantant les vertus de la Californie du Sud et de son climat salubre. En 1876, la voie ferrée reliant San Francisco à l'Est fut ouverte. Début 1885, la compétition engagée avec le chemin de fer de Santa Fe fit chuter le prix des billets et la région connut un nouvel afflux de visiteurs et colons.

La **culture des agrumes** renforça encore la réputation de « paradis moderne » de Los Angeles. En 1873, des oranges du Brésil sans pépins furent importées à Riverside. La possibilité d'acheminer les oranges par wagons réfrigérés vers la côte Est entraîna la plantation d'immenses orangeraies pour répondre à la demande croissante du pays. Vignobles, blé, fruits et légumes poussant abondamment en Californie, l'agriculture devint le nouveau pilier de l'économie de Los Angeles.

Dès 1880, le rêve d'une vie idyllique sous le soleil de Californie entraîna un boum du marché immobilier local. De nouveaux quartiers, tel le Hollywood de H.H. Wilcox, surgirent à la périphérie. En 1890, Los Angeles comptait plus de 50 000 habitants. En 1900, il y en avait plus de 100 000.

Situé dans une région semi-désertique, Los Angeles était fortement freiné dans sa croissance par le manque de points d'eau. En 1904, William Mulholland, directeur du service des eaux du comté, lança un projet de 24,5 millions de dollars afin d'alimenter Los Angeles à partir de la verdoyante Owens Valley, située à quelque 400 km au Nord. L'**aqueduc de Los Angeles** fut officiellement mis en service le 15 novembre 1913 : l'eau fila le long de la canalisation en béton, traversa 142 tunnels de montagne, pour aboutir à un déversoir à l'extrême Nord de la vallée de San Fernando. « La voilà. Servez-vous ! », déclara simplement Mulholland. Ce projet controversé causa des dégâts importants dans la vallée de la Rivière Owens, suivis d'interminables batailles juridiques avec les fermiers qu'il avait ruinés, mais il permit une expansion sans précédent de la ville qui, dans les années 1920, absorba ses voisines, Beverly Hills, Santa Monica, Long Beach et Pasadena, toutes dépourvues de nappes phréatiques.

**Début du 20e s. : l'explosion démographique** – Au début du 20e s., l'industrie naissante du **cinéma** quitta New York et Chicago pour venir s'installer à Los Angeles où elle trouva l'espace, les sites et le climat propices aux tournages extérieurs. Surtout établis autour et au cœur d'Hollywood, les studios firent de ce nom et de celui de Los Angeles les synonymes de cinéma. Dès les années 1920, 80 % des longs métrages étaient produits en Californie. Vers 1925, l'industrie cinématographique d'Hollywood employait déjà plus de 20 000 personnes. Les stars du cinéma s'empressèrent d'acheter des propriétés dans les collines des environs d'Hollywood et à Beverly Hills, apportant dans leur sillage la magie et le chatoiement de leurs films.

En 1897, alors que la première automobile empruntait les rues de Los Angeles, plus de 500 puits de pétrole étaient déjà exploités dans la zone du centre-ville, faisant de la Californie le troisième État pétrolier du pays, après la Pennsylvanie et l'État de New York. Des spéculateurs californiens comme G. Allan Hancock devinrent milliardaires du jour au lendemain grâce au pétrole local.

Au tournant du siècle, Los Angeles possédait un remarquable système de transport public avec la **Pacific Electric Railway Company**. Mais l'automobile s'avéra bientôt le véhicule idéal pour cette ville en pleine expansion. L'essence bon marché et facile à trouver fit littéralement exploser les ventes de voitures, rendant obsolètes les derniers « gros wagons rouges » de la Pacific Electric en 1949.

Dans les années 1920, des pionniers de l'aviation comme Glenn Martin, Donald W. Douglas, John Northrup et Allan & Malcolm Loughead (prononcé « Lockheed », le nom s'écrira plus tard ainsi) ouvrirent leurs entreprises dans la région. Vingt ans plus tard, Howard Hughes prit la relève, faisant de la ville de Los Angeles et de sa région un centre mondial de l'industrie aéronautique militaire et civile.

Au début de la Seconde Guerre mondiale, Los Angeles comptait 1,5 million d'habitants. Au lendemain de la guerre, la population de la ville augmenta encore considérablement : beaucoup de soldats, qui avaient traversé la Californie du Sud pour rejoindre ou quitter leurs bases du Pacifique, décidèrent de s'y installer. La période faste sous la présidence d'Eisenhower incita beaucoup d'Américains à rallier l'Ouest pour chercher fortune. Avec la croissance de la population et l'élargissement des frontières de la ville, les orangeraies firent place aux lotissements. En 1960, la ville atteignait 2,5 millions d'habitants ; plus de 6 millions de personnes vivaient dans le comté de Los Angeles.

## LOS ANGELES AUJOURD'HUI

En cette fin de siècle, Los Angeles jouit des avantages d'une mégalopole, mais doit aussi faire face à ses nombreux défis. Avantages et inconvénients de la vie à Los Angeles sont amplifiés par son gigantisme et sa réputation quasi mythique. Sa grande diversité ethnique en a fait un carrefour culturel au point qu'une traversée de la ville fait penser à un tour du monde. Mais cette diversité peut aussi, surtout en période de crise sociale et économique, être source de conflits : de violentes émeutes éclatèrent à Watts en août 1965, ainsi qu'en avril et mai 1992 dans South Central et d'autres quartiers. De tels troubles provoquent des dégâts matériels et économiques, et des blessures morales qui peuvent mettre des années, voire des décennies, à guérir.

Mais Los Angeles continue à se maintenir, se guérir et se renouveler, surtout grâce aux efforts de particuliers et d'organisations locales et fédérales. Des groupes comme **Los Angeles Conservancy** et **Project Restore** s'emploient à préserver la richesse architecturale historique de la ville, dont les chefs-d'œuvre Art déco du quartier des affaires, le Miracle Mile et les demeures signées par des architectes tels que Frank Lloyd Wright, Rudolf Schindler et Richard Neutra. La ville a accueilli les **Jeux olympiques d'été** de 1932 et de 1984, et son infatigable dynamisme attire en grand nombre visiteurs et événements internationaux.

**Les arts du spectacle** – Parce que l'industrie et l'art cinématographiques y occupent une place prépondérante, les étrangers à la ville ont traditionnellement considéré Los Angeles comme une terre désertée par l'esprit de culture. Mais sa pléthore de fondations et d'activités culturelles contredira ses détracteurs. Le musée des Arts du comté de Los Angeles, le musée J. Paul Getty, le musée d'Art contemporain entre autres abritent aujourd'hui de remarquables collections et organisent des expositions qui sillonnent tout le pays. L'**Orchestre philharmonique de Los Angeles** a acquis une réputation internationale sous la direction de chefs comme Zubin Mehta ou André Previn et continue sa brillante carrière sous la baguette d'Esa-Pekka Salonen. Les salles du Music Center du comté de Los Angeles, du Shubert Theatre et autres scènes locales produisent ou accueillent toute une palette de pièces de théâtre, concerts, opéras et spectacles de danse souvent primés. L'extrême diversité de la ville, alliée à son caractère progressiste, alimentent en permanence un esprit créateur, novateur, qui attire et encourage les nouveaux talents, fait naître et nourrit des idées nouvelles, et s'ouvre en permanence à toutes les nouvelles formes d'expression artistique. Parmi les établissements d'enseignement supérieur, l'université de Californie UCLA, et celle de Californie du Sud bénéficient d'une excellente renommée internationale.

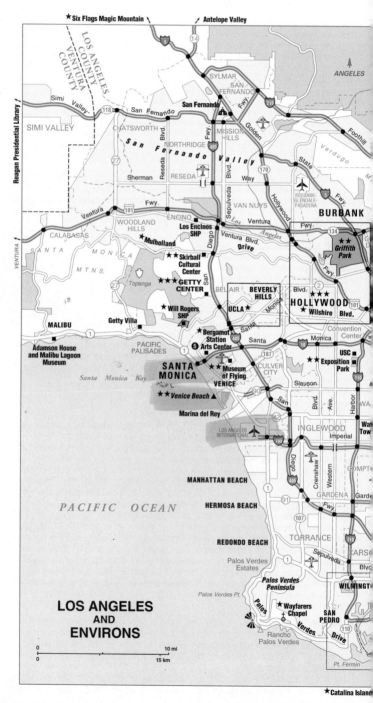

**La cuisine de L.A**. – Les restaurants de Los Angeles ont la réputation d'être parmi les meilleurs et les plus créatifs du pays. Les grands chefs, travaillant pour la plupart dans les restaurants à la mode d'Hollywood, de Beverly Hills, du Westside ou de Santa Monica, sont de véritables célébrités. Mêlant brillamment les influences culinaires du monde entier, ils présentent avec art des créations à base d'ingrédients d'une extrême fraîcheur.

La diversité ethnique de la ville permet de goûter de nombreuses cuisines typiques. On trouve dans la mégalopole des restaurants mexicains, chinois, thaïs, vietnamiens, cajuns et indiens, mais aussi la nourriture traditionnelle des Noirs du Sud *(soul food)* ou des traiteurs juifs *(Jewish delis)*.

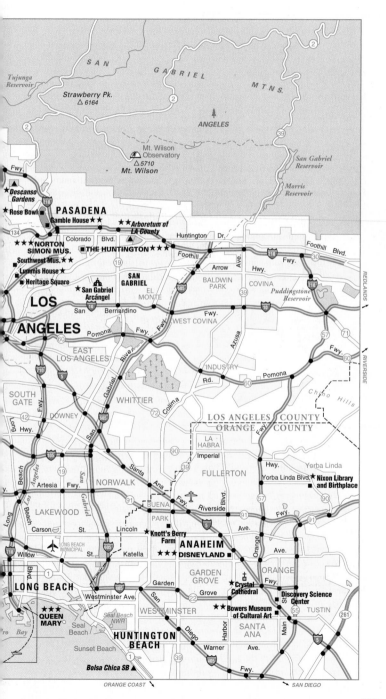

**Métro et tramway** – Relativement récent, le réseau rapide, à la fois souterrain et de surface, a été inauguré en juillet 1990. C'est l'une des facettes du combat contre la pollution de l'air et les encombrements des artères notoirement congestionnées de la cité. La **ligne bleue** a inauguré le réseau, entre Union Station, gare du centre-ville, et Long Beach. Un prolongement est prévu entre Union Station et Pasadena. La **ligne rouge** a été mise en service en janvier 1993 ; elle relie aujourd'hui Union Station à Wilshire Blvd. et Hollywood et se prolongera à l'Ouest jusqu'à Universal City et à l'Est vers East Los Angeles. La **ligne verte** achevée en 1995 rejoint les banlieues de Norwalk et Redondo Beach au Sud ; un service de navettes lui permet de desservir l'aéroport. Le **Metrolink**, un réseau de trains de banlieue à grande vitesse, relie Los Angeles aux villes voisines des comtés de Los Angeles, Ventura, San Bernardino, Riverside et Orange. *Tarifs et horaires : voir Renseignements pratiques, ci-après.*

# RENSEIGNEMENTS PRATIQUES

## Comment s'y rendre

**En voiture** – Plusieurs autoroutes inter-états *(Interstate)* traversent le centre de Los Angeles. La principale artère Nord-Sud, la **I-5**, relie le Canada au Mexique ; la **I-10** arrive du Sud-Est et aboutit à la mer ; la **I-15** relie Las Vegas et San Diego en passant par San Bernardino et Riverside, où elle dessert les autoroutes locales.

**Par avion** – Vols internationaux et intérieurs : **aéroport international** à 16 km au Sud-Ouest du centre-ville. Des navettes *(7 à 20 $ ; www.lawa.org ☎ 310-646-5252)* relient l'aéroport au Grand Los Angeles. **Aéroports** desservis par des vols intérieurs : **Long Beach** *(☎ 652-570-2600)*, à 35 km au Sud du centre-ville ; **Burbank-Glendale-Pasadena** *(www.bur.com ☎ 818-840-8840)*, à 25 km au Nord du centre-ville ; **Orange County/John Wayne** *(☎ 714-252-5200)*, à Anaheim, à 58 km au Sud-Est du centre-ville ; **Ontario International** *(☎ 909-937-2700)*, à 56 km à l'Est du centre-ville. Agences de locations de voitures *(voir p. 377)*. Pour tout renseignement sur les navettes, contacter les aéroports.

**En autocar et en train** – Gare routière **Greyhound** : E. 7th St. et Alameda St. *(☎ 800-231-2222)* ; gare **Amtrak** : Union Station, 800 N. Alameda Street *(www.amtrack.com ☎ 800-872-7245).*

## Comment s'y déplacer

**Transports publics** – Le **L.A. County Metropolitan Transit Authority (MTA)** propose un service de bus express locaux desservant toute la ville et les grandes destinations touristiques. Il gère également les lignes de tramway Blue Line et Green Line et la ligne de métro Red Line *(billets en vente dans les distributeurs automatiques des arrêts et stations ; tarif de base 1,35 $, augmenté de 25 cents par changement ; www.mta.net ☎ 213-922-6000 ou 213-620-7245)*. Le site Internet de Southern California Association of Governments *(www.scag.ca.gov/-transit)* vous aidera à

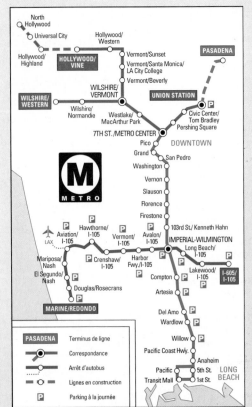

déterminer un itinéraire empruntant les transports publics. Le **DASH** (Downtown Area Shop Hop – ☎ *213-808-2273*) est un système de navettes fréquentes desservant le centre-ville (quotidien, 25 cents avec un changement gratuit) et d'autres quartiers (lundi au samedi, 25 cents par trajet).

**En voiture** – Le système d'autoroutes *(freeways – Voir liste d'identification en fin de chapitre p. 140)* de Los Angeles est complexe, mais doté d'une excellente signalisation. Avant de partir, il est conseillé de bien vérifier son trajet, en notant les numéros des bretelles d'accès et de sortie et des embranchements. La plupart des autoroutes ayant à la fois des noms et des numéros, il est souvent plus prudent de noter les deux ! Dans la mesure du possible, évitez les heures de pointe (6 h à 10 h et 16 h à 19 h). Pour essayer d'éviter les embouteillages on peut aussi écouter les radios locales : elles font régulièrement un état des routes…

**En taxi** – **Checker Cab Co.** ☎ 310-330-3720. **United Independent Taxi Drivers** ☎ 213-462-1088. **Yellow Cab** ☎ 213-808-1000.

## Informations générales

**Renseignements touristiques** – Si vous voulez vous procurer *Destination L.A.*, un guide de vacances gratuit, contactez **Los Angeles Visitor Information Hotline** (☎ 800-228-2452, *des États-Unis uniquement*). Le **Los Angeles Convention & Visitors Bureau** possède plusieurs centres d'information : au **centre-ville**, 685 S. Figueroa Street, Los Angeles CA 90017 (☎ *213-689-8822 ; ouvert du lundi au vendredi de 8 h à 17 h, samedi de 8 h 30 à 17 h )* ; à **Hollywood**, The Janes House, 6541 Hollywood Blvd, Hollywood CA 90028 (☎ *213-236-2331 ; ouvert du lundi au samedi de 9 h à 17 h).*

**Hébergement** – **Hotel Reservation Network** offre un service de réservation gratuit via www.hoteldiscount.com ou au ☎ 800-964-6835 *(États-Unis)* ou 214-361-7311. Le guide *Destination L.A. (voir ci-dessus)* contient une liste des hébergements. La gamme de prix est assez large, de l'hôtel chic *(200 $ et plus par jour)* au motel pour petits budgets *(40 à 90 $/jour)*. La plupart des bed & breakfast sont situés dans les quartiers résidentiels de la ville *(80 à 110 $/jour)*. *Les tarifs mentionnés représentent une moyenne de prix pour une chambre double.*

**Presse locale** – Quotidien, le *Los Angeles Times (parution le matin)*. On peut trouver la liste des spectacles de la semaine dans la page Calendar du *Times* et dans le *L.A. Weekly*, hebdomadaire distribué gratuitement.

**Bureaux de change** – À l'aéroport international de Los Angeles (Terminal Tom Bradley) : le **L.A. Currency**, ouvert tous les jours de 7 h à 23 h ☎ 310-417-0366 et **Traveler's Exchange**, ouvert du lundi au vendredi de 8 h à 16 h ☎ 310-277-5808.

**American Express Travel-Beverly Hills**, 327 N. Beverly Drive, Beverly Hills, ouvert du lundi au vendredi de 10 h à 18 h, le samedi de 10 h à 17 h, ☎ 310-274-8277. **Bank of America**, 555 S. Flower St., Los Angeles ☎ 213-228-4567.

**Secours d'urgence** – Comme dans toutes les grandes villes il est important que vous sachiez exactement où vous allez dans Los Angeles. La ville est organisée de telle manière que des quartiers sûrs peuvent être mitoyens d'autres où des gangs sont susceptibles d'opérer. Si vous n'êtes pas sûrs de votre destination ou de l'endroit où vous êtes, essayez de rester sur des voies bien éclairées et ne quittez votre véhicule que lorsque vous saurez de nouveau où vous vous trouvez.

**Numéros utiles**

| | |
|---|---|
| **Police/Ambulances/Pompiers** (24 h/24 – multilingues) | ☎ 911 |
| **Police** (cas non urgents 24 h/24 – multilingues) | ☎ 213-626-5273 |
| **Médecins de service** (24 h/24) | ☎ 800-468-3537 |
| **Dentistes de service** (5 h à 18 h) | ☎ 800-422-8338 |
| **Bureau de poste principal** (24 h/24) | ☎ 800-222-1811 |
| **Météo** | ☎ 213-554-1212 |

## Sports et loisirs

**Visites et circuits** – On peut découvrir la ville par les **circuits en autocar** de Grayline Tours *(☎ 323-525-1212)*, L.A. Tours *(☎ 323-937-3361)*, L.A. & Hollywood Historic Tours *(☎ 323-957-1112)*, Starline Tours *(☎ 323-463-3333 ou 800-959-3131)* et Guide Line Tours *(www.guidelinetours.com ☎ 323-465-3004 ou 800-604-8433)* Le Los Angeles Conservancy organise des **promenades culturelles et historiques** *(727 W. 6th St., Suite 1216, Los Angeles CA 90014 ☎ 213-623-2489)*. La ville de **Beverly Hills** propose deux visites commentées en trolley, Art and Architecture *(1 h 30)* et Sites and Scenes Trolley Tour *(40 mn ; départ au* *coin de Rodéo Dr et de Dayton Way ; 5 $ : appeler pour les horaires* ☎ *310-285-2438).* Pour des visites privées (art, architecture et design) contacter **Architours** *(www.architours.com* ☎ *323-294-5821 ou 888-627-2448).*

**Spectacles** – Consulter les pages Arts & Spectacles des journaux locaux pour le programme des événements culturels et les adresses des principaux théâtres et salles de concerts. On peut obtenir des billets pour les événements locaux auprès de **Ticketmaster** *(www.ticketmaster.com* ☎ *213-365-3500),* **A Musical Chair** *(☎ 310-207-7070)* et **Ticket Time** *(☎ 310-445-0900).*

| Salles | Spectacles | Informations |
|---|---|---|
| Music Center of L.A. County | | 213-972-7211 |
| Ahmanson Theater | Pièces classiques et nouvelles | 213-972-7401 |
| Mark Taper Forum | Nouvelles pièces | 213-972-0700 |
| Dorothy Chandler Pavilion | L.A. Philarmonic, L.A. Opera, L.A. Master Chorale, pièces, ballets | 213-972-7211 |
| Hollywood Bowl | Amphithéâtre en plein air : concerts, saison estivale du L.A. Philarmonic | 323-850-2000 |
| Hollywood Palladium | Concerts, manifestations | 323-962-7600 |
| Shubert Theater | Spectacles de Broadway | 310-201-1500 |
| Wiltern Theater | L.A. Opera, concerts pop et rock, danse | 213-380-5005 |

**Sports** – Pour les grands événements sportifs, on peut acheter les billets sur place ou se les procurer auprès des guichets de *(www.ticketmaster.com* ☎ *213-480-3232 ou* ☎ *714-740-2000).*

**Première division de base-ball (MLB)**

Saison : d'avril à octobre

| *Équipes :* | Dodgers (NL) | Dodger Stadium | www.dodgers.com ☎ 323-224-1448 |
| | Angels (AL) | Edison Int'l Field | ☎ 714-634-2000 |

**Rencontres universitaires de football américain**

| Équipes : | USC Trojans | Memorial Coliseum | ☎ 213-740-4672 |
| | UCLA Bruins | Rose Bowl, Pasadena | www.cto.ucla.edu ☎ 310-825-2101 |

**Basket-ball professionnel (NBA)**

Saison : de novembre à mai

| *Équipes :* | Lakers | Great Western Forum | www.nba.com/lakers ☎ 310-419-3100 |
| | Clippers | Staples Center | www.clippers.com ☎ 714-748-0500 ou 213-748 |

**Rencontres universitaires de basket-ball**

Saison : d'octobre à mars

| *Équipes :* | USC Trojans | Memorial Sports Àrena | ☎ 213-740-4672 |
| | UCLA Bruins | Pauley Pavilion | ☎ 310-825-2101 |

**Hockey professionnel (NHL)**

Saison : de septembre à avril

| *Équipes :* | Kings | Great Western Forum | ☎ 310-673-6003 |
| | Mighty Ducks of Anaheim | The Pond, Anaheim | ☎ 714-704-2500 |

**Achats** – **Centre-ville** : magasins discount de la tour Cooper, Fashion District, Jewelry Mart. **Hollywood** : Melrose Avenue, Universal City Walk. **Beverly Hills** : Rodeo Drive. **Westside** : Beverly Center, Century City, Westside Pavilion. **San Fernando Valley** : Sherman Oaks Galleria, Sherman Oaks Fashion Square. **Santa Monica & Venice** : Santa Monica Place, 3rd Street Promenade, Venice Boardwalk.

## ★① CENTRE-VILLE

## ★El Pueblo de Los Angeles Historic Monument *3 h*

● *Union Station. Sites historiques ouverts toute l'année. Musées fermés Thanksgiving Day et 25 décembre.* ✗ ⟨♿⟩ ☎ *213-628-1274.*

Le cœur historique de la ville est un groupe de 27 bâtiments répartis sur 18 ha, pour la plupart restaurés ou en cours de restauration, et dont certains remontent à 1818. Connu familièrement sous le nom de Olvera Street, d'après la rue piétonnière donnant sur la place centrale, El Pueblo est une vitrine multicolore et animée des vestiges du vieux Los Angeles.

Le 4 septembre 1781, quarante-quatre *pobladores* parmi lesquels des Indiens, des Noirs, des Espagnols et des *mestizos* (métis) fondèrent ici la première colonie agricole espagnole, non loin du site actuel d'El Pueblo, vers le Sud-Est. En 1815, une crue importante du rio Porciùncula, aujourd'hui la Rivière de Los Angeles, obligea les colons à déplacer sur un terrain plus élevé leur établissement, qui fut transféré à sa place définitive aux alentours de 1825. À cette époque, la bourgade aux bâtiments en adobe était le noyau d'un groupe de ranches prospères comptant plus de 650 habitants. Le premier recensement officiel de la population, en 1836, enregistra 2 228 habitants.

Los Angeles s'agrandissant, ses centres d'administration et de commerce se déplacèrent vers le Sud, vers le centre-ville actuel. Dans les années 1920, Olvera Street n'était plus qu'une ruelle sale bordée de bâtiments abandonnés, murés ou en ruine. Mais à partir de 1926, une habitante de la ville, **Christine Sterling**, lança seule une campagne de sensibilisation et de collecte de fonds pour rénover la rue, rouverte le 20 avril 1930 à un public qui découvrit une place de marché mexicaine restaurée avec brio. Les efforts obstinés de C. Sterling pour faire revivre El Pueblo, qu'elle poursuivit jusqu'à sa mort en 1963, furent couronnés en 1953 par la désignation officielle du quartier comme parc historique d'État.

Aujourd'hui classé monument historique, El Pueblo fait particulièrement la fierté de la communauté latino-américaine de Los Angeles. Des événements culturels s'y déroulent tout au long de l'année, parmi lesquels la Bénédiction des animaux, une cérémonie traditionnelle destinée aux animaux de compagnie *(mi-avril)* ; le Cinco de Mayo, qui commémore la victoire des Mexicains sur l'armée française à la bataille de Puebla en 1862 *(mai)* ; la célébration de l'anniversaire de la ville, celle du Jour de l'indépendance mexicaine *(tous deux en septembre)* et Las Posadas, une procession aux bougies rappelant la quête de Marie et Joseph cherchant un toit à Bethléem *(16-24 décembre)*.

*Il est conseillé aux visiteurs de se rendre d'abord à l'Office de tourisme situé dans Sepulveda House (voir ci-après).*

★**Olvera Street** — Enfants *Visite de 10 h à 19 h.* Cette rue piétonne pavée de briques s'appelait à l'origine la rue du Vin ou de la Vigne. En 1877, elle fut rebaptisée Olvera Street en l'honneur d'Agustin Olvera, premier juge du comté. Boutiques et étalages en bois proposent un bric-à-brac coloré de produits d'artisanat, de vêtements, de souvenirs et de produits alimentaires.

Le motif de briques en zigzag sur le trottoir qui traverse en diagonale la rue marque le passage de la *zanja madre*, tranchée principale du premier système de distribution d'eau de la ville, créé en 1781.

**Sepulveda House** – *W-12 Olvera Street. Visite de 10 h à 15 h. Fermé le dimanche.* Cette maison victorienne à un étage, où se mêlent influences mexicaines et anglaises, fut construite en 1887 par Eloisa Martinez de Sepúlveda comme local commercial et pension de famille. On peut y visiter la cuisine et une chambre d'époque. La **façade** sur Main Street est un excellent exemple du style Eastlake. À l'intérieur du **centre d'accueil**, une vidéo retrace l'histoire du vieux Los Angeles et d'El Pueblo *(18 mn, projection sur demande)*.

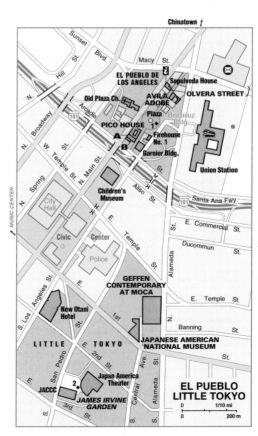

141

★**Avila Adobe** – *E-11 Olvera Street. Visite de 9 h à 17 h.* Cette maison d'un étage en adobe est la plus ancienne de Los Angeles (1818). Elle fut construite par don Francisco Avila, éleveur de bétail. Durant la guerre du Mexique, le chef de division Robert F. Stockton la réquisitionna quelques jours en janvier 1847. L'État l'acheta en 1953 et Christine Sterling *(voir ci-dessus)* y résida pendant les dernières années de sa vie.

Aujourd'hui, six pièces sont meublées dans le style ranch de 1840. En traversant la spacieuse cour intérieure, on accède à une **annexe** où sont exposés des documents sur l'aqueduc de Los Angeles et sur l'histoire d'El Pueblo.

**Plaza** – Ce fut la place centrale d'El Pueblo dès 1825 environ, mais ce n'est qu'en 1870 qu'elle adopta la disposition qu'on lui voit aujourd'hui. Un kiosque à musique en fer forgé (1962) s'y dresse, flanqué de quatre figuiers de la baie de Moreton. À l'Est de la place, on peut voir une plaque où figurent les noms et les origines ethniques des quarante-quatre premiers *pobladores*. Sur la partie Est de la place, une statue de **bronze** (**1**) de Felipe de Neve, érigée en 1932, honore l'homme qui conçut les plans de la première implantation. Face à l'angle Nord-Est de la place, sur la façade au rez-de-chaussée du Biscailuz Building (1926), siège du Centre culturel mexicain, un mural de Leo Politi représente *La Bénédiction des animaux* (1978).

**Our Lady Queen of the Angels Catholic Church** – *535 N. Main St., côté Ouest de la place.* Surtout connue comme **« église de la vieille place »** (Old Plaza Church), la plus ancienne (1822) église de la ville a été restaurée et agrandie au fil des ans sans jamais altérer, à l'intérieur comme à l'extérieur, son style, inspiré des premières missions. Sur la façade extérieure donnant sur la place, la mosaïque de *l'Annonciation* (1981, Isabel Piczek) est une réplique d'un panneau mural de la basilique de Sainte-Marie-des-Anges près d'Assise en Italie.

★**Pico House** – *Au Sud-Ouest de la place.* À l'époque de sa construction en 1870, ce bâtiment de style italianisant (Ezra F. Kysor) passait pour le plus bel hôtel en Californie du Sud. Sa façade en granit fut restaurée dans les années 1960.

Derrière Pico House, sur Main Street, on trouve le **Merced Theatre** (**A** – 1870, Ezra F. Kysor), premier théâtre de Los Angeles *(fermé au public)* et le **Masonic Hall** (**B** – 1858), ancien lieu de réunion de la première loge maçonnique de la ville qui, aujourd'hui, abrite une petite exposition sur les débuts de la franc-maçonnerie locale *(visite du mardi au vendredi de 10 h à 15 h ; contribution demandée ; fermé par mauvais temps).*

**Firehouse N° 1** – *Au Sud-Est de la place. Visite du mardi au dimanche de 10 h à 15 h.* Ce bâtiment en brique à un étage (1884) fut la première **caserne de pompiers** de la ville jusqu'en 1897, date à laquelle elle fut transformée en saloon et pension de famille. Il abrite aujourd'hui un musée présentant la lutte contre les incendies à la fin du 19ᵉ s.

Derrière l'ancienne caserne, sur Los Angeles Street, l'une des ailes du **Garnier Building** *(fermé au public)* attend d'être reconvertie en musée de l'Histoire sino-américaine. Ce bâtiment d'un étage en brique et en grès fut construit en 1890 par Philippe Garnier pour servir de local commercial et d'habitation à des locataires chinois. À l'Est d'El Pueblo, de l'autre côté d'Alameda Street, on découvre la **gare de l'Union** (Union Station – 1939, Parkinson & Parkinson), un bâtiment entrepris de concert par les compagnies de chemin de fer Southern Pacific, Union Pacific et Santa Fe pour 13 millions de dollars. Mélangeant harmonieusement les styles mission, colonial espagnol, mauresque et Art déco, cet édifice est la dernière des grandes gares construites aux États-Unis durant l'âge d'or des voyages en train. L'**intérieur★**, avec ses sols et ses murs recouverts de marbre et de carreaux de faïence, ses poutres en noyer et ses sièges Art déco, a souvent servi de décor à de grands films hollywoodiens comme *Union Station* (1950), *Nos plus belles années* (1973) et *Bugsy* (1991). Union Station est aujourd'hui l'un des pivots du réseau Metrorail de la ville.

## Chinatown *Une demi-heure.* ● *Union Station*

Occupant approximativement 15 blocs d'immeubles entre Sunset Boulevard et Alameda St., Bernard St. et Yale St., le quartier chinois de Los Angeles semble relativement petit par rapport à son homologue tentaculaire de San Francisco. Quoi qu'il en soit, ce mélange de bâtiments aux décorations chinoises désuètes et de centres commerciaux modernes est l'un des deux principaux quartiers où se regroupent les quelque 170 000 habitants d'origine chinoise, le second étant Monterey Park, 12 km à l'Est. Chinatown est également une destination privilégiée des amateurs de cuisine asiatique.

Lors du recensement de 1850, on ne dénombrait que deux Chinois, employés de maison masculins, sur un total de 1610 habitants. Mais les besoins croissants de la ville en main-d'œuvre en attirèrent d'autres, malgré les tensions raciales qui provoquèrent, en octobre 1871, l'assassinat de dix-neuf hommes et adolescents pris à partie par la foule. Vers 1900, plus de la moitié des 2 000 Sino-Américains de Los Angeles, pour la plupart maraîchers indépendants et vendeurs de rues, habitaient l'étroit réseau de rues et d'allées à l'Est d'Olvera Street. Le quartier fut démoli lors de la construction de la gare de l'Union au milieu des années 1930, pour laisser la place en 1938 à l'actuel Chinatown, à vocation plus touristique.

**Visite** – Au n° 900 de North Broadway, une **porte** en forme de pagode marque l'entrée de la Gin Ling Way, rue principale de Central Plaza, originale zone piétonnière de Chinatown. Juste après la porte, on voit une **statue** de Sun Yat-Sen, premier président de la république chinoise. Méli-mélo fascinant de supermarchés, d'herboristeries, de boutiques de curiosités ou de souvenirs et de magasins discount, Chinatown attire un grand nombre d'acheteurs. C'est dans ce cadre étonnant que se déroule le **défilé du Nouvel An chinois** (janvier ou février).

## Little Tokyo *3 h.* ● *Union Station*

Centre culturel, social, spirituel et quartier d'affaires de la plus grande communauté nippo-américaine d'Amérique du Nord, Little Tokyo occupe environ sept blocs d'immeubles au Sud-Est d'El Pueblo. Bien que le style japonais traditionnel laisse ici ou là une empreinte de charme dans les ornements architecturaux ou les enseignes commerciales, Little Tokyo est d'abord un quartier moderne et trépidant, avec ses immeubles de bureaux, appartements et bâtiments à vocation culturelle et religieuse.

En 1885, la population japonaise de Los Angeles comptait une vingtaine d'*issei*, représentants de la première génération d'immigrants. N'ayant pas le droit d'avoir leurs entreprises ou leurs habitations à côté des citoyens blancs, ces colons de la première heure, tout comme leurs successeurs, se rassemblèrent dans un quartier aujourd'hui préservé sous le nom de **Little Tokyo Historic District** *(First St., entre San Pedro Street et Central Avenue)*. En 1905, la population du quartier qui allait devenir Little Tokyo comptait 3 400 habitants. Au cours de la Seconde Guerre mondiale, tout le quartier (6 000 habitants) fut interné de force dans des camps du gouvernement. Après la guerre, les Nippo-Américains réintégrèrent Little Tokyo. La deuxième, puis la troisième génération de Nippo-Américains *(nisei et sansei)* a apporté une plus grande stabilité économique et sociale à Little Tokyo. Depuis les années 1970, les investissements, locaux ou provenant du Japon, ont permis une croissance importante, comme en témoigne l'**hôtel New Otani** : cet immeuble de 21 étages est l'une des pierres angulaires du développement du quartier.

Aujourd'hui, Little Tokyo est une communauté indépendante très prospère. Le **Japanese American Cultural and Community Center** *(JACCC, 244 S. San Pedro Street)* et le Japan America Theatre voisin sont les hauts lieux d'une grande variété de spectacles et de manifestations de la communauté. Les nombreuses sculptures qui ornent places publiques et coins de rues montrent un sentiment très fort de fierté locale.

★**Japanese American National Museum** – *369 E. First Street. Visite de 10 h à 17 h (20 h le jeudi). Fermé lundi, 1ᵉʳ janvier, Thanksgiving Day, 25 décembre. 6 $.* ✕ ⅋ *www.janm.org* ☎ *213-625-0414.* Ce premier musée américain dédié à l'histoire des Nippo-Américains occupe l'ancien temple bouddhiste Nishi Hongwanji (1925) totalement restauré et un nouveau pavillon (1998). Les deux bâtiments sont reliés entre eux par une place dotée d'un jardin de pierre et d'eau.

Les expositions tournantes proviennent de la plus grande collection de photographies, de documents et d'objets nippo-américains des États-Unis. Des pièces d'art contemporain y sont également exposées. Dans le pavillon, on peut voir quelques vestiges des casernes dans lesquelles les membres de la communauté nippo-américaine ont séjourné lors de leur internement pendant la Seconde Guerre mondiale.

★**James Irvine Garden** – *Voisin du JACCC, 244 S. San Pedro Street. Visite de 9 h à 17 h. Fermé principaux jours fériés.* ☎ *213-628-2725.* Conçu dans le style japonais traditionnel par Takeo Uesugi, ce jardin de 800 m² accueille une vallée de bambous où un petit cours d'eau cascadant sur une cinquantaine de mètres symbolise les issei, les nisei et les sansei. Une allée paisible serpente parmi plus de trente espèces de plantes asiatiques et de plantes semi-tropicales locales. Sur la plaza en brique dominant le jardin se dresse une massive **sculpture (2)** en pierre dédiée *Aux Issei*. La place et la sculpture sont l'œuvre de **Isamu Noguchi** (1904-1988), artiste de renommée internationale natif de la ville.

★**The Geffen Contemporary at MOCA** – *152 N. Central Avenue. Visite de 11 h à 17 h (20 h le jeudi). Fermé lundi, 1ᵉʳ janvier, Thanksgiving Day, 25 décembre. 6 $ (comprend l'entrée au MOCA).* ⅋ ☎ *213-626-6222.* Avant que ne soit achevé, en 1986, le bâtiment du musée d'Art contemporain (MOCA, *p. 147*), ses premières expositions se tenaient dans ces anciens entrepôts agencés pour l'occasion par l'architecte Frank Gehry. Auparavant appelé le Temporary Contemporary, cet ensemble fait toujours partie du musée et accueille des expositions de grande dimension ou des présentations temporaires d'œuvres appartenant aux collections permanentes du MOCA.

## Civic Center Area *2 h.* ● *Civic Center*

Plus grand **centre administratif** des États-Unis, cet ensemble de bâtiments et de grandes places, imaginé et construit entre les années 1920 et 1960, occupe environ 13 blocs d'immeubles au cœur de Los Angeles.

Entre 1900 et les années 1920, plusieurs plans directeurs d'urbanisme virent le jour en vue de créer un ensemble homogène de grands bâtiments administratifs. Aucun de ces projets ne fut officiellement retenu. Le centre administratif de Los Angeles est donc aujourd'hui un ensemble hétéroclite de bâtiments de styles divers, allant du néoclassicisme monumental du **palais de justice** *(1925, angle Ouest de S. Broadway et W. Temple St.)* aux lignes contemporaines du centre musical. D'autres bâtiments d'une certaine valeur architecturale et historique sont dispersés au sein de grands espaces verts invitant à la flânerie, où les employés du centre-ville viennent volontiers déjeuner en plein air.

**★★ Los Angeles City Hall** – *200 N. Spring Street.* Juste au Nord-Est des gratte-ciel rutilants du quartier des affaires, les 28 étages de la tour de l'**hôtel de ville**, surmontés d'une pyramide, sont l'un des repères et symboles principaux du centre-ville.

La tour (1928) est l'œuvre d'un groupe de célèbres architectes locaux, parmi lesquels figuraient John C. Austin, John Parkinson et Albert C. Martin Sr. ; sa construction nécessita l'obtention d'une dérogation spéciale, car sa hauteur dépassait le maximum autorisé par la loi de 1904. Haut de 138 m, ce bâtiment resta le plus grand de la ville jusqu'à l'abrogation de la loi en 1957. Symbole de fierté civique, il a été conçu pour refléter la diversité de la ville et de l'État : le mortier utilisé pour sa construction a été fait avec du sable apporté de chaque comté et de l'eau en provenance de chacune des 21 missions de Californie.

Les murs de sa **rotonde★** de 41 m de diamètre sont en calcaire de France ; son sol est recouvert d'une mosaïque de 4 156 incrustations de 46 variétés de marbre. La coupole ornée de céramiques illustre les huit devoirs essentiels du gouvernement municipal : service public, santé, responsabilité, respect des arts, protection, éducation, administration et Loi.

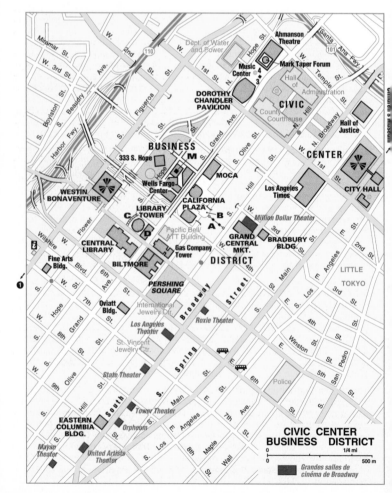

Du 27e étage de la tour 🄴🄽🄵🄰🄽🄽🅂 s'offrent par temps clair de beaux **panoramas**★★ sur la vallée de Los Angeles *(l'hôtel de ville est actuellement fermé pour travaux d'aménagement antisismique ; réouverture programmée pour 2002).*

**Los Angeles Times Building** – *202 W. 1st St. Visite guidée (1 h) uniquement, à 11 h 15. Fermé week-end et principaux jours fériés.* ♿ 🄿 ☎ *213-237-5757.* Situé immédiatement au Sud-Ouest de l'hôtel de ville, cet ensemble impressionnant occupe un bloc d'immeubles et abrite le quatrième siège du célèbre quotidien de Los Angeles, un des plus largement distribués dans le pays (près de 1 million d'exemplaires vendus quotidiennement ; 1,3 million pour l'édition du dimanche). En 1882, lorsque **Harrison Gray Otis** devint l'un des associés du *Los Angeles Times*, ce journal encore à ses débuts tirait à moins de 1 000 exemplaires. Mais, prospérant de concert avec la ville dont il assurait activement la promotion, le quotidien s'installa dans un bâtiment de deux étages à l'angle de 1st Street et de Broadway. L'immeuble fut bombardé par des syndicalistes extrémistes en 1910.
L'architecture du complexe actuel célèbre la croissance et la prospérité du journal. Le bâtiment central Art déco (1935, Gordon B. Kaufmann) se vit adjoindre en 1948 un immeuble de dix étages, et, en 1973, une structure en acier de six étages aux parois de verre sombre (William Pereira & Associés).
Le **hall d'entrée**★ est décoré d'une linotype d'origine et d'un énorme globe terrestre tournant, ainsi que de photographies et de fac-similés de pages du journal retraçant son premier siècle d'existence. Sur le plafond de la rotonde on peut voir la peinture murale double *The Newspaper*, signée par Hugo Ballin.

**Music Center of Los Angeles County** – *Au Nord de 1st St., entre Hope Avenue et Grand Avenue.* Installé en sommet de colline, ce sanctuaire des arts du spectacle de Los Angeles (1964, Welton Becket & Associés) rassemble en un groupe élégant trois bâtiments de marbre blanc sur une terrasse élevée couvrant 3 ha. Foyer de l'Orchestre philharmonique, de la Master Chorale, de l'Opéra et du Centre d'art dramatique de Los Angeles, le complexe accueille de nombreux orchestres, compagnies théâtrales et troupes de danseurs et des spectacles allant du classique à l'avant-garde.
Avant l'ouverture du centre, le 6 décembre 1964, les troupes de Los Angeles se produisaient dans différents lieux publics et privés indépendants. En 1955, Dorothy Buffum Chandler, comprenant la nécessité pour la ville de se doter d'un centre de spectacles, prit la tête d'un comité officiel, choisit l'emplacement du centre et rassembla 20 millions de dollars en dons privés pour soutenir le projet, qui s'élevait à 34,5 millions. Cette même idée de coopération entre secteurs privé et public vient d'être reprise pour réaliser la salle de concerts Walt Disney (Frank Gehry), prévue juste en face du centre, de l'autre côté de 1st Street, et dont le coût estimé s'élève, lui, à 170 millions de dollars.

**Les bâtiments** – Imposant assemblage de colonnes et fenêtres démesurées, le **pavillon Dorothy Chandler**★ (1964), où se déroule souvent la cérémonie des Academy Awards *(fin mars)*, accueille des créations musicales, d'opéra et de danse. De nombreuses œuvres d'art embellissent l'intérieur de cette salle grandiose. C'est l'une des plus grandes scènes américaines : 90 % des 3 197 places sont à moins de 30 m de la scène. Les créations originales d'art dramatique sont présentées au **Mark Taper Forum** (1967), théâtre de 752 places, dont la structure basse et cylindrique est encadrée par une colonnade et un bassin-miroir. L'**Ahmanson Theatre** (1967), construction linéaire offrant 2 071 places, présente des pièces de théâtre, des comédies musicales, des ballets et des one man shows.

**Plaza** – Ce vaste espace en plein air où les gens se rassemblent volontiers avant d'aller au spectacle se trouve entre les salles Chandler et Taper. Largement ouverte sur l'hôtel de ville, la place est ornée de deux sculptures : *Dance Door* (3) (1982) de Robert Graham, et *Peace on Earth* (4) (1969) de Jacques Lipchitz. Cette dernière est entourée d'une belle fontaine de 280 jets d'eau verticaux.

**Los Angeles Children's Museum** – 🄴🄽🄵🄰🄽🅃🅂 *310 N. Main Street. Visite de fin juin à début septembre de 11 h 30 (10 h le week-end) à 17 h, le reste de l'année seulement le week-end de 10 h à 17 h. Se renseigner pour les horaires des jours fériés. 5 $.* ♿ *www.lacm.org* ☎ *213-687-8800.* Ressemblant davantage à une cour de récréation intérieure qu'à un lieu éducatif, ce labyrinthe de rampes, de passerelles et de pièces sur plusieurs étages comprend un atelier d'art, des studios audio et vidéo et des espaces interactifs à thème, comme « les rues de la ville » ou « le club éco ». Sur une petite scène sont présentés des spectacles de théâtre, de danse ou de marionnettes sollicitant souvent la participation du public.

## ★★BUSINESS DISTRICT *Une journée*

*Délimité approximativement par Figueroa Street, 2nd Street, Spring Street et 9th St.* ● *Pershing Square.*

Le **quartier des affaires** de Los Angeles a évolué en deux zones distinctes. La plus ancienne, entre Broadway et Spring Street, recèle de nombreux bâtiments de style Beaux-Arts et Art déco construits pour l'essentiel entre le début du siècle et les années 1920. C'est aujourd'hui un secteur très animé, surtout par la communauté latino-américaine de la ville. Couvrant la colline de Flower St., Hope St. et Olive St., au Nord de la 6th Street, les étincelantes tours commerciales de la zone nouvelle, construite depuis les années 1960, dominent leurs voisines historiques.

Après l'établissement du Plan de la Ciudad *(voir p. 134)* par Edward Ord en 1849, la ville vendit de beaux lots d'habitation du « quartier bas », zone rurale bordée par 2nd, 4th, Spring et Hill Streets, au prix unitaire de 200 $. Au début du siècle, la croissance de la population et le boom financier se traduisirent par l'apparition de somptueux hôtels et immeubles commerciaux qui vinrent empiéter sur la zone résidentielle au pied de Bunker Hill. Les banques s'installèrent dans les immeubles Art déco de **Spring Street**, donnant à la rue, dès le début du 20e s., sa réputation de premier centre financier de la côte Ouest. Avec la Grande Dépression, le quartier entra dans une période de déclin qui dura jusqu'aux années 1950. Les résidents fortunés et les grandes entreprises désertèrent progressivement les lieux, abandonnant le centre-ville à une population d'immigrants pauvres.

En 1867, Prudent Beaudry acquit pour 500 $ en haut d'une colline à l'Ouest du centre-ville un vaste terrain décrit par les journaux de l'époque comme « terre désolée des coyotes hurleurs ». P. Beaudry en fit **Bunker Hill**, un quartier chic peuplé de demeures victoriennes auquel on accédait par l'Angel's Flight, un funiculaire à deux voitures inauguré en 1901. Pendant la première moitié du siècle, ce quartier resta une enclave résidentielle très recherchée, mais ensuite il déclina en même temps que le vieux centre-ville. De 1959 à 1969, les résidences vétustes de Bunker Hill furent rasées et l'Angel's Flight démonté. À partir des années 1960 le réaménagement du site fut entrepris sous la houlette de l'Agence pour le réaménagement de la Communauté. De nouvelles tours de bureaux s'élevèrent donc au sommet de Bunker Hill.

Aujourd'hui, les rues du quartier ancien grouillent d'activité, bien que certains immeubles soient un peu décrépits. Des associations sans but lucratif comme le Los Angeles Conservancy mènent une campagne énergique pour sauvegarder les trésors architecturaux du centre-ville, s'alliant à des entreprises privées pour rendre à ces véritables monuments leur splendeur d'origine et les remettre en service.

★★**Eastern Columbia Building** – *849 S. Broadway.* L'**extérieur** de ce bâtiment Art déco de douze étages (1930, Claude Beelman) accroche le regard, avec son placage de terres cuites vernissées turquoise et or, montant vers le clocher à deux étages *(illustration p. 43).*

**Broadway** – Cette artère vit fleurir dès 1910 music-halls et cinémas à cinq cents *nickel odeons*, ouvrant la voie à l'artiste Sid Gaudman qui créa en 1918 le Million Dollar Theater. Celui-ci fut le premier d'une douzaine de salles qui, vers 1931, firent du quartier entre 3rd St. et 10th St. la plus forte concentration de « palais du cinéma » du monde. Plusieurs de ces salles fonctionnent encore aujourd'hui, fréquentées par la population latino-américaine du quartier.

---

### Broadway et les cinémas

Des douze salles originelles que comptait le quartier, plusieurs sont encore ouvertes et très fréquentées par la population latino-américaine. Les autres ont été fermées ou transformées. Pour en visiter l'intérieur, il faut s'offrir une séance de cinéma ou participer à la visite hebdomadaire organisée par le Los Angeles Conservancy (☎ *213-623-2489*).

**Million Dollar Theater** – 307 S. Broadway. Plafond baroque espagnol et décor dans l'auditorium (1918).

**Roxie Theater** – 518 S. Broadway. C'est la dernière salle construite à Broadway. Extérieurs Art déco (1932).

**Los Angeles Theater** – 615 S. Broadway. Intérieur très opulent de style Louis XIV (1931).

**State Theater** – 703 S. Broadway. Intérieur exotique mêlant les détails classiques, médiévaux et espagnols (1921).

**Tower Theater** – 802 S. Broadway. Extérieur hispano-roman avec un étonnant clocher d'angle (1926).

**Orpheum** – 842 S. Broadway. Luxueux intérieur néoclassique (1926).

**United Artists Theater** – 933 S. Broadway. Décorations de style gothique et espagnol (1926).

**Mayan Theater** – 1040 S. Hill Street. Décorations sculptées de motifs mayas (1927).

**Belasco Theater** – 1050 S. Hill Street. Façade churrigueresque (baroque espagnol) très élaborée (1926).

---

**★★ Bradbury Building** – *304 S. Broadway. Visite de 9 h à 18 h (17 h le week-end).* &#9855; &#128247; &#9990; *213-626-1893.* Louis Bradbury, magnat de l'industrie minière, chargea d'abord Sumner P. Hunt, grand architecte local, de concevoir le siège de sa société. Mécontent du projet initial, il offrit le marché à George H. Wyman, l'un des dessinateurs du cabinet de Hunt. Terminé en 1893, ce modeste bâtiment en brique de quatre étages dissimule un splendide **atrium** s'inspirant d'un immeuble de l'an 2000 décrit dans le roman de science-fiction *Cent ans après* d'Edward Bellamy. Baigné de lumière naturelle diffusée par le plafond, l'atrium est orné de cabines d'ascenseur, de balustrades et de rampes en dentelle de fer forgé ; de moulures et de boiseries de chêne rouge ; de marches d'escalier en marbre rose de Belgique ; de murs en brique jaune vernissée et tuiles mexicaines.

**★ Grand Central Market** – *315 S. Broadway. Tous les jours de 9 h à 18 h. Fermé 1er janvier, Thanksgiving Day et 25 décembre.* &#9966; &#9855; &#128247; &#9990; *213-624-2378.* Immense halle ouvrant sur Broadway et sur Hill Street, ce bâtiment (1897, John Parkinson) servit d'entrepôt de marchandises et de grand magasin avant de devenir, en 1917, un marché pour les immigrants européens du quartier. Depuis les années 1960, il reflète joyeusement l'ambiance trépidante de Downtown, les néons des enseignes annonçant une profusion d'étals où l'on trouve de tout, des plats préparés mexicains aux viandes, fromages et produits frais.
Près de l'entrée du marché sur Hill Street, on revit l'histoire du vieux Downtown : comme autrefois, les voitures baroques de l'**Angel's Flight** (*Vol de l'ange* – **A**) Enfants, vieux funiculaire restauré, gravissent la pente de Bunker Hill, transportant les voyageurs de Hill Street à California Plaza *(tous les jours de 6 h 30 à 22 h. 25 cents.* &#9855; &#9990; *213-626-1901).*

**★ California Plaza** – *Grand Avenue, entre 3rd et 4th Street.* Saisissant complexe de 4 ha, cet espace regroupe deux tours de bureaux aux façades courbes en verre réfléchissant, un immeuble d'habitation, un hôtel de luxe et le musée d'Art contemporain *(voir ci-après).* On donne des concerts gratuits sur les scènes en plein air de Spiral Court et **Watercourt** (**B**), deux cours ornées de fontaines *(de mai à octobre, renseignements au* &#9990; *213-687-2159).*

**★★ Museum of Contemporary Art (MOCA)** – *250 S. Grand Avenue. Visite de 11 h à 17 h (20 h le jeudi). Fermé lundi et 1er janvier, Thanksgiving Day et 25 décembre. 6 $ (comprenant l'entrée au Geffen Contemporary).* &#9966; &#9855; &#128247; &#9990; *213-626-6222.* Ce musée (1986) est un assemblage étonnant de formes géométriques recouvertes de grès indien rouge et de panneaux d'aluminium vert. Le MOCA, comme on l'appelle, sert de vitrine à des œuvres d'art visuel créées depuis les années 1940.
Il fut conçu en 1979 par un groupe d'artistes et de collectionneurs locaux, en association avec l'Agence pour le réaménagement de la Communauté. L'emplacement fut choisi dans le cadre du projet de centre de commerce de California Plaza, sur Bunker Hill. C'est **Arata Isozaki**, architecte japonais très renommé, qui fut choisi en 1981 pour en concevoir les plans. Le processus d'accord traînant en longueur, Isozaki prépara pratiquement 30 projets différents. La version définitive retenue est un **groupe de bâtiments★** intimistes, peu élevés, qu'Isozaki voulait comme « un village dans une vallée de gratte-ciel ». Des cubes, un cylindre et onze faîtières pyramidales caractérisent les bâtiments à un ou deux étages des bureaux, de la bibliothèque et de la librairie du MOCA. Ces bâtiments jouxtent un grand puits de lumière menant à 2 300 m² de galeries souterraines. L'une des parois de ce puits épouse une courbe dessinée par l'architecte d'après une photo de nu de Marylin Monroe.

**Visite** – *Une heure.* Le musée organise des expositions tournantes à partir d'une collection permanente, sans cesse enrichie, de 3 000 tableaux, dessins, photographies, sculptures, vidéos, installations et œuvres créées sur divers supports visuels. Parmi les plus importantes, citons les œuvres de Louise Nevelson, Claes Oldenburg, Jackson Pollok, Mark Rothko, Jasper Johns, Robert Rauschenberg, Frank Stella, Ed Ruscha et Jonathan Borofsky. Cependant, la majeure partie du musée accueille de grandes expositions temporaires, soit ici, soit dans l'annexe, le Geffen Contemporary at MOCA *(p. 143),* espace supplémentaire de 4 000 m² à dix blocs d'immeubles de distance.

**Wells Fargo Center** – *Sur Grand Avenue, entre 3rd et 4th St., en face de California Plaza.* Les tours jumelles trapézoïdales de granit brun et verre teinté (1983, Skidmore, Owings & Merill) tranchent de façon abrupte sur la ligne d'horizon de Bunker Hill. Entre ces deux tours, un atrium sur trois niveaux permet de se restaurer simplement parmi des **sculptures** de Robert Graham, Joan Miró, Jean Dubuffet, Nancy Graves et Louise Nevelson.

**Wells Fargo History Museum** (**M**) – Enfants *333 S. Grand Avenue. Visite de 9 h à 17 h. Fermé week-ends et principaux jours fériés.* &#9966; &#9855; *www.wellsfargohistory.com* &#9990; *213-253-7166.* Blotti entre les deux tours du Wells Fargo Center, le musée retrace le rôle joué par la Wells Fargo Company dans l'histoire de la Californie depuis sa création à San Francisco en 1852. Autrefois société bancaire et de transport maritime, c'est aujourd'hui l'une des principales institutions financières de l'État. Au rez-de-chaussée sont exposés une **diligence de Concord** d'origine, et le **Challenge Nugget**, une grosse pépite de 820 g contenant près de 77 % d'or pur, découverte en 1975 près de la ville de Challenge en Californie.

**333 South Hope Street** – *Hope St. entre 3rd St. et 4th St.* Formant un angle de 45° par rapport aux rues, l'entrée de cet immeuble de 54 étages (1974) se distingue par le **stabile** rouge d'Alexander Calder *Four Arches*. Le parvis voisin, avec ses allées d'adobe bordées d'arbres, ses fontaines et son bassin central agrémenté d'une cascade, offre une perspective paisible sur les flèches des gratte-ciel du quartier des affaires.

★**Westin Bonaventure Hotel** – *404 S. Figueroa Street.* Les cinq tours cylindriques de cet hôtel de 34 étages sont recouvertes de verre réfléchissant (1976, John Portman). Elles abritent un atrium spacieux, ensemble complexe à plusieurs niveaux bordé de boutiques et de lieux de réunion. À l'extérieur, les ascenseurs transparents qui glissent sur la façade offrent des **panoramas**★ sur le centre-ville et la vallée de Los Angeles.

★**Library Tower** – *633 W. 5th Street.* Cette tour vertigineuse de 310 m et 73 étages en granit italien (1992, I.M. Pei & Partners), coiffée d'une couronne illuminée, est l'immeuble de bureaux le plus haut du pays à l'Ouest de Chicago. Côté Ouest du bâtiment, les **escaliers de Bunker Hill**★ (**C**) relient gracieusement Hope Street à 5th Street. Inspirées de l'escalier de la place d'Espagne à Rome, ses quatre volées de marches sont séparées par une petite cascade. Au deuxième niveau des marches, un café installé dans un patio offre une vue sur la Bibliothèque centrale de Los Angeles. Côté Est de la tour s'élève **One Bunker Hill** (**D** – *601 W. 5th St.*), majestueux bâtiment Art déco construit en 1931 pour servir de siège social à la compagnie Edison de Californie du Sud. Les motifs ornementaux de l'immeuble symbolisent l'Énergie. Le hall d'entrée est décoré de 17 variétés de marbre, ainsi que d'une peinture murale de Hugo Ballin, *L'Apothéose de la Puissance.*

★**Los Angeles Central Library** – *630 W. 5th St., entre Flower Street et Grand Avenue. Visite de 10 h (13 h le dimanche) à 20 h (18 h les vendredis et samedis, 17 h le dimanche). Fermé principaux jours fériés.* ✗ ♿ 🄿 *www.lapl.org* ☎ *323-228-7000.* Avec son imposante tour coiffée d'une pyramide rappelant celle de l'hôtel de ville, l'impressionnante **bibliothèque centrale** (1926, Bertram Goodhue) a été imaginée comme une allégorie de « La lumière du savoir » s'exprimant au moyen de sculptures, de murals, d'inscriptions et de mosaïques de céramique. La **rotonde** est décorée de murals signés Dean Cornwell racontant sur plus de 800 m² la découverte de la Californie, l'œuvre des missions, l'américanisation et la fondation de Los Angeles. Autres fleurons de la bibliothèque, le lustre en bronze de la rotonde, qui pèse une tonne, et, dans la salle réservée à la littérature enfantine *(2ᵉ niveau)*, les murals sur l'histoire de la Californie dus à Albert Herter.

Sérieusement endommagée par un incendie en 1986, la bibliothèque a rouvert ses portes en octobre 1993, après d'importants travaux de restauration et de rénovation du bâtiment principal, et la construction de l'aile Tom Bradley (Hardy Holzman Pfeiffer Associés). Cet atrium sur huit niveaux, semi-enterré, a doublé la surface de l'ensemble, qui couvre maintenant 50 000 m². Dans le nouveau **jardin** de 6 000 m² du côté de Flower Street sont exposées des sculptures contemporaines sur les thèmes du langage et de la connaissance.

**Gas Company Tower** – *555 W. 5th St.* Couronnée d'une forme ovale bleue en verre, cette tour de 53 étages (1991) abrite un jardin aquatique, à côté du hall d'entrée. Les murs en verre du hall permettent de voir la partie inférieure de *Dusk (Crépuscule)*, œuvre de Frank Stella(1992), l'un des plus grands murals abstraits au monde, peint sur la façade mitoyenne de l'immeuble de la Pacific Bell/AT&T.

★★**Biltmore Hotel** – *506 S. Grand Avenue.* Aujourd'hui appelé Regal Biltmore Hotel, cet immeuble de dix étages et 700 chambres, en face du Pershing Square, a coûté dix millions de dollars (1923, Schultze and Weaver). À l'époque le plus grand hôtel américain à l'Ouest de Chicago, surnommé « l'hôte de la côte », le Biltmore attirait une clientèle brillante des mondes du spectacle, des affaires et de la politique. Ayant fait l'objet d'importantes rénovations depuis 1984, il mérite toujours sa place parmi les hôtels les plus chic de Los Angeles.

---

**1** **The Original Pantry**
*877 S. Figueroa St.*
☎ *21213-972-9279.*
Employés et ouvriers se retrouvent dans cette quasi institution du centre-ville ouverte 24 h sur 24 depuis 1924 et renommée pour ses plats gargantuesques et son service éclair. Pour bien commencer la journée, les lève-tôt peuvent choisir une solide omelette avec des galettes de pommes de terre. Les couche-tard, quant à eux se laisseront plutôt tenter par un bon steak ou des côtelettes garnis de pommes de terre et de coleslaw...

L'entrée principale ouvre désormais sur Grand Avenue. Mais le hall d'origine, donnant sur Olive Street et rebaptisé **Rendez-vous Court★**, montre dans tous ses détails le luxe qui fit la renommée de l'hôtel : décor de briques et de terre cuite dans le style italien du 16e s. et hauts plafonds peints à la main.

★**Pershing Square** – *Bordé par S. Hill Street, S. Olive Street, W. 5th St. et W. 6th St.* Dernière parcelle publique provenant des concessions espagnoles, cette place de 2 000 m² fut déclarée premier parc public de la ville en 1866 et baptisée, en 1918, en l'honneur de John J. Pershing, commandant des forces expéditionnaires américaines pendant la Première Guerre mondiale. Autrefois oasis très appréciée des riverains, peuplée d'oiseaux de paradis, de palmiers géants et de bananiers, le site fut défoncé en 1950 pour la construction d'un parking souterrain, puis réaménagé. En 1993, une rénovation menée par l'architecte mexicain Ricardo Legorreta lui conféra un air résolument moderne en le dotant d'un campanile de 38 m de haut, d'une fontaine, de kiosques, de cafés et d'un amphithéâtre, tous de forme
• géométrique et de couleurs vives.

**Oviatt Building** – *617 S. Olive Street.* En 1925, James Oviatt, un industriel du vêtement, se passionna pour le style Art déco en visitant l'Exposition internationale des Arts décoratifs à Paris. Il chargea une entreprise locale de concevoir un immeuble de douze étages et une chemiserie pour hommes (1928, Walker and Eisen). Plus de 200 tonnes de marbre de France, de verre et d'éléments décoratifs entrèrent dans l'élaboration du bâtiment, ainsi que la plus grande œuvre de commande de verre gravé et dépoli Art déco signée René Lalique. La plupart des verres originaux ont été remplacés aujourd'hui par des répliques.

**Fine Arts Building** – *811 W. 7th St.* L'immeuble possède un magnifique hall d'entrée de style Renaissance espagnole ouvert sur deux niveaux, décoré de sculptures, de moulures de terre cuite et de céramiques colorées, d'un plafond à poutres peint avec raffinement, et de 17 vitrines où sont exposés des bronzes.

## Autres curiosités proches du centre-ville *Plan p. 137.*

★★**Southwest Museum** – 🅴🅽🅵🅰🅽🆃🆂 *234 Museum Drive. À environ 5 km au Nord-Est du centre-ville ; prendre la sortie Ave. 43 sur Pasadena Freeway (route 110). Visite de 10 h à 17 h. Fermé lundi et principaux jours fériés. 5 $.* 🅿 *www.southwest-museum.org* ☎ *213-221-2164.* Tel un château dominant l'autoroute sur un versant du mont Washington, ce bâtiment néo-Mission (1914) abrite le plus vieux musée de Los Angeles, qui consacre ses vastes collections et ses recherches aux cultures amérindiennes.

En 1907, **Charles Fletcher Lummis** (1859-1928), à la fois rédacteur en chef du *Los Angeles Times*, historien local éminent, défenseur de l'environnement et archéologue, fonda ce musée avec le concours des membres de la Southwest Society, une branche locale de l'Institut d'archéologie d'Amérique.

Le musée s'installa provisoirement dans un grand magasin du centre-ville. Depuis son emménagement sur le site actuel, il a amassé une collection de plus de 500 000 pièces, dont 5 % à peine sont présentés.

**Visite** – Les expositions sont organisées par régions, sur deux niveaux dans quatre immenses salles. Chaque salle est décorée en fonction des cultures qui y sont présentées. Dans la **salle des plaines**, dominée par les 5,50 m d'un **tipi** cheyenne du Sud, on peut admirer une remarquable collection de vêtements usuels et d'habits de cérémonie. Dans la **salle de la côte Nord-Ouest**, dédiée aux tribus du Nord-Ouest Pacifique et du Canada, se trouvent deux montants d'une habitation Haida en bois sculpté semblables à des totems (1860). Dans la **salle de Californie**, des objets illustrant la vie quotidienne des tribus amérindiennes de l'État sont répartis suivant leurs quatre environnements naturels respectifs : Sud, désert, centre et Nord-Ouest. Parmi les collections de la **salle du Sud-Ouest**, noter les **pointes de silex** taillés et striés (10 000 avant J.-C.), le plus ancien témoignage de présence humaine dans le Sud-Ouest américain. Dans la pièce voisine, **Basketry Study Room**, se tient une exposition tournante de quelques-unes des 12 000 pièces de la collection de paniers tressés amérindiens, l'une des plus importantes des États-Unis.

Des expositions ponctuelles et des animations sont proposées dans deux salles adjacentes à l'entrée principale *(niveau supérieur).* Des dioramas sur la vie des Indiens d'Amérique décorent l'entrée d'un tunnel de style précolombien creusé au pied du complexe. Également en contrebas se tient la **Casa de Adobe**, hacienda du début du 19e s. entièrement reconstituée en 1917 *(4605 N. Figueroa Street. Ouvert uniquement pour des événements particuliers).*

★**Lummis House** – *200 East Avenue 43. À environ 5 km au Nord-Est du centre-ville sur Pasadena Freeway (route 110). Visite du vendredi au dimanche de 12 h à 16 h.* ☎ *323-222-0546.* Charles Lummis, fondateur du Southwest Museum, fit bâtir cette maison à la main avec des pierres de la région et l'assistance des architectes Sumner Hunt et Theodore Eisen.

Ce bâtiment unique est un panaché de différents styles architecturaux Mission, Pueblo et artisanal. Il sert aujourd'hui de siège social à l'Académie d'histoire de la Californie du Sud.

Bien que le mobilier d'époque ait presque disparu, **l'intérieur** abrite encore une partie de la collection privée d'objets amérindiens de Charles Lummis. On peut voir des plaques photographiques présentant des Indiens, des portes et des meubles encastrés de Maynard Dixon, ainsi qu'une cheminée style Art nouveau réalisée par Walter Stetson.

**Heritage Square Museum** – *3800 Homer Street. À environ 5 km au Nord-Est du centre-ville ; prendre la sortie Ave. 43 sur Pasadena Freeway (route 110). Visite le vendredi de 10 h à 16 h 30, le week-end de 11 h 30 à 16 h. 5 $. ⅏ 🅿 www.heritagesquare.org ☎ 626-449-0193. Visite de l'intérieur (1 h) uniquement guidée, le week-end d'heure en heure à partir de 12 h.* Un ensemble de maisons vétustes de l'époque victorienne a été disposé le long de l'autoroute de Pasadena. Condamnées à la démolition, elles ont été transférées ici pour permettre aux visiteurs d'apprécier la gamme des styles de l'époque victorienne. La collection comprend actuellement huit bâtiments, à différents stades de restauration. Le plus remarquable est **Hale House**, entièrement restaurée et meublée, bel exemple des styles Queen Anne et Eastlake.

## ★★ ② AUTOUR DU PARC DES EXPOSITIONS *Plan p. 154*

Non loin du Palais des Congrès très animé de Los Angeles, à environ 5 km au Sud-Ouest du centre-ville, **Exposition Park** accueille sur près de 50 ha plusieurs grandes salles et musées, poursuivant sa longue tradition de pôle sportif et culturel de la ville.

En 1872, la société agricole du district Sud créa sur ce site un parc de 64 ha, destiné aux foires, marchés aux bestiaux et courses de chevaux. Au cours des dix années suivantes, certains terrains des bordures Sud et Ouest furent vendus. Au début du siècle, le parc était devenu un foyer de jeu, d'alcool et de prostitution. M⁰ W.M. Bowen, avocat de la région, lança une campagne pour réhabiliter le lieu. Rebaptisé Parc d'exposition en 1913, on l'aménagea avec des musées publics, des salles d'exposition, des équipements sportifs et des jardins. L'architecte paysagiste Wilber D. Cook Jr. en dessina les plans suivant la noble tradition des Beaux-Arts. Aujourd'hui, le parc traverse une nouvelle phase de transition. Bordé d'un côté par le campus de l'université de Californie du Sud, et sur trois autres par le quartier de South Central, ses terrains et ses équipements portent la marque du temps et de l'usure. Mais ses institutions continuent néanmoins de se développer, donnant une vision optimiste de l'avenir du secteur. Au cœur du parc, le nouveau et miroitant Centre scientifique de Californie sera prochainement achevé tandis que l'on cherche actuellement à réunir les 350 millions de dollars nécessaires à une rénovation complète des lieux : création d'espaces verts supplémentaires, de grandes allées et de nouveaux équipements collectifs.

### Visite *Une journée*

*Limité par Flower Street, Vermont Avenue, Exposition Boulevard et Martin Luther King Boulevard.*

★★ **Los Angeles Memorial Coliseum** – *Ouvert au public uniquement lors d'événements sportifs ou autres épreuves. ☎ 213-748-6131.* Construit pour un million de dollars sur l'ancien emplacement du circuit de vitesse du parc agricole, ce cirque ovale de 92 000 places (1923, Parkinson & Parkinson) est le plus grand stade sportif de Los Angeles. Il accueille des matches universitaires de football américain et des rencontres internationales de football, des concerts de rock et toutes sortes de manifestations en plein air. Construite à côté en 1958, la **Sports Arena** de 16 000 places, couleur turquoise, accueille tournois de basket-ball et autres activités sportives en salle.

Plus grande arène sportive du monde à son époque avec ses 75 000 places d'origine portées ensuite à 105 000, le Coliseum acquit une renommée internationale en devenant le site des Jeux olympiques de 1932.

Le monument placé à l'entrée du péristyle Est rappelle le rôle du Coliseum en tant que site principal des Jeux olympiques de 1984. Cette imposante sculpture de bronze, signée par Robert Graham, représente des femmes et des hommes nus, sans tête, au sommet d'une arche soutenue par deux grands piliers.

★★ **Natural History Museum of Los Angeles County** – 〔Enfants〕 *900 Exposition Boulevard. Visite de 9 h 30 (10 h le week-end) à 17 h. Fermé principaux jours fériés. 8 $. ✗ ⅏ 🅿 www.nhm.org ☎ 213-744-3466.* Le **Muséum d'histoire naturelle** rassemble plus de 35 millions de spécimens et d'objets appartenant aux domaines de l'histoire et des sciences de la vie et de la terre, troisième collection des États-Unis après celles des Muséums d'histoire naturelle de New York et de Washington. Ouvert au public en 1913 sous le nom de musée de l'Histoire, de la Science et des

Arts, il était installé dans un imposant édifice de style Beaux-Arts doté, à l'extrémité Est, d'une rotonde en marbre sophistiquée. Au cours des années, l'édifice fut agrandi puis, en 1961, on le divisa en deux entités distinctes : le Muséum et le musée d'Art du comté de Los Angeles (LACMA – *p. 159*).

**Niveau principal** – Dans l'entrée principale se trouve le « Duel des dinosaures », squelettes d'un tyrannosaure et d'un tricératops en position de combat. Les **salles des mammifères d'Afrique et d'Amérique du Nord** présentent, dans leur habitat naturel, des spécimens d'animaux plus vrais que nature. Dans la **salle des minéraux et des pierres précieuses★**, on peut découvrir plus de 2 000 pièces. Les **salles d'Histoire américaine★★** méritent une visite particulière. Cette exposition passionnante retrace les origines et le développement d'une nation, de l'époque de la découverte de Christophe Colomb à l'ère industrielle. On y voit une cloche fondue en 1811 par Paul Revere & Fils, un chariot de Conestoga au travers duquel on passe pour avoir un aperçu du voyage des premiers pionniers, et une moissonneuse Deering Light des débuts de la mécanisation agricole. À l'extrémité Est, le **Discovery Center** permet de toucher les fossiles et les ossements, et aussi de caresser poissons, reptiles et autres animaux vivants. Sur une mezzanine surplombant le Discovery Center, un **insectarium** présente des terrariums où grouillent scorpions, tarentules et mille-pattes. Dans la **salle des cultures des Indiens d'Amérique** on a reconstitué sur tout un mur une falaise de village troglodytique, et un petit pavillon artisanal dans lequel sont exposés des objets d'art amérindien.

Le duel des dinosaures

**Niveau supérieur** – Ouverte en 1989, cette **salle aux oiseaux★** de 1 500 m², remplie d'ingénieuses vitrines animées et d'amusants jeux interactifs, donne entre autres au public l'occasion de se promener au cœur de trois environnements reconstitués : une prairie marécageuse canadienne, une forêt tropicale et la montagne californienne, domaine du condor.

**Niveau inférieur** – Une exposition permanente « La Californie et le Sud-Ouest de 1540 à 1940 » retrace l'histoire locale à partir de répliques d'habitations, de dioramas et d'objets historiques. On y voit une maquette très précise du centre de Los Angeles, réalisée à la fin des années 1930 par des artisans du Works Progress Administration pour des urbanistes de la ville.

Le long d'Exhibition Boulevard, immédiatement à l'Est de l'ancienne entrée du Muséum et en contrebas se trouvent les 3 ha de la **roseraie★**, ouverte en 1911 et consacrée à la seule culture des rosiers depuis 1928. Avec plus de 19 000 plants de 190 variétés différentes, c'est un cadre particulièrement recherché pour les photos de mariage.

**★California Science Center** – 🄴🄽🄵🄰🄽🅃🅂 *700 State Drive. Visite de 10 h à 17 h. Fermé 1er janvier, Thanksgiving Day et 25 décembre* ✗ ⚹ 🄿 *(5 $) www.casciencectr.org* ☎ *323-724-3623.* Le **Centre scientifique de Californie** est le plus grand et le plus ancien de son genre de l'Ouest des États-Unis. Il ouvrit ses portes en 1951 sous le nom de musée des Sciences et de l'Industrie dans l'ancien State Exposition Building (1912). Accru du Kinsey Hall of Health en 1967, on lui adjoignit en 1984 l'Aerospace Museum, le Mark Taper Hall of Economics and Finance, et l'écran géant du cinéma IMAX. À l'achèvement en 1997 d'un nouveau bâtiment abritant une salle IMAX de projection en 3 D et des présentations nouvelles et interactives, l'ensemble prit son nom actuel.

Organisées autour de deux thèmes, le Monde vivant et le Monde de la Création, les expositions ont pour vocation d'expliciter les liens entre science et technique et le rôle joué par la science dans la vie quotidienne. Deux autres expositions sont en préparation : le Monde du Pacifique et les Mondes lointains. Sur son côté Nord, le bâtiment neuf intègre un vieux mur de brique qui faisait partie de l'ancien bâtiment Ahmanson du musée.

À côté, le **théâtre IMAX** projette sur un écran haut de cinq étages des documentaires sur l'histoire naturelle, les sciences et les vols spatiaux *(prix d'entrée variable)*.

**California Aerospace Museum** – Enfants Un avion de chasse Starfighter F-104 semble prêt à traverser le mur de cet édifice austère et anguleux (1984, Frank Gehry). À l'intérieur, dans un espace ouvert sur trois niveaux, des escaliers, des rampes et des passages permettent d'admirer de près des répliques d'avions, depuis un planeur Wright de 1902 jusqu'aux satellites et capsules spatiales.

★**California African-American Museum** – *600 State Drive. Visite de 10 h à 17 h. Fermé lundi, 1er janvier et 25 décembre.* ☎ *213-744-7432.* Inauguré en 1981, ce musée retrace l'histoire, l'art et la culture de la population noire d'Amérique. D'excellentes expositions temporaires présentent des objets d'art dans trois galeries entourant une cour centrale ornée de sculptures.

## Autres curiosités du quartier du parc

**University of Southern California** (USC) – *Située juste au Nord d'Exposition Park. Entrée principale sur Exposition Blvd. (des visites gratuites sont organisées sur réservation par les étudiants au départ de Trojan Hall ; www.usc.edu* ☎ *213-740-6605).* Lorsqu'elle fut fondée en 1880, l'université n'hébergeait que 53 étudiants dans un bâtiment en bois construit sur un terrain dont on lui avait fait don. Aujourd'hui, le campus principal de 60 ha accueille plus de 28 000 étudiants et plus de 2 000 enseignants à plein temps. Places, cours et passages paysagers sont peuplés de plus d'une centaine de grands édifices, où alternent structures contemporaines et majestueuses constructions de style néo-roman. Construction de bardeaux blancs de 1880, **Widney Alumni House** est le plus ancien édifice du campus. **Mudd Hall** (1930), bâtiment de style néo-roman qui accueille le département de philosophie, possède un cloître charmant et une bibliothèque à l'allure d'église. La **galerie Fisher**, principale galerie d'art de l'université, possède, outre sa collection d'œuvres d'art américaines, une collection permanente d'œuvres européennes du 15e s. *(visite de août à mai, du mardi au vendredi de 12 h à 17 h, le samedi de 11 h à 15 h. Fermé pendant les vacances universitaires.* ♿ 🅿 *(6 $)* ☎ *213-740-4561).*

Lors de sa création en 1929, l'École de cinéma et de télévision de l'USC était une des toutes premières. Des visites guidées *(1 h)* du **Cinema-Television Center Complex** *(3450 Watt Way. Visite uniquement le vendredi à 14 h 30.* ☎ *213-740-2892),* construction avant-gardiste, présentent de manière didactique la réalisation cinématographique.

★**Hancock Memorial Museum** – *Visite guidée uniquement (30 mn) sur réservation, du lundi au vendredi. Fermé pendant les vacances universitaires.* ♿ 🅿 *(6 $)* ☎ *213-740-5144..* Installée dans l'édifice Hancock, quartier général du département de biologie marine, cette maison-musée comprend un majestueux vestibule de style palladien, une bibliothèque, une salle à manger et un salon de musique, provenant du manoir Hancock, construit en 1907 à l'angle de Wilshire Boulevard et de Vermont Avenue, s'inspirant pour partie du palais Médicis à Florence. En 1936, le magnat du pétrole G. Allan Hancock fit don du musée et de l'édifice à l'université. Le bâtiment de style mauresque situé au Nord-Est du campus est le **Shrine Civic Auditorium** (*665 W. Jefferson Blvd.*), construit en 1926 pour les besoins du cinéma (Austin, Edelman et Lansburgh). Il accueille tous les ans les cérémonies des Grammy et American Music awards et parfois celle des Oscars.

★**Automobile Club de Californie du Sud** – *2601 E. Figueroa Street.* Avec sa tour octogonale surmontée d'un dôme, ce bâtiment (1923, Hunt & Burns) est un remarquable exemple du style colonial espagnol. Dans la **rotonde**, où coule une fontaine, le sol est recouvert de mosaïque importée du Mexique. Le patio abrite une collection d'anciens panneaux de signalisation routière californiens.

## ★★ ③ GRIFFITH PARK

L'un des plus grands parcs urbains des États-Unis, le parc Griffith couvre quelque 1 700 ha des monts Santa Monica, descend jusqu'à 8 km environ au Nord-Ouest du centre-ville et finit juste au Nord-Est d'Hollywood.

**Le don Griffith** – En 1882, le colonel J. Griffith, immigrant gallois qui avait fait fortune en exploitant le granit dans le Pays de l'or, acheta 1 650 ha du Rancho Los Feliz, vaste concession espagnole de 2 700 ha que Vincente Feliz avait acquise en 1795. Le 16 décembre 1896, Griffith fit don de 1 220 ha à la ville de Los Angeles pour en faire un usage public. Le parc atteignit sa surface actuelle dans les années 1960. « Donnez à la nature une chance de faire son travail, et elle apportera à chacun santé, vigueur et force morale », déclarait Griffith en 1912. Aidant un petit peu la nature, il finança l'observatoire installé dans le parc et le **théâtre grec** destiné aux concerts d'été en plein air. On y créa ensuite le zoo de Los Angeles, un manège, un poney-club pour les enfants et deux autres musées. Trois terrains de golf, des courts de tennis, un terrain de base-ball, un centre équestre et des aires de pique-nique sont aussi à la disposition du public.

Mais Griffith Park reste surtout un domaine préservé, à la beauté naturelle et sauvage, peuplé de daims, opossums, cougars, cailles, faucons et crécerelles. Juste au Nord du Los Feliz Boulevard, à l'angle Nord-Ouest du parc, se trouve une fraîche clairière appelée **Ferndel**, décor sauvage de grands pins abritant un ruisseau bordé de fougères. Les chemins boisés du **sanctuaire des oiseaux**, situé à l'entrée du Vermont Canyon, à 500 m au Nord du théâtre grec, invitent à une promenade bercée de chants d'oiseaux. 85 km de chemins de randonnée et 69 km de pistes cavalières permettent d'approcher de plus près la beauté du parc.

## Visite *Une journée*

*Entrée du parc sur le Los Feliz Boulevard. Accès par Ventura Freeway (route 134) et Golden State Freeway (I-5).*

★★**Griffith Observatory** – [Enfants] *2800 E. Observatory Road. Visite de juin à août tous les jours de 12 h 30 à 22 h, le reste de l'année du mardi au vendredi de 14 h à 22 h et le week-end de 12 h 30 à 22 h. Fermé principaux jours fériés.* ▯ ☎ *213-664-1191.* Cet observatoire de style Art déco (1935) se dresse sur un promontoire sur le versant Sud du sommet le plus élevé du Griffith Park, mont Hollywood (496 m). Donation du colonel Griffith, sa construction coûta 255 780 $. Avec le dôme central du planétarium, recouvert de cuivre et haut de 25,60 m, flanqué de deux autres petits dômes, l'observatoire est l'un des monuments les plus célèbres de Los Angeles. L'obélisque en face de l'entrée rend hommage à six grands astronomes. Un pendule de Foucault en cuivre de 90 kg oscille dans la **rotonde principale**, démontrant le mouvement de rotation de la terre. Les plafonds peints et huit panneaux muraux dus à Hugo Ballin reprennent des symboles astronomiques et illustrent l'histoire de la science. Dans les salles attenantes à la rotonde se tiennent des expositions permanentes ou temporaires d'objets scientifiques. La salle située à l'Est abrite deux globes terrestre et lunaire de 1,80 m de diamètre, une chambre noire et deux sismographes en service. Dans la salle Ouest, deux éléments remarquables : une bobine d'induction de Tesla en démonstration et un transformateur qui élève le courant domestique à un demi-million de volts.

Le **planétarium**, installé sous la coupole principale de 23 m de diamètre où sont projetés les films au moyen d'un imposant projecteur Zeiss d'une tonne construit en 1964 en Allemagne, propose régulièrement des programmes d'astronomie et des spectacles de lumière laser *(appeler le numéro indiqué ci-dessus pour connaître le programme. 4 $. Pour le « Laserium », se renseigner au ☎ 818-901-9405).*

On accède au toit par des escaliers extérieurs situés de chaque côté du bâtiment. Par nuit claire, le public peut observer la lune et les planètes à travers une lunette Zeiss de 30 cm de diamètre manipulée par un astronome *(mêmes horaires que ci-dessus)*. Du toit, ainsi que des allées et terrasses au pied de l'observatoire, on peut admirer à perte de vue le **panorama**★★★ sur Los Angeles, embrassant l'Est jusqu'au centre-ville, le Sud et l'Ouest jusqu'à la côte, et le Nord-Ouest jusqu'au grand panneau d'Hollywood *(p. 161).*

★★**Autry Museum of Western Heritage** – [Enfants] *4700 Zoo Drive. Visite de 10 h à 17 h. Fermé lundi, Thanksgiving Day et 25 décembre. 7,50 $.* ✗ ♿ ▯ *www.autry-museum.org ☎ 323-667-2000.* Ce bâtiment contemporain de style Mission (1988) est consacré à l'histoire de l'Ouest américain dont il préserve l'héritage à travers une collection de plus de 16 000 objets. La construction du musée, tout comme sa collection initiale, fut financée et offerte par la Fondation Autry, créée par la vedette de cinéma **Gene Autry** (1907-1998), affectueusement surnommé le « cowboy chantant ».

Sept galeries permanentes, situées au niveau principal et au niveau inférieur du musée, présentent la collection par thèmes et par ordre chronologique. « **L'esprit de découverte** » (Spirit of Discovery) célèbre les visiteurs et les explorateurs du continent, depuis les premiers chasseurs nomades du continent Nord-Américain, en passant par les navigateurs espagnols du 16ᵉ s,, les missionnaires franciscains du 18ᵉ s. et les pionniers américains du 19ᵉ s. « **L'esprit de communauté**★ » (Spirit of Community) montre comment les colons créèrent un tissu social grâce à la famille, aux associations, aux affaires, à la politique et à la religion. On peut y voir un diagramme, dessiné par Wyatt Earp, de la fameuse « Bataille de OK Corral » qui se déroula en 1881 à Tombstone, en Arizona. S'y trouvent également des armes à feu et autres objets ayant appartenu à des célébrités de l'Ouest telles que Earp, Billy the Kid, Frank James, Black Bart et Belle Star. La Colt Gallery expose plus de

200 armes à feu. **« L'esprit romantique »** (Spirit of romance) illustre l'image exaltante donnée par l'Ouest au 19ᵉ s. à travers l'art, la littérature, la publicité et les spectacles de l'Ouest sauvage. Y sont exposés des objets comme la carabine Burgess de William F. Cody, alias Buffalo Bill, et le fusil à double barillet L.C. Smith de Anny Oakley.

**« L'esprit d'imagination »** (Spirit of imagination) montre l'Ouest tel qu'on l'a présenté à travers films, radio et télévision, avec les souvenirs de personnalités du spectacle, les personnages qu'ils ont joués, les films et émissions auxquels ils ont participé.

★★ **Zoo de Los Angeles** – Enfants *5333 Zoo Drive. Visite de 10 h à 17 h. Fermé 25 décembre. 8,25 $.* ✗ ♿ 🅿 *www.lazoo.org* ☎ *323-666-4000.* Premier jardin zoologique de la ville, le zoo et parc d'attraction Selig a été ouvert au public à la fin du 19ᵉ s., à environ 4 km à l'Est du centre-ville. Propriété du producteur de films muets William N. Selig, le zoo louait ses animaux pour les tournages de films. Avec ses 700 espèces, il représentait, en 1915, l'une des plus grandes réserves d'animaux sauvages du monde. Dans les années 1920, des difficultés financières obligèrent Selig à faire don du zoo à la ville. Plus tard, celui-ci fut déplacé dans le Chavez Ravine, dans les collines au Nord du centre-ville, puis, en 1966, sur les 32 ha de son site actuel au Nord-Est de Griffith Park. Aujourd'hui, le zoo abrite plus de 1 200 mammifères, oiseaux, amphibiens et reptiles, soit quelque 400 espèces, dont près de 70 sont en voie de disparition.

**Visite** – Depuis l'entrée, une allée unique mène d'abord à l'**île de l'Aventure**, zoo pour enfants leur permettant sur 12 000 m² de se familiariser avec cinq types d'habitat animal du Sud-Ouest américain, avec des présentations interactives, un amphithéâtre de 250 places proposant des spectacles d'animaux, et la nurserie du zoo. À la sortie de l'île de l'Aventure, le chemin se divise en un réseau complexe de sentiers qui mènent, sur un terrain accidenté, aux zones réservées aux animaux aquatiques, aux animaux d'Australie, d'Amérique du Nord, d'Afrique, d'Eurasie, d'Amérique du Sud, et à la faune des montagnes. À l'intérieur de **Koala House**, les animaux nocturnes retrouvent la pénombre qui leur est naturelle. Dans l'allée en contrebas de la volière, on peut suivre un documentaire consacré au condor de Californie, et au programme efficace de reproduction et de remise en liberté entrepris par le zoo pour sauvegarder cette espèce menacée.

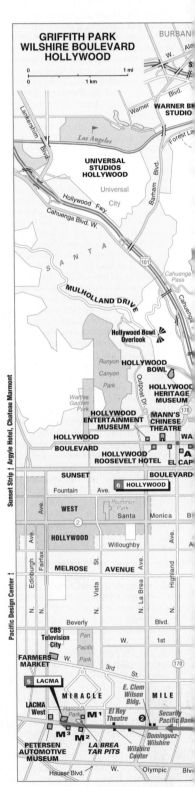

**Travel Town Transportation Museum** – Enfants *Zoo Drive sur Forest Lawn Drive. Visite de 10 h à 17 h (18 h le week-end). Fermé 25 décembre.* ✗ ▣ ☎ *323-662-5874. Musée en plein air,* le **musée des Transports urbains** présente des voitures de

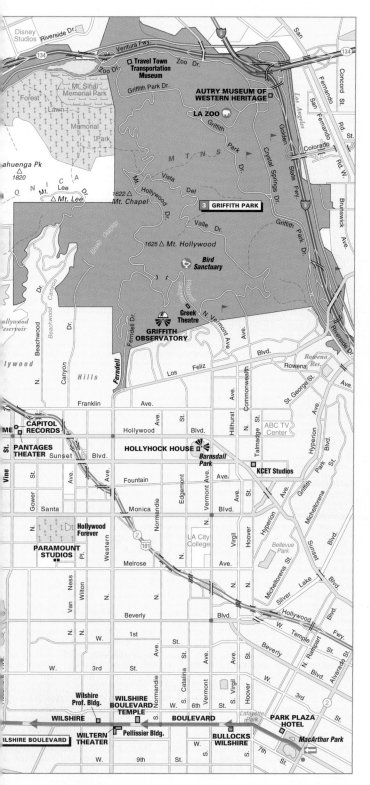

chemin de fer et des locomotives à vapeur datant de la période 1880-1930. Il fut fondé en 1952 par Charley Atkins, un employé du département des parcs et loisirs passionné par les chemins de fer. Une locomotive à l'échelle 1/4, dont le moteur à quatre temps fonctionne au propane, invite dès l'entrée les visiteurs à une promenade à travers le musée *(1,25 $)*. Une exposition intérieure présente d'anciennes voitures de pompiers de la région de Los Angeles.

# ★④ WILSHIRE BOULEVARD

Wilshire Boulevard, la plus belle artère de la ville, s'étire sur 25 km à partir du cœur de Los Angeles en traversant le centre, Beverly Hills, Westwood et Brentwood, pour se terminer aux falaises dominant la Pacific Coast Highway *(Hwy 1)* à Santa Monica. Au début du siècle, le développement commercial de la ville et le déploiement de ses quartiers résidentiels se sont organisés autour de cet axe majeur. Les bâtiments qui le bordent, notamment entre le centre-ville et Fairfax Avenue, racontent au travers de leur architecture le développement et l'évolution du Los Angeles moderne.

**L'artère principale de la mégalopole** – Au milieu du 18e s., le boulevard n'était guère qu'une voie poussiéreuse reliant El Pueblo *(p. 140)* à la zone rurale de Rancho La Brea, où on exploite aujourd'hui les puits à goudron. Pendant des siècles, les Amérindiens, puis les colons espagnols avaient emprunté ce chemin pour aller chercher l'asphalte, qui servait d'enduit étanche, dans les puits bouillonnants. Vers la fin des années 1880, l'éditeur H. Gaylord Wilshire, qui détenait le monopole des panneaux publicitaires de la région, acheta un terrain compris entre 6th Street et 7th Street, à environ 1,5 km à l'Ouest du centre-ville. Il subdivisa ce terrain en parcelles résidentielles et, en 1895, élargit la piste de terre pour créer un large boulevard portant son nom.

Le boulevard suivit la croissance de la ville vers l'Ouest, et rencontra l'avenue La Brea en 1920, année où A.W. Ross lança le projet du Miracle Mile. Ces dernières décennies, avec la migration des populations et des entreprises vers d'autres quartiers, certains des bâtiments les plus anciens du boulevard furent laissés à l'abandon et même démolis. D'autres ont cependant survécu et sont maintenant encerclés de tours de bureaux modernes.

Le tronçon du Miracle Mile, en voie de restauration et de réhabilitation, retrouve lentement sa gloire d'antan. Un certain nombre de musées, parmi lesquels le Los Angeles County Museum of Art, le Page Museum at the La Brea Tar Pits et le Peterson Automotive Museum, ont choisi de s'y établir, donnant lieu à l'appellation « Museum Row on Miracle Mile ».

## Visite en voiture *Une demi-journée. 8 km*

*Commencer par le parc MacArthur situé à environ 2 km à l'Ouest du centre-ville.*

Conçu pour les automobilistes, le Wilshire Boulevard se prête à la découverte en voiture. Les sites sont très distants les uns des autres et ceux qui souhaitent s'arrêter pour visiter les magnifiques espaces intérieurs des immeubles du boulevard peuvent facilement y stationner.

**MacArthur Park** – Lorsque H. Gaylord Wilshire acheta le terrain, le parc n'était qu'une « grande étendue de boue stagnante », si on en croit un article du *Los Angeles Times* de 1934. Entre 1890 et 1900, il en fit le Westlake Park, d'une superficie de 13 ha. Le tracé du boulevard Wilshire, qui contournait autrefois le parc, fut modifié en 1934 pour le traverser. En 1942, on rebaptisa le parc en l'honneur du général Douglas McArthur. Face à l'angle Nord-Ouest du parc se dresse le **Park Plaza Hotel★**, énorme bâtiment Art déco *(607 Park View Street)* construit en 1925 pour loger le club privé Elks Lodge, aujourd'hui résidence hôtelière. Le hall d'entrée est orné de plafonds voûtés peints de personnages mythologiques, exemple du style d'architecture intérieure sombre et romantique adopté ici par Anthony Heinsbergen.

★★**Bullocks Wilshire** – *3050 Wilshire Boulevard*. Pour répondre à un besoin croissant de centres commerciaux accessibles en voiture, le propriétaire de grands magasins John G. Bullock, et son associé P.G. Winnett, décidèrent d'implanter une succursale de leur magasin du centre-ville sur un terrain vague en bordure de Wilshire Boulevard, à l'Ouest du parc Lafayette. Ce magasin (1929, Parkinson & Parkinson) fut non seulement l'un des premiers à être conçu en fonction d'une clientèle d'automobilistes, mais c'est aussi un chef-d'œuvre du style Arts déco.

Du boulevard, la tour de 73 m attire l'attention sur le bâtiment recouvert de céramique, incrustée de motifs cuivrés en forme de zigzag et de cristaux de neige. L'immeuble n'occupe qu'un tiers du terrain. L'entrée principale est située à l'arrière du bâtiment, face à un grand parking qui recouvre le reste. Aujourd'hui, le bâtiment abrite une école de droit.

★**Wilshire Boulevard Temple** – *3663 Wilshire Boulevard. Visite du lundi au jeudi de 10 h à 15 h, le vendredi de 10 h à 14 h. Fermé jours fériés et fêtes juives.* ᕦ ⊡ ☏ *213-388-2401.* À l'époque de sa construction en 1929, cette imposante synagogue d'inspiration byzantine fut délibérément construite au-delà des terminus de tramway en prévision de la migration vers l'Ouest de la communauté juive de la ville. Ce temple a accueilli la première communauté juive établie à Los Angeles. Le long des couloirs du rez-de-chaussée, on peut voir une présentation de l'histoire des Juifs de Los Angeles, ainsi que des objets de cérémonies juives. Une galerie d'art propose diverses expositions autour du thème de la judaïcité.

★★**Edgar F. Magnin Sanctuary** – Sous un dôme de 38 m incrusté de mosaïque se tient le lieu principal du culte, une salle octogonale lambrissée de bois précieux ornés d'une marqueterie de marbre. Sur le mur Nord, un paravent de bronze entoure l'Arche d'Alliance où sont déposés les rouleaux de la Torah. Formant une frise sur les sept autres murs, les **peintures murales du Warner Memorial**, signées Hugo Ballin, retracent 3 000 ans d'histoire juive. Une rosace multicolore orne le mur Sud en face de l'Arche.

★**Wiltern Theatre**– *3790 Wilshire Boulevard. Ouvert au public seulement pour les spectacles.* Pièce centrale de l'attrayant **Pellissier Building** (1931, Morgan, Walls et Clements), tour Art déco de douze étages dotée de deux ailes commerçantes et recouverte de terre cuite couleur turquoise, ce théâtre fut imaginé par G. Albert Landsburgh. Un soleil rayonnant sophistiqué orne le plafond de la marquise d'angle. L'architecte Anthony B. Heinsbergen, qui en conçut le décor **intérieur** Art déco, le décrivit comme une « jungle folle » de tons roses, violets et orange. Tout d'abord salle de cinéma pour les studios Warner, c'est aujourd'hui un théâtre.

À l'Ouest, à moins de deux blocs, se dresse le **Wilshire Professionnal Building** *(3875 Wilshire Boulevard)*, une tour de bureaux recouverte de terre cuite aux tons clairs (1929), affichant les chevrons et motifs stylisés du style Art déco « Zigzag moderne ».

**Miracle Mile** – *Sur Wilshire Boulevard, entre La Brea Ave. et Fairfax Ave.* En 1920, le promoteur A.W. Ross acheta pour 54 000 dollars 7 ha le long du boulevard, entre les avenues La Brea et Fairfax, à 6 km environ d'Hollywood, Beverly Hills, Westlake Park, Hancock Park et West Adams, les quartiers les plus aisés de Los Angeles à l'époque. Son projet, ambitieux, était de faire de ce terrain un grand centre commercial pour une clientèle d'automobilistes. En 1928, son ami et associé Foster Stewart baptisa fièrement l'endroit « The Miracle Mile ».

 **La Brea Bakery**

*624 S. La Brea Ave.* ☎ *233-939-6813.* Tout Los Angeles semble faire la queue devant cette petite échoppe d'où, tous les jours, sortent de délicieux pains et autres surprises gourmandes. Joignez-vous aux habitués et goûtez les chips au parmesan ou les muffins anglais à la farine complète ou laissez-vous tenter par la spécialité maison à base de chocolat Vahlrona et de cerises acidulées, le *chocolate cherry bread* !

---

### Le Miracle Mile et l'Art déco

**Security Pacific Bank** – *5209 Wilshire Boulevard (juste à l'Est de La Brea).* Cette structure de plain-pied (1929, Morgan, Walls & Clements) actuellement inoccupée est recouverte de terre cuite vernie noir et or.

**E. Clem Wilson Building** – *5217-5231 Wilshire Boulevard (à La Brea).* Le sommet de cette imposante tour de onze étages à la structure en escalier avec terrasse (1930, Meyer & Holler) est désormais masqué par une enseigne au néon très criarde.

**Dominguez-Wilshire Building** – *5410 Wilshire Boulevard.* Cette tour est construite au-dessus d'une galerie commerciale à un étage (1930, Morgan, Walls & Clements). À l'intérieur, les portes des ascenseurs en nickel arborent des motifs floraux gravés à l'acide.

**Wilshire Center Building** – *5514 Wilshire Boulevard.* Cette tour de bureaux de 8 étages (1928, Gilbert Stanley Underwood) s'élève au-dessus d'une galerie commerciale à un étage abritant, côté Ouest, Desmond's Men's Store. Le hall d'entrée est orné de flamboyants motifs d'inspiration égyptienne.

**El Rey Theatre** – *5517 Wilshire Boulevard.* Ce cinéma (1936, W. Clifford Balch) s'ouvre sur un trottoir de « terrazzo » multicolore (éclats de marbre incrustés dans du ciment, puis polis).

**LACMA West** – *6067 Wilshire Boulevard.* Ce grand magasin de trois étages (1939, Albert C. Martin & Samuel A. Marx) possède une tour d'angle arrondie de granit noir décorée de motifs dorés à la feuille. Il est aujourd'hui une annexe du Los Angeles County Museum of Art.

Au cours des trente années qui suivirent, on vit surgir le long du « Mile » certains des plus beaux exemples d'architecture Art déco de la ville. Nombreux subsistent aujourd'hui, dont certains sont en cours de restauration, tandis que d'autres se dégradent ou tombent à l'abandon. Le Miracle Mile longe les puits de goudron de La Brea *(ci-après)* et le Musée d'art du comté de Los Angeles.

★**La Brea Tar Pits** – *Côté Nord du Wilshire Boulevard, à l'Ouest de Curson Avenue.* Le **« puits de goudron de La Brea »** est un parc public accueillant le musée d'Art du comté de Los Angeles et le musée Page. On y trouve aussi le plus grand gisement au monde de fossiles de l'ère glaciaire.

**Le piège d'asphalte** – Il y a quelque 38 000 ans, au cours du pléistocène, des mammifères comme le tigre à dents de sabre, le grand mammouth, l'ancêtre du bison et le paresseux géant venaient ici s'abreuver dans les ruisseaux, et restaient prisonniers de l'asphalte épais comme du goudron (*brea* en espagnol). En 1860, le major Henry Hancock acheta le terrain alors connu sous le nom de Rancho La Brea, et entreprit le commerce de l'asphalte. Son fils, **G. Allan Hancock** (1876-1965) établit la fortune de la famille lorsqu'il découvrit du pétrole sur cet emplacement quarante ans plus tard. À l'instar de la plupart de ceux qui avaient trouvé les fossiles auparavant sur le site, les Hancock supposèrent qu'il s'agissait d'ossements d'animaux de ferme égarés. Mais en 1905, des scientifiques de l'université de Californie attestèrent l'âge véritable des ossements. Les fouilles scientifiques entreprises sur le site ont mis au jour plus de cent tonnes de spécimens. En 1916, Hancock fit don au comté de Los Angeles du parc de 9 ha qui porte son nom.

Aujourd'hui, les bulles d'asphalte viennent toujours éclater à la surface des **mares à goudron** proches du Wilshire Boulevard. On a placé autour des mares des reproductions grandeur nature de mammifères de l'ère glaciaire luttant pour s'arracher à l'asphalte. Par temps chaud, le goudron filtre souvent autour des dalles, dans la pelouse du parc et dans les rues voisines. Chaque été, les visiteurs peuvent assister aux fouilles qui se déroulent pendant deux mois au puits 91, situé derrière le musée d'Art du comté

★★**Page Museum at the La Brea Tar Pits** (**M¹**) – Enfants *5801 Wilshire Boulevard. Visite de 9 h 30 (10 h le week-end) à 17 h. Fermé lundi et principaux jours fériés. 6 $. 🚹 🅿 (5 $) www.tarpits.org ☎ 323-857-7243.* George C. Page, natif du Nebraska, fit fortune dans l'expédition de corbeilles de fruits secs californiens dans tout le pays. Il a financé la construction du musée, un bâtiment carré de plain-pied (1976) semblant bâti sur un tumulus et orné de frises en fibre de verre représentant des animaux de la période glaciaire. Les collections autrefois gérées et conservées au Muséum d'histoire naturelle du comté de Los Angeles ont été rapatriées sur leur site d'origine. On y voit des squelettes reconstitués à partir de plus de 4,5 millions d'ossements provenant de quelque 390 espèces animales découvertes autour des puits de goudron de La Brea. Deux vitrines d'exposition créent l'illusion que les squelettes d'un **tigre à dents de sabre** et de la Femme de La Brea, âgée de 9 000 ans, prennent corps. Au travers des vitres du **laboratoire de paléontologie**, on peut apercevoir des scientifiques et des bénévoles en train de nettoyer et d'étudier des ossements.

**Craft and Folk Museum** (**M²**) – *5814 Wilshire Blvd. Visite de 11 h à 17 h (21 h le jeudi). Fermé lundi et principaux jours fériés. 3,50 $. ☎ 323-937-4230.* Le petit **musée des Arts populaires** a pour vocation d'éveiller le goût pour d'autres cultures au travers de la présentation d'objets de la vie quotidienne. Rouvert depuis 1999, il accueille des expositions temporaires d'excellente qualité, souvent dans le domaine du design. La boutique du musée propose à l'achat de très belles pièces, souvent uniques.

★**The Carole & Barry Kaye Museum of Miniatures** (**M³**) – Enfants *5900 Wilshire Blvd. Visite 10 h (11 h le dimanche) à 17 h. Fermé lundi, 1ᵉʳ janvier, Thanksgiving Day et 25 décembre. 7,50 $. 🚹 www.museumofminiatures.com ☎ 213-937-6464.* Ce musée consacré à l'art de la miniature présente des monuments célèbres du monde entier et des scènes historiques reconstituées à une échelle lilliputienne. Le palais des Doges de Venise, l'opéra du château de Versailles, le château de Fontainebleau sont quelques-uns des nombreux bâtiments minutieusement reproduits. Parmi les nouveautés du musée citons le Vatican, avec les échafaudages de Michel-Ange dans la chapelle Sixtine, et le *Titanic* construit avec 75 000 cure-dents. On admirera notamment les **salles Kupjack★**, suite miniature de 16 pièces réalisée par Eugene Kupjack, élève de Narcissa Thorne, elle-même auteur des Thorne Rooms au Chicago Art Institute.

★★★**Los Angeles County Museum of Art (LACMA)** – *Description ci-après.*

★★**Petersen Automotive Museum** – Enfants *6060 Wilshire Blvd. Visite de 10 h à 18 h. Fermé lundi et principaux jours fériés. 7 $. 🚹 🅿 (4 $) www.petersen.org ☎ 213-930-2277.* Le plus jeune département du Muséum d'histoire naturelle a ouvert ses portes en 1994 à l'intérieur des grands magasins Ohrbach réaménagés. Allant au delà de la simple tradition qui consiste à restaurer et présenter des automobiles anciennes, le musée Petersen utilise dioramas, photographies et écrans d'ordinateurs pour montrer comment le développement de l'automobile a influencé la croissance de Los Angeles, « ville de l'automobile » par excellence. Visiter le musée est à la fois une promenade vivante dans l'histoire de la ville et une opportunité d'admirer sa collection exceptionnelle de plus de 200 voitures, camions et motos superbement restaurés.

**Visite** – Au rez-de-chaussée, l'exposition permanente **Streetscape** expose des véhicules classiques au sein de dioramas colorés représentant Los Angeles à différents moments de son histoire. Les visiteurs verront l'un des tout premiers modèles de tourisme, une Underslung américaine de 1911, et un bolide Stutz White Squadron datant de 1915, l'aube de la course automobile. Un groupe de voitures, dont une Willys-Knight de 1922, un roadster Chrysler CD-8 de 1931, un roadster Duesenberg modèle J de 1932 et une moto Harley-Davidson de 1932 mettent en valeur les innovations de l'époque en matière de design et de marketing automobiles : voies résidentielles, garages séparés, caravanes, stations-service, agences de concessionnaires, grands centres commerciaux, panneaux publicitaires géants, et bâtiments en forme d'objets dans le style « California crazy » destinés à attirer l'attention des voyageurs passant plus vite en automobile.

D'autres présentations détaillent les décisions de la ville de construire de larges boulevards, des aires de stationnement et plus tard des autoroutes à la place des lignes de tramways et trolleybus, liant ainsi la croissance de la ville à l'automobile plutôt qu'aux transports publics. L'exposition se termine par une présentation impressionnante de collisions, avec les innovations techniques visant à améliorer la sécurité automobile ; une série d'illustrations exposant les étapes de la conception des véhicules en cette fin de siècle ; par un véhicule futuriste à énergie solaire élaboré en 1989 par des élèves ingénieurs.

Les galeries du second niveau abritent des expositions thématiques tournantes sur des sujets comme les voitures de course, les motos anciennes, le design automobile et les véhicules des stars.

★**Farmers Market** – *6333 West Third Street au départ de South Fairfax Avenue. Visite de juin à septembre de 9 h à 19 h (10 h à 18 h le dimanche), le reste de l'année de 9 h à 18 h 30 (10 h à 17 h le dimanche). Fermé 1ᵉʳ janvier et 25 décembre. ✗ 🖵 www.farmersmarketla.com ☎ 323-933-9211.* Au cours de l'été 1934, les fermiers des vallées environnantes de Los Angeles, qui se réunissaient ici pour vendre leurs produits, entreprirent d'implanter un ensemble de bâtiments en bardeaux ; il fut achevé en 1937. Bien que les étals des fermiers aient depuis longtemps été remplacés par plus de 110 véritables commerces, ce célèbre marché de plein air a conservé un charme rustique. Les maraîchers et les bouchers servent les habitants du quartier, et les nombreux magasins d'alimentation exotique et boutiques de souvenirs offrent leurs services aux touristes.

Derrière le marché, sur South Fairfax Avenue, se trouve le bâtiment cubique noir et blanc de **CBS Television City** (1952), siège régional du réseau national de télévision. Sur sa façade côté Fairfax Avenue, un guichet propose les billets pour assister à l'enregistrement des émissions.

## ★★ 5 LOS ANGELES COUNTY MUSEUM OF ART (LACMA)

Ce complexe de cinq bâtiments qu'on appelle familièrement LACMA est le plus grand musée d'art du pays à l'Ouest de Chicago. Abritant une vaste collection d'objets allant de l'époque égyptienne et précolombienne aux œuvres contemporaines, le LACMA est aussi le cadre privilégié de grandes expositions itinérantes présentées à Los Angeles. Il propose aussi des programmes de conférences, de concerts et de films.

**L'histoire du musée** – Cette prestigieuse institution a pris naissance dans l'enceinte du musée de l'Histoire, de la Science et des Arts ouvert au public en 1913 dans Exposition Park. La collection d'art, détachée du musée en 1961, fut trois ans plus tard à nouveau accessible au public, sous son appellation actuelle et sur son site de Wilshire Boulevard, au sein de trois bâtiments imposants construits par Pereira & Associés. Les collections toujours croissantes ont nécessité la construction d'un autre bâtiment, le Robert O. Anderson Building (1986, Hardy Holzman Pfeiffer), une structure sur quatre niveaux apportant un air résolument nouveau au boulevard. Sa monumentale façade en calcaire, parpaings de verre et céramique vernissée verte rappelle les accents Art déco du Miracle Mile. S'ouvrant largement sur une cour intérieure couverte, les volumes de la majestueuse entrée impressionnent les visiteurs. L'ouverture du pavillon d'Art japonais (1988, Bruce Goff & Bart Prince) bâtiment curviligne d'inspiration asiatique entourée de jardins japonais, a ajouté une note de distinction architecturale et artistique au LACMA, et souligne l'étroitesse des liens qui unissent la ville aux cultures de la ceinture Pacifique.

L'ancien magasin May Company, impressionnant édifice construit dans le style Streamline Moderne (1939) situé à un bloc (*Wilshire Blvd et Fairfax Ave.*) a été remodelé afin d'accueillir une salle interactive pour les enfants, une salle satellite du Southwest Museum *(p. 149)* ainsi que des expositions temporaires. Depuis 1998 ce bâtiment est connu sous nom de **LACMA West**.

**Les collections** – Le LACMA possède aujourd'hui plus de 110 000 œuvres d'art. On peut apprécier l'éventail de ses collections à travers les dix départements du musée : art américain, arts de l'Islam et de l'Antiquité, costumes et textiles, arts décoratifs, peinture et sculpture européennes, art d'Extrême-Orient, des Indes, de l'Asie du Sud-Est et du Japon, photographies, dessins et lithographies, et art moderne et contemporain. L'envergure des départements ne favorise pas nécessairement l'étude en profondeur, mais le musée présente des points forts, notamment la collection la plus importante et la plus complète au monde d'expressionnistes allemands, et un ensemble de chefs-d'œuvre japonais.

## Visite *Une journée*

*5905 Wilshire Boulevard. Visite de 12 h (11 h le week-end) à 20 h (21 h le vendredi). Fermé mercredi, 1ᵉʳ janvier, Thanksgiving Day et 25 décembre. 7 $ (entrée gratuite le 2ᵉ mardi du mois).* ✗ ⚙ 🅿 *(5 $) www.lacma.org ☎ 323-857-6000. Le bureau d'information situé dans la cour centrale fournit des plans du musée et les horaires des visites-conférences, ainsi que ceux des concerts et des projections dans l'auditorium Bing.*

**Ahmanson Building** – Cet édifice à quatre niveaux, l'un des bâtiments d'origine du musée, abrite la majeure partie de la collection permanente du LACMA, exposée dans des galeries qui rayonnent à partir de l'atrium central.

**Niveau Plaza** – C'est là qu'est exposée la **collection précolombienne** de sculptures, poteries, textiles et objets en or provenant de l'Ouest du Mexique et du cœur de l'Amérique centrale, ainsi que des céramiques du centre du Panama et des poteries anciennes.

Le département des **arts décoratifs américains** présente des pièces remarquables du mouvement d'artisanat d'art Arts and Crafts, ainsi qu'un vaste éventail de styles : Queen Anne, William and Mary, Chippendale, rococo et fédéral. On remarquera une écritoire Tiffany (1885), un cabinet de musique (1880) des frères Herter, auteurs également d'une imposante glace de trumeau (1873). La section **peinture et sculpture américaines** du 18ᵉ s. au début du 20ᵉ s. possède des œuvres d'Albert Bierstadt, William Keith, Winslow Homer (*Les Cueilleurs de coton* – 1876) et Thomas Cole, fondateur de l'école de l'Hudson. Mary Cassatt, John Singer Sargent, Jo Davidson, Georgia O'Keeffe (*Crâne de cheval à la rose* – 1931), Diego Rivera (*Jour de fleurs* – 1925) et Thomas Hart Benton (*The Kentuckian* – 1954) sont également représentés.

De nombreuses œuvres des collections permanentes d'**art africain** datent du 20ᵉ s. Beaucoup de plaques, masques en bois et en fibres, bijoux et statuettes servent à des rites funéraires ou de fertilité.

**Deuxième niveau** – Une enfilade de salles donne une vue d'ensemble des arts antiques égyptien, iranien, grec et romain. Les fleurons en sont une série de cinq bas-reliefs en pierre provenant du palais du roi Ashurnasirpa II, et une galerie de verreries anciennes.

Les arts européens, du Moyen Âge au 19ᵉ s., occupent la majeure partie de ce niveau. Les œuvres les plus marquantes des collections **Renaissance** et **maniériste** comprennent des tableaux signés Titien (*Portrait de Giacomo Dolfin* – vers 1531), le Tintoret, Vasari, Véronèse et le Greco (*L'Apôtre saint André* – 1600). Parmi les œuvres **hollandaises** et **flamandes** du 17ᵉ s. figurent des toiles de Rembrandt (*Portrait de Marten Looten* – 1632) Frans Hals et Rubens (*Sainte Famille à la colombe* – vers 1609). Dans la galerie 221, on peut admirer plus d'une vingtaine de petits bronzes de Rodin. Une passerelle permet d'accéder à une salle du **Hammer Building** voisin consacrée aux **impressionnistes et post-impressionnistes**. Y sont exposées des œuvres de Cézanne (*Sous les arbres* – 1894), Degas et Gauguin, des expositions temporaires de photographies, ainsi qu'une sélection de la très importante collection de lithographies et des dessins d'expressionnistes allemands du musée, dont Ernst Kirchner, Karl Schmidt-Rottluff et Erich Heckel.

**Troisième niveau** – Les galeries présentent des objets d'art islamique, indien, tibétain et népalais. Rassemblant près de 3 500 peintures, sculptures, céramiques, tissus et objets en argent, en jade et en cristal, cette collection est l'une des trois plus belles du monde occidental.

Au niveau inférieur du bâtiment, des œuvres **chinoises, coréennes et du Sud-Est asiatique**, parmi lesquelles figurent des bronzes, des porcelaines, des figurines en céramique polychrome et des peintures sur rouleaux, partagent les lieux avec des expositions particulières.

**Anderson Building** – Une petite collection d'art du 20ᵉ s. *(niveaux 2 et 3)* regroupe des œuvres de Picasso représentatives de la période bleue et de la période cubiste, des tableaux du surréaliste belge René Magritte (*Ceci n'est pas une pipe* – 1929), des toiles signées Joan Miró, Hans Hoffmann, Isamu Noguchi, Mark Rothko, Frank Stella et Richard Diebenkorn. On remarquera l'étonnante vision « impressionniste » des collines d'Hollywood intitulée *Mulholland Drive : la route du studio* (1980), œuvre de David Hockney, artiste anglais installé à Los Angeles ; *Video Flag* ,

(1986) de Nam June Paik ; *The Back Seat Dodge'38* (1964), œuvre controversée du sculpteur américain Ed Kienholz. Le niveau de la plaza est réservé aux expositions temporaires.

**Pavillon d'art japonais** – En 1982, Joe D. Price, roi du pétrole de l'Oklahoma, et son épouse Etsuko, d'origine japonaise, firent don de leur **collection Shin-enkan** au LACMA. Composée de plus de trois cents paravents et peintures sur rouleaux datant de la dynastie Edo (1615-1868), cette collection passe pour être l'une des plus importantes du monde occidental. On accède au dernier étage du bâtiment par un ascenseur. Dans l'aile Ouest, des expositions tournantes présentent des tissus japonais, des sculptures, des céramiques et des laques bouddhistes. Dans l'aile Est, le long d'une rampe en spirale qui conduit aux niveaux inférieurs, se succèdent des alcôves permettant d'admirer un par un paravents et peintures sur rouleaux. Trente œuvres seulement peuvent être exposées à la fois, mais ces expositions sont renouvelées tous les mois. Les parois en lucite, rappelant l'aspect diaphane des *shoji*, cloisons translucides en papier de riz, éclairent les œuvres d'une douce lumière naturelle ; les cascades intérieures composent un murmure apaisant.

Une petite galerie ouvrant sur le hall d'entrée présente des **netsukés**, fines pièces ciselées en bois, ivoire ou andouiller de cerf, qui servaient de boutons pour suspendre blagues à tabac ou boîtes médicinales aux ceintures des kimonos.

**Jardins aux sculptures** – Deux espaces en plein air consacrés aux sculptures de grande taille encadrent le bâtiment Anderson sur le boulevard Wilshire. Côté Ouest *(accès par la cour centrale)* des bronzes de Rodin dominent le jardin. Côté Est *(accès juste à droite de l'entrée principale)* se trouvent neuf œuvres contemporaines de sculpteurs tels que Calder et Henry Moore.

## ★★★⑥ HOLLYWOOD *1 à 2 journées. Plan p. 154.*

Hollywood est un état d'esprit autant qu'une entité géographique. Cœur de l'industrie du cinéma, il en est aussi le symbole. Ville dans la ville, ce célèbre quartier d'affaires, d'industrie légère, de divertissement et de belles résidences se trouve à 13 km environ à l'Ouest du centre-ville de Los Angeles, et à 20 km à l'Est de la côte Pacifique. Couvrant la partie des monts Santa Monica qu'on appelle Hollywood Hills, il s'étire au Sud en direction de la ville. Traversé d'Est en Ouest par de grands boulevards et avenues, Hollywood est un quartier très vivant de Los Angeles. Ses rues animées attirent une foule hétéroclite de touristes et de promeneurs.

**« Hollywoodland »** – H.H. Wilcox, grand défenseur de la prohibition au Kansas, fonda cette banlieue en 1883. Au début du siècle, cette paisible communauté de quelque 5 000 citoyens était surtout connue pour son absence de saloons. Baptisée Hollywood par Mme Wilcox, on lui accorda le statut communal en 1903. Sept ans plus tard, elle accepta d'être annexée par la ville de Los Angeles pour bénéficier de l'eau apportée par l'aqueduc de Los Angeles et profiter de la croissance qui devait suivre.

En 1911, un producteur de cinéma de New York, David Horseley, ouvrit le premier studio d'Hollywood dans une auberge désaffectée à l'angle de Sunset Boulevard et de Gower Street. En 1912, cinq grandes sociétés de production de la côte Est – Biograph, Bison, Kalem, Pathé et Selig – ainsi que plusieurs petits producteurs indépendants suivirent le mouvement, attirés par le climat bienveillant de la Californie du Sud, par ses grands espaces et la variété de ses paysages.

Au début des années 1920 la réputation *glamour* croissante de la ville incita un groupe de promoteurs à investir dans ce qu'ils appelèrent « Hollywoodland ». On vit alors surgir dans les collines de Beachwood Canyon une série d'élégantes demeures de style espagnol et méditerranéen. En 1923, en guise de publicité pour leur investissement, les promoteurs firent afficher, pour 21 000 dollars, ce qui deviendra le célèbre panneau **Hollywood★**. En lettres de métal blanches de 9 m de large sur 15 m de haut, le panneau annonçait à l'origine « HOLLYWOODLAND ». Il fut laissé à l'abandon en 1939. Mais, depuis les années 1950, débarrassé de sa dernière syllabe, il a été maintes fois restauré pour devenir le point de repère le plus visible d'Hollywood *(on voit parfaitement le panneau, situé dans l'enceinte du parc Griffith, de l'observatoire de ce parc p. 153)*. Dans les années 1940, Hollywood demeura le centre de l'industrie et des gens du cinéma, en dépit de l'implantation de grands studios dans d'autres régions : Warner Bros à Burbank *(p. 176)*, Metro-Goldwyn-Mayer à Culver City, Twentieth-Century Fox à Century City *(p. 171)* et Universal Studios à Universal City *(p. 165)*. Depuis cette époque, la ville a connu, elle aussi, les affres de l'urbanisme moderne et a vu certains de ses symboles architecturaux se détériorer. Ses rues principales sont devenues un lieu d'errance pour les âmes perdues attirées par l'aura de l'industrie du cinéma. Depuis les années 1980, des efforts énergiques ont été entrepris par des investisseurs privés et par l'administration locale pour redorer le blason terni d'Hollywood. C'est visible notamment pour de très nombreux bâtiments restaurés sur Hollywood Boulevard et Sunset Boulevard.

## ★★HOLLYWOOD BOULEVARD

La principale artère d'Hollywood fait environ 7 km de long, mais la partie qui traverse le centre du quartier entre Gower Street et Sycamore Avenue (1,5 km) se parcourt facilement à pied. Ici, le long d'un trottoir pavé d'étoiles, où grouille une foule de touristes et de personnages hauts en couleur, certaines des grandioses salles de cinéma du vieil Hollywood sont flanquées de boutiques de souvenirs et de musées à thème « kitsch ». Mais le mythe d'Hollywood exerce toujours sa fascination le long du boulevard, surtout au croisement de **Hollywood et Vine**, pôle de l'univers hollywoodien des années 1930 et 1940. Certains restaurants très cotés, comme Sardi's et le Brown Derby, occupaient autrefois deux blocs sur Vine Street à la hauteur de Hollywood Boulevard.

★**Hollywood Entertainment Museum** – *7021 Hollywood Blvd. Visite de 11 h à 18 h. Fermé mercredi sauf en juillet et août et 25 décembre. 7,50 $.* & 🅿 *(2 $) www.hollywoodmuseum.org* ☎ *323-465-7900.* Avant d'emprunter la Promenade de la gloire, faire une étape dans ce musée scintillant ouvert en 1996, qui rend hommage à la grande période hollywoodienne du milieu du 20ᵉ s. Dans la grande rotonde centrale sont présentés costumes, maquillage innovations technologiques ; des extraits de films et de bandes sonores ravivent l'éclat un peu terni du Hollywood d'aujourd'hui. Une fascinante **maquette** représente Hollywood en 1936, quand le cœur de l'industrie cinématographique se situait au croisement de Hollywood Blvd et Vine St. Des visites guidées permettant d'aller sur les plateaux de *Star Trek* et *Cheers.*

> ③ **Musso & Frank Grill**
>
> *6667 Hollywood Boulevard.* ☎ *323-467-7788.* Les gens de l'industrie du cinéma (et ceux désirant y faire leur entrée) ont souvent fait affaire à l'abri des stalles de ce vénérable restaurant ! Les plats du jour sont les mêmes depuis des années (Mardi. corned beef et chou ; jeudi. *Chicken Pot Pie*). Aussi peut-on imaginer déguster le même plat qu'une des nombreuses, très nombreuses stars ayant fréquenté le grill et dont les photos décorent les murs.

★**Walk of Fame** – *Sur Hollywood Boulevard, entre Gower Street et La Brea Avenue, et sur Vine Street, entre Sunset Boulevard et Yucca Street. Pour repérer les « étoiles » de vedettes particulières, appeler la chambre de commerce d'Hollywood (*☎ *323-469-8311), ou s'adresser au Hollywood Visitors Bureau, 6541 Hollywood Boulevard (*☎ *323-689-8822).* Plus de 2 500 étoiles de « terrazzo » couleur corail bordées de bronze ont été serties dans le trottoir de la **Promenade de la gloire**, à l'initiative de la Chambre de commerce de Hollywood. Celle-ci lança l'idée en 1958 de rendre ainsi hommage aux grandes personnalités du monde du spectacle. Aujourd'hui, près de 2 000 d'entre elles ont été dédiées, au rythme de douze par an, à des célébrités choisies par la Chambre de commerce. Le nom des personnalités est incrusté en bronze et une plaque circulaire mentionne les domaines dans lesquels elles se sont distinguées : cinéma, radio, télévision, chant ou théâtre.

★★★**Mann's Chinese Theater** – *6925 Hollywood Boulevard. Intérieur ouvert uniquement pendant les projections.* ☎ *323-464-8111.* Chinoiserie fantaisiste, cette salle (1926, Meyer & Holler) fut commandée par l'artiste **Sid Grauman**. Bien qu'elle appartienne maintenant à la chaîne de cinémas Mann, on l'appelle toujours le « chinois de Grauman ». Inauguré en 1927 lors de la première du film *Le Roi des rois* de Cecil B. De Mille, le « chinois » a accueilli plus de galas de premières qu'aucun autre cinéma d'Hollywood.

L'extérieur monumental est dominé par un toit de pagode mansardé très éclectique, surmonté de flammes stylisées et flanqué de chiens de marbre blanc. La décoration du grand volume intérieur s'inspire du mobilier de goût chinois de Chippendale (mobilier très travaillé créé par l'ébéniste Thomas Chippendale, mort en 1779). L'**avant-cour** en U est recouverte de dalles de ciment, dans lequel plus de 180 célébrités d'Hollywood ont laissé leurs empreintes de pas et leurs signatures. Chaque année, d'autres artistes viennent perpétuer cette tradition dont on ne connaît plus très bien l'origine. Différentes versions de la légende mettent en scène Grauman, Mary Pickford, Douglas Fairbanks, ou Norma Talmadge, qui aurait marché accidentellement dans le ciment frais lors de la construction du théâtre. Mais Mary Pickford et Douglas Fairbanks furent les premiers à laisser officiellement leurs empreintes, le 30 avril 1927.

★**Hollywood Roosevelt Hotel** – *7000 Hollywood Boulevard.* Baptisé en hommage à Theodore Roosevelt, cet hôtel de 12 étages (1927) fut le rendez-vous des stars au cours des années 1930 et 1940. La première cérémonie des Academy Awards s'y déroula le 16 mai 1929. Restauré puis rouvert en 1986, l'hôtel présente un vestibule à deux niveaux de style mauresque espagnol, avec un plafond peint, orné de poutres. Sur les murs de la mezzanine, une rétrospective photographique de la **Hollywood Historical Review** retrace l'histoire de la ville de 1887 aux années 1940, époque de sa splendeur. En 1987, les parois et le fond de la **piscine** de l'hôtel *(à l'arrière du bâtiment principal)* ont été décorés de tourbillons bleus par l'artiste anglais David Hockney.

★★ **El Capitan Theater** – *6838 Hollywood Boulevard. Ouvert seulement pendant les projections.* ♿ *www.elcapitantickets.com* ☎ *323-467-7674.* Restauré en 1981, ce théâtre (1926, Morgan, Walls & Clements), aujourd'hui propriété de la société Disney, se distingue par sa façade baroque espagnol. Présentant à l'origine des spectacles sur scène, il fut, en 1941, transformé en cinéma à l'occasion de la première mondiale du film d'Orson Welles *Citizen Kane.* L'**intérieur**, signé G. Albert Lansburgh s'inspire du style des Indes orientales, resplendissant de ferronneries dorées à la feuille.

---

### Enregistrements d'émissions et tournages

Un grand nombre d'émissions télévisés sont enregistrées quotidiennement à Los Angeles et dans ses environs. Pour y participer, il suffit d'appeler ou d'écrire à l'un des organismes cités ci-dessous pour obtenir des billets. On peut aussi aller à Mann's Chinese Theater ou à l'Universal Studios où, souvent, des entrées pour le jour même sont distribuées. Les billets sont gratuits, si vous écrivez (il est recommandé de le faire trois semaines avant la date qui vous intéresse) n'oubliez pas de joindre une enveloppe timbrée à vos nom et adresse. Attention : un billet ne garantit pas l'entrée (premier arrivé, premier servi)…

**Audiences Unlimited** (principales chaînes) : *www.tvtickets.com* ☎ *818-753-3470* ou *818-506-0067.* **CBS Show Tickets** : ☎ *323-575-2624.* **NBC Tickets** : *3000 W. Alameda Avenue, Burbank CA 91523* ☎ *818-840-3537.*
De nombreux sites de Los Angeles sont utilisés pour les tournages de films. Pour obtenir la liste des tournages de la journées, appeler le L.A. Film and Video Permit Office, ☎ 818-840-3537.

---

Le **Hollywood History Museum** (**A**) a été ouvert en 1999 dans l'immeuble Max Factor qui vient tout juste d'être restauré (*1666 Highland Avenue, au Sud d'Hollywood Boulevard*). De style Regency Moderne, avec une façade de marbre rose et blanc, il fut réalisé en 1931 par l'architecte S. Charles Lee pour le magnat des cosmétiques.

★ **Egyptian Theater** (**B**) – *6712 Hollywood Boulevard. Ouvert seulement pendant les projections.* ✗ ♿ ☎ *323-466-3456.* Construit en style pseudo-égyptien (1922, Meyer & Holler) en pleine fièvre provoquée dans le monde entier par la découverte de la tombe du roi Toutankhamon, ce cinéma fut choisi par Sid Grauman pour accueillir la toute première « première mondiale » d'Hollywood. Après la restauration qui lui a rendu sa marquise d'époque, ses palmiers, ses motifs égyptiens sur le porche d'entrée et son magnifique plafond, il a rouvert en 1998 pour projeter les films indépendants de la Cinémathèque américaine. Un film d'une heure sur l'histoire d'Hollywood est présenté plusieurs fois par jour avec une bande son disponible en différentes langues.

★ **Capitol Records Tower** – *1750 Vine Street.* Vanté par ses créateurs (1954, Welton Becket & Associés) comme étant le premier immeuble de bureaux circulaire du monde, ce complexe de 46 m de haut, qui abrite bureaux et studios de cinéma, représente une pile de disques surmontée d'une aiguille de phonographe (la légende locale veut que la forme de cet immeuble ait été suggérée par Nat King Cole et Johnny Mercer). Un phare clignote au sommet, émettant un signal lumineux signifiant H-O-L-L-Y-W-O-O-D en morse. Les disques d'or remportés par les vedettes de Capital Records sont exposés dans le hall d'entrée.

★ **Pantages Theater** – *6233 Hollywood Boulevard.* À son ouverture (1930, B. Marcus Priteca) par l'imprésario Alexander Pantages, spécialiste de vaudevilles, la salle fut présentée comme la première des États-Unis de style Art déco. La cérémonie des Academy Awards s'y déroula de 1949 à 1959. Ces dernières années, le théâtre a accueilli des tournées de comédies musicales et de danse.
L'extérieur, mélange de béton et de marbre noir, présente moins d'intérêt que l'**intérieur**, avec son hall d'entrée voûté décoré de façon extravagante, qui s'ouvre sur un immense auditorium de 2 812 places conçu par Anthony Heinsbergen.

La toute nouvelle **station du MetroRail** (inaugurée en mai 1999) sur Hollywood Boulevard près de Vine Street est un formidable hommage d'Hollywood à elle-même. Son plafond est couvert de bobines de pellicule, ses murs croulent sous les souvenirs de films et son sol est une sorte de réplique de la fameuse route de briques jaunes du *Magicien d'Oz.* Il est prévu que d'autres stations du MetroRail évoquent avec autant d'éloquence le Hollywood du passé, mais aussi celui de demain…

# ★ SUNSET BOULEVARD

S'étirant sur plus de 30 km, entre El Pueblo et le Pacifique, Sunset Boulevard passe en revue l'éventail complet de styles de vie que l'on trouve à Los Angeles : les quartiers latino-américains d'Elysian Park, les studios de cinéma et l'ambiance de rue d'Hollywood, Beverly Hills et ses hôtels particuliers, immortalisés par le fameux *Sunset Boulevard* (1950) de Billy Wilder ; il passe aussi à travers Bel Air et les quartiers chic de Westwood, Brentwood et Pacific Palisades. Le **Sunset Strip★★** *(plan p. 170)* long de 2,4 km, en est la partie la plus célèbre. Suivant la courbe des monts Santa Monica, entre Crescent Heights Boulevard et Doheny Drive, cette voie traverse une zone qui, autrefois, reliait Los Angeles à Beverly Hills sans appartenir à l'une de ces communautés (« unincorporated strip », d'où son surnom). Elle fait maintenant partie de **West Hollywood**, dont l'identité comme l'un des principaux quartiers homosexuels de Los Angeles est plus évidente sur Santa Monica Boulevard. L'absence de réglementation due au statut d'origine du Strip en fit un lieu de prédilection pour les night-clubs (Roxbury, Viper Room, Whisky A Go Go) et les restaurants à la mode (Spago, Nicky Blair's, Diaghilev) qui attiraient les personnalités du spectacle. Aujourd'hui, le Strip a gardé ce cachet particulier et demeure un lieu branché. Les **panneaux d'affichage** géants qui s'élèvent au-dessus des constructions basses bordant le boulevard vantent les dernières productions d'Hollywood. Aux grandes intersections, le boulevard offre, surtout la nuit, de remarquables points de vue sur la ville qui s'étend à ses pieds. À son extrémité Est, le Strip est dominé par le célèbre **Château Marmont** *(8221 Sunset Boulevard)*. Cet hôtel de six étages, étrange amalgame de styles roman et mauresque, est depuis longtemps un refuge apprécié des acteurs, réalisateurs, producteurs, scénaristes, musiciens et autres artistes.

★ **The Argyle Hotel** – *8358 Sunset Blvd.* D'abord appelé Sunset Towers Apartments (1931), puis St James Club, cet élégant bâtiment de 15 étages a servi de résidence à des célébrités comme Errol Flynn, Jean Harlow, Clark Gable, Carole Landis, Paulette Goddard, John Wayne et Marilyn Monroe. L'intérieur et l'extérieur Art déco ont été restaurés en 1985.

# ★ MELROSE AVENUE

Elle s'étire sur 11 km, depuis l'Est d'Hollywood jusqu'aux frontières de Beverly Hills. De ces seize petits blocs compris entre La Brea Avenue et Fairfax Avenue semblent émaner toute la créativité et la folie qui ont fait la réputation de Los Angeles. Desservant autrefois les quartiers résidentiels environnants, les magasins qui bordent les deux côtés de l'avenue sont devenus, vers la fin des années 1970 et le début des années 1980, des boutiques de vêtements branchés ou d'objets insolites ou des restaurants à la mode attirant une population très diverse, dont l'allure peut passer du classique-chic à la dernière extravagance de la mode. Aussi, le spectacle des gens qui s'y promènent est-il parfois plus divertissant que le lèche-vitrines.

★ **Studios Paramount** – *5555 Melrose Avenue. Visite guidée uniquement (2 h), du lundi au vendredi de 9 h à 14 h. Fermé principaux jours fériés.* 15 $. ✗ ⅙ *www.paramount.com* ☎ *323-956-5575.* Situé à environ 2 km à l'Est des boutiques et des restaurants à la mode de Melrose Avenue, ce grand complexe de studios de cinéma et de télévision est le seul qui soit resté à Hollywood. Sur Marathon Street, juste au Nord de Melrose Avenue, s'ouvre le grand **portail du studio** en fer forgé de style Renaissance espagnole, surmonté de l'inscription « Paramount Pictures », emblème mondialement connu. La visite permet de découvrir les grands décors qui ont fait l'histoire du studio et offre un aperçu des plateaux de tournage des films et émissions de télévision en cours de production.

**Hollywood Forever** – *6000 Santa Monica Boulevard, voisin des studios Paramount. Ouvert tous les jours de 8 h à 17 h. Des plans sont à la disposition des visiteurs au bureau du cimetière (ouvert du lundi au vendredi de 8 h à 17 h, le dimanche de 10 h à 15 h).* ☎ *323-469-1181.* Dans ce cimetière de 26 ha reposent des artistes légendaires d'Hollywood, tels Rudolph Valentino, Douglas Fairbanks, Tyrone Power, Peter Lorre, Jesse Lasky et Cecil B. De Mille.

★★ **Pacific Design Center** – *Plan p. 170. 8687 Melrose Avenue.* Marquant l'extrémité Ouest de l'avenue près de Beverly Hills, cet immeuble massif de sept étages, recouvert de panneaux de verre bleu cobalt (1975, Cesar Pelli), fut rapidement surnommé dans le quartier « la baleine bleue ». En 1988, une annexe hexagonale en verre de couleur verte baptisée « la tortue verte » vint agrandir ce complexe de salles d'expositions de plus de 100 000 m² où les professionnels de l'architecture intérieure peuvent trouver l'inspiration.

# ★★★ UNIVERSAL STUDIOS HOLLYWOOD *Une journée. Plan p. 154.*

Enfants *100, Universal Plaza, Universal City. De Hollywood, emprunter Highland Ave. vers le Nord jusqu'à Cahuenga Blvd, ou US-101 ; poursuivre vers le Nord jusqu'à Barham Blvd., Universal Center Drive ou Lankenshim Blvd, puis suivre la signalisation. Visite de Memorial Day à Labor Day de 8 h à 22 h, le reste de l'année de 9 h à 19 h. Fermé Thanksgiving Day et 25 décembre. 39 $.* ✗ ♿ ▱ *(7 $) www.universalstudios.com ☎ 818-622-3801.*

À la fois grand studio de cinéma et de télévision, parc d'attractions et de loisirs où se déroulent toutes sortes de spectacles en public, les studios Universal couvrent 170 ha de collines au-dessus de la vallée de San Fernando, à peu près à 5 km au Nord-Ouest de Hollywood Boulevard.

En 1915, Carl Laemmle, producteur de films muets, acheta un élevage de poulets et le transforma en studio. Il avait fait construire des gradins à côté des plateaux et faisait payer 25 cents aux personnes désireuses d'assister aux tournages. Mais l'avènement du film parlant vers la fin des années 1920, qui nécessitait le silence sur les plateaux de tournage, mit fin à ces visites.

C'est en 1964 que Universal, pour arrondir les recettes, se mit à proposer des promenades en tramway à l'heure du déjeuner. Les visiteurs pouvaient découvrir des techniques de maquillage, des costumes, un monstre mécanique, et assister à des scènes de cascades. Avec la popularité grandissante de cette visite, on ajouta presque chaque année de nouvelles attractions.

Aujourd'hui, les studios sont l'un des plus grands sites touristiques créés par l'homme aux États-Unis. Il accueille près de cinq millions de visiteurs par an, dont certains ont la chance d'assister à des bribes de tournage. Jouxtant le parc se trouvent un amphithéâtre consacré aux concerts en plein air, un complexe de 18 salles de cinéma, ainsi que plusieurs restaurants de grande taille. L'**Universal CityWalk**, étonnant complexe de boutiques, de restaurants et de lieux de divertissements conçu sur le modèle d'un Los Angeles miniature, rencontre un franc succès auprès des habitants et des étrangers à la ville, qui sillonnent ses rues et font étape dans ses nombreux cafés et *delis*.

**Entertainment Center** – Dans la partie haute du parc sont installées des scènes qui présentent à intervalles réguliers des spectacles au public *(15 à 30 mn ; programmes distribués à l'entrée)*. Certains s'inspirent de films ou d'émissions de télévision populaires. Le **Wild, Wild, Wild West Stunt Show** fait revivre une séquence de western, avec bagarres aux poings et tirs de carabine. L'**Animal Actors Stage** présente des cascades exécutées par plus de soixante animaux dressés. Le spectacle **WaterWorld** présente une bataille impressionnante entre forces du Bien et du Mal en quête d'un pays imaginaire, Dryland. Entre les spectacles, on peut se ravitailler aux nombreux lieux de restauration du parc, explorer les boutiques à thème et kiosques à souvenirs, ou se préparer psychologiquement pour **Retour vers le Futur : le voyage**, un circuit décoiffant dans l'espace-temps avec Doc Brown et sa Delorean trafiquée.

**Studio Center** – Il faut emprunter l'**Universal Starway**, un impressionnant escalator couvert de 400 m pour rejoindre la partie basse du parc. À l'intérieur et autour de l'enceinte des studios actuels d'Universal, le Studio Center permet une découverte exhaustive des coulisses du cinéma avec leurs artifices, et offre des cir-

Réalisation d'effets spéciaux pour *Le Retour de Batman*

Galen Rowell/Mountain Light

cuits d'attraction qui plongent le visiteur dans l'univers de grands films. **Jurassic Park** commence par une plaisante promenade en rivière, sous l'œil de paisibles dinosaures herbivores, jusqu'au moment où les choses se gâtent, et c'est le sauve qui peut ! **Terminator 2 3-D**, qui a ouvert en 1999, allie les effets cinématographiques en trois dimensions à une histoire en direct qui commence là où s'achevait Terminator 2. **Backdraft** offre l'opportunité de voir exploser un entrepôt bourré de produits chimiques. Avec **E.T. Adventure**, on peut monter sur une bicyclette volante pour aider le gentil extraterrestre à regagner sa planète d'origine, où une fête d'accueil bat son plein. Dans **World of Cinemagic**, les visiteurs peuvent prendre part à une démonstration d'effets spéciaux s'inspirant de scènes de films à succès comme *Retour vers le Futur* et *Harry et les Henderson*.

**★★Backlot Tram Tour** – *45 mn, au départ d'Entertainment Center.* Les visiteurs empruntent le tramway pour un petit peu d'histoire et quelques frissons, avec des coups d'œils rapprochés sur un studio de cinéma en pleine action. Les voitures roulent à travers différents décors, Far West, bourgades et banlieues américaines, New York, Mexique ou Europe. Le circuit entraîne le visiteur devant la maison de Bates, construite pour le tournage de *Psychose* d'Alfred Hitchcock (1960). Il est ensuite attaqué par le requin des *Dents de la Mer* de Steven Spielberg (1975), surpris par un King Kong déchaîné de 6,5 tonnes et 9 m de haut, traverse un pont qui s'écroule, échappe de justesse à une inondation soudaine, voit s'ouvrir la mer Rouge, est pris dans une avalanche et subit un tremblement de terre de force 8,3 sur l'échelle de Richter.

## Autres attractions d'Hollywood

**★★Hollywood Bowl** – *Plan p. 154, 2301 North Highland Avenue. Visite du lever au coucher du soleil.* ✗ & ◘ *www.hollywoodbowl.org* ☎ *323-850-2000.* Occupant au cœur des monts Santa Monica un grand creux entouré de 50 ha de verdure, c'est le plus grand amphithéâtre naturel du monde. Il accueille des concerts et, l'été, est le foyer de l'Orchestre philharmonique de Los Angeles. Décor de dizaines de scènes de films et de nombreux concerts historiques, il est considéré non seulement comme un lieu de spectacles mais comme un symbole de Hollywood.

La ville a acheté cet endroit autrefois surnommé le « Daisy Dell » (vallon des marguerites) pour y organiser des spectacles chantants, concerts et grandes fêtes publiques. C'est ici que se déroula, en 1921, la première messe de Pâques, devenue depuis une tradition (Easter Sunrise Service, la messe de l'aube). Au cours des premiers concerts d'été du Philharmonique de Los Angeles en 1922, l'orchestre était installé sur une scène rudimentaire en planches de pin et en toile, et les spectateurs se contentaient de couvertures ou de bancs.

En 1926, on a construit une scène en béton et recouvert les versants de la colline de gradins de béton et d'acier pouvant accueillir près de 18 000 personnes. En 1927-1928, on a remplacé la scène par des structures en forme de coquillage conçues par l'architecte Lloyd Wright (fils de Frank Lloyd Wright). La structure actuelle, quart de sphère blanc de 30 m de haut, date de 1929. Pour compenser les déformations acoustiques et le bruit ambiant de la ville et de l'autoroute voisine, une sonorisation a été installée en 1945. La conception acoustique de la coque a été modifiée par l'architecte Frank Gehry en 1970 et 1980. Frank Sinatra, Igor Stravinsky, Jascha Heifetz, les Beatles et Luciano Pavarotti ne sont que quelques-unes des nombreuses célébrités qui se sont produites en ce lieu.

**★Hollywood Bowl Museum** – *Visite du mardi au samedi de 10 h à 16 h 30 (20 h 30 de juillet à mi-septembre). Fermé principaux jours fériés.* & ◘ ☎ *323-850-2058.* Cet excellent petit musée, redécoré avec goût en 1996 (Skidmore, Owings & Merrill), présente de nombreux souvenirs, photographies et enregistrements vidéo et sonores retraçant merveilleusement le passé coloré du Bowl. Les collections permanentes sont complétées par des expositions temporaires sur les arts du spectacle.

**★Hollywood Heritage Museum** – *2100 North Highland Avenue. Visite uniquement le week-end de 10 h à 16 h. Se renseigner pour les jours fériés. 4 $.* & ◘ ☎ *323-874-2276.* Cette ancienne écurie d'allure rustique fut louée en 1913 par Cecil B. De Mille pour abriter les bureaux, les loges et le décor du premier western tourné à Hollywood, *Le Mari de l'Indienne.* En 1926, après s'être associés à Adolph Zukor, De Mille et le producteur Jesse Lasky firent transporter la grange dans l'enceinte des studios Paramount. En 1983, elle a été déplacée sur son site actuel pour y être transformée en musée, où sont exposés divers objets des débuts d'Hollywood, dont une reconstitution du bureau de De Mille, d'anciennes caméras, des projecteurs, des costumes, des accessoires de décor et des photos de tournage.

**★Mulholland Drive** – *La voie débute à Cahuenga Boulevard, à 1,5 km au Nord du Hollywood Bowl, et se termine à Calabasas, à 32 km à l'Ouest, où elle prend le nom de Mulholland Highway sur la même distance avant de rejoindre la Highway 1, près de la limite entre les comtés de Los Angeles et de Ventura.* Portant le nom de William Mulholland, ingénieur de l'aqueduc de Los Angeles, Mulholland Drive est l'une des routes les plus spectaculaires de Los Angeles avec ses courbes sinueuses suivant la crête des monts Santa Monica. Son parcours offre de nombreux **points de vue panoramiques**★★ sur le bassin de Los Angeles et la vallée de San Fernando, et permet d'admirer les luxueuses demeures qui parsèment collines abruptes et canyons. Du **belvédère du Bowl**, on peut apercevoir celui-ci, le panneau « Hollywood » et la ville, que l'on regagne facilement après quelques kilomètres de promenade par les canyons Laurel et Coldwater et le Beverly Glen. Vers l'extrémité Ouest de Mulholland Drive, entre l'I-405 et Topanga Canyon Road, la route est en bonne partie non goudronnée.

**Barnsdall Park** – *4800 Hollywood Boulevard.* Situé à l'extrémité Est d'Hollywood, le parc Barnsdall occupe le sommet de la colline appelée autrefois Olive Hill en raison des oliviers qui la bordent. Vers la fin des années 1910, Aline Barnsdall, riche héritière d'un roi du pétrole et protectrice des arts, acheta ce domaine de 15 ha. Avec

Frank Lloyd Wright, elle conçut pour ce site des plans qui prévoyaient la construction d'une demeure principale, de pavillons pour les invités, d'un théâtre et d'un complexe artistique avec des ateliers et des appartements. Sur l'ensemble du projet, seuls la demeure principale et deux pavillons furent réalisés. En 1927, Aline Barnsdall en fit don à la ville de Los Angeles, avec un terrain de 4,5 ha. La **Municipal Art Gallery**, bâtiment en béton ajouté en 1971, accueille les expositions temporaires d'artistes locaux *(visite de 12 h 30 à 17 h [20 h 30 le mercredi]). Fermé le lundi, il peut l'être entre les expositions. 1,50 $. & ▣ ☎ 323-662-7272)*. Le parc offre de très belles **vues** sur l'observatoire Griffith et sur les tours du centre-ville.

★★ **Hollyhock House** – *4808 Hollywood Boulevard. Fermé pour rénovation, réouverture prévue en 2001.* Embrassant le sommet de la colline, cette maison de bois, stucs et céramiques (1921) fut le premier bâtiment conçu par Frank Lloyd Wright à Los Angeles. Le décor intérieur et extérieur s'inspire des roses trémières, fleurs préférées d'Aline Barnsdall.

**KCET Studios** – *4401 Sunset Boulevard. Visite guidée en groupe sur réservation uniquement (1 h) du lundi au vendredi à 10 h 30. Pas de visite en mars, juin, août et décembre. & ▣ www.kcet.org ☎ 323-953-5530.* Le siège social de la filiale à Los Angeles de la chaîne de télévision KCET couvre la superficie d'un bloc d'immeubles. Occupé depuis 1912 par les studios de neuf compagnies cinématographiques successives, cet endroit est devenu le siège de KCET en 1971, ce qui en fait le plus ancien studio de tournage d'Hollywood encore en activité. La visite guidée permet de découvrir deux anciens plateaux de tournage, toujours utilisés, et des bungalows de bureaux en brique des années 1920.

## ★★**7** BEVERLY HILLS

Couvrant près de 16 km², entourée sur trois côtés par Los Angeles, et sur le quatrième par West Hollywood, Beverly Hills est une municipalité indépendante à vocation commerciale et résidentielle. Le nom Beverly Hills évoque, à juste titre, richesse et élégance, ce qui est confirmé par l'atmosphère des ses rues provinciales où se côtoient boutiques de renommée internationale et restaurants élégants. Les luxueux hôtels particuliers installés le long de ses rues harmonieuses bordées d'arbres renforcent cette impression.

**Une adresse célèbre** – À l'origine, Beverly Hills faisait partie de la concession espagnole El Rancho Rodeo de las Aguas, « le ranch vers où convergent les eaux » ; ce nom faisait référence aux ruisseaux descendant des étroits canyons de Santa Monica au Nord de la ville, qui se rejoignaient près du site de l'actuel Beverly Hills Hotel. Au cours du 19ᵉ s., la majeure partie de ce terrain fut consacrée à la culture du haricot de Lima. Quelques tentatives de culture de blé furent entreprises ainsi que l'élevage de bœufs et moutons.

Comme la prospection pétrolière avait commencé à quelques kilomètres de là, à Rancho La Brea, Burton E. Green et deux associés tentèrent en vain, juste avant le début du siècle, de creuser une trentaine de puits à El Rancho Rodeo. En 1907, ils constituèrent la **Rodeo Land & Water Company** pour fonder une nouvelle bourgade. Selon la légende, Green l'aurait baptisé Beverly Hills en souvenir de Beverly Farms, la maison de vacances du président William Howard Taft dans le Massachusetts. L'urbaniste Wilbur Cook, qui conçut les plans de la ville, traça, au Nord du Wilshire Boulevard, un réseau de rues parallèles orientées à 45°, traversant le quartier commercial qui serpentait doucement dans le quartier résidentiel situé au Nord de Santa Monica Boulevard. Au Nord de Sunset Boulevard, les paysagistes John et Frederick Law Olmsted tracèrent des routes serpentant au pied des collines. Des lotissements de 4 000 m² furent vendus au prix modique de 400 dollars. Après l'inauguration, en 1912, du Beverly Hills Hotel, les stars d'Hollywood se laissèrent séduire par la région. En 1920, Mary Pickford et Douglas Fairbanks furent les premières célébrités à se faire construire un hôtel particulier, Pickfair, en hauteur sur Summit Drive, au Nord de Sunset Boulevard.

Beverly Hills est aujourd'hui l'un des endroits des États-Unis où le revenu moyen par foyer est le plus élevé. De nombreux acteurs de cinéma et de télévision y sont installés, mais aussi les géants du monde des affaires et du spectacle. Bien que le boulevard Wilshire, artère principale de Beverly Hills, soit maintenant parsemé de hautes tours de bureaux, et que son quartier commercial très élitiste, bordé par les boulevards Wilshire et Santa Monica et par Canon Drive, soit connu sous le nom de « Triangle d'Or », les quartiers résidentiels conservent jalousement le caractère privé et exclusif qui nimbe la ville d'une aura de privilège.

**Curiosités** *une journée*

★★**Rodeo Drive** – Cette rue mondialement connue, bordée de magasins de luxe, au cœur du « Triangle d'Or », borde trois blocs d'immeubles à un ou deux étages entre les boulevards Wilshire et Santa Monica. Dans cette rue, et dans une certaine mesure les rues avoisinantes, se pressent des douzaines de boutiques élégantes, de tailleurs, joailliers, antiquaires et galeries d'art, de quoi satisfaire les désirs les plus luxueux.

Entre Dayton Way et Brighton Way se trouve **Anderton Court** (**A**) *(328 N Rodeo Drive)*, une galerie commerciale moderne à trois niveaux de couleur blanche. Construite en 1954 d'après un projet de Frank Lloyd Wright, elle est dotée d'une large rampe s'enroulant autour d'une flèche centrale géométrique.

**Via Rodeo** – *2 Rodeo Drive*. Occupant l'angle Nord-Est de Wilshire Boulevard et de Rodeo Drive, cette galerie commerciale (1990) à quatre niveaux bordée de boutiques de mode a des airs fantaisistes de village italien.

Via Rodeo

★**Musée de la Télévision et de la Radio** (**M¹**) – *465 N. Beverly Drive. Visite du mercredi au dimanche de 12 h à 17 h (21 h le jeudi). Fermé principaux jours fériés. 6 $.* & ▯ *www.mtr.org* ☎ *310-786-1000*. Ouverte en 1996, cette annexe sur la côte Ouest du musée de la Radio et de la Télévision de New York rappelle, au cœur même de la ville du divertissement, la mission de l'institution, qui vise à sauvegarder le patrimoine radiophonique et télévisuel américain. Le musée, qui occupe une élégante construction en verre et pierre due au talent du célèbre architecte Richard Meier, possède une importante audio-vidéothèque, plusieurs galeries ouvertes au public, des salles didactiques et des auditoriums, ainsi qu'une salle de projection de 150 places.

L'audio-vidéothèque contient 75 000 émissions enregistrées, dupliquées à partir de banques de données new-yorkaises, qui couvrent plus de 75 années de radio et de télévision. Dans le Console Center à l'étage, les visiteurs peuvent utiliser des postes informatiques conviviaux pour choisir les émissions qu'ils souhaitent visionner dans l'immense palette de journaux télévisés, documentaires, rencontres sportives, émissions de variétés, dramatiques, comédies et spots publicitaires. Les amateurs de radio trouvent leur bonheur dans la salle d'écoute *(listening room)* et le studio du rez-de-chaussée.

**Beverly Hills Civic Center** – *455 N. Rexford Drive. Visite du lundi au jeudi de 7 h 30 à 17 h 30, le vendredi de 8 h à 17 h.* & ▯ *www.ci.beverly-hills.ca.us* ☎ *310-285-1000*. Le **centre administratif de Beverly Hills** occupe une élégante tour de sept étages, de style baroque espagnol, couronnée par un dôme recouvert de tuiles multicolores (1932). Abritant le bureau de police, la caserne des pompiers et une bibliothèque publique, les deux bâtiments contemporains qui l'entourent en ont respecté l'harmonie architecturale (1990, Charles Moore/A.C. Martin & Associés), au milieu de cours et de jardins paysagers.

**Creative Artists Agency** – *9830 Wilshire Boulevard, à la hauteur de Santa Monica Boulevard*. Cet immeuble lisse et curviligne en marbre blanc, verre et acier (1989, Pei, Cobb, Freed), est le siège de C.A.A., l'une des plus grandes agences artistiques de Los Angeles. Il n'est pas ouvert au public, mais on peut apercevoir de la rue la monumentale peinture murale de Roy Lichtenstein qui orne l'atrium de l'entrée.

**Beverly Gardens** – Bordant la limite Nord du Santa Monica Boulevard, cette étroite bande de jardins crée un espace de verdure entre les quartiers commerciaux et la zone résidentielle de Beverly Hills. Dans la partie située entre Camden Dr. et Bedford Dr., on aperçoit une profusion de cactus et autres plantes grasses. En face des jardins, au 507 North Rodeo Drive, **O'Neill House** (**B**) (1989), résidence privée, se distingue par ses murs de crépi blanc travaillés en arabesques et son toit de tuiles bleues, rappelant les créations Art nouveau fantasques de l'architecte catalan Antonio Gaudi.

Beverly Hills Hotel

*Beverly Hills Hotel*

★ **Beverly Hills Hotel** – *9641 Sunset Boulevard.* Construit en 1912, le bâtiment principal en stuc rose de style Mission (style architectural des premières missions espagnoles du Sud-Ouest américain) et ses bungalows isolés sont en partie dissimulés par des jardins tropicaux de 5 ha, qui garantissent aux hôtes des lieux la confidentialité sur leurs allées et venues. De ce fait, il est depuis longtemps apprécié par les stars d'Hollywood ou d'ailleurs venues tourner ici. Charlie Chaplin, Marilyn Monroe et Marlene Dietrich ne sont que quelques-uns des noms célèbres ayant fréquenté l'établissement.

★ **Virginia Robinson Gardens** – *1008 Elden Way. Du Beverly Hills Hotel, suivre Crescent Drive jusqu'à Elden Way. Visite guidée uniquement (1 h 30) sur réservation, une semaine à l'avance, du mardi au vendredi à 10 h et 13 h (sauf le vendredi). 7 $.* ☎ *310-276-5367.* Une propriété aux luxuriants jardins de 2,5 ha couronne le sommet d'une colline située derrière le Beverly Hills Hotel. Ce n'était qu'un pâturage ingrat lorsque Harry Robinson, héritier des grands magasins de la ville, et sa femme Virginia l'achetèrent en 1911. Ce fut le premier lotissement résidentiel vendu à Beverly Hills. Après une lune de miel de quatre ans passée en Europe, les Robinson se firent construire une villa de style méditerranéen et un élégant pavillon au bord d'une piscine, entourés de parcs à l'anglaise et de jardins méditerranéens en terrasses où on planta cinquante variétés de camélias. Sur 8 000 m² s'étend une **palmeraie** dans laquelle se trouvent les plus importants bouquets de palmiers royaux hors d'Australie. Mme Robinson légua sa propriété au comté de Los Angeles, et la ville a ouvert les jardins et la maison au public en 1982.

**④ Polo Lounge**
*Dans l'hôtel Beverly Hills.* C'est autour de copieux petits déjeuners, dans le secret des stalles de cet élégant salon aux couleurs rose et vert que bien des contrats sont conclus. Munissez-vous de votre portable, commandez quelques *French Toast* (pain perdu à la cannelle) et jouez le jeu... Avec un peu de chance vous surprendrez l'interview d'une célébrité !

★ **Greystone Park** – *905 Loma Vista Drive, à la hauteur de Doheny Road. Visite de 10 h à 18 h (17 h de novembre à avril).* ☎ *310-2550-4796.* Ce jardin de 7 ha organisé en terrasses épouse le versant d'une colline dominant Sunset Boulevard ; il entoure la **résidence Greystone**, un hôtel particulier de 55 pièces de style Tudor et Jacques Iᵉʳ (1928, Gordon B. Kaufmann) que le roi du pétrole Edward L. Doheny fit construire pour son fils Ned. Ce manoir de pierres brun-gris, connu pour avoir servi de décor à des films, est fermé au public mais les visiteurs peuvent se promener autour. Les jardins, dessinés par Paul Thiene, offrent des vues panoramiques sur la ville.

**Center for Motion Picture Study** – *333 South La Cienega Boulevard. Ouvert aux chercheurs uniquement, lundi, mardi, jeudi et vendredi de 10 h à 17 h 30. Fermé principaux jours fériés.* ♿ *www.oscars.org* ☎ *310-247-3000.* Une tour élancée ornementée, ainsi que de gracieuses arcades évoquant le style colonial espagnol surmontent ce qui était autrefois l'usine de traitement des eaux de La Cienega (1928), qui alimentait Beverly Hills en eau pompée, indépendamment de l'aqueduc de Los Angeles. Abandonné en 1976, le bâtiment fut ensuite restauré par l'Academy for Motion Picture Arts and Sciences (Académie pour les arts et les sciences cinématographiques) et rouvert en 1991.

Depuis, il abrite la **bibliothèque Margaret Herrick**, une collection de plus de 24 000 livres, 6 millions de photos de tournage, 70 000 scénarios, des revues de presse sur plus de 82 000 films et 73 000 personnalités du cinéma, ainsi que plus de 450 collections spécifiques de matériel se rapportant aux institutions et aux gens du cinéma. S'y trouvent également les **archives de l'Académie**, un riche rassemblement d'informations sur les débuts du cinéma, sur les sélectionnés et les lauréats des Academy Awards, sur les collections privées de films des membres de l'Académie et des grands cinéastes.

## Belles promenades en voiture

Les visiteurs peuvent apprécier le cadre et le style de vie luxueux des quartiers résidentiels de Beverly Hills en voiture. Sur le plateau situé au Nord de Santa Monica Boulevard et de Beverly Hills Gardens, de grandes et coûteuses demeures, relativement proches les unes des autres, sont visibles de la route. Entourées de jardins luxuriants, elles représentent un vaste échantillon de styles architecturaux : Tudor, colonial, georgien, méditerranéen, ranch, mission et Renaissance italienne. Dans les canyons et les collines au Nord de Sunset Boulevard, les plus fortunés se cachent derrière des murs de verdure, mais les automobilistes peuvent néanmoins y apercevoir des parcs et demeures de rêve.

★**Sunset Boulevard** – Ce large boulevard à quatre voies qui suit une courbe autour des contreforts de la ville offre quelques-uns des meilleurs points de vue sur plusieurs belles demeures entourées de jardins spacieux.

**Beverly Drive** – Avenue caractéristique de Beverly Hills, cette large voie doucement incurvée est bordée d'imposants palmiers ; puis au Nord de Sunset Boulevard, elle devient **Coldwater Canyon Drive**, bordé de pins, d'où l'on aperçoit de grandes demeures accrochées aux versants du canyon et au sommet des collines.

**Whittier Drive** – Au printemps, les jaracandas en fleur éclatent de couleurs bleues au long de cette voie pittoresque.

★**Summit Drive** – *Accès par le Benedict Canyon Drive.* Cette rue étroite aux virages serrés grimpe la colline en passant devant les portails de grands domaines pour arriver à **Pickfair** *(1143 Summit Drive)*, résidence privée construite en 1920 par Mary Pickford et Douglas Fairbanks, et depuis rénovée.

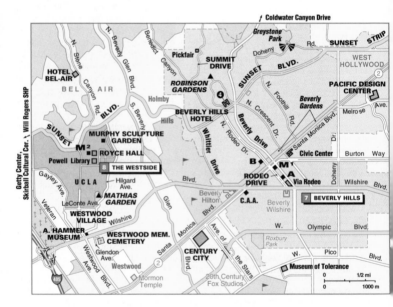

## Autres curiosités des environs de Beverly Hills

**Museum of Tolerance** – *9786 West Pico Boulevard, angle de Roxbury Drive. Visite du lundi au jeudi de 10 h à 16 h, le vendredi de 10 h à 15 h (13 h de novembre à mars), le dimanche de 11 h à 17 h. Fermé principaux jours fériés et durant les fêtes juives. 8,50 $. ✗ ⚅ ▣ www.wiesenthal.com ☎ 310-553-8403.* Inauguré en 1993, ce musée poursuit deux objectifs : d'une part, interpeller les consciences sur le racisme et les préjugés existant en Amérique ; d'autre part, étudier les crimes contre l'humanité au fil des temps, en mettant l'accent sur l'Holocauste.

Il s'agit davantage d'une approche par la haute technologie multimédia que d'une visite traditionnelle de musée. On descend d'abord les huit niveaux d'un atrium surmonté d'un dôme jusqu'à la Tolerance Section, montage de programmes inter-actifs destinés à provoquer de fortes réactions émotionnelles. Les visiteurs pénètrent ensuite dans une galerie présentant de façon stylisée les événements qui ont marqué l'Holocauste (1 h). Au premier étage, un centre de découverte multi-média donne accès à un nombre étonnant d'informations historiques sur l'Holocauste et la Seconde Guerre mondiale. La **collection d'archives** présente des objets rapportés des camps de concentration et quelque 10 000 documents, parmi lesquels des lettres originales d'Anne Frank.

★**Century City** – *Visite du lundi au vendredi de 10 h à 21 h, samedi et jour férié de 10 h à 18 h, dimanche de 11 h à 18 h. Fermé 25 décembre.* ✗ ♿ 🅿 ☎ *310-277-3898.* Dans la ville de Los Angeles, ce complexe futuriste (1961) composé d'hôtels, de bureaux, d'appartements et de maisons, de théâtres, de cinémas et de magasins occupe 72 ha d'un ancien ranch qui appartenait à Tom Mix, vedette de westerns. Le terrain avait ensuite servi aux studios de la Twentieth Century Fox, situés juste à côté.

## 🔟 THE WESTSIDE *Une demi-journée*

Bien que le « Westside » ne soit pas une entité administrative, ce terme désigne les parties de la ville situées à l'Ouest d'Hollywood et du Miracle Mile ; c'est une appellation vague qui inclut les quartiers Ouest de Los Angeles, Westwood, Rancho Park, Cheviot Hills, Bel Air, Brentwood, Pacific Palisades, ainsi que les villes de Beverly Hills, Santa Monica et Culver City.

Le Westside est surtout une zone résidentielle. On y voit toutes sortes d'habita-tions, depuis les modestes bungalows de la partie Ouest de Los Angeles aux riches hôtels particuliers de Bel Air. Dans cette zone se trouve aussi un « corridor d'af-faires » dont les gratte-ciel bordent Wilshire Boulevard, ainsi que le très vivant Westwood Village, proche du campus de l'université de Californie (University of California, Los Angeles = UCLA).

★**Westwood Village** – *Délimité par Wilshire Boulevard et les avenues LeConte, Glendon et Gayley.* Couvrant environ neuf blocs d'immeubles au Sud du campus universitaire, Westwood Village est le quartier estudiantin de Los Angeles. Les piétons y sont plus nombreux que les automobiles. Ce groupe compact, formé surtout de bâtiments de style méditerranéen à un étage datant de 1929, abrite un assortiment de boutiques de vêtements décontractés, de magasins de livres et de disques, de papeteries et de boutiques de cadeaux, de cafés et de restaurants. Les huit cinémas, qui présentent souvent des films en avant-première, et un petit théâtre font de ce quartier un endroit encore plus prisé en soirée et pour les flâ-neries du week-end.

★**UCLA at the Armand Hammer Museum of Art and Cultural Center** – *10899 Wilshire Boulevard, Westwood. Visite de 11 h à 19 h (21 h le jeudi, 17 h le dimanche). Fermé lundi et principaux jours fériés. 4,50 $ (entrée libre jeudi à partir de 18 h).* ♿ 🅿 *www.arts.ucla.edu/hammer* ☎ *310-443-7000.* Le musée d'art de l'université propose un éventail d'expositions temporaires d'art aussi bien qu'un programme varié de spectacles et la présentation d'œuvres choisies dans la col-lection privée de son fondateur.

**Visite** – Le fonds permanent est constitué de l'une des trois meilleures collections de travaux sur papier des États-Unis, rassemblée sous le nom de UCLA Grunwald Center for the Graphic Arts, et d'une partie de la collection Armand Hammer, que le riche industriel avait entreprise en 1920. Celle-ci comprend des tableaux et dessins de grands maîtres (le Tintoret, Titien, Rubens), d'impressionnistes et post-impressionnistes français (Degas, Manet, Cézanne, Gauguin, Toulouse-Lautrec). Son fleuron est sans conteste la *Junon* de Rembrandt (vers 1662), un portrait empreint d'atmosphère de la maîtresse de l'artiste, Hendrickje Stoffels, réalisé de mémoire. On citera également *Vue de Bordighera* (1884) par Monet et *L'hôpital de Saint-Rémy* (1889) par Van Gogh. Des œuvres choisies dans la collection « Honoré Daumier et ses contemporains », rassemblant plus de 4 000 lithogra-phies, tableaux, dessins, bronzes et sculptures sur bois du caricaturiste français **Daumier** (1808-1879), sont exposées dans la galerie V.

★**Westwood Memorial Cemetery** – *1218 Glendon Avenue, Westwood. Ouvert de 8 h au coucher du soleil.* ♿ 🅿 ☎ *310-474-1579.* Caché derrière le cinéma AVCO sur le boulevard Wilshire, ce petit cimetière sans prétention est la dernière demeure de nombreuses stars d'Hollywood, dont **Marilyn Monroe** *(à gauche près de l'entrée principale, dans le Corridor of Memories)* et **Natalie Wood** *(au centre de la pelouse).*

**★University of California, Los Angeles (UCLA)** – *Visite guidée par des étudiants sur réservation.* ✗ ✻ ▣ *(5 $) www.ucla.edu* ☎ *310-825-8764.* L'établissement était à l'origine au centre de Los Angeles une école normale primaire, qui fut en 1919 officiellement rattachée à l'université de Californie et transférée sur un terrain de 10 ha sur Vermont Avenue. En 1925, l'université acheta à Westwood, à un prix inférieur à celui du marché, 155 ha de terrain pour y édifier un nouveau campus. Inspirés par le site des collines et le climat de la Californie du Sud, les architectes conçurent quarante bâtiments de pierre et de brique couleur cannelle dans le style roman lombard d'Italie du Nord, orientés de façon à épouser les courbes du terrain. Aujourd'hui, installée sur un campus en forme d'écusson de 170 ha entre Westwood Village et Bel Air, UCLA est le plus important des neuf campus qui constituent l'université de Californie. Plus de 35 000 étudiants s'y inscrivent chaque année et le personnel enseignant compte plus de 5 000 personnes. L'université s'est forgé une réputation dans de nombreux domaines, chimie, biologie, philosophie, linguistique, droit, management et arts du spectacle. Sa gigantesque faculté de médecine, installée dans le Centre de recherches scientifiques sur la santé (Center for the Health Sciences), est l'une des meilleures du pays.

**Royce Quadrangle** – Couronnant le point culminant du campus, cette place spacieuse est bordée des plus anciens bâtiments du campus. Le **Royce Hall★** (1929), dont le style s'inspire de la basilique Sant'Ambrogio à Milan, abrite des salles de classe et un théâtre de 1 850 places où sont donnés des concerts et des pièces de théâtre. Pour l'entrée de la **bibliothèque Powell** (1928), les architectes ont pris modèle sur l'église San Zeno à Vérone et son dôme de forme octogonale imite celui de l'église San Sepolcro à Bologne. À l'intérieur, les marches sont recouvertes de tuiles de céramique et les plafonds sont très travaillés. La bibliothèque vient d'être entièrement rénovée par Moore Ruble Yudell, les espaces intérieurs ont été remodelés et le bâtiment a été mis aux normes antisismiques. Les **escaliers Janss** descendent majestueusement la colline, du Royce Quadrangle au bâtiment de l'association des étudiants et aux installations sportives. Non loin de là, un gymnase de 12 500 places, **Pauley Pavilion**, est le siège de la fameuse équipe de basket de l'UCLA, 13 fois vainqueur des championnats universitaires depuis 1964.

**★Fowler Museum of Cultural History (M²)** – *Visite du mercredi au dimanche de 12 h à 17 h (20 h le jeudi). 5 $ (entrée libre jeudi et dimanche).* ✻ *www.fmch.ucla.edu/* ☎ *310-825-4361.* Situé en contrebas de Royce Hall, ce bâtiment en brique à deux étages (1992) abrite l'un des quatre grands musées universitaires d'anthropologie du pays. La **collection d'argenterie Francis E. Fowler Jr**, composée de 251 objets provenant d'Angleterre, d'Europe et d'Amérique, y est exposée en permanence. Dans d'autres galeries, des expositions tournantes présentent une sélection d'œuvres et d'objets d'art choisis parmi plus de 750 000 pièces. Le musée possède de riches collections de textiles d'Afrique et des îles du Sud-Est asiatique et d'œuvres d'Amérique latine.

**★Mildred E. Mathias Botanical Garden** – *Proche du croisement de LeConte et Hilgard Avenues, à l'angle Sud-Est du campus. Visite de 8 h à 16 h (17 h les jours ouvrables de mars à novembre). Fermé pendant les vacances universitaires.* ✻ *www.lifesci.ucla.edu/-botgard/index.html* ☎ *310-206-6707.* Créé en 1930, ce jardin de 3 ha, riche de 4 000 espèces de plantes appartenant à 225 familles, met l'accent sur la végétation tropicale et subtropicale.

**★★Franklin D. Murphy Sculpture Garden** – *Près du croisement de Hylgard Ave. et de Wyton Dr.* ✻ *www.arts.ucla.edu/hammer/Collection.htm#Murphy.* ☎ *310-443-7000.* Le jardin porte le nom d'un ancien chancelier de l'université qui avait lancé l'idée de présenter des œuvres d'art dans un environnement naturel. Le parc ombragé (1967) présente sur près de 3 ha plus de 70 œuvres de sculpteurs tels que Rodin, Matisse, Miró, Barbara Hepworth, Henry Moore, Calder et Noguchi. Dans un angle du jardin, la **galerie Wight** présente des expositions tournantes sur les arts visuels.

**★Hotel Bel-Air** – *701 Stone Canyon Road, Bel Air. Ouvert tous les jours.* ✗ ✻ *www.hotelbelair.com* ☎ *310-472-1211.* Dissimulé par une végétation très dense, dans une paisible rue résidentielle du quartier opulent de Bel Air, ce luxueux complexe hôtelier de 92 chambres (1946) se compose de charmants bâtiments roses de plain-pied ou à un étage de style Mission. Peu de temps après son inauguration, le Bel-Air s'attacha une clientèle fidèle parmi les stars d'Hollywood qui aimaient venir s'isoler dans cette retraite d'un confort décontracté. Les 4,5 ha de **jardins★★** paysagers entourant l'hôtel sont somptueux, avec leurs sycomores, chênes-verts de Californie, kapokiers, séquoias, cyprès d'Arizona, érables du Japon, leurs palmiers, pêchers, abricotiers, figuiers, fougères, bougainvillers, roses, camélias et azalées, entretenus avec soin mais laissés dans un cadre apparemment naturel pour créer l'illusion d'un paradis subtropical. Le réservoir de Stone Canyon, situé à peu de distance, alimente le petit ruisseau, les cascades miniatures et l'étang sur lequel glisse une famille de cygnes.

**★★★Getty Center** – *Plan p. 136. 1200 Getty Center Drive, à l'écart de la I-405.* Dominant l'autoroute de San Diego du haut d'une crête orientée Nord-Sud, un groupe miroitant de bâtiments peu élevés abrite l'un des meilleurs outils américains d'étude, de conservation et de présentation d'œuvres d'art. Créé pour recevoir la fondation J. Paul Getty, ce domaine de 45 ha concrétise le vœu du père de la fondation, un des hommes d'affaires les plus riches du 20ᵉ s.

Fils unique du roi du pétrole George F. Getty, qui avait quitté Minneapolis en 1906 pour installer sa famille en Californie, **Jean-Paul Getty** (1892-1976) devint lui-même milliardaire à 23 ans grâce au pétrole des champs de l'Oklahoma. À la mort de son père en 1930, il reprit la Pacific Western Oil, rebaptisée Getty Oil en 1956. Getty commença sa collection de tableaux en 1931, et en 1938 fit l'acquisition d'une importante collection de mobilier français. Après la Seconde Guerre mondiale, il passa la plupart de son temps en Europe, gérant l'expansion de ses affaires pétrolières tout en rassemblant une collection d'antiquités et en complétant ses autres possessions artistiques.

À partir de 1954, Getty présenta ses collections dans son ranch de Malibu mais décida bientôt de faire construire un nouveau musée, inspiré des villas romaines, pour mieux les exposer. En effet, les collections, qui ne cessaient de s'enrichir sous la direction de la fondation J. Paul Getty, avaient rapidement débordé le cadre du ranch de Malibu. Les travaux du centre Getty débutèrent en 1989 dans les contreforts des monts Santa Monica.

Vue aérienne du centre Getty

L'architecte américain Richard Meier remporta le concours pour concevoir le nouveau musée, un complexe de six bâtiments, mêlant harmonieusement cours, allées, fontaines et jardins avec une vue splendide sur l'océan Pacifique, Santa Monica et Los Angeles. Le jardin central fut dessiné par l'artiste Robert Irwin. Les bâtiments abritent non seulement le **musée J. Paul Getty★★★**, mais aussi les différentes branches de la fondation, dont les départements recherche et conservation. Depuis son ouverture, le musée présente l'incomparable collection d'art décoratif français de son fondateur, des peintures européennes du 17ᵉ au 20ᵉ s., parmi lesquelles des chefs-d'œuvre reconnus comme le *Saint Barthélémy* de Rembrandt (1661) et les *Iris* de Van Gogh (1889), ainsi que des œuvres sur papier, dessins, manuscrits enluminés et photographies. Le musée Getty de Malibu qui doit recevoir la fabuleuse collection d'antiquités de J. Paul Getty, devrait rouvrir en 2001, après quatre années d'active rénovation.

**Visite** – *Prévoir 4 h minimum. Visite mardi et mercredi de 11 h à 19 h, jeudi et vendredi de 11 h à 21 h, le week-end de 10 h à 18 h. Fermé 1ᵉʳ janvier, 4 juillet, Thanksgiving Day et 25 décembre. Entrée libre en nombre limité. ✕ ᵫ ▯ (5 $, réservation requise). Du parking au pied de la colline, on gagne le musée en tramway. www.getty.edu ☎ 310-440-7300.* Le hall d'entrée tout vitré en haut du grand escalier venant de l'arrêt du tramway est le centre fonctionnel du musée pour les visiteurs. Plans, horaires des conférences, des visites et des autres activités sont disponibles au bureau d'information situé à gauche en entrant. Un autre bureau, à droite, met à la disposition des visiteurs des magnétophones pour des visites autoguidées en anglais et en espagnol. Il y a également deux pièces où sont présentés des films d'orientation *(10 mn, recommandé)*, une librairie et d'autres services.

Le musée occupe cinq pavillons de deux ou trois étages organisés autour d'une cour. Les quatre pavillons principaux (le cinquième, destiné aux expositions temporaires, accueille provisoirement la collection d'antiquités en attendant la réouverture du musée de Malibu) permettent de voir les œuvres selon la chronologie de leur réalisation, mais, reliés entre eux par un système de passerelles, ils laissent au visiteur la possibilité d'évoluer à sa guise. Dans chacun d'eux, une salle d'information explique les tendances et évolution de l'art au cours de la période présentée dans le pavillon même : pré-17ᵉ s. (pavillon Nord), 17ᵉ-18ᵉ s. (pavillon Est), 18ᵉ-19ᵉ s. (pavillon Sud), 19ᵉ-20ᵉ s. (pavillon Ouest). Les peintures se trouvent aux étages supérieurs, exposées à la lumière naturelle, complétée si nécessaire par éclairage artificiel.

**Pavillon Nord** – Niveau cour : bronzes européens du 16ᵉ s. dont des pièces de Cellini, Campagna et Titien ; céramiques européennes des 15ᵉ et 16ᵉ s. dont des carrelages espagnols, des lustres et des sculptures ; cristallerie allemande et italienne et **manuscrits enluminés★★**.

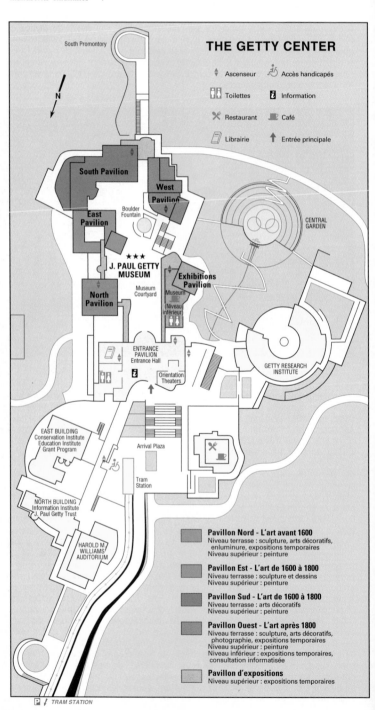

THE GETTY CENTER

⬆ Ascenseur    ♿ Accès handicapés

🚻 Toilettes    ℹ Information

🍴 Restaurant    ☕ Café

📖 Librairie    ⬆ Entrée principale

South Promontory

N

South Pavilion

West Pavilion

Boulder Fountain

East Pavilion

CENTRAL GARDEN

★★★
J. PAUL GETTY MUSEUM

Exhibitions Pavilion

North Pavilion

Museum Courtyard

Museum (Niveau inférieur)

ENTRANCE PAVILION
Entrance Hall

Orientation Theaters

GETTY RESEARCH INSTITUTE

EAST BUILDING
Conservation Institute
Education Institute
Grant Program

Arrival Plaza

Tram Station

NORTH BUILDING
Information Institute
J. Paul Getty Trust

HAROLD M. WILLIAMS AUDITORIUM

**Pavillon Nord - L'art avant 1600**
Niveau terrasse : sculpture, arts décoratifs, enluminure, expositions temporaires
Niveau supérieur : peinture

**Pavillon Est - L'art de 1600 à 1800**
Niveau terrasse : sculpture et dessins
Niveau supérieur : peinture

**Pavillon Sud - L'art de 1600 à 1800**
Niveau terrasse : arts décoratifs
Niveau supérieur : peinture

**Pavillon Ouest - L'art après 1800**
Niveau terrasse : sculpture, arts décoratifs, photographie, expositions temporaires
Niveau supérieur : peinture
Niveau inférieur : expositions temporaires, consultation informatisée

**Pavillon d'expositions**
Niveau supérieur : expositions temporaires

🅿 🚋 TRAM STATION

Niveau supérieur : différents courants de peinture italienne de la Renaissance. *Repos pendant la fuite d'Égypte avec saint Jean Baptiste* de Fra Bartolomeo (1509) s'intéresse aux formes humaines et naturelles idéales. *Le Hallebardier* de Pontormo (entre 1526 et 1556) témoigne d'une évolution vers des formes plus stylisées et élégantes. On y voit également *Vénus et Adonis* de Titien (entre 1555 et 1560) ainsi que *Portrait d'homme* de Véronèse (entre 1576 et 1578). La peinture à l'huile se répand d'Italie vers l'Europe du Nord ainsi que les travaux de Rogier van der Weyden et Holbein le Jeune semblent le souligner.

**Pavillon Est** – Niveau cour : sculptures européennes (bronze, albâtre, bois, marbre, etc.) ; dessins de la Renaissance à la période rococo. La plupart de ces œuvres proviennent d'ateliers flamands, italiens et allemands.

Niveau supérieur : peintures baroques, avec le très naturaliste *Christ et la Femme adultère* par Valentin (de Boulogne). Les artistes catholiques, tels Bruegel de Velours et Philippe de Champaigne, utilisent le langage baroque pour soutenir la Contre-Réforme. L'instauration de la république calviniste des Provinces-Unies, où se développe une riche oligarchie commerçante, permet l'apparition d'un genre commercial, celui du portrait, où excellent Jan Steen et Hendrick Terbrugghen, et que Rembrandt et son cercle vont porter à son apogée. De ce dernier, on verra *Le vieillard en habit militaire* (vers 1630) et *Saint Barthélemy* (1661).

**Pavillon Sud** – Niveau cour : c'est là que sont présentées quelques-unes des plus spectaculaires acquisitions de Getty : monumentales tapisseries françaises de l'époque de Louis XIV et tout un ensemble de tables, pendules, coffres et autres objets de décoration attribués au maître de la marqueterie André-Charles Boulle. Quatre salles lambrissées ont été reconstituées pour présenter les tendances de l'art décoratif français aux 17e et 18e s. : la **salle Régence lambrissée** (1670-1720), avec ses élégantes lignes bleu et or mettant en valeur la marqueterie du plancher ; avec la **salle Régence** (1710-1730), on passe de l'élégance excessive de la cour de Louis XIV à la grâce des décors soulignés de blanc, d'or et de rouge ; avec la **salle lambrissée rococo** (1730-1755), les décorateurs font appel aux pampres, fleurs, coquillages et jets d'eau ; la **salle lambrissée néoclassique** (1765-1795) constituait à l'origine le salon de la maison Hosten, à Paris, conçu par Claude Ledoux.

Niveau supérieur : œuvres de nombreux maîtres européens, comme le portraitiste anglais Thomas Gainsborough ou Jean-Baptiste Chardin considéré en son temps comme le maître de la nature morte.

**Pavillon Ouest** – Niveau cour : expositions tournantes de sculptures européennes et d'art décoratif italien.

Niveau supérieur : romantiques du début du 19e s. comme Goya et Géricault ; collection Impressionniste comprenant, entre autres, des œuvres de Renoir (*La Promenade*, 1870), Pissarro (*Paysage de Louveciennes : automne*, 1870), Monet (*Lever de Soleil*, 1873), Manet (*Rue Mosnier aux drapeaux*, 1878), Van Gogh (*Iris*, 1889), Munch (*Starry Night*, 1893) et Cézanne (*Nature morte aux pommes*, entre 1893 et 1894).

★★**Skirball Cultural Center** – *Plan p. 136. 2701 N. Sepulveda Blvd, à l'écart de la I-405. Visite de 12 h (11 h le dimanche) à 17 h. Fermé lundi, principaux jours fériés et fêtes juives. 8 $.* ✗ ♿ ☎ *310-440-4500.* Dans un nouveau bâtiment attirant les regards et dominant l'autoroute de San Diego, le principal centre culturel et musée juif de la côte Ouest présente une sélection de ses vastes collections d'objets d'art et d'artisanat. Les expositions s'attachent à décrire et à expliquer les croyances et les rites de la religion juive et à retracer l'histoire tumultueuse de la foi de ses origines à nos jours.

**Visite** – Conçue par le célèbre architecte Moshe Safdie, le bâtiment étincelant oppose les couleurs terriennes de la pierre rose, du béton gris et de l'ar-

Skirball Cultural Center –
Galerie de la Liberté et de l'Immigration

Grant Mudford

175

doise verte aux reflets miroitants du toit d'acier inoxydable. L'intérieur rassemble des galeries d'expositions permanentes et temporaires, la boutique du musée, un restaurant, un auditorium et des salles à vocation éducative. À gauche de l'entrée principale, on découvre l'exposition permanente **Visions and Values : Jewish Life from Antiquity to America.** Commençant par un rouleau de la Torah du 19ᵉ s., la section *Journeys* (Voyages) raconte les influences culturelles qui ont marqué le peuple juif, et qu'il a lui-même apporté au cours de ses grandes migrations depuis l'ancienne Palestine à travers l'Europe et l'Asie. La section *Sacred Time* met en évidence l'importance du passage du temps dans la culture juive, en illustrant les fêtes annuelles de Purim, la Pâque, Sukkoth, Hanukkah, ainsi que le Sabbat hebdomadaire. La partie *Life Cycle* illustre la façon dont les Juifs observent les différentes étapes de la vie, et *Sacred Space* expose l'art et la symbolique qui s'expriment dans les synagogues. La partie *Passage to America* raconte l'arrivée des Juifs aux États-Unis, où se trouve aujourd'hui la plus importante communauté juive du monde. On y trouve également de petites expositions sur la fondation de l'État d'Israël et sur l'Holocauste.

À l'étage, de grandes galeries abritent des expositions temporaires d'art et d'histoire. Au rez-de-chaussée, le **Discovery Center** traite de l'archéologie biblique, invitant les jeunes visiteurs à explorer le judaïsme ancien en regardant des pièces d'artisanat et en touchant les objets.

★**Will Rogers State Historic Park** à **Pacific Palisades** – *Plan p. 136. 1501 Will Rogers State Historic Park Road, à l'écart de Sunset Blvd. Visite de 8 h au coucher du soleil. 6 $/véhicule.* ▯ *www.cal-parks.ca.gov* ☎ *310-454-8212.* L'animateur de radio, éditorialiste, humoriste et vedette de cinéma Will Rogers (1879-1935) acquit en 1922 ce ranch de 75 ha, niché dans les contreforts des monts Santa Monica, à 2,5 km de l'océan Pacifique. Le « cow-boy philosophe », comme le surnommaient affectueusement ses nombreux admirateurs, s'y installa définitivement avec sa famille en 1928. À la mort de Mme Rogers en 1944, le ranch devint parc d'État. Le centre d'accueil retrace la vie de Rogers. La **maison** a conservé son mobilier d'origine et renferme des souvenirs de l'Ouest. On visite des écuries, ainsi que des enclos où l'on dressait les chevaux. Plusieurs sentiers sans grande difficulté conduisent au sommet des montagnes d'où l'on admire des points de vue sur l'océan. Chaque week-end d'avril à septembre, des matches de polo ont lieu dans le champ en contrebas du ranch.

## ENVIRONS DE LOS ANGELES

**Watts Towers**, à **Watts** – *Plan p. 136. 1765 East 107th Street. Du centre de Los Angeles, prendre Harbor Freeway (I-110) vers le Sud et sortir à Century Blvd. que l'on prend à gauche. Continuer jusqu'à Central Avenue et prendre à droite. À la hauteur de la 103rd Street, tourner à gauche, continuer jusqu'à Graham Avenue et tourner à droite. Continuer jusqu'à la 107th Street, tourner à gauche et rejoindre les tours. Note : Watts est un secteur très touché par les gangs et la criminalité. On recommande aux visiteurs de ne pas s'aventurer dans les zones situées au-delà de l'entourage immédiat des tours.* Dans le quartier de Watts, à forte densité afro-américaine, cette célèbre œuvre d'art populaire symbolisant l'esprit humain s'élève au-dessus d'un petit triangle de terrain. Sabato (Simon) Rodia, un immigrant italien ouvrier du bâtiment, érigea ce groupe de neuf sculptures entre 1921 et 1954. Sur une complexe ossature faite de tuyaux de récupération, de vieux cadres de lit, de barres d'acier et couverte de mortier, il planta des morceaux de céramique, des éclats de verre et de poterie et environ 10 000 coquillages. La plus haute des trois flèches élancées qui dominent l'ouvrage mesure 30 m. Dans l'**Art Center** voisin, une petite collection permanente d'instruments populaires est complétée par des expositions temporaires d'artistes afro-américains *(visite de 10 h (12 h le dimanche) à 16 h. Fermé lundi et principaux jours fériés.* ♿ ▯ ☎ *213-847-4646).*

## Burbank *3 h. Plan p. 154.*

On raconte que cette ville de la banlieue de Los Angeles, à l'extrémité Est de la vallée de San Fernando porte le nom de l'horticulteur Luther Burbank *(voir index).* En fait, elle a été baptisée en 1887 en hommage à l'un de ses promoteurs, le Dr David Burbank. Aujourd'hui, la ville est surtout connue pour ses studios de télévision et cinéma.

★**Warner Bros. Studios** – *4000 Warner Blvd. Quitter la route 134 (Ventura Freeway) à Pass Avenue en venant de l'Est ou, dans l'autre sens, à Alameda Ave. ; continuer jusqu'à Hollywood Way puis prendre Olive Ave. vers le Sud jusqu'au parking de Gate Four. Visite guidée (3 h) sur réservation uniquement, de 9 h à 15 h (16 h de juin à septembre). Fermé le week-end. 30 $.* ♿ ▯ *www.studiotour.com* ☎ *818-954-8687.* Depuis 1928, ce complexe de 44 ha est le quartier général de la Warner Bros., société de production cinématographique fondée en 1912 par Sam, Harry, Albert et Jack Warner. Aujourd'hui, ses 33 plateaux de tournage, ses immeubles de bureaux ainsi que ses bungalows éparpillés sur le site servent aux tournage de films, d'émissions de télévision, de spots publicitaires et pour des enregistrements en studio.

Les visites guidées commencent par un petit bungalow en bordure du site. On y diffuse un montage de séquences de films de la Warner Bros. *(12 mn)*. Les visiteurs sont ensuite emmenés dans des voiturettes de golf à l'arrière du site pour une visite informelle des magasins d'accessoires, des décors, des ateliers de construction et autres lieux montrant les aspects pratiques de la production.

**NBC Studios** – ▣ Enfants *3000 West Alameda Street. Quitter la route 134 (Ventura Freeway) à Pass Avenue en venant de l'Est ou, dans l'autre sens, à Alameda Ave. ; continuer vers l'Est sur Alameda St. jusqu'à l'entrée des studios, située sur le côté Sud de la rue. Visite guidée (1 h) uniquement, de 9 h à 15 h. Fermé le week-end. 7 $.* ♿ ☎ *818-840-3537.* Abritant les plus grands studios de télévision couleur des États-Unis, ce gigantesque complexe est aussi le quartier général de la National Broadcasting Company en Californie, et le siège de sa station locale privée KNBC. La visite permet de découvrir des expositions et des films vidéo présentant effets spéciaux, maquillage, costumes et retransmissions de rencontres sportives. On visite aussi le théâtre de 360 places où se tourne l'émission *The Tonight Show*.

## Vallée de San Fernando *Une demi-journée. Plan p. 136.*

Entourée par la sierra Madre et les monts Santa Monica et San Gabriel, cette vaste et plate banlieue de 610 km², qu'on appelle ici « la Vallée », est la plus grande enclave résidentielle de Los Angeles ; c'est là que réside un tiers de sa population. Sur les vingt-deux localités qui la composent, seules Burbank, Glendale et San Fernando sont des municipalités indépendantes, les autres étant rattachées à Los Angeles. Les tremblements de terre les plus dévastateurs, comme celui de Sylmar en 1971 ou celui de Northridge en 1994, eurent la vallée pour épicentre.

**Los Encinos State Historic Park**, à **Encino** – *16756 Moorpark Street, à un bloc au Nord de Ventura Blvd, à l'Est de Balboa Blvd. Visite du mercredi au dimanche de 10 h à 17 h. Fermé 1er janvier, Thanksgiving Day et 25 décembre. 2 $.* ☎ *818-784-4849.* Les deux derniers hectares subsistants des 1 800 du Rancho del Encino d'origine (ranch du chêne) indiquent l'endroit où l'expédition menée par l'explorateur Gaspar de Portolá fit halte le 5 août 1769, après avoir découvert la vallée de San Fernando. Deux habitations se distinguent parmi les bâtiments du 19e s. situés dans le parc : **De la Ossa Adobe**, une maison de ranch de huit pièces construite en 1850 (cinq d'entre elles, restaurées, sont ornées de meubles d'époque), et **Garnier Building**, une ferme en pierre calcaire à un étage, de style néo-grec (construite en 1872, elle a également été restaurée pour accueillir les visiteurs et présenter des expositions sur l'histoire locale). Une mare entourée de pierres, appréciée des oiseaux migrateurs, est alimentée par les mêmes sources d'eau chaude qui poussèrent les Indiens gabrieleños à s'installer autrefois ici.

**San Fernando Rey de Espana Mission**, à **Mission Hills** – *15151 San Fernando Mission Blvd. Sortir de la I-405 (San Diego Freeway) vers l'Est ou de la I-5 (Golden State Freeway) vers l'Ouest à San Fernando Mission Blvd et continuer sur 1 km au Nord jusqu'à la mission. Visite de 9 h à 16 h 30. Fermé Thanksgiving Day et 25 décembre. 4 $.* ♿ ☎ *818-361-0186.* La 17e mission de Californie fut fondée en 1797 par le père Fermín Lasuén pour servir de point de relais entre la mission de San Gabriel et celle de San Buenaventura. Ayant choisi cet endroit pour profiter du potentiel agricole de la vallée et faire de l'élevage, la mission prospéra. En 1819, elle possédait 21 000 têtes de bétail. C'était une étape très fréquentée par les voyageurs qui se rendaient à Los Angeles. Après 1834 et la sécularisation, les bâtiments furent abandonnés et tombèrent peu à peu en ruine.

Sa restauration, entreprise en 1916, se poursuit aujourd'hui, notamment dans le **convento** : ce quartier d'habitation pour les missionnaires et les hôtes avait été achevé en 1822, après treize ans de construction. Mesurant 75 m sur 15, avec des murs en adobe de 1,20 m d'épaisseur, un étage et 21 arches romanes côté rue, c'est le plus grand bâtiment de mission encore debout aujourd'hui en Californie. Dans ses murs offrant une fraîcheur naturelle, on peut admirer le mobilier d'origine et des peintures murales décoratives.

L'église de la mission, détruite lors du tremblement de terre de Sylmar en 1971, fut reconstruite en 1974. C'est la fidèle réplique du bâtiment originel de 1806.

**Ronald Reagan Presidential Library Museum**, à **Simi Valley** – *40 Presidential Drive. De Los Angeles, prendre vers le Nord la I-405 (San Diego Freeway) ou la I-5 (Golden State Freeway), puis la route 118 (Simi Valley-San Fernando Freeway) vers l'Ouest, sortir vers le Sud sur Madera Drive, continuer sur 5 km jusqu'à Presidential Drive et monter la côte. Visite de 10 h à 17 h. Fermé 1er janvier, Thanksgiving Day et 25 décembre. 5 $.* ✕ ♿ ▣ *www.reagan.utexas.edu* ☎ *800-410-8354.* De son domaine couvrant 11 ha en sommet de montagne, offrant de belles **vues**★ sur Simi Valley à l'Est ainsi que sur les monts Tehachapi et l'océan Pacifique à l'Ouest, cette installation contemporaine (1991) de 14 000 m² abrite les archives du 40e président des États-Unis. L'extérieur a adopté des éléments de style Mission. À l'intérieur, des présentations vidéo retracent les grands moments de la vie de R. Reagan, de son enfance jusqu'à ses deux mandats présidentiels (1981-1989).

★★**Pasadena** *2 jours. Voir ce nom.*

★**Long Beach** *Une journée. Voir ce nom.*

★**Santa Monica** *Une demi-journée. Voir ce nom.*

★**Malibu** *Une journée. Voir ce nom.*

## EXCURSIONS

★**Six Flags Magic Mountain**, à **Valencia** – Enfants *Une journée. 48 km au Nord de Los Angeles ; prendre la I-5 (Golden State Freeway) vers le Nord et sortir à Magic Mountain Parkway. Visite tous les jours de fin mars à mi-septembre et les deux dernières semaines de décembre, le reste de l'année uniquement les week-ends et vacances scolaires. Fermé le 25 décembre. 36 $.* ✗ 🅿 *www.sixflags.com* ☎ *805-255-4111.* Mêlant les plaisirs d'une fête foraine d'antan et la beauté des jardins botaniques, ce parc d'attractions familial occupe 105 hectares luxuriants dans les contreforts Ouest de la vallée de Santa Clarita. Il propose une petite quarantaine d'attractions dont certaines, très populaires, garantissent le frisson : les montagnes russes traditionnelles en bois **Colossus** et **Psyclone** ; celles en tubes d'acier comme **Viper**, **Flashback**, **Revolution**, **The Riddler's Revenge** et **Superman : The Escape**. Des personnages grandeur nature de dessins animés de la Warner Bros déambulent dans le parc. Plusieurs théâtres et pavillons proposent régulièrement des spectacles en public. Quant aux petits enfants, ils tombent sous le charme du **Bugs Bunny World** et de ses manèges plus paisibles.

**Six Flags Hurricane Harbor** – Enfants *Ouvert tous les jours de Memorial Day à Labor Day et le week-end début mai et fin septembre. Fermé d'octobre à avril. 19 $.* Jouxtant Magic Mountains (avec lequel il forme Six Flags California), ce parc aquatique est un véritable labyrinthe de lagons de mondes aussi imaginaires que perdus ! Il y a des douzaines de toboggans ultra-rapides (certains à ciel ouvert, d'autres fermés), des rafts, des cascades, des ruines et une mer artificielle pour nager en toute tranquillité. Les attractions portent des noms très évocateurs : Lizard Lagoon (lagon du Lézard), Bamboo Racer (Bambou de course) ou Black Snake Summit (sommet du Serpent Noir) !

## Antelope Valley *Une journée*

L'Antelope Valley, vaste plaine aride, chevauche les frontières des comtés de Los Angeles et de Kern à environ 160 km au Nord du centre de Los Angeles. D'une superficie de 8 800 km², elle occupe l'angle Sud-Ouest du **désert Mohave** *(voir index)*. Les cultures shoshone, yokut, chumash et gabrieleño se partageaient la vallée avant la venue des Européens. Certains pionniers arrivés là à la fin du 19ᵉ s. affirmaient y avoir vu des antilopes, mais il semble peu probable que de grands troupeaux s'y soient jamais aventurés. Des éleveurs et des mineurs de borax vinrent y chercher fortune et, au début du 20ᵉ s., l'**aqueduc de Californie** traversa la frange Sud très peu peuplée.

Dans les années 1940, cette vallée parfaitement plate, constituée de lits de lacs desséchés, attira d'importantes entreprises spécialisées dans l'aéronautique ainsi que l'US Air Force. Aujourd'hui, la population de cette grande banlieue de Los Angeles en pleine croissance compte plus de 300 000 habitants qui se divisent surtout entre deux grandes villes : Lancaster et Palmdale. La vallée doit sa réputation à sa **zone de protection des pavots** (Antelope Valley California Poppy Reserve) de 706 ha, où fleurit chaque année, en avril et mai, un océan orange de pavots californiens *(Eschscholzia californica)*, fleur officielle de l'État *(visite de mi-mars à mi-mai de 9 h à 16 h (17 h le week-end). 5 $/véhicule.* 🅿 *www.calparksmojave.com* ☎ *661-724-1180 pour les dates de floraison).*

★**Antelope Valley Indian Museum**, à **Lancaster** – *Une heure. 15701 E. Avenue M. 128 km au Nord de Los Angeles. Prendre la I-5 vers le Nord, puis la route 14 (Antelope Valley Freeway), sortir Avenue K que l'on emprunte vers l'Est sur 27 km, puis continuer au Sud sur la 150th Street sur 3 km jusqu'à Avenue M. Visite de fin septembre à mi-juin le week-end de 11 h à 16 h. Fermé 25 décembre et week-end précédent. 3 $.* 🅿 *www.calparksmojave.com* ☎ *661-942-0662.* Vision insolite, un chalet suisse se dresse sur le flanc rocheux de Piute Butte dans l'angle Sud-Est de la vallée. Dans les années 1920, c'était la résidence privée sur 64 ha d'Howard Arden Edwards, peintre et anthropologue amateur. Au début des années 1940, Grace Oliver acheta cette propriété et ouvrit un musée, ajoutant ses propres collections anthropologiques à celles d'Edwards. Depuis 1979, le musée est propriété de l'État.

Les **salles**★ sont décorées de motifs amérindiens exubérants. D'immenses représentations de poupées kachina ornent le plafond de la grande salle. Certains des murs et des sols sont formés par la paroi rocheuse de la butte elle-même. Les expositions mettent l'accent sur les cultures amérindiennes de la Californie, du Sud-Ouest et de l'Ouest du Grand Bassin. Dans une petite maison séparée, des objets sont étalés sur une table Enfants et les visiteurs peuvent les toucher, essayer de moudre le maïs ou allumer un feu comme les Indiens. L'emplacement du musée offre de spectaculaires points de vues des versants Nord des monts San Gabriel et San Bernardino.

★**NASA Dryden Flight Research Center**, sur **Edwards Air Force Base** – *125 km au Nord de Los Angeles. Prendre la route 14 (Antelope Valley Freeway) et sortir à Rosamond. Continuer vers l'Est sur environ 3 km jusqu'à l'entrée de la base. Entrée dans la base et visite des installations sur réservation uniquement.* Installé au sein des 122 000 ha de la base Edwards, à l'extrémité Nord d'Antelope Valley, la **base d'essai en vol de la NASA** est le principal centre d'essais et de recherche militaire et civil de la NASA (National Aeronautics and Space Administration). Huit pistes d'envol sont réparties sur les surfaces argileuses naturelles planes de lacs asséchés.

Les essais débutèrent ici en 1946 avec le **X-1**, premier avion à dépasser le mur du son. Depuis, d'importants avions ont pris leur envol à Dryden : le **D-558-II**, premier avion à voler deux fois plus vite que la vitesse du son ; l'aéronef **X-15** propulsé par fusée, le premier appareil piloté par l'homme qui ait dépassé 7 000 km/h et volé à plus de 100 000 m d'altitude ; le **XB-70**, prototype de bombardier supersonique et plus grand avion expérimental jamais construit ; le **SR-71**, connu aussi sous le nom de « Blackbird », un avion volant à haute altitude trois fois plus vite que la vitesse du son. Dryden sert aussi de terrain d'atterrissage à la célèbre **navette spatiale** de la NASA, transport de fret et de passagers propulsé dans l'espace à l'aide d'une fusée.

**Visite** – *Visite guidée (1 h 30) sur réservation uniquement, du lundi au vendredi à 10 h 15 et 13 h 15.* ✗ ⅄ *www.dfrc.nasa.gov* ☎ *805-258-3446.* La visite des installations de la base commence par une présentation vidéo de 25 mn sur les expérimentations et les exploits accomplis sur ce site. Le circuit se poursuit par la visite commentée de deux hangars permettant au visiteur d'observer de près certains engins d'essai. Un **centre d'accueil** expose des modèles d'avions testés à Dryden, ainsi qu'une collection d'art sur le thème de l'aéronautique.

★★★Disneyland *1 à 3 jours. Voir ce nom.*

★Anaheim Area *Une journée. Voir ce nom.*

★Catalina Island *Une journée. Voir ce nom.*

---

### Les autoroutes de Los Angeles

C'est en 1940 avec l'ouverture de l'Arroyo Seco Parkway (aujourd'hui la Pasadena Freeway) que naquit l'actuel réseau autoroutier de Los Angeles (845 km). Elle fut suivi par l'Hollywood Freeway en 1947, puis par de nombreuses autres durant les années 1950. Construites en suivant les tracés des anciens tramways, très bien signalées et très pratiques, les autoroutes relient les différents centres de Los Angeles à sa tentaculaire banlieue.

| Numéro | Nom(s) |
|---|---|
| Route 2 | Glendale Freeway |
| I (Interstate) -5 | Golden State Freeway *(au Nord du centre-ville)* |
| | Santa Ana Freeway (au Sud du centre-ville) |
| I (Interstate) -10 | Santa Monica Freeway *(à l'Ouest du centre-ville)* |
| | San Bernardino Freeway (à l'Est du centre-ville) |
| Route 14 | Antelope Valley Freeway |
| Route 22 | Garden Grove Freeway |
| Route 57 | Orange Freeway |
| Route 60 | Pomona Freeway |
| Route 90 | Marina Freeway |
| Route 91 | Artesia Freeway – Gardena Freeway |
| US-101 (Sud de la route 134) et Route 170 | Hollywood Freeway (au Nord du centre-ville) |
| US-101 (Ouest de la route 170) et Route 134 | Ventura Freeway |
| I-105 | Glen Anderson Freeway |
| Route 110 | Pasadena Freeway |
| I-110 | Harbor Freeway |
| Route 118 | Simi Valley-San Fernando Freeway |
| I-210 | Foothill Freeway |
| I-405 | San Diego Freeway |
| I-605 | San Gabriel River Freeway |
| I-710 | Long Beach Freeway |

S'étirant sur environ 43 km de côte au Nord de la baie de Santa Monica, là où les monts Santa Monica plongent abruptement dans le Pacifique, Malibu est la plus réputée et la plus belle des stations balnéaires des environs de Los Angeles. Bordant l'Highway 1, plus connue sous le nom de Pacific Coast Highway ou « PCH », les restaurants, les cafés et les boutiques de Malibu attirent une foule décontractée d'amoureux de la plage qui se mêlent aux habitants et aux célébrités résidant à Malibu.

## UN PEU D'HISTOIRE

Les Indiens chumash furent les premiers habitants de cette région et le nom Malibu vient du mot chumash *humaliwo*, qui voudrait dire « les vagues déferlantes font un bruit fort ». Au début du 19ᵉ s., cette région fut englobée dans les 5 400 ha du ranch Topango Malibu Sequit, qui connut plusieurs propriétaires. En 1892, l'homme d'affaires et millionnaire Frederick Hastings Rindge acquit le domaine et le transforma en retraite campagnarde, ranch à bétail et ferme céréalière. Après la mort de son époux en 1905, May Rindge conserva la propriété et créa en 1926 les poteries de Malibu. Pendant six ans, cette fabrique installée en bordure de plage produisit des carreaux de céramique de style espagnol, vivement colorés, utilisés pour la décoration de nombreux logements et bâtiments de bureaux de l'époque, notamment pour l'hôtel de ville de Los Angeles. May Rindge finit par vendre la majeure partie de la propriété. Le promoteur Art Jones en acheta une parcelle et en 1928, y établit une enclave résidentielle privée appelée la **Malibu Colony**. Ces terrains en bord de plage, loués 10 $ le m² par mois, attirèrent de nombreuses célébrités de l'époque, parmi lesquelles Clara Bow, Ronald Colman, Dolores del Rio, Barbara Stanwyck, Gary Cooper, John Gilbert et Gloria Swanson. Aujourd'hui, certaines des stars les plus célèbres d'Hollywood ont des villas de plusieurs millions de dollars dans ce parc résidentiel fermé et surveillé. D'autres personnalités connues vivent dans de luxueuses retraites, véritables nids d'aigles accrochés aux contreforts des montagnes. Ces propriétés sont continuellement menacées par les incendies de forêt qui laissent les terrains dénudés et propices aux coulées de boue résultant des fortes pluies.

Il y a de nombreuses plages publiques. Depuis les belvédères qui jalonnent les routes du Malibu Canyon, du Latigo Canyon et de Kanan Dume, on aperçoit les lumières scintillantes de la côte ; toutes ces routes se dirigent vers le Nord à partir de la « PCH ». La route de **Corral Canyon** se termine à 10 km environ à l'intérieur des terres sur l'aire de stationnement du Malibu Creek State Park, d'où les touristes profitent d'une **vue panoramique★★** sur la baie de Santa Monica.

## VISITE *Une journée*

**J. Paul Getty Museum at the Getty Villa** – *17985 Pacific Coast Highway, entre Sunset Blvd et Topanga Canyon Blvd. Réouverture prévue en 2001.* Dissimulée dans un luxuriant canyon paysager de 26 ha, cette demeure qui domine le Pacifique

Villa Getty : vue aérienne

est la reproduction d'une ancienne villa romaine du 1er s. avant J.-C., découverte sur le site d'Herculanum, où elle avait été entièrement ensevelie par l'éruption du Vésuve, en 79. Construit en 1974 pour loger les collections d'art de J. Paul Getty *(voir index)*, l'un des hommes d'affaires les plus riches de ce siècle, le musée a été fermé en 1997 pour rénovation, et ses collections transférées au nouveau musée J. Paul Getty, le centre Getty de Los Angeles. Quand la villa ouvrira à nouveau ses portes en 2001, elle servira de centre de conservation et d'étude des œuvres d'art de l'Antiquité, et de musée pour présenter la fabuleuse collection d'art grec et romain du centre.

**Adamson House et Malibu Lagoon Museum** – *23200 Pacific Coast Highway. 16 km à l'Ouest de Santa Monica. Visite guidée (1 h) uniquement pour la maison du mercredi au samedi de 11 h à 14 h. Fermé 4 juillet, Thanksgiving Day et 25 décembre. 2 $ (accès libre au musée et au parc).* ☎ *310-456-8432.* Au milieu d'un jardin de 5 ha dominant le lagon de Malibu et l'océan Pacifique, cette demeure à un étage de style néocolonial espagnol (1929, Stiles Clements) fut construite pour la fille et le gendre de Frederick et May Rindge. De généreuses **mosaïques en céramique**★ très colorée provenant des poteries de Malibu égaient l'extérieur et l'intérieur de cette maison et ornent la fontaine mauresque en forme d'étoile qui chante dans les beaux **jardins** de la propriété. Le petit musée mitoyen est entièrement dévolu à l'histoire locale, de la période amérindienne à nos jours.

# PASADENA★★

134 000 habitants
Carte Michelin n° 493 B 10 – Voir schéma au chapitre LOS ANGELES p. 136
Office de tourisme ☎ 626-795-9311

Moins de 15 km séparent Pasadena du centre de Los Angeles au Sud-Ouest ; on a pourtant l'impression de pénétrer ici dans un autre monde, loin du bruit et de l'urbanisation. Bordée à l'Ouest par l'Arroyo Seco, une gorge asséchée des monts San Gabriel, la ville vit à un rythme plus tranquille que la métropole. Elle présente des merveilles architecturales, des attractions culturelles et des manifestations dignes d'une ville bien plus importante.

## UN PEU D'HISTOIRE

Pasadena, dont le nom vient d'un mot indien signifiant « couronne de la vallée », fut fondée en 1874 par quelques fermiers de l'Indiana, venus s'installer ici pour cultiver des agrumes pour le compte de la San Gabriel Orange Grove Association. Leurs efforts furent infructueux. En revanche, les chemins de fer des compagnies Southern Pacific et Santa Fe relièrent Pasadena à Chicago et à l'Est des États-Unis au cours des dix années suivantes. Le village agricole devint alors un lieu de villégiature hivernale pour la haute société. Les fortunes de l'Est et du Middle West des États-Unis firent construire ici de somptueuses demeures, dont la plupart existent encore aujourd'hui. La prospérité que connut la ville au début du 20e s. se reflète dans les bâtiments de style baroque espagnol et Renaissance du **centre administratif** de la ville, construit dans les années 1920. En 1889, le très huppé club de chasse de Pasadena décida de célébrer le Nouvel An par un défilé annuel de chars décorés de fleurs. Les années suivantes, le défilé fut précédé de différentes manifestations sportives, courses à pied, concours de tir à la corde et autres compétitions amicales. Avec les années, les chars devinrent de plus en plus élaborés et exubérants. En 1926, les manifestations sportives furent remplacées par le championnat universitaire de football américain. Aujourd'hui le défilé, **Rose Parade**, et le match, **Rose Bowl Game**, qui oppose le plus souvent les vainqueurs des principales ligues, sont télédiffusés dans tout le pays.

## CURIOSITÉS *Une journée*

★★★**Norton Simon Museum** – *411 W. Colorado Blvd. Visite du jeudi au dimanche de 12 h à 18 h. Fermé 1er janvier, Thanksgiving Day et 25 décembre. 4 $.* ♿ 🅿 *www.nortonsimon.org* ☎ *626-449-6840.* Élégamment aménagé dans un bâtiment ultramoderne dominant l'artère principale de Pasadena, le musée présente une sélection de près de 1 000 œuvres, issues de l'une des collections privées les plus raffinées du monde, couvrant sept siècles de peinture et de sculpture européenne ainsi que deux millénaires de sculpture asiatique.

Au milieu du 20e s., l'industriel Norton Simon (1907-1993) édifia un empire agroalimentaire comprenant des sociétés comme Hunt-Wesson Foods, McCalls et Canada Dry. Guidé par sa vision personnelle de l'art, « qui doit toujours laisser voir ou transparaître une présence humaine », il entreprit de collectionner les tableaux en 1954, se portant tout d'abord acquéreur de toiles de Gauguin, Bonnard et Pissarro. Un voyage à New Delhi en 1971 lui inspira l'idée de sa collection d'art asiatique. À sa mort, N. Simon avait amassé une collection de plus de 11 000 pièces,

*Le Mûrier* (1889), par Van Gogh

axée sur l'art européen du 14ᵉ au 18ᵉ s., le courant impressionniste français, les œuvres d'Edgar Degas, et la sculpture de l'Inde et de l'Asie du Sud-Est.

À la fin des années 1960, N. Simon commença à prêter des œuvres aux plus grands musées américains et européens, organisant entre autres deux expositions sur la sculpture du 19ᵉ et 20ᵉ s. au musée de Pasadena, en proie à des difficultés financières. En 1974, la Norton Simon Foundation et la Norton Simon Art Foundation reprirent ce musée, le réorganisant pour accueillir une exposition permanente des collections de N. Simon, le rebaptisant du nom de son bienfaiteur.

**Peintures européennes du 14ᵉ au 18ᵉ s.** – *À droite de l'entrée principale.* Les trésors de cette collection d'œuvres anciennes sont sans nul doute la *Vierge à l'Enfant* de Raphaël (vers 1502), le *Couronnement de la Vierge* (1344), un retable peint par Guariento di Arpo, qui a introduit le style gothique dans la peinture vénitienne, ainsi que deux belles représentations grandeur nature d'*Adam* et *Ève* (vers 1530) de Lucas Cranach l'Ancien. Le baroque du 17ᵉ s. est représenté par les toiles de Jan Steen, Zurbarán et Rubens, ainsi que par un *Autoportrait* (1636-1638) de Rembrandt. Les œuvres rococo du 18ᵉ s. comprennent notamment des toiles de Fragonard. Une galerie supplémentaire présente des œuvres monumentales de cette période, citons : *La Piazzetta de Venise vue vers le Nord* (vers 1730) signée Canaletto, *La Victoire de la Vertu et de la Constance sur l'Ignorance* de Tiepolo (1740-1750), qui décorait à l'origine un plafond, et une fervente *Pénitence de saint Jérôme* (1798) par Goya.

**Peintures européennes des 19ᵉ et 20ᵉ s.** – *À gauche de l'entrée principale.* La collection d'impressionnistes français est particulièrement importante. Parmi les œuvres les plus connues, citons : *Le Studio de l'artiste* et *Rue Saint-Georges* (1876) de Renoir, *Le Jardin de l'artiste à Vétheuil* (1881) de Monet, *Portrait d'un paysan* (1888) et *Le Mûrier* (1889) de Van Gogh ainsi que la célèbre sculpture de Degas *La Petite danseuse de quatorze ans* (1878-1881). Des œuvres de Picasso, Daumier, Manet, Pissarro, Toulouse-Lautrec, Gauguin, Vuillard, Cézanne, Klee, Matisse, Modigliani, Braque et Kandinsky sont également présentées.

**Sculpture de l'Inde et du Sud-Est asiatique** – *Rotonde de l'escalier et galerie du rez-de-chaussée.* Les pièces exposées ont été sélectionnées parmi les immenses collections de sculptures jaïn, bouddhistes et hindoues en provenance de l'Inde. On trouve également des sculptures bouddhistes et hindoues venues de l'Himalaya, de Thaïlande, du Cambodge et du Vietnam, ainsi que des aquarelles népalaises.

Dans la cour d'entrée, dans toutes les galeries et dans le **jardin des sculptures** sont disposées des œuvres majeures de sculpteurs du 19ᵉ et du 20ᵉ s., notamment Rodin, Maillol et Henry Moore.

★★ **Gamble House** – *4 Westmoreland Pl., face au bloc 300 sur N. Orange Grove Blvd. Visite guidée (1 h) uniquement, du jeudi au dimanche de 12 h à 15 h. Fermé principaux jours fériés. 5 $. Les billets s'achètent à la librairie voisine de la maison.* ☎ *818-793-3334.* Cette demeure est considérée comme un chef-d'œuvre du mouvement d'artisanat d'art Arts and Crafts, et comme le plus beau bâtiment encore debout conçu par Charles et Henry Greene, célèbres architectes établis à Pasadena. Elle a été construite en 1908 comme résidence familiale d'hiver pour David B. Gamble, héritier de la firme Procter & Gamble. La construction dura à peine dix mois et ne coûta que 54 000 $ pour plus de 800 m². Depuis 1966, la maison a été entretenue et gérée en commun par la ville de Pasadena et l'école d'architecture de Californie.

Coiffé de bardeaux de séquoia, ce « bungalow » très étendu à un étage avec pignons, et sa décoration intérieure, symbolisent le goût des frères Greene pour le raffinement artisanal et l'intégration de l'architecture à l'environnement. De vastes auvents en saillie protègent les larges vérandas et les galeries en plein air situées à l'étage. Quinze portes extérieures et un grand nombre de fenêtres intérieures assurent une excellente ventilation. L'**intérieur** regorge de chefs-d'œuvre décoratifs conçus par les frères Greene pour la maison, notamment des meubles et des pièces de bois ouvragées utilisant une vingtaine d'essences différentes. Le bel assemblage de vitraux est dû à Émile Lange.

**Westmoreland Place** et, non loin de là, **Arroyo Terrace** et **Grand Avenue** abritent huit autres exemples de bungalows construits par les Greene, en plus ou moins bon état de conservation.

★**Rose Bowl** – *991 Rosemont Blvd.* Construit au fond de l'Arroyo Seco et environné par les monts San Gabriel, ce stade ovale (1922, Myron Hunt) de 268 mètres sur 211 avait, à l'origine, la forme d'un fer à cheval. L'extrémité Sud fut intégrée dans l'enceinte en 1932, et il a subi depuis plusieurs agrandissements pour atteindre sa capacité actuelle de 103 553 places. C'est ici que se déroule chaque année, le Jour de l'An, le Rose Bowl Game et qu'est domiciliée l'équipe de football de l'UCLA, Los Angeles Galaxy Soccer.

**Tournament House and Wrigley Gardens** – *391 S. Orange Grove Blvd. Visite des jardins ouverts tous les jours de février à août ; visite guidée de la maison le jeudi de 14 h à 16 h.* ✗ ♿ ☎ *626-449-4100.* Cette demeure aux styles Mission et Beaux-Arts mêlés (1911, G. Lawrence Stimson), autrefois la propriété de William Wrigley Jr., le magnat du chewing-gum, est aujourd'hui le siège de la Tournament of Roses Association. Ces jardins sont particulièrement remarquables : des parterres de roses entourent la terrasse, la pergola et la fontaine, tandis que palmiers, séquoias, pins, eucalyptus et magnolias ornent les pelouses.

**Pacific Asia Museum** – *46 N. Los Robles Ave. Visite du mercredi au dimanche de 10 h à 17 h. Fermé 1er janvier, 25 et 31 décembre. 5 $.* ♿ ▣ *(3 $) www.west-muse.org/pacasiamuseum* ☎ *626-449-2742.* Avec son toit en pagode, sa profusion d'ornements et sa cour intérieure, ce bâtiment à un étage (1924) pastiche le palais impérial chinois. Les collections permanentes comprennent des œuvres d'art et objets culturels de Chine, du Japon, d'Inde, de Corée, de l'Asie du Sud-Est et des îles du Pacifique. Son **jardin intérieur**★, achevé en 1979, est l'un des deux seuls authentiques jardins chinois des États-Unis, le second se trouvant au Metropolitan Museum of Art à New York.

**Pasadena Historical Museum** – *470 Walnut Street sur N. Orange Grove Boulevard. Visite du jeudi au dimanche de 13 h à 16 h. 4 $.* ✗ ♿ ☎ *626-577-1660.* Ameublement et tableaux d'origine sont toujours visibles à l'étage principal de la propriété Fenyes (1906, Robert Farquhar), demeure de 18 pièces construite dans le style néoclassique pour un consul finlandais. Des photos d'archives sont présentées dans la bibliothèque et, dans l'ancienne maison adjacente réservée au sauna, se trouve une collection d'art populaire finlandais.

## ENVIRONS DE PASADENA

★★★**Bibliothèque Huntington, collections d'art et jardins botaniques**, à **San Marino** – *1151 Oxford Rd, Prendre Allen Ave. South à partir de East Colorado Blvd ou East California Blvd. Visite de 10 h 30 (12 h les jours ouvrables de septembre à mai) à 16 h 30. Fermé lundi et principaux jours fériés. 8,50 $.* ✗ ♿ ▣ *www.hun-tington.org* ☎ *626-405-2141.* Institution culturelle parmi les plus renommées de la région de Los Angeles, « The Huntington » comprend l'une des plus belles bibliothèques au monde d'ouvrages et manuscrits rares, une collection de rang mondial d'art britannique des 18e et 19e s., des œuvres d'art françaises et américaines, ainsi qu'un jardin botanique de renommée internationale. Installé à San Marino, banlieue élégante de Pasadena, le complexe Huntington occupe 84 ha dans un environnement idyllique, seul vestige de l'ancien ranch de 240 ha que possédaient au début du siècle le magnat Henry H. Huntington et sa femme Arabella.

**Du chemin de fer au chemin des arts** – Né en 1850 à Oneonta dans l'État de New York, **Henry H. Huntington** commença sa carrière comme employé chez son oncle, Collis P. Huntington, copropriétaire de la compagnie Central Pacific Railroad. En 1892, Henry se rendit à San Francisco pour participer à la gestion de la Southern Pacific. Son oncle mourut en 1900 et deux années plus tard, Henry quitta la compagnie pour s'installer à Los Angeles. C'est là qu'il bâtit sa fortune en développant et en consolidant le système de tramway de la ville, les célèbres « Big Red Cars » de la Pacific Electric Railway, mettant en place un réseau qui contribua à accélérer la croissance de la ville.

En 1902, Huntington acheta un ranch rustique appelé San Marino et, en 1904, engagea le paysagiste William Hertrich pour aménager le terrain de la propriété, mission qu'Hertrich réalisa jusqu'à sa retraite en 1949, à l'âge de 70 ans.

Huntington fit également construire une résidence de style Beaux-Arts et une bibliothèque. En 1903, Huntington prit sa retraite à l'âge de 60 ans, pour se consacrer à sa collection de livres et d'œuvres d'art et à l'aménagement de sa propriété. Arabella Duvall Huntington, la veuve de son oncle, elle-même l'une des plus grandes collectionneuses américaines, le rejoignit dans sa passion. Du même âge qu'Henry, elle devint sa seconde femme en 1913. Ils continuèrent avec ferveur à acheter œuvres d'art et antiquités jusqu'à la mort d'Arabella en 1924. Henry décéda trois années plus tard.

En 1919, les Huntington avaient confié leur domaine et leurs collections à une association à but non lucratif, qui administre encore aujourd'hui la collection Huntington. Ouvert pour la première fois au public en 1928, l'ensemble attire aujourd'hui plus de 500 000 visiteurs par an. Plus de 1 800 chercheurs ont accès à la bibliothèque et la propriété continue de s'agrandir par des acquisitions ou des dons.

★★ **Bibliothèque** – Ce majestueux bâtiment (1920, Myron Hunt) abrite environ 3,5 millions de manuscrits, 357 000 ouvrages rares et 321 000 ouvrages de référence, dont la plupart traitent de l'histoire britannique et américaine, ainsi que de la littérature et de l'art du 11e s. à nos jours. Comme la bibliothèque est en grande partie occupée par les réserves et des salles de recherche, environ 200 pièces seulement, de valeur inestimable, sont présentées dans la salle d'exposition. Parmi les plus célèbres d'entre elles figurent l'**Ellesmere Chaucer**, un manuscrit merveilleusement enluminé des *Contes de Cantorbéry* (vers 1410), une **bible de Gutenberg** (vers 1450), dont seulement trois copies sur vélin existent aux États-Unis, une sélection de la première collection mondiale d'éditions anciennes de Shakespeare, dont une **première édition** de ses pièces, quatre volumes grand format sur les *Oiseaux d'Amérique* (1827-1828) signés **John James Audubon** et, enfin, des lettres et manuscrits originaux d'Américains célèbres comme Benjamin Franklin, George Washington, Thomas Jefferson, Abraham Lincoln, Mark Twain et Henry David Thoreau.

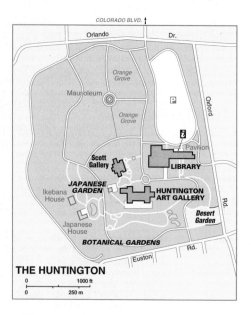

L'aile Ouest de la bibliothèque présente une collection de tableaux de la Renaissance et d'œuvres d'art décoratif français du 18e s.

★★ **Galerie d'art** – Les œuvres exposées dans l'ancienne demeure des Huntington de style Beaux-Arts (1910, Myron Hunt) concernent l'art britannique des 18e et 19e s. et l'art français du 18e s. La collection d'**art britannique**★★★ est considérée parmi les plus belles en dehors de Londres, particulièrement pour les vingt portraits grandeur nature de la fin du 18e s. par Joshua Reynolds, Thomas Gainsborough, George Romney et Thomas Lawrence *(galerie principale)*. Parmi ces portraits, on notera particulièrement le célèbre *Blue Boy* de Gainsborough (vers 1770), *Sarah Barrett Moulton, « Pinkie »* de Lawrence (1794) et *Sarah Siddons en muse de la Tragédie*, de Reynolds (1784). Le couloir voisin présente une collection de portraits-miniatures anglais (fin du 16e jusqu'au début du 19e s.), et des pièces d'argenterie anglaises du début du 16e s. Dans le reste du bâtiment à deux niveaux sont exposés peintures, dessins et sculptures à l'intérieur de salles richement décorées de meubles anglais et français du 18e s.

**Virginia Steele Scott Gallery** – Inauguré en 1984, cette petite galerie présente des peintures américaines du 18e s. au début du 20e s., parmi lesquelles des œuvres d'importance de Gilbert Stuart, John Singleton Copley, Charles Wilson Peale, George Caleb Bingham, Frederic Edwin Church, Robert Henri, Thomas Moran, Mary Cassatt, John Sloan et Edward Hopper. Dans une pièce séparée sont exposées des œuvres décoratives du début du 20e s. et des créations de Charles et Henry Greene, architectes et concepteurs du mouvement Arts and Crafts qui ont travaillé à Pasadena et réalisé l'essentiel de leurs grandes commandes ici, par exemple Gamble House.

★★ **Jardins botaniques** – Sur près de 60 ha, ces jardins présentent environ 14 000 espèces naturelles et cultivées différentes, étiquetées et présentées en quinze groupes thématiques. Quadrillé de sentiers, le terrain légèrement vallonné du **jardin désertique** présente sur 5 ha l'une des collections les plus vastes au monde de cactus et de plantes grasses adultes, regroupant plus de 5 000 espèces. Les paisibles terrasses du **jardin japonais**★ sont agrémentées d'un bassin de poissons koï, d'un gracieux pont en dos d'âne, d'une maison japonaise traditionnelle, d'un jardin zen de pierres et graviers méticuleusement ratissés et d'une collection de bonsaïs. Le jardin de roses, tout comme celui de camélias, abrite plus de 1 400 cultures différentes de chaque espèce. Dans les autres jardins on verra palmiers, étangs à nénuphars, plantes australiennes, de la jungle et des tropiques, herbes aromatiques et plantes anglaises mentionnées dans les pièces de Shakespeare.

*Sarah Barrett Moulton, « Pinkie », par Lawrence*

Norton Simon Museum

★ **San Gabriel Arcángel Mission**, à **San Gabriel** – *537 West Mission Drive. De la I-210 (Foothill Freeway) à l'Est de Pasadena, prendre le Sierra Madre Blvd. vers le Sud, traverser Huntington Drive pour emprunter San Marino Ave., tourner à droite sur Junipero Serra Drive jusqu'à la mission, à 7 km au Sud de la I-210. Visite de 9 h à 17 h. Fermé dimanche de Pâques, Thanksgiving Day et 25 décembre. 4 $. ⌖ 🅿 ☎ 626-457-3048.* Situé à un carrefour très animé, cet ensemble rappelle la grande époque où la mission était le centre d'une colonie espagnole prospère.

D'abord installée en 1771 sur les rives du fleuve San Gabriel, la 4e mission de Californie fut contrainte en 1775 en raison des inondations de se déplacer à 8 km au Nord, sur son site actuel. Employant des Indiens gabrieleños pour cultiver les terres fertiles environnantes, elle connut une grande prospérité. Entre 1779 et 1805, une église ne ressemblant à aucune autre église de mission fut construite ici. Son architecte, le père Antonio Cruzado, se serait inspiré de la mosquée-cathédrale de Cordoue en Espagne, où il était né.

Après la sécularisation, la mission passa aux mains de différents propriétaires, mais redevint centre paroissial en 1859. Depuis 1908, des religieux s'occupent de la vieille église, qui devenait aujourd'hui une paroisse très vivante.

**Visite** – Délimité par l'ancienne et la nouvelle église, ainsi que par des bâtiments administratifs, le site donne un aperçu de la vie d'autrefois dans les missions. Les vestiges d'une citerne d'eau, un aqueduc, des bassins à savon et à suif, une cuisine et un pressoir partagent la vaste cour avec des oliviers plantés vers 1860, des vignes plantées en 1910, des cactus et autres plantes de la région. À côté de la vieille église se trouve le **campo santo**. Consacré en 1778, c'est le plus vieux cimetière du comté de Los Angeles. Près de 6 000 Indiens gabrieleños y reposent.

L'extérieur de l'**église**, semblable à une forteresse, est fait de murs d'adobe de 1,20 m d'épaisseur, percés d'étroites fenêtres et soutenus par des contreforts à chapiteaux. Une tour avec six cloches, proche de la sacristie, remplace le clocher détruit lors d'un tremblement de terre en 1812, qui était situé du côté opposé.

★★ **Arboretum du comté de Los Angeles**, à **Arcadia** – *301 N. Baldwin Ave., près de la I-210. Visite de 9 h à 16 h 30. Fermé 25 décembre. 5 $. 🍴 ⌖ 🅿 ☎ 626-821-3222.* Aménagé avec pour toile de fond les majestueux sommets des monts San Gabriel, ce parc présente d'importantes collections de plantes du monde entier, tout en offrant de bonnes illustrations de l'histoire architecturale locale.

À l'origine, le terrain se trouvait en plein cœur des 5 390 ha du ranch Santa Anita, cédé en 1841 à Hugo Reid, un immigrant débarqué d'Écosse et naturalisé citoyen mexicain. Le milliardaire « Lucky » Baldwin *(voir index)* en fit l'acquisition en 1875 pour en faire la pierre angulaire de sa propriété de la vallée de San Gabriel, qui devait couvrir plus de 18 000 ha. En 1936, sa fille Anita vendit les 526 ha restants à un groupe immobilier dirigé par Harry Chandler, propriétaire du journal *Los Angeles Times*. Le plan d'eau de la propriété servit de décor à plusieurs films hollywoodiens, notamment *La Route de Singapour* (1939) et *Tarzan et la chasseresse* (1947). Chandler céda 45 ha au comté en 1947 pour y aménager un arboretum. Celui-ci, que des acquisitions ultérieures ont porté à environ 50 ha, ouvrit ses portes en 1955.

Aujourd'hui, l'arboretum présente 30 000 plantes représentant plus de 7 000 espèces, classées pour la plupart en fonction de leur continent d'origine. Les trésors du jardin incluent l'une des collections d'eucalyptus les plus vastes en dehors du sol australien, regroupant 150 des 500 espèces connues, ainsi qu'une collection de 2 299 espèces d'orchidées différentes, comptant parmi les plus grandes des États-Unis. Au cœur du domaine s'étend un lac d'eau de source, paisible plan d'eau bordé au Nord par une végétation tropicale exubérante. Au Sud du lac se trouvent bâtiments anciens meublés selon le style d'époque : des habitations d'Indiens gabrieleños reconstruites, la **maison d'Hugo Reid** en adobe (1840) avec ses trois pièces rustiques, ainsi que le **cottage de Lucky Baldwin** (1885), maison victorienne blanc et rouge richement décorée, construite pour héberger les hôtes de l'entrepreneur.

★**Jardins Descanso**, à **La Cañada-Flintridge** – *1418 Descanso Dr. Prendre la I-210 (Foothill Fwy) sur 6 km vers le Nord-Ouest, sortir à Foothill Blvd. et tourner à gauche, continuer sur 2 km puis tourner de nouveau à gauche sur Verdugo Blvd. et encore à gauche sur Descanso Drive. Visite de 9 h à 16 h 30. Fermé 25 décembre. 5 $.* ✗ ⚐ ▣ *www.descanso.com* ☎ *818-952-4401.* Niché au creux des collines de San Rafael, face aux sommets avoisinants des monts San Gabriel, cette retraite botanique de 67 ha paraît un jardin d'éden, loin du centre de Los Angeles.

En 1937, E. Manchester Boddy, éditeur du quotidien *Los Angeles Daily News*, acheta le domaine, autrefois partie d'un ranch de la famille Verdugo, et fit construire une demeure de 22 pièces sur une colline dominant le site. Jardinier passionné, il s'aperçut vite que ses 10 ha de forêt de chênes verts de Californie, aux troncs tourmentés, étaient un terrain idéal pour la culture des camélias. Il y implanta avec succès une pépinière de camélias pour la vente aux fleuristes, puis étendit ses jardins, cultivant roses, lilas et autres fleurs. En 1953, Boddy vendit sa propriété au comté de Los Angeles. Aujourd'hui, les jardins Descanso, nom dérivé du mot « repos » en espagnol, possèdent une superbe roseraie de 2 ha et présentent plus de 4 000 roses anciennes et contemporaines dans un cadre paysager. La **forêt de camélias**★ *(floraison de janvier à mars)* comprend des spécimens mesurant près de 6 m de haut, regroupés en denses bouquets de verdure d'une grande fraîcheur, sillonnés de sentiers pédestres. À l'écart, un **pavillon de thé** japonais est entouré de jardins traditionnels et d'un bassin de poissons koï. On admirera aussi le jardin aux iris et le jardin des plantes indigènes.

## SANTA MONICA★

88 500 habitants
Carte Michelin n° 493 B 10 – Voir schéma au chapitre LOS ANGELES p. 136
Office de tourisme ☎ 310-393-7593

Située sur l'océan Pacifique, à une vingtaine de kilomètres du centre de Los Angeles, et surnommée dans les années 1870 « Zénith des mers du Couchant », Santa Monica est un centre urbain prospère où s'épanouissent toutes sortes d'activités culturelles et commerciales, tout en conservant une ambiance décontractée de station de bord de mer.

## UN PEU D'HISTOIRE

Selon la légende, la ville devrait son nom à des missionnaires espagnols qui, au 18e s. auraient comparé le fin ruissellement des sources d'eau naturelle qu'ils venaient de découvrir aux larmes versées au 4e s. par sainte Monique pleurant sur les hérésies de son fils Augustin.

En 1872, le colonel Robert S. Baker, ancien homme d'affaires du Rhode Island, s'associa avec le sénateur multimillionnaire du Nevada John P. Jones pour acheter et lotir le terrain occupé aujourd'hui par la ville. Les deux associés créèrent un centre-ville, installèrent des docks et des lignes de chemin de fer, et firent enregistrer officiellement la ville de Santa Monica en 1875.

À la fin du 19e s., on envisagea d'installer le port de Los Angeles sur le site de Santa Monica. Mais après des débats houleux, le choix du site se porta finalement sur San Pedro. Santa Monica devint alors une station balnéaire réputée pour ses grands hôtels

Justine Hill

Santa Monica : vue sur Ocean Avenue et Malibu

ses résidences d'été, ses clubs de plage et ses parcs d'attractions. En 1966, l'ouverture de l'autoroute de Santa Monica fit flamber les prix du terrain. La volonté d'arrêter l'embourgeoisement du site et de contrôler les prix locatifs lança un débat politique qui se poursuit encore aujourd'hui.

Depuis la fin des années 1980, Santa Monica s'est imposée comme l'un des premiers centres des arts et des spectacles de Californie du Sud. Les galeries d'art de grande classe abondent, de même que les complexes de cinéma accueillant des premières, les salles de spectacles, les boutiques et les cafés à la mode. Le soir et les week-ends, visiteurs et habitants de la ville se pressent sur **Third Street Promenade**, une très accueillante galerie commerçante en plein air réservée aux piétons *(3rd Street, entre Wilshire boulevard et Broadway)* ou sur **Santa Monica Place** (1979), un centre commercial dont la conception novatrice est due au célèbre architecte Frank Gehry.

## CURIOSITÉS *Une journée*

★★**Santa Monica Pier** – Enfants *À l'extrémité Ouest de Colorado Avenue*. S'avançant de 300 m en mer, cette **jetée** de planches est un monument local et un lieu de rendez-vous depuis le début du 20e s. Sur près de 4 ha se succèdent un ancien **manège de chevaux de bois★**, des arcades, des boutiques de curiosités, des baraques à sandwiches, des appontements réservés à la pêche et un parc d'attractions qui évoquent tous l'ambiance de caranaval d'un passé festif, bien qu'un peu défraîchi. La jetée offre également de larges **vues★** sur la côte spectaculaire de Malibu au Nord, et sur la péninsule de Palos Verdes au Sud.

Le complexe actuel rassemble le Municipal Pier (1909) et le Pleasure Pier voisin (1916). Ce dernier est l'œuvre de Charles I.D. Looff, le créateur de Coney Island, célèbre destination de loisirs des New-Yorkais. À son apogée dans les années 1920, ce lieu était en permanence très animé, grâce au manège (également conçu par Looff), à la salle de bal *La Monica* et à diverses autres attractions. Mais au lendemain de la Seconde Guerre mondiale, ce site légendaire avait déjà perdu de sa séduction et fut même, dans les années 1970, menacé de démolition. Cependant, de grands projets de restauration ont commencé au début des années 1980. L'hippodrome et le manège ont été les premières attractions remises en état. Un petit groupe de manèges de foire, **Pacific Park**, attire les visiteurs en quête de frissons qui désirent dominer l'océan du haut de sa grande roue. De nouveaux restaurants ont fleuri sur la jetée ainsi que deux clubs de musique, augmentant les attraits nocturnes du lieu. Au pied de la jetée côté Sud, le nouveau **UCLA Ocean Discovery Center** *(ouvert le week-end de 11 h à 17 h. 5 $. ☎ 310-393-6149)* propose une « classe d'océan interactive » au moyen de grands aquariums de vie marine et de présentations interactives où les curieux s'informent sur la vie marine de la baie de Santa Monica.

Pour apprécier les célèbres **couchers de soleil★★** de Santa Monica, il faut s'asseoir face à l'océan, sur l'un des bancs de **Palisades Park** *(près de la jetée)*, un charmant espace de verdure protégé par les palmiers. À l'intérieur du Senior Citizens building, situé à l'extrémité Sud du parc, une **camera obscura** du 19e s. projette au moyen d'une série de lentilles des images des alentours sur un grand écran blanc circulaire *(pour entrer, s'informer auprès du Senior Citizens building)*.

**Santa Monica Farmer's Market**

*2nd St., entre Wilshire Boulevard et Arizona Ave.* Le mercredi (9 h à 15 h) et le dimanche (8 h à 13 h), les richesses des fermes et des ranchs alentour sont amenées ici et disposées sur des tables pour le plaisir de tous. Promenez-vous parmi les étals pour admirer les fleurs, sentir les herbes ou goûter quelques produits frais, œufs, noix, fromages, miel, dattes, etc.

**Edgemar Plaza** – *2435 Main Street.* Cet édifice à double vocation culturelle et commerciale (1989, Frank Gehry), intègre harmonieusement des boutiques et des restaurants chic, un musée, des galeries et des bureaux. Telle une place d'Europe au cachet post-moderne, cette cour en plein air est bordée d'une série de bâtiments à un étage, dont les formes géométriques biscornues sont accentuées par un étonnant contraste de matières, mêlant stuc, plaques d'acier galvanisé et grillages.

**California Heritage Museum** – *2612 Main Street. Visite du mercredi au dimanche de 11 h à 16 h. 3 $.*   ☎ *310-392-8537.* Cette imposante demeure de style Queen Anne (1894, Slummer P. Hunt) a été construite pour Roy Jones, fils du fondateur de la ville, le sénateur John P. Jones. Bâtie sur Ocean Avenue, elle a été laissée à l'abandon et c'est dans un état assez délabré qu'on l'a déplacée en 1977 sur son site actuel. Aujourd'hui complètement restaurée, elle est devenue un musée de la vie californienne du début du 20$^e$ s. Le salon et la salle à manger sont meublés et décorés avec des objets d'époque. Les espaces de l'étage accueillent des expositions temporaires d'art décoratif californien ancien ou contemporain.

★**Bergamot Station Arts Center** – *2525 Michigan Avenue sur Olympic Blvd. Visite du mardi au samedi de 10 h à 18 h ; le dimanche, appeler pour connaître les horaires.*   ☎ *310-829-5854.* Des espaces dédiés à l'art contemporain ou à l'architecture et divers ateliers (design, cinéma) se partagent les 2,75 ha de cet ancien dépôt de tramways. Le **musée d'Art** (☎ *310-453-7535*), qui accueille des expositions temporaires et des spectacles, occupe la plus vaste de toutes les galeries (1 000 m$^2$). La galerie d'art fonctionnel, disposée comme un salon, se consacre au mobilier artisanal. D'autres galeries présentent de la peinture, de la photographie, des céramiques et de la sculpture.

★★**Santa Monica Museum of Flying** – 2772 Donald Douglas Loop North. Visite du mercredi au dimanche de 10 h à 17 h. Fermé 1$^{er}$ janvier et 25 décembre. 7 $.   www.mof.org/mof ☎ *310-392-8822.* Installé sur l'aéroport de Santa Monica dans un bâtiment contemporain en verre et acier, ce musée est consacré à la conservation, à la restauration et à l'exposition d'avions civils et militaires de valeur historique reconnue. L'aéroport a lui-même été construit sur l'ancien site de la Douglas Aircraft Company, fondée par le célèbre pionnier de l'aviation Donald Douglas.

Le hall d'exposition principal, qui occupe toute la hauteur du bâtiment, abrite une collection d'avions de 1945 dont la plupart sont en état de vol. Plusieurs appareils sont suspendus au plafond, notamment le « New Orleans », un long courrier Douglas qui fut en 1924 l'un des premiers avions à faire le tour du monde. Parmi les appareils de la Seconde Guerre mondiale, on peut voir un Curtiss P-40 Warhawk, un JN-4 Jenny et un P-51 américain. D'autres appareils sont présentés sur une rampe extérieure contiguë à la piste d'envol. Des kiosques vidéo sont à la disposition des visiteurs *(niveau inférieur).* Des objets militaires anciens et une impressionnante collection de modèles réduits *(second niveau)* permettent aux visiteurs de s'instruire sur l'histoire de l'aviation et de la construction aéronautique. Au troisième niveau, une salle projette en permanence des films documentaires sur les événements marquants de l'histoire de l'aviation et de la technologie militaire. Dans la partie réservée aux enfants, **AirVenture**, se trouvent, entres autres, un faux cockpit d'avion et la simulation d'un combat d'avions de la Première Guerre mondiale.

## EXCURSION

★**Venice et South Bay** – *Plan p. 136.* Secteur balnéaire de Los Angeles situé au Sud de Santa Monica, Venice est l'un des melting-pots les plus animés de la métropole. Son labyrinthe ramassé de rues noyées de soleil souligne la diversité des populations venues vivre à proximité de ses immenses plages de sable. En 1904, le magnat du tabac Abbot Kinney transforma la région en un véritable sanctuaire artistique sur le modèle de Venise en Italie. Il fit drainer les marécages et creuser un réseau de canaux de 25 km. Mais Venice perdit progressivement son cachet pour devenir une ville côtière criarde et de mauvais goût, refuge des non-conformistes et des marginaux de la société. Le défaut d'entretien et des problèmes d'égouts ont contraint la ville à remblayer la quasi-totalité des canaux de Kinney (seuls 5 km sont encore utilisables).

Venice Beach

Dans les années 1960, la communauté devint un lieu de rassemblement pour les hippies de la région. Aujourd'hui, **Venice Beach**★★, avec ses vastes étendues de sable, fait partie des plages les plus populaires de la Californie du Sud, non seulement parce que l'eau y est bonne mais aussi en raison de l'ambiance haute en couleur de ses rues, notamment le long de l'**Ocean Front Walk**, une promenade piétonnière bordée de cafés, de boutiques et de kiosques à souvenirs face à la plage. Lorsqu'il fait beau, en particulier le week-end, cette promenade est peuplée de chanteurs populaires, de rappers, de jongleurs comiques, de patineurs en maillot de bain, de culturistes faisant rouler leurs muscles, de vacanciers et de vagabonds. Au cours des dernières décennies, Venice est devenue un lieu recherché par les artistes en vue, répondant enfin, avec un siècle de retard, au rêve d'Abbot Kinney.

**South Bay** – **Marina del Rey**, située au Sud de Venice sur la côte, est connue pour son immense port de plaisance, où mouillent environ 10 000 voiliers et yachts. Les magasins de **Fishermen's Village** (*13755 Fiji Way*, ☎ *310-823-5411*), ensemble construit dans le style du cap Cod, font le bonheur des touristes. On y propose également des visites du port en bateau.

South Bay est le nom donné à la plage qui s'étend au Sud de Marina del Rey jusqu'à la péninsule de Palos Verdes. Les trois villes qui la longent, bien connues des surfeurs et des volleyeurs, sont **Manhattan Beach**, **Hermosa Beach** et **Redondo Beach**. Manhattan est la plus chic, Hermosa la plus bohème, quant à Redondo sa particularité tient à sa jetée, **Monstad Pier**, la plus longue entre Santa Monica et San Pedro.

# North Coast

Coucher de soleil près de Crescent City/David R. Frazier

orêts de séquoias, côte sauvage, montagnes accidentées, petits villages pleins de charme et vignobles débordant du Pays du vin, tel est l'heureux mélange de paysages et d'atmosphères offert par cette bande de terre coincée entre l'océan Pacifique et les crêtes des Coast Ranges au Nord de San Francisco. L'Ouest du comté de Marin, et plus particulièrement Sausalito, les bois Muir et le littoral du cap Reyes, sont des destinations de week-end très prisées pour toute personne venant de San Francisco.

Le soulèvement des Coast Ranges, débuté il y a 25 millions d'années, est à l'origine de la côte accidentée qui borde la Californie. Les actuelles terrasses marines sont en fait les vestiges de l'ancienne côte, héritage visible de cet incroyable phénomène dont le processus n'est pas encore terminé. Le caractère accidenté de ces rivages leur valut de rester isolés pendant des siècles après la première incursion européenne au 16e siècle. Même si en 1579 Francis Drake revendiqua cette région pour l'Angleterre, les tribus (Miwok, Pomo, Yuki et autres) qui la peuplaient restèrent coupées du monde extérieur jusqu'en 1812, lorsque les Russes établirent une colonie à Fort Ross. Cette implantation de courte durée eut pour conséquence d'attirer sur la Californie du Nord l'attention des autorités mexicaines qui, dès 1823, décidèrent de diviser la vallée de la Sonoma en concessions de terrain.

Alors que Sonoma prospérait, les vastes étendues du Nord de cette région restèrent quasiment inchangées jusqu'à la découverte d'or dans les rivières Trinity et Klamath en 1850. Les prospecteurs qui affluèrent alors fondèrent des camps éphémères, mais surtout découvrirent d'immenses forêts de séquoias, une matière première qui s'avéra plus précieuse que l'or. Le besoin en bois de construction dans les villes naissantes de Californie initia non seulement l'installation de camps de bûcherons dans toutes les montagnes du Nord, mais aussi, phénomène plus important, la fondation de villes de scieries comme Scotia et de ports côtiers de commerce comme Eureka, Arcata et Crescent City.

D'immenses étendues de forêts anciennes tombant sous la hache des bûcherons, des défenseurs de la nature firent avec succès pression sur le gouvernement de l'État pour encourager la création de parcs préservant ce patrimoine naturel. Ce n'est qu'en 1968 que le gouvernement fédéral prit la relève en créant un parc pour protéger les séquoias toujours verts, le Redwood National Park. La puissance croissante des mouvements pour l'environnement et la diminution des forêts d'origine amenèrent plusieurs scieries à fermer, même si l'exploitation du bois reste toujours l'industrie dominante de la région du Redwood Empire. Toutefois le tourisme qui continue de s'intensifier le long de la côte Nord-Ouest de la Californie semble prendre le relais et supporte d'ores et déjà l'économie régionale, et plus particulièrement celles des villes qui longent la Highway 1.

# MARIN County★★

Du charme sophistiqué de Sausalito aux vieux séquoias des bois Muir en passant par les falaises accidentées du cap Reyes et du promontoire de Marin, le comté de Marin offre, immédiatement aux portes de San Francisco, un échantillonnage complet de la diversité californienne. Bien que 240 000 banlieusards – qui pour beaucoup empruntent tous les jours le Golden Gate Bridge pour aller travailler à San Francisco – résident dans ce magnifique comté, les zones résidentielles sont concentrées pour la plupart à l'Est du mont Tamalpais, phénomène qui assure le maintien de la spectaculaire côte dans son état quasiment originel.

## UN PEU D'HISTOIRE

Pendant des milliers d'années, la région de Marin fut peuplée par les paisibles Indiens miwok qui vivaient de cueillette, de pêche et de chasse. Premier Européen supposé avoir posé le pied sur la péninsule du cap Reyes, l'explorateur anglais Francis Drake quitta l'Angleterre en 1577 pour aller reconnaître les avant-postes espagnols du Nouveau Monde. De nombreux historiens pensent que le « havre commode et adapté » où, deux ans plus tard, Drake ancra son navire *Golden Hind* pour le réparer, n'était autre que la baie qui porte aujourd'hui son nom. Cette théorie est étayée par le fait que Drake baptisa l'endroit « New Albion » en raison des « rivages et falaises blancs » qu'il trouvait semblables à ceux de la côte anglaise près de Douvres et qu'on voit toujours sur Drake Beach. Les prétentions de Drake sur la Nouvelle-Albion ne furent jamais concrétisées par l'Angleterre, si bien que la région devint une colonie espagnole. Mais ce n'est pas avant 1817, avec l'installation de la mission San Rafael Arcángel, qu'une réelle colonisation commença. À partir de 1822, après s'être libérés du joug espagnol, les Mexicains établirent des ranches de bétail sur la péninsule du cap Reyes. À la fin du 19e s. et au début du 20e s., les Américains exploitèrent les forêts de séquoias quasiment jusqu'à épuisement. Dès 1848, des ouvrages défensifs furent aménagé le long des falaises du promontoire de Marin pour protéger la baie de San Francisco d'éventuelles attaques. Pendant la Seconde Guerre mondiale, le chantier naval de Sausalito employa des milliers d'ouvriers. Enfin, dans la seconde moitié du 20e s., en devenant une banlieue chic de San Francisco, le comté de Marin représenta le « style de vie californien ».

## CURIOSITÉS *4 jours*

**Sausalito** – *Une demi-journée. Schéma p. 272. 6,5 km au Nord de San Francisco par l'US-101, que l'on quitte à Alexander Avenue.* Nichée au bord de la baie de San Francisco au pied du promontoire de Marin, cette élégante commune résidentielle attire des foules de visiteurs pour les beaux jours ou le week-end. Ses rues sinueuses, des dizaines de boutiques sophistiquées, et ses versants verdoyants parsemés de belles villas et de parcs créent une ambiance détendue mais élégante, et son cadre privilégié offre parmi les plus belles vues de San Francisco et des îles de la baie.

En 1775, Juan Manuel de Ayala amarra son navire près de l'un des bouquets de saules (*sauces* en espagnol) qui peuplaient les falaises abruptes fermant la Golden Gate au Nord. Ce secteur fut plus tard englobé dans les 7 900 ha du ranch Saucelito accordé à William A. Richardson, pilote et constructeur de navires né en Angleterre, qui était aussi le capitaine du port de San Francisco. Richardson transforma le littoral de sa propriété en zone de mouillage et de ravitaillement pour les navires. En 1870, la Sausalito Land and Ferry Company acheta une partie du ranch, lança un service de bac permettant de rallier San Francisco et entreprit de faire de la ville une station estivale et résidentielle réputée. Dès 1885, Sausalito était devenu un centre de transport important et recevait les trains transportant le bois des séquoias des forêts du Nord, trains dont la cargaison était transbordée sur des navires à destination de San Francisco, alors en pleine expansion.

La paisible ville de Sausalito connut une explosion d'activité au cours de la Seconde Guerre mondiale, avec l'installation d'un chantier naval destiné à la construction de pétroliers et autres cargos. Mais à la fin de la guerre, les constructeurs de navires quittèrent cet endroit connu aujourd'hui sous le nom de Marinship. Il fut bientôt investi par d'excentriques squatters qui utilisèrent tout ce qu'ils trouvèrent sur les chantiers navals pour construire des **maisons flottantes** dont les occupants revendiquent le statut de bohémiens de Sausalito.

Aujourd'hui, Sausalito est devenue une agréable destination de week-end. Parmi ses hôtels d'époque, citons la **Casa Madrona** *(801 Bridgeway)*, villa victorienne restaurée (1885) nichée dans les collines boisées qui surplombent le port de plaisance, et **Alta Mira** *(125 Bulkley Avenue. Prendre l'escalier Excelsior en sortant de la plaza Viña del Mar)*, une auberge de style espagnol réputée pour les **panoramas** que l'on admire de la terrasse.

**Bridgeway Boulevard** – Serpentant au pied des collines qui dominent le front de mer, l'agréable axe principal de Sausalito s'appelait autrefois Water Street. Son nom devint en 1937 « boulevard du pont » parce que les ingénieurs des Ponts et Chaussées envisageaient de faire passer le trafic routier du pont du Golden Gate par Sausalito. Mais ils choisirent finalement une route sur la crête montagneuse située au-dessus du village, et Bridgeway devint le centre d'un charmant quartier commerçant qui s'étend sur plusieurs blocs de part et d'autre de l'embarcadère. La plupart des petites maisons colorées datent du début du siècle. Elles abritent des restaurants, des cafés, des galeries et des magasins de détail. Le boulevard offre de belles **vues**★★ sur San Francisco, la baie et ses îles. Situé dans le centre commercial Village Fair, le **centre d'accueil** (Sausalito Visitor Center – *777 Bridgeway, 4ᵉ niveau, ouvert du mardi au dimanche de 11 h 30 à 16 h. Fermé principaux jours fériés.* ♿ 🅿 ☎ *415-332-0505*) présente un passionnante exposition retraçant l'histoire de Sausalito, de l'époque où les Indiens miwok habitaient la côte à nos jours. La **Plaza Viña del Mar** *(Bridgeway et El Portal)*, petit parc de forme triangulaire, se trouve juste au-dessus du quai des ferries. Sa ravissante fontaine et ses lampadaires originaux en forme d'éléphant furent conçus pour l'Exposition Internationale Panama-Pacifique de 1915.

En quittant Bridgeway, Princess Street *(première rue au Sud de Plaza Viña del Mar)* rejoint Bulkley Avenue, qui s'élève dans les collines au-dessus du front de mer de Sausalito. Demeures anciennes et villas contemporaines s'y cachent au milieu des pins, des chênes, des acacias et des eucalyptus. Les visiteurs qui se promènent à l'ombre agréable des arbres de l'avenue verront plusieurs excellents exemples de bâtiments dans le style Shingle, dont l'**église presbytérienne St. John** (1909), avant de rejoindre Bridgeway en empruntant les escaliers Excelsior.

Au Nord de la Plaza Viña del Mar, Bridgeway longe le **port de plaisance** où les visiteurs peuvent flâner parmi les mâts de yachts ancrés en permanence.

**Marinship** – *1,5 km au Nord en suivant Bridgeway vers Marinship Way.* Entre 1942 et 1945, 75 000 ouvriers travaillèrent ici à la construction de 93 navires, pour la plupart des pétroliers, des péniches de débarquement et des Liberty ships. Aujourd'hui, ce site est partiellement occupé par des ateliers d'artistes, des ateliers de fabrication et différentes entreprises. C'est à Marinship que se trouve le **Bay Model Visitor Center of the US Army Corps of Engineers**★, une maquette hydraulique de 8 000 m² représentant la baie et le delta de San Francisco. Lorsqu'elle est remplie d'eau, la maquette simule le mouvement des flux de marée au travers de l'estuaire, fournissant des informations aux chercheurs qui s'intéressent au phénomène. Les visiteurs peuvent observer la maquette à partir de plates-formes surélevées, et découvrir son fonctionnement grâce à diverses expositions et projections de diapositives, dont une notamment, raconte l'histoire de Marinship *(visite de fin mai à début septembre du mardi au vendredi de 9 h à 16 h, le week-end de 10 h à 18 h ; le reste de l'année du mardi au samedi de 9 h à 16 h.* ♿ ☎ *415-332-3870)*.

**San Rafael Arcángel Mission**, à **San Rafael** – *30 mn. Schéma p. 272. 24 km au Nord de San Francisco. Prendre l'US 101 jusqu'à la sortie Central San Rafael ; la mission est située à l'angle de 5th Ave. et A St. Visite de la chapelle de 6 h à 18 h 30. Boutique ouverte du lundi au samedi de 11 h à 16 h. Fermé principaux jours fériés.* ☎ *415-456-3016.* La 20ᵉ et avant-dernière mission de la chaîne californienne fut fondée en 1817 dans les collines au Nord de la baie de San Francisco comme annexe de la mission Dolores de San Francisco. En raison du climat plus sec et plus chaud du site, l'*asistencia* de la mission servait de sanatorium pour les malades de San Francisco. Elle a été baptisée d'après le saint patron des guérisons.

Les bâtiments ont été rasés en 1870. La reconstitution actuelle date de 1949. Des fragments de l'édifice d'origine sont exposés à la boutique du site.

★★**Promontoire de Marin** – 🔲 *Une demi-journée. Schéma p. 272. De San Francisco, emprunter l'US 101 vers le Nord, sortir à Alexander Ave., tourner à gauche, puis prendre à droite sur Barry Rd en suivant les indications « Marin Headlands ».* Ce paysage de falaises et de collines où vient s'ancrer l'extrémité Nord du Golden Gate Bridge, contraste par son caractère sauvage avec la cité toute proche de San Francisco. En raison de son importance stratégique à l'entrée de la baie, la zone est restée longtemps propriété de l'armée américaine et a ainsi été préservée de tout développement commercial. On accède au promontoire par **Conzelman Road**, route pittoresque, qui offre un extraordinaire **panorama**★★★ sur la ville de San Francisco et le Golden Gate Bridge. La route passe différentes installations militaires à l'abandon avant d'aboutir au **phare du cap Bonita**★ *(visite du samedi au lundi de 12 h 30 à 15 h 30 ;* 🅿 ☎ *415-331-1540)*.

Logé dans une ancienne chapelle militaire, le **Marin Headlands Visitor Center**★ *(ouvert de 9 h 30 à 16 h 30 ; fermé 25 décembre ;* ♿ 🅿 *www.nps.gov/goga* ☎ *415-331-1540)* organise d'excellentes présentations d'histoire naturelle, ainsi que des expositions sur la présence humaine sur le promontoire. Des sentiers de randonnée traversent les versants herbeux, rejoignant d'autres chemins qui mènent au sommet du mont Tamalpais et, vers le Nord, jusqu'au littoral du cap Reyes.

★★ **Mt. Tamalpais State Park** – *Une demi-journée. Schéma p. 196. 32 km au Nord de San Francisco. Prendre l'US-101 jusqu'à la Highway 1 (Shoreline Highway). Continuer jusqu'à la Panoramic Highway, tourner à droite et suivre les panneaux jusqu'au parc. Ouvert de 8 h à 1 h après le coucher du soleil. Fermé pendant les périodes propices aux incendies. 5 $/véhicule. △ (réservations : ☎ 800-444-7275)* 🅿 ☎ *415-388-2070.* Les visiteurs qui entreprennent l'ascension sinueuse de la face Est du mont Tamalpais (784 m), abrégé en « Mt Tam » par les habitants de la région, seront récompensés par le **panorama**★★★ à perte de vue qui embrasse à la fois San Francisco et sa baie au Sud-Est, et la côte du Pacifique à l'Ouest. Ce sommet offre un excellent point de vue pour observer un phénomène spectaculaire : la formation des bandes de brouillard, que l'on voit engloutir des monuments aussi impressionnants que le pont du Golden Gate.

Des sentiers touristiques sillonnent les flancs de la montagne, attirant toute l'année randonneurs, amateurs de VTT et cavaliers. Le poste Ranger de Pantoll propose des cartes et des renseignements sur la météo et l'état des sentiers *(croisement de Pantoll Rd. et Panoramic Hwy.).*

★★ **Muir Woods National Monument** – 🄴🄽🄵🄰🄽🄸🄿 *Une demi-journée. Schéma p. 196 ou p. 272. 27 km au Nord du Golden Gate Bridge. Prendre l'US 101, puis la Highway 1 (Shoreline Hwy), continuer jusqu'à la Panoramic Highway, prendre à droite, puis à gauche sur Muir Woods Road. Visite de 8 h au coucher du soleil. Possibilité de visite guidée (1 h) du vendredi au dimanche à 13 h.* ✗ ♿ 🅿 *www.nps.gov/muwo* ☎ *415-388-2595.* Cette parcelle de 220 ha couverte de séquoias géants est la seule forêt de séquoias encore vierge de toute la zone de la baie de San Francisco. En 1905, le sénateur William Kent acheta une forêt de séquoias géants de 115 ha située dans un canyon auquel les bûcherons n'avaient pu accéder. Les bois Muir furent classés parc national en 1908, après que Kent eut fait don de ses terres au gouvernement fédéral, en stipulant que le parc devait porter le nom du naturaliste John Muir *(voir index).*

Du bureau d'accueil des visiteurs, la piste goudronnée en majeure partie serpente sur 9,5 km à travers la forêt, en suivant le cours des ruisseaux Redwood Creek et Fern Creek. Une boucle plate et asphaltée, Main Trail Loop *(1,5 km),* mène à **Cathedral Grove**, où de vénérables séquoias, dont le plus ancien a 1 000 ans, s'élèvent telles des flèches de cathédrale vers le ciel. Le chemin du retour longe **Bohemian Grove** ; ici se trouve le plus grand séquoia du parc, haut de 77 m *(l'arbre n'est pas signalé).* La route mène au **Muir Beach Overlook**, sur le promontoire rocheux où une plate-forme en bois offre une **vue**★★ panoramique de la côte, y compris sur le Golden Gate Bridge situé au Sud. Pendant la Seconde Guerre mondiale, protégés dans des casemates de béton en arrière de ce promontoire, les services de la marine calculaient la position des navires japonais.

★★ **Point Reyes National Seashore** – *Au moins une journée et demie. Schéma p. 196. 65 km au Nord de San Francisco par l'US-101, que l'on quitte à la sortie Grenbrae ; prendre vers l'Ouest Sir Francis Drake Blvd. sur 16 km, puis vers le Nord la Highway 1 jusqu'à la 1ʳᵉ route à gauche, Bear Valley Road. Parc ouvert de l'aube à la tombée du jour.* ✗ 🅿 *www.nps.gov/pore* ☎ *415-663-1092.* Ce parc de 264 km² allie plages de sable blanc, promontoires rocheux, landes balayées par les vents, marécages d'eau saumâtre et versants couverts d'épaisses forêts. Ces différents écosystèmes abritent toutes sortes de plantes et d'animaux, comme le wapiti, l'otarie et 338 espèces d'oiseaux.

Formée par la faille de San Andreas *(voir index),* la péninsule du **cap Reyes** a été repoussée vers près de 5 m vers le Nord-Ouest du continent par le grand tremblement de terre de 1906. Cette avancée de terre chevauche la bordure Est de la plaque Pacifique, qui rampe doucement vers le Nord-Ouest à la vitesse d'environ 5 cm par an, tandis que la plaque Nord-américaine voisine avance vers l'Ouest à une vitesse plus lente. Les deux plaques se rencontrent dans une zone de rift qui court vers le Sud à travers la vallée d'Olema, et vers le Nord-Ouest sous l'étroite baie de Tomales, qui sépare la péninsule du reste du comté de Marin. Il y a cinq millions d'années, la péninsule occupait l'emplacement actuel de la baie de Monterey ; un jour, elle sera une île dérivant lentement vers le golfe de l'Alaska. À partir d'Inverness Ridge, le terrain s'incline vers l'océan, offrant un paysage de pâturages vallonnés et d'estuaires d'eau saumâtre.

L'explorateur espagnol Sebastián Vizcaíno donna en 1603 au cap le nom de Punta de Los Reyes (pointe des rois) et la région devint colonie espagnole. Après s'être libérés du joug espagnol en 1822, les Mexicains établirent des ranches d'élevage sur la péninsule. Finalement, les Américains prirent le terrain en fermage pour y élever des vaches laitières. Aujourd'hui, bœufs et vaches paissent encore dans les pâturages parsemés de buissons de la péninsule. L'urbanisation menaçante des années 1950 a entraîné la création d'un parc naturel, le Littoral national du cap Reyes en 1962.

★ **Bear Valley Visitor Center** – 🄴🄽🄵🄰🄽🄸🄿 *Bear Valley Road, à l'Ouest de l'intersection avec la Highway 1. Ouvert de 9 h (8 h les week-ends et jours fériés) à 17 h. Fermé 25 décembre.* ♿ 🅿 ☎ *415-663-1092.* Cette séduisante construction de bois renferme des expositions sur les marécages du littoral, les sites d'observation des oiseaux, les mammifères marins et l'histoire culturelle de la péninsule.

Près du centre d'information, le sentier du tremblement de terre, **Earthquake Trail*** **[Enfants]** *(boucle de 650 m)* longe la faille de San Andreas. Un autre chemin *(circuit de 1,5 km)* mène à **Kule Loklo** **[Enfants]** (« vallée de l'ours » en langue miwok), charmante reconstruction d'un village miwok.

**Limantour Beach** *(à 14,5 km du centre d'information par Limantour Rd)*, connue pour son point de vue sur les falaises blanches du cap Reyes, s'étire le long de la baie de Drake. C'est l'une des deux plages du cap où il est possible de nager bien que la baignade n'y soit pas surveillée.

**Péninsule du cap Reyes** – *En partant du centre d'information, tourner à gauche sur Bear Valley Rd. Prendre ensuite à gauche Sir Francis Drake Blvd.* À la sortie d'Inverness Park, la route longe Tomales Bay sur 7 km, traversant la charmante localité d'**Inverness**, aux coquettes maisons et jardins colorés adossés aux monts qui surplombent la baie. Un peu plus loin, la route bifurque vers l'Ouest, traversant les landes dénudées de la péninsule qui se termine au cap Reyes. La brume qui vient souvent de la côte hanter ce paysage crée une atmosphère surnaturelle.

L'étroite route Mt Vision Road *(tourner à gauche 1,5 km après le virage vers l'Ouest de Drake Blvd.)* serpente sur 3,5 km jusqu'à un **belvédère** offrant un splendide **panorama*** sur les plages tranquilles de Drake et Limantour et sur le Pacifique. La route continue *(2,5 km)* jusqu'au sommet du **mont Vision** *(390 m)* où les randonneurs peuvent rejoindre différents sentiers.

**Point Reyes Beach** – Faisant face au Nord-Ouest, directement exposée à la violence des vents et des vagues déferlantes venues de la haute mer, la splendide plage de 20 km se décompose en **plages Nord** et **Sud** *(suivre Drake Blvd. vers le Sud-Ouest sur 7,5 km, puis tourner à droite au panneau)*.

Lovée dans la courbe formée par la côte Sud du cap, **Drakes Beach** *(3 km à l'Ouest de North Beach)* est encadrée de hautes falaises de calcaire blanc. Un petit **centre d'information** fournit des renseignements et présente une exposition sur l'écosystème marin *(ouvert de Memorial Day à Labor Day du vendredi au mardi de 10 h à 17 h, le reste de l'année uniquement les week-ends et jours fériés de 10 h à 17 h. Fermé 25 décembre.* ✗ ♿ 🅿 ☏ *415-669-1250)*.

**★★ Phare** – **[Enfants]** *Aller jusqu'à l'extrémité Sud de Sir Francis Drake Blvd., à 35 km du centre d'information de Bear Valley. Visite du jeudi au lundi de 10 h à 16 h 30 si le temps le permet. www.nps.gov/pore* ☏ *415-669-1534.* Exposé aux vents les plus forts et aux brumes les plus épaisses de la côte du Pacifique, ce fanal est perché à mi-hauteur du vertigineux cap Reyes, falaise de 180 m tombant à pic dans l'océan. Un escalier de près de 300 marches *(fermé lorsque la vitesse du vent dépasse 60 km/h)* descend au phare, équipé de sa lentille de Fresnel d'origine, importée de France en 1870.

Lorsque la visibilité est bonne, ce site spectaculaire ouvre un **panorama★★★** à perte de vue qui permet d'apercevoir les îles Farallon au Sud-Ouest et San Francisco dans le lointain. Une foule d'amateurs se rassemble ici pour observer le passage près de la côte de centaines de baleines grises aux époques des migrations *(décembre-avril)*. La plate-forme d'observation près de **Chimney Rock** est l'un des meilleurs endroits de toute la région pour voir *(mi-décembre-mars)* les massifs éléphants de mer s'accoupler ou porter leurs petits.

V. Atkinson

Le phare du cap Reyes

**Secteur du cap Tomales** – *En partant du bureau d'information de Bear Valley, prendre Drake Blvd. vers le Nord sur 12 km, puis tourner à droite sur Pierce Point Rd.* La langue de terre qui s'étend au Nord d'Inverness borde la baie de Tomales à l'Est et le Pacifique à l'Ouest. Le long de la Pierce Point Road, ranches et troupeaux de bétail ponctuent le paysage de landes désolées. Au bout de la route se dresse le **Pierce Point Ranch** 🏛️, une ancienne ferme laitière qui propose des visites libres de ses bâtiments aux murs blanchis à la chaux datant de 1858 *(visite du lever au coucher du soleil.* ♿ 🅿 ☎ *415-663-1092).* La route qui reliait autrefois les deux ranches de la famille mène aujourd'hui à Tomales Point *(circuit de 16 km aller-retour).* Un troupeau de petits wapitis, récemment remis en liberté, broute de part et d'autre de la route.

L'immense étendue sauvage de **McClure's Beach** *(tourner à gauche au bout de Pierce Point Rd ; on accède à la plage par un chemin de terre pentu de 800 m)* est fermée à chaque extrémité par des rochers de granit. À l'extrémité Sud de la plage, un passage étroit à travers les rochers *(accessible uniquement à marée basse)* donne accès à une petite plage où les ornithologues amateurs peuvent observer les cormorans nidifiant sur Elephant Rock.

# MENDOCINO-SONOMA Coast★★

La côte de MENDOCINO à SONOMA

Carte Michelin n° 493 A 7 & 8

Office de tourisme de Sonoma ☎ 707-961-6300

Épousant le relief de la moitié Sud des côtes de Californie du Nord, la Highway 1 serpente le long des 307 km qui séparent San Francisco de Fort Bragg, où elle rejoint l'US 101. Elle est jalonnée de nombreux points de vue, plus spectaculaires les uns que les autres. D'abruptes falaises rocheuses martelées par les vagues du Pacifique alternent avec les parcs naturels et les paisibles bourgades côtières de ce littoral sauvage, qui abrite une grande variété d'oiseaux et d'animaux marins.

## UN PEU D'HISTOIRE

**Terrasses marines** – La côte Nord de la Californie est principalement constituée de schistes argileux et de roches franciscaines gréseuses dont la formation remonte à plus de 150 millions d'années. Le déferlement des vagues a sculpté ces sédiments relativement meubles en bancs verticaux adossés à des falaises abruptes. Le glissement de la plaque Pacifique sous l'extrémité Ouest de la plaque Nord-américaine a entraîné le soulèvement de ces terrasses au-dessus du niveau de la mer. L'activité sismique ininterrompue, conjuguée aux fluctuations du niveau de la mer provoquées par l'avance et le recul des glaciers à l'ère glaciaire, a créé la série de terrasses marines visibles tout le long de la côte. Dans le comté de Mendocino, ces terrasses forment une suite d'escaliers – la plus haute marche étant la plus ancienne – dont chaque niveau abrite un écosystème particulier.

Les sédiments des fonds marins qui bordent la plaque nord-américaine ont été soumis aux mêmes phénomènes de plissement que les terrasses marines. C'est ainsi que se formèrent les Coast Ranges, où crêtes et vallées s'allongent parallèlement à la côte.

**Indiens et trappeurs** – Plus de 10 millénaires avant J.-C., les tribus côtières miwok, pomo et yuki chassaient et pêchaient déjà dans cette région côtière. Bien que les Espagnols aient exploré et revendiqué la région de Haute Californie dès le 16e s., ils n'y avaient jamais implanté de colonies. Les membres d'une compagnie commerciale russe ne rencontrèrent donc aucune opposition lorsqu'ils fondèrent ici la colonie de Fort Ross en 1812.

À l'exception des colons russes, cette contrée sauvage ne fut habitée que par les Indiens et les trappeurs jusqu'à la découverte d'or dans les rivières Smith et Klamath en 1848. Une fois la Ruée vers l'or apaisée, c'est l'« or rouge » des forêts vierges de séquoias géants qui attira une foule de bûcherons. Les habitants d'aujourd'hui vivent toujours de l'exploitation forestière, de la pêche et de l'agriculture dans les vallées fertiles qui bordent la côte. Le tourisme joue aussi un rôle de plus en plus important dans l'économie de la région.

## DE SAN FRANCISCO À FORT BRAGG *5 jours. 345 km*

Les températures sur la côte restent modérées, la moyenne maximale annuelle avoisinant 18 °C. Les précipitations ont surtout lieu l'hiver ; les mois d'été sont marqués par des brumes fréquentes. Les meilleures périodes pour visiter cette contrée sont le printemps, lorsque les collines, desséchées le reste de l'année, sont encore d'un beau vert et qu'un tapis multicolore de fleurs sauvages recouvre les prairies, et aussi l'automne, parce que le temps est souvent beau.

On rencontre peu de services le long de la Highway 1 entre San Francisco et le parc national MacKerricher. Du Nord au Sud, plusieurs localités accueillantes proposent hébergement, restaurants et stations-service : Inverness, Bodega Bay, Gualala, Elk, Little River, Mendocino et Fort Bragg.

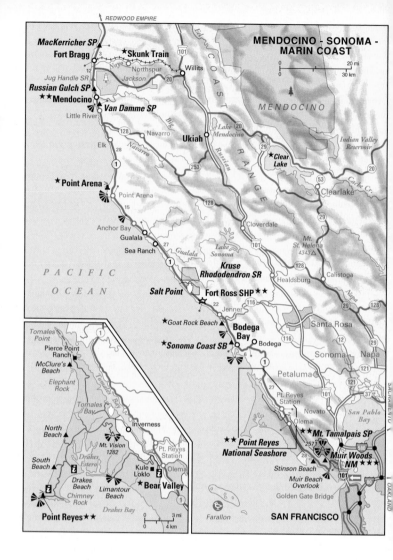

Au Nord du parc littoral du cap Reyes, dans la ville de **Bodega** *(104 km au Nord de San Francisco)*, on peut voir le bâtiment *(17110 Bodega Lane)* utilisé comme école par Alfred Hitchcock dans son film *Les Oiseaux* (1962). Construction italianisante, l'école Potter d'origine (1873) a été reconvertie en bed and breakfast.

**Bodega Bay** – *9,5 km au Nord de Bodega*. Juste au Sud de Fort Bragg, c'est le site de mouillage le plus important entre San Francisco et Noyo pour les navires à faible tonnage. Il porte le nom de l'explorateur espagnol Juan Francisco de la Bodega y Cuadra, qui jeta l'ancre dans ses eaux protégées en octobre 1775. Depuis les années 1940, qui virent l'essor de la pêche locale, Bodega Bay est devenu le deuxième port de la côte Pacifique pour la pêche au saumon. Aujourd'hui, ses quais débordent d'activité et le port voit entrer et sortir quotidiennement 300 bateaux de pêche.

À l'extrémité de la baie se dresse le **cap Bodega** *(au Nord de Bodega Bay, de la Highway 1 prendre à gauche Eastshore Road, continuer sur 5 km jusqu'au parking)*. Des falaises qui surmontent cette pointe on a un **panorama**★ splendide de toute la côte, du cap Reyes à Fort Ross.

★**Sonoma Coast State Beach** – *Entrée : 5 $ par véhicule.* ⌂ *(réservation souhaitée)* 🚹 🅿 *www.csrmf.org* ☎ *707-875-3483*. S'étirant sur environ 30 km du cap Bodega au ravin Meyers, juste au Nord de Jenner, cette spectaculaire portion de littoral offre des points de vue saisissants sur l'océan et de nombreuses possibilités pour la pêche, la randonnée, le camping, les bains de soleil et la récolte des coquillages. La côte aligne 15 petits croissants de sable séparés par des barres rocheuses. C'est depuis **Duncan's Landing** *(8 km au Nord de Bodega Dunes)* que l'on peut admirer les **vues**★ les plus spectaculaires.

L'une des plages le plus facilement accessible est **Goat Rock Beach**★ *(13 km au Nord de Bodega Dunes)*, à l'embouchure de la Russian River : ici s'offre aux visiteurs un **point de vue** unique sur le fleuve et l'océan séparés par un mince banc de sable. De novembre à mars, les multitudes de phoques qui peuplent la région entrent en concurrence avec les pêcheurs pour s'emparer des saumons qui remontent le fleuve chaque année au moment du frai.

Sur cette portion de la Highway 1, de nombreuses échappées dans les paysages sauvages de la côte invitent les conducteurs à faire une pause et se rafraîchir. Au Nord de Jenner, la route présente une série de virages en lacet serpentant au-dessus de l'océan *(vitesse limitée à 40 km/h)*. À quelques kilomètres au Sud de Fort Ross, le terrain s'aplanit et l'on peut apercevoir de grandes terrasses marines sur la gauche.

★★**Fort Ross State Historic Park** – *35 km au Nord de Bodega Bay. Visite de 10 h à 16 h 30. Fermé Thanksgiving Day et 25 décembre. 6 $/voiture.* ♿ 🅿 ☎ *707-847-3437.* Érigé en hauteur sur un promontoire désolé, Fort Ross surplombe une crique protégée aux eaux bleu azur. Flanqué de montagnes boisées sur le côté Est, il fut pendant près de 40 ans l'avant-poste le plus éloigné vers l'Est que la Russie ait jamais implanté. Cette place forte à l'emplacement stratégique a servi de base aux colons, qui allaient chasser la loutre de mer pour sa précieuse fourrure et approvisionnaient en vivres les avant-postes russes plus lointains de l'Alaska.

La colonie Rossiia (Russie), comme l'avaient baptisée ses fondateurs, fut établie en 1812 par des membres de la Russian-American Company, un groupe de commerce qui organisait la chasse et le négoce avec l'aval du gouvernement tsariste, dans le but de développer les colonies russes en Amérique du Nord. Les premiers colons arrivés au fort, un groupe de 25 Russes et de 80 Aléoutiens d'Alaska, recrutés pour leur savoir-faire de chasseurs de loutres, négocièrent avec les Indiens kashaya pomo de la région pour obtenir des terres afin de construire la garnison.

Dans ses plus beaux jours, le fort abrita plusieurs centaines de colons qui menaient une existence tranquille, cultivant les terres et vivant des ressources naturelles. Mais, vers 1835, les colons avaient décimé la population de loutres de mer de Californie et leurs tentatives de culture et d'élevage n'avaient pas produit les résultats escomptés. La compagnie décida donc d'abandonner la colonie. Après être passé entre les mains de plusieurs propriétaires, dont John Sutter *(voir index)*, le site fut donné à l'État en 1906.

Une restauration partielle a rendu au fort son aspect d'origine, et l'on étudie l'éventuelle reconstruction des trois bâtiments qui se trouvaient autrefois à l'intérieur de l'enceinte. Chaque année est organisée une reconstitution historique, le Living History Day, au cours de laquelle des acteurs en costume d'époque retracent l'histoire de Fort Ross *(dernier samedi de juillet)*.

**Visite** – *2 h. Plan du site disponible.* Le **centre d'information** retrace l'historique du fort et des tribus pomo, premiers habitants des lieux. Au départ du centre, un petit circuit goudronné *(boucle de 800 m)* mène au fort en traversant un bois de cyprès. Construite en bois de séquoia à l'image des forts traditionnels de Sibérie, l'enceinte comprend six bâtiments aux lignes sobres et pures. La majorité d'entre eux sont des reproductions. Seule la **maison Rotchev** *(enceinte Nord)* est pour partie d'origine. Les **quartiers des officiers** *(enceinte Sud-Ouest)* contiennent des objets évoquant les premières années du fort. La petite **chapelle** fut la première église orthodoxe russe

Le Living History Day à Fort Ross

197

fondée en Amérique du Nord, en excluant l'Alaska. Elle possède une tour hexagonale caractéristique et un dôme circulaire. Il s'agit là en fait de la troisième version :
la chapelle d'origine bâtie en 1825 s'effondra lors du tremblement de terre de
1906 ; restaurée, elle fut détruite à nouveau par un incendie en 1970.

Dans deux des angles de la palissade, des **casemates** à étage – l'une heptagonale,
l'autre octogonale – étaient armées autrefois de près de 40 canons pour repousser
d'éventuelles attaques espagnoles. Cet armement se révéla inutile car le fort ne fut
jamais menacé. Celle située au Sud-Ouest offre une belle **vue** de la côte.

Les visiteurs peuvent retourner au parc de stationnement par la partie basse du
sentier, qui suit les falaises surplombant la mer.

**Salt Point State Park** – *14,5 km. Ouvert du lever au coucher du soleil. Fermé par
mauvais temps. 5 $/véhicule.* △ ▣ ☎ *707-847-3221.* Le site doit son nom au fait
que les Indiens y récoltaient autrefois, dans les crevasses sous-marines, le sel utilisé
pour conserver les produits de la mer. Couvrant 2 400 ha, le parc suit la côte du
comté de Sonoma sur 6,5 km. La **réserve marine de l'anse Gerstle** est un sanctuaire
marin très apprécié des plongeurs ; près du rivage, les phoques se prélassent au
soleil sur des rochers miroitants. Non loin de là, à Fisk Mill Cove, un sentier bordé
de fougères *(400 m)* grimpe vers une plate-forme qui surplombe Sentinel Rock et
les vagues écumantes.

**Kruse Rhododendron State Reserve** – *Entrée sur la droite, à 5 km au Nord de
Gerstle Cove. Ouvert du lever au coucher du soleil.* ▣ ☎ *707-847-3221.* Mitoyenne
du parc de Salt Point, cette réserve protège 130 ha de luxuriants rhododendrons
côtiers plantés pour remplacer la végétation d'origine, détruite il y a des années
par un incendie de forêt. La meilleure période pour visiter le parc est d'avril à juin,
au moment de la floraison des grands rhododendrons.

Au Nord de la réserve, la Highway 1 côtoie des terrasses marines qui servent de
pâturage aux troupeaux de la région. À environ 11 km de la réserve Kruse se dressent sur la gauche les bâtiments modernes en bois patiné par les intempéries de **Sea
Ranch**, un ensemble de résidences secondaires de 2 000 ha descendant vers l'océan.
Conçus dans les années 1960 par le célèbre architecte post-moderne Charles Moore
(1925-1993), ces logements ont servi de modèles pour les maisons de plage et
constructions de style ranch que l'on rencontre aujourd'hui dans tous les États-Unis.
Centre commerçant de la région, la ville de **Gualala** *(13 km au Nord de Sea Ranch)*
propose hébergement et autres services. Passé Gualala, les conifères remplacent le
maquis brun et sec qui couvre les collines plus au Sud les trois quarts de l'année.
À environ 8 km au Nord d'Anchor Bay se déploient des **vues** sans fin sur le littoral
se détachant sur la pâleur des falaises.

★**Phare de Point Arena** – *24 km au Nord de Gualala. Tourner à gauche sur
Lighthouse Road et continuer sur 3,5 km jusqu'au parc de stationnement. Visite
de Memorial Day à Labor Day de 10 h à 15 h, le reste de l'année de 11 h à 14 h 30.
Fermé les jours ouvrables en janvier et décembre. 3 $.* ☎ *707-882-2777.* En s'ap-
prochant du phare, le visiteur voit s'ouvrir devant lui un **panorama**★ de hautes
terrasses sculptées par le Pacifique. Construit en 1870, le phare de briques d'origine de Point Arena fut endommagé lors du séisme de 1906. Il fut remplacé par
un bâtiment en béton armé qui renferme la lentille de Fresnel d'origine. Près du
fanal, l'ancien bâtiment de la corne de brume (Fog Signal Building – 1869) présente des cornes à vapeur hors d'usage ainsi qu'une série de photographies.

**Van Damme State Park** – *45 km au Nord de Little River, tourner à droite au
panneau indiquant le parc. Ouvert tous les jours. 5 $/voiture.* △ ♿ ☎ *707-937-
5804.* Bien que les limites de ce parc s'étendent à la fois à l'Est et à l'Ouest de la
Highway 1, la majorité des 870 ha se trouve côté terres. Un petit sentier de
planches *(10 mn)* forme une boucle au travers d'une **forêt naine**★ *(pygmy forest)*,
phénomène propre aux hautes terrasses marines du comté de Mendocino. Ces
régions étaient autrefois recouvertes de marécages. Au cours des siècles, l'eau
chargée d'acide a lessivé les sols, emportant leurs précieux éléments nutritifs et
formant une couche dure à faible profondeur. Leurs racines ne pouvant pénétrer
cette couche pour atteindre les nappes d'eau souterraines, les plantes chétives qui
vivent ici se sont adaptées à cette situation ingrate pour survivre. Plusieurs espèces
végétales de la région n'existent nulle part ailleurs dans le monde.

★★**Mendocino** – *48 km au Nord de Point Arena.* Juché sur un promontoire souvent
brumeux, où la Big River se jette dans le Pacifique, ce charmant village victorien
doit son nom à Antonio de Mendoza, premier vice-roi de Nouvelle-Espagne. Il a
conservé son caractère, marqué par le développement de l'industrie du bois à la
fin du 19e s. Aujourd'hui, artistes et touristes sont séduits par son atmosphère paisible et idyllique.

En 1850, un navire faisant route vers San Francisco avec une cargaison de soieries
et de thé en provenance de Chine fit naufrage à quelques kilomètres au Nord du site
actuel de Mendocino. Une troupe fut dépêchée depuis le camp de Bodega Bay pour
récupérer la cargaison. En arrivant dans la zone du naufrage, les hommes découvrirent des forêts de séquoias à la place des trésors orientaux qu'ils étaient venus
chercher. Harry Meiggs, un exploitant forestier de San Francisco, apprit bientôt l'exis-

tence de cette nouvelle ressource. Durant l'été 1852, il se rendit à Mendocino et construisit une scierie sur la falaise. Malheureusement, la toiture de la première scierie fut arrachée par une tempête la même année et Meiggs en fit bâtir une deuxième sur la plaine protégée de Big River, à l'Est de l'actuel tracé de la Highway 1.

La bourgade qui surgit autour de la scierie ressemblait à un village côtier de Nouvelle-Angleterre, car les fondateurs de Mendocino, originaires du Nord-Est des États-Unis, ont reproduit dans la mesure de leurs moyens l'architecture des maisons qu'ils avaient quittées. La plupart des bâtisses aujourd'hui intactes ont été construites après 1870, date de l'incendie qui détruisit une grande partie de la ville. Cette catastrophe arriva à point nommé pour le charpentier John D. Johnson qui avait débarqué d'Angleterre vers 1870. Johnson conçut et construisit nombre des maisons les plus belles de la ville, telle **MacCallum House** (1882), située dans Albion Street et abritant actuellement un bed & breakfast. Coiffé d'un toit pentu à pignons, orné de moulures découpées, ce « cottage pointu » (comme on l'appelait à l'époque) est l'exemple type des maisons que se firent construire les habitants influents de Mendocino pendant le boom des scieries. Les **châteaux d'eau** en bois, dont les pompes étaient actionnées, il y a plus d'un siècle, par des moulins à vent, servent toujours de réservoirs pour l'eau provenant des puits de la ville.

L'épuisement des dernières ressources locales en bois mit fin à la prospérité de Mendocino dans les années 1920. Après la fermeture définitive de la scierie en 1938, la ville sombra dans une crise économique jusqu'à la fin des années 1950. C'est l'éditeur Auggie Heeser qui la fit sortir du marasme en faisant don de sa propriété familiale à l'État de Californie, à la condition que celle-ci « reste ouverte au public à perpétuité ». Ce terrain fait actuellement partie du Mendocino Headlands State Park. En 1959, l'inauguration du **Mendocino Art Center** amorça une révolution culturelle, attirant un groupe d'artistes qui redonna vie au village assoupi. Aujourd'hui, les nombreuses galeries et boutiques de la ville s'adressent à une importante clientèle touristique qui fournit à Mendocino l'essentiel de ses revenus.

Depuis des années, le charme paisible de Mendocino a séduit les réalisateurs d'Hollywood. Ses rues tranquilles ont servi de décor à des tournages, par exemple pour *Johnny Belinda* (1947) *Les Russes arrivent* (1966) et la série télévisée *Arabesque*.

Mendocino vu de la mer

★ **Main Street** – L'artère commerçante principale de Mendocino s'est développée devant la première scierie fondée par Harry Meiggs, dominant les eaux turquoise de la baie. **Ford House**, une maison de bardeaux de couleur crème construite sur la falaise par l'exploitant forestier Jerome Ford (1854), abrite le **centre d'accueil et musée** (Ford House Visitor Center and Museum – *ouvert de 11 h à 16 h ; contribution demandée* ; ☎ *707-937-5397*). Il fournit des informations sur le parc d'État de Mendocino Headlands et présente plusieurs expositions sur l'histoire naturelle et culturelle de la région ainsi qu'une maquette du Mendocino de 1890.

En haut de la rue s'élève la néogothique **église presbytérienne** (1868), en bois de séquoia. Elle semble tourner le dos à la rue, car sa façade donnait autrefois sur l'ancienne grande route qui longeait la côte. Quant à la façade en trompe-l'œil du **Mendocino Hotel** *(48050 Main St.)*, bâti par John D. Johnson en 1878, c'est le seul vestige de l'établissement d'origine.

★★ **Mendocino Headlands State Park** – *Ouvert tous les jours.* ⚠ *(réservation au* ☏ *800-444-7275)* ☏ *707-937-5397.* Bordant la ville sur trois côtés, ces falaises encore intactes ont échappé au développement urbain des années 1970 grâce à la vigilance de certains citoyens. Les sentiers qui serpentent sur les promontoires marins offrent des **panoramas★★** spectaculaires de la côte de Mendocino, avec ses rochers fissurés et ses grottes marines.

**Kelley House Museum** – *45007 Albion St. Visite du vendredi au lundi 13 h à 16 h. Fermé principaux jours fériés. 2 $.* ☏ *707-937-5791.* L'entrepreneur canadien William Kelley a construit en 1861 cette demeure à pignons en bois de séquoia, l'une des plus anciennes de Mendocino. Actuel siège du Centre de Recherches historiques de Mendocino, le musée possède une collection de plus de 4 000 photographies anciennes. Les pièces sont décorées avec du mobilier d'époque et des objets anciens ayant appartenu aux Kelley et autres familles fondatrices.

**Masonic Hall Building** – *10500 Lansing St.* Ce bâtiment appartient aujourd'hui à une banque, dont les bureaux occupent le rez-de-chaussée ; cet ancien temple maçonnique (1872) est couronné d'une sculpture de bois de séquoia, taillée en un seul bloc par un franc-maçon danois du nom d'Erick Albertson qui travaillait à la scierie locale. Les deux statues dominant le dôme, l'Ange de la mort et la jeune fille en pleurs, sont des symboles bien connus des membres de l'Ordre maçonnique.

**Temple of Kwan Tai** – *45160 Albion St. Visite uniquement sur rendez-vous. 2 $.* ☏ *707-937-5123.* Cette « maison d'encens », ou temple, composée d'une seule pièce (vers 1850) servit de lieu de culte aux immigrants chinois, venus à Mendocino vers 1850 chercher fortune dans l'industrie du bois. Conservé dans son état d'origine, le temple est dédié à Kwan Tai, dieu chinois de la Guerre.

**Russian Gulch State Park** – *3 km au Nord de Mendocino. Visite tous les jours. 5 $/véhicule.* ⚠ *www.mcn.org/1/mendoparks/russian.htm* ☏ *707-937-5804.* Occupant un cap au Nord de Mendocino, le **Ravin russe** retient l'attention en raison de la présence de formations rocheuses caractéristiques de la côte de Mendocino. Sur la falaise, protégée par une barrière, **Devil's Punch Bowl★** (le bol à punch du diable) est une grotte marine effondrée *(prendre la première route à droite à l'entrée du parc).* Les vagues clapotent dans ce chaudron géant, arrivant et se retirant par un tunnel menant à l'ancienne grotte. Une promenade sur le promontoire permet de découvrir des **grottes marines** creusées par le ressac et des puits dits **blowholes** provoqués par l'effondrement du plafond d'une grotte sous la pression de l'eau.
Au Nord du parc, la Highway 1 longe la Jug Handle State Reserve, qui couvre une série de cinq terrasses marines surgies de la mer au cours des 500 000 dernières années.

**Fort Bragg** – *13 km au Nord de Mendocino.* Cette bourgade ouvrière fut fondée en 1857 comme poste militaire chargé de surveiller la réserve indienne de Mendocino sur la Noyo River. Portant le nom du général Braxton Bragg, héros de la guerre du Mexique, qui commanda plus tard les troupes des Confédérés durant la guerre de Sécession, la ville se développa parallèlement à la construction, en 1885, de la scierie de l'Union Lumber Company, sur le site de l'ancienne garnison. Aujourd'hui encore, en bordure de la côte, on voit monter la fumée des usines de la Georgia Pacific Lumber Company, qui a repris l'ancienne scierie et constitue avec la pêche un des piliers de l'économie locale. Le **Fort Building** *(430 Franklin St.),* modeste construction en bardeaux, est le seul vestige de la première garnison.
Vitrine de la communauté artistique locale, le **centre culturel de Fort Bragg** expose dans sa galerie divers travaux *(337 North Franklin Street).*

★ **Mendocino Coast Botanical Gardens** – *18220 N. Highway 1. Visite de 9 h à 17 h (16 h de novembre à février). Fermé 2ᵉ samedi de septembre, Thanksgiving Day et 25 décembre. 6 $.* ✗ ⅃ ⊡ *www.gardenbythesea.org* ☏ *707-964-4352.* Les hivers doux et pluvieux alternant avec les étés frais et brumeux favorisent la croissance de plus de 20 collections de plantes dans les ravissants jardins de ce parc de 19 ha. Les sentiers Nord et Sud, allées principales du jardin, serpentent à travers des massifs de vivaces et de fuchsias, et longent des bouquets de rhododendrons et des bosquets de pins. Ils traversent aussi un **canyon** verdoyant tapissé de fougères, avant de mener à un promontoire balayé par les vents. Jusqu'à 81 espèces d'oiseaux vivent sur le site.

**Guest House Museum** – *343 N. Main Street. Visite d'avril à octobre du mardi au dimanche de 10 h 30 à 14 h 30, le reste de l'année du vendredi au dimanche aux mêmes heures. Fermé les principaux jours fériés et les jours de mauvais temps. 2 $. www.fortbragg.com* ☏ *707-961-2840.* Cette demeure victorienne à deux étages (1892), entièrement construite en séquoia, fut autrefois la résidence de C.R. Johnson, un magnat de l'industrie du bois. Par la suite, il y logea ses invités. Elle renferme aujourd'hui une collection de photographies et d'objets illustrant l'histoire de Fort Bragg et l'abattage du bois sur la côte de Mendocino.

★ **Skunk Train** – 🚂 Enfants *Départ au Skunk Depot (Highway 1 & Laurel St.). Le dépôt est ouvert tous les jours de 8 h à 17 h, mais les excursions n'ont lieu que de mars à décembre. Fermé 1ᵉʳ janvier, Thanksgiving Day et 25 décembre. Trajet aller-retour jusqu'à Northspur (3 h) 27 $ ; jusqu'à Willits (7 h 30) 35 $. Réservation obligatoire 2 semaines à l'avance.* ⅃ ⊡ *www.skunktrain.com* ☏ *707-964-6371 ou*

*800-777-5865.* Destinée à l'origine au convoyage du bois, la ligne de chemin de fer de la California Western Railroad emmène les passagers à travers des forêts de séquoias géants, serpentant le long de la Noyo River sur les 64 km qui séparent Fort Bragg de Willits. Lorsque la compagnie a commencé à utiliser des locomotives Diesel en 1925, les riverains habitués aux fumées de charbon se plaignaient de sentir l'arrivée du train bien avant de le voir, d'où le sobriquet de *skunk train,* « train mouffette ».

Pour franchir les 500 m de dénivelé, le convoi progresse tranquillement autour de 381 courbes, traverse 30 ponts sur chevalets et 2 tunnels de montagne. Une fois franchi le sommet, les séquoias laissent la place à des forêts de pins.

Ceux qui optent pour le voyage d'une journée à **Willits** pourront y visiter le **Mendocino County Museum** qui expose des paniers tressés par les Indiens pomo, des calèches anciennes et du matériel utilisé par les bûcherons *(400 E Commercial, à 2 blocs de la gare de Willits ; visite du mercredi au dimanche de 10 h à 16 h 30 ; fermé principaux jours fériés ;* ☐ 🖮 ☎ *707-459-2736).*

**MacKerricher State Park** – *5 km au Nord de Fort Bragg. Ouvert tous les jours.* △ ☐ ☎ *707-964-9112.* L'un des sites les plus connus de ce parc est **Laguna Point,** où un chemin de planches conduit à un panorama, idéal pour observer les phoques qui peuplent les rochers devant la plage. Couvrant près de 13 km de côte, le parc MacKerricher comprend également le lac Leone qui regorge de truites.

Au Nord du parc, la route, pentue et tortueuse *(vitesse moyenne 40 km/h),* traverse la Coast Range pour rejoindre l'US-101 à Leggett, se détournant des territoires sauvages et inaccessibles qu'on appelle Lost Coast (la côte perdue). Pour se rendre au Redwood Empire *(voir ce nom),* prendre à gauche à Leggett. L'itinéraire le plus rapide pour retourner à San Francisco emprunte la Highway 128 *(à 17 km au Sud de Mendocino),* puis l'US-101 vers le Sud.

# REDWOOD Empire★★

L'empire des SÉQUOIAS CÔTIERS

Carte Michelin n° 493 A 6 & 7

Office de tourisme ☎ 415-543-8334 ou 415-394-5991

Les hautes silhouettes des séquoias côtiers culminent le long de cette bande de 280 km entre Leggett *(300 km au Nord de San Francisco)* et Crescent City. Dans cette contrée sauvage et retirée, les arbres prospèrent grâce à la douceur des températures et à l'abondance de pluies qui caractérisent le climat brumeux de la côte Nord. Les séquoias se trouvent à proximité de l'US 101, dans une série de parcs abritant des massifs impressionnants.

**Les survivants d'un passé ancestral** – Au miocène, les fiers séquoias occupaient une bonne partie de l'hémisphère Nord. La période de sécheresse et de froid entraînée par le déplacement des glaciers vers le Sud il y a quelque 18 000 ans provoqua la disparition de toutes les espèces de séquoias, à trois exceptions près : le **séquoia toujours vert** *(sequoia sempervirens),* communément appelé **séquoia côtier** ou *redwood* aux États-Unis, le **séquoia géant,** ou **wellingtonia** *(sequoiadendron giganteum – voir p. 333),* qui peuple la sierra Nevada californienne, et le **métaséquoia** *(metasequoia glyptostrobiodes),* spécifique à la Chine centrale.

Quand, en 1769, les explorateurs espagnols aperçurent pour la première fois les *palos colorados* (arbres rouges) en longeant la côte californienne, ces arbres recouvraient plus de 800 000 ha.

Mais dès le début du 20ᵉ s., les bûcherons avaient fait disparaître des hectares de forêts auparavant inviolées, dans une telle proportion que les protecteurs de l'environnement s'en émurent et créèrent en 1918 la Ligue de Sauvegarde des séquoias. La fondation du réseau des parcs nationaux de Californie, neuf années plus tard, garantit de façon définitive la préservation de ces merveilles pour les générations futures. Aujourd'hui, 27 500 ha de peuplements anciens de séquoias, certains âgés de plus de 2 000 ans, sont protégés au sein des parcs de Californie.

**Les plus grands arbres du monde** – Peuplant exclusivement la mince bande côtière du Pacifique sur les 800 km séparant l'État de l'Oregon et le Grand Sud *(voir index),* ces arbres peuvent atteindre la hauteur d'une tour de 36 étages. Lorsqu'ils rencontrent des conditions de vie idéales, comme dans des plaines fertilisées par les crues ou des vallées fluviales protégées, les séquoias côtiers, l'espèce à bois tendre poussant le plus rapidement des États-Unis, peuvent grandir de 60 à 90 cm par an. Le séquoia aux fines aiguilles courtes et persistantes est l'un des rares conifères à pouvoir se reproduire aussi bien à partir d'excroissances noduleuses que de graines. L'écorce, dont l'épaisseur varie entre 15 et 30 cm, ne contient pas de résine et la teneur élevée du bois en acide tannique prémunit le séquoia contre les incendies, les insectes et les maladies. L'ennemi naturel le plus dangereux de ces vénérables géants reste le vent, car les racines des séquoias ne pénètrent le sol qu'à 1 m ou 1,50 m de profondeur. Le réseau de racines peut toutefois s'étendre horizontalement sur plusieurs dizaines de mètres, s'enchevêtrant dans celui des arbres voisins et renforçant ainsi leur enracinement.

## CIRCUITS DANS L'EMPIRE

Au Nord du comté de Mendocino, les terrasses maritimes cèdent la place à des chaînes de montagnes tombant à pic dans la mer. Constituées de granit, les falaises donnent moins prise à l'érosion. Dans cette région, la côte est ponctuée de petites anses caractéristiques, tandis que, vers le Sud, les falaises en grès et schiste argileux moins résistants donnent naissance à de longues plages.

Tout au long de l'année, l'océan Pacifique adoucit les températures de cette région fraîche et brumeuse. Septembre et octobre sont les mois les plus chauds et les plus propres au tourisme. Après octobre, beaucoup de restaurants et de magasins sont fermés pour l'hiver.

### De Leggett à Orick *3 jours et demi. 214 km.*

Les possibilités d'hébergement sont rares sur la section de l'US-101 reliant les deux villes. Du Sud au Nord, les principales localités commerçantes sont Garberville, Ferndale, Eureka et Arcata.

**Chandelier Drive-Thru Tree Park** – Enfants *À Leggett, prendre Drive-Thru Tree Rd, juste au Sud du croisement de la Hwy 1 et de l'US-101 ; suivre la signalisation. Visite de 8 h à la tombée du jour. 3 $/véhicule.* ☏ *707-925-6363.* Les sites à but commercial comme celui-ci tirent gloire d'un séquoia au tronc creusé pour permettre le passage d'une voiture, attraction appréciée des touristes dans le pays des séquoias.

**Smithe Redwoods State Reserve** – *6,5 km au Nord de Leggett. Visite de l'aube à la tombée du jour.* ♿ ☏ *707-925-6482.* Située en bordure d'autoroute, cette réserve d'État de 250 ha a pour attraction principale le petit bois de Frank et Bess Smithe, qui fut un camp de vacances privé des années 1920 aux années 1960.

**Richardson Grove State Park** – *24 km au Nord de Leggett. Visite tous les jours. 5 $/véhicule.* ⛺ 🅿 ☏ *707-247-3318.* Cette imposante colonie de séquoias porte le nom de William Friend Richardson, gouverneur de Californie au début des années 1920. Pêche et baignade sont autorisées aux abords du bras Sud de l'Eel River qui arrose le parc.

Au Nord du Richardson Grove, l'US-101 traverse le centre commerçant de **Garberville** *(13 km).* À partir de Garberville, on peut faire un détour vers l'Ouest *(40 km)* en empruntant la Shelter Cove Road, que domine la chaîne King Range et qui mène à la nouvelle localité balnéaire de **Shelter Cove**. Cette voie est le seul accès goudronné à la région isolée dite « côte perdue » (Lost Coast), qui s'étend sur 37 km après la Mattole River. On n'y accède que par les chemins de randonnée qui parcourent les parcs naturels de King Range et Sinkyone Wilderness.

**★★★ Avenue of the Giants** – *Entrée sur l'US-101, à 9,5 km au Nord de Garberville. Brochures disponibles dans un distributeur à l'extrémité Sud de la route ou au centre d'accueil des visiteurs du parc Humboldt.* On éprouve une sensation rare en traversant les forêts silencieuses et monumentales qui bordent cette allée touristique sur plus de 50 km, parallèlement à l'US-101. Tout au long du chemin, de nombreuses aires de stationnement invitent les amoureux de la nature à explorer ces forêts ancestrales.

**★★ Humboldt Redwoods State Park** – *Entrée Sud à 9,5 km au Nord de Garberville. Visite de l'aube à la tombée du jour. 5 $/véhicule pour la visite des sites (simple promenade gratuite).* ⛺ ♿ 🅿 *www.northcoast.com* ☏ *707-946-2409.* Autrefois peuplé par les Indiens Sinkyone, ce parc de 20 600 ha est bordé entre Philipsville et Pepperwood par un fleuve riche en truites, l'Eel River. Il renferme l'une des plus belles réserves au monde de séquoias côtiers. Premier parc créé pour ces arbres sur la côte Nord, il a été instauré en 1921 à l'initiative de la Ligue de sauvegarde des séquoias.

Sur l'Avenue des Géants, au Sud de **Weott** *(à 25 km de l'entrée Sud),* le **centre d'accueil des visiteurs** *(ouvert d'avril à octobre de 9 h à 17 h, le reste de l'année de 10 h à 16 h ; fermé les jours de mauvais temps.* ♿ 🅿 ☏ *707-946-2263)* propose cartes et renseignements et une petite exposition d'histoire naturelle. L'un des joyaux du parc est le bois de **Founder's Grove★★** *(5 km au Nord de Weott)* qui renferme le célèbre Founder's Tree (arbre du fondateur), autrefois considéré comme l'arbre le plus haut du monde *(111 m avant d'être décimé et rapetissé de plus de 5 m).* À son pied démarre un sentier de découverte *(20 mn)* le long duquel on découvrira le gigantesque **Dyerville Giant★** *(110 m),* abattu par une tempête en 1991 ; observer de près le système de racines tentaculaires caractéristique de l'espèce.

**★★ Rockefeller Forest** – *À 4 km au Nord de Weott, prendre à gauche Mattole Rd.* La plus grande forêt de « bois rouges » d'origine au monde recouvre plus de 4 000 ha, tapissant les rives planes du ruisseau Bull. Le long de la route à deux voies qui se faufile dans la forêt ont été aménagées deux aires de stationnement et d'innombrables sentiers de randonnée pour accéder aux profondeurs extraordinaires de ces forêts vénérables qui possèdent la plus grande biomasse forestière au monde. On notera parmi les spécimens les plus hauts Giant Tree et Tall Tree *(accessibles à partir du parc de stationnement de Bull Creek Flats).*

Totalisant des milliards d'années, la forêt Rockefeller

À partir de la forêt, **Mattole Road** conduit à Ferndale par un autre itinéraire *(100 km ; 3 h)*. Cette route à deux voies franchit un col à 600 m d'altitude et offre de beaux **panoramas★** sur la chaîne King et le cap Mendocino, avant de redescendre vers Ferndale. *L'unique station-service sur cette route se trouve dans la petite localité de Petrolia, à 52 km de la forêt Rockefeller.*

*L'Avenue des Géants rejoint l'US-101 à 8 km au Nord de Pepperwood.*

**Scotia** – *11,5 km au Nord de Pepperwood.* Propriété de la Pacific Lumber Company depuis 1889, cette ville dominée par la grande scierie abrite 270 familles. On remarquera deux bâtiments caractéristiques en séquoia construits en 1920 : le **musée** *(Main St ; visite de juin à septembre du lundi au vendredi de 8 h à 16 h, fermé principaux jours fériés.* 🅿 *www.palco.com* ☎ *707-764-2222)*, pastiche de temple grec présentant des expositions sur l'histoire locale ; à proximité, le Winema Theatre *(fermé au public)*, utilisé aujourd'hui comme salle de réunion.

★**Scierie de la Pacific Lumber Company** – *Extrémité Sud de Main St. Visite de 8 h à 14 h. Fermé principaux jours fériés. De juin à septembre, se procurer les billets au musée de Scotia, le reste de l'année à la cabane des gardes à 800 m au Sud du musée.* 🅿 *www.palco.com* ☎ *707-764-2222.* La visite libre *(1 h)* à travers la scierie est une rare occasion de voir comment fonctionnent les machines modernes de découpage du bois. À partir d'une passerelle surélevée, on peut voir des jets d'eau à haute pression détacher l'écorce des séquoias, puis leur transformation au moyen de scies mécaniques en planches lisses de taille standard. Au niveau de chaque étape intéressante, un tableau explicatif décrit le processus.

★**Ferndale** – *27 km au Nord de Scotia. À Fernbrige, prendre à gauche la route 211.* Des immigrants danois et d'autres Européens furent les premiers attirés par les terres fertiles du delta de l'Eel River, qui devint une région prospère de production laitière dès 1852.

L'élevage laitier reste la principale activité locale, mais un nombre croissant de touristes vient chaque année visiter ce village victorien, que des habitants ont fait classer site historique national au début des années 1960, après avoir réhabilité les nombreuses demeures victoriennes qui bordent **Main Street**. Le plus représentatif et le plus photographié de ces « palais du beurre », construits au début du siècle par les citoyens prospères, est **Gingerbread Mansion★** (Maison de pain d'épice – *400 Berding St., aujourd'hui transformée en bed & breakfast)*, bâtie en 1899 par un médecin de la ville.

**Musée** – *Angle de 3rd St. et de Shaw St. Visite de juin à septembre du mardi au samedi de 11 h à 16 h, le dimanche de 13 h à 16 h ; d'octobre à mai du mercredi au samedi de 11 h à 16 h, le dimanche de 13 h à 16 h. Fermé janvier et principaux jours fériés. 1 $.* ⛔ 🅿 ☎ *707-786-4466.* La pièce maîtresse de la collection présentée par ce petit musée d'histoire locale est le sismographe de Bosch-Omori en parfait état de fonctionnement, dont un scientifique de l'Université de Berkeley a fait don à la ville. On peut également visiter des pièces meublées dans le style du 19ᵉ s., ainsi qu'une annexe remplie d'anciens outils et équipements ayant trait à la scierie, la laiterie et l'élevage.

★★ **Howland Hill Road** ★

KLAMATH

Pt. St. George
**Crescent City**

Jedediah Smith
Redwoods

Enderts Beach

Del Norte
Coast
Redwoods

5781 △ Saw-tooth Mtn.

★★**REDWOOD NATIONAL
AND STATE PARKS**

**Yurok Loop Trail**
**Indian Museum** ★
(Trees of Mystery)

Klamath Overlook
Klamath

SIX RIVERS

Prairie Creek Redwoods

★ **Fern Canyon**
Elk Prairie
**Gold Bluffs Beach** ▲

★★ **REDWOOD NATIONAL
AND STATE PARKS**
**Lady Bird Johnson Grove** ★★

Redwood Information Center
Orick

Redwood Creek
Overlook

Humboldt Lagoons SP ▲
★ **Tall Trees Grove** ★

Big Lagoon
Rodgers Pk.
△ 2790

★★**Patrick's Point SP** ▲

**P A C I F I C**

★ **Trinidad**

**O C E A N**

McKinleyville

Willow Creek

**Arcata**
Trinity

Arcata
Bay
▲ **Arcata Community
Forest**

Samoa Cookhouse
SIX RIVERS

**Eureka** ★
Fort Humboldt
SHP
Humboldt Bay

Mad

Fernbridge
Fortuna

★ **Ferndale**
Eel

Van Duzen

Rio Dell
**Scotia**

Cape Mendocino
Mattole
Road
Pepperwood

Taylor Pk.
3374 △
★★**Rockefeller
Forest**
**Founder's Grove** ★★
Weott

Petrolia
Mattole
Road
★★ **Humboldt
Redwoods**
**Avenue of
the Giants** ★★★

Phillipsville

L O S T
King Pk.
4087△
King Range National
Conservation Area

Garberville
Eel

C O A S T
Shelter Cove
Richardson Grove SP

**REDWOOD EMPIRE**

0          20 mi
0      30 km

Smithe Redwoods SR
Leggett

Sinkyone
Wilderness
**Chandelier
Tree Park**

204

★**Eureka** – *32 km au Nord de Ferndale. Visite : une demi-journée.* Les cheminées de plusieurs fabriques de pâte à papier bordent les rivages de la ville dont le nom (en grec « J'ai trouvé ») est aussi la devise de l'État de Californie. Bâtie en 1850 au bord de la baie Humboldt par des sociétés foncières, Eureka supplanta bientôt Arcata, sa voisine du Nord, comme centre d'exportation de produits miniers et, plus tard, de l'industrie du bois. Chef-lieu du comté depuis 1856, elle est devenue un port important grâce à ses installations en eau profonde. La pêche commerciale et les industries de transformation du bois fournissent encore la plus grosse partie de ses revenus.

En raison des escarmouches qui eurent lieu à partir de 1850 entre Indiens et colons, un fort militaire fut construit sur les Hauts de Humboldt en 1853. Les conflits s'accentuèrent, mais en 1864 la tension décrut et une réserve fut instaurée dans la vallée Hoopa pour la population indienne restante. Le **parc historique de Fort Humboldt** (Fort Humboldt State Historic Park) occupe à la lisière Sud de la ville le promontoire où le fort se dressait autrefois *(3431 Fort Avenue. Visite de 9 h à 16 h.* 🅿 ☎ *707-445-6567).*

★**Vieille ville** – *Second St. et Third St. entre E St. et M St. près du bord de mer.* À l'extrémité Ouest de ce quartier historique couvrant dix pâtés de maisons se dresse la façade victorienne ornementée de **Carson Mansion**★★ *(Second St. et M St., fermé au public – illustration p. 43),* construite en 1886 pour le magnat de l'industrie du bois, William Carson. Aujourd'hui club privé, cette demeure à deux étages en séquoia est le monument le plus photographié de la ville et reflète la prospérité d'Eureka au temps de son âge d'or.

La vieille ville abrite de beaux exemples d'architecture de la fin du 19ᵉ s. avec des décors en fer forgé, tels que le Buhne Building/Art Center *(211 G Street),* ainsi que de belles résidences victoriennes du tournant du siècle *(3rd Street, entre J St. et K St.).* On peut admirer des œuvres d'artistes de la côte Nord au Centre culturel Humboldt *(422 1st Street)* et, dans le fantasque **Wooden Sculpture Garden** *(317 2nd Street),* les œuvres de Romano Gabriel, un sculpteur d'Eureka aujourd'hui disparu.

★**Clarke Memorial Museum** – *240 E Street. Visite du mardi au samedi de 12 h à 16 h. Fermé janvier et principaux jours fériés. Contribution demandée.* & ☎ *707-443-1947.* Cet édifice néoclassique recouvert de terre cuite vernissée (1912) était autrefois une banque. Aujourd'hui, il abrite une belle collection d'objets et de photographies illustrant l'histoire de la ville. Dans une aile séparée, une collection de plus de 12 000 pièces d'artisanat hoopa, yurok et karuk permet au visiteur de découvrir des corbeilles, des sculptures sur pierre, ainsi qu'une pirogue.

**Sequoia Park Zoo** – 🔲 Enfants 3414 W Street. *Visite de 10 h à 19 h (17 h d'octobre à avril). Fermé le lundi.* & ☎ *707-442-6552.* Installé à la lisière d'un bois de séquoias couvrant 7 ha, ce petit zoo très bien entretenu fut inauguré en 1907. Il présente une diversité d'animaux et s'est équipé d'une volière que l'on peut traverser et d'une section dite *petting zoo,* où les enfants peuvent caresser les animaux.

Dans la baie, à hauteur de la vieille ville, se trouve **Woodley Island** *(prendre la route 255 à partir de R Street)* qui a conservé un charme rustique, rehaussé par sa marina moderne. En empruntant le pont de Samoa, on gagne la péninsule homonyme, où se trouve **Samoa Cookhouse** *(tourner à gauche sur Samoa Road et prendre la première à gauche au panneau),* dernier établissement de ce genre dans l'Ouest. Ancienne cantine de bûcherons créée en 1900, le restaurant à l'allure de campement est décoré de vieux outils à bois et de photographies qui racontent les débuts de l'industrie du bois *(ouvert de 7 h (6 h le mercredi) à 22 h (21 h d'octobre à mai). Fermé jeudi et 25 décembre.* & 🅿 *www.humboldtdining.com/cookhouse* ☎ *707-442-1659).*

**Arcata** – *10 km au Nord d'Eureka.* Appelée quelque temps Uniontown, parce que des membres de l'Union Land Company s'y étaient implantés en 1850, la ville reprit par la suite le nom que lui avaient donné les Indiens wiyot. Fondée sur la côte pour ravitailler en matériel les mines voisines des monts Trinity, Arcata était à ses débuts une ville grouillante d'animation où allaient et venaient les convois qui acheminaient les marchandises vers les camps miniers. Avec l'essor de l'industrie du bois sur la côte Nord, Eureka, au port mieux situé, supplanta Arcata comme capitale du comté. Bien que l'industrie du bois reste toujours une activité essentielle, la ville vit surtout du tourisme, des industries légères et de la grande population estudiantine de l'université Humboldt.

Le seul accès à la côte depuis la ville traverse le **site protégé des marais d'Arcata** (Arcata Marsh and Wildlife Sanctuary – *Au bout de South I St. ; visite de l'aube au coucher du soleil.* 🅿 *www.tidepool.com/arcatacity/hello.html* ☎ *707-822-8184. Centre de découverte ouvert de 9 h à 17 h, fermé principaux jours fériés.* ☎ *707-826-2359),* créé en 1979 dans le cadre d'un projet de réhabilitation des marais.

★**Humboldt State University Natural History Museum** – *1315 G St. Visite de 10 h à 16 h ; fermé lundi, 1ᵉʳ janvier et 25 décembre. Contribution demandée : 1 $.* & 🅿 *www.humboldt.edu* ☎ *707-826-4479.* Malgré sa taille modeste, le petit **Muséum**

**d'histoire naturelle de l'université Humboldt**, inauguré en 1989, possède une **collection de fossiles** de dimension internationale rassemblant des spécimens du monde entier qui couvrent une époque allant de 10 000 ans à 1,9 milliard d'années. D'autres expositions présentent l'histoire naturelle du Nord de la Californie, avec un bassin de 180 l d'eau de mer, des papillons, des invertébrés marins et des animaux de la région vivants.

**Arcata Community Forest** – *Accès par Redwood Park, au bout Est de 14 th Street. Visite de l'aube au coucher du soleil.* 🖳 *www.tidepool.com/arcatacity/hello.html* ☎ *707-822-8184.* Sur 240 ha poussent des séquoias de la deuxième génération, plantés là pour remplacer les arbres abattus par les bûcherons à la fin du 19ᵉ s. ; cette forêt a été la première en Californie à appartenir à une commune. Un sentier de nature qui servait autrefois au transport du bois *(boucle de 800 m, départ à l'angle Ouest du parc de stationnement situé à l'extrémité de Redwood Park Rd)*, traverse une clairière plantée de fougères au pied de cette superbe plantation de séquoias. Au bord du chemin, des panneaux explicatifs décrivent dans le détail les anciennes techniques employées par les bûcherons. La forêt est sillonnée par plus de 16 km de sentiers.

★**Trinidad** – *21 km au Nord d'Arcata.* Cette ville de pêcheurs endormie au-dessus d'un port aux eaux turquoise fut au départ le site du plus grand village permanent d'Indiens yurok, appelé Tsurai. Une plaque commémorative apposée à l'extrémité Sud d'Ocean Street marque l'endroit où les Amérindiens ont établi leur village il y a cinq millénaires.

Comme Arcata, Trinidad a été au départ un accès côtier pour les chercheurs d'or. Quand la fièvre de l'or est retombée, les pionniers se sont rabattus sur des activités comme la pêche, la chasse à la baleine et l'exploitation du bois. Aujourd'hui, l'économie locale vit surtout des revenus de la pêche commerciale et de loisirs ainsi que du tourisme.

Trinidad accueille aussi le **laboratoire de recherches marines de l'université Humboldt** (Humboldt State University Fred Telonicher Marine Laboratory – *Ewing St*), dont le vestibule présente une exposition sur la vie marine du littoral *(visite de 9 h (10 le week-end en période de cours) à 17 h ; fermé principaux jours fériés ; contribution demandée.* ♿ 🖳 ☎ *707-826-3671).*

Juste à l'Ouest de la ville se dresse le cap Trinidad, un promontoire haut de 120 m qui protège le port des vents violents du Nord-Ouest *(prendre à gauche au bout d'Ewing St et se rendre au parc de stationnement voisin de la jetée).* Pour profiter d'une superbe **vue★** plongeante sur la ville et sur des kilomètres de côte, suivre le **sentier** *(2 km)* qui forme une boucle sur le cap. Le monument de granit élevé près du sommet rappelle la croix de bois plantée là par les explorateurs espagnols en 1775.

★★**Patrick's Point State Park** – *8 km au Nord de Trinidad. Visite tous les jours. 5 $/véhicule.* ⛺ 🖳 *www.cal-parks.ca.gov* ☎ *707-677-3570.* Ce parc de 256 ha où alternent forêts touffues, plages parsemées d'agates et vastes points de vue au sommet des falaises, porte le prénom de Patrick Beegan, un colon qui s'installa là en 1851. Les belvédères de **Wedding Rock** et **Patrick's Point** offrent les plus beaux **panoramas★★** du rivage fouetté par les vagues. Le long des falaises, le sentier Rim Trail *(3 km)* relie tous les points de vue.

Un **village yurok** reconstitué *(sur Patrick's Point Dr, 500 m au Nord de l'entrée du parc)*, avec des habitations, une aire de danse, et une *sweat house*, ancêtre du sauna, rappelle l'époque à laquelle les Indiens yurok dressaient leurs campements saisonniers dans la région.

En poursuivant vers le Nord sur l'US-101, on remarquera à gauche le **Big Lagoon** *(6,5 km au Nord de Patrick's Point State Park ; entrée sur Big Lagoon Park Rd).* Ensemble, les trois lagons Big Lagoon, Stone Lagoon et Freshwater Lagoon *(également visibles depuis la route en direction du Nord)* forment le **parc d'État des lagons de Humboldt**, qui protège 420 ha de marais où viennent se poser les oiseaux qui utilisent le couloir de migration du Pacifique *(*☎ *707-488-2041).*

*Continuer vers le Nord sur l'US-101 jusqu'à Orick.*

## ★★ D'Orick à Crescent City :
## Redwood National and State Parks

*2 jours et demi. 98 km sans les excursions dans les parcs.*

Avec ses magnifiques futaies de séquoias et ses 53 km de plages, ce site de 43 000 ha englobe trois parcs de l'État : **Prairie Creek Redwoods, Del Norte Coast Redwoods** et **Jedediah Smith Redwoods**. En 1968, le Congrès américain a décidé de placer sous sa protection environ 23 000 ha de terres, créant le Redwood National Park ; près de 20 000 ha vinrent s'y ajouter dix années plus tard. Ce parc, qui abrite quelques-uns des arbres les plus grands du monde, a été classé patrimoine mondial par l'UNESCO et Réserve mondiale de la Biosphère.

Si le parc national est riche en terrains de camping mais pauvre en motels, Trinidad et Crescent City, qui en marquent les extrémités, offrent de grandes possibilités de logement et bien d'autres services.

*En règle générale, les trois parcs d'État à l'intérieur du parc national sont ouverts de l'aube à la tombée du jour. Le droit d'entrée (5 $/véhicule) permet de visiter les curiosités des parcs d'État ; il est valable le même jour dans tous les parcs.* △
🄿 *www.nps.gov ou www.cal-park.ca.gov*

**Redwood Information Center** – *1,5 km au Sud d'Orick sur l'US-101. Ouvert de 9 h à 17 h. Fermé 1ᵉʳ janvier, Thanksgiving et 25 décembre. Informations sur les places de camping disponibles ainsi que sur les équipements. Le bureau du parc se trouve à Crescent City.* △ ♿ ☎ *707-464-6101.* Ce bâtiment contemporain en bois dispense informations sur le parc et cartes des sentiers. Des présentations expliquent l'histoire naturelle du parc.

★★**Lady Bird Johnson Grove** – *À 9 km du centre d'information par l'US-101 et Bald Hills Rd.* Un sentier naturel sans dénivelé *(1,5 km)* suit une boucle dans la majestueuse forêt d'origine, nommée d'après l'ancienne première dame des États-Unis. Une brochure vendue sur place *(0,35 $)* décrit la flore qui borde les chemins.
*Prendre à droite Bald Hills Rd.*

Les brumes côtières investissent fréquemment les vallées boisées en contrebas du **belvédère de Redwood Creek** *(à 5 km de Lady Bird Johnson Grove)* d'où l'on a une belle **vue** d'une mer de séquoias et de pins s'étendant jusqu'à l'océan.

★**Tall Trees Grove** – *Tourner à droite sur la route gravillonnée Tall Trees Access Rd (à 6,5 km de Lady Bird Johnson Grove. Permis au centre d'information ci-dessus) ; continuer sur 10,5 km jusqu'à l'entrée du sentier ; une boucle (5 km ; pente raide) mène au bois.* Peuplant les plaines tapissées de fougères qui entourent Redwood Creek, ce bois renferme un **arbre**★ haut de 112 m, découvert en 1963 par un scientifique de la National Geographic Society. À cette date, c'était le plus grand arbre connu au monde. L'imposant tronc de ce géant vieux de 600 ans mesure 4,3 m de diamètre.

*Revenir sur l'US-101, direction Nord, et poursuivre sur 2,5 km. Tourner à gauche sur Davison Rd (non bitumée) et continuer sur 6,5 km jusqu'à la plage.*

**Gold Bluffs Beach** – En 1851, la découverte de paillettes d'or dans le sable fit de cette plage le théâtre d'un véritable boom minier. Mais les quantités de métal précieux recueillies sur le site restèrent en deçà des espérances, et les prospecteurs abandonnèrent rapidement leurs recherches. Aujourd'hui, une harde de cerfs Roosevelt paît tranquillement sur la plage où s'activaient autrefois les chercheurs de fortune.

★**Fern Canyon** – *À 13 km de l'US-101 par Davison Rd.* À cet endroit de la côte, les falaises sont coupées par le Home Creek, qui crée un profond canyon étroit, aux pentes tapissées par toutes sortes de fougères luxuriantes, fougère dite « à cinq doigts », « queues de cheval géantes ». Un petit circuit *(1 km)* zigzague à travers le canyon.
*Reprendre l'US-101 en direction du Nord.*

Peu après avoir quitté Davison Road (3,5 km), apparaît sur la gauche la **Prairie des élans** (Elk Prairie), tandis que l'on pénètre dans le parc de Prairie Creek par la voie touristique Newton B. Drury. Cette région abrite une harde de cerfs Roosevelt *(elks)* que l'on peut souvent apercevoir de la route. La voie rejoint ensuite l'US-101.
En progressant vers le Nord, l'US-101 traverse le fleuve **Klamath** et la localité du même nom, rendez-vous des pêcheurs. À la sortie Nord de la ville *(3 km)*, le **belvédère de Klamath** *(tourner à gauche sur Requa Rd)* offre une **vue**★ magnifique de l'embouchure du fleuve sur le Pacifique.

★**End of the Trail Indian Museum** – *8 km au Nord de Klamath. Situé dans le magasin de souvenirs du centre commercial Trees of Mystery (il n'est pas nécessaire d'entrer dans le centre pour visiter le musée). Visite de mai à septembre de 8 h à 19 h, le reste de l'année de 9 h à 17 h. Fermé Thanksgiving Day et 25 décembre.* △ ✗ ♿ 🄿 *www.treesofmystery.net* ☎ *800-638-3389.* Ce musée possède une collection remarquable d'objets artisanaux fabriqués par les peuples amérindiens à l'Ouest du Missouri. Cinq salles, classées par zone géographique, présentent de beaux exemples de vêtements, bijoux, vanneries, poteries et autres objets.

**Yurok Loop Trail** – *1,5 km. Prendre à gauche au parc de stationnement de Lagoon Creek.* Ce sentier passe au-dessus des falaises et par une plage jonchée de bois mort. Un fascicule *(disponible sur le site)* explique les modes de vie ancestraux des Yuroks qui peuplaient autrefois la région.

Au Nord de Lagoon Creek, la route est bordée de grands arbres car l'US-101 pénètre maintenant dans le parc Del Norte Coast. La plage de sable d'**Enderts Beach** s'étend au pied de falaises abruptes *(5 km au Sud de Crescent City, prendre à gauche Enderts Beach Rd ; plage accessible par un chemin de terre pentu de 800 m).*

**Crescent City** – *98 km d'Orick.* Construite autour de l'anse en forme de croissant qui lui a donné son nom, la plus grande localité du comté Del Norte a été fondée en 1852. Les richesses de la région en bois et filons aurifères assurèrent dès le départ la position de Crescent City comme principal centre d'embarquement et d'approvisionnement du Nord de la Californie et du Sud de l'Orégon. En 1964, un raz de marée provoqué par un tremblement de terre en Alaska détruisit 29 pâtés de maisons dans le centre-ville, dont le front de mer qui n'a jamais été entièrement reconstruit. L'exploitation du bois reste l'activité industrielle principale, à laquelle s'ajoutent l'élevage laitier, la pêche commerciale et la culture de bulbes de lis.

**Phare de Battery Point** – *Parc de stationnement au bas de A St. Accès impossible à marée haute. Visite guidée uniquement (30 mn), d'avril à septembre du mercredi au dimanche de 10 h à 16 h si la marée le permet ; le reste de l'année, uniquement sur rendez-vous. 2 $.* ▣ ☎ *707-464-3089.* Après avoir traversé à pied une étroite langue de sable, on parvient à Battery Point, où se dressaient autrefois trois canons de bronze provenant d'un navire naufragé en 1855. L'année suivante, on construisit sur le site un phare en pierre et maçonnerie pour éloigner les bateaux des récifs dangereux proches de l'entrée du port. En 1892, un autre phare *(aujourd'hui désaffecté)* fut érigé à 15 km au Nord, afin d'empêcher les navires de s'échouer sur les récifs du cap St. George. Le phare renferme une petite collection d'objets et de photographies, ainsi qu'une lentille de Fresnel.

**Del Norte County Historical Museum** – *577 H St. Visite de mai à septembre de 10 h à 16 h, sauf le dimanche ; le reste de l'année, uniquement sur rendez-vous. 2 $.* ▣ ☎ *707-464-3922.* Ce grand musée d'histoire est aménagé dans un ancien tribunal, comportant encore à l'étage d'anciennes cellules de prison. La pièce maîtresse de la collection, qui comprend également des objets d'artisanat tolowa et yurok, ainsi que d'anciens équipements miniers, est la lentille de Fresnel de plus de 2 tonnes provenant du phare du cap St. George.

★**Howland Hill Road** – *Traverser Crescent City par l'US-101, puis tourner à droite dans la route 199. Prendre ensuite à droite South Fork Rd, puis de nouveau à droite Douglas Park Rd qui rejoint Howland Hill Rd.* Cette route à une voie non revêtue zigzague à travers la frange Sud du **parc Jedediah Smith**, baptisé en l'honneur du premier homme blanc qui ait traversé la Californie en 1827 *(visite tous les jours ; 5 $/voiture.* ⬠ ☎ *707-464-6101).* Sur ses huit kilomètres, Howland Hill Road passe le superbe bois de **Stout Grove**★ *(entrée sur la droite),* puis longe Mill Creek en serpentant dans une vénérable forêt de séquoias.

# Orange County

Quand la Belle au bois dormant s'éclate... /© Disney Enterprises, Inc.

S'étendant à l'Est et au Sud de Los Angeles, le comté d'Orange, autrefois comté rural, est devenu une annexe de la métropole voisine. De larges plaines agricoles, jadis couvertes d'orangers (d'où le nom du comté), s'étendent sur 35 km, des crêtes des monts Santa Ana (qui marquent la frontière avec l'Empire intérieur) aux plages du Pacifique. Seuls sept des soixante-huit comtés de Californie sont plus petits (2 000 km²) et un seul, San Francisco, est plus densément peuplé.

Ce sont les alentours d'Anaheim et des monts Santa Ana qui sont le véritable cœur de ce comté, dont la population est de 2 642 300 habitants – pratiquement le double de ce qu'elle était il y a seulement trente ans. Communautés résidentielles et centres commerciaux ont littéralement envahi les abords des anciens centres agricoles. Toutefois, cette expansion ne débuta qu'au milieu des années 1950, lorsque Walt Disney acheta les 72 ha d'une orangeraie d'Anaheim pour en faire un parc à thème qu'il baptisa Disneyland. La population d'Anaheim, qui n'excédait pas 15 000 personnes lors de cet achat, en compte aujourd'hui près de 300 000.

Certains pensent que le comté ne vaut que par Disneyland. Cette vision quelque peu réductrice occulte plusieurs sites intéressants près de Santa Ana, Garden Grove, Buena Park et Yorba Linda. Elle ignore également toutes les villes chic qui s'égrènent le long de la côte – de Huntington Beach, au Sud de Long Beach, à San Clemente, tout près du comté de San Diego – parfaits symboles du fameux rêve californien. Il est en effet difficile d'imaginer à un autre endroit Newport Beach et son activité trépidante, Laguna Beach très tournée vers les arts ou la petite ville de San Juan Capistrano, siège de l'une des missions californiennes.

Refusant toute tentative d'assimilation à Los Angeles, les habitants du comté ont leur propre orchestre symphonique et d'autres institutions culturelles, leurs équipes de base-ball et de hockey sur glace et leur aéroport (John Wayne Airport, nommé en mémoire du fameux acteur et enfant du pays, qui peut être une alternative si l'on veut éviter le tohu-bohu qui règne à l'aéroport de Los Angeles).

Le comté passe pour être une place forte pour une certaine fraction de la population américaine (« américain moyen blanc et conservateur »), réputation que confirment les statistiques : la population est à 83 % blanche contre 59 % à Los Angeles, les électeurs votent pour 61 % d'entre eux pour le parti républicain (61 % de démocrates à Los Angeles), et Anaheim se classe parmi les 10 conurbations les plus riches des États-Unis alors que le comté de Los Angeles arrive à peine au niveau des 40 premières.

# ANAHEIM Area★

Secteur d'ANAHEIM
293 200 habitants
Carte Michelin n° 493 B 10 – Voir schéma au chapitre LOS ANGELES p. 137
Office de tourisme ☎ 714-765-8888

Toute l'activité d'Anaheim, située à 48 km de Los Angeles par la I-5 (Santa Ana Freeway), semble tourner autour de Disneyland et de l'industrie du tourisme qui y est liée. Ainsi, son immense palais des congrès se trouve juste en face du parc d'attraction et le stade de son équipe de base-ball, les Angels, n'est qu'à une sortie d'autoroute de là. Si motels, allées commerciales et chaînes de restaurants se concentrent à Anaheim, ses banlieues, Buena Park et Garden Grove, ainsi que Santa Ana et Yorba Linda à quelques kilomètres, offrent d'intéressantes distractions.

## UN PEU D'HISTOIRE

Anaheim fut fondée en 1857 comme coopérative viticole juive allemande. Ces immigrants européens, qui avaient acheté 466 ha de terre sur la rivière Santa Ana, irriguèrent des parcelles de 8 ha, plantèrent de la vigne et furent rapidement en mesure de fournir à John Froehling, leur garant établi à San Francisco, assez de raisins pour produire 31 700 litres de vin et d'eau-de-vie. Ils donnèrent à leur colonie le nom allemand d'« Anaheim », « village d'Ana ». Les autres régions à l'intérieur des terres d'Orange County faisaient autrefois partie des concessions de terrain du ranch Santiago de Santa Ana. En 1869, Santa Ana fut détachée du ranch pour devenir chef-lieu de comté.

## CURIOSITÉS *Prévoir 3 jours minimum*

★★★**Disneyland** – *1 à 3 jours. Voir ce nom.*

★**Knott's Berry Farm**, à **Buena Park** – Enfants *8039 Beach Blvd. Quitter la I-5 à Beach Boulevard et suivre les panneaux. Visite (au moins une demi-journée) de juin à août de 9 h à minuit (1 h du matin le vendredi), le reste de l'année de 10 h à 18 h (22 h le samedi, 19 h le dimanche). Fermé 25 décembre. 31,95 $.* ╳ ⛔ 🅿 *(7 $) www.knotts.com* ☎ *714-220-5200.* Cette ancienne ferme de 60 ha située au

L'une des attractions de la Ferme Knott, le *Boomerang*

Nord-Ouest du comté est le plus ancien parc à thème privé des États-Unis. Le parfum d'antan et l'atmosphère du vieux Far West qui y règnent lui donnent un charme et une originalité que n'a pas réussi à supplanter la magie high-tech des parcs d'attractions nouvelle génération.

Dans les années 1920, Walter Knott émigra en Californie avec sa famille ; il loua 8 ha de terrain, installa une ferme pour y cultiver des fruits rouges et les vendre sur un étal en bord de route. La ferme, connue sous le nom de Knott's Berry Place, se spécialisa dans la rhubarbe et les **mûres de Boysen**, nouveau fruit à l'époque obtenu par hybridation du roncier-framboisier, du mûrier des haies et du framboisier. Dès 1928, Knott avait installé un magasin de vente et un salon de thé. Durant la Grande Dépression, pour arrondir les fins de mois de la famille, son épouse Cordelia se mit à vendre du poulet cuisiné à 60 cents, servi dans la vaisselle en porcelaine qu'elle avait reçue en cadeau de mariage. Le salon de thé devint un restaurant très populaire. En 1940, pour distraire les clients qui faisaient la queue, Knott entama la construction d'une réplique de vieille ville du Far West. D'autres attractions et magasins de détail vinrent s'y ajouter au fil des ans et, aujourd'hui, la ferme rassemble un grand nombre de vieux bâtiments récupérés ou reconstitués et propose 165 manèges, spectacles et attractions.

**Visite** – Pour avoir un aperçu du parc, commencer par monter dans la diligence de Butterfield ou dans le train de Denver & Rio Grande. La plupart des bâtiments de **Ghost Town** (Ville fantôme) ont été apportés d'anciennes villes minières désertées. On fournit aux visiteurs pris par la fièvre de l'or l'équipement nécessaire pour tenter leur chance sur place. Dans la section **The Boardwalk**, des manèges rétro, dont un saut en parachute comme à Coney Island, rappellent la grande période des parcs d'attractions en bord de mer et les promenades « sur les planches » qui bordaient la côte de la Californie du Sud. Les amateurs de sensations fortes testeront le *Boomerang* et le *Jammer*, deux nouvelles montagnes russes « high-tech », ainsi qu'une attraction au nom évocateur de *Supreme Scream* (le cri absolu). Dans le **Fiesta Village**, les arcades recouvertes de tuiles, les treillis alourdis par les grappes de raisins et les fontaines en céramique plongent le visiteur dans la période « rancho » de la Californie espagnole. Non loin de là se déroule l'« incroyable spectacle des grandes eaux », véritable chorégraphie de jets d'eau s'efforçant de suivre les rythmes du charleston, du tango et autres danses populaires. Certaines zones du parc ont été spécialement aménagées pour les enfants, qui peuvent pénétrer dans le **Kingdom of the Dinosaurs** (royaume des dinosaures) ou suivre les **Indian Trails** (pistes indiennes) à la découverte de présentations interactives sur l'artisanat des Indiens d'Amérique. Dans le **Camp Snoopy**, les personnages du dessinateur Charles Schulz attendent les tout-petits au milieu de chutes d'eau, de ponts et de ruisseaux évoquant les High Sierras et leur proposent des tours de manège.

★**Crystal Cathedral**, à **Garden Grove** – *12141 Lewis St. De la I-5, prendre Harbor Blvd. vers le Sud et tourner à gauche dans Chapman Blvd. et encore à gauche dans Lewis St. Visite (prévoir une demi-heure) de 8 h à 17 h.* ✗ ♿ 🅿 *www.crystal cathedral.org* ☎ *714-971-4000.* L'idée de cette cathédrale en forme d'étoile et aux murs de verre est née dans les années 1950, quand l'évangéliste Robert H. Schuller entreprit de prêcher dans un drive-in. En 1961, il chargea l'architecte d'origine autrichienne Richard Neutra, spécialiste du style International, de concevoir une église dont les 1 400 places de stationnement permettraient aux fidèles de voir la chaire et de suivre l'office depuis leur voiture... Dès 1975, l'édifice de Neutra ne pouvait plus accueillir le nombre grandissant de « fidèles »... Philip Johnson conçut alors le sanctuaire actuel (1980), qui propose 3 000 places et la retransmission de l'office sur écran géant ! À l'intérieur, l'impressionnant effet d'espace est dû au maillage d'acier blanc semblable à une dentelle, entrelacé pour former 11 000 vitres. La Tower of Hope voisine (1967), surmontée d'une croix culminant à 72 m, est due à Dion Neutra, fils de Richard.

★★**Bowers Museum of Cultural Art**, à **Santa Ana** – *2002 North Main Street. Quitter la I-5 à la sortie Main Street et continuer vers le Sud sur 800 m. Visite (prévoir une demi-journée) de 10 h à 16 h. Fermé lundi et principaux jours fériés. 8 $.* ✗ ♿ 🅿 *www.bowers.org* ☎ *714-567-3600.* Installé dans une charmante construction considérée comme l'un des plus beaux exemples de style Mission de la région, le plus grand musée du comté se consacre à la collecte et à la préservation d'œuvres d'art indigènes d'Océanie, des Amériques, d'Afrique et de la ceinture Pacifique.

C'est **Charles Bowers** (1842-1929), éleveur et promoteur de la région, qui finança la création de ce musée. Lorsqu'il fut inauguré en 1936, il était dédié à l'histoire locale. Agrandi en 1974, il élargit ses collections aux arts et à l'histoire naturelle. Vers la fin des années 1980, le musée s'engagea dans une nouvelle phase d'expansion pour pouvoir accueillir des expositions temporaires d'art de renommée internationale. Aujourd'hui, la collection du musée rassemble quelque 85 000 objets et œuvres d'art datant de 1 500 ans avant J.-C. jusqu'au milieu du 20ᵉ s. Chaque année, le musée organise une douzaine d'expositions temporaires.

**Visite** – Largement agrandie par la rénovation de 1980, la structure originelle du musée possède une entrée découpée surmontée d'un clocher et des arcades ombragées. Un attrayant café fait face à la cour, voisin d'une belle fontaine ornée de la statue de l'explorateur espagnol Juan Rodriguez Cabrillo.

Dans la **galerie d'art océanien**, des peintures sur écorce d'aborigènes australiens décrivent les rites d'un culte ancestral. On peut aussi y voir une canne maorie magnifiquement gravée, une marionnette en bois articulée des îles Vanuatu, qu'on utilisait pour conter une ancienne légende, ainsi qu'un pilon de pierre tahitien pour écraser le fruit de l'arbre à pain, curieusement découvert dans le lit de la rivière Santa Ana.

La **collection africaine**, riche de quelque 100 objets rituels en bois, métal, tissu et ivoire, illustre pratiquement tous les styles fondamentaux des différentes tribus et régions du continent noir.

Des céramiques et des éléments architecturaux provenant de l'importante **collection précolombienne** du musée sont exposés sur un fond de photographies présentant leur environnement habituel. Les pièces relatives à l'*ulama*, très ancien jeu de balle pratiqué par les Mayas, les Aztèques et les Toltèques, présentent un intérêt particulier. On pense que ce jeu, vieux de deux millénaires, symbolise la lutte entre les forces de vie et de mort.

La collection d'**objets d'art amérindien**, couvrant le 17e s. jusqu'aux années 1980, recèle une grande variété d'œuvres, parmi lesquelles des corbeilles, des broderies de perles et des pipes sculptées. Les pierres gravées des régions arctiques sont particulièrement gracieuses. Parmi les pièces de la culture Tlingit de Colombie britannique et d'Alaska se trouve un étonnant hochet en bois de cèdre minutieusement sculpté. Les objets religieux et quotidiens des périodes « mission » et « rancho » de Californie sont conservés dans une galerie dont le plafond à caissons est admirablement travaillé. Les collections d'Asie et de la Californie du début du 20e s. occupent le niveau supérieur.

**Discovery Science Center**, à **Santa Ana** – Enfants *2500 N. Main St., le long de la I-5 (Santa Ana Freeway). Visite (prévoir 3 h) de 10 h à 17 h. Fermé 1er janvier, 4 juillet, Thanksgiving Day et 25 décembre. 8 $.* ✗ ♿ 🅿 *www.discoverycube.org* ☎ *714-542-2823.* Situé juste à coté d'un batiment de 10 étages en forme de cube incliné semblant se balancer sur une de ses pointes, ce musée interactif se repère très rapidement de l'autoroute. Ouvert fin 1998, ce complexe de 5 000 $m^2$ a été conçu par Arquitectonica, société de renommée internationale. Perception et performance humaines, géologie, découvertes spatiales sont quelques-uns des thèmes abordés dans les huit espaces d'exposition du musée. Parmi les expériences originales offertes aux visiteurs on citera le lit de clous sur lequel on peut s'allonger sans souffrir ou le grand tremblement de terre. Le centre possède un théâtre laser 3-D, propose, le week-end, des expériences scientifiques et met à la disposition de tous une salle avec 20 terminaux informatiques et une boutique de jeux éducatifs.

★ **Maison natale et bibliothèque Richard Nixon**, à **Yorba Linda** – *18001 Yorba Linda Blvd. Quitter la route 57 (Orange Freeway) à Yorba Linda Blvd. et continuer vers l'Est sur 6 km environ. Visite (2 h) de 10 h (11 h le dimanche) à 17 h. Fermé Thanksgiving Day et 25 décembre. 5,95 $.* ♿ 🅿 *www.nixonfoundation.org* ☎ *714-993-3393.* Dans cette bibliothèque sont regroupés lettres, documents, souvenirs et présentations interactives illustrant et commémorant la vie de **Richard Milhous Nixon**, 37e président des États-Unis. Le complexe de 3,6 ha qui lui a été dévolu en 1990 englobe la petite maison où Nixon naquit le 9 janvier 1913. Les tombes de l'ancien président et de son épouse Pat se trouvent sur le site.

Les objets personnels de Nixon sont exposés en ordre chronologique, fournissant des détails sur sa jeunesse et l'histoire de sa famille. On y découvre sa passion d'enfance pour le violon, ses prouesses au poker pendant la guerre. La carrière politique de Nixon est retracée de façon originale : sa campagne de 1960, par exemple, ou ses débats avec John F. Kennedy sont diffusés sur un poste de télévision d'époque. Une galerie séparée est consacrée au scandale du Watergate ; les visiteurs peuvent écouter des extraits du fameux enregistrement incriminant le président. On découvre aussi la « forteresse roulante », une limousine spécialement conçue qu'ont utilisée les présidents Johnson, Nixon, Ford et Carter.

# DISNEYLAND★★★

Voir schéma au chapitre LOS ANGELES p. 137

Depuis son ouverture en 1955, le « Magic Kingdom » est le royaume suprême de l'imaginaire américain, un lieu de pèlerinage où tous les enfants rêvent d'aller. Bien qu'il existe aujourd'hui des parcs d'attractions Disney plus grands dans le monde, le Disneyland de Californie (36 ha) concrétise la vision originelle de son créateur, **Walt Disney**. Ses attractions, personnages de dessin animé et « lands » perpétuent l'enchantement de contes de fées qu'évoque le nom Disney.

## UN PEU D'HISTOIRE

**Derrière le rêve, une histoire** – Né et éduqué dans le Midlle West, **Walter Elias Disney** (1901-1966) fit très jeune preuve d'une imagination très vive et d'un talent pour le dessin qui allaient le conduire plus tard vers la gloire. En 1919, après des études à l'Institut d'art de Kansas City, il entra dans le monde tout nouveau de l'animation en travaillant dans un studio de dessins animés de la ville. Très entreprenant, Disney se mit rapidement à produire ses propres œuvres et, en 1922, fonda sa propre société, Laugh-O-Grams, qui réussit bien sur le plan artistique mais échoua sur le plan financier. Après la faillite, Walt, alors âgé de 21 ans, partit à Hollywood.

**« Quand on prie sa bonne étoile »** – En 1923, Walt et son frère Roy établirent le Disney Brothers Studio. Leur premier succès populaire fut *Steamboat Willie* en 1928, avec pour vedette un nouveau personnage du nom de **Mickey Mouse**. Avec l'esprit novateur qui caractérisa toutes les productions suivantes du studio Disney, ce film combinait l'animation et la toute nouvelle technique de la sonorisation. L'entreprise connut bientôt d'autres triomphes artistiques et commerciaux, notamment avec le premier dessin animé en technicolor, *Flowers and Trees*, qui vaudra à Disney le premier de ses 32 Oscars. Au milieu des années 1930, le studio se lança dans la réalisation d'un concept plus audacieux encore, un dessin animé en long métrage. Malgré le scepticisme de l'industrie cinématographique, *Blanche-Neige et les sept nains*, sorti en 1937, rencontra un immense succès. Le public accueillit avec le même enthousiasme deux formules lancées ensuite par le studio, le film d'aventure et le film dont les animaux sont les vedettes.

**Un royaume enchanté** – Au début des années 1950, son entreprise de production solidement établie, Walt Disney laissa à nouveau vagabonder son imagination. Déçu par la médiocrité des parcs d'attraction de l'époque, il se mit à imaginer le sien. Après avoir acheté une orangeraie de 73 ha dans la région encore rurale d'Anaheim, Disney et son équipe d'*imagineers* – ingénieurs, architectes, auteurs et artistes – se lancèrent dans la conception d'un « royaume enchanté ». Le 17 juillet 1955, l'inauguration du parc à peine terminé eut un retentissement national. L'événement fit l'objet en direct d'une émission télévisée d'une heure et demie, animée pour partie par un certain Ronald Reagan, alors acteur de son état.
Restant fidèle à l'affirmation de Disney selon laquelle Disneyland ne serait « jamais terminé », le parc n'a jamais depuis cessé de s'étendre et de se perfectionner. En vue de l'Exposition internationale de New York en 1964, les imagineers de Disney mirent au point la technologie des **audio-animatronics**, robots à apparence humaine ou animale, et l'utilisèrent ensuite dans tout le parc. Disney commença bientôt à travailler sur le projet d'un nouveau royaume enchanté à Orlando en Floride : le Walt Disney World et son EPCOT Center (Experimental Prototype Community of Tomorrow). Hélas, un an avant l'inauguration de ce nouveau parc, Walt Disney mourut d'un cancer à l'âge de 65 ans.

**L'Empire Disney** – Aujourd'hui, les Studios Walt Disney sont une grande société de l'industrie cinématographique des États-Unis. Les films qu'ils produisent régulièrement, toujours bien accueillis par la critique, sont aussi des succès financiers. En plus de leur activité dans les domaines du cinéma et de la télévision, la vaste entreprise Disney gère deux parcs d'attractions à l'étranger : Tokyo Disneyland (1983) et Disneyland Paris (1992). En 1998 ont débuté les travaux pour la réalisation du Disneyland Resort, qui doit ouvrir ses portes en 2001. Il comprendra un nouveau parc à thème appelé **Disney's California Adventure**, un ensemble de magasins, restaurants et divertissements, **Downtown Disney**, ainsi que de nouveaux hôtels et des jardins.
Au fil des ans, les critiques ont souvent souligné que les parcs à thème et les films de Disney représentent une version idéalisée et irréaliste du monde. Walt Disney avoua lui-même que la mystique Disney montrant la vie sous un jour rose l'avait un peu limité sur le plan artistique. Cette mystique lui a cependant permis de gagner une place indéracinable dans le cœur d'un public qui lui reste fidèle dans le monde entier. Et Disneyland continue chaque année, d'accueillir des millions de personnes qui souhaitent visiter cet endroit autoproclamé « le plus joyeux de la terre ».

**Visiter Disneyland** – De forme à peu près elliptique, Disneyland est divisé en huit sections distinctes rayonnant à partir de la place centrale : Main Street-USA, Tomorrowland, Fantasyland, Mickey's Toontown, Frontierland, Critter Country, New Orleans Square et Adventureland. Les visiteurs disposant de peu de temps pourront

# RENSEIGNEMENTS PRATIQUES

Indicatif de la région : 714

## Accès

**En voiture** – Disneyland se trouve à Anaheim, à 40 km au Sud-Est de Los Angeles. Prendre la I-5 vers le Sud, sortir à Harbor Boulevard et suivre la signalisation.

**Par avion** – Aéroports les plus proches : Orange County/John Wayne Airport à 22 km au Sud ; Los Angeles International Airport à 56 km au Nord-Ouest ; Long Beach Municipal Airport à 32 km à l'Ouest. Les deux premiers sont reliés par navette aux hôtels autour de Disneyland. Tarif moyen : 10 $ pour un aller simple.

**Par bus et par train** – Terminal des bus Greyhound *(1,5 km du parc, 100 W. Winston Rd., Anaheim, ☎ 800-231-2222)*. Gare Amtrak *(3 km du parc, 2150 East Katella Avenue, Anaheim, ☎ 800-872-7245)*.

## Pour circuler sur place

Le Disneyland Monorail transporte les passagers entre les hôtels de la Disneyland Resort et Tomorrowland. À l'intérieur du parc, les visiteurs peuvent circuler par le petit train Disneyland Railroad, qui dessert Main Street, USA, New Orleans Square, Mickey's Toontown et Tomorrowland.

## Informations générales

**Quand y aller** – C'est entre le 25 décembre et le 1er janvier que Disneyland connaît son plus grand afflux de visiteurs. Les autres périodes de vacances attirent également des foules nombreuses, notamment pendant les mois d'été (de juin à août). Durant ces périodes on compte parfois jusqu'à 60 000 visiteurs par jour. Les moments d'accalmie se situent entre Thanksgiving Day et le 25 décembre, puis en septembre et octobre et enfin en janvier. Si le samedi est la journée la plus animée de la semaine, les mardis, mercredis et jeudis sont les plus calmes. Certaines attractions et points de restauration peuvent être fermés hors saison.

**Information visiteurs** – Pour tous renseignements, s'adresser au Disneyland Guest Relations, PO Box 3232, Anaheim CA 92803, ☎ 781-4560. Le centre est installé dans l'« hôtel de ville » (City Hall) dans la partie Ouest de Town Square, sur la zone dite Main Street, USA.

**Horaires et tarifs** – Le parc est ouvert tous les jours de 10 h à 20 h ; les horaires sont portés de 8 h à minuit pendant les mois d'été et les vacances. Pour les horaires, appeler le ☎ 781-4565 ou ☎ 213-626-8605 (poste 4565).
Prix des billets ou « Disneyland Passports » :
1 journée : 39 $ pour les adultes et 29 $ pour les enfants de moins de 12 ans.
2 jours : 72 $ pour les adultes et 54 $ pour les enfants.
3 jours : 99 $ pour les adultes et 75 $ pour les enfants.
Les passeports sont gratuits pour les enfants de moins de 3 ans. Il y a aussi des forfaits saisonniers.
Ces billets permettent un accès illimité à toutes les attractions de Disneyland, sauf les jeux d'arcade. On peut sortir et rentrer à nouveau dans le parc dans la même journée si on conserve son passeport, mais il faut penser à se faire tamponner la main à la sortie. Parking 7 $.

**Hébergement** – S'informer auprès du **Anaheim/Orange County Visitor & Convention Bureau**, PO Box 4270, Anaheim CA 92803, ☎ 999-8999. Il est fortement recommandé de réserver chambres d'hôtel et places de camping six mois à l'avance, surtout pendant la haute saison. De nombreuses possibilités de logement sont proposées dans un rayon de 8 km autour du parc. Tout une gamme d'hébergement est disponible, de l'hôtel chic *(90 à 175 $ par jour)* au motel standard *(60 à 90 $ par jour)*. Propriétés de la Walt Disney Company, les établissements de la Disneyland Resort *(☎ 956-6400)* ont des tarifs allant de 175 à 270 $ par jour. Depuis le parc, on y accède par le Disneyland Monorail. La plupart des hôtels et motels proposent un service de navettes pour Disneyland. On trouve plusieurs terrains de camping totalement équipés. Contacter le Visitor & Convention Bureau *(voir ci-dessus)* pour de plus amples informations.

**Services** – La plupart des services visiteurs (relais bébés, premiers soins, objets trouvés, consignes, services bancaires) sont situés sur Town Square et à différents endroits de Main Street, USA.
Les distributeurs de billets automatiques, les chenils, les services de location de poussettes et de fauteuils roulants se trouvent à l'extérieur du parc, près de l'entrée principale. Restaurants à thème, cafétérias et boutiques sont disséminés dans le parc.

**Circuits** – Des visites organisées sont proposées, dont un « Welcome to Disneyland » d'une durée de 4 heures conçu pour les personnes qui découvrent le parc, et un circuit de 2 heures « Walk in Walt's Footsteps » (marchez dans les pas de Walt) offrant une découverte historique du parc au travers des yeux de son fondateur. Départ tous les matins. Billets en vente au City Hall et à l'entrée principale *(14 $, 12 $ pour les enfants de 3 à 11 ans)*.

voir les attractions les plus importantes en une journée. Mais une visite de deux ou trois jours est préférable, surtout pour les familles avec de jeunes enfants.

Prévoir d'arriver à l'ouverture de la billetterie, environ une heure avant l'ouverture du parc. À l'entrée, on distribue *Disneyland Today*, un dépliant avec une carte détaillée du parc et les horaires des spectacles. Attendre l'ouverture du parc permet de mettre au point une stratégie de visite. Les amateurs de sensations doivent se souvenir que les files d'attente des montagnes russes et des attractions Indiana Jones Adventures, Star Tours, Haunted Mansion et Pirates of the Carribean s'allongent au fur et à mesure que la journée avance, et doivent s'y rendre au plus tôt. On peut aussi attendre la dernière heure avant la fermeture, quand la foule est moins nombreuse.

**Spectacles** — Tout au long de la journée, on peut assister à une série de spectacles en direct dans le parc, sans réservation possible. Il vaut mieux choisir les spectacles de l'après-midi, au moment où les attractions attirent le plus de monde. En plus des spectacles sur scène, des animateurs dispersés partout dans le parc proposent des spectacles impromptus.

**Quand se restaurer** — Les restaurants à thème et les cafétérias de Disneyland sont bondés au moment du déjeuner (11 h 30-14 h) et du dîner (17 h-20 h). Vous éviterez l'attente en décidant de vous restaurer en dehors de ces heures de pointe. Sinon, vous pouvez aussi choisir de sortir du parc pour aller dans l'un des nombreux restaurants qui bordent le Harbor Boulevard à proximité du parc. Veillez à bien vous faire tamponner une contremarque sur la main à la sortie pour pouvoir revenir dans le parc.

**Disney by night** — La magie du parc Disney s'intensifie quand vient la nuit. Lorsque les foules se dissipent à l'heure du dîner, c'est le moment propice pour profiter des extravagantes fantasmagories Fantasmic ! et du feu d'artifice Fantasy in the Sky. Durant ces spectacles, la plupart des attractions continuent et les files d'attente sont moins longues. La nuit, Storybook Land, le Matterhorn, le train de Big Thunder Mountain et Splash Mountain sont particulièrement attrayants.

---

### Si vous aimez les sensations...

Sachez d'abord que plusieurs attractions ne sont accessibles que sous certaines conditions d'âge et de taille, et que certaines d'entre elles sont carrément déconseillées aux femmes enceintes et aux personnes souffrant de certaines maladies. Si vous répondez aux conditions requises, allez frissonner dans :

**Star Tours**

**Space Mountain**

**Matterhorn Bobsleds**

**Splash Mountain**

**Big Thunder Mountain Railroad**

**Indiana Jones Adventure**

**Rocket Rods**

---

## ★MAIN STREET, USA

Cette reconstitution idyllique d'une rue principale au début du siècle plonge les visiteurs dans l'ambiance du royaume enchanté. Les tramways tirés par des chevaux, les anciennes voitures de pompiers et les omnibus à impériale qui transportent sans relâche les visiteurs *(arrêts à Town Square et Central Plaza)* font régner une intense animation dans cette rue bordée de boutiques anciennes et bien ordonnées à l'architecture victorienne. Des musiciens déambulent dans cette rue où, chaque après-midi, défilent les parades. Dans les jardins entourant la place centrale (Plaza Gardens) se déroulent de nombreux spectacles en plein air. Chaque soir se déroule **Fantasy in the Sky**, avec ses feux d'artifice et une apparition volante de la Fée Clochette. Pour la conception de Main Street, Walt Disney a utilisé une technique de trucage cinématographique : la « perspective forcée ». Les étages supérieurs des bâtiments sont moins grands que les étages inférieurs, ce qui les fait apparaître plus hauts. Quant au château de la Belle au bois dormant, on l'a construit à plus petite échelle pour donner une impression d'éloignement.

**Disneyland Railroad** — Ici, les passagers peuvent monter dans des trains à vapeur qui font le tour du parc, marquant des arrêts à New Orleans Square, Mickey's Toontown et Tomorrowland. La voie de chemin de fer traverse une reconstitution du Grand Canyon et d'un Monde primitif peuplé d'animaux « audio-animatroniques ». À New Orleans Square, le bureau du télégraphe transmet, en morse, le discours que fit Walt Disney lors de l'inauguration du parc.

**Walt Disney Story** — Ce théâtre-musée retrace la construction de Disneyland et de l'empire Disney à travers une exposition de photographies. On y a reconstitué la « salle de travail » occasionnelle de Walt Disney aux Studios de Burbank et son bureau « officiel » où est installé le demi-queue sur lequel le compositeur Leopold Stokowski proposa à Walt les futures partitions de *Fantasia*. On a monté dans le théâtre l'« audio-animatronic » le plus célèbre de Walt, **Great Moments With Mr. Lincoln**, réalisé pour l'Exposition Internationale de 1964. On voit sur scène un Lincoln plus vrai que nature qui ponctue son discours de gestes.

**Le cinéma de Main Street** – Sur les six petits écrans de cette salle en arcade, on diffuse en continu des grands classiques de Disney en noir et blanc datant de la période 1920-1930, dont *Steamboat Willie*.

# ★★★ TOMORROWLAND

Un des « mondes » les plus populaires depuis l'ouverture du parc, Tomorrowland a pendant des décennies intrigué les visiteurs avec sa vision de l'ère atomique conçue dans les années soixante. Mais le futur a rattrapé Tomorrowland, et, à la fin des années 1990, on a entrepris sa réorganisation complète, pour en faire une présentation de la « vision classique du futur » tel que l'imaginaient Jules Verne et d'autres visionnaires de la fin du 19$^e$ s.

Pour avoir une bonne vue d'ensemble, on peut emprunter le **monorail**, train aérien silencieux considéré comme étant « le premier monorail d'Amérique à avoir assuré un service quotidien ». Installé depuis 1959, il transporte à toute vitesse les passagers entre Tomorrowland et l'hôtel.

**Astro Orbiter** – Cette sculpture cinétique de 20 m de haut à l'entrée de Tomorrowland est en fait une attraction dont les globes cuivre et or ont été conçus d'après un astrolabe dessiné il y a 500 ans par Léonard de Vinci et supposé représenter le mouvement des planètes et des constellations. Les passagers des fusées situées sous la sculpture peuvent contrôler les engins et ainsi en monter et descendre pendant que des planètes tournent au-dessus d'eux.

**Space Mountain** – Depuis son inauguration en 1977, ce manège de montagnes russes sur fond de paysage futuriste est l'une des attractions les plus populaires du parc. Space Mountain est déconseillé aux petites natures : dans la quasi-obscurité, les amateurs de sensations fortes sont propulsés dans l'espace, plongés dans une pluie de comètes, et frôlent des étoiles scintillantes.

**Star Tours** – Cette attraction futuriste très populaire est le fruit d'une association entre les *imagineers* de Disneyland et George Lucas, le créateur de *Star Wars (La Guerre des étoiles)*. L'aventure commence dans la station orbitale de Tomorrowland, où les deux robots de *Star Wars*, C3PO et R2D 2, préparent fébrilement le prochain décollage. Puis les visiteurs montent à bord d'un StarSpeeder pour un voyage jusqu'à la lune d'Endor. Les effets spéciaux sont tellement incroyables (en particulier à travers la grande « fenêtre » du vaisseau) que l'on a l'impression de faire le voyage cosmique de sa vie !

**« Honey, I Shrunk the Audience »** – Fondé sur le film *Chérie, j'ai rétréci les enfants*, ce film en trois dimensions (les spectateurs portent des lunettes spéciales) est probablement la plus drôle des attractions de Tomorrowland. Lorsque le Dr Wayne Szalinski reçoit un prix de l'Imagination Institute, quelque chose d'étrange se passe et l'invention de Szalinski rétrécit le public au point de le faire entrer dans une boîte à chaussures. Des effets spéciaux intégrés dans les sièges et le sol rendent cette « transformation » encore plus réaliste.

**Innoventions** – Conçu pour présenter les nouvelles technologies, Innovention comprend deux étages de gadgets électroniques, écrans vidéo et jeux informatisés présentés par Tom Morrow, un robot ressemblant étonnamment à l'acteur Robin Williams. Parmi les sponsors on reconnaîtra Compaq, General Motors, Honeywell et Kaiser Permanente.

**Rocket Rods** – Avec l'étiquette de « moyen de transport du futur », Rocket Rods offre le tour le plus rapide (3 minutes à 60 km/h) sur la piste la plus longue du parc. Ces voitures sans toit, sans côté et dont les roues crissent dans les tournants ne pourront que couper le souffle à leurs cinq passagers !

**Tomorrowland Autopia** – Conçue à l'origine pour apprendre aux jeunes la conduite automobile en toute sécurité, cette attraction permet aujourd'hui de piloter de petites voitures de sport sur une piste agréablement ombragée.

# ★★★ FANTASYLAND

Avec son air de vieux village européen, ce royaume de légendes et de contes de fées avait la préférence de Walt Disney. Fantasyland séduit à la fois les adultes qui aiment l'imaginaire et les tout-petits qui viennent de découvrir le monde de Disney à travers livres, cassettes et la rediffusion de grands classiques. Sur la scène du **Fantasyland Theatre**, amphithéâtre en plein air, se déroulent des spectacles « à la Broadway » (programme : voir la brochure *Disneyland Today*).

**Sleeping Beauty Castle (Le château de la Belle au bois dormant)** – Symbole de la féerie Disney dans le monde entier, avec ses tourelles dorées et ses douves enjambées par un pont-levis, ce château en réduction encadre avec majesté l'entrée de Fantasyland. La **grotte de Blanche-Neige** *(à droite de l'entrée du château)* abrite la princesse, sculptée en marbre de Carrare, entourée des fidèles nains. Le long d'un étroit corridor de l'intérieur du château, des dioramas racontent l'histoire de la Belle au bois dormant.

**Matterhorn Bobsleds** – Ces traîneaux de montagnes russes serpentent à travers la montagne du Matterhorn, point de mire de Disneyland. Une fois au sommet de la montagne, les traîneaux plongent en tourbillonnant au travers de grottes de glace où les guette l'abominable homme des neiges.

**King Arthur Carrousel (A)** – Avec ses chevaux de bois blanc et ses moulures dorées, ce charmant manège à l'ancienne domine le centre de Fantasyland. L'attraction tourne au rythme des grands airs de Disney joués par un orgue à vapeur calliope.

**It's a Small World** – Conçue à l'occasion de la Foire internationale de 1964, cette attraction est probablement la plus connue de Disneyland. Elle représente une vision idéalisée des relations internationales. La façade est un montage de mobiles et de monuments célèbres de différents pays, Taj Mahal, Tour Eiffel, Big Ben et autres. À l'intérieur, les visiteurs glissent sur des barques au milieu de 500 « audio-animatronics » d'enfants et d'animaux représentant près de cent pays, chantant la même ritournelle.

**Disney Animated Classics** – Fantasyland célèbre le succès des grands films de Disney à bord de wagonnets qui emportent les visiteurs dans une ambiance de carnaval, ou de trajets « dans l'obscurité » à travers un livre d'images qui se déroule sous leurs yeux. Dans le **Peter Pan's Flight (B)**, de petits bateaux pirates emportent le spectateur hors de la chambre des enfants Darling, survolent une charmante version de Londres la nuit (obtenue par fibre optique), avant de le plonger dans le Pays de Nulle Part où le Capitaine Crochet, son second Smee et les Garçons perdus l'attendent dans leur galion.
On monte à bord des voitures-chenilles d'**Alice in Wonderland (C)** pour un voyage palpitant à travers un paysage imaginaire multicolore, habité par la Reine de Cœur, ses soldats cartes à jouer, le Chapelier Fou et, bien entendu, l'insaisissable Lapin Blanc.
À bord de pittoresques voitures de sport, ceux qui se risquent dans le **Mr. Toad's Wild Ride (D)** foncent à travers la charmante campagne anglaise jusqu'aux ruelles embrumées de Londres, où des surprises jaillissent de tous côtés.
Les **Snow White's Scary Adventures (E)** transportent le visiteur de l'adorable petite maison des Nains jusqu'au repaire de la méchante Reine, l'affreuse belle-mère de Blanche-Neige. Fort heureusement, le voyage se termine bien.
Dans **Pinocchio's Daring Adventures (F)** les visiteurs sont arrachés au charmant atelier de jouets de Geppetto pour suivre le petit garçon-pantin dans ses péripéties. Mais Jiminy Cricket garde un œil vigilant sur tout ce petit monde.
On peut s'inviter à la **Mad Tea Party (G)**, tourbillon endiablé de tasses et de soucoupes géantes de toutes les couleurs, que le voyageur contrôle grâce à un volant au centre de chaque tasse.

**Pour les petits rêveurs** – Fantasyland propose plusieurs attractions particulièrement adaptées aux jeunes enfants. **Dumbo the Flying Elephant (H)** est très apprécié des petits qui peuvent faire voler leur Dumbo en manipulant un bouton situé devant leur siège. Les **Storybook Land Canal Boats** glissent devant une succession de modèles réduits reprenant des scènes comme la demeure de Mr. Toad ou la maison d'Alice. Les jeunes voyageurs peuvent aussi traverser Storybook Land à bord du **Casey Jr. Circus Train**. *C'est surtout le soir que les scènes du Storybook prennent leur dimension magique.*

## ★★ MICKEY'S TOONTOWN

Bien que récemment ajoutée au parc, cette zone est la demeure officielle des personnages des dessins animés de Disney. À en croire leur légende, c'est dans les années 1930 qu'ils décidèrent de s'installer ici, loin de l'agitation d'Hollywood. Walt Disney était, dit-on, le seul humain autorisé à leur rendre visite. Mais aujourd'hui, chacun est invité à explorer les rues sinueuses de cette petite ville, pour admirer ses maisons et participer à ses attractions interactives ; tout cela arbore les couleurs criardes et la perspective faussée des dessins animés. Le **Jolly Trolley**, transport public de Toontown, se fraye un chemin en soufflant et crachant à travers le village. Quant aux habitants de la Toontown, ils viennent régulièrement saluer les visiteurs et leur offrir, en fanfare, un spectacle de bienvenue *(programme affiché au kiosque à musique de Towntown Square).*

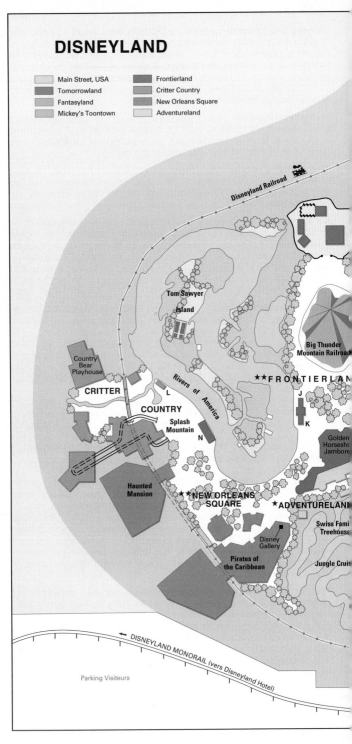

# DISNEYLAND

- Main Street, USA
- Tomorrowland
- Fantasyland
- Mickey's Toontown
- Frontierland
- Critter Country
- New Orleans Square
- Adventureland

Disneyland Railroad

Tom Sawyer Island

Country Bear Playhouse

**CRITTER**

**COUNTRY**

Rivers of America

Splash Mountain

N

Big Thunder Mountain Railroad

★★FRONTIERLAND

J

K

Golden Horseshoe Jamboree

Haunted Mansion

★★NEW ORLEANS SQUARE

★ADVENTURELAND

Disney Gallery

Swiss Family Treehouse

Pirates of the Caribbean

Jungle Cruise

← DISNEYLAND MONORAIL (vers Disneyland Hotel)

Parking Visiteurs

**Mickey's House** – Pénétrez dans la modeste maison au toit rouge de Mickey et découvrez, à votre rythme, le style de vie de la célèbre souris. Les visiteurs sont invités à une courte projection de clips tirés des films de Mickey avant d'entrer sur le plateau, où la star en personne les attend pour les saluer et se faire photographier avec eux.

**Minnie's House** – La demeure de l'éternelle fiancée de Mickey propose toute une gamme d'activités ménagères. On y apprend comment faire un gâteau, faire la vaisselle et préparer le thé. Essayez le parfum de Minnie et ouvrez le réfrigérateur si vous voulez savoir ce qu'elle a préparé pour le dîner.

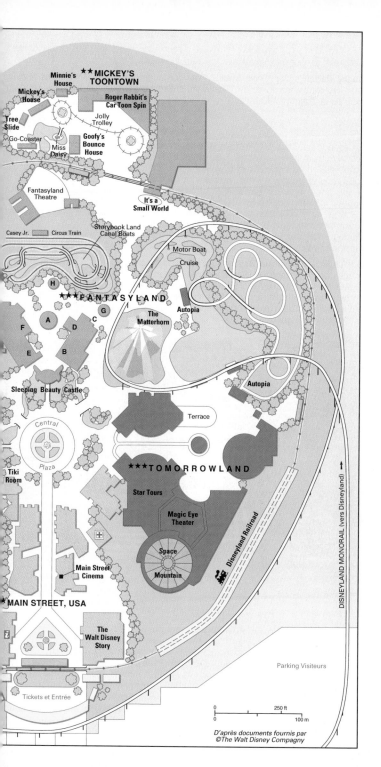

**Goofy's Bounce House (La maison gonflable de Dingo)** – Les visiteurs de petite taille adoreront sauter et rebondir sur les murs et les meubles de la maison gonflable de Dingo. Ensuite, ils grimperont sur le pont du bateau de Donald Duck, le **Miss Daisy**, pour avoir une vue d'ensemble de Toontown.

**Chip'n Dale's Tree House** – Un escalier en spirale et deux toboggans permettront aux visiteurs d'explorer la maison des espiègles écureuils Tic et Tac, nichée dans les branches d'un arbre « toonesque ».

Non loin, Gadget, l'amie des écureuils, a fourni les jouets du petit circuit **Gadget's Go-Coaster**, proposant des attractions pour les tout-petits.

**Roger Rabbit's Car Toon Spin** – Pour s'engager dans une aventure échevelée dans les recoins sombres de Toontown, suivre les marques de freinage jusqu'au local de la Toontown Cab Co.

## ★★FRONTIERLAND

La légende du vieux Far West s'anime dans cette ville de l'Ouest américain où l'on retrouve trottoirs en planches, vieilles épiceries de western et saloons. La ville est installée au bord des « Rivers of America », qui encerclent l'île de Tom Sawyer. Le soir, les promenades sur les rivières s'arrêtent et les visiteurs s'attroupent sur le rivage pour regarder **Fantasmic !**, un spectacle pyrotechnique utilisant la fibre optique *(22 mn)* qui présente les meilleures animations de Disney. La fantasia d'images laser projetées sur « écrans de brume » met en vedette Mickey Mouse, la Sorcière maléfique et autres personnages favoris de Disney.

Plusieurs fois par jour, la scène du **Golden Horseshoe Stage** accueille les spectacles musicaux « Far West » de Billy Hill et les Hillbillies, et un spectacle de variétés.

**Big Thunder Mountain Railroad (Le train de la mine)** – L'impressionnante montagne rouge domine le paysage de cette partie du parc. L'une des plus étonnantes montagnes russes de Disneyland circule à travers ses rochers et ses cavernes. Dans une ancienne ville minière, les passagers embarquent à bord d'un train de wagonnets qui les mène à toute allure à travers un paysage de désolation, des cavernes et des canyons, et brinquebale au fond d'une ancienne galerie de mine.

Le vapeur *Mark Twain*

**Rivers of America** – Les amateurs d'aventures fluviales ont le choix entre cinq vaisseaux remontant le cours des « rivières » de Disneyland. Pour goûter l'atmosphère du Mississippi, embarquez-vous sur le **vapeur Mark Twain (J)**, élégante réplique d'un vieux bateau à aubes (32 m). Pendant le trajet, vous croiserez des animaux « audio-animatronics » et un village d'Indiens. Sur une voie similaire navigue le **Sailing Ship Columbia (K)**, magnifique trois-mâts qui donne un aperçu de ce qu'était la vie sur un navire marchand au 18ᵉ s. Les visiteurs peuvent pagayer sur la rivière dans les canoës de **Davy Crockett (L)** en compagnie de guides coiffés de bonnets en fourrure de raton laveur *(embarquement à Critter Country)*. Des **radeaux de rondins (M)** permettent d'accéder à l'île de Tom Sawyer où les plus courageux peuvent explorer la grotte de Joe l'Indien, le Fort Wilderness entouré de palissades, traverser un pont suspendu, visiter un arbre-maison, etc. On peut également aborder sur l'île en empruntant les **Mike Fink Keelboats (N)**, répliques des bateaux du Sud.

## CRITTER COUNTRY

Ce petit coin bucolique du parc, niché à la lisière d'une zone boisée, abrite une foule de *critters* (créatures) « audio-animatronics ». D'abord nommé Bear Country (pays de l'ours), il fut rebaptisé en 1989 lors de l'inauguration en 1989 de Splash Mountain. La **Country Bear Playhouse** propose les spectacles des « Bear-itones » qui changent suivant la saison. Cette troupe d'ours « audio-animatronics » espiègles chante, raconte des blagues et fait la joie du public *(programme : consulter la brochure Disneyland Today)*.

**Splash Mountain** – À bord de pirogues d'écorce, les passagers glissent doucement dans les marécages et les bayous de cette montagne, tandis que Brer Rabbit, Brer Fox (compère Lapin et compère Renard) et autres personnages de *Mélodie du Sud* (1946) leur jouent la sérénade.

Au sommet de la montagne les attend un des plus grands frissons de Disneyland : les pirogues, précipitées dans un ravin incliné à 47°, font un plongeon de 15 m et retombent dans des éclaboussures gigantesques.

## ★★NEW ORLEANS SQUARE

Dans cette reproduction proprette du quartier français de La Nouvelle-Orléans, on visite une étroite rue sinueuse avec des boutiques aux façades décorées de stucs pastel et des balustrades en fer forgé. Des musiciens y déambulent en jouant des airs de jazz Dixieland. Fidèle à la ville dont elle s'inspire, l'atmosphère ici est beaucoup plus paisible que dans le reste du parc.

**Pirates of the Caribbean (Pirates des Caraïbes)** – Considérée comme l'attraction la plus populaire jamais créée pour un parc, cette animation pénètre dans le monde des pirates. Paysages, détails soignés et action sont au rendez-vous. À bord de barques, les visiteurs progressent à travers un marécage, avant de pénétrer dans un village des Caraïbes peuplé de boucaniers, de jeunes filles en péril, de perroquets, de chiens et de cochons. Les imagineers de Disney ont donné leurs propres visages aux personnages des pirates.

Au-dessus de l'entrée de cette attraction se trouve la **galerie Disney**, une galerie d'art en forme de salon qui, à l'origine, devait servir d'appartement privé pour Walt Disney et son épouse Lillian. Aujourd'hui, on y expose et on y vend des objets d'art évoquant Disneyland, ainsi que des celluloïds de dessins animés de Disney.

**Haunted Mansion (La maison hantée)** – Se dressant, sinistre, au-dessus du New Orleans Square, cette élégante demeure « abandonnée » renferme une armée de fantômes et vampires. De la **stretch room**, où hauteurs et dimensions ne sont qu'illusion, les visiteurs embarquent dans de lugubres carrioles noires pour un troublant voyage à travers images holographiques et effets spéciaux non dépourvus d'humour, mais toujours inquiétants.

## ★ADVENTURELAND

On devine immédiatement l'ambiance tropicale de cet endroit du parc en apercevant ses toits de chaume et son entrée massive à défense d'éléphant. Peu modifié depuis les années 1960, Adventureland a conservé le charme particulier des débuts de Disneyland. Les boutiques vendent toutes sortes de curiosités venant des pays « exotiques ». Dans l'**Enchanted Tiki Room**, l'un des premiers endroits équipé en « audio-animatronics », fleurs et oiseaux tropicaux drôles et fantastiques amusent le public, avec suffisamment d'entrain pour le faire chanter avec eux *(programme : voir la brochure Disneyland Today)*.

**Indiana Jones Adventure** – Des véhicules rustiques emportent les visiteurs sur un circuit effarant qui traverse un site archéologique bourré de crânes, d'araignées et de serpents, jusqu'au Temple du Péril, et qui sait ce qui arrive ensuite ? De temps à autre, Indy fait son apparition pour donner un coup de main, mais même un héros de sa trempe ne peut rien contre le rocher géant...

**Jungle Cruise** – Depuis l'ouverture, les visiteurs peuvent naviguer sur une rivière envahie par la forêt à bord de bateaux de safari. Sur les rives, dans un décor alliant les jungles d'Afrique et d'Asie, crocodiles, hippopotames, éléphants et tigres mécaniques s'animent. Tout au long de la croisière, les pilotes des bateaux racontent une histoire riche en calembours. À l'origine, Walt Disney avait l'intention d'utiliser des animaux vivants pour cette attraction, mais les zoologues l'en dissuadèrent. Cette idée a néanmoins été concrétisée depuis avec Animal Kingdom au Walt Disney World de Floride.

**Swiss Family Treehouse** – Les visiteurs sont invités à grimper dans ce majestueux banian artificiel de 24 m, dans lequel est suspendue la séduisante maison de l'infatigable famille des Robinsons suisses.

---

Des amis d'enfance... comment les nomme-t-on à Disneyland USA ?

Mickey... Mickey Mouse
Daisy... Daisy Duck
Blanche-Neige... Snow White
La Belle au bois dormant... Sleeping Beauty
Cendrillon... Cinderella
Dingo... Goofy
Donald... Donald Duck

---

# ORANGE Coast★

## La côte du comté d'ORANGE
### Carte Michelin n° 493 B 11

Les stations balnéaires Huntington Beach, Newport Beach et Laguna Beach présentent des variations sur le thème de la cité de bord de mer. Ces agglomérations en bord de Pacifique ont toutes été fondées dans les dix premières années du siècle, époque où le réseau de tramways de la Pacific Electric Railway (les fameux « Big Red Cars ») au départ de Los Angeles avait été prolongé vers le Sud jusqu'à la ville actuelle de Newport Beach. La découverte de gisements pétroliers dans la région englobant aujourd'hui Seal Beach et Huntington Beach entraîna un véritable boom pendant les années 1920. Au même moment, les localités plus au Sud se développaient également comme villégiatures et enclaves résidentielles.

Aujourd'hui, la bande côtière du comté d'Orange a une économie florissante fondée sur le commerce et l'industrie légère, comme en témoignent les tours de bureaux modernes en verre et en béton qui se dressent à quelque distance du littoral. Chacune des villes bordant l'océan possède son caractère particulier, et un front de mer attrayant où mer, sable et soleil règnent en maîtres. Les adeptes du bronzage préfèrent le Nord du comté entre Huntington Beach et Newport Beach, où ils ont tout loisir de se prélasser sur d'immenses plages de sable. Au Sud de Newport Beach, le sable laisse la place aux falaises et aux promontoires des montagnes de San Joaquin.

## CURIOSITÉS *Une journée minimum*

**Huntington Beach** — Considéré comme le berceau de la vogue du surf en Californie, Huntington Beach incarne l'exemple type de la station balnéaire californienne contemporaine. Cette localité est bordée de kilomètres de sable fin et des magasins pour surfers, dont certains existent depuis des dizaines d'années, prospèrent sur Main Street, près du croisement avec la Pacific Coast Highway (Highway 1). D'élégantes galeries marchandes et restaurants raffinés ont poussé alentour ces dernières années. Surfers et amateurs de soleil se promènent, s'attablent aux terrasses des cafés, entrent chez les glaciers ou flânent dans les boutiques d'habillement. En face de Main Street, une longue jetée en béton brave les vagues, séparant les **plages d'Huntington** et de **Bolsa Chica**.

★**Newport Beach** — Cette enclave résidentielle et station balnéaire chic a récemment redécouvert ses origines maritimes. En 1873, les frères James et Robert McFadden installèrent ici, à l'embouchure du fleuve Santa Ana, un port de pêche qu'ils transférèrent plus au Sud, sur la péninsule de Balboa. Aujourd'hui, la plus grande partie de Newport Beach s'étend sur un coteau qui marque la bordure Nord des monts San Joaquin. **Fashion Island** *(Newport Center Drive au départ de la Highway 1)*, complexe géant de grands magasins de mode et de boutiques qui attire une clientèle venue de tout le Sud de la Californie, s'étire sur la pente qui domine la péninsule de Balboa.

**Péninsule de Balboa** – *Sortir de Pacific Coast Hwy par Newport Blvd qui devient Balboa Blvd.* La station balnéaire de **Balboa** fut fondée en 1905 sur la partie Est de la péninsule de Balboa ; elle fait aujourd'hui partie de la banlieue de Newport Beach. La péninsule elle-même délimite le domaine de Newport Harbor, l'un des plus grands ports de plaisance de la côte Ouest. La partie de la péninsule tournée vers l'océan invite nageurs et adeptes du bronzage à profiter de ses interminables plages de sable. La charmante Ocean Front Street, qui fut autrefois la rue principale de Newport Beach, permet d'accéder à la **jetée** (1888). Balboa Boulevard, qui coupe la péninsule en deux, mène au **Balboa Pavilion**★ *(400 Main St.)* Cette charmante demeure victorienne en bois (1904) est surmontée d'un amusant dôme ; pendant la période des *big bands* qui a marqué les années 1940, c'était un dancing très fréquenté. Elle marquait aussi le terminus au Sud de la ligne de tramway qui fut à l'origine du développement de Newport Beach comme station balnéaire.

À l'Est du pavillon, le célèbre parc d'attractions **Fun Zone** [Enfants] occupe le front de mer. Ici se succèdent galeries de jeux, restaurants et manèges, dont une grande roue et un carrousel. De là, plusieurs compagnies privées organisent des **promenades** permettant d'admirer de plus près les yachts magnifiques ancrés dans le port de plaisance. Également au départ de Fun Zone, un petit bac d'une capacité de trois voitures traverse la baie jusqu'à **Balboa Island**, le plus grand des trois îlots créés avec les boues extraites lors du dragage du port, au début du 20e s. Quelque 1 500 charmantes résidences secondaires de tous styles occupent l'île, et une myriade de boutiques et de cafés bordent Marine Street, qui se poursuit sur le pont menant au continent et à la Pacific Coast Highway.

★**Orange County Museum of Art** – *850 San Clemente Dr. Visite de 11 h à 17 h. Fermé lundi et principaux jours fériés. 5 $.* ✗ ♿ 🅿 *www.ocartsnet.org* ☎ *949-759-1122.* Situé sur le versant dominant le port, ce musée apprécié est consacré à l'art moderne et contemporain. Les œuvres, puisées dans la collection permanente d'art californien du 20e s., sont complétées par d'excellentes expositions itinérantes mettant l'accent sur les tendances actuelles de l'art dans le monde.

Depuis 1996, l'administration en commun du musée et du musée d'Art de Laguna permet à chacun d'eux d'élargir son éventail d'expositions.

**Sherman Library and Gardens**, à **Corona del Mar** – *2647 East Coast Hwy. De Newport Beach, continuer sur la Highway 1 vers le Sud. Visite de 10 h 30 à 16 h. Fermé 1ᵉʳ janvier, Thanksgiving Day et 25 décembre. 3 $.* ✗ ⅙ 🅿 ☎ *949-673-2261.* Des plantations superbement organisées et méticuleusement entretenues occupent tous les recoins de ce parc de moins de un hectare, créé en 1966 par la Fondation Sherman pour servir de cadre à sa bibliothèque de recherche de la région du Sud-Ouest pacifique. Les jardins exubérants et multicolores se spécialisent dans les plantes tropicales et subtropicales ainsi que dans les espèces propres aux déserts de la région. Le petit bâtiment en adobe (1940) dans la propriété présente des photographies anciennes et d'autres objets puisés dans la collection de la Sherman Research Library consacrée à l'histoire du Sud-Ouest américain.

★**Crystal Cove State Park,** au Sud de **Corona del Mar** – *Visite de 6 h au coucher du soleil. 6 $ par véhicule.* ⚠ 🅿 ☎ *949-494-3539.* La plus grande bande côtière encore intacte du comté d'Orange est protégée par ce parc national, qui englobe un domaine de 1 130 ha ayant autrefois fait partie du ranch Irvine. Quelque 160 ha de dunes, de rochers escarpés et de criques, en cours de reboisement, sont entre-coupés de ranchs et d'aires de loisirs datant de la fin du 19ᵉ et du début du 20ᵉ s. Les espèces replantées comprennent sarrasin de Californie, sauge, citronnelle et autres plantes indigènes.

★**Laguna Beach** – Adossé à des falaises rocheuses et ponctué de profonds canyons ouvrant sur la mer, le magnifique **site**★ de Laguna Beach attire depuis longtemps artistes et poètes tout en limitant l'extension de la ville. Des résidences au styles les plus variés, Tudor, contemporain ou style Mission, soulignent la grâce de cette localité tout en contribuant à sa popularité comme destination de week-end.

Contrairement aux villes côtières voisines, Laguna Beach n'a pas au départ été vantée comme station balnéaire. Des peintres professionnels commencèrent à s'y installer en 1903, et dès les années 1920, pas moins de 40 artistes avaient ins-tallé leur atelier dans la ville, attirés par la beauté du site et l'isolement de la région. Le voisinage de ces artistes et leur regroupement au sein de la **Laguna Beach Art Association** donnèrent naissance à plusieurs mouvements artistiques, notamment le mouvement « Plein Air », une variante de l'impressionnisme américain qui se carac-térise par la peinture de la lumière très particulière et des paysages saisissants de la région. L'association apporta aussi du crédit à la réputation de Laguna Beach comme communauté artistique, semblable à celle qui avait fondé Carmel aux alen-tours de 1904. Les habitants commencèrent à donner des cours de dessin et de peinture et à organiser des visites d'atelier pour un nombre croissant de touristes. Bien que Laguna Beach ne soit plus la colonie artistique en vogue qu'elle était autrefois, plus de 90 ateliers et galeries d'art coexistent aujourd'hui avec les atours de la station balnéaire moderne. Tous les ans a lieu le **Festival of the Arts** *(juillet-août)*, le plus célèbre des trois festivals d'art annuels de Laguna Beach, qui attire près de 200 000 visiteurs. Un des points forts du festival est le fameux « Pageant of the Masters », manifestation au cours de laquelle on voit des figurants recréer des tableaux célèbres.

Laguna Beach : la côte

B. Ross/AllStock

★**Laguna Beach Art Museum** – *307 Cliff Dr. Visite de 11 h à 17 h. Fermé lundi et principaux jours fériés. 5 $.* &#9855; *www.lagunaartmuseum.org* ☎ *949-494-6531.* Ce musée a été fondé en 1918 sous le nom de Laguna Beach Art Association *(voir ci-dessus).* Son importante collection en fait un centre réputé pour l'étude et la présentation des arts américains, mettant un accent particulier sur l'essor de l'art moderne en Californie. Des expositions thématiques temporaires, puisant dans la collection permanente de toiles d'impressionnistes américains, de photographies du 20ᵉ s. et d'installations artistiques, sont fréquemment complétées par des expositions itinérantes. Son remarquable bâtiment moderne a été rénové en 1986, et en 1996 le musée lui-même a fusionné sur le plan administratif avec le musée d'Art du comté. Au Nord du musée, **Heisler Park** est une agréable oasis frangée de palmiers, offrant de beaux **points de vue** sur les falaises et les rochers caractéristiques du littoral de Laguna Beach. Un sentier part du parc pour mener à **Main Beach**, la plus grande des nombreuses plages de la région *(au pied de Broadway).* Au Nord de la ville, **Crescent Bay Point Park** offre un **panorama**★★ magnifique embrassant toute la baie et les falaises rocheuses jusqu'au centre-ville *(en venant de la North Coast Hwy, prendre vers l'Ouest sur Crescent Dr).*

# SAN JUAN CAPISTRANO Mission★★

Carte Michelin n° 493 B 11
Office de tourisme ☎ 949-493-4700

Les ruines d'une grande église de pierre confèrent un air mystérieux et romantique à cette 7ᵉ mission de Californie, autour de laquelle s'est ancrée la paisible ville de San Juan Capistrano (29 000 habitants) dans la partie Sud du comté d'Orange. Surnommée le « joyau des missions » en raison de son site magnifique et de son église imposante, San Juan Capistrano comptait parmi les missions les plus prospères de Californie. À son apogée, environ 1 400 néophytes y résidaient. La ville et la mission sont également connues pour les **hirondelles**, qui reviennent chaque année le 19 mars de leur exode hivernal en Argentine. Leur retour annuel est célébré par un festival populaire.

## UN PEU D'HISTOIRE

Fondée par le père Serra en 1776, la mission San Juan Capistrano connut une belle prospérité. Le sol de la vallée était riche, le climat bénéfique et le commerce du cuir et du suif offrait un bon débouché pour l'élevage de bétail de la mission. Vers 1796 commença la construction d'une magnifique église en pierre, destinée à accueillir la population croissante des néophytes. Terminée en 1806, la **Grande église de pierre** ne vécut que six années avant d'être détruite par un tremblement de terre en 1812. Au lendemain de la sécularisation, la population de la mission diminua peu à peu et, en 1845, ses bâtiments passèrent aux mains de propriétaires privés. Restituée à l'Église par Abraham Lincoln en 1865, la mission se lança dans plusieurs tentatives de restauration, mais sans succès. Elle doit pour bonne part son apparence actuelle aux travaux entrepris en 1920. Aujourd'hui gérée comme lieu historique, la mission est également le site de recherches archéologiques permanentes. On peut apercevoir des fouilles en plusieurs endroits du domaine.

### VISITE *2 h*

*Située au croisement de Ortega Highway et Camino Capistrano dans le centre-ville de San Juan Capistrano. Visite de 8 h 30 à 17 h. Fermé Vendredi saint, Thanksgiving Day et 25 décembre. 5 $.* &#9855; *www.missionsjc.com* ☎ *949-248-2048.*

**Complexe principal** – *Entrée sur Ortega Rte.* Dominant la cour d'entrée de la mission, les ruines de la grande église de pierre indiquent la taille et la splendeur qui firent de cet édifice en forme de croix la construction la plus imposante de toute la chaîne des missions. Son toit haut de 20 m était surmonté de sept dômes et d'un clocher que l'on apercevait à 15 km à la ronde. Seul le sanctuaire a survécu au tremblement de terre de 1812, au cours duquel le plafond s'effondra sur les fidèles, tuant 40 néophytes. Les quatre cloches d'origine de l'église sont aujourd'hui suspendues dans un petit mur voisin des ruines, et dans le jardin mitoyen on voit les vestiges d'arches, d'encadrements et de linteaux romans. *Les ruines de l'église sont en cours de restauration. La fin des travaux est prévue pour 2002.* Dans l'aile Ouest de la cour centrale, trois salles abritent aujourd'hui des expositions d'objets datant de l'époque des Amérindiens de San Juan Capistrano, ainsi que des périodes mission et rancho. Derrière l'aile Ouest se trouve la zone des fabriques où les ouvriers pressaient les olives et le raisin, tannaient le cuir, forgeaient le métal et fabriquaient du savon à partir du suif du bétail. La chapelle originelle de la mission (1777) occupe l'aile Est de la cour. Aujourd'hui appelée **église Serra**, elle serait le seul encore debout des édifices de Californie où Serra aurait célébré une messe. Le retable du 17ᵉ s., de style baroque, vient de Barcelone et a été ajouté en 1924.

# San Diego County

Balboa Park à San Diego – La tour California/Dick Dietrich

L a Californie commença à San Diego. Lorsque les navires commandés par Juan Rodríguez Cabrillo pénétrèrent dans la baie de San Diego avant de continuer leur voyage vers Nord, leurs manœuvres furent très certainement observées par des indiens de la tribu Kumeyaay.

Mais plus de 200 ans passèrent avant que des Européens ne viennent s'installer ici. Alarmés par les prétentions des Anglais sur l'Ouest canadien, l'Espagne lança ses propres colonisateurs dirigés par le capitaine Gaspar de Portolá et le père Junípero Serra. Le 22 juillet 1769, ils posèrent les bases d'une garnison et de la première mission de Californie à San Diego. La mission fut ensuite déplacée à 10 km sur la rivière San Diego. Cet avant-poste isolé prospéra petit à petit. À la suite de l'indépendance mexicaine en 1821, une ville (ou *pueblo*) se développa près de la garnison. Elle devint le centre des Californios, descendants de ranchers espagnols ou mexicains qui possédaient des terres en Californie. Pendant la guerre entre les États-Unis et le Mexique en 1846, une corvette américaine s'empara de San Diego. Un an plus tard, la reddition du gouverneur mexicain Pío Pico mettait un terme à la conquête américaine de la Californie.

La culture hispanique demeure forte dans toute cette région. La métropole mexicaine de Tijuana n'est qu'à un court voyage en trolley du centre de San Diego. Même si l'anglais est la langue dominante au Nord de la frontière, le Mexique est omniprésent dans tout ce qui tourne autour des arts, de l'architecture, de l'artisanat, de la culture et de la nourriture.

La Jolla, située à quelques kilomètre au Nord de San Diego, est une enclave chic qui doit sa renommée non seulement à ses boutiques, ses musées et sa belle côte mais aussi à l'activité biomédicale qui s'est développée autour de l'université, de l'Institution d'océanographie Scripps et de l'Institut Salk.

Au-delà des zones urbaines, de belles communautés résidentielles ou d'affaires sont dispersées au gré de régions rurales bucoliques, de plages agréables, de montagnes et des abords du vaste désert qui s'étend vers l'Est jusqu'en Arizona et au Sud jus-

225

qu'au Mexique. Même si la population de ce comté de 11 000 km² est deux fois plus importante que celle de San Diego, on n'a à aucun moment une impression de surpopulation.

L'intérieur du comté est un mélange de montagnes et de vallées qui culminent dans le parc du désert d'Anza-Borrego, le plus grand parc d'État des États-Unis. Riche et agricole, la Vallée Impériale s'étend au Sud-Est du parc et le lac Salton sur son côté Nord. À l'Ouest se trouvent le charmant hameau de Julian ainsi que l'observatoire de Palomar au sommet du mont homonyme (2 020 m).

Le climat de San Diego est doux avec plus de 300 jours d'ensoleillement par an. Près de l'Océan, la température moyenne est de 21°, mais à l'Est des premières collines – qui bloquent les brises venant de la mer – le thermomètre peut grimper au-delà des 40°.

# ANZA-BORREGO Desert State Park★★

## Parc d'État du désert d'ANZA-BORREGO
### Carte Michelin n° 493 C 11

Situé dans la région Est du comté de San Diego, ce parc de 2 400 ha s'étend sur un territoire de montagnes rocheuses, de badlands sculptés par l'érosion, de canyons dissimulant des palmiers, et de vestiges d'anciennes voies de communication. Ce parc tient son nom à la fois de l'explorateur militaire espagnol Anza, qui traversa la région en 1774, et des insaisissables *borregos* ou moutons bighorns *(Ovis canadensis cremnobates)* qui y vagabondent.

## UN PEU D'HISTOIRE

Les chaînes péninsulaires de l'Ouest commencèrent à se soulever il y a environ 5 millions d'années. Ce phénomène se poursuit aujourd'hui si rapidement que même les intempéries et l'érosion ne peuvent en gommer la croissance. Ce soulèvement a cassé, étiré, tordu cette région, la transformant en ce paysage accidenté que nous connaissons aujourd'hui. Ces montagnes formant barrière, l'humidité en provenance du Pacifique a été ralentie, puis totalement stoppée, et la végétation subtropicale de la savane a fait place à des plantes résistantes plus adaptées au désert. Les palmiers de Californie à larges feuilles, qui croissaient autrefois dans la région, ne se retrouvent plus que dans les canyons qui recueillent les pluies des montagnes et dont le sol recèle encore l'eau nécessaire à leurs racines.

L'art rupestre et les mortiers creusés dans la pierre découverts à l'intérieur du parc attestent du passage des Indiens Kumeyaay. Le mode de vie de ce peuple chasseur-cueilleur fut bouleversé à la fin du 18ᵉ s. et au début du 19ᵉ s. par l'arrivée des Espagnols et, plus tard, par celle des colons yankees et européens qui tracèrent les pistes de migration à travers la région.

En 1776, la Borrego Valley fut intégrée à la **piste d'Anza** (Anza Trail), route principale reliant les villages de colons de la Californie espagnole au Mexique. Ouverte par Juan Bautista de Anza en 1774, cette route fut abandonnée en 1781 par les Espagnols, qui lui préférèrent les voies maritimes pour échapper aux attaques des Indiens près du fleuve Colorado. Pendant la guerre du Mexique, en 1846, le bataillon mormon ouvrit une piste d'Est en Ouest, que des milliers de chercheurs d'or empruntèrent plus tard, et qui devint la fameuse **Southern Emigrant Trail**. Cette piste reliait prairies et points d'eau à travers les montagnes, bien au Sud d'une route plus directe, mais qui présentait l'inconvénient de traverser un grand désert. La Butterfield Overland Mail, première compagnie postale à relier de façon régulière la Californie et les États de l'Est, emprunta cette route pendant les quatre ans qui précédèrent la guerre de Sécession.

Ce parc, d'abord baptisé Borrego Palms Desert State Park, fut constitué en 1933 en grande partie grâce à des concessions fédérales et à des dons de terres faits par des bienfaiteurs locaux. Acquisitions et décisions administratives lui ont donné sa taille actuelle, et c'est aujourd'hui le plus grand parc d'État des États-Unis hors Alaska et Hawaï.

## VISITE *Une journée minimum*

Le parc *(ouvert tous les jours ; △ ♿ 🅿 www.anzaborrego.statepark.org ☎ 760-767-5311)* se trouve à 130 km environ au Nord-Est de San Diego via I-15 et la route 78. À l'intérieur des limites du parc se trouvent des propriétés privées, ainsi que la ville de Borrego Springs (2 200 habitants), qui offre toutes les commodités. Nous recommandons au visiteur de passer par le **centre d'accueil** *(à 2,5 km à l'Ouest en partant du rond-point du Palm Canyon Drive de Borrego Springs. Ouvert d'octobre à mai tous les jours de 8 h à 17 h, le reste de l'année seulement les week-ends et jours fériés aux mêmes heures. ♿ 🅿 ☎ 760-767-4205)*. Nichée au milieu des rochers et de la végétation, cette intéressante construction de pierre abrite un musée d'histoire naturelle, un bureau d'information sur le parc, une librairie, et propose des projections de diapositives *(15 mn)*. Les nombreux guides de pistes, ainsi que les brochures mises à la disposition du voyageur facilitent beaucoup la visite du parc. Bien que la plupart des endroits les plus intéressants du parc soient accessibles par voiture, certaines zones sont réservées aux véhicules tout terrain.

★**Borrego Palm Canyon** – *Circuit de 5 km. Le début de la piste se trouve dans le terrain de camping situé à 3 km environ au Nord du centre d'information touristique. Brochure recommandée.* Sur les 25 palmeraies que compte le désert, la plus populaire est accessible par un sentier de difficulté moyenne qui fait l'ascension d'un cône alluvial. En remontant cette piste, on découvre à la sortie d'un virage une verte oasis de palmiers à larges feuilles marquant l'entrée d'un canyon. Jusqu'au printemps, on peut voir l'eau du ruisseau de Palm Canyon tomber en cascade dans un petit lac protégé par l'ombre de l'oasis.

★**Circuit d'Erosion Road** – *De la borne mile 22 à la borne mile 36 sur la S 22 à l'Est de Borrego Springs.* La route S 22, l'une des routes principales du parc, traverse les plaines ondoyantes qui s'étendent au pied des montagnes Santa Rosa. Grâce à dix repères installés sur cette route, le visiteur peut identifier l'œuvre des forces géologiques qui ont formé et qui continuent de modeler la région. Au pied des monts Santa Rosa se trouve la faille San Jacinto, la plus active de Californie. Ici, les montagnes se soulèvent à la vitesse rapide de quelque 10 cm par siècle. Au mile 32,6, une chaîne de collines basses côté Nord de la route indique de récents mouvements de la faille. Au mile 29,3, on peut emprunter une petite route sablonneuse *(véhicule tout terrain fortement recommandé)* qui aboutit après environ 6 km à Font's Point d'où l'on a une splendide **vue panoramique**★★ sur les Borrego Badlands.

**Split Mountain Road** – *Au Sud par la route 78, au lieu-dit Ocotillo Wells à l'extrémité Est du parc.* Au Sud d'Ocotillo Wells *(à 9,5 km environ)*, une route de graviers conduit jusqu'à la piste des « arbres éléphants » *(Bursera microphylla)*, baptisés ainsi parce que leurs troncs ressemblent à la cuirasse des pachydermes. Ces arbres étaient utilisés par les Indiens pour des préparations médicinales. Les botanistes les croyaient disparus jusqu'à leur redécouverte à cet endroit en 1937. Bordée par une grande variété de plantes, cette piste éloignée permet de découvrir la flore du bas désert.
En continuant vers le Sud *(1,4 km)*, la route traverse le lit asséché d'un ruisseau. En le remontant sur la droite, on pénètre dans l'arrière-pays d'Anza-Borrego *(véhicule tout terrain uniquement)*. À 6 km environ, on découvre un impressionnant plissement anticlinal dans la paroi Ouest du canyon. Au mile 4,1, un sentier *(800 m environ)* permet de monter aux **grottes des Vents** (Wind Caves), protubérance de grès bizarrement érodée en un paysage miniature de creux profonds, de cavernes et de ponts naturels.

**Narrows Earth Trail** – *Boucle de 800 m environ. Cette piste commence à 19,6 km au Sud de Borrego Springs sur la Route S 3, à 7,5 km à l'Est sur la route 78.* Ce court sentier au cœur d'un petit canyon révèle plusieurs formations rocheuses nées de divers bouleversements géologiques. Des panneaux d'information numérotés expliquent les failles, l'érosion, et autres phénomènes géologiques, de grande ou petite envergure, toujours actifs dans la région.

C. Curran

Floraison de printemps à Anza-Borrego

**La partie Sud** – *Prendre la route 78 vers le Sud au croisement avec la route S 3 ; continuer jusqu'à Scissors Crossing, puis tourner à gauche pour prendre la route S 2.* Cette partie de la route S 2 suit plus ou moins le tracé de la piste Sud des émigrants. Les profondes ornières encore visibles par endroits sont le témoignage du passage de milliers de colons, de chevaux et de chariots qui empruntèrent cette piste. Lorsqu'ils arrivaient au **Foot & Walker Pass** *(mile 22,9)*, les passagers devaient souvent descendre de diligence pour la pousser en haut de la côte. À **Box Canyon** *(mile 25,7)*, un monument dominant l'étroite vallée Vallecito Wash marque le début des pistes ouvertes par le bataillon mormon et les diligences de la Butterfield Company. On y accède facilement à pied.

**Vallecito Stage Station** – *Mile 34,8.* Étape très importante sur le trajet de la Butterfield Company, cet arrêt était une véritable oasis pour passagers, chevaux, et conducteurs de diligence. Les bâtiments actuels, construits en 1934, sont une réplique du relais d'origine en adobe, tombé en ruine après son abandon.

Situé dans la partie Sud-Est du parc, le **Carrizo Badlands Overlook** *(belvédère situé au mile 52,7)* offre un splendide **panorama**★ de crêtes dentelées. Le vaste champ de sédiments érodés était, il y a un million d'années, une prairie verdoyante où se croisaient tigres à dents de sabre, mastodontes et chameaux.

## EXCURSION

**Salton Sea** – *48 km environ à l'Est de Borrego Springs par la route S 22.* Élément récent du paysage californien, ce lac d'une superficie avoisinant 1 360 km² naquit en 1905. Après la rupture d'une digue d'un programme d'irrigation, le Colorado envahit la partie d'une dépression désertique située à 76 m au-dessous du niveau de la mer (cette zone, avec les vallées Impériale et Coachella, constituerait l'extrémité Nord du golfe de Californie si elle n'avait pas été isolée de la mer par le Colorado). Les flots du Colorado se déversèrent en totalité dans le bassin pendant près de deux ans, avant que les ingénieurs n'arrivent à canaliser à nouveau le fleuve dans son lit d'origine. Le lac se serait rapidement évaporé sous la chaleur torride du désert s'il n'était constamment alimenté par les écoulements des cultures irriguées. Ses eaux d'un brun verdâtre sont aujourd'hui plus salées que le Pacifique et le deviennent un peu plus chaque année, mais elles accueillent encore un grand nombre d'oiseaux migrateurs. La **Salton Sea State Recreation Area** *(route 111, à 32 km au Nord de Calipatria)* dispose de terrains de camping, de plages et de sites pour la pêche *(ouvert d'octobre à mai du lundi au jeudi de 7 h à 17 h, le vendredi de 7 h à 23 h, le samedi de 6 h à 23 h, le dimanche de 6 h à 20 h ; le reste de l'année, du lundi au jeudi de 8 h à 16 h, le vendredi et les week-ends de 7 h à 20 h. 5 $ par véhicule. ⚠ ♿ ☎ 760-393-3052).*

Au Sud du lac se trouve la **Vallée Impériale** *(160 km à l'Est de San Diego par la I-8)*, vaste vallée agricole située en dessous du niveau de la mer. Autour de la ville d'El Centro s'étendent des champs de laitues, melons, tomates, carottes et bien d'autres légumes encore. Sa partie Est fait partie de l'**Imperial Sand Dunes Recreation Area** *(route 78 ; ☎ 760-344-3919)*, dont les dunes peuvent faire jusqu'à 100 m de haut. 80 % de ces collines, autrefois appelées Algodones Dunes, sont accessibles aux véhicules tout terrain. En revanche, l'Imperial Sand Dunes National Landmark est un domaine protégé. On a un très beau point de vue du belvédère Hugh Osborne *(5 km à l'Est de Geko Road, à l'écart de la route 78).*

# LA JOLLA★★

Carte Michelin n° 493 B 11
Office de tourisme ☎ 619-454-1444

Banlieue la plus privilégiée, la plus ensoleillée de San Diego, La Jolla (la-HOY-ya), à 19 km au Nord-Ouest du centre-ville, borde l'une des plus magnifiques côtes du Sud de la Californie. On pense que le nom de cette miroitante station en bord de mer signifierait « le joyau » (*la joya* en espagnol, même prononciation).

## UN PEU D'HISTOIRE

Avant 1880, ces coteaux parsemés de chaparral et d'armoise étaient très appréciés des habitants de San Diego. Ils venaient y passer la journée, pique-niquer et profiter des vues sur l'océan. En 1886, Frank Botsford et George Heald reconnurent le potentiel de la région. Ils achetèrent une bonne partie de La Jolla, y plantèrent des eucalyptus, des cèdres et des palmiers, et ouvrirent des rues en suivant les contours naturels du site. Parmi les premiers habitants de La Jolla figurent des membres de la famille Scripps, millionnaires de l'édition. **Ellen Browning Scripps**, en particulier, s'attacha à conserver le caractère de la région, ses côtes et ses parcs, et engagea l'architecte **Irving Gill** pour concevoir une série de gracieux immeubles qui mettent aujourd'hui encore l'environnement en valeur.

Aujourd'hui, La Jolla a conservé une ambiance fortunée mais décontractée. Des villas de style méditerranéen surplombent le Pacifique au-dessus de coteaux paysagers luxuriants, entourant un village commerçant dont le cœur est **Prospect Street**. Des immeubles de style méditerranéen y dissimulent boutiques et restaurants chic. Au Nord de la ville, on trouve des institutions consacrées à l'éducation ou la recherche comme l'Université de Californie de San Diego, l'Institut Scripps d'Océanographie et le Salk Institute qui s'installèrent ici en raison de la beauté intacte du site. Sur le campus de l'université, le théâtre de La Jolla monte des pièces qui trouvent une audience nationale.

## CURIOSITÉS *Une journée*

★★**Museum of Contemporary Art, San Diego** – *700 Prospect Street. Visite de 10 h à 17 h (19 h le mercredi). Fermé dimanche, lundi, 1ᵉʳ janvier, Thanksgiving Day et 25 décembre. 4 $. ✕ & www.mcasandiego.org ☎ 619-454-3541.* Le premier musée d'art contemporain de San Diego, établi en 1941, occupe la maison remaniée et restaurée d'Ellen Browning Scripps (1916). Cette dernière engagea l'architecte Irving Gill pour concevoir le bâtiment qui, comme les autres bâtiments dessinés par Gill alentour, fait à la fois référence à l'époque des missions tout en anticipant le Style International. La restauration de 1960 a largement modifié la conception originale de Gill, mais une rénovation plus tardive conduite par Venturi, Scott Brown et associés en 1996 a permis de retrouver la façade originale tout en agrandissant l'espace d'exposition. Dominant l'océan, un **jardin de sculptures** se déploie sur le coteau derrière le bâtiment.

Pionnier dans l'exposition d'installations, le musée organise des expositions tournantes à partir de sa collection grandissante d'environ 3 000 tableaux, sculptures, travaux sur papier, photographies et œuvres employant la vidéo et autres médias. Ses lignes de force sont les arts conceptuel et minimaliste ainsi que les installations. Le musée expose aussi des œuvres de nouveaux créateurs californiens ; John Baldessari, Chris Burden et Bruce Nauman sont au nombre des artistes maintenant célèbres qui ont exposé ici.

Le musée présente aussi une partie de ses collections dans son bâtiment au centre de San Diego *(voir ce nom)*.

 **John Cole's Bookshop**
*780 Prospect St. ☎ 619-454-4766.* Un treillis croulant sous les glycines mène à cette jolie librairie au charme suranné logée dans une petite maison ayant appartenue à la famille Scripps. Vous pourrez errer dans le labyrinthe de pièces et d'étagères, lire ou feuilleter quelques livres de la très bonne section littérature, choisir de jolies cartes ou un jouet. On y trouve même une collection d'harmonicas et un bon choix de cassettes et de disques.

★★**La Jolla Cove** – La beauté rude de la côte californienne s'offre aux regards dans cette petite baie rocheuse très escarpée, en contrebas de Prospect Street. Des nageurs avec masques et tubas explorent tranquillement les eaux claires, alors qu'à côté de la baie, **Scripps Park** attire les adeptes du bronzage et du pique-nique, et les peintres, rendant sur la toile le **paysage**★★ des falaises qui s'étirent du Nord au Sud face à la mer.

Une petite promenade vers le Nord, le long de la **Coast Walk**, mène à l'endroit où les vagues ont sculpté les sept **grottes de La Jolla** Enfants. On peut atteindre l'une d'elles, Sunny Jim Cave, en empruntant un escalier de 145 marches depuis la boutique *(1325 Cave St. Ouvert de 9 h à 17 h. ☎ 619-459-0746).*

★★**Birch Aquarium** – Enfants *2300 Expedition Way. À l'écart de Torrey Pines Road, au Sud de La Jolla Village Dr. Visite de 9 h à 17 h. Fermé 1ᵉʳ janvier, Thanksgiving Day et 25 décembre. 7,50 $. ✕ & ▣ www.aquarium.ucsd.edu ☎ 858-534-3474.* Dans un **site**★ superbe au-dessus de la côte de La Jolla, ce complexe contemporain de 4 600 m² de style Mission abrite à la fois un aquarium dernier cri et le plus grand musée océanographique du pays.

En 1903, les fondateurs de l'Association de biologie marine de San Diego se s'engagèrent officiellement à créer un aquarium et un musée publics. Rebaptisée en 1912 Institution Scripps pour la recherche biologique, en l'honneur des bienfaiteurs E.W. et Ellen Browning Scripps, puis Institution d'océanographie Scripps (SIO) en 1925, l'association finit par acquérir 68 ha de terrain sur la côte Nord de La Jolla où elle établit un centre de recherches ainsi qu'une succession de musées et aquariums de dimension croissante.

Le bâtiment actuel doit son nom à Stephen et Mary Birch, dont la fondation finança sa construction. Inauguré en septembre 1992, il domine le campus de la SIO, qui fait maintenant partie de l'université de Californie.

★ **Aquarium** – On découvre ici la vie marine du Pacifique Nord-Ouest, de la Californie du Sud, du Mexique et de mers tropicales dans 33 aquariums différents où évoluent 3 500 poissons appartenant à 280 espèces. L'un des fleurons de l'aquarium est la **forêt de varech** qui s'épanouit dans un aquarium de 200 000 litres. Baignée de lumière naturelle et doucement bercée par des vagues artificielles, l'exposition présente de gigantesques plantes aquatiques, des garibaldis (poissons de coraux écarlate), blacksmiths, siénidés (qui émettent des grondements) et murènes de Californie. La paroi acrylique de l'aquarium est épaisse de 25 cm et pèse 10 t. Sur une place débouchant sur la galerie centrale du bâtiment, un petit **bassin** donne un proche aperçu de la vie littorale. De la place, on a une vue spectaculaire sur la côte de La Jolla.

★ **La salle océanographique** – Sous le chapeau « Explorez la planète bleue », des expositions interactives régulièrement mises à jour retracent l'histoire de l'océanographie : les caractéristiques physiques de l'eau de mer, l'effet de l'océan sur le climat, les fonds sous-marins, la vie sous-marine, l'avenir de la recherche océanographique. Un **tour en sous-marin** *(durée 12 mn)* simule une plongée dans les grands fonds. Une suite de galeries est consacrée à des expositions temporaires.

★★ **Salk Institute** – *10010 North Torrey Pines Road. Visite guidée (30 mn) sur réservation uniquement du lundi au jeudi à 10 h et 11 h.* ✗ ⴹ ◪ *www.salk.edu* ☏ *619-453-4100.* C'est l'un des plus grands centres de recherche biologique du monde, un mariage unique entre science et architecture. Il occupe un site de 10 ha dominant le Pacifique. Fondé en 1960 par le docteur **Jonas Salk** (1914-1995), qui conduisit les recherches aboutissant aux vaccins contre la grippe et la polio, l'Institut Salk emploie aujourd'hui 400 chercheurs travaillant à l'amélioration de la santé humaine et à l'augmentation, en quantité et en qualité, des ressources alimentaires mondiales. Les deux grands domaines du centre sont la neuroscience et la biologie moléculaire-génétique.

Le bâtiment, dessiné par le grand architecte moderniste Louis Kahn, est universellement reconnu comme un chef-d'œuvre de l'architecture contemporaine. L'ensemble de 38 000 m² consiste en immeubles jumeaux de cinq étages en béton armé, teck et acier. Chacun des trois « niveaux de travail » est occupé par de vastes laboratoires aux parois de verre, des bureaux administratifs, des salles de réunion et des salles de conférences. Se faisant face de part et d'autre d'une cour en travertin que traverse une rigole d'eau courante, les deux bâtiments encadrent la vue sur la mer. On aperçoit vers le Sud la superbe côte de La Jolla.

★ **Torrey Pines State Reserve** – *North Torrey Pines Rd., à 3 km au Nord de Genesee Avenue, 1,5 km au Sud de Carmel Valley Rd. Visite de 8 h au coucher du soleil. 4 $ par véhicule.* ◪ *www.torreypine.org* ☏ *619-755-2063.* Établie en 1921, cette réserve de 700 ha se consacre à la sauvegarde d'un des pins les plus rares du monde. Considérés comme les rescapés d'une ancienne forêt bouleversée par les glaciers, moins de 4 000 pins Torrey *(Pinus torreyana)* survivent à l'état naturel à cet endroit et sur l'île Santa Rosa, dans les Îles du Canal.

La réserve occupe une falaise isolée surplombant le Pacifique, environnement splendide où des murailles de grès multicolores sculptées par la pluie et le vent servent d'arrière-plan à la jolie plage de Torrey Pines State Beach. Dans les années 1920, Ellen Browning Scripps, qui avait acquis pour en faire don à la collectivité 400 ha de terrain peuplé des précieux arbres, fit construire Torrey Pines Lodge (1923, Richard Requa), une résidence en adobe dans le style des habitations des Indiens hopis. Après avoir été un restaurant, cette résidence est devenue un **centre d'accueil** doté d'un petit musée sur l'histoire naturelle locale.

De là, la **Fleming Trail**, sentier de 1 km bien balisé découvre de magnifiques vues sur l'océan et passe devant des groupes de pins Torrey. D'autres sentiers explorent les sommets, avec des **vues**★★ sur les falaises et l'océan, avant de redescendre vers la plage.

# SAN DIEGO★★★

1 171 000 habitants
Carte Michelin n° 493 B 11
Office de tourisme ☎ 619-232-3101

San Diego, avec ses tours étincelantes dominant une large baie très animée, affirme bien au premier regard son rang de deuxième ville de Californie après Los Angeles, et de sixième des États-Unis. Soulignant la nature cosmopolite de la ville, les institutions culturelles du parc Balboa et les quartiers huppés aux maisons de style essentiellement espagnol se partagent les plateaux verdoyants et les canyons au Nord du centre-ville. Pourtant, ce qui fait l'attrait de San Diego aux yeux de ses habitants et de ses visiteurs est différent de la plupart des grandes villes. De charmants secteurs résidentiels et quartiers d'affaires aux contours bien définis contribuent à rendre cette ville accueillante. Les rues sont nettes et il n'y a pratiquement jamais d'embouteillages. Des transports en commun efficaces et bon marché desservent aussi bien le centre-ville que les faubourgs. Bien que la population soit importante, il semble y avoir encore de l'espace au sein des 827 km² de la cité.

San Diego jouit d'un climat doux tout au long de l'année avec une majorité de journées ensoleillées et une moyenne des températures de 21°. Les brises de la baie contribuent à maintenir un air relativement pur. Avec des attractions touristiques de renommée mondiale comme le zoo de San Diego et le Sea World, et la proximité séduisante de la frontière mexicaine *(à 30 km)*, San Diego est à la hauteur de sa réputation : l'une des villes les plus plaisantes à vivre des États-Unis.

## UN PEU D'HISTOIRE

**Des visiteurs venus d'Espagne** – Plusieurs siècles avant l'arrivée des explorateurs et des colons européens, la plaine côtière, les collines et falaises alentour, et les proches monts Cuyamaca étaient habitées par la tribu kumeyaay. Ces nomades, qui vivaient de chasse et de cueillette, trouvaient largement leur nourriture avec le poisson du Pacifique, le gibier et les plantes de la région.

Le 28 septembre 1542, c'est ce peuple pacifique qui accueillit les premiers visiteurs étrangers à la région, quand une flottille de bateaux espagnols placés sous le commandement de Juan Rodríguez Cabrillo entra dans la baie. Cabrillo baptisa l'endroit San Miguel en l'honneur de la fête de l'archange saint Michel. Sept jours plus tard, son expédition quittait les lieux pour faire voile vers le Nord. Ce n'est que soixante ans plus tard, le 10 novembre 1602, que trois navires commandés par **Sebastián Vizcaíno** pénétrèrent dans la baie, à la recherche de havres sûrs pour les galions espagnols se rendant à Manille. Le 12 novembre, Vizcaíno rebaptisa le port et ses environs du nom de San Diego, honorant la fête de saint Diègue d'Alcalá en Espagne. Deux jours plus tard, il repartit avec ses hommes.

Les Espagnols ne revinrent pas pendant plus d'un siècle et demi. Ce n'est qu'en 1769 que les colonnes terrestre et maritime de l'Expédition sacrée, venues coloniser la Haute Californie, se rejoignirent au niveau de la baie, indiquée sur les cartes des explorateurs précédents. Dans le groupe, conduit par le capitaine Gaspar de Portolá, se trouvait le père **Junípero Serra**, responsable de la chaîne des missions. Le 22 juillet 1769, le père Serra dressa une croix à côté d'une chapelle en branchages bâtie à la hâte au sommet de la colline appelée aujourd'hui Presidio Hill ; il y célébra une grand-messe et, avec un groupe de 22 colons, établit ici la première mission et la première garnison espagnole de Californie.

**Les premiers défis et la croissance** – Malades ou épuisés par les rigueurs de l'expédition, harcelés par les Indiens, à court de vivres, d'eau et de médicaments, les membres de la minuscule colonie luttèrent pour survivre durant l'hiver 1769-1770. Du ravitaillement arriva finalement de Basse-Californie, aidant les colons à passer leur première année et, le 1er janvier 1774, la couronne d'Espagne fit de San Diego un *presidio* royal. Mais la proximité de la garnison gênait le travail de la mission, car les soldats intimidaient, et parfois même molestaient les Indiens kumeyaay susceptibles de se convertir. C'est pourquoi, en août 1774, la mission se déplaça à l'intérieur des terres, à 10 km de la colline du *presidio* ; elle s'installa dans un nouveau complexe de cabanes aux toits de chaume, près du fleuve San Diego.

En dépit de sévères attaques indiennes au cours de l'année qui suit, la mission commença à se stabiliser et même à se développer. À l'Ouest, le *presidio* fortifié, dont les murailles furent renforcées en prévision d'incursions britanniques et russes en Californie, devint une communauté très dynamique de fermiers et d'éleveurs.

Au lendemain de l'indépendance mexicaine de 1821, San Diego commença à prospérer. Sur une plaine située au Sud de la garnison, un *pueblo* connu aujourd'hui sous le nom de Old Town, se développa lentement. Le premier *alcalde* ou maire, Juan María Osuna, fut élu en décembre 1834. Des lois furent bientôt promulguées pour lever des impôts et pour proscrire à l'intérieur de la ville bétail, armes, jeux d'argent, ivrognes et indigents.

Le 30 juillet 1846, pendant la guerre du Mexique, la *Cyane*, corvette américaine de 22 canons, entra dans le port de San Diego et le drapeau américain fut hissé au-dessus du *pueblo*. Mais des combats acharnés continuèrent dans la région jusqu'en décembre, notamment lors de la sanglante bataille de San Pasqual *(voir index)*.

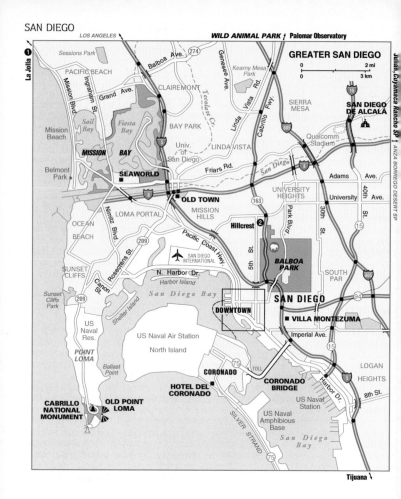

Le premier recensement de San Diego eut lieu en 1850, à l'époque de la constitution de l'État de Californie. La ville comptait alors 2 287 habitants, dont 1 550 étaient recensés comme « Indiens sauvages ».

**La folie de Davis et la vision d'Horton** – À l'ombre de *Presidio* Hill, San Diego four-millait de l'activité des entreprises et de la construction de résidences. Mais son potentiel de développement comme port de mer restait limité du fait de sa position en retrait de la baie. En mars 1850, fort de ce constat, un groupe de citoyens menés par le financier de San Francisco **William Heath Davis** acheta 65 ha de terres en front de mer à 8 km au Sud de la ville, et fit dresser des plans en vue d'aménager la zone. Mais ce projet rencontra peu de soutien et les quelques bâtiments construits par le groupe furent bientôt désertés et tournés en dérision par l'appellation « folie de Davis ».

Cette même vision d'une nouvelle ville florissante s'empara aussi d'**Alonzo Horton**, un homme d'affaires de San Francisco, qui, dès qu'il posa le pied à San Diego en 1867, eut la conviction que ce front de mer était « l'endroit idéal pour bâtir une nouvelle ville ». Cette année-là, il acheta 388 ha aux enchères et commença à en faire la pro-motion dès son retour à San Francisco. À peine plus d'un an plus tard, des bâtiments s'élevaient déjà presque sur chaque parcelle de New Town, la « Nouvelle Ville » de San Diego.

San Diego attendait l'expansion économique, mais la prospérité ne vint que par à-coups. L'industrie baleinière se développa pendant quelque temps à partir de 1870, profitant de la migration annuelle des baleines grises qui venaient mettre bas dans la baie. Mais les animaux évitèrent bientôt cet endroit. Durant l'hiver 1870, une fièvre de l'or s'empara brièvement de la région lorsque furent découverts des gisements à une soixantaine de kilomètres dans l'arrière-pays, près de la ville de Julian. La géo-logie de la région rendit cependant difficiles la localisation et l'extraction du précieux minerai et, en 1880, la fièvre de l'or était déjà retombée.

En dépit de ces déceptions, la ville poursuivit son développement. L'annonce de la création du chemin de fer de Santa Fe en 1885 amorça un boom immobilier, et cette même année, de l'autre côté de la baie, Elisha Babcock commença à exploiter l'en-clave huppée de Coronado et son élégant hôtel Del Coronado.

Pendant cette période, les cultures commerciales se développaient autour de la ville. À partir de 1870, on planta orangers, citronniers, pommiers, poiriers, oliviers et figuiers, et quelque 2 500 ha de champs de blé couvraient déjà la vallée El Cajon en 1876. En 1877, la plupart des terres arables du comté de San Diego étaient exploitées. L'agriculture accusa un net ralentissement à la fin du 19e s., mais continua néanmoins d'occuper une place importante dans l'économie de la région.

## RENSEIGNEMENTS PRATIQUES

Indicatif de la région : 619

### Comment s'y rendre

**En voiture** – De Los Angeles *(204 km)* prendre la route côtière I-5 jusqu'à San Diego, ou la I-15 qui passe à l'intérieur des terres par Las Vegas. On arrive de l'Est par la I-8.

**Par avion** – Vols intérieurs et internationaux : **Aéroport international de San Diego**, à environ 5 km du centre-ville *(☎ 231-2100)*. Des taxis *(7-12 $)* et des navettes *(7 $)* assurent la liaison avec le centre-ville. Succursales d'agences de locations de voitures dans l'aéroport *(p. 377)*.

**Par bus et par train** – **Greyhound** : 120 W. Broadway *(☎ 800-231-2222)*. **Amtrak** : Santa Fe Depot (gare) 1050 Kettner Blvd. *(☎ 800-872-7245)*.

### Comment s'y déplacer

**Par les transports publics** – Le réseau du **San Diego Transit** couvre largement le comté de San Diego. Les tarifs d'autobus varient entre 1,50 $ et 1,75 $ pour un aller simple. Des forfaits à la journée permettent une circulation illimitée sur le réseau des bus et trolleybus. Prix intéressants pour une journée *(5 $)*, deux *(8 $)*, trois *(10 $)* ou quatre jours *(15 $)*. Tickets en vente aux stations du réseau ou au Transit Store, 102 Broadway *(du lundi au vendredi de 8 h 30 à 17 h 30, le week-end de 12 h à 16 h ; ☎ 234-1060)*. Les lignes de trolleybus assurent la liaison entre le Centre de Congrès et le centre-ville (C St.), desservent le Nord jusqu'à Old Town, l'Est vers Santee et le Sud jusqu'à la frontière mexicaine *(tarifs : de 1 à 2,25 $ pour un aller simple)*. Le Coaster, le train de banlieue du North County Transit assure des liaisons entre Oceanside au Nord de San Diego et Old Town *(tarifs : de 3 à 3,75 $ pour un aller simple)*. Informations sur le réseau ☎ 233-3004.

**En voiture** – Il est facile de se déplacer à San Diego en voiture. Le stationnement en garage coûte de 1 à 2 $ l'heure ou 6 à 10 $ par jour. Les commerces proposent parfois la gratuité du parking.

**En taxi** – **American Cab** : ☎ 292-1111 ; **Co-op Silver** : ☎ 280-5555 ; **Orange Cab** : ☎ 291-3337 ; **Yellow Cab** : ☎ 234-6161.

### Informations générales

**Informations touristiques** – **Centre d'accueil international** du San Diego Convention & Visitors Bureau : 11 Horton Plaza, San Diego CA 92101 *(☎ 236-1212 ; ouvert du lundi au samedi de 8 h 30 à 17 h, ainsi que le dimanche de 11 h à 17 h de juin à août. Fermé 1er janvier, Thanksgiving Day et 25 décembre)*.
Informations pour **touristes handicapés** : Accessible San Diego, PO Box 124526, San Diego CA 92112 *(☎ 279-0704)*.

**Hébergement** – Répertoire des hôtels et formules d'hébergement de San Diego *(San Diego Visitors Planning Guide* – gratuit) disponible au San Diego Convention & Visitors Bureau *(voir ci-dessus)*. **San Diego Hotel Reservations** *(www.savecash.com ☎ 627-9300 ou ☎ 800-728-2274, des États-Unis seulement)* ; **San Diego Concierge** *(www.sandiegoconcierge.com ☎ 280-4121 ou ☎ 800-979-9091)*. Large gamme de prix depuis les hôtels chic *(150-250 $/jour)* jusqu'aux motels pour petits budgets *(35-75 $/jour)*. **Bed & Breakfast Directory for San Diego**, PO Box 3292, San Diego CA 92163 *(☎ 297-3130)*. La plupart des bed & breakfast sont situés dans les quartiers résidentiels de la ville *(70-130 $/jour)*. *Les tarifs mentionnés représentent une moyenne de prix pour chambre double*.

**Presse locale** – Le quotidien *San Diego Union Tribune* propose chaque jeudi une rubrique consacrée aux spectacles *(Night & Day)*. On trouve aussi des renseignements sur les spectacles dans les hebdomadaires *San Diego Reader* et *San Diego This Week*.

**Bureaux de change** – **American Express Travel** 258 E. Broadway (☎ *234-4455)*. **Thomas Cook Currency Services** 177 Horton Plaza et University Town Center Mall *(www.us.thomascook.com* ☎ *800-287-7362)*. **Travelex America**, niveau 0 du terminal 1 de l'aéroport (☎ *295-1501)*.

## Numéros utiles

| | |
|---|---|
| **Police/Ambulances/Pompiers** (24 h/24 – multilingues) | ☎ 911 |
| **Police** (cas non urgents – anglais-espagnol) | ☎ 531-2000 |
| **Dentistes de service** (6 h à 18 h tous les jours) | ☎ 800-336-8478 |
| **Pharmacie** : Kaiser Permanente Medical Center, 4647 Zion Ave (24 h/24) | ☎ 528-7770 |
| **Bureau de poste** | ☎ 800-275-8777 |
| **Météo** | ☎ 289-1212 |

## Sports et loisirs

**Visites organisées** – Des **visites à pied** du quartier Gaslamp sont proposées par la Gaslamp Quarter Historic Foundation *(voir p. 246)*. **Old Town Trolly Tours** organise des circuits commentés de 2 h de la ville ; les visiteurs peuvent prendre le trolley au niveau des sites les plus importants *(tous les jours, 24 $.* ☎ *298-8687)*. **Mini-Tours/Contact Tours** (☎ *477-8687)* et **Gray Line Tours** (☎ *491-0011)* proposent une découverte commentée de la ville *(4 h, tous les jours, 25 $)* et des circuits vers les sites importants de San Diego, Tijuana (Mexique) et Ensenada. On peut profiter en saison des **excursions à la rencontre des baleines** *(de mars à décembre habituellement, appeler pour les horaires et les tarifs)* avec Fisherman's Landing (☎ *221-8500)*, Hornblower Cruises (☎ *234-8687)*, H&M Landing (☎ *222-1144)*, San Diego Harbor Excursion (☎ *234-4111)* et **Birch Aquarium at Scripps** (☎ *534-7336)*.

**Spectacles** – Consulter les pages Arts et Spectacles du *San Diego Union-Tribune* et des journaux locaux pour connaître les horaires des événements culturels et les adresses des principaux théâtres et salles de concerts. Billets pour les événements locaux : **Times Arts Tix** vend, à l'avance, des billets à plein tarif et propose des billets à demi-tarif pour certaines représentations données le jour même ; achat des billets, en espèces seulement, au bureau de Horton Square *(Broadway, à Broadway Circle,*☎ *497-5000)*. **Ticketmaster** *(www.ticketmaster.com* ☎ *220-8497)* propose aussi ce service.

**Sports** – Pour les grands événements sportifs, on peut acheter les billets sur place ou se les procurer aux guichets de Ticketmaster *(voir ci-dessus)*.

**Première division de base-ball** (MLB)
*Équipe* : Padres (NL)
*Saison* : d'avril à octobre
*Lieu des rencontres* : Qualcomm Stadium *(www.padres.com* ☎ *619-283-4494)*

**Football professionnel**
*Équipe* : Chargers (AFL)
*Saison* : de septembre à décembre
*Lieu des rencontres* : Qualcomm Stadium *(www.chargers.com* ☎ *619-280-2121)*

**Hockey professionnel**
*Équipe* : Gulls
*Saison* : de septembre à avril
*Lieu des rencontres* : San Diego Sports Arena (☎ *619-224-4625)*

**Achats à San Diego et environs**

| Dans cette zone... | Vous trouverez... |
|---|---|
| Downtown (centre-ville) | Horton Plaza<br>Paladion (boutiques de mode) |
| Mission Valley | Fashion Valley Center<br>Mission Valley Center |
| Old Town | Bazaar del Mundo<br>Old Town Esplanade |
| La Jolla *(voir ce nom)* | Boutiques de mode, galeries d'art, boutiques branchées |
| San Ysidro | Factory Outlet Center : vente à prix d'usine |

**Sur la mer et dans le ciel** – En 1900, le comté de San Diego comptait plus de 35 000 habitants. La ville elle-même, qui en comptait 17 000, vit ce chiffre doubler en l'espace de dix ans. La croissance de la population et de l'économie furent dynamisées par une présence militaire de plus en plus importante, car le gouvernement américain avait reconnu l'importance stratégique de la baie de San Diego. Les forts Rosecrans et Pico furent construits pour protéger le port, qui devait servir pendant les deux guerres mondiales comme quartier général du 11e district naval et de la flotte du Pacifique. Aujourd'hui encore, San Diego est une base importante de la marine américaine.

La présence de la marine et le climat doux et ensoleillé de San Diego firent de la ville un endroit idéal pour y développer l'aviation. Dans les années précédant la Première Guerre mondiale, les aviateurs de la marine s'entraînaient dans la baie, à North Island.

En 1925, T. Claude Ryan commença à proposer des vols réguliers entre San Diego et Los Angeles. Sa compagnie, la Ryan Airlines, fut d'ailleurs la première compagnie aérienne commerciale des États-Unis. C'est à elle que Charles Lindbergh s'adressa deux ans plus tard pour concevoir un avion capable d'effectuer la traversée de l'Atlantique en solitaire. Dix ans plus tard, une autre guerre se préparait en Europe, Reuben H. Fleet fit quitter Buffalo, dans l'État de New York, par sa compagnie, Consolidated Aircraft, pour l'installer à San Diego ; il devint l'un des grands employeurs de la cité.

Les deux expositions de 1915 et 1935 firent de Balboa Park un des fleurons de la ville, et firent apprécier la beauté de San Diego à des centaines de milliers de visiteurs. À la fin de la Seconde Guerre mondiale, le comté de San Diego comptait un demi-million d'habitants et atteignait le double avant 1960.

**San Diego aujourd'hui** – La ville se trouve confrontée aux problèmes qui assaillent toutes les villes modernes. Des batailles politiques divisent les citoyens partisans d'aménagements commerciaux et résidentiels et ceux qui, souhaitant protéger les charmes de la ville, optent pour une politique de ralentissement – voire d'arrêt – de la croissance. Confrontées à la concurrence étrangère, d'importantes industries ont fermé leurs portes, notamment la conserverie Van Camp Sea Food en 1984. Et certaines parties du centre-ville montrent des signes de délabrement. Enfin, le rationnement de l'eau se montre parfois nécessaire dans cette région semi-désertique.

**2 Les librairies de la 5e Avenue**

Le tronçon de 5th Avenue qui s'étend entre University et Robinson Streets dans le quartier de Hillcrest est un véritable paradis pour les amoureux des livres. Pour les gourmands, une visite à **Cook's Bookshop** *(au n° 3854)* s'impose, car ils y trouveront non seulement toute sorte de livres de cuisine mais aussi des ustensiles, des fiches de recettes, des étiquettes pour les conserves, etc. **Blue Door Bookstore** *(au n° 3823)* propose principalement des essais s'intéressant aux sciences sociales, à l'art et à la littérature homosexuelle. Faites vos réserves pour les voyages chez **Joseph Tabler Books** *(au n° 3817)* où l'on trouve également quelques premières éditions et livres anciens.

San Diego semble cependant relever les défis les plus âpres avec une énergie et une détermination qui manquent quelquefois à d'autres villes. C'est ce que prouvent les actions de sauvegarde des résidences victoriennes du quartier **Hillcrest**, au Nord de Balboa Park, et de revitalisation de Old Town et du quartier Gaslamp. De nouvelles entreprises spécialisées dans la recherche médicale bourgeonnent dans le Golden Triangle au Nord-Est de La Jolla. La mise en valeur de nouveaux lieux comme Mission Bay, Seaport Village, Horton Plaza et le San Diego Convention Center, augmentent la part du tourisme comme pivot de l'économie. Sans oublier les trésors que sont le Zoo, le Old Globe Theatre et le musée d'Art contemporain de San Diego, qui restent les modèles de la riche tradition culturelle de la ville.

## ★★LE VIEUX SAN DIEGO *Une journée*

Certains sites historiques commémorant la naissance de San Diego et les débuts de la présence européenne en Haute Californie se trouvent aux environs de la route Interstate 8, notamment dans sa partie qui, d'Est en Ouest, longe plus ou moins le cours du fleuve San Diego.

## ★★Old Town San Diego State Historic Park

*Depuis le centre-ville, prendre la I-5 vers le Nord, sortir à Old Town Avenue et suivre la signalisation.*

Une large plaza, entourée de constructions restaurées en bois et adobe, marque le centre originel de San Diego. Située au pied de Presidio Hill, cette zone devint pour tous Old Town, la vieille ville, lorsqu'elle fut, vers 1860, éclipsée par le développement de la nouvelle ville d'Alonzo Horton sur le front de mer. Aujourd'hui, cet ensemble joyeux de bâtiments historiques rénovés, de restaurants et de boutiques pittoresques restitue l'ambiance du San Diego de la période mexicaine et des débuts de la présence américaine.

Lorsque le Mexique obtint son indépendance de l'Espagne en 1821, le centre de la colonie de San Diego s'éloigna du *presidio* et de la mission pour s'installer dans la plaine au pied de la colline. Un *pueblo* s'organisa alors autour d'une plaza centrale, conservant la tradition urbaine espagnole et mexicaine. Tant que dura la période mexicaine, le *pueblo* ne fut qu'un petit hameau de huttes aux toits de chaume, bâties sur un sol en terre battue. Seules quelques familles de grands propriétaires terriens, comme les Estudillo, les Bandini et les Pico, se firent construire des résidences plus conséquentes. Le commerce du suif et du cuir dominait alors l'économie locale.

### ② Bazaar del Mundo

*Angle Nord de la plaza.*
Boutiques d'artisanat, de vêtements ou d'art populaire et petits restaurants se partagent l'espace de ce marché coloré et odorant, organisé autour d'un luxuriant patio central. Les musiciens qui s'y promènent semblent inviter les flâneurs à se laisser gagner par la gaieté ambiante.

Pendant la guerre du Mexique, au cours de l'été 1846, les forces américaines occupèrent la ville. La ville fut constituée en commune américaine en 1850, et l'influence yankee commença à se faire sentir de plus en plus, avec notamment l'introduction des styles architecturaux de Nouvelle-Angleterre. En 1867, la zone perdit son rôle de centre-ville, lorsque Horton dressa les plans d'une nouvelle ville proche du port. Le grand incendie de 1872, qui détruisit de nombreux bâtiments, scella définitivement le sort de la vieille ville.

En 1968, 5 ha de la vieille ville furent classés parc historique d'État. Des travaux commencèrent alors pour restaurer et stabiliser les sept bâtiments qui subsistaient encore dans le périmètre du parc. D'autres furent reconstruits d'après les indications relevées dans les archives et dossiers d'archéologie de l'époque. De nombreuses demeures historiques accompagnées de boutiques et restaurants récents entourent les 8 000 m² de la **plaza**. Les fiestas qui s'y déroulaient durant la période mexicaine sont, aujourd'hui, remplacées par des festivals et spectacles artistiques.

*Se rendre d'abord au centre d'information situé à l'extrémité Ouest de la plaza, près du centre de transit. On y verra un intéressant diorama du vieux San Diego. Les bâtiments sont ouverts de 10 h à 17 h. Fermé principaux jours fériés.* ✗ ⴵ ▣ ☏ *619-220-5422.*

Le Bazaar del Mundo

Darrell Gulin/DPA

**Casa de Machado y Silvas** (**A**) – Cette modeste maison de plain-pied en adobe, construite par José Nicasio Silvas entre 1830 et 1843, a appartenu à la même famille pendant plus d'un siècle. Elle fit ensuite office de pension de famille, de maison de tolérance et d'église. Elle est aujourd'hui restaurée dans le style d'un restaurant d'époque.

**Colorado House** – *2733 San Diego Avenue.* Ce bâtiment aujourd'hui occupé par le **Wells Fargo History Museum** *(visite de 10 h à 17 h ; fermé 1er janvier, Thanksgiving Day et 25 décembre ;* ⴵ *www.wellsfargo.com* ☏ *619-238-3929)* est la réplique de l'original datant de 1850. Wells Fargo devint pendant la ruée vers l'or en 1849 le principal bureau de certification de l'or de l'Ouest des États-Unis et assura le transport de ce précieux métal jusqu'aux centres financiers de l'Est.

Les diligences Concord, sûres et rapides, avaient été choisies pour cette mission. L'une d'elles aux couleurs de la société – rouge avec des roues jaunes – est l'un des principaux attraits de la petite collection du musée.

**Mason Street School** (**B**) – Cette construction à structure de bois d'une seule pièce (1865) fut la première école publique de San Diego. Aujourd'hui, elle expose des objets illustrant l'histoire de l'éducation à San Diego, ainsi que des répliques des quinze drapeaux qui, à diverses époques, flottèrent sur la Californie.

★**Casa de Machado y Stewart** – Considérée comme un remarquable exemple de restauration d'adobe, cette petite résidence de plain-pied (1833) était encore occupée par les descendants de la famille Machado lorsque l'État en fit l'acquisition en 1966. 70 % de sa structure sont d'origine. Les matériaux utilisés pour la restauration des 30 % restants ont été fabriqués avec la terre des environs. Le potager est planté d'herbes aromatiques, d'épices et de légumes couramment utilisés au 19e s.

**San Diego Union Museum** (**C**) – Préfabriqué sur la côte Est et expédié par bateau via le cap Horn en 1851, ce bâtiment fut l'une des premières constructions à ossature de bois de la vieille ville ; elle fit d'abord office de magasin avant de devenir, en 1868, le siège du *San Diego Union*, qui sous le nom de *San Diego Union-Tribune* reste l'un des principaux journaux de la ville. On a reconstitué l'intérieur de 1868. On y voit les premiers bureaux du journal, ainsi qu'une presse manuelle Washington utilisée pour l'impression de ses premières éditions.

★**Seeley Stable** – Avant que la ligne de la Southern Pacific ne rallie San Diego en 1887, les diligences d'Albert Seeley couvraient les 210 km qui séparent cette ville de Los Angeles en l'espace de 24 h. Reconstruites, les écuries et granges de Seeley abritent maintenant une importante **collection** de voitures d'équipage, comprenant des chariots couverts, des voitures à attelage, des bogheis et des diligences. Une projection de diapositives *(18 mn)* retrace les débuts de l'histoire des transports en Californie.

★**La Casa de Bandini** – D'origine péruvienne, Juan Bandini fut l'un des habitants les plus influents de la vieille ville. C'est lui qui, en 1829, fit construire le premier niveau de cette charmante hacienda. Albert Seeley acheta cette demeure en 1869, y ajouta un étage, et en fit le Cosmopolitan Hotel. Plus tard, le bâtiment abrita un magasin et des appartements. Aujourd'hui, un restaurant mexicain apprécié occupe ses pièces rénovées et son beau jardin.

★★**La Casa de Estudillo** – C'est la plus grande et la plus impressionnante des constructions en adobe du parc historique. Construite en 1829 par le commandant du *presidio* José María Estudillo, elle donne un excellent aperçu du style de vie que menait une famille des classes aisées à la grande époque du *pueblo*. Cette demeure élégante, que la famille Estudillo occupa pendant 60 ans, fut le cœur politique et social du San Diego mexicain et du San Diego américain à ses débuts. Ses treize pièces, reliées par une véranda intérieure, s'organisent autour d'un patio central. Un grand jardin s'étend à l'arrière de la demeure. À l'époque où les Estudillo habitaient cette demeure, la pièce principale, dite **la sala**, était meublée des plus beaux objets apportés par les bateaux venant d'Amérique du Nord et du Sud, d'Europe et d'Asie. La demeure a été restaurée en 1910, et à nouveau en 1968.

★**Whaley House** – *Visite de 10 h à 16 h 30. Fermé principaux jours fériés et mardi en hiver. 4 $.* ☎ *619-298-2482.* Première maison en

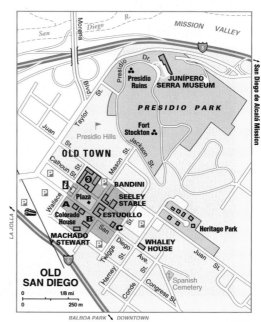

237

brique à étage de la ville (1856), cette résidence très digne illustre l'influence de la côte Est sur l'histoire architecturale de San Diego. Entre 1869 et 1871, la salle Nord fit brièvement office de palais de justice du comté. Mais l'enlèvement des dossiers du comté par une foule en armes venue de New Town mit fin aux ambitions du *pueblo* comme centre-ville. Aujourd'hui restaurée et ornée de meubles locaux d'époque, la maison possède l'un des six moulages du visage du président Abraham Lincoln faits de son vivant. Whaley House est également l'une des deux seules maisons de Californie officiellement hantées (certification délivrée par le ministère fédéral du Commerce).

**Heritage Park** – *Juan Street, voisine de Old Town*. Rassemblées autour d'un pittoresque cul-de-sac recouvert de pavés, ces sept demeures victoriennes furent toutes construites vers 1880 lors de la création de Horton's Addition, nouveau quartier chic installé en bordure du centre-ville. Mais dans les années 1960 la rapide croissance de San Diego menaçait de destruction certaines des plus belles constructions victoriennes de la ville. Incapables de convaincre les responsables locaux de la nécessité de les maintenir sur le site, les amoureux de ce patrimoine architectural les déplacèrent ici pour créer Heritage Park. Ces nobles et charmants édifices montrent différentes facettes du style victorien, notamment les styles Eastlake, Queen Anne, Stick et italianisant. Ils abritent aujourd'hui des bureaux, des boutiques ainsi qu'un bed and breakfast.

## ★Presidio Park

*De Old Town, prendre Mason Street vers le Nord jusqu'à Jackson Street, tourner à gauche et suivre la signalisation. Fermé le lundi.*

Les fondations de l'histoire coloniale espagnole en Haute Californie se trouvent au sommet de cette butte, d'où l'on a une vue panoramique sur San Diego. Ce superbe parc paysager abrite un beau musée historique et des vestiges datant de la première implantation européenne de la côte Ouest.

En 1769, lorsque les colonnes de l'Expédition sacrée menée par Gaspar de Portolá et le père Junípero Serra arrivèrent ici par terre et par mer, la colline dominant la baie fut choisie pour y élever la mission et le *presidio*. Les soldats dressèrent des palissades en rondins pendant que le père Serra rencontrait les Indiens kumeyaay du village voisin de Cosoy. Bien que la mission ait été déplacée en 1774, le *presidio* royal – c'est ainsi qu'il fut baptisé cette année-là – resta une base militaire très active tout au long de la période espagnole et une partie de la période mexicaine, et une petite colonie s'installa dans les environs immédiats de la forteresse. Lorsque le Mexique acquit son indépendance en 1821, le fort fut abandonné et ses occupants descendirent de la colline pour fonder ce qui est aujourd'hui la vieille ville.

Au début du siècle, George White Marston, habitant de San Diego, racheta progressivement une grande partie de Presidio Hill, aménagea le terrain en plantant quelque 10 000 arbres et arbustes et fonda le musée Junípero Serra, avant de faire don du tout à la ville en 1929.

★**Junípero Serra Museum** – *Visite du vendredi au dimanche de 10 h à 16 h 30. Horaires prolongés en été. 5 $* ⊞ ☎ *619-297-3258*. Dominant l'extrémité Est de Mission Valley, l'imposant édifice blanc (1929, William Templeton Johnson) qui

Le jardin du musée Junípero Serra

abrite ce musée est l'un des monuments de San Diego. Coiffé par une tour imposante, cet édifice inspiré du style Mission présente des éléments caractéristiques de l'époque coloniale espagnole : toit de tuiles rouges, arcades et fenêtres sans croisillons. À l'intérieur se trouvent cinq galeries consacrées à l'histoire ancienne de la région. On y voit notamment une remarquable collection de meubles Renaissance espagnole et une exposition consacrée aux populations amérindiennes du comté de San Diego, soulignant les influences de la colonisation durant les périodes espagnole et mexicaine.

**Ruines du presidio** – *Descendre la colline à partir du musée.* Une enceinte moderne délimite le périmètre du complexe original du *presidio* qui n'est plus aujourd'hui qu'un groupe de monticules envahis par les herbes. Les fouilles conduites ici depuis 1965, toujours en cours, ont révélé les fondations de divers édifices.

Un mât planté au sommet de Presidio Hill indique l'endroit où se dressait le **fort Stockton**, érigé par les soldats mexicains en 1838 et saisi par l'armée américaine durant la guerre du Mexique.

## ★★ San Diego De Alcalá Mission

*De Old Town, prendre vers l'Est la I-8 sur 11 km jusqu'à Mission Gorge Rd. et suivre la signalisation. Visite de 9 h à 17 h. Fermé Thanksgiving Day et 25 décembre (sauf pour la messe). Messe quotidienne à 9 h et à 11 h (en espagnol). 3 $.* ♿ 🅿 ☎ *619-281-8449.*

La première mission de Californie occupe un endroit isolé sur le versant Nord de la vallée du fleuve San Diego, connue aujourd'hui sous le nom de **Mission Valley** et envahie des grandes artères, centres commerciaux et banlieues propres à une mégalopole du 20ᵉ s. La « Mère des missions » fut baptisée en l'honneur de saint Diègue d'Alcalá, un frère franciscain espagnol du 15ᵉ s. à qui on attribuait des guérisons miraculeuses.

D'abord installée au sommet de Presidio Hill en 1769 par le père Junípero Serra, la mission fut transférée en 1774 sur son site actuel par le père Luís Jayme. Le nouveau site présentait plusieurs avantages : il éloignait la mission de l'influence corruptrice des soldats du *presidio*, les terres y étaient meilleures, et il y avait un nombre plus important d'Amérindiens susceptibles d'être convertis. En 1775, la mission fut pillée et incendiée lors d'un violent soulèvement des Indiens kumeyaay. Le père Jayme et deux ouvriers agricoles y trouvèrent la mort. Cela incita les autres prêtres à se réinstaller temporairement dans le *presidio*.

Un nouveau complexe, plus grand et entouré de hauts remparts en adobe, fut achevé en 1776. Pendant les années qui suivirent, la mission connut une grande prospérité économique et religieuse. Un réseau d'aqueducs assurait un ravitaillement régulier en eau. Les moutons et le bétail paissaient sur les collines environnantes et, en 1813, la construction d'une nouvelle et plus grande église en adobe fut achevée. La population de la mission connut son chiffre record en 1824, avec 1829 néophytes résidents.

Au lendemain de la sécularisation, la mission fut abandonnée et tomba progressivement en ruine. Lorsque le domaine fut restitué à l'Église catholique en 1862, il ne restait plus grand-chose des bâtiments d'origine. Les travaux de restauration, qui leur ont donné leur aspect actuel, ont eu lieu entre 1895 et 1931. La mission a été élevée au rang de basilique mineure par le pape Paul VI en 1976.

**Visite** – *L'entrée se fait par la boutique de cadeaux.* Recouverte de stuc blanc et soutenue par un contrefort, la façade d'origine de l'église avec son *campanario* à cinq cloches caractéristique marque l'entrée du complexe de la mission. La **casa del Padre Serra**, chambre sommairement meublée où le religieux séjournait lors de ses fréquentes visites à la mission, est tout ce qui subsiste du monastère d'origine. L'**intérieur** de l'église, restauré pour retrouver son aspect de 1813, mesure 42 m sur 10. Sa largeur est réduite car, à l'époque, on manquait d'arbres suffisamment grands pour fabriquer les solives du plafond. Les poutres, les briques en adobe de la voûte du baptistère et les carreaux foncés du sol furent récupérés dans l'église de 1813. Dans le sanctuaire, on remarquera le tableau de sainte Agnès, du 18ᵉ s., qui échappa à l'incendie de 1775, ainsi que les statues de bois sculpté qui datent des débuts de la mission. La tombe du père Jayme se trouve sous le sol du sanctuaire.

Dans le petit **jardin** *(voisin de l'église)*, des croix en adobe et céramique rendent hommage aux centaines d'Amérindiens enterrés pendant la période des missions. La végétation généreuse de ce paisible enclos rassemble palmiers, poivriers, roses, plantes grasses et bougainvilliers.

Le **musée** de la mission *(derrière l'église)* abrite des objets des périodes amérindienne, mission, mexicaine et américaine de l'histoire régionale, dont certains proviennent des fouilles archéologiques du site.

## ★★★ BALBOA PARK

Ce parc de 480 ha, qui s'élève juste au Nord du centre-ville, est le point de rencontre culturel de San Diego. Pelouses veloutées, jardins luxuriants et arbres centenaires abritent un zoo de renommée internationale, des lieux de spectacle intérieurs et extérieurs, ainsi qu'une multitude de musées installés dans des bâtiments amoureusement entretenus, provenant de deux grandes expositions internationales.

## Un peu d'histoire

**Du sable, des serpents et des broussailles** – En 1868, poussés par Alonzo Horton, les membres du conseil municipal déclarèrent qu'une parcelle de 565 ha située dans les faubourgs Nord de la ville deviendrait parc public. Mais cette étendue sableuse, couverte de cactus et de chênes chaparral et infestée de crotales, resta inutilisée pendant plus de 20 ans, servant seulement de dépotoir aux habitants de la ville.

L'image du parc commença à changer en 1892, lorsque l'horticultrice **Kate Sessions** en loua 12 ha pour installer sa pépinière. En guise de loyer elle s'engagea à planter 100 arbres par an dans le parc, et à en donner 300 autres à planter dans différents endroits de la ville. Pendant les dix années suivantes, Kate Sessions dégagea les buissons, joua de la dynamite pour planter les arbres, sema pelouses et parterres de fleurs et traça des sentiers de nature. Le Comité d'amélioration du parc, fondé en 1902, engagea Samuel V. Parsons, architecte-conseil de la ville de New York, pour superviser la planification et l'aménagement du parc. Certaines pistes furent nivelées et goudronnées. On organisa l'irrigation, et comme dans le Golden Gate Park de San Francisco, le crottin ramassé dans les rues et le fumier des écuries de la ville servirent à enrichir le sol. John McLaren, directeur du Golden Gate Park, fit aussi don de plantes. Dès 1910 le site avait son apparence actuelle, et un concours fut organisé pour lui trouver un nouveau nom. Le lauréat proposa de rendre hommage à l'explorateur espagnol Vasco Nunez de Balboa, premier Européen à avoir aperçu le Pacifique en 1513.

**Deux grandes expositions** – Balboa Park souleva un tel enthousiasme qu'il fut choisi pour accueillir l'**Exposition Panama-Californie de 1915** ; cette foire internationale, qui a duré une année, visait à faire de San Diego le premier port d'escale américain de la côte Ouest pour les bateaux en provenance du tout nouveau canal de Panama. Une équipe d'architectes, dirigée par Bertram Goodhue, érigea toute une ville espagnole stylisée, faite de pavillons d'exposition organisés autour de deux esplanades centrales, la Plaza de Balboa et la Plaza de Panama. On relia ces dernières par une grande voie piétonne, El Prado. Les architectes s'inspirèrent essentiellement du style colonial espagnol et associèrent en un riche mélange les styles mauresque, baroque et rococo, optant pour une ornementation contrastée de céramiques colorées et de murs lisses et nus. De nombreuses façades furent incrustées de pierres sculptées aussi travaillées que de l'argenterie, dans le style appelé platéresque (de l'espagnol *plata*, argent).

En raison de son succès, l'exposition fut prolongée d'un an, et nombre de ses édifices furent conservés, puis restaurés ou reconstruits pour abriter des institutions culturelles. Vingt ans plus tard, alors que l'Amérique sombrait dans la Grande Dépression, des habitants entreprenants de San Diego décidèrent d'organiser l'**Exposition internationale Pacifique-Californie de 1935**, pour donner une impulsion au commerce et restaurer l'optimisme. L'architecte Richard Requa conçut autour de la Pan-American Plaza de nouveaux pavillons mêlant les styles Art déco, maya et du Sud-Ouest américain. Ces bâtiments ont aussi survécu à l'exposition et sont toujours utilisés par la ville.

**Un parc ouvert à tous** – Aujourd'hui, Balboa Park demeure un havre culturel et une retraite sylvestre idyllique, fidèle à la vision de ceux qui contribuèrent à sa création. Tout au long de l'année, des gens de toutes conditions sociales, habitants ou visiteurs, affluent dans ce parc urbain pour profiter de ses innombrables attractions. Le long des arcades du Prado, qui relie les principaux musées du parc, les enfants des écoles gambadent, les peintres ébauchent des esquisses pendant que d'autres flânent devant les boutiques. Joggers et cyclistes sillonnent ses allées, et les amoureux élisent ses clairières pour conter fleurette. À la tombée du jour, les amateurs de concert et de théâtre se pressent au **Starlight Bowl** *(ouvert de juin à septembre du mercredi au dimanche ; appeler pour les billets et les horaires ;* ♿ 🅿 *www.starlighttheatre.org* ☎ *619-544-7800)* et aux représentations du Simon Edison Center for the Performing Arts, construit autour d'une réplique de 1935 du théâtre shakespearien de Londres, **Old Globe Theatre** *(fermé lundi et principaux jours fériés ; appeler pour les billets et les horaires ;* ✗ ♿ 🅿 *www.oldglobe.org* ☎ *619-239-2255).*

## Curiosités *2 jours*

*Le centre d'information du parc est installé dans House of Hospitality (ouvert de 9 h à 16 h ; fermé principaux jours fériés ; ✗ ♿ ▯ www.balboapark.com ☎ 619-239-0512), qui propose des livres et des plans. Parkings gratuits dans le parc ; tramway gratuit reliant les différentes curiosités.*

★★★ **Zoo** – 〔Enfants〕 *Park Boulevard et Zoo Place. Visite de 9 h à 16 h (l'heure de fermeture peut être plus tardive durant l'été et les vacances scolaires). 15 $. ✗ ♿ ▯ ☎ 619-234-3153.* Figurant parmi les parcs zoologiques les plus grands, les plus riches en animaux et les plus renommés du monde, le zoo de San Diego occupe 40 ha de collines et gorges verdoyantes à la frange Nord du parc. Environ 3,3 millions de visiteurs viennent chaque année admirer 4 000 animaux de 800 espèces différentes dans un cadre ombragé par plus de 6 500 familles de plantes, pour la plupart subtropicales.

Lors de l'exposition Panama-Californie, une petite ménagerie d'animaux sauvages fut installée à l'Est du parc, au Sud-Est du zoo actuel. Entendant un lion rugir, le Dr Harry Wegeforth, chirurgien local qui nourrissait depuis longtemps une passion pour les animaux de cirque, eut l'idée de fonder la Société zoologique de San Diego. Celle-ci commença sa collection en récupérant tous les animaux qui avaient été présentés au cours de l'exposition. En 1922, la ville fit don à la société du terrain vallonné et broussailleux qui allait devenir le site définitif du zoo.

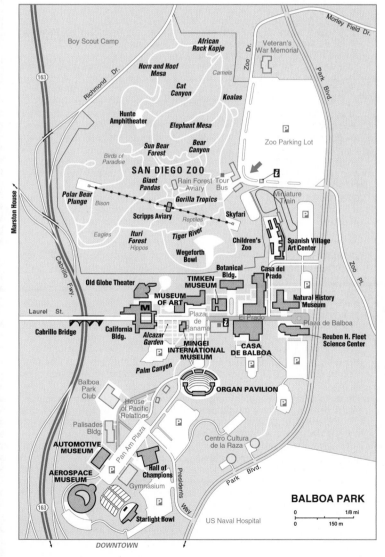

Jusqu'à sa mort en 1941, le Dr Wegeforth dirigea le zoo, en accrut le nombre de pensionnaires et l'aménagea de façon que les enclos se fondent dans un paysage rappelant l'environnement naturel des animaux. Plutôt que de les mettre en cage, on préféra isoler les animaux derrière des douves, pour qu'ils évoluent dans des habitats réalistes et que les visiteurs puissent les observer plus aisément. Aujourd'hui encore cet état d'esprit préside à la réorganisation du zoo en 10 zones bio-climatiques, projet sur 20 ans récemment inauguré avec l'ouverture au public des premiers secteurs réaménagés. Cette philosophie s'applique aussi à l'institution jumelle du zoo, le parc animalier de San Diego *(voir San Diego Wild Animal Park, p. 254)*.

Au fur et à mesure que les hommes ont pris conscience de leur rôle dans la sauvegarde de la planète, le zoo de San Diego s'est positionné en leader dans la protection de l'environnement. Il a accueilli en 1966 la première conférence internationale sur le rôle des zoos dans la protection des espèces. Son action la plus remarquable fut la création, en 1975, du Centre de reproduction des animaux en voie de disparition (CRES), avec pour objectif d'augmenter les chances de reproduction et de survie des animaux tant dans les zoos qu'en liberté.

**Visite** – L'immensité du terrain peut, de prime abord, sembler décourageante. Le meilleur moyen de se faire une idée du domaine est de commencer par une visite guidée en **bus** *(départs juste après l'entrée du zoo ; 30-40 mn ; 5 $ ; ᕀ)*. Ces bus à impériale sillonnent environ 80 % de la surface totale du zoo et permettent d'en découvrir les endroits les plus éloignés, moins accessibles à pied. Ayant ainsi repéré le terrain, les visiteurs peuvent passer une agréable journée à parcourir le réseau complexe des allées en s'aidant, si nécessaire, des trottoirs roulants qui escaladent les collines les plus abruptes. Le **Skyfari**, une télécabine qui traverse la partie Ouest du zoo, permet de rallier facilement la section Nord où se trouvent les enclos (Horn and Hoof Mesa) des mammifères à sabots et à cornes. Il faut garder un peu de temps pour les spectacles d'animaux, présentés régulièrement au **Wegeforth Bowl** (angle Sud-Ouest du zoo) et à l'**amphithéâtre Hunte** (côté Nord-Est) *(20-25 mn ; vérifier les horaires des programmes du jour)*.

Tout est à échelle réduite dans le **Children's Zoo**, où les jeunes visiteurs peuvent voir une nurserie de bébés animaux, traverser de petites volières et un enclos où se trouvent des animaux de ferme et de basse-cour que l'on peut caresser.

**Tiger River** – Une piste sinueuse traverse une forêt tropicale embrumée, où l'on croise crocodiles, dragons d'eau chinois, chats viverrins, une douzaine d'espèces d'oiseaux, des tapirs, des pythons et des chevrotains d'Asie. La promenade se termine par trois belvédères surplombant un immense enclos de tigres de Sumatra.

**Ituri Forest** – Toute nouvelle dans le parc (1999), cette forêt tropicale africaine accueille des okapis, des buffles, des loutres, des singes et des oiseaux. Ne pas manquer la mare des hippopotames où il est possible d'observer ces énormes mammifères au-dessus et en dessous de la surface de l'eau.

**Gorilla Tropics** – Cette parcelle de 1 ha simulant une forêt équatoriale africaine comprend un enclos de 700 m² où vivent des gorilles de plaine d'Afrique de l'Ouest. Plus bas, on accède à une volière, **Scripps Aviary**, construite sur plusieurs niveaux, que l'on traverse à pied. Parmi les chutes d'eau et le feuillage tropical vivent plus de 200 espèces d'oiseaux d'Afrique. Non loin, les **bonobos** *pan paniscus*, ou **chimpanzés nains**, se dépensent avec entrain dans un cadre naturel de 500 m².

**Bear Canyon** – Respectant la philosophie du « zoo sans cage » des débuts, des enclos individuels en plein air présentent chacun une espèce différente d'ours. En bas du Bear Canyon se trouve la **Sun Bear Forest**, où sur 6 000 m² évoluent d'espiègles ours de Malaisie, dans un environnement de rochers, de chutes d'eau et de verdure luxuriante. Plus loin, dans le Bongo Canyon un enclos particulier, Giant Panda Research Station, reçoit les trésors du zoo, un couple de **pandas géants** prêtés par la République Populaire de Chine. Ces adorables mammifères vont séjourner pendant 12 ans au zoo, dans le cadre d'une étude engagée par le CRES.

**Koalas** – Un petit enclos séparé abrite les koalas d'Australie. Non loin se trouve **Elephant Mesa** et ses immenses plateaux ouverts où vivent les éléphants et les rhinocéros.

**African Rock Kopje** (prononcer *copy*) – Sur cette imitation de piton volcanique s'inspirant de la topographie des plaines africaines vivent des tortues plates à carapace molle et des oréotragues, espèce d'antilope de petite taille. **Cat canyon**, en contrebas, est l'habitat de chiens et de chats sauvages.

**Horn and Hoof Mesa** (Plateau des animaux à cornes et sabots) – Serpentant le long du périmètre Nord du Zoo, les allées passent devant différentes créatures bâties pour la course, dont beaucoup viennent d'Afrique : girafes, bongos, chevaux de Przewalski et gazelles de Mhorr en danger d'extinction. À l'extrémité Ouest du plateau, le **Polar Bear Plunge** (plongeoir des ours polaires) présente un groupe de ces grands carnivores batifolant dans des douves larges de plus de 4 m.

**★San Diego Natural History Museum** – *1788 El Prado. Fermé jusqu'en octobre 2000 pour rénovation et extension. www.sdnhm.org ☎ 619-232-3821.* Fondée en 1874, la San Diego Society of Natural History ouvrit son premier musée en

1920 dans la Casa de Balboa. Ellen Browning Scripps a financé la construction du musée actuel, un imposant bâtiment à un étage (1933, William Templeton Johnson) en bordure de la Plaza de Balboa. Lorsque les travaux seront terminés, un atrium sur trois niveaux couvert d'une verrière mènera à un théâtre de 300 places. Des expositions interactives combineront animaux vivants, dioramas et moyens multimédia pour recréer l'écologie de l'océan, des côtes et du désert de Californie du Sud et de la région mexicaine de Baja California.

La **Casa del Prado** jouxte le musée. Conçu sur le modèle des chapelles de la cathédrale de Mexico, cet édifice (1915, Carleton Winslow) était l'un des pavillons les plus grands et les plus richement décorés de l'exposition Panama-Californie. Appelé d'abord le Pavillon de la Nourriture et des Boissons, il fut entièrement reconstruit et rebaptisé en 1971 et abrite désormais un théâtre municipal de 1 500 places. Derrière le musée, un figuier de la baie de Moreton, vieux de 140 ans, marque l'entrée du **Spanish Village Art Center**, qui rassemble 40 ateliers et galeries de peintres disposés de manière à ressembler à une bourgade espagnole. Ce village a été construit à l'occasion de l'Exposition Pacifique-Californie *(visite de 10 h à 17 h ; fermé principaux jours fériés.* & 🅿 ☎ *619-235-1100).*

**Reuben H. Fleet Science Center** – 〔Enfants〕 *1875 El Prado. Visite toute l'année. Se renseigner par téléphone pour les horaires. 11 $ pour les deux visites (Space Theater seul : 9 $, Science Center et galeries d'exposition : 6,50 $).* ✗ & 🅿 *www.rhfleet.org* ☎ *619-238-1233.* Cinq salles d'expositions tournantes et interactives, un planétarium et un simulateur de vol de 23 places pour partir à la découverte de l'espace sont réunis dans ce bâtiment de style colonial espagnol construit en 1973 et agrandi en 1998. Il doit son nom à Reuben H. Fleet, fondateur de la Consolidated Aircraft Corporation de San Diego. Le Space Theater dispose de sièges en gradins installés face à un écran en coupole de 22 m, utilisé pour les séances d'astronomie et sur lequel sont projetés des spectacles laser et films IMAX.

★**Casa de Balboa** – *1649 El Prado* ✗ 🅿. Ce bâtiment à un étage à la riche ornementation fut d'abord conçu en 1914 par Bertram Goodhue sur le modèle du palais du gouvernement fédéral de Queretaro au Mexique. Le bâtiment fut détruit en 1978 par un incendie criminel. Deux ans plus tard, un édifice un peu plus grand que l'original ouvrait ses portes. Il abrite aujourd'hui quatre musées.

**Museum of San Diego History** – *Visite de 10 h à 16 h 30. Fermé lundi, 1ᵉʳ janvier, Thanksgiving Day et vendredi suivant, et 25 décembre. 4 $.* & ☎ *619-232-6203.* Expositions permanentes et temporaires sur l'histoire de la ville depuis 1850.

**Museum of Photographic Arts** – *Fermé en 2000 pour agrandissement. Les expositions sont provisoirement transférées au musée d'Art contemporain, Broadway & Kettner Blvd. : visite de 10 h (12 h le dimanche) à 17 h ; fermé lundi et principaux jours fériés ; 2 $ ;* & ☎ *619-238-7559.* Il accueille des présentations itinérantes et organise des expositions temporaires de photographies puisées dans la collection permanente d'environ 2 800 images

**San Diego Model Railroad Museum** – 〔Enfants〕 *Visite de 11 h à 16 h (17 h le week-end). Fermé lundi, Martin Luther King's Birthday, Thanksgiving Day et 25 décembre. 4 $.* ✗ & 🅿 *www.sdmodelrailroadm.com* ☎ *619-696-0199.* Le musée rend hommage aux chemins de fer réels et imaginaires de la Californie du Sud au travers de quatre présentations de modèles réduits en état de marche et d'une salle de trains-jouets interactive.

★★**Timken Museum of Art** – *1500 El Prado. Visite d'octobre à août de 10 h (13 h 30 le dimanche) à 16 h 30. Fermé le reste de l'année et principaux jours fériés. www.gort.ucsd.edu/sj/timken* ☎ *619-239-5548.* Élégamment recouvert de travertin italien, ce musée bâti de plain-pied (1965) expose dans six galeries et une rotonde la collection commencée en 1950 par Anne et Amy Putnam, bienfaitrices des arts de la région. Les fonds nécessaires à la construction du bâtiment furent essentiellement fournis par H.H. Timken Jr., frère de la fondatrice du musée d'Art de San Diego, Amelia Bridges.

La passion des sœurs Putnam pour les **maîtres européens** se retrouve dans des œuvres telles que *Portrait d'un homme* (1634) de Frans Hals, *Portrait d'un jeune capitaine* (vers 1625) de Rubens et le *Saint Barthélemy* de Rembrandt (1657). Parmi l'exceptionnelle collection de **peintures américaines** se trouvent *Cholooke, the Yosemite Fall* (1864) de Albert Bierstadt, ainsi que *Mrs. Thomas Gage* (1771) de John Singleton Copley. La collection privée de Mlle Amy Putnam, rassemblant des **icônes russes** datant du 14ᵉ s. au 19ᵉ s., est exposée dans une salle séparée sur des murs recouverts de velours spécialement tissé à Florence pour le musée.

Derrière le musée, un **bassin de nénuphars** long de 80 m s'étend de El Prado au **Botanical Building** (1915, Carleton Winslow), ravissant pavillon de style victorien construit avec 21 000 m de planches de séquoia.

★★**San Diego Museum of Art** – *1450 El Prado. Visite de 10 h à 16 h 30. Fermé lundi et principaux jours fériés. 8 $.* ✗ & 🅿 *www.sdmart.com* ☎ *619-232-7931.* Au lendemain de l'exposition Panama-Pacifique, une exposition locale de maîtres modernes inspira les bienfaiteurs Amelia et Appleton S. Bridges, qui donnèrent 400 000 $ pour la construction de la galerie des Beaux-Arts de San Diego. Ce musée d'art, qui fut le premier et qui reste le plus important de la ville, ouvrit ses portes le 28 février 1926. Il changea de nom en 1978 pour devenir le musée d'Art de San Diego. Il regroupe aujourd'hui une collection d'environ 10 500 pièces, particulièrement riche en œuvres de la Renaissance, d'art asiatique ou d'art contemporain californien.

La **façade** plateresque sophistiquée (William Templeton Johnson) s'inspire de l'entrée de l'université de Salamanque. Elle représente les maîtres du baroque espagnol, Murillo, Ribera, Vélasquez, Zurbaran et El Greco. On y voit aussi des répliques du *Saint Georges* de Donatello et du *David* de Michel-Ange, ainsi que les blasons de l'Espagne, de l'Amérique, de la Californie et de San Diego.

**Les collections** – La plus grande collection d'**art contemporain de Californie** de la région *(galerie 4)*, don du bienfaiteur Frederick R. Weisman, réunit des œuvres essentielles de Lita Albuquerque John Baldessari, Billy Al Bengston, Deborah Butterfield, Bruce Conner, David Hockney, Edward Ruscha, Alexis Smith et Wayne Thiebaud. Les salles 12 et 13 se consacrent aux artistes américains et mexicains dont Georgia O'Keefe (*White Trumpet Flower*, 1932), Mary Cassatt, Thomas Eakins, George Inness, Diego Rivera et Rufino Tamayo.

La plus grande partie des collections d'art européen se trouve au 1er étage. L'un des points forts en est le *Couronnement de la Vierge* de Luca Signorelli (1508). Dans les collections d'**art européen des 17e-18e s.**, on peut admirer *La Pénitence de saint Pierre* (vers 1600) du Greco et deux œuvres de Francisco de Zurbaran : l'*Agnus Dei* (vers 1635-1640) et la *Madone à l'enfant et saint Jean Baptiste enfant* (vers 1658). Plusieurs œuvres de Monet et des toiles de Degas, Magritte, Matisse et Pissarro se trouvent dans les salles 9, 10 et 11 au rez-de-chaussée. La salle 19 présente des œuvres de Braque, Vlaminck et Vuillard, ainsi que *Le Garçon aux yeux bleus* de Modigliani.

San Diego : musée des Beaux-Arts

Les **collections japonaise** et **chinoise** *(galeries 7 et 8)* incluent une paire de statues représentant les dieux tutélaires Shintô, une armure (1578) de Myochin Morisuke et deux statues de la divinité Kwan Yin de la dynastie Sung (960-1279).

Dans la **cour des sculptures** attenante au bâtiment principal sont exposées des œuvres de Henry Moore, Alexander Calder et Joan Miró.

En face du musée, de l'autre côté de la Plaza de Panama, se dresse le **Spreckels Organ Pavilion★** (1914), qui abrite le plus grand orgue extérieur du monde, un instrument de 4 445 tuyaux sur 72 rangs. Des concerts sont donnés chaque dimanche après-midi dans l'amphithéâtre de 4 800 places *(de 14 h à 15 h)* et tous les soirs le lundi en juillet et août *(de 20 h à 21 h 30)*.

★**Mingel International Museum of Folk Art** – *1439 El Prado. Visite de 10 h à 16 h. Fermé lundi. 5 $.* ✗ ⓖ ▣ *www.mingei.org* ☎ *619-239-0003.* L'extérieur de ce bâtiment (1996, David Rinehart, Anshen & Allen) est une reproduction fidèle d'un pavillon de l'exposition Panama-Californie de 1915-1916 appelé House of Charm depuis 1934. Il avait été condamné car sa structure n'était pas à l'épreuve des tremblements de terre.

Le musée, qui se trouvait autrefois à La Jolla, occupe sept salles sur deux niveaux. Son nom est une combinaison de deux termes japonais voulant dire les gens *(min)* et l'art *(gei)*. Des expositions tournantes d'art populaire contemporain ou traditionnel, artisanat et design explorent toute la palette du genre, de la poupée au mobilier, des textiles aux sculptures de pierre, des peintures haïtiennes aux jades chinois. L'aspect « élégance fonctionnelle » de l'artisanat américain, ainsi que du mobilier et des objets décoratifs asiatiques, sont présentés dans la salle dite Founder's Gallery. Une belle boutique de cadeaux est située près de l'entrée principale.

**California Building** – *1350 El Prado*. Avec son dôme massif recouvert de céramiques mauresques et son imposant campanile à triple beffroi haut de 55 m, cet édifice de style colonial espagnol (1915) est l'un des rares bâtiments qui devaient être conservés au lendemain de l'exposition Panama-Californie. La façade ornée représente d'importants personnages historiques des débuts de San Diego. Le campanile, appelé **California Tower**, passe pour un remarquable exemple du style néocolonial espagnol. Il abrite un carillon de cent cloches qui sonne tous les quarts d'heure. De l'autre côté d'El Prado en diagonale se trouve l'**Alcazar Garden**, une cour mauresque inspirée des jardins de l'Alcazar à Séville. Au-delà s'étend le **Palm Canyon**, une petite gorge verdoyante traversée par des sentiers, où l'on dénombre plus de cinquante espèces de palmiers.

★★ **San Diego Museum of Man** (**M**) – *California Building. Visite de 10 h à 16 h 30. Fermé 1ᵉʳ janvier, Thanksgiving Day et 25 décembre. 5 $. www.museumofman.org* ☎ *619-239-2001.* À l'occasion de l'Exposition Panama-Californie, la Smithsonian Institution décida de réunir les expositions consacrées à l'évolution de l'homme, à l'anthropologie et à l'ethnologie dans le California Building. Ces expositions ont constitué le noyau du musée de San Diego, rebaptisé musée de l'Homme en 1942 ; il s'enorgueillit aujourd'hui d'une collection permanente de plus de 70 000 pièces. Sous la coupole du bâtiment, au rez-de-chaussée, la galerie **The Ancient Maya** expose des répliques grandeur nature de stèles et autres monuments de pierre massifs de l'ancienne cité maya de Quirigua au Guatemala, datant de 780 à 805.
Au premier étage, la galerie **Early Man** se consacre à l'évolution de l'homme ; l'exposition comprend notamment un moulage très rare du squelette fossile de **Lucy**, femme australopithèque de 1,07 m. Vieux de 3 millions d'années, c'est l'un des plus anciens squelettes découverts d'un ancêtre de l'homme en station debout. La galerie **Life and Death on the Nile** présente des objets de l'Égypte ancienne, dont des momies et des *ushabtis*, figurines funéraires magiques datant de 1250 à 300 avant J.-C. Une exposition séparée de momies présente des corps exhumés au Pérou, au Mexique et en Égypte. Dans la galerie **Life Cycles and Ceremonies**, les rites humains marquant la puberté, le mariage, l'union sexuelle et la naissance sont explorés au travers de présentations audiovisuelles et d'objets culturels du monde entier. Les plus jeunes pourront explorer les mystères de l'Égypte ancienne dans un Discovery Center plein d'innovations *(visite de 13 h 30 (10 h le week-end) à 16 h 30)*.

**Cabrillo Bridge** – Juste à l'Ouest du California Building, ce pont de 125 m de long et 38 m de haut (1914) est le premier pont cantilever à arches multiples construit en Californie. Entrée principale de l'exposition Panama-Californie, il a été inauguré le 12 avril 1914 par un certain Franklin D. Roosevelt, alors assistant du ministre de la Marine. Autrefois, ce pont enjambait un lagon idyllique ; aujourd'hui, c'est la Cabrillo Freeway (route 163) qui file sous ses arches.

★★ **San Diego Aerospace Museum** – Enfants *2001 Pan American Plaza. Visite du weekend de Memorial Day au Labor Day de 10 h à 17 h 30, le reste de l'année de 10 h à 16 h 30. 6 $.* ⌖ 🅿 *www.aerospacemuseum.org* ☎ *619-234-8291.* Cet édifice Art moderne blanc et bleu en forme d'anneau (1935), d'abord appelé Ford Building, abritait une chaîne de montage automobile de démonstration pour l'exposition Pacifique-Californie. L'Aerospace Museum, fondé en 1963, a rouvert ici en 1980 après l'incendie de la Casa de Balboa où il se trouvait auparavant.
Dédié à l'histoire de l'aviation, le musée ne cesse d'enrichir sa collection : il possède aujourd'hui 66 appareils anciens, dont 42 d'origine, allant du biplan à la capsule spatiale ; 14 000 maquettes d'avions et quelque 10 000 objets en rapport avec l'aviation. Juste à l'entrée, l'**International Aerospace Hall of Fame** rend hommage aux inventeurs, industriels et pilotes qui ont marqué l'histoire de l'aviation à travers biographies et portraits peints à l'huile. Sur le pourtour du mur intérieur, une peinture murale de l'artiste Juan Larinaga (143 m de long sur 5,5 m de haut), *The March of Transportation* (1935), illustre l'évolution des moyens de transport.
Voisin de l'Aerospace Museum, le **San Diego Automotive Museum**★ organise des expositions thématiques temporaires d'automobiles et motocyclettes classiques, exotiques ou à vocation particulière *(2030 Pan American Plaza – visite de 10 h à 16 h 30 (17 h 30 de juin à août) ; fermé 1ᵉʳ janvier, Thanksgiving Day et 25 décembre. 6 $.* ⌖ 🅿 ☎ *619-231-2886).*
Le **San Diego Hall of Champions Sports Museum**, transféré en 1999 dans l'ancien Federal Building, présente une collection de souvenirs, photographies et vidéos consacrés aux sportifs amateurs ou professionnels de la région dans plus de 40 disciplines et

ce sur plus d'un siècle *(2131 Pan American Plaza ; visite de 10 h à 16 h 30 ; fermé 1er janvier et 25 décembre. 7 $. & ✗ ▯ www.sandiegosports.org ☎ 619-231-2886).*

★ **Marston House** – *3525 7th Avenue, près de l'entrée Nord-Ouest de Balboa Park. Visite guidée uniquement (45 mn) du vendredi au dimanche de 10 h à 16 h 30. 5 $. ▯ ☎ 619-298-3142.* George White Marston, propriétaire d'un grand magasin de la ville et sauveteur du presidio, fit construire cet hôtel particulier de 790 m² de style Arts and Crafts (1905, Irving Gill) pour y vivre avec son épouse Anna Gunn Marston. La San Diego Historical Society et la ville de San Diego gèrent ensemble la demeure, qui abrite une belle collection d'authentique mobilier Arts and Crafts signé de maîtres comme Stickley, Roycroft et Ellis. Quelques pièces seulement ornaient la maison à l'origine. Le parc de 2 ha, avec son jardin à l'anglaise, garde l'empreinte de plusieurs architectes paysagistes de renom, parmi lesquels Kate Sessions *(voir index)*.

## ★★ DOWNTOWN *Une demi-journée*

Alternant flèches modernes et bâtiments historiques, le centre-ville de San Diego s'étend entre Balboa Park et la baie de San Diego. Cœur des affaires et du commerce, c'est aussi le centre administratif du comté.

Il y a encore quelques années, le centre urbain accusait un net déclin, car la ville se développait au Nord, au Sud et à l'Est en délaissant totalement son cœur historique. Certains élus et promoteurs entreprenants commencèrent néanmoins à freiner cette tendance dans les années 1970 et 1980, en sauvegardant et restaurant les trésors victoriens du quartier Gaslamp, et faisant surgir, le long de Broadway, des bâtiments nouveaux de boutiques et bureaux d'une audacieuse distinction architecturale. Ils s'attachèrent également à la renaissance du front de mer, avec la création du Seaport Village, du San Diego Convention Center (Palais des Congrès) et de ses hôtels luxueux.

## ★ Gaslamp Quarter

Avec son trésor de demeures victoriennes rénovées, utilisées à nouveau, cet îlot de 16 blocs d'immeubles délimité par Broadway, Harbor Drive, 4th Avenue et 5th Avenue préserve l'atmosphère du San Diego de la fin 19e s.-début du 20e s. Le quartier est renommé aujourd'hui pour ses restaurants, boutiques et bureaux branchés.

**De New Town à Stingaree** – Vers 1850, William Heath Davis, originaire de San Francisco, échoua dans sa tentative d'établir une nouvelle ville au Nord du front de mer de San Diego. Alonzo Horton, en revanche, réussit ce pari en 1869, après avoir fait construire un quai marchand dans le prolongement de 5th Avenue. Mais durant la décennie 1880-1890, le développement attira aussi de douteux personnages, dont le célèbre policier Wyatt Earp, patron de trois salles de jeux. Les commerçants honnêtes se déplacèrent alors au Nord de Market Street. New Town devint un quartier chaud connu sous le nom de Stingaree, car les imprudents qui s'y égaraient risquaient des rencontres aussi douloureuses que celle des raies pastenagues *(stingray)* de la baie de San Diego.

**④ San Diego Hardware Company**
*840 5th Ave. ☎ 619-232-7123.* Cette vénérable quincaillerie a ouvert ses portes en 1892. Arrêtez-vous devant ses vitrines novatrices, puis entrez admirer son adorable vieux plancher et ses plafonds étamés. Les rayons et les murs sont littéralement envahis de tous les gadgets possibles et imaginables : ce que vous ne trouvez pas ici, vous ne le trouverez nulle part ailleurs...

La prostitution disparut en 1912 à la suite de descentes de police. Un quartier chinois et asiatique se développa dans une partie de Stingaree, mais le reste, abandonné, commença à se délabrer. Quand en 1974 les bâtiments furent menacés de destruction, propriétaires et commerçants du quartier s'unirent pour former la Gaslamp Quarter Association. Un plan dynamique de restauration et d'aménagement fut lancé en 1982. Les travaux se poursuivent encore aujourd'hui, faisant de zones autrefois délabrées de plaisantes artères animées bondées d'acheteurs et de promeneurs. Un nombre croissant de restaurants appréciés attirent des centaines d'amateurs, faisant du quartier un secteur particulièrement vivant le soir.

Aujourd'hui, on dénombre près de cent bâtiments historiques dans le Gaslamp Quarter. Certains sont mentionnés ci-dessous. Des **promenades guidées** du quartier historique sont organisées par la Gaslamp Quarter Historic Foundation au départ de William Heath Davis House *(2 h ; tous les samedis à 11 h ; 5 $ ; ☎ 619-233-4692).*

SAN DIEGO INTL. AIRPORT ↑          BALBOA PARK ↑

**William Heath Davis House** – *410 Island Avenue. Visite guidée uniquement (30 mn). Téléphoner pour les horaires. 2 $. www.gqhf.com.* ☎ *619-233-4692.* Le plus ancien des bâtiments sauvegardés, cette maison d'un étage à toit dissymétrique a été construite sur la côte Est en 1850, puis expédiée en Californie via le cap Horn. Elle est la réplique exacte de celle où vécut brièvement W.H. Davis. Alonzo Horton y vécut quelque temps en 1867. Les pièces des deux niveaux sont décorées dans le style de l'époque. Un bureau d'information touristique sur le Gaslamp Quarter fonctionne au rez-de-chaussée.

★**Horton Grand Hotel** – *311 Island Avenue.* De majestueuses fenêtres en rotonde ornent la façade du plus vieil hôtel d'époque victorienne de San Diego (1886). Restauré en 1981, le bâtiment réunit deux hôtels qui furent déplacés de leur site d'origine du centre-ville pour être remontés ici, les anciens Horton Grand Hotel et Brooklin Hotel. Ce dernier était autrefois une sellerie. Un charmant atrium relie les deux bâtiments décorés de fenêtres en rotonde d'origine, de balcons et d'ornements en fer forgé.

Le **Yuma Building**, étroite et élégante construction à deux étages *(631 5th Ave.)*, fut l'un des premiers bâtiments de briques construits dans le centre-ville (1888). Il a abrité des bureaux, un bazar japonais et une maison de tolérance avant que sa restauration ne soit engagée en 1982. Deux tours identiques à pignons surplombent le 3ᵉ étage de la **Louis Bank of Commerce** *(835 5th Ave.)*, premier bâtiment de granit de San Diego (1888). L'intérieur de l'**Ingle Building**, bâti en 1907 *(801 4th Ave. ; visite pendant les heures de bureau)*, révèle une magnifique coupole de 7,50 m ornée de vitraux, créée en 1906 et transportée ici en 1982. Autrefois, ce bâtiment abritait la Golden Lion Tavern, qui ne servait des repas qu'à une clientèle masculine.

## ★Broadway

★**Horton Plaza** – *Entourée par Broadway Street, G Street, 1st Ave. et 4th Ave. Ouvert de Memorial Day à Labor Day du lundi au samedi de 10 h à 21 h, le dimanche de 11 h à 19 h ; le reste de l'année du lundi au vendredi de 10 h à 21 h, le samedi de 10 h à 18 h, le dimanche de 11 h à 18 h. Fermé dimanche de Pâques, Thanksgiving Day et 25 décembre.* ✕ ♿ 🅿 ☎ *619-238-1596.* Avec ses passages biscornus, ses nombreuses rampes et escaliers, son patchwork de styles architecturaux et son éblouissante palette de cinquante tons pastel, ce centre commercial post-moderne à plusieurs étages en plein air (1985, Jon Jerde) a vraiment été conçu pour désorienter les visiteurs, les incitant ainsi à d'agréables flâneries. Ce complexe de 46 000 m² abrite des grands magasins connus (Nordstrom, Macy's, F. A. O. Schwarz), plus de 140 boutiques spécialisées et restaurants, un multiplexe à 14 salles et deux grandes salles de spectacle. Des artistes de rue se produisent dans les cours et plazas. En face de l'entrée côté Broadway se trouve la plaza des origines, un petit parc établi par Alonzo Horton en 1871. Sa fontaine électrique, conçue par Irving Gill, fut installée en 1910.

★ **US Grant Hotel** – *326 Broadway.* L'hôtel le plus imposant du centre-ville, un bâtiment de dix étages de style néo-Renaissance italienne (1910) donne sur Horton Plaza. En 1895, Fannie Grant, belle-fille du 18ᵉ président des États-Unis, Ulysses S. Grant, acheta l'hôtel Horton House qui occupait le site depuis 1870. Le nouvel hôtel qu'elle fit construire avec son mari était considéré comme l'un des plus grands de l'époque. Il fut baptisé en hommage à l'ancien président. Restauré au début des années 1980, son **intérieur** se révèle des plus somptueux : 107 lustres, 150 tonnes de marbre déclinées sur plus de vingt couleurs et 8 essences de bois différentes, dont la loupe d'orme des Carpates, l'acajou, l'érable à sucre et le noyer noir d'Amérique.

**Spreckels Theater** – *121 Broadway. La salle n'est ouverte que pour les spectacles.* ☎ *619-235-9500.* Le magnat du sucre John D. Spreckels fit construire cet imposant et élégant théâtre baroque (1912) pour célébrer l'ouverture du canal de Panama et l'inauguration, en 1915, de l'exposition Panama-Californie dans Balboa Park. Les murs et le plafond du hall d'entrée, recouverts d'onyx de Predore, sont étincelants. Des peintures allégoriques décorent le proscenium et le plafond de la salle de 1 456 places. Réputé pour son acoustique parfaite, il est encore utilisé pour toutes sortes de spectacles, comédies musicales, pièces de théâtre et ballets.

★ **Emerald Plaza** – *402 West Broadway. Ouvert tous les jours.* ♿ ☎ *619-239-4500.* Quand vient le soir, ce groupe de huit tours de verre hexagonales de trente étages (1930) illumine le ciel du centre-ville d'une lueur de néon vert émeraude. Le complexe comprend le Pan Pacific Hotel, dont l'**atrium** de 30 m de haut est dominé par une sculpture de verre suspendue de couleur verte, *Flying Emeralds* (1990) ; c'est une œuvre de Richard Lippold, qui a aussi réalisé le baldaquin suspendu dans la cathédrale St. Mary de San Francisco.

**America Plaza** – *1001 Kettner Boulevard sur Broadway.* Cette gracile tour de bureaux de 33 étages (1991) est la plus haute construction de San Diego. Ses murs de verre et de granit blanc s'élèvent jusqu'à un sommet en forme d'étoile. À côté, une verrière en verre et acier en forme de croissant abrite une gare de tramway et relie la tour au **Museum of Contemporary Art (M)** *(visite de 10 h (12 h le dimanche) à 17 h. Fermé lundi et principaux jours fériés. 4 $.* ✗ ♿ *www.mcasandiego.org ☎ 619-454-3541).* Dans cet espace de 900 m² sont organisées des expositions itinérantes et des présentations temporaires d'œuvres provenant de la collection permanente de son homologue à La Jolla *(voir p. 229).*

**Santa Fe Depot** – *1050 Kettner Boulevard sur Broadway.* Se distinguant par deux tours élégantes qui se dressent sur Broadway, cette gare de style colonial espagnol (1915) fut construite pour accueillir le flot des visiteurs de l'exposition Panama-Californie de Balboa Park. Elle a remplacé la petite gare d'origine, construite en 1885 pour l'arrivée du Santa Fe Railroad. L'immense **intérieur** est richement décoré de carreaux de céramique jaunes et bleues.

## ★ Front de mer

★ **Maritime Museum of San Diego** – Enfants *1306 North Harbor Drive. Visite de 9 h à 20 h (21 h de juin à septembre). 5 $. www.maritime.com ☎ 619-234-9153.* Amarrés dans le port à proximité du **San Diego County Administration Building**, bâtiment de style colonial espagnol qui attire les regards (1938), trois navires historiques, et les expositions à leur bord, forment le cœur d'un musée dédié à l'histoire maritime de la ville. *Un projet est actuellement à l'étude pour transférer définitivement le musée au Broadway Pier, plus au Sud.*

Le *Berkeley* (**A**), qui abrite le bureau du musée, fut le second ferry-boat à hélice de la côte Pacifique ; il fut construit dans les chantiers Union Iron Works à San Francisco et mis à l'eau le 18 octobre 1898. Cet ancien vaisseau de 1 945 tonnes et 88 m de long assurait le transport des passagers entre le Ferry Building de San Francisco et Oakland ; il permit d'évacuer des milliers de personnes vers l'Est de la baie après le tremblement de terre de 1906.

La *Médée* (**B**) est amarrée le long du *Berkeley*, qui permet d'y accéder. Construit en 1904, ce luxueux yacht à vapeur à coque métallique de 43 m de long a d'abord emmené des expéditions de chasse sur les lochs et les côtes d'Écosse. Il a servi la marine pendant les deux guerres mondiales, puis sillonné la Méditerranée et la mer Baltique comme bateau de plaisance.

Le **Star of India**★★ (**C**) est un trois-mâts carré lancé sous le nom d'*Euterpe* le 14 novembre 1863 à Ramsey, dans l'île de Man en Angleterre. C'est le plus ancien navire marchand en fer, et l'un des plus anciens vaisseaux du monde encore en état de naviguer. De 1871 à 1897, il fit 21 fois le tour du monde, transportant des émigrants britanniques en Australie et Nouvelle-Zélande. La compagnie Alaska Packers de San Francisco l'a acheté en octobre 1901. En 1906, on transforma son gréement en trois-mâts barque et on le rebaptisa *Star of India*. Dans les années 1920, avec la suprématie des navires à vapeur, il resta à l'abandon, amarré dans l'estuaire d'Oakland, jusqu'à ce que les fondateurs du Maritime Museum l'achètent et le ramènent à San Diego en 1927. Il fallut trente ans pour le restaurer entièrement. On voit encore le *Star of India* sortir de la baie de San Diego, toutes voiles dehors, à certaines occasions.

★**Seaport Village** – *West Harbor Drive sur le Kettner Boulevard. Visite de 10 h à 21 h (22 h de juin à août).* ✕ ♿ ▣ *www.spvillage.com* ☎ *619-235-4013.* Proche du port, en vue du centre-ville, ce quartier (6 ha) très animé est constitué de bâtiments de style Nouvelle-Angleterre ou méditerranéen de plain-pied ou à un étage, reliés par des ruelles pavées, avec des boutiques de cadeaux, des restaurants et une promenade en planches sur le front de mer. Le vieux **manège** Enfants placé ici en 1980 a été construit en 1890 par Charles I.D. Loof, qui installa également des chevaux de bois à Santa Monica et Long Beach.

★**San Diego Convention Center** – *111 West Harbor Drive.* Inauguré en 1990, le **palais des Congrès** (70 000 m²) ancré près de la baie de San Diego sur un domaine de 4 ha, ressemble à un voilier futuriste avec sa tente blanche géante qui couvre son toit-terrasse.

★**Children's Museum/Museo de los Niños** – Enfants *200 W. Island Ave. (entre Front St. et Union St.). Visite de 10 h à 15 h (16 h le week-end). Fermé lundi et principaux jours fériés. 6 $.* ✕ ♿ ☎ *619-233-8792.* Proche du front de mer, cet ancien entrepôt reconverti en musée lumineux propose toutes sortes d'activités, de jeux, de manipulations. Les expositions se consacrent surtout à l'art, à la créativité et à l'imaginaire. Les enfants peuvent monter sur scène pour jouer une pièce improvisée, faire de la musique ou

**⑤ Kansas City Barbeque**

*610 W. Market St., à l'angle de Kettner Blvd.* ☎ *619-231-9680.* Ce vrai « troquet » américain a été rendu célèbre par le film *Top Gun*, dont certaines scènes ont été tournées ici. Pour être dans le ton, affalez-vous à l'une des tables couverte d'une nappe à carreaux rouges et faites-vous servir promptement une assiette de viandes passées au barbecue et accompagnées d'oignons frits. Ou bien vautrez-vous contre le bar, qui se panache de coiffures bigarrées, de tenues militaires et de maillots de corps ornés d'autographes, de célébrités ou d'illustres inconnus. C'est sans nul doute l'un des endroits les plus courus de San Diego.

mettre autant qu'il leur plaira les mains dans la peinture. L'exposition permanente est complétée par des spectacles temporaires et des projets de galeries d'art, faisant de chaque visite une nouvelle expérience.

★**MISSION BAY** *Schéma p. 232*

Cette zone de loisirs de 1 860 ha en bord de mer n'était autrefois qu'un paysage de marais et lagunes appelés False Bay. On commença à l'aménager dans les années 1930 pour attirer le tourisme vers San Diego. Aujourd'hui, avec ses généreuses pelouses vertes, ses chemins dallés, ses pistes cyclables et ses 70 km de **plages** de sable, Mission Bay est devenue la destination de détente des visiteurs et habitants de San Diego.

Avant le 19e s., d'importantes et fréquentes inondations contraignaient le cours imprévisible de la rivière San Diego à osciller entre False Bay et San Diego Bay. Vers 1850, avec l'augmentation du trafic maritime et de la création d'un nouveau port, on construisit des levées pour orienter la rivière vers False Bay et empêcher les dépôts de vase d'obstruer l'entrée du port. Les décennies qui suivirent virent une plage se dessiner à l'entrée de la baie. En 1921, la Spreckels Company décida d'y aménager un centre de loisirs, **Belmont Park**, pour augmenter le nombre de voyageurs de sa ligne de tramway. Dans les années 1930, des urbanistes conçurent un projet de transformation de la baie en parc aquatique, et l'aménagement se poursuivit dans les années 1960.

Aujourd'hui, avec son domaine également réparti entre terre et eau, Mission Bay Park offre une multitude de possibilités de loisirs.

**★★ SeaWorld San Diego** – ▨▨▨▨▨ *Au départ du centre-ville, prendre la I-5 vers le Nord, sortir à Sea World Drive et suivre la signalisation. Visite (une journée) à partir de 10 h (9 h de mi-juin à septembre). Les horaires de fermeture varient de 17 h à minuit. 38 $.* ✗ ⛗ ▣ *(5 $) www.seaworld.com* ☏ *619-226-3901.* Ce « parc d'aventures » en front de mer est en fait un établissement commercial mêlant divertissements et projets éducatifs pour sensibiliser le public à la protection de l'environnement.

Lorsqu'il ouvrit ses portes en 1964, le parc ne proposait que quatre attractions sur 9 ha du littoral Sud de Mission Bay. Ses équipements de loisirs et de recherche se sont développés depuis et couvrent maintenant 60 ha. On y découvre cinq grands spectacles d'animaux, vingt-cinq expositions sur la vie marine et quatre aquariums. Plus de 1,5 million de personnes participent chaque année à ses programmes éducatifs qui font prendre conscience des problèmes d'environnement. Les départements de recherche, d'éducation et de protection de la nature de SeaWorld ont été reconnus au niveau national. Le parc a lancé des programmes de reproduction pour les orques, les manchots empereurs et d'autres espèces. SeaWorld dirige également un programme de sauvetage pour les mammifères marins échoués sur les plages. D'autres parcs SeaWorld ont ouvert dans l'Ohio (1970), en Floride (1973) et au Texas (1988).

---

### Quelques chiffres

L'eau utilisée dans les aquariums et les bâtiments de recherche de SeaWorld provient de Mission Bay. Elle est filtrée toutes les 3 heures.

Les animaux qui y résident mangent près de 2,5 t de poissons, de coquillages et de calmars par jour (soit plus de 900 t par an). En 1997-98 SeaWorld rééduqua et remit avec succès en liberté un petit de baleine grise qui s'était échoué sur une plage. Appelé J.J., ce « petit » fut le plus grand animal jamais rééduqué dans un établissement zoologique.

---

**Visite guidée** – *90 mn. Billets et horaires disponibles à l'entrée du parc. Le départ de la visite se fait au Tour Booth, à l'entrée du parc.* Cette visite instructive des coulisses du parc permet de découvrir les endroits où les animaux sont récupérés, soignés ou entraînés, ainsi que d'autres zones habituellement fermées au public.

**Spectacles d'animaux** – *La durée de chaque spectacle est de 25 mn environ. Programme du jour affiché à l'entrée.* L'un des plus remarquables est le **Shamu Adventure★**. On y voit une sympathique famille d'orques et ses entraîneurs dans une sorte de ballet aquatique sur un thème « Pacifique Nord ». Un immense écran vidéo permet de les voir évoluer en gros plan sous l'eau. *Note : si vous aimez vous faire éclabousser, prenez l'un des sièges des 14 premiers rangs.*

Dans le spectacle **Dolphin Discovery**, on voit s'élancer globicéphales et dauphins pour des pirouettes et des sauts aériens alors que **Marooned with Clyde and Seamore** présente les pitreries d'otaries, de morses et d'autres créatures marines. **Wings of the World** met en scène les prouesses et l'agilité d'une trentaine d'oiseaux dressés.

**Expositions interactives** – Le **Rocky Point Preserve★**, ouvert en 1993, est la plus grande au monde des animations interactives mettant en scène des dauphins. Dans un décor façonné pour imiter un rivage rocheux, les visiteurs sont invités à nourrir et caresser des grands dauphins. Des loutres de mer de Californie s'ébattent dans un espace réservé. Dans le **California Tide Pool**, les visiteurs peuvent toucher étoiles de mer, oursins et autres habitants du littoral. Au **Forbidden Reef** *(étage supérieur)*, on peut caresser les raies chauves-souris qui s'approchent souvent du bord.

**Aquariums et présentations** – **Wild Arctic★** débute par un voyage mouvementé à bord d'un faux hélicoptère vers une station de recherche qui partage son climat subpolaire frisquet avec des ours polaires, des baleines beluga, des morses et des otaries. **Penguin Encounter** recrée les conditions de l'Antarctique avec une température maintenue à – 2°. On y découvre une population de près de 400 manchots qui vivent ici dans leur habitat naturel. On peut les voir cabrioler sur une plaque de glace ou nager gracieusement sous l'eau. Cet univers glacé abrite aussi des oiseaux du pôle Nord, macareux et mergules nains.

**Shark Encounter★** (rencontre avec les requins) permet d'approcher les prédateurs des grands fonds, si souvent redoutés. Les visiteurs en quête de frissons peuvent emprunter un tunnel sous-marin transparent de 17 m qui traverse le fond du bassin, et permet de voir de près les ventres et les gueules des requins du Pacifique à aileron noir et requins taureaux qui évoluent en compagnie de raies et d'autres poissons exotiques. À l'extérieur, des requins de coraux sillonnent les eaux d'un lagon tropical. À Forbidden Reef, d'autres tunnels d'exploration sous-marine permettent de voir de redoutables murènes de Californie et de gracieuses raies chauve-souris.

**Manatee Rescue** est le seul endroit en dehors de la Floride où l'on peut voir des lamantins, gros mammifères aquatiques herbivores. Au travers d'une grande baie vitrée, on peut observer quelques spécimens de cette espèce en danger évoluer sous l'eau. Plus de cinquante aquariums d'eau douce et d'eau de mer accueillent des centaines de poissons exotiques provenant des océans ou des habitats d'eau douce du monde entier. Le SeaWorld présente aussi des oiseaux rares, des phoques, des otaries, des morses et un groupe de superbes chevaux Clydesdale, symbole de l'entreprise Anheuser-Busch, propriétaire du parc.

**Shipwreck Rapids** – Les amateurs de sensations fortes aimeront cette attraction, seule concession faite par SeaWorld au style « parc aquatique ». Il s'agit d'une descente façon rafting à bord d'une embarcation close en forme de tube : rapides, cascades, tunnel et quasi-collision avec un bateau sont au programme !

**Skytower** – L'ascenseur tournant de la tour mène à une plate-forme d'observation haute de 80 m, offrant de très belles **vues**★★ plongeantes sur le parc, la région de Mission Bay alentour et la ville de San Diego à l'horizon.

## AUTRES CURIOSITÉS *Schéma p. 232*

★**Villa Montezuma** – *1925 K Street, entre 19th et 20th St. Visites guidées (45 mn) uniquement, du vendredi au dimanche de 10 h à 16 h 30. 5 $. ☎ 619-239-2211. Note : les agressions étant fréquentes dans ce quartier, nous recommandons aux visiteurs de s'y rendre en voiture ou en taxi.* En 1887, de riches habitants de la ville firent construire cet hôtel particulier d'allure raffinée afin d'y installer Jesse Shepard, musicien, philosophe spiritualiste et écrivain en vogue. Ils l'avaient convaincu de rester à San Diego en échange d'une résidence élégante, où il pourrait donner des récitals et tenir salon. Avec ses tours d'angle et de côté, ses fenêtres de formes et de tailles variées et ses murs recouverts de motifs différents en shingles, l'extérieur de la villa est un bel exemple du style Queen Anne. L'intérieur est orné de luxueuses boiseries de noyer et de séquoia et de superbes vitraux. Shepard occupa cette demeure pendant deux années, puis elle connut différents propriétaires avant d'être confiée à la ville de San Diego. Aujourd'hui remarquablement restaurée, elle a été transformée en musée par la San Diego Historical Society.

★★**Cabrillo National Monument**, au **cap Loma** – *Cabrillo Memorial Dr. Du centre-ville, prendre Harbor Drive vers le Nord sur environ 11 km. Tourner à gauche dans Rosecrans Street, puis à droite dans Canon Street, encore à gauche sur Catalina Boulevard en traversant de Ft Rosecrans. Le centre d'accueil se trouve à 5 km environ du portail. Visite de 9 h à 17 h 15 (18 h 15 du 4 juillet à Labor Day). 5 $ par véhicule. ⴠ ▣ www.nps.gov/cabr ☎ 619-557-5450.* Occupant le sommet d'une crête de grès qui domine la mer de 120 m, ce parc à l'extrémité Sud du cap Loma commémore la découverte de la côte du Pacifique par les Européens en 1542. L'un des plus anciens phares de la côte Ouest s'y trouve.

Aujourd'hui limite Nord-Ouest de la baie de San Diego, cette formation de grès de 10 km de long était il y a des millions d'années une île séparée du continent. Les bancs de sable du delta du fleuve San Diego vinrent en se déplaçant combler le bras de mer. C'est ici que le 28 septembre 1542 **Juan Rodríguez Cabrillo** *(voir index)* vint ancrer ses caravelles, premier Européen à fouler le sol californien. Au cours du 19ᵉ s., pour éviter les hauts-fonds des abords de la nouvelle ville, les navires faisant escale pour Old Town venaient s'ancrer à Ballast Point, une bande de terre s'avançant dans la baie sur le côté Est du cap Loma. En 1797, Ballast Point devint le site de Fort Guijarros, batterie portuaire de dix canons érigée par les Espagnols pour protéger l'endroit contre d'éventuelles attaques britanniques. Le fort d'artillerie côtière érigé sur le cap servit jusqu'en 1947.

Le trafic maritime littoral augmenta fortement durant la première partie du 19ᵉ s. et, en 1851, le Congrès américain ordonna la construction de huit phares sur la côte Ouest. À 140 m au-dessus du niveau de la mer, celui du cap Loma, mis en service en 1855, était le fanal le plus haut et le plus méridional des États-Unis. Mais brumes côtières et nuages bas obscurcissaient fréquemment son faisceau, et un nouveau phare fut érigé en 1891 à l'extrémité Sud-Ouest du cap, bien au-dessous du plafond nuageux.

L'ancien phare et les quelque 2 000 m² qui l'entourent ont été classés monument national en 1913. Aujourd'hui, le domaine couvre 60 ha et figure parmi les parcs historiques nationaux les plus visités de l'État.

**Visite** – De la base de la statue de Cabrillo, derrière le centre d'accueil, on peut observer le passage des navires, des avions et parfois même des sous-marins de la Navy. Là, des **vues panoramiques**★★★ s'ouvrent sur San Diego et sa baie jusqu'au Mexique. Les expositions du centre racontent l'arrivée des Espagnols et l'histoire naturelle et culturelle de la région.

Le petit salon, la cuisine et deux chambres à l'étage du **vieux phare du cap Loma**★ *(en montant la colline après le centre d'information)* ont été restaurés tels qu'ils étaient en 1880 : les visiteurs peuvent se faire une idée de la solitude des gardiens de phare sur cette péninsule isolée. Du phare, un **sentier côtier** (Bayside Trail – *chemin touristique de 6,5 km aller-retour ; brochures disponibles au centre d'information*) suit le versant Est du cap, permettant de découvrir les différentes plantes qui poussent près de la côte dans cette végétation dominée par l'armoise. Non loin, au Sud du phare, un belvédère permet d'observer la migration saisonnière des baleines. Sur la côte rocheuse à l'Ouest du cap Loma, on peut explorer une **zone littorale protégée★**.

★**Coronado** *3 h. Schéma p. 232*
*Prendre la I-5 vers le Sud jusqu'à la route 75 ; péage à la sortie du pont : 1 $.*

Située juste de l'autre côté de la baie en face du centre-ville de San Diego, cette enclave élégante regroupant maisons, appartements, boutiques, restaurants et hôtels semble bien protégée de l'agitation du centre-ville que l'on aperçoit à moins de 800 m.

**La métamorphose d'une terre désolée** – En 1884, la mauvaise santé d'Élisha Babcock Jr. un responsable de l'Indiana Railroad Company, l'obligea à l'âge de 36 ans à se retirer à San Diego avec sa famille. Une fois rétabli, il accompagnait son ami Hampton Story dans des parties de chasse à Coronado, terre à l'époque désolée, parsemée de buissons et peuplée de lapins et de cailles. En 1885, les deux hommes eurent l'idée de transformer cette péninsule en lieu de villégiature : le raccordement de San Diego à la ligne transcontinentale, prévu pour l'année suivante, leur faisait espérer un boom touristique. Ils achetèrent donc toute la péninsule (1 660 ha) pour 110 000 dollars.

Après avoir tracé les rues et aménagé le terrain, les deux associés de la Coronado Beach Company invitèrent, le 13 novembre 1886, 6 000 investisseurs potentiels à un pique-nique, doublé d'une vente aux enchères de parcelles. Ayant récupéré leur investissement initial grâce à cette seule journée de vente, ils envisagèrent la construction de l'**Hotel del Coronado** qui, d'après Babcock, devait devenir le « point de mire du monde occidental ».

Stimulée par ce rêve, Coronado, qui compte aujourd'hui près de 27 000 résidents, devint la villégiature de l'élite. Pendant de nombreuses années, on ne put y accéder que par le bac ou par le Silver Strand, une langue de terre reliant Coronado à l'extrémité Sud de la baie. Mais en 1969, Coronado devint plus facilement accessible avec l'ouverture du **San Diego-Coronado Bay Bridge★**, le pont non suspendu le plus long de l'Ouest américain (3 407 m) qui forme un arc harmonieux sur 90° entre la péninsule et le centre-ville de San Diego.

★★**Hotel del Coronado** – *1500 Orange Avenue.* C'est le dernier établissement balnéaire californien de l'époque victorienne. On reconnaît de loin sa façade en bois blanc et bardeaux rouges, ses larges balcons et ses gracieuses flèches qui s'élèvent sur le rivage Sud de Coronado. Gardant encore le souvenir d'invités prestigieux, immortalisé dans des romans

Hotel del Coronado

comme au cinéma, « The Del », comme on le surnomme affectueusement, conserve un air de grandeur nostalgique de début de siècle. Babcock et Story, fondateurs de Coronado, engagèrent des architectes de l'Indiana Railroad, James Merrit et Watson Reed, pour concevoir cet hôtel. Les travaux commencèrent en janvier 1887. Les équipes étaient constituées en majorité d'ouvriers chinois travaillant nuit et jour, et, grâce à l'implantation sur le chantier d'une forge,

d'un four à briques et d'une verrerie, l'hôtel fut miraculeusement terminé 11 mois plus tard. On dit que c'est Thomas Edison qui supervisa l'installation du système d'éclairage électrique.

Durant son existence, l'hôtel a accueilli quatorze présidents des États-Unis, ainsi que de nombreuses célébrités. Son invité étranger le plus prestigieux fut le prince de Galles, futur Édouard VIII. C'est là qu'il aurait rencontré en 1920 Wallis Simpson, qu'il épousa 16 ans plus tard en renonçant au trône d'Angleterre.

« The Del » aurait inspiré à l'un de ses invités, L. Frank Baum, la vision de la Cité d'émeraude du *Magicien d'Oz*. Il fut longtemps l'un des décors favoris des metteurs en scène d'Hollywood, apparaissant notamment dans la comédie de Billy Wilder *Certains l'aiment chaud* (1958) avec Jack Lemmon, Tony Curtis et Marilyn Monroe.

**Visite** – *Visites historiques guidées (1 h) à 11 h et 13 h, le dimanche à 15 h. On peut prendre les billets à Signature Shop, 15 $.* ✗ ♿ ▯ *www.hoteldel.com* ☎ *619-522-8154.* Le très opulent **hall d'entrée** à deux niveaux de style anglais est remarquablement décoré en chêne de l'Illinois. À la grande époque de l'hôtel, les hôtes de retour de la chasse ou de la pêche laissaient leurs prises sur le sol du vestibule, en marbre à l'époque. La vaste salle à manger principale, **Crown Room,** possède des murs et un plafond en pin de l'Oregon assemblés avec des chevilles de bois. Les lustres fantastiques en forme de couronne sont l'œuvre de L. Frank Baum. À partir du **Garden Patio,** ombragé de palmiers, on pénètre dans la Galerie d'histoire, un couloir jalonné de présentations historiques qui conduit aux terrasses et appontements publics ouverts sur l'océan.

## EXCURSIONS

**Cuyamaca Rancho State Park** – *4 h. 70 km au Nord-Est de San Diego par la I-8 direction Est et la route 79 vers le Nord. Visite tous les jours. 5 $/véhicule.* ⛺ ♿ ▯ ☎ *760-765-0755.* Couvert de chênaies et de pinèdes ponctuées de crêtes de granit et de grès, ce parc de 10 000 ha préserve l'héritage culturel des Amérindiens de la région, et le souvenir d'une ruée vers l'or à la fin du 19ᵉ s., qui apporta sa notoriété à cette région retirée du comté de San Diego.

Les Indiens Kumeyaay établissaient chaque été leur campement dans cette région jusqu'à ce qu'un ranch s'y établisse au milieu du 19ᵉ s., pour alimenter en foin les relais de diligences. C'est dans cette région que se déroula, de 1869 à 1880, la plus grande ruée vers l'or de la Californie du Sud. La découverte du filon aurifère le plus riche de l'État, le **Stonewall Mine,** entraîna l'apparition d'une ville minière très animée sur les rives du lac Cuyamaca.

En 1923, Ralph Dyar, un homme d'affaires de Detroit à la retraite, acheta le Rancho Cuyamaca, démantela la mine et les bâtiments de la ville, et fit construire le rustique chalet de pierre qui abrite aujourd'hui l'administration du parc. Le domaine fut cédé à l'État en 1933.

**Visite** – Les expositions du **Cuyamaca Indian Museum** *(au bureau du parc)* racontent l'histoire locale vue à travers les yeux d'une jeune Indienne kumeyaay. Un court chemin prolonge la narration avec des informations sur l'utilisation des plantes de la région, et mène à l'emplacement d'un village kumeyaay. Près de l'entrée des ruines de Stonewall Mine *(5,5 km au Nord du bureau du parc),* une cabane de mineurs reconstituée présente l'histoire de la Ruée vers l'or à la fin du 19ᵉ s. Plus de 175 km de sentiers pédestres et équestres serpentent à travers les prairies, forêts, ruisseaux et zones de végétation différentes du parc.

★ **Julian** – *2 h. 90 km au Nord-Est de San Diego par la I-8 vers l'Est, puis la route 79 vers le Nord.* Ce charmant petit village de montagne (1 280 m) accroché aux flancs de Volcan Mountain est un lieu très prisé des promeneurs du week-end. Julian s'est développé dans le sillage de la ruée vers l'or *(ci-dessus).* À son apogée, la ville possédait huit saloons et de nombreux autres commerces. Aujourd'hui, Julian est au centre d'une région agricole réputée pour ses pommes, pêches et poires. Main Street, la rue principale bordée de devantures du 19ᵉ s., garde une atmosphère de temps suspendu. Des objets datant de 1869 sont exposés au **Julian Pioneer Museum** *(2811 Washington Street ; visite d'avril à novembre du mardi au dimanche de 10 h à 16 h, le reste de l'année uniquement week-ends et jours fériés aux mêmes heures. 1 $.* ☎ *619-765-0227).*

Julian est une base idéale pour qui souhaite visiter l'arrière-pays et les petits villages du comté de San Diego. Au Sud, les 40 km du **Sunrise National Scenic Byway** *(route 51, entre la I-8 et la route 79)* traversent la forêt domaniale de Cleveland, offrant des vues étonnantes vers l'Est sur le parc naturel du désert d'Anza-Borrego.

**Santa Ysabel Asistencia Mission** – *Une demi-heure. 13 km au Nord-Ouest de Julian par la route 79. Visite de 9 h à 16 h (16 h.30 de Memorial Day à Labor Day). Participation demandée.* ▯ ☎ *769-765-0810.* Dans une vallée agréable entourée de collines vallonnées, cet avant-poste établi en 1818 est le seul qui subsiste de la mission San Diego de Alcalá. La chapelle actuelle en stuc (1924), située juste au Nord de l'emplacement de l'église d'origine, fait office d'église paroissiale et abrite un petit musée d'objets amérindiens et de photos de l'ancienne mission. En contrebas, près d'un petit moulin à vent, on peut voir le sol pavé de l'ancienne église mis à nu lors de fouilles en 1960.

**Palomar Observatory** – *1 h. 88 km au Nord-Est de San Diego par la route 163 vers le Nord, la I-15 vers le Nord et la route 76 vers l'Est. Visite de 9 h à 16 h. Fermé 24 et 25 décembre.* ▯ *www.astro.caltech.edu* ☎ *760-742-2119.* Se dressant près du sommet du mont Palomar (1 867 m), l'observatoire dirigé par l'institut de Technologie de Pasadena possède le plus grand télescope optique des États-Unis : le célèbre **Hale Telescope★** qui, grâce à son miroir en pyrex de 5 m de diamètre, a une portée supérieure à 1 milliard d'années-lumière. Une galerie voisine du laboratoire explique la fabrication et l'utilisation du télescope. De fantastiques photos d'étoiles de la Voie lactée, de galaxies lointaines, de quasars, de nébuleuses et autres merveilles de l'univers en démontrent les capacités. Sous la coupole de l'observatoire, une passerelle d'observation permet de voir le télescope. Un énorme tube lui sert d'armature avec, à une extrémité, le miroir et, à l'autre, la cage d'observation de l'astronome. La route d'accès à l'observatoire offre de superbes **panoramas**, terrestres cette fois.

### ★★★ San Diego Wild Animal Park, à **Escondido**

*48 km au Nord-Est de San Diego. Prendre la I-15 jusqu'à la sortie Via Rancho Parkway et suivre la signalisation.*

[Enfants] *15500 San Pasqual Valley Rd. Visite (6 h) de 9 h à 16 h (on peut rester jusqu'à 17 h). 18,95 $.* △ ⚒ ♿ ☎ *619-234-6541.*

Animaux exotiques et espèces en voie de disparition ont trouvé un refuge sûr dans les collines herbeuses de ce parc de 890 ha, situé au cœur du comté de San Diego. Créé et géré par le zoo de San Diego pour assurer la survie d'espèces en voie de disparition, le parc accueille 1,2 million de visiteurs par an.

**Un « zoo sauvage »** – En 1953, les dirigeants du zoo de San Diego eurent l'idée de créer, en annexe, un centre d'élevage en plein air pour la reproduction des espèces menacées. Plus tard, on décida d'ouvrir ces installations au public, pour le sensibiliser aux problèmes d'environnement, et ce centre devint un zoo secondaire. On s'aperçut que les collines qui entouraient la vallée de San Pasqual, région encore préservée au cœur du comté de San Diego, rassemblaient différents biotopes similaires à ceux d'Asie et d'Afrique et pouvaient constituer un environnement idéal pour de nombreuses espèces menacées. L'aménagement paysager, très étudié, prit en compte des éléments indispensables aux animaux, afin que les pensionnaires se sentent suffisamment à leur aise pour se reproduire en captivité : souches d'arbres permettant aux rhinocéros de gratter leur cuir, arbres assez hauts pour que les girafes puissent brouter sans avoir à se baisser. Ces attentions ont porté leurs fruits : le premier rhinocéros blanc mâle du parc a engendré 59 petits en 13 ans, contribuant ainsi à rayer son espèce de la liste des animaux en voie de disparition. Pour l'espèce très sérieusement menacée des condors de Californie, près de la moitié des individus vivant aujourd'hui sont nés dans le parc.

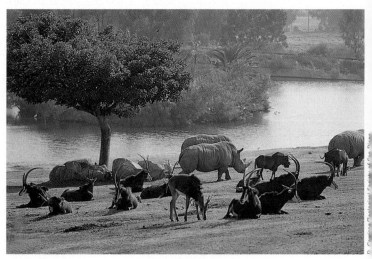

Dans le parc animalier

Aujourd'hui, on compte jusqu'à 600 naissances chaque année dans le parc, avec cinq fois plus de chances de survie pour les petits que dans la nature. Depuis l'ouverture du parc en 1972, plus de 30 espèces en voie de disparition s'y reproduisent avec succès. Au total, le parc possède près de 2 500 mammifères et oiseaux, rassemblant près de 260 espèces, dont 90 sortes d'**ongulés**, le plus grand regroupement d'animaux de ce type en captivité.

**Nairobi Village** – *Près de l'entrée principale.* Dans ce parc à thème de 7 ha recréant l'atmosphère d'un village de pêcheurs du Congo, les visiteurs traversent des volières remplies d'oiseaux et de végétation exotiques, en passant devant des enclos de petits animaux. Les **spectacles d'animaux** servent autant à informer qu'à amuser le public, en permettant aux spectateurs de découvrir les talents et le comportement naturel des oiseaux de proie, des animaux exotiques d'Amérique du Nord et des éléphants d'Asie. Au **Monbasa Lagoon**, des présentations faisant appel à la participation du public permettent de voir les choses du point de vue de l'animal. On peut se blottir à l'intérieur d'un œuf de pélican, sauter d'un nénuphar géant à un autre, ou se déplacer sur une toile d'araignée. Un enclos, le **petting kraal**, offre aux visiteurs la chance de caresser différents animaux exotiques apprivoisés. Une serre tropicale, la **Jungle cachée** (Hidden Jungle), abrite 2 500 animaux de 140 espèces différentes, dont quelque 2 000 papillons et des créatures rares telles que les scorpions Empereur, les paresseux à deux doigts, et des grenouilles à la peau venimeuse.

★★**Habitats** – *Visite en monorail (50 mn) à partir de Nairobi Village.* Le monorail de la **Wgasa Bush Line** *(8 km)* traverse les cinq biotopes principaux du parc. Les troupeaux d'animaux évoluent et se comportent naturellement, comme s'ils étaient en liberté. On a reconstitué les savanes d'Afrique de l'Est et du Sud, le désert Nord-africain, ainsi que les plaines d'Asie et leurs points d'eau ou la steppe de Mongolie. L'enclos **Eastern Africa** accueille sur 50 ha 15 espèces différentes, dont les girafes de l'Ouganda, les gnous à barbe blanche et le rhinocéros blanc du Nord. Une famille de rhinocéros indiens partage l'**Asian Plain** avec des gazelles goitreuses de Perse, des gaurs de l'Inde et des antilopes noires. Gazelles addra et oryx africains paissent tranquillement dans l'habitat **Northern Africa**, tandis que dans **Southern Africa** s'épanouissent 20 rhinocéros blancs du Sud, le groupe le plus important des États-Unis. L'**Asian Waterhole** accueille différents cervidés, dont le cerf sika de Formose, qui n'existe plus à l'état sauvage. On peut voir les chevaux de Przewalski courir librement dans la partie **Mongolian Steppe**. D'autres habitats plus petits attestent la réussite des programmes d'élevage du zoo, notamment en ce qui concerne les tigres de Sumatra, les chevaux de Przewalski, les okapis et les chimpanzés nains. 12 ha d'une partie de la vallée de San Pasqual ressemblant à de la savane accueillent depuis peu la section, sans grillage visible, **Heart of Africa**. On peut y aller à pied muni d'un guide facilitant l'identification des différentes espèce y résidant (okapis, phacochères, girafes baringo, guépards, gazelles du Soudan, etc.). Des safaris photos permettant une meilleure approche des animaux y sont également organisés. L'immenses enclos de **Kilimanjaro Safari Walk** permet d'observer sur 1,5 km des éléphants d'Afrique et d'Asie, des tigres de Sumatra et des lions d'Afrique. La piste rejoint un sentier de 1,5 km au travers du luxuriant **Kupanda Falls Botanical Center**.

# ★San Pasqual Battlefield State Historic Park

*48 km au Nord-Est de San Diego, 13 km à l'Est d'Escondido par la route 78. Visite (1 h) les week-ends et jours fériés de 10 h à 17 h,* ⚓ 🅿 ☎ *619-220-5430.*

Sur le versant Nord de l'une des collines qui entourent la grande vallée de San Pasqual, un centre d'information très documenté retrace l'histoire du combat le plus meurtrier de la guerre du Mexique en Californie.

Au cours de l'été 1846, ayant reçu l'ordre d'établir un gouvernement américain en Californie, le général de brigade Stephen W. Kearny et un détachement de l'armée de l'Ouest quittèrent Fort Leavenworth, au Kansas, pour Los Angeles. En traversant le Nouveau-Mexique, ils rencontrèrent Kit Carson, chevauchant vers l'Est, qui leur annonça que la Californie était déjà entre les mains des Américains. Kearny envoya presque toutes ses troupes en garnison à Santa Fe, ne gardant pour poursuivre vers l'Ouest qu'une centaine d'hommes confrontés à la faim et au froid. En approchant de la vallée de San Pasqual, alors qu'ils n'étaient plus qu'à un jour de marche de San Diego, ils apprirent que les colons mexicains *Californios* s'étaient révoltés et avaient repris tout le Sud de l'État à l'exception de San Diego.

Un épais brouillard régnait en ce matin du 6 décembre 1846 lorsque Kearny engagea sa troupe contre un détachement mexicain mené par le commandant Andrés Pico. L'humidité ambiante avait mouillé la poudre et rendu les carabines hors d'usage, et les Américains se trouvèrent désarmés face aux lanciers mexicains : on dénombra 21 morts américains pour un seul *californio*. Le lendemain, alors qu'ils s'efforçaient de rallier San Diego, ils furent à nouveau arrêtés par les Mexicains au sommet d'une colline voisine. Quatre jours plus tard, les renforts américains arrivèrent de San Diego, permettant enfin à la troupe de Kearny d'entrer dans la ville.

**Musée** – Une aire d'observation équipée de schémas explicatifs domine le théâtre du combat, tandis que des présentations et une vidéo éducatives *(10 mn)* relatent l'histoire de la région et de la guerre du Mexique. En suivant le sentier *(800 m)* qui sillonne les pentes autour du centre d'information, on peut découvrir la végétation du chaparral (petits arbustes et buissons). Une plaque *(600 m à l'Ouest)* indique l'endroit où les Américains avaient établi leur camp le soir de la bataille.

## Côte du comté de San Diego *3 h – 45 km*

*Quitter La Jolla par North Torrey Pines Road qui devient par la suite route 21.*

Au Nord de La Jolla, le littoral du comté de San Diego est jalonné de villes résidentielles et de superbes plages où soleil, sable et mer continuent de régner à côté de l'agitation citadine. Au Nord de la réserve d'État de Torrey Pines, la route traverse **Del Mar**, une enclave élégante très connue dans le monde des courses de pur-sang à cause de son hippodrome. Au Nord de la ville de Solana Beach, la route longe les plages très agréables de **Cardiff** et **San Elijo** : ces deux plages appartiennent à la ville d'**Encinitas**, qui a conquis le titre de « capitale mondiale des fleurs » pour sa culture des poinsettias. Un paradis de la botanique, les **Quail Botanical Gardens★**, réputés pour leur riche collection de plantes, regroupent sur 12 ha espèces régionales, plantes exotiques et végétation des zones arides *(en quittant la route 21, tourner à droite dans Encinitas Boulevard, passer sous la I-5 et tourner à gauche sur Quail Gardens Drive. Visite de 9 h à 17 h. Fermé 1er janvier, Thanksgiving Day et 25 décembre. 5 $. ▯ www.qbgardens.com ☎ 760-436-3036).*

Les plages de Moonlight et de Leucadia bordent la côte au-delà de quelques pâtés de maisons à l'Est de la route 21 qui traverse le Nord d'Encinitas. Au-delà de la réserve écologique du Batiquitos Lagoon se dresse la charmante ville de **Carlsbad**, baptisée ainsi en 1887 après que l'on eut découvert que ses eaux minérales avaient exactement la même composition chimique que celles de Karlsbad, la célèbre ville d'eaux allemande. Aujourd'hui, State Street, plaisamment ombragée *(de la route 21, tourner à droite sur Elm Avenue, puis à gauche sur State Street)* est bordée de boutiques et de terrasses de cafés ; on découvre dans les rues avoisinantes quelques bâtiments restaurés du 19e s. Le centre d'information *(400 Carlsbad Village Drive)* installé dans une gare réaménagée de la ligne de Santa Fe (1887) propose des brochures et indique les meilleurs circuits pour visiter la ville.

L'attraction la plus récente de Carlsbad est **Legoland California** *(1 Lego Drive, à l'écart de Cannon Rd. à l'Est de la I-5 ; visite de 10 h à 17 h ; 32 $ ; ✗ ♿ ▯ www.legoland.com ☎ 760-918-5376).* Premier parc d'attraction du fabricant danois des fameux Lego (les autres parcs se trouvent au Danemark et en Angleterre). Trente millions de briques Lego ont été utilisées pour réaliser 5 000 animaux, bâtiments et sites connus répartis dans plusieurs section à thème (côte californienne, Washington D.C., New Orleans, un port de Nouvelle Angleterre et bien d'autres endroits reproduits à une échelle de 1/20e). Dans le Village Green, les Lego prennent la forme de contes pour enfants et l'on peut également embarquer dans le bateau Fairy Tale Brook. Des lions, des girafes et des zèbres grandeur nature attendent les visiteurs dans le Safari Trek, alors que Adventurers Club Walk les emmène dans les pyramides égyptiennes, une forêt d'Amazonie et l'Artique.

Au Nord de Carlsbad, la route 21 traverse **Oceanside**, la troisième ville du comté de San Diego, réputée pour sa plage et sa **jetée**. Mesurant à l'origine 490 m, cette estacade réservée aux amusements était la plus longue de la côte Ouest avant que des tempêtes ne réduisent sa longueur à 280 m.

Au Nord d'Oceanside, la route 21 rejoint l'Interstate 5, qui traverse l'immense domaine de Camp Pendleton, base militaire du corps des Marines, qui occupe tout l'angle Nord-Ouest du comté de San Diego.

## Tijuana *Au moins une demi-journée. 25 km au Sud de San Diego centre.*

Cette ville animée de près d'un million d'habitants est l'une des plus visitées des villes mexicaines de la frontière. Elle permet aux touristes et aux Californiens du Sud de s'offrir une journée à l'étranger. La croissance du port de San Diego et la relative proximité de la ville trépidante d'Hollywood ont contribué à donner de Tijuana une réputation de ville de plaisirs bon marché. Mais, les dollars des touristes aidant, la ville s'est progressivement transformée. Et Tijuana, parfois familièrement surnommée « TJ » par les Américains, est devenue un centre de commerce où gratte-ciel et hôtels de luxe ont remplacé certaines des rues mal famées d'autrefois. Avec ses quartiers commerciaux, ses bars, ses discothèques et ses deux arènes de taureaux, Tijuana continue d'attirer les visiteurs en quête de divertissements et à ouvrir à d'autres les plages et les paysages sauvages de la Basse-Californie.

**Avenida Revolución** – *Entre calle 1 et calle 9.* La rue principale de Tijuana, jalonnée de galeries marchandes, est idéale pour ceux qui souhaitent faire des achats, dîner ou prendre un verre. Les vendeurs, qui importunent constamment les touristes, sont toujours prêts à marchander pour céder bijoux, cuirs, vêtements et objets mexicains. Dans la rue 7, la statue caractéristique d'un joueur sautant par-dessus un ballon en mosaïque annonce le **Palacio Frontón**, au style mauresque très élaboré, construit en 1947 pour servir de fronton de *jai alai*, un jeu de balle très rapide à deux joueurs.

★**Mexitlán** – *Avenida Ocampo, angle de calle 2. Visite de 9 h à 17 h. Fermé lundi et principaux jours fériés. 10 pesos.* Installée sur un toit, cette attraction touristique en plein air présente 150 reproductions au 1/25 des monuments de l'architecture mexicaine, depuis la pyramide du Devin de la cité Maya d'Uxmal (7e-10e s.) jusqu'au stade olympique de Mexico (1968).

**Centro Cultural** – *Paseo de los Héroes, angle d'Avenida Mina. Visite de 10 h à 20 h.* ✗ ♿ ☎ *011-52-66-841-111.* Dominant la Zona Rio, un quartier élégant de la ville au bord du fleuve Tijuana, cet étonnant complexe de forme géométrique (1982) abrite une exposition culturelle permanente retraçant les modes de vie de la période précolombienne au Mexique, ainsi que l'histoire de Tijuana et de la Basse Californie. On y trouve aussi une salle de projection Omnimax sphérique *(ouvert de 15 h (11 h les week-ends et jours fériés) à 21 h ; horaires des projections variables ; 20 pesos),* des salles d'expositions temporaires, et des lieux de spectacles couverts et en plein air.

★★**La Jolla** – *Une journée. Voir ce nom.*

★★**San Luis Rey de Francia Mission** – *2 h. Voir chapitre suivant.*

★**Anza-Borrego Desert State Park** – *Une journée. Voir ce nom.*

---

## RENSEIGNEMENTS PRATIQUES

Indicatif de la région : 619

**Information générale** – **Tijuana Tourism & Convention Bureau,** 7860 Mission Center Court, Suite 202, San Diego CA 92108 *(☎ 299-8518, ou 800-522-1516 depuis la Californie, ou 800-225-2786 depuis le reste du territoire américain et le Canada)* fournit des renseignements touristiques. On trouve des bureaux de change de chaque côté de la frontière. Il n'est généralement pas nécessaire de changer de l'argent, car la plupart des magasins et restaurants de Tijuana acceptent les dollars américains.

**Entrée** – Pour entrer au Mexique il suffit d'être muni d'un passeport. Les ressortissants américains ou canadiens doivent faire état de leur citoyenneté (permis de conduire ou pièce d'identité avec photo et extrait d'acte de naissance) ou être munis d'un passeport en cours de validité. Les règlements pour l'entrée au Mexique peuvent être différents pour des destinations autres que Tijuana ou la Baja Peninsula, ou encore si le séjour excède 72 h. Pour de plus amples renseignements, contacter le **consulat du Mexique,** 1549 India Street, San Diego CA 92101 *(☎ 231-8414).*

**Pour s'y rendre et circuler dans les environs** – Les visiteurs peuvent emprunter le **trolley de San Diego** jusqu'à son terminus de San Ysidro, ou s'y rendre en voiture et se garer dans l'un des nombreux parcs du côté américain de la frontière. **Mexicoach,** un service de navettes proposé au départ du parking frontalier ou du terminus de trolley, dessert Terminal Turistica Tijuana sur Avenida Revolución *(tous les jours de 9 h à 21 h ; 2 $ aller-retour ; ☎ 428-9517).* La plupart des sites décrits ci-après peuvent se visiter à pied à partir de la frontière de San Ysidro. Pour ceux qui préfèrent s'y rendre en voiture, il est fortement recommandé de prendre une assurance mexicaine *(11 à 17 $ par jour)* qui peut être achetée du côté américain de la frontière, notamment auprès d'**Instant Mexico Auto Insurance** *(☎ 800-345-4701),* car les polices d'assurances américaines ne sont pas reconnues au Mexique. Il est très dangereux de conduire dans Tijuana et les conducteurs responsables d'accidents au Mexique sont inculpés d'acte criminel. Les autorités exigent de tous les conducteurs qu'ils puissent attester de leur responsabilité financière (liquidités ou assurance automobile mexicaine).

# SAN LUIS REY DE FRANCIA Mission★★

Carte Michelin n° 493 B 11
Office de tourisme ☎ 760-721-1101

À **Oceanside**, *65 km environ au Nord de San Diego par la I-5 et la route 76 (Mission Avenue).*

Occupant une vallée protégée à quelque 8 km de la côte au Nord du comté de San Diego, la 18ᵉ mission californienne était un vaste ensemble à l'architecture impressionnante. À sa grande époque, elle figurait parmi les plus grands avant-postes catholiques du Nouveau Monde. Établie ici en relais entre les missions de San Diego et de San Juan Capistrano, le « Roi des Missions » fut baptisé en l'honneur du roi de France Saint Louis IX, qui fut canonisé pour ses croisades en Terre sainte.

## UN PEU D'HISTOIRE

Fondée le 13 juin 1798 par le père Fermín Lasuén, la mission connut un développement rapide, grâce à la docile participation des Indiens luiseno, mais aussi à la compétence du père Antonio Peyri, un prêtre efficace qui possédait un talent d'architecte incontestable. L'expansion et l'édification de la mission ne connurent pas d'interruption pendant ses 34 années de direction. Lorsqu'il partit pour l'Espagne en 1832, la mission San Luís Rey pouvait se vanter de posséder l'une des plus belles églises de la chaîne des missions, ainsi qu'une cour de 25 000 m² et des champs et pâturages sur un rayon de 25 km.

À l'époque de la sécularisation, environ 2 800 novices vivaient à la mission, élevant du bétail, cultivant des céréales et produisant beurre, bougies, savon, cuir, vin, huile et vêtements.

Après la sécularisation, les *Californios* locaux s'empressèrent d'abuser des néophytes résidents en achetant les terres de la mission à très bas prix. Vers 1850, des soldats américains y établirent leurs quartiers. Mais, en 1865, Abraham Lincoln restitua à l'Église catholique le domaine qui, à la fin du 19ᵉ s., accueillit un monastère franciscain. Aujourd'hui, c'est une paroisse très active.

### VISITE *Une heure*

*4050 Mission Avenue. Visite de 10 h à 16 h 30. Fermé 1ᵉʳ janvier, Thanksgiving Day et 25 décembre. 4 $. ⑆ ⊡ www.sanluisrey.org ☎ 760-757-3651.*

**Bâtiments et terrains** – En façade, un fronton blanc et festonné surplombe la majestueuse construction du père Peyri, dont la porte est flanquée de pilastres. Un clocher à dôme en couronne l'angle droit. D'anciens croquis indiquent que Peyri aurait eu l'intention d'équilibrer sa façade avec un second clocher.

L'église comprend un cloître à deux niveaux qui, autrefois, courait sur 150 m de chaque côté. Il ne reste plus que 12 arches sur les 32 qui ornaient autrefois le mur de façade.

Dans le **musée** situé dans la partie Est du cloître, des expositions retraçant l'histoire de la région et de la mission sont organisées par thème. La mission possède une collection d'anciens **vêtements sacerdotaux**★ espagnols, l'une des plus importantes des États-Unis, ainsi que les seuls exemplaires de canne et de chapeau de *padre* datant de l'époque des missions. En sortant du musée, passer par le petit cloître *(à gauche)* pour y voir une maquette du complexe tel qu'il était à l'origine.

Aujourd'hui restaurée, l'**église**★★, un des deux sanctuaires en forme de croix de la chaîne des missions (l'autre se trouvait à la mission San Juan Capistrano), a été conçue pour accueillir 1 000 néophytes et mesure 54 m de long, 8,5 m de large et 9 m de haut. La croisée du transept est surmontée d'un dôme en bois unique parmi les missions de Californie. Sa lanterne à huit faces comporte 144 panneaux de verre. Sous la voûte du baptistère peint de couleurs lumineuses, les fonts baptismaux d'origine sont toujours utilisés.

De l'autre côté de la rue qui passe devant la mission, on voit un beau **lavoir** restauré, alimenté autrefois par deux sources qui jaillissaient des gargouilles du côté.

## EXCURSION

**San Antonio de Pala Asistencia Mission** – *32 km à l'Est de la mission San Luís Rey de Francia, par la route 76. Visite du mardi au samedi de 10 h à 16 h, le dimanche de 9 h 30 à 16 h 30. Fermé 25 décembre. 2 $. ⊡ ☎ 760-742-3317.* Voici la seule mission qui poursuive encore sa vocation originelle en restant au service de la population amérindienne locale. Petit avant-poste installé en 1815 sur la réserve des Indiens pala, cette mission était rattachée à celle de San Luís Rey. Son isolement permit à la mission d'être épargnée par les pillages qui ravagèrent les autres missions à partir de la sécularisation de 1834. En 1903, la mission redevint propriété de l'Église catholique. À l'intérieur de l'étroite et sombre chapelle, on peut admirer des motifs amérindiens, restaurés après qu'un prêtre un peu trop zélé les eut blanchis à la chaux.

# San Francisco Area

Même si San Francisco et ses alentours sont reconnus comme centre de haute technologie et de finance, c'est l'élégance et le charme de la « ville au bord de la baie », le climat agréable et la superbe situation géographique de l'endroit qui, année après année, attirent puis séduisent les visiteurs…

Assez paradoxalement, la baie de San Francisco fut découverte par la voie terrestre. En effet, trois navigateurs croisèrent au large de ses côtes sans jamais apercevoir la passe d'entrée (Juan Rodríguez Cabrillo en 1542, Francis Drake en 1579 et Sebastían Vizcaíno en 1602). Ce n'est qu'en 1769 qu'un détachement de l'expédition terrestre dirigée par Portola l'atteignit par hasard. Pensant qu'il s'agissait de celle découverte par Drake, et qu'ils appelaient depuis 1595 « San Francisco », les Espagnols lui attribuèrent injustement mais définivement ce nom.

Au 19e s., l'or et l'argent firent de San Francisco la métropole de l'Ouest. Ce nouveau statut lança une frénésie de construction de maisons, d'usines et de réseaux de transport – le plus étonnant et innovant étant le *cable car* conçu par Hallidie. Des immigrants du monde entier affluèrent, donnant à la jeune cité une touche internationale toujours d'actualité. De jeunes écrivains – qui devinrent célèbres – vinrent goûter aux vices et aux vertus de cette ville indomptable.

Dangereusement placée sur la faille de San Andreas, San Francisco fut pour ainsi dire entièrement détruite lors du grand tremblement de terre de 1906 et par l'incendie qui lui succéda. La reconstruction mena à une nouvelle expansion mais cette fois-ci sur une plus grande échelle comme en témoignent la construction, à la fin des années 1930, du Golden Gate Bridge et du San Francisco-Oakland Bay Bridge.

Dans les années 1950, les jeunes Américains en quête d'une autre Amérique devinrent les Beatniks de North Beach ; le mouvement hippy du tournant des années 1960 et 1970 s'installa à Haight-Ashbury ; vers la fin des années 1970 la communauté homosexuelle fit de Castro son quartier. Ces différents groupes ou mouvements eurent et ont toujours un impact sur la vie culturelle locale !

La croissance de San Francisco fut entravée par sa situation sur une péninsule, c'est pourquoi elle a depuis longtemps été supplantée, en terme de population, par Los Angeles, San Diego et même San José. Toutefois, avec le réservoir de matière grise de la Silicon Valley au Sud et l'activité d'Oakland et de Berkeley à l'Est, de l'autre côté de la baie, la région reste toujours aussi dynamique.

# BERKELEY★

103 000 habitants

Carte Michelin n° 493 A 8 – Voir schéma au chapitre SAN FRANCISCO p. 272

Office de tourisme ☎ 510-549-7040

Cette dynamique ville universitaire montre un appétit et une énergie sans bornes pour la vie politique et intellectuelle, et la diversité culturelle. Couvrant les versants des collines de Berkeley, la ville est également fière de ses beaux quartiers anciens, d'où l'on a des vues magnifiques vers l'Ouest sur San Francisco et sa baie.

## UN PEU D'HISTOIRE

À l'instar d'Oakland, l'emplacement actuel de Berkeley fut un pâturage de la Mission Dolores avant d'être intégré, vers 1820, au Ranch San Antonio de Luís María Peralta. Berkeley demeura une zone rurale anonyme dotée d'une seule implantation, Ocean View, jusqu'à ce qu'un établissement d'études supérieures s'y établisse vers 1860. En 1866, la communauté naissante aux abords du modeste campus prit le nom de l'évêque et philosophe anglais George Berkeley (1685-1753), auteur de la célèbre phrase : « C'est vers l'Ouest que l'empire trace sa route. » Au cours des quarante années qui suivirent, la ville s'installa autour de la « Cal », nom familier de l'université. En 1906, le tremblement de terre de San Francisco amena une vague de réfugiés fuyant en masse la ville dévastée pour s'installer définitivement dans la partie Est de la baie.

Depuis le début du siècle, Berkeley a la réputation d'être une ville bien gérée, foyer d'universitaires et d'intellectuels. De charmantes vieilles résidences entourent le campus et parsèment les collines de Berkeley. Les grandes artères commerciales qui rayonnent à partir de l'université, notamment **Telegraph Avenue★**, **College Avenue** et **University Avenue**, sont bordées de boutiques de curiosités et d'artisanat, de librairies, de cafés et restaurants. Upper Shattuck Avenue (entre Rose St. et Virginia St.) a gagné son surnom de « Gourmet Ghetto » grâce à sa riche palette de restaurants, dont le célèbre *Chez Panisse* d'Alice Waters, l'initiatrice de la cuisine californienne.

## ★★BERKELEY, UNIVERSITÉ DE CALIFORNIE

Le premier et le plus prestigieux campus du réseau renommé de l'université de Californie, UC Berkeley est célèbre pour la diversité de son architecture, l'exubérance de ses parcs, l'exceptionnelle qualité de ses musées et collections, et ses innombrables contributions au savoir humain, notamment en matière de physique nucléaire. On se souvient aussi de sa notoriété dans la décennie 1960-1970 comme foyer d'agitation étudiante.

Université de Californie – Sproul Plaza

L'université doit sa création à des enseignants religieux venus au milieu du 19e s. de la côte Est des États-Unis en Californie, qui fondèrent en 1854 à Oakland le Collège chrétien de Californie, ouvert à toutes les confessions. En 1860, trouvant l'atmosphère d'Oakland, ville en plein essor, trop débridée et peu propice à l'étude, ils choisirent les rives bucoliques de Strawberry Creek à l'Est d'Ocean View pour y installer leur nouvelle université.

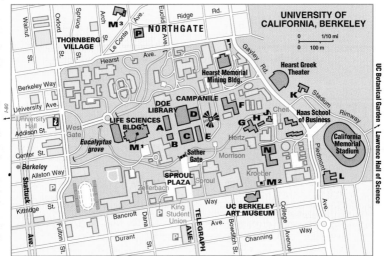

Quelques années plus tard, ils demandèrent au célèbre architecte paysagiste Frederick Law Olmsted de concevoir le campus. Mais un manque de fonds empêcha la réalisation du projet d'Olmsted et, en 1867, leur établissement fusionna avec l'université d'Agronomie, des Mines et de la Science Mécanique, subventionnée par l'État. La nouvelle institution prit l'année suivante le nom d'université de Californie.

Au début du siècle, **Phoebe Apperson Hearst**, mère de William Randolph Hearst *(voir index)*, célèbre femme philanthrope et membre du conseil d'administration, participa au financement de l'agrandissement du campus « dans l'harmonie entre architecture et paysage ». Soutenu par la fortune des Hearst et les subventions de l'État, l'architecte John Galen Howard entreprit de faire de Berkeley « l'Athènes de l'Ouest » et choisit pour l'ensemble le style architectural Beaux Arts. Durant la première moitié du 20e s., l'agrandissement de l'université contribua à diversifier l'architecture du campus. Les nouveaux bâtiments furent conçus par des achitectes renommés tels Bernard Maybeck, Julia Morgan, George Kelham et Arthur Brown Jr.

Dans les années 1960, les mouvements pour la paix et pour la défense des droits civiques projetèrent Berkeley sous les feux de l'actualité nationale comme foyer d'agitation étudiante. Aujourd'hui, « Cal » continue d'attirer une population universitaire d'origines ethniques variées, souvent politiquement engagée et approchant 30 000 personnes. L'université est reconnue comme l'une des meilleures institutions d'enseignement supérieur du pays : parmi ses 1 460 enseignants, on compte 8 prix Nobel (trois physiciens, deux chimistes, deux économistes, un poète). Ses professeurs et ses étudiants diplômés décrochent régulièrement de prestigieuses distinctions académiques et bourses de recherche. C'est l'université américaine qui obtient le plus grand nombre de doctorats. Centre dynamique pour le sport et la culture, le campus accueille fréquemment concerts, projections de films, réunions de clubs, conférences et compétitions sportives. Berkeley reste aussi le fer de lance de la réflexion sociale et de la recherche académique.

## Visite  *3 h.*  🚻 *Berkeley*

*Renseignements et plans du campus sont disponibles au centre d'information (2015 Center Street, rez-de-chaussée ; ouvert du lundi au vendredi de 9 h à 17 h ; fermé principaux jours fériés ; ♿ ☎ 510-549-7040 ou 800-847-4823). Les visites guidées (1 h 30) du campus partent du centre d'accueil du campus (101 University Hall, 2200 University Avenue ; ouvert du lundi au vendredi de 8 h 30 à 16 h 30 ; fermé du 25 décembre au 1er janvier ; ♿ ☎ 510-642-5215) et ont lieu du lundi au samedi à 10 h, le dimanche à 13 h. Il est difficile de se garer dans les rues aux alentours du campus et, à l'intérieur, beaucoup de zones sont réservées et strictement contrôlées. On trouve des parkings payants sur Allston Way ou Center Street, à trois blocs du Campus Visitor Center.*

Bien que le campus couvre 500 ha et monte à l'assaut des collines de Berkeley, le cœur de l'université se trouve situé dans la zone de 72 ha comprise entre deux bras du pittoresque ruisseau Strawberry Creek. Le campus est orné de splendides chênes, eucalyptus, pins et cèdres. Sather Gate (1910), portail en pierre et fer forgé dessiné par John Galen Howard, précède **Sproul Plaza★**, important point de rencontre des étudiants.

★★ **Le Campanile (Sather Tower)** – 🄴🄽🄵🄰🄽🄽🅂 *Visite du lundi au vendredi de 10 h à 16 h, le dimanche de 10 h à 14 h et de 15 h à 17 h. Fermé du 25 décembre au 1er janvier. 1 $. ☎ 510-642-5215.* Conçu sur le modèle du campanile de la place St-Marc à Venise, cette tour de John Galen Howard (1917) à l'armature d'acier recouverte de plaques de granit, est couronnée de quatre obélisques surmontés d'urnes de bronze, et d'une flèche centrale terminée par une lanterne de bronze. Dédié à la bienfaitrice de l'université Jane K. Sather, ce mémorial haut de 93,50 m abrite un carillon de 61 cloches. De sa plate-forme d'observation à ciel ouvert au huitième étage, les arcades ouvrent sur un **panorama★★** qui embrasse les collines de Berkeley, l'étonnante géométrie du campus et la baie de San Francisco. Durant l'année universitaire, des carillonneurs, installés à un clavier situé sur la plate-forme, donnent d'incroyables (et assourdissants) concerts de cloches *(du lundi au samedi à 7 h 50, 12 h et 18 h ; le dimanche à 14 h)*. Au pied de la façade Sud-Ouest de la tour, **South Hall**, majestueux bâtiment (1873) Second Empire en briques rouges, est le plus ancien du campus. Tout près, au Nord, la bibliothèque centrale de l'université, **Doe Library★★**, gère plus de huit millions de livres et 90 000 périodiques, conservés ici ou sur le campus. Les livres rares, manuscrits, archives et collections originales, telle la plus grande collection de documents ayant appartenu à Mark Twain, sont réunis dans une petite salle de la bibliothèque annexe, **Bancroft Library**.

★**Valley Life Sciences Building** – Ce massif « temple » pseudo-égyptien consacré à la science est décoré d'étranges bas-reliefs, crânes de bisons d'Amérique, têtes de tigres à dents de sabre, griffons et autres motifs. L'intérieur, rénové en 1994, abrite le **musée de Paléontologie★** Enfants (**M** – *visite de 8 h à 17 h ; &* *www.ucmp.ber-keley.edu ☎ 510-642-1821)* qui renferme plus de cinq millions de spécimens d'invertébrés et 135 000 vertébrés répertoriés, parmi lesquels un squelette de tyrannosaurus rex. Les visiteurs n'ont accès qu'à une petite partie des collections.

**Hearst Memorial Mining Building** – Recouvert de granit et coiffé de tuiles rouges, ce bâtiment de style Beaux-Arts, construit en 1907 par John Galen Howard et Julia Morgan, s'ouvre sur un splendide **hall d'entrée★** qui s'élève sur trois étages jusqu'aux voûtes du plafond à trois coupoles. Le bâtiment a été vidé en 1998 pour une mise aux normes anti-sismiques, travaux qui demanderont plusieurs années.

**Phoebe Hearst Museum of Anthropology** – *103 Kroeber Hall. Visite du mercredi au dimanche de 10 h à 16 h 30 (21 h le jeudi de septembre à mai). Fermé durant les vacances universitaires. 2 $. & ⓟ www.gal.berkeley.edu/~hearst ☎ 510-643-7648.* Cette institution est fière de sa **collection★★** permanente de quatre millions d'objets du monde entier, qui place le musée Hearst parmi les musées de recherche anthropologique les plus importants du pays. Les collections sur la Californie préhistorique, le Pérou ancien, la Grèce, l'Italie et l'Égypte antiques, les tissus d'Amérique centrale et les objets ethnologiques d'Afrique occidentale, d'Océanie et des régions arctique et subarctique sont présentés au cours d'expositions temporaires. Seuls sont exposés en permanence les objets fabriqués par **Ishi**, le dernier survivant du peuple Yahi dont l'origine remonte à l'âge de la pierre. Ishi fit son apparition en 1911 à Oroville, dans la Vallée Centrale. Il collabora ensuite avec les anthropologues de Berkeley, montrant les techniques utilisées par ses ancêtres en fabriquant outils et objets usuels, jusqu'à sa mort en 1916.

★**UC Berkeley Art Museum** – *2626 Bancroft Way. Visite du mercredi au dimanche de 11 h à 17 h (21 h le jeudi). Fermé durant les vacances universitaires. 6 $. ✗ & www.bampfa.berkeley.edu ☎ 510-642-0808.* Abrité dans une impressionnante structure semi-circulaire (1970), le musée d'Art de Berkeley naquit en 1963 grâce au professeur **Hans Hofmann** (1880-1966), peintre expressionniste abstrait, qui fit don de 45 de ses œuvres et de 250 000 dollars à l'université, à condition qu'elle s'en serve pour fonder un musée d'art.
Original, le bâtiment (1970) se déploie comme un éventail, ouvrant un grand espace intérieur où sont suspendues 10 terrasses d'exposition, reliées par des rampes et des escaliers.
La collection permanente de 9 000 œuvres présente, outre les travaux de Hofmann (galerie A, exposition tournante), des courants artistiques du 20ᵉ s., des tableaux européens de la fin du 19ᵉ s., des céramiques et peintures asiatiques et des œuvres contemporaines. Des sculptures sont présentées dans le parc, au Nord et à l'Ouest du bâtiment.
Au niveau inférieur est installée la célèbre **Pacific Film Archive★**, riche de quelque 8 000 films, surtout d'œuvres cinématographiques japonaises, soviétiques et américaines *(2621 Durant Ave. ; projections publiques quotidiennes en soirée, horaires variables ; fermé pendant les vacances universitaires ; 6 $. ✗ & ⓟ ☎ 510-642-1412).*

★**UC Botanical Garden** – *Centennial Drive, première rue à gauche sur Stadium Rimway. Visite de 9 h à 16 h 45 (19 h de Memorial Day à Labor Day). Fermé 25 décembre. 3 $ (entrée libre le jeudi). Visite guidée (1 h) possible le jeudi et le week-end à 13 h 30. & ⓟ ☎ 510-643 2755.* Plus de 13 000 espèces de plantes tapissent gracieusement les versants du Strawberry Canyon, dans un cadre forestier surplombant le campus principal et la baie. Depuis 1890, les scientifiques de l'université faisaient pousser des plantes exotiques prélevées dans la nature. Ce jardin de 13,5 ha, créé dans les années 1920, est organisé en parcelles présentant la flore d'Asie, d'Afrique, d'Europe, du bassin méditerranéen, de Nouvelle-Zélande, d'Australie, d'Amérique centrale, d'Amérique du Nord et de Californie.
D'autres jardins thématiques abritent des palmiers et des cycas, des roses anciennes et des herbes médicinales chinoises. De l'autre côté de Centennial Drive se dressent des massifs de séquoias.

**Lawrence Hall of Science** – 🧒 *Au bout du Centennial Drive. Visite de 10 h à 17 h. Fermé Labor Day, Thanksgiving Day, 24 et 25 décembre. 6 $.* 🍴 🅿 *www.lhs.berkeley.edu* 🕾 *510-642-5132.* Accroché témérairement au flanc des collines, ce musée futuriste (1968) a pour vocation d'enseigner aux écoliers la physique, la biologie, la chimie, les mathématiques, l'informatique, etc. au moyen d'expositions interactives, doublées d'expériences de laboratoire et d'un choix complet de cours. Les programmes très vivants d'astronomie du samedi soir sont complétés par le planétarium. Des expositions temporaires sont organisées autour de thèmes tels que les créatures mécaniques, les mystères de la chimie, la vie préhistorique ou les voyages dans l'espace. Du patio situé à l'arrière, on a une **vue**★ superbe sur une grande partie du Nord de la baie.

## AUTRES CURIOSITÉS

★★**First Church of Christ Scientist** – *2619 Dwight Way. Visites guidées uniquement (45 mn) le 1ᵉʳ dimanche de chaque mois à 12 h 15 ou sur réservation (🕾 510-845-7714).* 🅿 🕾 *510-845-7199.* Pour créer ce bâtiment Arts and Crafts à la beauté et à la sérénité radieuses, Bernard Maybeck a fait une synthèse harmonieuse d'une myriade de styles différents. Consacrée en 1916, l'église allie une toiture étagée digne d'un temple japonais, des céramiques espagnoles et des colonnes cannelées à section rectangulaire. L'intérieur, en contrebas, est baigné par la lumière naturelle de fenêtres latérales et traversé en diagonale par des poutres en arc qui donnent un grand sentiment d'espace. On admirera l'extraordinaire travail du bois des poutres du plafond.

★**Judah L. Magnes Museum** – *2911 Russel Street. Visite du dimanche au jeudi de 10 h à 16 h. Fermé principaux jours fériés et fêtes juives. Visite guidée (1 h) possible le vendredi et le dimanche. www.jfed.org/magnes/magnes.htm* 🕾 *510-549-6950.* Installé dans une grande demeure en brique (1908) entourée d'un parc ombragé dessiné par John McLaren, ce musée consacré à l'histoire et à l'art juifs porte le nom d'un grand rabbin de San Francisco. Au rez-de-chaussée se trouvent des expositions temporaires sur l'histoire sémitique et sur les œuvres d'artistes et photographes juifs des 19ᵉ et 20ᵉ s. Les salles de l'étage sont réservées aux expositions tournantes du fonds permanent d'objets cultuels et de cérémonie (lampes d'Hanukkah, amulettes, bibles, robes de mariage, rouleaux de Torah et tabernacles, ainsi que des objets séfarades).

★**Claremont Resort** – *41 Tunnel Road, Oakland. Prendre College Ave. Jusqu'à Ashby Ave., puis tourner à gauche. Visite tous les jours.* 🍴 ♿ 🅿 *www.claremontresort.com* 🕾 *510-843-3000.* Tel un château blanc accroché aux collines, marquant la limite entre Berkeley et Oakland, cet hôtel majestueux de 1915 (Charles Dickey) est la pièce maîtresse d'une station élégante. Créé pour l'Exposition Panama-Pacifique de 1915 et restauré au début des années 1980, le bâtiment d'un blanc éclatant, de style méditerranéen, est réputé pour sa **vue**★ sur la baie.

## EXCURSIONS

★**John Muir National Historic Site**, à **Martinez** – *35 km au Nord-Est de Berkeley. Suivre la I-80 vers le Nord, puis prendre la route 4 vers l'Est. Visite (2 h) du mercredi au dimanche de 10 h à 16 h 30. Fermé principaux jours fériés. 2 $.* 🍴 ♿ 🅿 *www.nps.gov/jomu* 🕾 *925-228-8860.* Cette demeure italianisante à charpente de bois fut la résidence de John Muir *(voir index)*, célèbre défenseur de l'environnement, de 1890 jusqu'à sa mort en 1914. Construite en 1882 par le beau-père de John Muir, le docteur John Strenzel, elle faisait partie du ranch de 1 000 ha de vergers de ce dernier. Mais l'intérieur est orné de mobilier du début du siècle reflétant plus le goût victorien de la famille Strenzel que la simplicité naturelle de John Muir. Muir a rédigé beaucoup de ses écrits dans son « repaire » de l'étage, où se trouvent toujours son fauteuil et son bureau.

Le ranch occupait des terres qui, auparavant, faisaient partie d'une concession allouée à Vicente Martinez au début du 19ᵉ s. Une petite piste traverse le parc d'environ 4 ha, et mène à la charmante maison Martinez Adobe (1849). Au centre d'accueil des visiteurs, on projette un film retraçant la vie de John Muir.

★**Six Flags Marine World**, à **Vallejo** – 🧒 *38 km au Nord de Berkeley. Prendre la I-80 vers le Nord, passer le pont Carquinez et sortir sur Marine World Parkway (route 37). Visite (une journée) de Memorial Day à Labor Day tous les jours de 10 h à 22 h, de fin mars à Memorial Day et de Labor Day à octobre du vendredi au dimanche de 10 h à 20 h. 29,99 $ (enfants : 20,99 $).* 🍴 ♿ 🅿 *(6 $)* 🕾 *707-643-6722.* Ce parc de 64 ha, agréablement aménagé, est à la fois un zoo, un « océanarium » et un parc d'attractions. Il propose des expositions et des spectacles destinés autant à distraire les visiteurs qu'à les initier aux questions de protection de la nature. À sa création en 1968 à Redwood City, à 40 km au Sud de San Francisco, il n'était qu'un modeste parc à thème qui, après sa fusion avec un parc animalier en 1972, fut transféré en 1986 sur son actuel emplacement avant de faire partie du groupe Six Flags en 1999.

**Visite** – Une journée à Marine World s'articulera autour des sept spectacles d'animaux présentés en direct jusqu'à quatre fois par jour dans différents amphithéâtres en plein air *(les spectacles durent entre 20 à 30 mn. Un guide et un plan, ainsi que les horaires quotidiens, sont disponibles à l'entrée)*. Les spectacles les plus appréciés sont les acrobates de **Dolphin Harbor : Killer Whale Show**, durant lequel un orque plonge, fait des cabrioles et éclabousse le public, et le **Wildlife Theater**, où sont présentés des espèces menacées du monde entier. Dans **Shark Experience★**, les visiteurs peuvent emprunter un tunnel panoramique et voir les requins nager au-dessus de leurs têtes. Ils peuvent donner à manger aux girafes dans **Giraffe Feeding Dock**, et dans **Elephant Encounter**, former une équipe pour une compétition avec les pachydermes dans un jeu de tir à la corde. **Walrus Experience★** permet de regarder les morses s'ébattre dans un aquarium en verre. Dans **Walkabout : An Australian Adventure**, on peut observer des koalas du Queensland et des kangourous et wallabys en liberté. On peut aussi explorer la jungle oppressante du **Butterfly World★** à la recherche de papillons tropicaux multicolores, visiter un aquarium d'eau de mer ou **Camp Looney Tunes**, petit parc d'amusement destiné aux enfants. D'avril à octobre, le **Water Ski and Boat Show** présente l'équipe de ski nautique du parc exécutant de multiples cascades et acrobaties sur l'eau.

Les attractions les plus prisées sont **DinoSphere** qui, après leur avoir présenté un tyrannosaure mécanique grandeur nature, entraîne les visiteurs dans un volcan en éruption ; **Kong**, où l'on descend en spirale d'une hauteur de 10 étages à 80 km/h, ou encore l'immense plongeon dans la chute d'eau de **Moonsoon Falls**.

# OAKLAND★

*367 000 habitants*

Carte Michelin n° 493 A 8 – Voir schéma au chapitre SAN FRANCISCO p. 272

Office de tourime ☎ 510-839-9000

Cette localité située juste en face de San Francisco, à l'Est de la baie, possède un grand port grouillant d'activité, un front de mer et des quartiers administratifs étincelants, un remarquable musée, et une profusion de bâtiments d'habitation et de commerce datant du milieu du 19ᵉ au 20ᵉ s. restaurés avec panache.

## UN PEU D'HISTOIRE

Lorsque fut fondée la mission Dolores à San Francisco, les territoires des Ohlone à l'Est de la Baie furent reconvertis en pâturages pour nourrir le bétail de la mission. En 1820, ces terres furent cédées à Luís María Peralta, partie d'une immense concession de 18 000 ha. Pendant près de 20 ans, le ranch San Antonio de Peralta domina la région qui forme aujourd'hui l'East Bay. Sur le quai privé de la famille, l'Embarcadero de Temescal, on embarquait les peaux de bœufs pour approvisionner les marchés de l'Est des États-Unis.

Mais au milieu du 19ᵉ s., la Ruée vers l'or et l'américanisation de la région mirent fin à la paisible vie des rancheros. Au début de la décennie, les chercheurs d'or bredouilles commencèrent à s'installer sur la luxuriante *contra costa*, l'autre côte, comme on appelait l'East Bay. En 1852, avocats, squatters et spéculateurs immobiliers avaient réussi à démanteler le ranch Peralta, et une nouvelle implantation avait surgi, baptisée Oakland (terre des chênes) en référence aux vastes chênaies de la région.

En 1868, Oakland devint le terminus Ouest de la ligne ferroviaire transcontinentale Southern Pacific, accédant ainsi à la prospérité grâce à son rôle de centre de transport. Quand le tremblement de terre et l'incendie de 1906 ont dévasté San Francisco, Oakland a accueilli plus de 150 000 réfugiés, dont beaucoup décidèrent de rester. Le milieu du 20ᵉ s. connut une période de déclin économique et de troubles sociaux, dont on peut aujourd'hui voir les traces sur Broadway, mais de grands projets de travaux publics ont apporté une certaine relance de l'activité au centre-ville. L'ouverture en 1974 de 8 stations du BART (train express régional), le rétablissement en 1989 du service de bacs pour piétons entre Oakland et San Francisco, et l'ouverture en 1995 d'une nouvelle gare Amtrak de voyageurs ont ranimé le rôle traditionnel d'Oakland comme centre de transport. Le **port d'Oakland**, agrandi et modernisé, est géré depuis 1927 par la Port Commission. Il fait aujourd'hui partie des 20 plus grands ports du monde. Principalement axés sur le commerce du bassin Pacifique, ses onze terminaux maritimes et vingt-huit quais de chargement s'étendent sur 30 km, le long de la baie de San Francisco et de l'estuaire d'Oakland.

## CURIOSITÉS *Une journée*

**Downtown** – *Limité par les rues I-880, I-980, Grand Ave. et le lac Merrit.* 🚇 *12th St./City Center.* Un grand parc de tours de bureaux agrémentées de places et de fontaines, **City Center★**, se trouve au cœur de l'importante opération actuelle de rénovation du centre-ville. En face, sur 14th St., se dresse l'**hôtel de ville★** (1914), un imposant bâtiment Beaux-Arts en granit surmonté d'une tour-horloge de style baroque. Le vieux **Oakland Tribune Building** (1923), avec son enseigne et sa tour-horloge caractéristiques, s'élève encore à l'angle de 13th St. et de Franklin Street, mais n'abrite plus les bureaux du journal dont il porte le nom. L'édifice le plus frappant sans doute de ce centre-ville est **Federal Building★**, construction monumentale aux deux tours identiques reliées par une verrière ronde de 23 m de large. À quelques blocs à l'Ouest du centre-ville, dans **Preservation Park** *(angle 12th St. et Martin Luther King Jr. Way)*, un groupe de demeures victoriennes reconstruites sur le site accueille aujourd'hui des bureaux.

★**Pardee Home Museum** – *11th St. et Castro St. Visites guidées uniquement (1 h 30) le vendredi et le samedi à 12 h. Fermé principaux jours fériés. 5 $. ☎ 510-444-2187*. Cette impressionnante demeure italianisante (1868) a été la maison de famille d'Enoch Pardee, puis de son fils George, qui furent tous deux maires d'Oakland (George fut aussi gouverneur de Californie de 1903 à 1907). La visite permet de découvrir toutes sortes de meubles et des milliers d'objets d'art collectionnés et exposés par l'épouse de Pardee.

★**Le vieux Oakland** – *Limité par Broadway, Washington, 8th et 10th St*. Cet ancien quartier aujourd'hui rénové fut, dans les années 1870, le cœur d'Oakland. Il constitue un extraordinaire ensemble d'immeubles commerciaux du 19e s. Leurs façades en brique et en granit, leurs élégantes corniches et leurs décorations élaborées, sont de remarquables exemples du style victorien.

Les premiers immigrés chinois arrivèrent à Oakland au tout début des années 1850, mais ce n'est qu'une vingtaine d'années plus tard qu'ils commencèrent à se regrouper dans **Chinatown** *(délimité par 7th, 10th, Broadway et Harrison Streets)*. Ce quartier chinois n'est pas touristique même si de nombreux visiteurs viennent ici explorer un univers animé de boutiques, de marchés et de restaurants.

★★**Paramount Theatre** – *2025 Broadway.* 🎬 *19th St. Visites guidées uniquement (1 h 30) les 1er et 3e samedis du mois à 10 h. Fermé principaux jours fériés. 1 $. ☎ 510-465-6400.* Ce bâtiment, véritable monument national, est un splendide

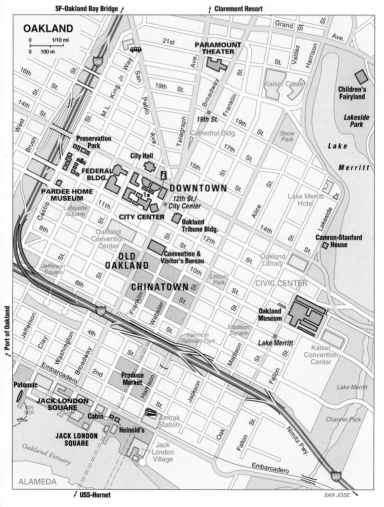

exemple de la grande salle de cinéma Art déco américaine. Conçu par l'architecte de San Francisco Timothy Pflueger, le théâtre (1931) arbore une fière façade ornée d'une mosaïque de céramique. À l'intérieur, les murs sont richement décorés de peintures, de plâtres dorés et sculptés, et les plafonds de filigranes. En 1973 le Paramount a été restauré dans le respect de son aspect d'origine. Il appartient aujourd'hui à la ville, qui y présente films et spectacles artistiques.

**Lake Merritt** – 🔭 *Lake Merritt*. Les berges de ce lac artificiel d'eau salée (63 ha) jouxtent les artères grouillantes du centre-ville, offrant le calme d'une havre de verdure. Une allée plaisante fait le tour du lac *(5,5 km)*, en s'élargissant sur la rive Nord pour traverser **Lakeside Park**, oasis de verdure de 50 ha qui propose de superbes jardins et **Children's Fairyland** Enfants *(☎ 510-238-6876)*, un petit parc d'attractions pour jeunes enfants.

**Camron-Stanford House** – *1418 Lakeside Dr. Visite guidée uniquement (1 h), le mercredi de 11 h à 16 h, le dimanche de 13 h à 17 h, les autres jours sur rendez-vous. Fermé 1er janvier et 25 décembre. 4 $.* 🅿 ☎ *510-836-1976*. Monument de la rive Sud-Ouest du lac Merritt, cette paisible résidence de style italianisant (1876) servit de toit à une succession de personnages importants, dont Josiah Stanford, frère du magnat des chemins de fer Leland Stanford *(voir index)*. Entre 1910 et 1967, le bâtiment abrita les collections du musée d'Oakland. Le rez-de-chaussée abrite maintenant les anciennes expositions du musée, tandis que l'étage principal a été restauré en respectant son style 19e s. et décoré de mobilier et de pièces d'arts décoratifs de l'époque victorienne.

★★**Oakland Museum of California** – Enfants *1000 Oak St. Visite (3 h) du mercredi au samedi de 10 h à 17 h (21 h le vendredi), le dimanche de 12 h à 19 h. Fermé 1er janvier, 4 juillet, Thanksgiving Day et 25 décembre. 6 $.* ✗ ♿ 🅿 *www.museumca.org* ☎ *510-238-2200 ou 888-625-6873*. Un des fleurons de la ville, ce complexe culturel de 3 ha met à l'honneur l'histoire naturelle et humaine et les arts de Californie. Les jardins du musée, à l'architecture innovante, invitent les visiteurs à se sentir chez eux tout en fournissant un cadre aux « arts, festivités, et événements de qualité ».

Au début des années 1960, les élus locaux et des personnes privées lancèrent une grande campagne publique pour la construction d'un nouveau complexe muséographique de grande dimension, afin de ranimer quelque peu le cœur de la cité. Le complexe devait réunir trois des musées d'Oakland – le Snow Museum, consacré à l'histoire naturelle, l'Oakland Public Museum, dédié à l'héritage ethnique des Amérindiens et à l'histoire des pionniers de Californie, et enfin le musée d'Art.

L'architecte mondialement reconnu Eero Saarinen fut retenu pour concevoir le musée, mais il mourut soudain en 1961. On choisit alors son collègue, Kevin Roche, pour réaliser le projet. Assisté de John Dinkeloo, Roche conçut une série de galeries horizontales à étages, coiffées de jardins en terrasses, face à une cour centrale. Les lignes anguleuses du bâtiment sont adoucies par des statues, des fleurs, des buissons et des arbres, parmi lesquels des arbres fruitiers comme poiriers et oliviers rappellent les racines agricoles du pays.

Le musée ouvrit ses portes en 1969 dans l'enthousiasme général. Pour Ada Louise Huxtable, critique au *New York Times*, c'était « un des bâtiments révolutionnaires les mieux pensés du monde. »

Les trois sections majeures – histoire naturelle, d'histoire et d'art – occupent les salles principales de trois niveaux différents du musée. La **grande salle** abrite d'importantes expositions itinérantes, des salons artistiques et des présentations ponctuelles d'une partie des collections.

**Hall of California Ecology** – *Rez-de-chaussée*. Le visiteur peut découvrir l'extraordinaire éventail des formations géologiques de la Californie, de sa faune et de sa flore. Présentés dans d'intéressants dioramas, des spécimens sélectionnés de flore et de faune indigènes font revivre les huit environnements naturels distincts de Californie : littoral, chaînes côtières, arrière-pays côtier, vallée intérieure, flancs de montagne, hauteurs de la sierra Nevada, Grand Bassin et désert.

Donnant sur le hall principal, des galeries se consacrent à la vie marine et à des expositions temporaires.

**Cowell Hall of California History** – *1er étage*. L'exposition permanente de cette salle intitulée *California : A Place, A People, A Dream* (un endroit, un peuple, un rêve) retrace l'histoire humaine en Californie à travers des tableaux historiques et quelque 6 000 objets. Le premier volet de l'exposition, **First People**, révèle la diversité culturelle des Amérindiens de Californie à travers rituels, vanneries, outils de pierre et vêtements. Ensuite, **Explorers, Priests and Colonists** montre les épreuves et les succès qui marquent la période hispano-mexicaine, à l'aide d'objets du culte et d'outils utilisés par les premiers colons. La petite maison de pionniers équipée d'une cuisine rustique de la section **Immigrants and Settlers** évoque la vie des immigrants et des colons. **Adventurers and Goldseekers** recrée la turbulente époque de prospérité qui marqua le milieu du 19e s., tandis que **Founders, Organizers and Developers** expose dans le détail le mode de vie plus paisible des citoyens de l'époque victorienne, qui se sont établis sur les terres fertiles de Californie et y ont fondé des bourgades. Pour terminer, **Seekers, Innovators and Achievers** exalte le « rêve californien » du 20e s., celui d'une vie meilleure pour tous ceux qui venaient dans la région, qu'ils soient admirateurs des stars de Hollywood, fanatiques du surf ou inventeurs dans la Silicon Valley.

**Gallery of California Art** – *2ᵉ étage*. Consacrée aux artistes ayant vécu, travaillé ou étudié en Californie du début du 19ᵉ s. à nos jours, cette galerie expose des tableaux, sculptures, dessins, estampes, photographies, installations et œuvres recourant à plusieurs médias. Les paysages californiens du 19ᵉ s. sont évoqués avec les représentations de la sierra Nevada par Thomas Moran, Albert Bierstadt, Thomas Hill et William Keith. Le musée possède la plus grande collection de pièces des artistes californiens du mouvement Arts and Craft Arthur et Lucia Kleinhans Mathews, dont des peintures murales, des cadres et du mobilier. Parmi les impressionnistes de Californie, on notera les œuvres de Guy Rose, Joseph Raphael et E. Charlton Fortune, et celles des peintres paysagers de la « Société des Six » d'Oakland, William Clapp, August Gay, Selden Gile, Maurice Logan, Louis Siegriest et Bernard von Eichman. Les expressionnistes abstraits sont bien représentés, avec Richard Diebenkorn, Elmer Bischoff entre autres, ainsi que les membres du Mouvement expressionniste de la Bay Area. Le musée possède la plus importante des collections de photographies et négatifs de Dorothea Lange, ainsi que des œuvres de photographes du groupe f.64 comme Edward Weston, Ansel Adams et Imogen Cunningham.

★ **Jack London Square** – *Extrémité Sud de Broadway, sur le front de mer. Le marché de produits fermiers est ouvert chaque samedi de 10 h à 14 h.* ✗ ♿ ☎ *925-426-5420.* S'étirant sur l'estuaire d'Oakland, ce quartier portuaire autrefois peu attrayant a été transformé en un centre commerçant et touristique plein de charme avec boutiques, restaurants, hôtels, cinémas, un marché fermier et un port pour yachts. La marina porte le nom de l'écrivain Jack London *(voir index)* qui passa son enfance et sa jeunesse à Oakland. Son esprit aventureux revit dans la cabane (cabin) **de Jack London**, reconstruite avec les rondins de bois provenant de la cabane rustique à une pièce que London occupa en 1897 lorsqu'il était chercheur d'or dans le Klondike. À côté de la cabane se dresse le **Heinold's First and Last Chance Saloon** (1883), pittoresque bâtiment à une pièce construit à partir du bois d'un navire baleinier. Ce bar – qui fonctionne toujours – a été fréquenté par des hommes de lettres comme Robert Louis Stevenson, Ambrose Pierce et Joaquin Miller et classé de ce fait monument littéraire national en 1997.

★★ **USS Hornet** – *Quai 3, Alameda. Visite (3 h) de 10 h à 17 h. Fermé Thanksgiving Day et 25 décembre. 9 $.* ✗ 🅿 ☎ *510-521-8448.* Armé en 1943, ce porte-avions fut le huitième bâtiment de la marine américaine à être baptisé *Hornet* (frelon) ; il remplaça le septième, coulé en octobre 1942 durant la bataille de Santa Cruz dans les îles Salomon. Long de 295 m, ce navire de 41 200 tonneaux fut conçu pour transporter jusqu'à 3 400 hommes et des avions de combat (avions de chasse F6F Hellcat, bombardiers TBM Avenger et SB2C Helldiver).

**Témoin d'une action héroïque** – En mars 1944, l'USS *Hornet* quitta la base de Pearl Harbor pour entrer en action sur le front du Pacifique. À Iwo Ima en juin 1944, les pilotes de l'équipage abattirent 67 avions japonais, ce qui marqua le début d'une série de victoires qui valut au navire sept étoiles et à ses pilotes le record de la marine pour le nombre d'avions abattus en un mois (255) et dans une seule journée (72). Lors de l'invasion d'Okinawa en avril 1945, l'USS *Hornet* joua un rôle décisif dans le naufrage du plus grand bateau de guerre de l'époque, le *Yamamoto* qui jaugeait 72 000 tonneaux. Un typhon en juin 1945 endommagea son pont et le contraignit à rejoindre les États-Unis pour être réparé. Il essuya 59 attaques sans jamais être touché par une bombe, une torpille ou un pilote Kamikaze. Le *Hornet* servit également pendant la guerre du Vietnam. Malgré ses remarquables états de service, ce n'est qu'en mai 1969 qu'il entra vraiment dans l'histoire lorsqu'il recueillit à son bord les membres de l'équipage d'Apollo 11, Neil Armstrong, Buzz Aldrin et Michael Collins de retour de la première mission humaine sur la lune. L'amerrissage de la capsule dans le Pacifique fut suivi par la plus grande audience télévisée de l'histoire et le président Richard Nixon y assista en direct du pont du *Hornet*. Un peu plus tard la même année, le navire recueillit les astronautes d'Apollo 12. Le bateau fut désarmé en juin 1970 et classé monument historique en 1991.

**Visite** – On accède au bateau par la vaste **soute** où les avions étaient garés entre les sorties. Avant de commencer leur visite libre, les visiteurs peuvent visionner un film d'orientation et visiter une salle exposant des photographies anciennes.

Au milieu du navire, des empreintes peintes matérialisent les premiers pas des astronautes d'Apollo 11 à leur retour de la lune, lorsqu'ils allèrent de l'hélicoptère qui les avait récupérés à leur lieu de quarantaine. Une exposition adjacente est consacrée à cet événement. Un **simulateur de vol** *(3 $ – 5 mn)*, alliant images de synthèse et systèmes hydrauliques, permet aux visiteurs de faire l'expérience d'un décollage et d'un appontage sur un porte-avions.

De petites échelles étroites mènent à l'immense **pont d'envol** au-dessus duquel s'élève l'impressionnant îlot, avec la tour de contrôle. Les visiteurs peuvent monter jusqu'à la passerelle de navigation, d'où le capitaine et les officiers pilotaient le bâtiment, et à celle d'où l'amiral commandait une flotte spéciale de soutien. De sa passerelle dominant la piste, à l'arrière de la tour de contrôle, l'« Air Boss » surveillait les décollages et les appontages des avions.

Les visiteurs peuvent ensuite descendre au **pont inférieur**, sous la soute, pour visiter les quartiers réaménagés des officiers, le salon et la salle à manger, les quartiers du détachement de la Marine, le mess et la salle des machines.

# PALO ALTO

58 000 habitants

Carte Michelin n° 493 A 8 – Voir schéma au chapitre SAN FRANCISCO p. 272

Office de tourisme ☎ 650-324-3121

Riche ville universitaire située entre les marais de la baie de San Francisco et les montagnes de Santa Cruz, Palo Alto tire son nom du séquoia géant à troncs jumeaux sous lequel Gaspar de Portolá fit halte lors de son expédition en 1769. Ne comportant aujourd'hui qu'un seul tronc et marqué par les âges, **El Palo Alto**, « le grand arbre », se dresse toujours dans un petit parc bordant la voie de chemin de fer près d'Alma Avenue. Il reste le symbole officiel de l'université Stanford.

## ★★UNIVERSITÉ STANFORD

Fondée par le magnat des chemins de fer Leland Stanford, cette institution réputée s'étend sur 3 300 ha. Ses gracieux bâtiments, de style néo-roman Richardsonien teinté d'accents espagnols, s'étendent à l'ombre des eucalyptus, des lauriers et des palmiers.

**« Les enfants de Californie... »** – Né dans une ferme de l'État de New York, le fondateur de l'université, **Leland Stanford** (1824-1893), était avocat de profession et opportuniste de nature. Il partit pour la Californie à l'époque de la Ruée vers l'or, devint gouverneur de l'État, puis président de la compagnie ferroviaire Central Pacific Railroad, entreprise très audacieuse qui lui rapporta une fortune.

En 1884, Stanford et sa femme, Jane, perdirent leur unique enfant, Leland Jr., à l'âge de quinze ans, emporté par la typhoïde. Le couple endeuillé déclara alors « les enfants de Californie seront nos enfants » et décidèrent de fonder une université sur le terrain de leur ranch de Palo Alto. L'architecte Charles Allerton Coolidge et le paysagiste Frederick Law Olmsted conçurent le plan du campus et les bâtiments bas à arcades qui accueillirent l'université en 1891. Stanford mourut deux années plus tard à l'âge de 69 ans, et sa femme resta seule pour faire face à la crise financière de 1890, qui menaça l'existence de l'université. Au début du 20ᵉ s., la crise économique surmontée, l'université Stanford était sur le chemin qui allait en faire une institution académique bien établie et aujourd'hui célèbre.

Bien que le campus ait été sérieusement endommagé par les tremblements de terre de 1906 et de 1989, il reste un centre d'études et de recherche de premier plan accueillant actuellement quelque 14 000 étudiants. Parmi les 1 455 membres de sa faculté, on compte 12 lauréats du prix Nobel, 4 du prix Pulitzer et 20 récipiendaires de la Médaille nationale des Sciences. Le **Stanford Linear Accelerator Center**, consacré à la recherche en physique des particules, a ouvert ses portes ici en 1961.

### Visite *3 h*

*Kiosque d'information situé à l'entrée du Quadrangle. Les visites guidées par les étudiants (1 h) partent de Memorial Hall à 11 h et 15 h 15. Fermé du 18 décembre au 4 janvier.* ⚇ ♿ 🅿 ☎ *650-723-2560.*

★**Main Quadrangle** – Cœur historique du campus, cette vaste cour intérieure carrelée est bordée par les 12 bâtiments à colonnades qui datent de l'origine de l'université, ainsi que par l'imposante **Memorial Church★★**.

Érigée en 1903 par Jane Stanford en mémoire de son époux, l'église est ornée de mosaïques de style byzantin et de vitraux. Son fameux orgue à 7 777 tuyaux permet d'interpréter des pièces Renaissance et baroques.

★**Hoover Tower** – *Bâtiment ouvert tous les jours. Terrasse d'observation accessible de 10 h à 16 h 30, sauf entre chaque trimestre universitaire. 2 $.* ♿ ☎ *650-723-2053.* Ce campanile de 87 m abrite certains départements de l'institut Hoover, qui se consacre essentiellement aux thèmes de la guerre, de la révolution et de la paix et dont la fondation fut initiée par le président Herbert Hoover, ancien étudiant de l'université. Un petit musée *(à droite du hall d'entrée)* retrace les réalisations du président et de sa femme, Lou Henry Hoover. Au sommet de la tour est installé un carillon de 35 cloches, et une plate-forme d'observation qui offre un beau **panorama** sur le campus, ainsi que sur San Francisco et la baie vers le Nord.

**Iris & B. Gerald Cantor Center for Visual Arts** – *Lomita Drive et Museum Way. Visite du mercredi au dimanche de 11 h à 17 h (20 h le jeudi). Fermé lundi, mardi et principaux jours fériés.* ⚇ ♿ 🅿 ☎ *650-723-4177.* Rouvert en 1999, ce musée de l'université présente une superbe et très éclectique collection de sculptures, peintures et artisanats d'Afrique, d'Océanie, d'Asie, d'Europe et d'Amérique.

**Une évolution séculaire** – Autrefois connu sous le nom musée Leland Stanford Jr Museum, il fut fondé par Leland et Jane Stanford à la mémoire de leur fils, collectionneur amateur au goût éclectique. C'est cette collection qui fut le noyau du musée dont les plans (1894, Percy & Hamilton) reprennent celui du musée d'archéologie d'Athènes. Lorsqu'il ouvrit ses portes, il était à la fois le premier bâtiment de style néoclassique et le premier musée privé des États-Unis.

En 1905, juste avant sa mort, Jane Stanford fit don de 15 000 pièces supplémentaires ; mais le musée, gravement endommagé lors du tremblement de terre de 1906, dut pourtant fermer ses portes. Le bâtiment fut occupé pendant cinquante ans par différents départements de l'université. Il fut rouvert dans les années 1950 mais de nouveau fermé après les dégâts causés par le tremblement de terre de 1989.

L'université réagit alors en proposant un ambitieux programme visant à modifier le bâtiment d'origine tandis que le cabinet d'architecture James Polshek & Partners concevait son extension. Le nouveau musée fut rebaptisé en hommage à ses plus importants bienfaiteurs, reçut d'autres collections et devint ainsi un musée d'enseignement universitaire permettant l'étude comparative d'objets d'art couvrant plusieurs cultures et plusieurs époques. Même si cet éclectisme est sa marque, il est aussi renommé pour sa belle collection de plus de 200 sculptures de Rodin.

**Visite** – Créées pour Jane Stanford par l'artiste vénitien Antonio Paoletti, les 13 mosaïques de la façade représentent l'impact du savoir et des arts sur l'évolution de la civilisation. Les trois imposantes portes à deux battants de l'entrée (chacune pesant 270 kg) sont recouvertes de panneaux de bronze représentant des exemples de l'architecture de l'Antiquité. Une statue d'Athéna veille sur le vaste hall de deux étages, aux murs de marbre et au sol de mosaïque. De part et d'autre de l'entrée, les deux ailes du bâtiment d'origine présentent sur deux étages les collections historiques et internationales. La partie récente – à l'arrière, mais accessible du hall d'entrée – abrite l'art contemporain et les expositions tournantes et donne sur les deux cours réservées à la sculpture.

Au rez-de-chaussée, les objets venant d'Asie ou du Pacifique sont exposés dans les cinq salles de l'aile Est. Les trésors archéologiques d'Afrique et du bassin méditerranéen sont présentés dans les deux premières salles de l'aile Ouest. Les salles suivantes abritent des statuettes et des moulages de Rodin. Les salles des étages présentent les objets précolombiens.

L'exposition permanente **Stanford Family Memorabilia** située dans la salle centrale, à l'arrière des halls d'entrée, rend hommage aux origines du musée. On peut y voir des portraits des membres de la famille Stanford, des bibelots de la collection du jeune Leland, son masque mortuaire ou la **Pointe d'or** (Golden Spike) fabriquée pour la cérémonie marquant l'achèvement de la première ligne de chemin de fer transcontinental.

★ **Rodin Sculpture Garden** – Au Sud-Ouest du centre Cantor, ce jardin de 4 000 m² présente une vingtaine de grands bronzes d'Auguste Rodin, dont la célèbre *Porte de l'Enfer* (1880-1900).
Des personnages de la série *Les Bourgeois de Calais* sont également exposés dans le campus, tout comme des sculptures signées Joan Miró, Alexander Calder et Henry Moore. Un guide gratuit est disponible au musée d'art adjacent et au kiosque d'information du campus *(Guide to Outdoor Sculpture)*.

## ★★ FILOLI, à Woodside

*21 km au Nord de Palo Alto. Prendre la route G 3, puis la I-280 vers le Nord, sortir vers l'Ouest à Edgewood Road et tourner à droite dans Cañada Road ; continuer sur 2 km jusqu'à l'entrée.*

Nichée au pied des flancs boisés des Coast Ranges, cette élégante propriété de 280 ha est une parfaite illustration du style de vie raffiné et cultivé qui s'était développé au début du siècle grâce aux fortunes bâties sur les trois pivots économiques de la Californie : la spéculation immobilière, les mines et l'agriculture.

Les jardins classiques de la propriété et la maison d'inspiration néogeorgienne en forme de U (1907, Willis Polk), entourés de chênes ancestraux, ont été commandés par William Bourn (1857-1936), propriétaire de l'immense mine d'or Empire dans Grass Valley. Le nom du domaine vient du credo que professait W. Bourn : *Fight for a just cause* (Défends les causes justes), *Love your fellow man* (Aime ton prochain), *Live a good life* (Vis dans la bonté).

**Visite** *Une demi-journée*

*Visite de mi-février à octobre du jeudi au samedi de 10 h à 15 h. 10 $.* ✗ *(salon de thé)* ♿ 🅿 *www.filoli.org* ☏ *650-364-8300, poste 507.*

★★ **Manoir** – Le rez-de-chaussée est décoré de mobilier et d'objets d'art acquis par les familles Bourn et Roth, ainsi que de pièces prêtées par les musées de San Francisco. La visite du bâtiment débute dans la salle de réception, dont le sol est recouvert d'un tapis persan de 5 m sur 8,5 m (19e s.), tissé sur trois générations. La cuisine est équipée d'un fourneau impressionnant, provenant d'un paquebot transatlantique de la compagnie de navigation Matson dont le père de Mme Roth était propriétaire. Une tapisserie flamande du 16e s. orne les murs de la salle à manger, et la grande salle de bal est décorée de lustres en cristal français et d'une vaste peinture murale du domaine des Bourn en Irlande.

★★ **Jardins** – Aménagés dans l'esprit des styles italien et français par Bruce Porter, assisté d'Isabella Worn, ces merveilleux jardins de 6,5 ha allient avec bonheur géométrie et naturel. Les jardins sont divisés en plusieurs sections, chacune d'elles proposant un échantillon particulier de splendeurs botaniques. Quelque trente espèces de plantes à fleurs s'épanouissent à chaque saison, à commencer par les rhododendrons, glycines, magnolias et azalées au printemps. L'été voit fleurir les clématites, hortensias, cyclamens et plus de cinq cents rosiers, tandis que l'automne offre ses chrysanthèmes, gingkos et érables japonais. Plus de deux cents ifs irlandais taillés viennent agrémenter les jardins et six variétés d'arbres fruitiers s'y épanouissent.

# SAN FRANCISCO★★★

735 000 habitants
Carte Michelin n° 493 A 8

À la pointe de sa péninsule, qui borde à l'Ouest une baie de 1 300 km², San Francisco, débordant de vie et d'originalité, attire plus de visiteurs que toute autre cité américaine. La mer, omniprésente, engendre un climat vivifiant, fraîcheur stimulante des étés, vigueur des brises océanes, soudaines invasions de brouillard. La splendeur du site naturel de la ville a fait la renommée de San Francisco, dont on a des vues superbes soit du sommet des collines, soit même à tous les coins de rue, ou simplement des balcons ou des bancs des parcs publics. Un large éventail de styles architecturaux orne quartiers d'affaires et secteurs résidentiels.

**La ville de la baie** – En 1846, **John C. Frémont** baptisa **Golden Gate** (Porte dorée) l'entrée de la baie frangée de falaises, en référence à la Corne d'Or d'Istanbul. Des récits du milieu du 18ᵉ s. décrivent la ville comme un groupe de collines sableuses et de versants en pente raide dépourvus d'arbres, à peine couverts d'herbes rustiques et de petits arbustes. Manifestation de l'activité sismique intense de la région, sa topographie accidentée a, depuis, été adoucie par plus d'un siècle de remodelage soigneux du paysage. Quarante-trois collines ponctuent le relief de la ville, les plus connues étant Nob Hill (114 m), Russian Hill (89 m) et Telegraph Hill (83 m) ; point culminant de San Francisco, le mont Davidson dépasse 280 m.

Le climat constant dont jouit la ville est une bénédiction aussi bien pour les habitants que pour les visiteurs. Le courant de Californie qui se dirige vers le Sud en longeant la côte modère la rigueur du froid hivernal et confère à San Francisco les températures estivales les moins élevées de toutes les villes américaines hors Alaska. Le phénomène météorologique local le plus étonnant est le brouillard d'advection provoqué en fin de journée par le vent d'Ouest chargé d'humidité en provenance du Pacifique. Au contact de l'eau plus froide de la côte, l'humidité se condense pour former sur une faible hauteur une couche de brume épaisse qui colle au relief, dévalant les collines et recouvrant le Golden Gate pour transformer en quelques minutes une journée radieuse en grisaille.

**Étendue et population** – Avec une population de 735 315 habitants (estimation 1996) et une superficie de 120 km², San Francisco arrive au deuxième rang des États-Unis pour la densité de population, après New York. Elle occupe le 4ᵉ rang des villes de Californie après Los Angeles, San Diego et San José. Elle forme le cœur culturel et économique de la San Francisco Bay Area, qui compte neuf comtés et plus de 6 millions d'habitants.

La population de la région est extrêmement diverse, avec toute une palette d'immigrants en provenance d'Europe, des Amériques et d'Asie. Aujourd'hui, environ 34 % des habitants de San Francisco sont nés étrangers ou Américains de première génération : Latino-Américains (13,4 %), Chinois (18 %), et Italiens (15 %) Japonais, Philippins, Russes et Afro-Américains contribuent de manière non négligeable à cette riche combinaison ethnique.

## UN PEU D'HISTOIRE

Bien après que Juan Rodríguez Cabrillo soit venu reconnaître la côte californienne en 1542, la baie de San Francisco est restée longtemps inconnue des explorateurs européens. Non cartographiée, fréquemment voilée par le brouillard, l'entrée de la baie se confondait avec les collines en arrière-plan. En 1769, une expédition placée sous le commandement de **Gaspar de Portolá** partit de San Diego, qui venait d'être fondée, en direction du Nord, pour défendre la baie de Monterey contre les colonisateurs russes. Comme les explorateurs venus par la mer n'avaient jamais décrit la baie de Monterey, Portolá et ses hommes ne la reconnurent pas et poursuivirent leur route en suivant la côte vers le Nord. Le 4 novembre 1769, des éclaireurs de l'expédition de Portolá, menés par le **sergent José Ortega**, escaladèrent des collines côtières et aperçurent une grande masse d'eau s'étendant vers le Nord et l'Est. Ils imaginèrent à tort qu'il s'agissait de la baie qu'on appelle aujourd'hui Drake's Bay, et qui se trouve beaucoup plus au Nord à Point Reyes. Découverte à l'origine par Francis Drake en 1579, la baie avait été rebaptisée en 1595 en l'honneur de saint François d'Assise par une troupe de reconnaissance espagnole. On appela donc le grand bras de mer découvert par Ortega Puerto de San Francisco, le port de saint François.

**La domination espagnole et mexicaine** – En 1776, prenant conscience de l'importance stratégique et économique de la baie, les autorités espagnoles décidèrent, depuis la lointaine Mexico, d'établir un *presidio* et une mission San Francisco de Asís, sur des sites déterminés par Juan Bautista de Anza. Au moment où l'Espagne accorda son indépendance au Mexique en 1821, il s'agissait encore de petits camps de pionniers. En 1835, l'Anglais William A. Richardson et l'Américain Jacob P. Leese construisirent des maisons à proximité de l'actuel centre-ville, bientôt suivis par d'autres, créant ainsi un troisième village connu sous le nom de **Yerba Buena** « bonne herbe », faisant allusion à la menthe sauvage qui poussait dans la région. Le rivage de la baie, appelé Yerba Buena Cove, s'étendait à l'époque loin vers l'Ouest, jusqu'à l'emplacement actuel de Montgomery Street.

Dans la première moitié du 19e s., la principale activité économique fut le commerce du cuir et du suif, entre les propriétaires des ranchs de bétail locaux et les marchands qui importaient par navire toutes sortes de produits manufacturés et de luxe de Nouvelle-Angleterre. En 1845, Yerba Buena comptait quelque 300 âmes, dont la moitié environ avait à des degrés divers des origines espagnoles et un tiers était des Amérindiens ou des Hawaïens, le reste étant des Américains ou des Européens venant de la côte Est des États-Unis.

Au milieu du 19e s., les puissances coloniales anglaise, française et russe avaient pris note de la richesse économique de la Californie avec son commerce du cuir et du suif. Aussi le gouvernement américain se hâta d'arracher ce territoire à la faible emprise exercée par le Mexique. Le 9 juillet 1846, pendant la guerre du Mexique, **John Montgomery**, commandant de l'USS *Portsmouth* entra dans la baie et hissa le drapeau américain sur la plaza centrale de Yerba Buena, la rebaptisant Portsmouth Square. Le 30 janvier 1847, Yerba Buena était nommée San Francisco par Washington Bartlett, le premier *alcalde* (maire) américain du village.

**La Ruée vers l'or** – En 1847, le géomètre irlandais Jasper O'Farrell traça le premier quadrillage de rues, organisé autour de Portsmouth Square, mais le village se modifia peu pendant les premiers dix-huit mois de l'administration américaine. Le destin de San Francisco se détermina en janvier 1848, par la découverte d'or à Coloma. De nombreux habitants partirent immédiatement pour le Gold Country, le pays de l'or ; mais certains choisirent pourtant de rester, sachant qu'ils pouvaient aussi faire fortune en vendant des fournitures aux mineurs. Le petit village était parfaitement situé pour tirer profit de la ruée vers l'or. Les camps de mineurs fleurissant et disparaissant avec la même rapidité, il fallait une base permanente à partir de laquelle approvisionner toute la région minière en biens et en services. De plus, son port faisait de San Francisco un nœud tout trouvé de commerce et de transport entre la Californie centrale et le reste du monde. Pendant qu'une foule d'hommes et d'équipements débarquait des bateaux, les rivages de Yerba Buena Cove voyaient surgir nombre d'entrepôts, banques, bureaux, saloons et maisons de passe.

Au fur et à mesure que San Francisco se développait et s'étendait, on ajoutait des rues au plan dessiné par O'Farrell, en escaladant les collines à l'Ouest, et à l'Est en direction du rivage, qu'on prolongeait de quais s'avançant dans les eaux plus profondes. Plus tard, ces quais devinrent des rues après le remblayage du littoral à l'Est de Montgomery Street. Les flancs des collines se couvraient de campements de toile, remplacés par des maisons en bois avec le développement de l'exploitation forestière. Des incendies ravageaient fréquemment ces quartiers surpeuplés et fragiles, mais la ville continuait de s'agrandir.

À 800 m au Sud de Portsmouth Square, on imposa aux rues un plan différent. On établit le grand boulevard de **Market Street** pour marquer la différence entre les deux zones urbaines. C'est encore aujourd'hui une coupure étonnante et majestueuse dans le réseau des rues de San Francisco.

**Pôle commercial de l'Ouest** – Pendant les vingt années qui suivirent la Ruée vers l'or, l'isolement géographique de la Californie joua en faveur de San Francisco. Coupée des principaux centres manufacturiers du pays, la ville développa sa propre économie diversifiée de biens et services. La ruée vers l'or avait attiré un flux de main-d'œuvre qualifiée et d'entrepreneurs expérimentés, des professionnels qui surent mettre en place et développer la structure économique de la cité. On produisit d'abord des équipements lourds pour les mines d'or de l'intérieur. Vers 1860, l'industrie locale s'était élargie à la construction de navires et à la production de matériel agricole et d'équipement ferroviaire.

L'or, convoyé des régions minières vers San Francisco par des compagnies de transport comme la Wells Fargo, est devenu une énorme réserve de capital, que les financiers de la ville ont investi dans la mine, l'exploitation forestière, l'agriculture, l'élevage, et l'énergie pétrolière et électrique. À partir de 1860, l'extraction de l'or a stagné, puis décliné, mais en 1862 la découverte de filons d'argent à Comstock Lode, Nevada, a apporté un regain de prospérité. À la fin du 19e s., la plus grande part du développement économique de la moitié Ouest des États-Unis a été financée à partir de San Francisco.

Entre 1860 et 1870, la population de San Francisco augmenta rapidement, passant de 57 000 habitants à 150 000. Ce n'était plus une confusion de tentes et de cahutes, car la cité en expansion respectait le plan d'urbanisme de O'Farrell, même si certaines rues escaladaient des collines trop pentues pour les voitures à cheval. La valeur potentielle des terrains sur les collines encore vierges stimula l'innovation en matière de transport, donnant naissance au tramway à câble.

**Les cable cars** – L'immigrant écossais **Andrew Hallidie** arriva au pays de l'or en 1852 et se bâtit une solide réputation comme constructeur de ponts suspendus et de funiculaires pour le transport du minerai. Les collines de San Francisco inspirèrent à Hallidie une modification de cette technologie pour répondre aux besoins spécifiques de la ville. Il inventa un système par lequel un câble d'acier en boucle défile à vitesse constante dans une glissière creusée au milieu de la chaussée ; la voiture transportant les passagers s'accroche au câble au moyen d'un crochet fixé en dessous, et, tractée

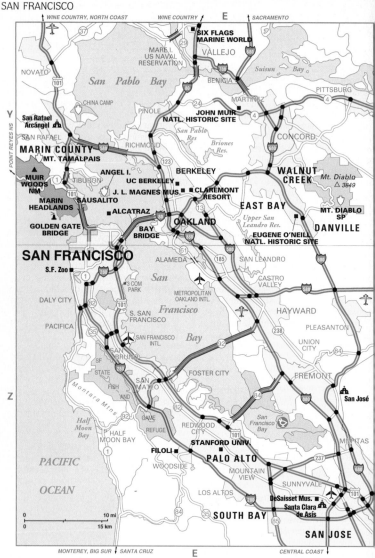

par le câble mobile, se déplace sur des rails posés de chaque côté de la glissière. Le mécanisme mis au point par Hallidie en 1872 est toujours en service aujourd'hui, sans modification essentielle.

Le cable car a beaucoup contribué à organiser l'expansion résidentielle de San Francisco dans la décennie 1870-1880. La ligne qui dessert California Street, encore en service, a favorisé le développement de Nob Hill ; d'autres lignes ont ouvert les quartiers de Western Addition et Pacific Heights aux classes moyennes et aisées. C'est là qu'à la fin du 19e s. furent construites les maisons victoriennes les plus typiques de la ville. Au tournant du siècle, les tramways électriques avaient remplacé la plupart des cable cars.

En 1964, les 7,2 km des trois lignes existantes, Powell-Mason, Powell-Hyde et California Street, ont été classés monument historique avec leurs 40 voitures. Entre 1982 et 1984, tout le système, y compris la centrale électrique, a été entièrement réhabilité, permettant de préserver cet élément unique et pittoresque du San Francisco d'autrefois et d'aujourd'hui.

**Le grand tremblement de terre et l'incendie de 1906** – Le 18 avril 1906 à 5 h 13 du matin, un séisme d'une amplitude estimée à 8,3 sur l'échelle de Richter (qui n'existait pas encore à l'époque) secoua la côte californienne. La secousse principale, dont l'épicentre se situait sur la faille de San Andreas *(voir index)* à 56 km au Nord d'Olema, dura 48 secondes et fit s'écrouler des bâtiments depuis Fort Bragg jusqu'à Monterey. À cette heure matinale, la plupart des habitants étaient encore chez eux, et le nombre de victimes, plus de 3 000 personnes, fut considéré relativement faible étant donné les circonstances.

Le séisme détruisit les canalisations d'eau des réservoirs situés au Sud de la ville, et il devint impossible d'éteindre les petits foyers d'incendie créés par la rupture des conduites de gaz et la chute des cheminées. Un gigantesque incendie embrasa la ville et sévit pendant 3 jours sans pouvoir être contrôlé. Pour créer une coupe-feu et empêcher les flammes de se propager à l'Ouest, l'armée dynamita quelques-unes des maisons de Van Ness Avenue. Quand l'incendie prit fin, les flammes avaient dévoré 28 000 bâtiments dans 514 blocs (10 km²), soit près de 80 % du parc immobilier de San Francisco. La zone dévastée comprenait le Financial District, Union Square, Chinatown, North Beach, un grand secteur au Sud de Market Street ainsi que les abords de Mission District. Près des deux tiers des habitants de la ville n'avaient plus de toit.

On entreprit sur-le-champ la remise en état et la reconstruction. Les sans-abri furent relogés dans des campements de tentes et cabanes improvisées ou dans les comtés et villes proches comme Oakland, relativement épargnée par le séisme. Vers 1910, les quartiers du centre-ville avaient été reconstruits. Les hommes d'affaires et politiques de San Francisco voulurent promouvoir les résultats de la reconstruction et postulèrent avec succès pour accueillir l'Exposition universelle de 1914, qui devait célébrer l'achèvement du canal de Panama. Sur des remblais, dans le site actuel de Marina District, on érigea des pavillons de style Beaux-arts représentant différents pays du monde. L'**Exposition internationale Panama-Pacifique** attira près de 19 millions de visiteurs entre février et décembre 1915. Une fois l'exposition terminée, les constructions sophistiquées en plâtre furent détruites. On ne laissa que le palais des Beaux-Arts, qui fut ultérieurement remplacé par une réplique en béton.

**La croissance du début du 20e s.** – Tout comme le reste du pays, San Francisco connut une période de prospérité au lendemain de la Première Guerre mondiale. On vit s'élever dans le Financial District des bâtiments toujours plus modernes et toujours plus hauts, jusqu'à ce que la crise de 1929 vienne mettre un frein à la construction de gratte-ciel. L'édifice Russ resta, avec ses 30 étages, le plus haut bâtiment de la ville jusqu'en 1964. Malgré la dépression, les années 1930 virent cependant la réalisation de deux des plus célèbres fleurons de la ville : le pont San Francisco-Oakland au-dessus de la baie et le pont de la Golden Gate.

Pendant la Seconde Guerre mondiale, la baie de San Francisco devint une grande région de construction navale et le principal port d'embarquement vers le théâtre des opérations dans le Pacifique. La guerre contribua également à l'essor de la haute technologie, les industries électroniques et aéronautiques naissantes se tournant vers la production de matériel militaire. La population de San Francisco explosa à nouveau avec l'afflux important d'une main-d'œuvre qui choisit de rester. Séduits par les attraits de la région, les soldats et matelots qui y avaient fait escale s'y installèrent à la fin de la guerre.

## San Francisco aujourd'hui

L'économie de San Francisco a connu de grands bouleversements dans la seconde moitié de ce siècle. Jusqu'à la Seconde Guerre mondiale, c'était d'abord un port très actif et une ville industrielle, avec une population à majorité ouvrière fortement syndiquée. L'emploi grandissant de conteneurs pour le transport par camion des marchandises a entraîné la migration des activités portuaires vers le port d'Oakland, et la plupart des industries ont quitté la ville encombrée pour les faubourgs, où les usines modernes trouvent suffisamment d'espace.

La ville est aujourd'hui l'un des centres du monde Pacifique pour la finance, le commerce et les technologies de pointe. Entrepôts du front de mer et équipements portuaires ont été récemment transformés en bureaux, centres commerciaux, cafés et immeubles d'habitation. La part importante des cadres et techniciens supérieurs dans la population de cette cité de haute technologie n'explique pas à elle seule l'essor des restaurants, des hôtels et des boutiques de San Francisco. Beaucoup vivent du tourisme, aujourd'hui l'une des premières activités de la cité.

**Une capitale culturelle** – San Francisco n'a jamais cessé d'être un important centre des arts et du spectacle depuis le milieu du 19e s., époque où acteurs de théâtre et chanteurs de music-hall découvrirent que prospecteurs et marchands étaient prêts à dépenser généreusement pour se distraire. L'orchestre symphonique, l'opéra et le ballet de San Francisco jouissent d'une renommée internationale. De nombreuses institutions plus modestes montent de nouvelles productions chaque semaine. La ville possède plusieurs troupes de théâtre dynamiques, quatre grands musées d'art et, dans le quartier South of Market, une vivante communauté artistique férue d'art expérimental.

**Gastronomie** – Les San-Franciscains sont des gourmets invétérés, et les nombreux restaurants de la ville proposent une cuisine venue du monde entier. À North Beach, on trouve pâtes *(pasta)*, pizzas et autres spécialités italiennes, dont le fameux *cioppino*, ragoût de poissons local à base de tomates. À Chinatown, on peut aussi goûter à la spécialité locale *dim sum*, assortiment de beignets sucrés ou salés fourrés de viande, de produits de la mer et de légumes. Ne pas oublier de faire un tour dans Mission District pour sa cuisine mexicaine et d'Amérique centrale, ou sur Clement Street dans le Richmond District, pour la variété appétissante des plats proposés par les établissements birmans, indonésiens et vietnamiens. De novembre à avril, le crabe de Dungeness apparaît sur les menus et aux étals des poissonniers. D'autres spécialités réputées de San Francisco sont l'Irish Coffee et les pains au levain piquants et croustillants *(sourdough bread)*.

# RENSEIGNEMENTS PRATIQUES

Indicatif de la région : 415

## Comment s'y rendre

**En voiture** – San Francisco est aisément accessible par les grandes autoroutes Interstate. La route 101 et **I-280** rejoignent la ville par le Sud. **I-80** arrive d'Oakland et de Berkeley en empruntant le Bay Bridge. La route 101 permet l'accès par le Nord via le pont du Golden Gate.

**Par avion** – Vols internationaux et intérieurs : **aéroport international de San Francisco**, à 17,5 km au Sud du centre-ville, www.ci.sf.ca.us/sfo ☎ 650-876-7809. Vols intérieurs principalement : **aéroport international d'Oakland**, à 35 km au Sud-Est du centre de San Francisco, http://oaklandairport.com ☎ 510-577-4000. Aux deux aéroports, on trouve des taxis desservant le centre-ville *(40 $ environ)*, des navettes *(9-14 $)*, des sociétés de location de véhicules *(voir renseignements pratiques p. 377)*.

**Par autocar et par train** – **Greyhound** : 101 7th Street, www.greyhound.com ☎ 800-231-2222. **Gare Amtrak** : 5885 Land Regan Street, Emeryville (tarifs comprenant le transfert jusqu'au Ferry Building, Hyatt Embarcadero, Pier 30 ou San Francisco Centre), www.amtrak.com ☎ 800-872-7245.

## Comment s'y déplacer

**Par les transports publics** – Les visiteurs peuvent avoir accès aux informations sur les itinéraires et les tarifs de tous les transports publics de la région de la baie en appelant le Bay Area Traveler Information System ☎ 817-1717 ; www.transitinfo.org. La plupart des transports publics de San Francisco sont gérés par **San Francisco Municipal Railway** (Muni ; ☎ 673-6864). Toutes les lignes *(sauf les cable cars)* circulent tous les jours de 5 h 30 à 0 h 30, quelques lignes fonctionnent 24 h/24. *Tarifs bus et tramways : 1 $, correspondance gratuite, faire l'appoint.* Les **cable cars** circulent tous les jours de 6 h à 0 h 30 *(2 $)*. Achat des billets à bord, dans certains hôtels ou au Visitor Information Center *(voir ci-dessous)*. Il existe des cartes Muni valables 1 jour *(6 $)*, 3 jours *(10 $)* ou 7 jours *(15 $)* ; les plans du réseau Muni *(2 $)* sont disponibles dans des points de vente partout dans la ville. Les personnes handicapées peuvent appeler Muni Accessible Services, ☎ 923-6142, pour obtenir des renseignements.
Le réseau **BART** (Bay Area Rapid Transit) permet de se rendre facilement à Berkeley et Oakland, ☎ 510-464-6000.

**En voiture** – L'utilisation des transports publics est fortement recommandée en ville, car les rues sont fréquemment encombrées *(heures de pointe pendant la semaine : 7 h 30 à 9 h et 16 h à 18 h)* et il est souvent difficile de trouver une place pour se garer. Information sur la circulation : ☎ 557-3755. Les cable cars sont véhicules prioritaires. Lorsqu'on se gare dans une pente, il est impératif de bloquer les roues avant du véhicule contre le trottoir (vers le trottoir face à la pente, vers la chaussée face à la montée). L'usage du frein à main est obligatoire.
Les interdictions de stationner sont indiquées par le marquage des bordures de trottoir : **rouge** (stationnement et arrêt interdits), **jaune** ou **noir** (zone de livraison pour camion ou voiture), **blanc** (stationnement limité à 5 mn), **vert** (stationnement toléré de 10 à 30 mn), **bleu** (réservé aux handicapés).
**Vert** (stationnement toléré de 10 à 30 mn), **bleu** (réservé aux handicapés).

**En taxi** – **National** ☎ 648-4444. **Pacific** ☎ 776-7755. **Yellow Cab** ☎ 626-2345.

## Informations générales

**Informations touristiques** – Centre d'information du **San Francisco Convention & Visitors Bureau** (www.sfvisitor.org) : rez-de-chaussée du Hallidie Plaza, 900 Market Street, ☎ 391-2000 *(ouvert du lundi au vendredi de 9 h à 17 h 30, le samedi de 9 h à 15 h, le dimanche de 10 h à 14 h)*.

**Hébergement** – Le *San Francisco Lodging Guide (3 $)* est disponible auprès du San Francisco Convention & Visitors Bureau *(ci-dessus)*. **California Reservations** www.accomodationsexpress.com ☎ 800-576-0003. **San Francisco Reservations** www.hotelres.com ☎ 800-737-2060.

Les possibilités d'hébergement vont de l'hôtel élégant du centre-ville *(145-200 $/nuit)* aux motels pour petits budgets *(30-80 $/nuit)*. **Bed and Breakfast San Francisco**, service de réservations au ☎ 479-1913 ou 800-452-8249. La plupart des bed and breakfast (chambres d'hôtes) se situent dans des quartiers résidentiels de la ville *(80-150 $/nuit). Tous les tarifs donnés correspondent au prix moyen d'une chambre double.*

**Presse locale** – Quotidiens : *San Francisco Chronicle* (matin), *San Francisco Examiner* (soir) ; les numéros du dimanche comprennent un supplément spectacles. Magazines des spectacles à parution hebdomadaire : *San Francisco Bay Guardian*, *SF Weekly*, *Where San Francisco* et *Key This Week*.

**Bureaux de change** – **Bank of America**, ouverte tous les jours de 7 h à 23 h ☎ 650-742-8081, au terminal international de l'aéroport de San Francisco.

## Numéros utiles

| | |
|---|---|
| **Police/Ambulances/Pompiers** (24 h/24) | ☎ *911* |
| **Police** (cas non urgents, 24 h/24) | ☎ *553-0123* |
| **Médecins de service** (lun-ven 9 h à 17 h) | ☎ *353-6566* |
| **Dentistes de service** (24 h/24) | ☎ *421-1435* |
| **Pharmacie** : Walgreens, 3201 Divisadero St. (24 h/24) | ☎ *931-6417* |
| **Horloge parlante** | ☎ *767-8900* |
| **Météo** | ☎ *936-1212* |

## Sports et loisirs

**Visites et circuits organisés** – Différentes sociétés proposent des **visites de la ville** : Tower Tours ☎ 434-8687, Great Pacific Tour Co. ☎ 626-4499. Des **circuits spécialisés** sont offerts par City Guides *(commentaires enregistrés)* ☎ 557-4266, Wok Wiz Chinatown Tours ☎ 981-8989, Glorious Food Culinary Walktours ☎ 441-5637, et Dashiell Hammett Tour (littéraire) ☎ 510-287-9540. Des **excursions dans la baie de San Francisco** sont proposées par la Blue & Gold Fleet www.blueandgoldfleet.com ☎ 705-5444 et la Red & White Fleet www.redandwhite.com ☎ 447-0597.

**Spectacles** – Pour les programmes et adresses des salles, consulter la section arts et spectacles des journaux locaux (notamment le *Bay Guardian*). **Programme des spectacles par téléphone** : ☎ 391-2001. Billets pour les spectacles : **BASS Ticketmaster** ☎ 510-762-2277, ou **Tix Bay Area**, qui propose des billets demi-tarif pour certains événements le jour même. Achat sur place, en espèces ou en chèques voyage, uniquement au bureau de location Tix Bay Area d'Union Square *(Stockton Street entre Post et Geary Streets)* ☎ 433-7827 (message enregistré).

**Sports** – Les billets des grands événements sportifs sont disponibles directement sur les lieux ou aux points de vente *(ci-dessus)*.

**Première division de base-ball**

| | | |
|---|---|---|
| Avril à octobre | | |
| San Francisco Giants (NL) | Pacific Bell Park | ☎ 415-467-8000 |
| Oakland A's (AL) | Oakland Coliseum | ☎ 510-568-5600 |

**Football américain professionnel**

| | | |
|---|---|---|
| Septembre à janvier | | |
| San Francisco 49ers | 3COM Park | ☎ 415-656-4949 |
| Oakland Raiders | Oakland Coliseum | ☎ 510-615-1888 |

**Basket-ball professionnel**

| | | |
|---|---|---|
| Novembre à mai | | |
| Golden State Warriors | The Arena in Oakland | ☎ 510-986-2200 |

**Hockey professionnel**

| | | |
|---|---|---|
| Octobre à avril | | |
| San Jose Sharks | San Jose Arena | ☎ 408-287-9200 |

**Lèche-vitrines** – **Centre-ville** : Crocker Gallerie, Maiden Lane, San Francisco Shopping Centre, Union Square. **Financial District** : Embarcadero Center. **Fisherman's Wharf** : Ghirardelli Square, Pier 39. **South of Market** : Baker Hamilton Square, ventes à prix d'usine. **Cow Hollow** : Union Street. **Japantown** : Japan Center.

# DOWNTOWN

### ★★★ 1 Chinatown *Une demi-journée*
🚃 *toutes lignes* MUNI *bus 30-Stockton*

Couvrant le pied de Nob Hill, qui surplombe le Financial District, Chinatown est l'une des quatre plus grandes villes chinoises en dehors de l'Asie, et c'est l'un des quartiers les plus peuplés du continent américain. 30 000 personnes habiteraient dans ce périmètre de 24 blocs limité par les rues Broadway, Montgomery, California et Powell. Les immigrants forment la majorité des résidents de Chinatown, et la plupart conservent leur langue, leurs coutumes, leur cuisine, leurs fêtes, et leurs croyances religieuses originales.

**Les Chinois en Californie** – Au moment de la ruée vers l'or de 1849, dans de nombreuses régions de Chine, les conditions politiques étaient incertaines et les conditions économiques désespérées. Vers 1852, 10 000 Chinois, jeunes paysans des régions de Guandong (Canton) et de Hong Kong pour la plupart, avaient rejoint la Californie, la « Montagne d'Or », à la recherche de meilleures conditions de vie. De 1863 à 1869, environ 10 000 ouvriers chinois travaillèrent à la construction de la Central Pacific Railroad. Après son achèvement, ils se tournèrent vers les conserveries, les scieries, l'agriculture et la construction, déchaînant le ressentiment des travailleurs américains et européens émigrés mis en concurrence avec cette main-d'œuvre qui demandait des salaires moins élevés. Des émeutes à caractère racial dans de nombreuses villes de l'Ouest, y compris San Francisco, entraînèrent l'adoption d'une loi fédérale en 1882, le **Chinese Exclusion Act**, interdisant toute nouvelle immigration d'ouvriers chinois, mais non pas celle de marchands et de leurs familles.

**La naissance de Chinatown** – À partir de 1870, en réaction à la persécution, les Chinois quittèrent la campagne et les petites villes, se regroupant à l'intérieur des villes dans des enclaves plus faciles à défendre. À San Francisco, ils s'installèrent dans la zone autour du Portsmouth Square, le cœur actuel de Chinatown.
La structure sociale assez complexe de la communauté chinoise se fonde sur une pluralité d'institutions. Les commerces étaient contrôlés par des *companies* ou associations familiales, des organisations composées d'immigrants de la même région de Chine. Ce type d'associations prodigue encore aujourd'hui une assistance mutuelle et veille à la promotion de la culture chinoise. Au début du 20ᵉ s., plusieurs *tongs*, corporations fondées pour la plupart sur des activités économiques légales, se spécialisèrent dans la prostitution et l'opium pour la clientèle des célibataires chinois, venus nombreux avec l'intention de faire fortune et de retourner ensuite en Chine. En fait la plupart sont restés, et aujourd'hui encore, la population de Chinatown compte de nombreux vieux célibataires qui se rassemblent sur Portsmouth Square pour rencontrer leurs amis et pratiquer leurs jeux.

L'abolition du Chinese Exclusion Act en 1943 et de nouvelles réformes de l'immigration ouvrirent la porte à de nouvelles vagues d'immigrants, et les Américains d'origine chinoise commencèrent à quitter Chinatown pour s'établir en banlieue et dans d'autres quartiers de la ville.

**Chinatown aujourd'hui** – En dépit de cette émigration, le quartier reste l'âme de la vaste communauté chinoise. Ses membres éparpillés y reviennent faire leurs achats, dîner, se rencontrer dans les marchés animés, les restaurants, les librairies et centres culturels. L'importation, le commerce de détail, les ateliers de fabrication et le tourisme sont les pivots de son économie. Il y a énormément de restaurants, illustrant la réputation du quartier comme l'un des meilleurs endroits où dîner à San Francisco.

*Commencer la visite au croisement de Bush St. et de Grant Ave. et se diriger vers le Nord.*

★★ **Grant Avenue** – On pénètre dans la principale avenue touristique de Chinatown par **Chinatown Gate** (1970), conçue sur le modèle de la porte de cérémonie du village traditionnel chinois : richement décorée, avec un toit orné de carpes et de dragons de céramique, symboles de chance. Les huit blocs qui séparent Bush Street de Broadway grouillent d'acheteurs en quête de nourriture, de bijoux, d'appareils-photo, d'équipements électroniques, de tee-shirts, d'objets d'art chinois, de curiosités et de cadeaux. On peut pénétrer dans le **temple Ching Chung**★ pour visiter un authentique lieu de culte taoïste *(615 Grant Ave., 3ᵉ étage ; visite de 11 h à 18 h ; ☎ 415-433-2623)*. Les rues donnant sur Grant Avenue sont bordées d'une enfilade de restaurants chinois.

**Old St Mary's Cathedral** – *660 California Street, au niveau de Grant Ave. Visite du lundi au samedi de 7 h (10 h le samedi) à 19 h, le dimanche de 7 h 30 à 17 h.* ♿ ☎ *415-288-2800.* Antérieur aux bâtiments qui l'entourent, cet édifice de briques a été consacré en 1854 comme première cathédrale de San Francisco, siège d'un diocèse de l'Église catholique romaine. L'église a été entièrement ravagée par le grand incendie de 1906, qui n'a laissé que les épais murs extérieurs.

En traversant California Street, on trouve St Mary's Square, un carré de verdure au milieu des grands buildings, orné d'une statue de **Sun Yat-Sen** (1) du sculpteur Beniamino Bufano. Sun Yat-Sen passa deux ans à Chinatown, organisant le mouvement révolutionnaire qui a entraîné la chute de la dynastie mandchoue en Chine et établi la République chinoise en 1911.

*Revenir sur Grant Ave. et poursuivre vers le Nord en prenant à droite Clay St.*

★ **Portsmouth Square** – L'ancienne plaza centrale du campement mexicain de Yerba Buena a pris le nom du navire transportant les troupes qui ont rattaché le village aux États-Unis en 1846. Portsmouth Square est aujourd'hui le point de rencontre le plus important du quartier chinois. C'est ici que Sam Brannan a fait l'annonce, lourde de conséquences, que de l'or avait été découvert à 160 km de San Francisco. À l'Est du square, une passerelle traverse Kearny Street pour rejoindre le **Chinese Culture Center** qui présente des expositions temporaires d'art chinois et sino-américain *(Holiday Inn 2ᵉ étage ; visite de 10 h à 16 h ; fermé le lundi ; www.c-c-c.org ☎ 415-986-1822)*. Le **Pacific Heritage Museum** *(voir plus loin)* occupe un bloc au Sud-Est de la place.

---

### La vie religieuse à Chinatown

La vie spirituelle active de Chinatown est centrée sur ses nombreux temples bouddhistes, taoïstes et confucianistes, généralement situés à l'étage des centres commerciaux. Quelques-uns accueillent les visiteurs, qui sont invités à venir admirer les décorations et les autels richement ornés, et à s'imprégner de l'atmosphère de prière et de tradition *(la coutume veut qu'on apporte son obole)*. Les offices existants intègrent souvent des éléments empruntés aux traditions des trois cultes. Les prières dites sur demande personnelle, pour la guérison d'une personne ou le succès en affaires par exemple, sont accompagnées d'offrandes d'argent, de nourriture, de whisky et d'encens.

---

*Quitter le square et remonter Washington St.*

**Old Chinese Telephone Exchange** – *743 Washington St.* L'exemple le plus exubérant de « chinoiserie » du quartier arbore, au-dessus de son brillant fronton à colonnes rouges, trois toitures gracieuses rappelant une pagode. Aujourd'hui succursale bancaire, ce bâtiment de plain-pied ouvrit ses portes en 1909 comme standard téléphonique de Chinatown pour desservir les 800 postes téléphoniques de la communauté chinoise.

*Prendre à droite Grant Ave., longer un pâté de maisons puis prendre à droite Jackson St. Descendre la colline et emprunter à gauche Beckett Street.*

★ **Ma-Tsu Temple of USA** – *30 Beckett Street, 1ᵉʳ niveau. Visite de mai à septembre de 10 h à 18 h, le reste de l'année de 9 h 30 à 17 h 50. Participation demandée.* ☎ *415-986-8818.* Ce temple est dédié à Matzu, « reine du Paradis ». La statue centrale est gardée par deux féroces guerriers, Chien Li Yen et Shun Feng Er, célèbres pour leurs prodigieux dons de vision et d'ouïe, dont on promène les effigies géantes dans les rues lors du Nouvel An chinois.

*Revenir dans Jackson St. et remonter la colline jusqu'à Ross Alley (on traverse Grant Ave.), où l'on tourne à gauche pour aller jusqu'à Washington St.*

Jackson Street, Ross Alley et Washington Street traversent une enclave très peuplée d'herboristeries, de restaurants, de petites épiceries et de boulangeries odorantes.

Ces ruelles ont conservé l'ambiance obscure et énigmatique de l'ancienne Chinatown. Aujourd'hui, dans l'étroite **Ross Alley**, des ateliers de couture bourdonnent derrière les portes closes. Les visiteurs apprécient beaucoup le **Golden Gate Fortune Cookie Company★**, où on peut entrer voir les ouvriers mettre les biscuits au four à la chaîne, après y avoir caché une « fortune » (⟨Enfants⟩ *56 Ross Alley, visite de 10 h à minuit. ☎ 415-781-3956).*

*Traverser Wahington Street, descendre la colline sur quelques mètres pour trouver à droite Waverly Place.*

★**Waverly Place** – Cette ruelle bordant 2 blocs est souvent appelée « la rue des Balcons Peints », en référence aux jolies touches chinoises qui ornent ses bâtiments de briques de style Edwardien à deux ou trois étages, par ailleurs ordinaires. Les couleurs ont une signification : le rouge est symbole de bonheur, le vert de longévité, le noir de fortune et le jaune de chance. Le vénérable **temple Tin How★** consacré à la Reine du Ciel, protectrice des marins, invite à visiter son intérieur enfumé, rempli de statues et de décorations de bois sophistiquées *(n° 125, 3ᵉ étage ; visite de 9 h à 16 h ; ☎ 415-421-3628).*

*Prendre à droite Sacramento St. et remonter pour tourner à droite dans Stockton St.*

★**Stockton Street** – Habitants de Chinatown et Sino-Américains de la baie se pressent dans les nombreux magasins d'alimentation, salons de thé et pharmacies de cette importante artère commerçante, notamment le matin en fin de semaine. La façade colorée du bâtiment des **Chinese Six Companies** *(n° 843)*, une des plus ornementées de Chinatown, attire les regards : elle abrite une puissante association bénévole qui exerce toujours une influence considérable sur les commerces de Chinatown. Il faut s'arrêter un instant au **temple Kong Chow★** pour les superbes exemples de sculptures chinoises sur bois qu'il renferme *(n° 855, 3ᵉ étage ; prendre l'ascenseur à gauche du bureau de poste ; visite du lundi au vendredi de 9 h à 16 h ; ☎ 415-434-2513).*

*Continuer sur Stockton St. vers le Nord, et tourner à droite après le 4ᵉ bloc dans Broadway.*

**Chinese Historical Society of America** – *644 Broadway, 4ᵉ étage ; visite de 10 h 30 (13 h 30 le lundi) à 16 h ; fermé week-end et principaux jours fériés ; participation demandée ; ☎ 415-391-1188.* Photographies et objets anciens illustrent le rôle joué par les nouveaux immigrants et les Américains d'origine asiatique dans l'histoire et l'économie de la Californie (la Ruée vers l'Or de 1849, le chemin de fer transcontinental, l'industrie vinicole et la pêche). *Le musée devrait déménager d'ici à 2001 dans de plus vastes locaux situés au 965 Clay Street.*

## ② Civic Center *2 h. Plan p. 284.*

🚌 *bus 5-Fulton, 19-Polk, 42-Downtown Loop, 47-Van Ness. Tramway : Civic Center Station.* 🚇 *Civic Center Station.*

Le **centre administratif** de San Francisco occupe un majestueux ensemble de bâtiments de style Beaux-Arts dans un périmètre triangulaire délimité par Market Street, Van Ness Avenue et Golden Gate Avenue. Même si le quartier souffre de sa proximité avec celui peu recommandable de Tenderloin, la grandeur du site reflète toujours les principes du mouvement urbaniste du début du 20ᵉ s. connu sous le nom de « City Beautiful », actualisé par quelques ajouts contemporains.

★★**City Hall** – *Polk St. entre McAllister St. et Grove St.* L'imposant **hôtel de ville** de style Beaux-Arts (1915, Arthur Brown Jr.) abrite les services administratifs de la ville et le bureau du maire. Son dôme magnifique s'élève à près de 94 m, soit 4 m de plus que le Capitole à Washington. Dans la rotonde ouverte de 55 m de haut, le grand escalier de cérémonie a servi pour le tournage de plusieurs films.
À l'Est du City Hall s'étend **Civic Center Plaza**, scène de fameux rassemblements et manifestations politiques. Ce vaste espace aux proportions harmonieuses a conservé un air de majesté. Sur son côté Sud, le **Bill Graham Civic Auditorium** a été construit à l'occasion de l'Exposition internationale Panama-Pacifique. Cette grande salle accueille des séminaires et différentes sortes de spectacles.

★★**San Francisco War Memorial and Performing Arts Center** – *Van Ness Avenue entre Grove St. et McAllister St. Visite guidée uniquement (30 mn) le lundi de 10 h à 14 h. Fermé principaux jours fériés. 5 $ (visite de Louise M. Davies Symphony Hall comprise). ✕ ♿ ☎ 415-552-8338.* Bordant une cour austère dessinée par Thomas Church, ces bâtiments jumeaux édifiés à la mémoire des soldats de San Francisco morts à la guerre ont servi pendant des années de salles de spectacle. Le **War Memorial Opera House** (**E** – 1932, Arthur Brown Jr.), premier opéra municipal des États-Unis, a accueilli les conférences qui ont abouti en 1945 à la fondation des Nations Unies. C'est là, dans une salle élégamment décorée de 3 176 places, qu'ont lieu les spectacles des célèbres Opéra et Ballet de San Francisco. À l'occasion de travaux de réfection achevés en 1997, l'auditorium et le plafond voûté du foyer ont retrouvé leurs dorures d'antan. Au Nord, le **Veterans Building** (**F**) abrite des bureaux de la ville, ainsi que l'intime **Herbst Theatre** (928 places), où ont lieu récitals et conférences.

**Louise M. Davies Symphony Hall** – *À l'angle de Van Ness Ave. et Grove St.* Reconnaissable à sa façade arrondie, cette grande salle de 2 743 places (1981, Skidmore, Owings & Merrill) est le foyer de l'orchestre symphonique de San Francisco. La façade rappelle celle du State Office Building *(deux blocs plus loin vers le Nord)* conçu par les mêmes architectes.

★**San Francisco Public Library** – *100 Larkin St. Visite le lundi de 10 h à 18 h, du mardi au jeudi de 9 h à 20 h, le vendredi de 11 h à 17 h, le samedi de 9 h à 17 h, et le dimanche de 12 h à 17 h. Fermé principaux jours fériés.* ╳ ⑆ ▯ *http://sfpl.lib.ca.us* ☎ *415-557-4400.* La nouvelle grande **bibliothèque municipale** (James Ingo Freed & Cathy Simon) a ouvert ses portes en 1996. Elle mêle avec bonheur des éléments modernes à l'architecture traditionnelle du centre administratif. La façade principale sur Larkin Street est une version mise au goût du jour du classicscisme Beaux-Arts du centre administratif, mais la façade sur Hyde Street offre un aspect anguleux contemporain. L'intérieur, équipé d'un grand nombre d'étroites passerelles suspendues, d'étagères supportant des livres et d'œuvres d'art, possède un hall d'accueil de forme asymétrique éclairé par la lumière naturelle. La bibliothèque est dotée des dernières innovations technologiques.

Au Nord du nouveau complexe, l'ancienne bibliothèque (1917, George Kelham) est actuellement en cours de rénovation pour accueillir d'ici à 2001 le musée des Arts asiatiques, actuellement situé dans le Golden Gate Park.

*Il est recommandé aux visiteurs de ne pas emprunter les rues Ouest de Civic Center pour se rendre à Alamo Square, au Haight Park et au Golden Gate Park. Les distances ne sont pas grandes, mais ces quartiers enregistrent un taux d'agressions élevé.*

## ★★ ③ Financial District

🚋 *California Street.* ⛟ *15 Third ou 42 Downtown Loop.*

Concentrée dans une zone à peu près triangulaire au Nord de Market Street, le long du front de mer côté Est, cette forêt d'acier, de verre et de pierre est le cœur de la finance à San Francisco. Bien que d'apparence moderne, le quartier se dresse au centre historique de la ville, et possède quelques-uns des bâtiments de San Francisco les plus anciens, et les plus intéressants sur le plan architectural.

Au milieu du 19ᵉ s., avec l'afflux des richesses du Gold Country, la construction dans le quartier connut plusieurs booms, ponctués de graves incendies. À la fin de cette période, de solides bâtiments de briques avaient remplacé les bâtiments de bois et de toile, et des banques et institutions financières s'étaient installées sur Montgomery Street, bientôt surnommée « la Wall Street de l'Ouest ». On agrandit le district en remblayant Yerba Buena Cove à partir de l'ancien littoral, proche alors de Montgomery Street, jusqu'à ce que **The Embarcadero**★, une large avenue en front de mer reliant tous les embarcadères de la ville, vienne finalement clore son périmètre vers 1880.

Dévasté par le tremblement de terre et l'incendie de 1906, le district fut rapidement reconstruit suivant le même plan. D'autres vagues de construction suivirent, avec par exemple les grandes tours de bureaux des Hunter-Dulin Building et Russ Building, qui sont restés longtemps les plus hauts édifices de San Francisco. Du début des années 1960 jusqu'au milieu des années 1980, un boom dans le secteur de la construction fit naître quelques-uns des bâtiments contemporains les plus célèbres, comme la Transamerica Pyramid et le siège de la Banque d'Amérique. Le rythme rapide de ces bouleversements immobiliers incita les protecteurs du patrimoine à se regrouper pour sauvegarder les bâtiments les plus anciens, et pour obtenir une limitation de la hauteur et du volume des nouveaux projets. Ce mouvement aboutit en 1985 à l'adoption du Downtown Plan, projet pour le centre-ville. Cet ensemble de règles d'urbanisme établit des quotas annuels pour les terrains alloués aux nouveaux développements dans le Financial District.

*Commencer au carrefour de Post St., Montgomery St. et Market St.*

**One Montgomery Street** – Dressé à l'entrée symbolique de la « Wall Street de l'Ouest », ce grand bâtiment bancaire a été construit au lendemain du tremblement de terre de 1906 comme siège de la First National Bank. Une filiale bancaire de la Wells Fargo occupe aujourd'hui l'immense **hall d'accueil**★.

Prendre Post Street vers l'Ouest à partir du coin de la rue et entrer dans la **Crocker Galleria** (1983, Skidmore, Owings & Merrill), élégant centre commercial qui traverse le pâté de maisons, dont les trois niveaux d'espaces commerciaux sont abrités par une verrière en berceau *(ouvert de 10 h à 18 h (17 h le samedi) ; fermé le dimanche ; ╳ ⑆ ▯ ☎ 415-393-1505).*

*Sortir de Crocker Galleria sur Sutter St.*

★★**Hallidie Building** – *130-150 Sutter Street.* Un des buildings les plus remarquables de San Francisco, cette tour de bureaux de six étages (1917, Willis Polk) est très largement considérée comme le premier bâtiment à parois de verre du monde et comme un précurseur de l'architecture commerciale contemporaine. Il porte le nom de Andrew Hallidie, inventeur du cable car.

*Aller à l'angle des rues Sutter et Montgomery, puis prendre à gauche.*

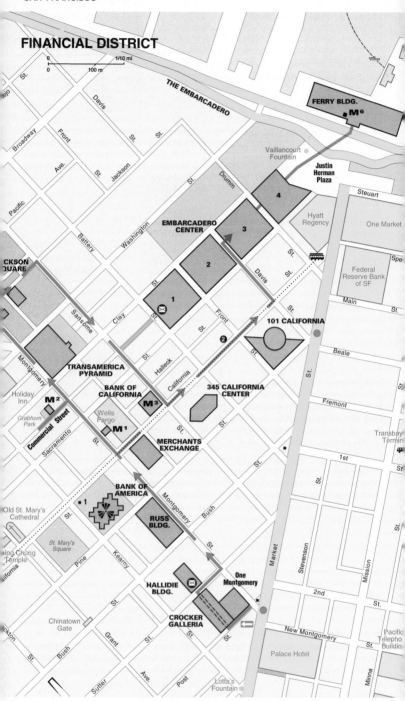

# FINANCIAL DISTRICT

★**Russ Building** – *235 Montgomery St.* Construit vers la fin des « années folles », ce monument néogothique de 30 étages (1927, George Kelham) est demeuré la plus grande tour de la côte Ouest jusqu'aux années 1960. L'entrée principale passe sous une arche en ogive haute de deux étages, pour déboucher dans un **hall**★ avec des sols de mosaïques, des panneaux d'ascenseur très ornementés et des couloirs surmontés de voûtes en pierre rappelant l'architecture d'un cloître.

★★**Bank of America Center** – *555 California Street.* Le plus volumineux édifice de San Francisco, tour de bureaux de 51 étages (1971, Skidmore, Owings & Merrill) habillée de cornaline granitique rouge sombre, rivalise en hauteur avec la Transamerica Pyramid. Occupant quasiment tout un bloc dans le centre du quartier de la finance, le bâtiment est le siège pour la côte Ouest de la banque fondée en 1904 par A. P. Giannini sous le nom de Banque d'Italie. Le cœur du bâtiment s'élève à 237 m au-dessus de la rue. Sur la vaste esplanade qui borde California Street se dresse *Transcendance* (1969, Masayuki Nagare), une sculpture sombre et vernissée (1) surnommée familièrement « le Cœur du Banquier ». Au dernier étage, depuis le bar **Carnelian Room**, on a une des plus belles **vues panoramiques**★★★ de la ville.

*Traverser Montgomery Street et poursuivre vers l'Est sur California Street.*

★**Merchants Exchange Building** – *465 California St.* Centre des activités maritimes de San Francisco au début du 20ᵉ s., l'ancienne **bourse de commerce** (1903, Willis Polk) et ses 14 étages abritent aujourd'hui une filiale de la First Interstate Bank. Dans l'ancienne salle de la **Bourse aux grains**★★ *(actuellement fermée au public ; certaines visites organisées du quartier incluent la visite de la salle)* sont exposées 13 marines du peintre irlandais William A. Coulter. Le hall d'entrée présente une intéressante exposition de modèles réduits de bateaux.

*Revenir à Montgomery St. et tourner à droite.*

★**Wells Fargo History Museum (M¹)** – ▨▨▨ *420 Montgomery St. Visite de 9 h à 17 h. Fermé week-end et principaux jours fériés.* ♿ *www.wellsfargohistory.com* ☎ *415-396-2619.* Situé dans le quartier général de la Wells Fargo Bank, cette galerie moderne retrace l'histoire mouvementée d'une des plus éminentes institutions financières de Californie. Les diligences de la Wells Fargo & Co commencèrent à transporter marchandises et passagers dès 1852. Puis le rôle de la compagnie dans l'expédition de l'or la conduisit naturellement à devenir un établissement bancaire.

Photographies, documents, pépites d'or, billets de banque et pièces de monnaie sont exposés sur deux niveaux, et les présentations permettent de découvrir des sujets aussi différents que la vérification de l'or, les attaques de diligences ou le télégraphe. Les visiteurs peuvent admirer une authentique **diligence Concord** restaurée, et, sur la mezzanine, monter à bord d'une reconstitution pour y revivre l'histoire (enregistrée) d'un terrible périple en diligence au milieu de 19ᵉ s.

*Poursuivre vers le Nord sur Montgomery St. et tourner à gauche dans Commercial St.*

**Commercial Street** – *Entre Montgomery St. et Kearny St.* Une promenade le long de cette rue étroite offre d'intéressantes perspectives sur les débuts commerciaux de San Francisco. Avant qu'on ait remblayé le front de mer pour le faire reculer jusqu'à sa limite actuelle de l'Embarcadero, ce pâté de maisons se trouvait au pied du Long Wharf, une grande jetée qui traversait les vasières pour accéder aux mouillages en eau profonde, dans l'alignement de ce qui est aujourd'hui Commercial Street. Une ancienne banque englobant ce qui reste de l'US Subtreasury Building (1877) abrite le petit mais élégant **Pacific Heritage Museum** (**M²**), qui présente des expositions temporaires d'art asiatique *(n° 608 ; visite de 10 h à 16 h ; fermé dimanche, lundi et principaux jours fériés ;* ♿ ☎ *415-399-1124).*

*Poursuivre sur Montgomery Street et traverser Clay St.*

★★**Transamerica Pyramid** – *600 Montgomery St.* Cette audacieuse pyramide est devenue un symbole de San Francisco depuis sa construction en 1972. Conçue par William Pereira pour installer le siège de la Transamerica Corporation, cet élégant bâtiment de 47 étages est le plus haut de San Francisco, avec 260 m du niveau de la rue jusqu'au sommet de sa lanterne ajourée. Comme l'accès aux derniers étages est interdit au public, on a installé au rez-de-chaussée une sorte de plate-forme d'observation, **Virtual Observation Deck** ▨▨▨, où l'on peut, grâce à un système sophistiqué d'appareils électroniques installés au sommet du gratte-ciel, obtenir des vues époustouflantes de la cité. Toujours au rez-de-chaussée, une galerie accueille d'excellentes expositions temporaires, mettant en vedette art et design contemporains. Au pied du building, côté Est, les paisibles bancs disséminés dans un petit parc au milieu d'environ 80 séquoias transplantés sont particulièrement appréciés lors de la pause-déjeuner.

*Continuer vers le Nord sur Montgomery Street et prendre Jackson Street à droite.*

★★**Jackson Square** – *Jackson St. entre les rues Montgomery et Sansome.* Le plus ancien quartier commerçant de San Francisco s'étend autour de Jackson Street et des ruelles voisines. Il formait le cœur de Barbary Coast (côte barbare), un quartier mal famé où, à l'époque de la Ruée vers l'or, saloons, salles de spectacle et music-halls s'alignaient sur Pacific Avenue entre Sansome Sreet et Columbus Avenue. Les bâtiments en brique ont survécu au grand tremblement de terre et à l'incendie de 1906, et depuis les années 1960, nombre d'entre eux ont été reconvertis en galeries d'art élégantes, ateliers de design, cabinets d'avocats et magasins d'antiquités.

*Emprunter Jackson St. vers l'Est et tourner à droite dans Sansome St., que l'on parcourt vers le Sud jusqu'à l'angle de California St.*

**★★Bank of California** – *400 California St.* Cet imposant temple corinthien (1908, Bliss & Faville) fut le siège de la première banque de la côte Ouest, que fonda en 1864 un financier aux multiples talents, William Ralston. Aujourd'hui considéré comme le plus bel établissement banquier de San Francisco, l'édifice loge désormais l'Union Bank of California. Avec ses riches plafonds à caissons et ses murs en marbre clair, le hall d'accueil compte parmi les plus magnifiques de la ville. Un escalier descend au **Museum of Money of the American West** (M³ – 𝗘𝗻𝗳𝗮𝗻𝘁𝘀 *visite de 9 h à 17 h ; fermé week-end et principaux jours fériés ;* & ☎ *415-765-3213*), qui présente les différentes monnaies utilisées au milieu du 19ᵉ s. à l'époque euphorique de la ruée vers l'or et de la découverte des riches filons argentifères de Comstock.
*Prendre California Street vers l'Est.*

**★★345 California Center** – Ce gratte-ciel à allure futuriste est couronné de deux tours aux formes anguleuses reliées par une passerelle aérienne en verre (1987, Skidmore, Owings & Merrill). Pour satisfaire les défenseurs du patrimoine, les façades sur rue des bâtiments préexistants ont été intégrés dans le complexe.
*Poursuivre vers l'Est sur California St.*

**★101 California Street** – Ce « silo » de verre en retrait (1982, Johnson & Burgee) occupe une position dominante en bas de California Street. L'entrée principale est un atrium de verre sur trois niveaux, qui donne l'impression d'avoir été tranché dans le vif du bâtiment. L'esplanade triangulaire s'étend vers le Sud jusqu'à Market Street.
*Prendre à gauche Davis Street, et traverser Sacramento St.*

> **2 Tadich Grill**
>
> *240 California St.* ☎ *415-391-1849*. Le poisson frais est la spécialité des lieux, et la bourse le sujet de conversation favori. L'origine de cette institution de San Francisco remonte au temps de la Ruée vers l'or, quand elle n'était alors qu'un simple point de vente de café. Commandez une sole grillée au charbon de bois ou une salade de fruits de mer, et appréciez le sérieux des garçons en tablier et veste blanche glissant le long du grand bar en bois.

**★Embarcadero Center** – *Entrer par Davis St. entre les bâtiments Two et Three et prendre l'escalier en spirale jusqu'au niveau Promenade (2ᵉ).* Le long de l'historique Commercial Street, les quatre tours en forme de dalle dressée du plus grand complexe commercial et de bureaux de San Francisco (1967-1982, John Portman & Assoc.) abritent un centre commercial sur leurs trois niveaux inférieurs. On a de magnifiques vues sur le quartier et sur la ville du **SkyDeck** situé au 40ᵉ étage de la tour Ouest (dite One Embarcadero Center). *Ouvert de 9 h 30 au coucher du soleil ; fermé 1ᵉʳ janvier, Thanksgiving Day et 25 décembre ; 6 $ ;* ☎ *415-772-0555 ou 888-737-5933*).

À l'Est du complexe se trouve **Justin Herman Plaza** 𝗘𝗻𝗳𝗮𝗻𝘁𝘀, du nom de l'ancien président de l'agence d'urbanisme de la ville. Apportant de l'éclat à l'angle Nord-Est de l'esplanade, les formes anguleuses de la Vaillancourt Fountain invitent à la découverte.

**★★④ Nob Hill** *3 h. Plan p. 285.*
🚃 *toutes les lignes.*

Nob Hill et l'adjacente Russian Hill forment une ligne de crête à l'Ouest du centre ville. Elles furent longtemps un obstacle au développement urbain car leurs pentes escarpées étaient trop raides pour les attelages de chevaux. L'invention du *cable car* vers 1870 les ouvrit au développement immobilier et fit de Nob Hill un quartier toujours convoité de nos jours.

À l'origine « colline des palais », lieu de résidence des magnats des chemins de fer et des rois de l'argent, Nob Hill s'est transformé en quartier chic d'hôtels et d'appartements, s'étendant au Nord-Ouest en direction de Russian Hill. Son nom provient de la contraction de *nabob* (nabab), le nom qui désignait les Européens fortunés en Inde. Les riches « Big Four » *(voir p. 38)* de la Central Pacific Railroad, séduits par la vue sur la ville et le prestige de l'adresse, s'y firent élever vers la fin du 19ᵉ s. des palais en bois qui disparurent tous les quatre lors de la catastrophe de 1906. Aujourd'hui, trois constructions portent encore symboliquement les noms de ces propriétaires d'antan.

Le **Mark Hopkins Inter-Continental Hotel** *(angle Sud-Est de Mason St. et California St.)* est bâti sur le site du manoir Hopkins. Son bar Art Déco un peu tapageur, le Top of the Mark, situé sur le toit, offre de splendides **vues★★★** sur la ville. L'établissement se situe juste à l'Ouest du **Stanford Court Hotel**, édifié sur le site de la maison de Leland Stanford. Huntington Park, en face de Grace Cathedral de l'autre côté de Taylor Street, marque le site de la résidence de Collis Huntington ;

quant à la maison de Charles Crocker, elle se trouvait à l'emplacement actuel de Grace Cathedral.

Le **Fairmont Hotel★★** *(angle Nord-Est de Mason St. et California St.)* a été nommé en mémoire de James Fair, personnage qui fit fortune dans les mines d'argent de Comstock Lode. L'hôtel était pratiquement terminé à la veille du grand incendie de 1906, qui en dévora l'intérieur et épargna les murs de granit. L'ascenseur extérieur donne une vue qui couvre Chinatown, North Beach et l'essentiel de la baie ; il permet d'accéder au restaurant **Crown Room**, situé au 24ᵉ étage et renommé pour son **panorama★★★** sur toute la ville. Autre survivante partielle de la catastrophe de 1906, la maison aux murs de pierre du partenaire de Fair, James Flood *(en face du Fairmont de l'autre côté de Mason St.)*, qui abrite aujourd'hui le très chic **Pacific Union Club★** *(fermé au public).*

**③ The Tonga Room**

*Hôtel Fairmont.* ☎ *415-772-5278.* Toutes les spécialités piquées d'une ombrelle valent d'être goûtées dans ce restaurant à l'ambiance polynésienne. Les tables ont un aspect rustique et les parasols un air des mers du Sud. Toutes les demi-heures, un système d'eau pulvérisée simule un orage tropical au-dessus d'un lagon artificiel. Ne manquez pas le buffet à l'heure de l'apéritif *(happy hour)* ou l'orchestre flottant.

**★Grace Cathedral** – *1051 Taylor St., à l'angle de California St. Visite de 7 h (8 h le samedi) à 18 h, les jours fériés de 9 h à 16 h.* ⚐ ▯ *www.gracecathedral.org* ☎ *415-749-6300.* Construite en style néogothique français, la cathédrale épiscopalienne de San Francisco est la troisième des États-Unis par ses dimensions. Bien que sa construction ait débuté en 1929, des obstacles financiers et techniques ont différé sa consécration jusqu'en 1964. Encastrées dans le portail Est de style gothique, les **Portes du paradis** sont la réplique des portes en bronze du baptistère de la cathédrale de Florence, de Lorenzo Ghiberti, représentant dix scènes de l'Ancien Testament. À l'intérieur, des dizaines de vitraux et de peintures murales dépeignent des figures célèbres du 20ᵉ s. comme Franklin D. Roosevelt ou Albert Einstein. Parmi les nombreuses sculptures, tapisseries et meubles se trouve un autel en granit californien et séquoia, ainsi qu'un magnifique retable en chêne sculpté dans les Flandres vers 1490. Un splendide orgue de style américain classique possède un buffet de 7 286 tuyaux.

**★★Cable Car Museum (M⁴)** – 🔲 *1201 Mason St., à l'angle de Washington St. Visite de 10 h à 18 h (17 h de novembre à mars). Fermé 1ᵉʳ janvier, Thanksgiving Day et 25 décembre.* ☎ *415-474-1887.* Abritant la centrale électrique du célèbre système de cable car de San Francisco, ce bâtiment en brique à deux niveaux renferme aussi un musée qui présente l'histoire du cable car. De la mezzanine qui surplombe les machines bourdonnantes, les visiteurs peuvent voir de près les roues géantes sur lesquelles s'enroulent les câbles sans fin des lignes Powell-Mason, Powell-Hyde et California Street. Sur la mezzanine même, on découvre une exposition historique, des objets se rapportant aux anciens transports publics et plusieurs cable cars historiques, notamment la voiture n° 8, seule survivante de la ligne de Clay Street Hill, la première inaugurée à San Francisco en 1873. On aperçoit les sorties des câbles avant leur disparition sous la chaussée au niveau inférieur de l'édifice.

Cable car en action face à Alcatraz

Greg Gawlowski/DPA

★★⑤ **North Beach** *Une demi-journée. Plan p. 285.*

🚃 *ligne Powell-Mason.* 🚌 *15-Third, 30-Stockton, 45-Union-Stockton ou 39-Coit.*

Ce quartier ensoleillé de San Francisco, l'un des plus anciens, autrefois cœur de la communauté italienne de la ville, porte le nom d'une plage de sable disparue il y a plus d'un siècle sous les remblais provenant du dragage de la baie. Refuge pour un temps de la contre-culture « Beat » de San Francisco, ce quartier ancien a conservé dans une certaine mesure le caractère de solidarité d'un village.

Vers 1880, les immigrants italiens, essentiellement en provenance d'Italie du Nord, vinrent s'établir ici, prenant la place des immigrants d'Amérique du Sud et d'Europe méridionale qui avaient surnommé l'endroit « Quartier latin ». Au début du 20ᵉ s., de nombreux immigrants du quartier se sont réinstallés sur les riches terres agricoles au Nord, comme le Pays du vin et le comté de Marin.

Malgré cette tendance qui se poursuit aujourd'hui, et malgré l'expansion progressive de Chinatown vers le Nord, l'ambiance italienne traditionnelle du quartier se retrouve tout à fait dans ses restaurants, cafés et boutiques.

Lorsque la population italo-américaine commença à déserter North Beach, des logements bon marché furent repris par des écrivains et des artistes aussi désillusionnés que pauvre, enclins à rejeter en bloc le conformisme bourgeois et la société de consommation. Ils se donnèrent eux-mêmes le nom de **Beat Generation**. Le poète Lawrence Ferlinghetti y créa la librairie **City Lights Bookstore ★** (*261 Columbus Avenue ; ouvert de 10 h à minuit ; fermé Thanksgiving Day et 25 décembre ; www.citylights.com ☎ 415-362-8193*). Acquis à l'ambiance « expresso et vin rouge » du North Beach des années 1950, des auteurs aussi renommés qu'Allen Ginsberg, Jack Kerouac et Gregory Corso aimaient aussi à se réunir dans leurs cafés

SAN JOSÉ ⎮ OAKLAND

favoris pour lire des poèmes. De tous ces lieux, seuls la librairie et le **Vesuvio Café** attenant *(ouvert de 6 h à 2 h du matin ; ✗ ♿ www.vesuvio.com ☎ 415-362-3370)* existent encore.

**North Beach Museum** (**M⁵**) – *1435 Stockton St., sur la mezzanine de l'Eureka Bank. Visite de 9 h à 15 h 30 (17 h le vendredi). Fermé week-end et principaux jours fériés. ☎ 415-626-7070.* Des expositions temporaires de photographies et

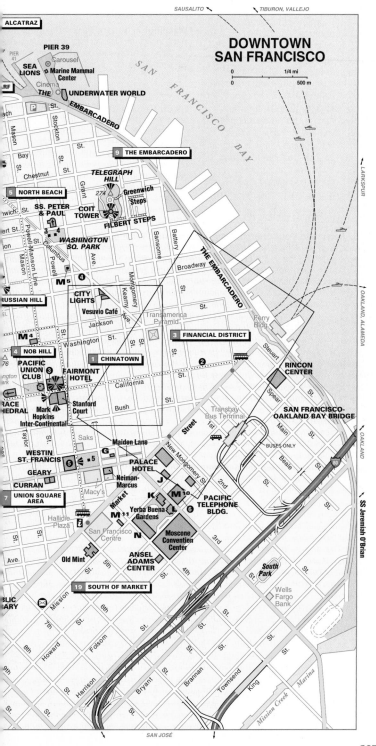

## ❸ Molinari Delicatessen

*373 Columbus Ave.* ☎ *415-421-2337.* Dans ce haut lieu de l'épicerie fine, une institution aujourd'hui centenaire de North Beach, les clients s'enivrent des puissants effluves du parmesan, du basilic, du salami, des olives et de nombreux produits importés d'Italie. Les habitants du quartier y font leurs courses tôt et s'approvisionnent en raviolis ou en tortellini maison. En fin de matinée, viandes et fromages font leur apparition sur le hachoir pour les nombreux clients emportant un sandwich au bureau ou allant pique-niquer à Washington Square.

d'objets anciens retracent l'histoire de North Beach à la fin du 19ᵉ s. et au début du 20ᵉ s. Parmi les témoignages des communautés italienne et chinoise qui habitaient le quartier, on retrouve d'innombrables photographies de North Beach, de Fisherman's Wharf et de Telegraph Hill dans les années qui ont précédé et suivi la catastrophe de 1906.

★**Washington Square Park** – Ce grand espace de pelouses vertes, agréablement parsemé d'arbres et de bancs, se trouve au pied du versant Ouest de Telegraph Hill au cœur de North Beach. Le bon air et la verdure attirent les habitants du quartier de tous âges et de toutes origines. Les retraités s'y retrouvent, les Asiatiques tous les matins pour pratiquer le *t'ai chi*, forme harmonieuse d'art martial, et les Italiens pour passer le temps sur les bancs qui regardent Union Street. Une donation de Lillie Hitchcock Coit *(voir index)* a permis d'ériger à l'Ouest du parc un **monument** (**3**) en bronze à la gloire des **pompiers volontaires** de San Francisco ; au centre on peut voir une belle statue de bronze de **Benjamin Franklin** (**4**).

★**SS. Peter and Paul Church** – *Au Nord du parc. Visite de 6 h 30 à 16 h (19 h le week-end).* ♿ ☎ *415-421-0809.* Les deux superbes flèches de la « cathédrale italienne » de San Francisco (1924) dominent Washington Square. Un vers du *Paradis* de Dante (*« La gloire de celui qui anime toutes choses pénètre et illumine l'univers »*) orne la façade, et l'intérieur est superbement décoré de marbre. Reflétant la diversité ethnique de North Beach, l'église propose des messes en chinois (cantonais) et anglais ainsi qu'en italien.

★**Telegraph Hill** – Cette colline de 86 m est l'un des principaux repères de San Francisco. Elle doit son nom au sémaphore qu'on a construit à son sommet en 1849 pour annoncer l'approche de navires franchissant le Golden Gate. Du sommet, sur lequel veille une statue de bronze de Christophe Colomb, s'offre l'une des **vues**★★ les plus remarquables sur le centre-ville, le front de mer et les lointains rivages d'East Bay et du comté de Marin.

En raison de ses pentes abruptes et de la proximité du port et des docks, Telegraph Hill resta un quartier ouvrier jusqu'au début du 20ᵉ s., quand des gens plus aisés commencèrent à acheter et modifier les maisons précédemment occupées par des pêcheurs ou dockers.

Dévalant le versant Est abrupt de Telegraph Hill, **Filbert Steps**★★ et Greenwich Steps sont moins des rues que des sentiers équipés de marches (*l'accès à Filbert St. est indiqué dans le dernier tournant avant le sommet ; celui à Greenwich St. l'est sur le côté Est du parc de stationnement au sommet*). À partir des Filbert Steps, à la végétation exubérante, emprunter Darrel Place et Napier Lane, qui conduisent sous leurs feuillages à de charmantes maisons en bois, dont quelques-unes datent de 1860. Au milieu du 19ᵉ s., une partie des versants Est et Nord-Est de la colline a été exploitée en carrières de pierres pour la construction et le ballast des navires. Les falaises abruptes laissées par les carrières ne sont toujours pas aménagées aujourd'hui.

★★★**Coit Tower** – 🔲 *Au sommet de Telegraph Hill. Accès de Washington Square soit à pied en remontant Filbert St., suivant les indications « Stairs to Coit Tower », soit en empruntant le bus 39-Coit. Les possibilités de stationnement au sommet sont très limitées. Visite de 10 h à 19 h 30 (18 h d'octobre à avril).* 🔲 ☎ *415-362-0808.* Un des monuments les plus connus de San Francisco, cette tour cannelée en béton haute de 65 m (1934) a été offerte à la ville par **Lillie Hitchcock Coit** (1843-1929) une femme originale qui passa une partie de sa jeunesse à San Francisco. Ayant été sauvée des flammes quand elle était petite, elle nourrit durant toute sa vie une grande passion pour le métier de soldat du feu, et devint membre d'honneur d'une compagnie locale de sapeurs-pompiers. À sa mort, Lillie Coit fit don de 125 000 dollars à la ville pour des opérations d'embellissement, parmi lesquelles figure Coit Tower.

Dans la base rectangulaire de la tour, le hall d'entrée présente 340 m² de **fresques**★★ renommées, peintes à l'époque du New Deal par 26 artistes locaux et de nombreux assistants dans le cadre du Works Progress Administration (le gouvernement fédéral engageait alors des artistes comme fonctionnaires pour décorer les bâtiments publics). Les fresques, représentant des scènes de la vie quotidienne en

Californie à l'époque de la Grande Dépression, illustrent une critique subtile ou manifeste des valeurs conservatrices défendues par les milieux d'affaires de San Francisco. Elles engendrèrent une vive controverse politique entre les artistes et la commission des Arts de San Francisco. Pour compliquer les choses, les dockers de la côte Ouest déclenchèrent en même temps un mouvement de grève. Les médias et l'opinion publique estimèrent que les fresques prenaient le parti des dockers. Les groupements conservateurs menacèrent donc de modifier ou d'enlever les images offensantes. Le débat fut si âpre que la Park Commission différa de quatre mois l'ouverture de la Coit Tower. Lorsque les portes ouvrirent enfin au public en octobre 1934, seule la fresque N° 4, de Clifford Wight, avait été modifiée.

À partir de la terrasse d'observation de la tour s'offre un **panorama**★★★ sur les collines et les rues de San Francisco.

## ★**Russian Hill** 2 h. Plan p. 284 et 285.

🚋 ligne Powell-Hyde ou Powell-Mason

La meilleure façon d'explorer Russian Hill est de s'y promener à pied ou de l'observer à partir du cable car dans Hyde Street. La colline possède un certain nombre de merveilles d'architecture d'avant 1906, ainsi qu'un passé riche en activités artistiques. À la fin du 19ᵉ s. et au début du 20ᵉ s., une communauté réduite mais active d'écrivains et d'artistes s'y est épanouie, parmi lesquels Mark Twain, Robert Louis Stevenson et Bret Harte. Aujourd'hui, plusieurs escaliers discrets et allées piétonnes font l'ascension des deux sommets de Russian Hill, une promenade sportive mais superbe. L'escalier de Vallejo Street relie Mason Street à Taylor Street, en passant devant le pittoresque **Ina Coolbrith Park**. Au sommet, une **vue**★★ magnifique s'étend sur le centre-ville et les collines lointaines d'East Bay. À deux pâtés de maisons en direction du Nord s'ouvre **Macondray Lane**★, une allée non goudronnée bordée d'arbres et de maisons charmantes.

## ★★★**Lombard Street** – 🚼 Enfants Entre les rues Hyde et Leavenworth. Surnommée affectueusement « la rue la plus tordue du monde », Lombard Street aux 1 000 blocs constitue indéniablement l'une des ruelles les plus célèbres et les plus photographiées de San Francisco. Présentant à l'origine une pente de 27 % qui la rendait quasiment impraticable, la pente de la colline a été adoucie en 1922 pour obtenir une pente de 16 %, sur laquelle on a tracé une rue à voie unique goudronnée, dotée de huit virages en épingle à cheveux. Dans les virages, les terrasses débordent de buissons et de fleurs. Du haut de la colline, le célèbre **point de vue**★★ s'étend jusqu'à Alcatraz au Nord et au-delà de Coit Tower à l'Est.

**San Francisco Art Institute** – 800 Chestnut St. Visite du lundi au vendredi de 9 h à 17 h. 🍴 ♿ ☏ 415-771-7020. Cette école des beaux-arts réputée est logée dans un bâtiment de style colonial espagnol (1926, Arthur Brown Jr.). Son annexe en béton simple et sans ornement a été ajoutée en 1969. Depuis la grande terrasse, une large **vue**★ embrasse Telegraph Hill et les quartiers du front de mer. La galerie Diego Rivera, l'une des deux galeries de l'institut consacrées à des expositions temporaires, présente The Making of a Fresco Showing the Building of a City, une peinture murale haute d'un étage réalisée en 1931 par le célèbre artiste mexicain.

## ★7 **Union Square** 2 h. Plan p. 285.

🚋 lignes Powell-Mason ou Powell-Hyde. 🚌 2-Clement, 3-Jackson, 4-Sutter, 30-Stockton, 38-Geary ou 45-Union-Stockton. 🚇 arrêt Powell Street.

À peu près limitée par les rues Sutter, Taylor, Kearny et O'Farrell, la zone entourant Union Square connaît l'animation d'un quartier commerçant, le plus prestigieux et le plus animé de San Francisco. Certains des grands magasins de luxe les plus réputés de la ville se trouvent sur la place ou à quelques pas de là, par exemple Saks Fifth Avenue, Macy's et Nordstrom. Le magasin post-moderne **Neiman-Marcus** (1982, Johnson & Burgee) est pourvu d'une exceptionnelle **rotonde**★ intérieure surmontée d'une coupole ornée de vitraux ouvragés provenant de l'ancien magasin City of Paris, qui occupait le site auparavant. De plus petits magasins et boutiques spécialisés bordent Sutter St., Post St. et Geary St. qui mènent vers l'Est au quartier financier. Le grand quartier des théâtres se trouve vers l'Ouest. Avec ses nombreux magasins, hôtels et lieux de spectacle, Union Square est l'un des quartiers les plus animés de la ville.

★**Union Square Park** – Cet agréable emplacement doit son nom aux grands rassemblements populaires des sympathisants de l'Union qui s'y sont déroulés pendant la guerre de Sécession. Pendant la journée, Union Square est fréquenté par des gens de tous horizons, artistes de rue, sans-abri, marchands de fleurs et employés de bureau du quartier. Au centre de la place se dresse le **monument Dewey** **(5)**, une colonne de 29 m de haut surmontée d'une Victoire en bronze commémorant la victoire de l'amiral George Dewey sur la flotte espagnole en 1898. Au-dessous de la place se trouve un parc de stationnement, le premier de la ville à avoir été construit sous un jardin public.

**★★Westin St. Francis Hotel** – *335 Powell St. Promenade libre, plan disponible au bureau du concierge.* ☎ *415-397-7000.* Cette élégante construction Renaissance et baroque terminée en 1904 a été presque entièrement détruite pendant le grand incendie de 1906. Rebâti et agrandi par Bliss & Faville, l'hôtel accueille aujourd'hui des célébrités et d'importants personnages du monde entier. Les **ascenseurs de verre** qui glissent rapidement le long de la tour annexe offrent une **vue**★★ superbe du Financial District et de la baie.

> **5 The Compass Rose**
>
> *Westin St. Francis Hotel.*
> ☎ *415-774-0167.*
> Accessible par le grand hall de l'hôtel St. Francis, cet élégant salon a été fidèlement restauré avec sa décoration de 1904. Le « grand thé » est sa spécialité. Dégustez *scones*, petits fours, sandwiches ou fruits de saison à la crème au Grand Marnier, et dépensez sans compter pour le simple plaisir de recevoir votre monnaie en pièces fraîchement nettoyées !

**Maiden Lane** – *À l'Est d'Union Sq., entre Post St. et Geary St.* Ce passage long de deux blocs est bordé de magasins spécialisés, de galeries d'art et de boutiques s'adressant à une clientèle aisée et aux chineurs de toutes sortes. L'insolite **Frank Lloyd Wright Building**★ (**G** – *n° 140* – 1948) est le seul bâtiment de San Francisco conçu par l'architecte Frank Lloyd Wright. Cette galerie, dont l'intérieur rappelle celui du musée Guggenheim à New York, expose désormais une collection d'art populaire du monde entier.

**Quartier des théâtres** – Petit mais débordant d'activité, il comprend une dizaine de théâtres, de la salle intimiste et sobre au palais richement décoré accumulant les balcons. Parmi les plus grandioses, on citera le **Geary Theater**★ (*415 Geary St.* – 1909, Bliss & Faville), décoré de surprenantes colonnes en céramique polychrome, ou le **Curran Theatre**★ (*445 Geary St.* – 1922, Alfred Henry Jacobs), avec son toit à la Mansart et ses arcades romanes. Le Geary Theater héberge l'American Conservatory Theater (ACT).

## LA BAIE

Les quais sont bordés de vestiges du passé maritime de San Francisco, notamment le long des quartiers portuaires au Nord, entre Telegraph Hill et Marina District. Les visiteurs viennent très nombreux monter à bord de voiliers historiques, explorer un sous-marin, observer les pitreries des otaries et acheter des souvenirs. Du front de mer s'étend un **panorama**★ splendide, avec le trafic des cargos, le pont de la Golden Gate, l'île-pénitencier d'Alcatraz et la côte accidentée du comté de Marin.

### ★★★ 8 Alcatraz

À moins de 2,5 km des agréments de San Francisco, cette île de 5 ha à la sinistre réputation a servi successivement de forteresse, de prison militaire, puis de pénitencier fédéral, avant d'être classée parc national et reconvertie en musée en 1972. Visiter « the Rock » est un voyage impressionnant au travers d'un des chapitres les plus rudes de l'histoire judiciaire des États-Unis.

**Un peu d'histoire** – En 1769, quand les explorateurs espagnols aperçurent la baie pour la première fois, Alcatraz n'était qu'un grand rocher nu peuplé seulement d'oiseaux. On dit que l'île a tout d'abord été baptisée Yerba Buena Island, et qu'en 1775 l'avancée de terre qui supporte aujourd'hui la pile Ouest du Bay Bridge reçut le nom espagnol d'Isla de Alcatraces, l'« île des fous de Bassan ». Les deux noms furent inversés par inadvertance sur une carte de 1826 et l'erreur ne fut jamais corrigée.

En 1850, le président Millard Fillmore fit d'Alcatraz une réserve militaire, et on érigea sur l'île des fortifications en brique et en pierre. En 1861, des sympathisants des Confédérés et des Amérindiens y furent emprisonnés et, pendant les trente années qui suivirent, l'île servit à la fois de poste de défense et de prison militaire. Les fortifications devinrent peu à peu obsolètes, et en 1907, la garnison quitta définitivement l'île, qui devint une prison militaire des États-Unis.

Au début des années 1930, l'entretien d'Alcatraz était devenu trop coûteux pour l'armée et l'île fut achetée en 1934 par le service fédéral des Prisons. Devenu pénitencier fédéral, Alcatraz servit pendant 30 ans de quartier de haute sécurité à l'usage des « ennemis publics » : les membres des gangs du crime organisé, que leurs relations rendaient dangereux même derrière les barreaux. L'extrême rigueur du règlement, la présence d'un gardien pour trois prisonniers et la triste réputation de ceux-ci – Al « Scarface » Capone, George « Machine Gun » Kelly et Robert « Birdman » Stroud entre autres – firent rapidement d'Alcatraz la prison la plus lugubre des États-Unis.

La prison ferma en 1963 en raison des coûts d'entretien élevés, de la dégradation des équipements, et d'une série de tentatives d'évasion presque réussies. Un groupe d'Amérindiens occupa Alcatraz en 1969 pour essayer, en vain, d'y établir un Centre pour les Indiens d'Amérique. Le 12 octobre 1972, Alcatraz fut intégrée dans la Golden Gate National Recreation Area.

**Visite** – *3 h.* Enfants *Départ du bac au quai 41 toutes les 30 à 45 mn de 9 h 30 à 16 h 15 (14 h 15 d'octobre à avril). Fermé 1ᵉʳ janvier et 25 décembre. 11 $, audioguide compris. Des visites guidées et des conférences par les rangers sont souvent proposées (horaires variables affichés sur l'île). Possibilité de visite en dehors des horaires normaux du jeudi au dimanche à 18 h 15 et 19 h d'avril à octobre, à 16 h 15 et 17 h le reste de l'année. 18.50 $, audioguide compris. Réserver au moins une semaine à l'avance au ☎ 415-705-5555.*
*Attention : les embruns et de fortes rafales de vent sévissent souvent sur l'île, et les sentiers sont assez difficiles. Revêtir des vêtements appropriés et des chaussures solides et confortables. Une brochure (Easy Access Prigram) peut être mise à la disposition des handicapés ; s'adresser au ranger à l'entrée de l'île.*

La traversée *(15 mn)* offre à l'aller comme au retour une **vue★★** splendide du front de mer et du Golden Gate lorsqu'il n'y a pas de brouillard. Après avoir débarqué, les visiteurs sont libres de se promener seuls sur l'île ou de se joindre aux conférences ou randonnées guidées par les *rangers* dans différentes parties de l'île *(les sujets abordés varient d'une saison à l'autre)*. Un **film d'orientation** *(12 mn)* est présenté dans le musée des casernes, situé au pied du sentier menant aux cellules.

**★★ Pénitencier** – *Au sommet de l'île, accessible par un sentier en pente raide. Visite libre avec cassette (vivement recommandée) disponible à l'entrée de la prison.* Aujourd'hui partiellement en ruine, le long et sinistre bâtiment carcéral en béton armé (1911) donne un aperçu réaliste et peu rassurant de la vie quotidienne des pensionnaires d'Alcatraz. Les visiteurs peuvent se promener à leur gré à l'intérieur de l'immense bâtiment, descendre au couloir de cellules principal, surnommé « Broadway », où l'on aperçoit de minuscules cellules derrière des barreaux en acier. La cantine offre une vue superbe sur les gratte-ciel de San Francisco. La bibliothèque des détenus, dont l'accès était un privilège récompensant la bonne conduite, vaut également une visite, ainsi que les « dark holes » (trous noirs), cellules d'isolement où les prisonniers se trouvaient confinés lorsqu'ils avaient enfreint le règlement intérieur accablant d'Alcatraz.

**★⑨ The Embarcadero** *3 h. Plan p. 285.*

MUNI *6-Parnassus, 7-Haight, 8-Market, 9-San Bruno, 14-Mission, 21-Hayes, 31-Balboa, 32-Embarcadero ou 71-Noriega. Tous les tramways de Embarcadero Station.* 🚌 *arrêt Embarcadero.*

**★Terminal des bacs** – *Embarcadero sur Market St.* Couronné d'une tour-horloge caractéristique de 72 m, ce terminal de 3 étages à arcades fut, pendant une quarantaine d'années avant la construction du Pont de la Baie, le point de débarquement des passagers arrivant par bac de East Bay. Aujourd'hui, le bâtiment abrite les bureaux du Port de San Francisco et du World Trade Center. Au 1ᵉʳ étage, l'**International Children's Art Museum** (M⁶ – Enfants *visite du lundi au vendredi de 11 h à 17 h, le samedi de 10 h à 16 h ; fermé principaux jours fériés ; 1 $ ; ☎ 415-772-9977)* présente des œuvres réalisées par des enfants de plus de 100 nationalités. Derrière l'édifice, un pont-promenade sert encore d'embarcadère aux bacs pour Sausalito et Larkspur, dans le comté de Marin.

**★★San Francisco-Oakland Bay Bridge** – *Pont ouvert toute l'année. Péage 2 $ seulement d'Oakland vers l'Ouest. Il est interdit de passer le pont à pied. www.dot.ca.gov ☎ 510-286-4444.* Reliant San Francisco et Oakland, ce pont à deux niveaux est avec ses 8,4 km l'un des ponts suspendus les plus longs du monde. Projet de Charles Purcell terminé en 1936, le Pont de la Baie a été conçu en deux parties se rejoignant au niveau de Yerba Buena Island, un îlot rocheux au milieu de la baie. La partie Ouest, composée de deux ponts suspendus longs de 704 m, relie San Francisco à l'île. Le tronçon Est, qui relie Yerba Buena Island et Oakland, est un pont cantilever. Entre les deux sections, un tunnel de 23 m de large et 17,50 m de haut traverse Yerba Buena Island. Ce serait le tunnel routier le plus large du monde. La circulation vers l'Ouest occupe la chaussée supérieure sur toute la longueur du pont, ce qui permet à ceux qui approchent San Francisco d'admirer de belles **vues★** de la baie et de la ville.

**★Rincon Center** – *Mission St., entre Spear et Steuart St.* L'ancienne poste annexe de Rincon (1939) a été transformée en 1989 en complexe de bureaux et centre commercial. On a conservé l'extérieur et le **vestibule** Art déco d'origine. Dans ce dernier se trouvent 27 peintures murales de Anton Refergier commandées par l'État, qui illustrent l'histoire de la Californie.

**★SS Jeremiah O'Brien** – Enfants *Embarcadero, Pier 32. Visite de 9 h à 16 h. Fermé 1ᵉʳ janvier, jeudi et vendredi de Thanksgiving, 24, 25 et 31 décembre. 5 $.* 🅿 *☎ 415-441-3101. De mi-juin à mi-septembre, le navire peut être amarré près de* *l'USS Pampanito au quai 45, Fisherman's Wharf ; téléphoner pour faire confirmer les horaires et le lieu d'amarrage.* Ce dernier Liberty Ship de la Seconde Guerre mondiale qui n'a subi aucune modification est l'un des 2 751 cargos construits à la hâte entre 1941 et 1945 pour ravitailler les troupes engagées dans la bataille en Europe et dans le Pacifique. Le *O'Brien* a fait partie de l'armada de 5 000 navires partie à l'assaut des plages de Normandie le 6 juin 1944. Des visites libres permettent de découvrir l'ensemble du navire, de la passerelle au poste d'équipage, y compris la salle des machines.

★★★ ⑩ **Fisherman's Wharf** *Une journée. Plan p. 284.*

🚋 *Powell-Hyde ou Powell-Mason.* 🚌 *19-Polk, 30-Stockton, 32-Embarcadero, 39-Colt ou 44-Downtown Loop (Red Arrow).*

L'une des attractions touristiques les plus populaires de San Francisco, le **quai des Pêcheurs** est un alignement coloré de jetées, de quais, d'amusements de carnaval et d'une multitude d'établissements servant des spécialités de la mer, du stand en plein air au restaurant confortable. C'est en 1900 que la flottille de pêche déménagea du bas de Filbert Street pour venir s'établir ici. Le quartier était déjà habité à l'époque par les immigrants italiens dont les noms de famille apparaissent sur de nombreux restaurants et petits commerces. Le nombre de bateaux de pêche en activité rattachés au Wharf a beaucoup diminué, mais on peut encore voir au petit matin des pêcheurs rentrer du large avec leur prise. Dans les années 1960, avec la restauration de Ghirardelli Square et The Cannery, le quartier est devenu une destination touristique très fréquentée. Aujourd'hui, artistes de rue, boutiques de souvenirs, musées insolites et étals offrant des produits de la mer cuisinés à emporter créent une atmosphère festive au long de Jefferson Street.

★ **Pier 39** – 🔲 Enfants Les acheteurs viennent nombreux flâner sur cette place de marché à deux niveaux où règne une atmosphère de fête. On a installé en 1978 boutiques et amusements sur un embarcadère de pêcheurs du début du siècle. Un manège ancien à deux niveaux peint de couleurs vives en anime une extrémité, tandis qu'un espace réservé à une troupe d'**otaries**★ déchaînées occupe le quai côté Ouest. Des volontaires animent des causeries concernant ces mammifères au **Marine Mammal Center** *(visite le week-end de 11 h à 17 h ; ☎ 415-705-5500).* Une salle de projection IMAX de deux étages propose les films *The Great San Francisco Adventure* et *The Living Sea (projections de 10 h à 21 h 15. 7,50 $ la place, 10 $ les deux. Présentations toutes les 45 mn.* 🍴 ♿ 🅿 *(5,50 $ l'heure) ☎ 415-956-3456).* Le premier *(30 mn, 15 projections quotidiennes)* retrace sur un ton humoristique l'histoire mouvementée de la ville, tandis que le second *(40 mn, 10 projections quotidiennes)* étudie les relations de l'homme avec l'environnement marin. À **Underwater World**★ *(visite de Memorial Day à Labor Day de 9 h à 21 h, le reste de l'année de 10 h à 20 h 30 ; fermé le 25 décembre ; 12,95 $ (15,95 avec la séance à l'IMAX) ; ♿ www.underwaterworld.com ☎ 415-956-3456),* les visiteurs passent devant une suite d'aquariums recréant des habitats marins de la Californie du Nord, puis empruntent sur 90 m un tunnel en plexiglass qui traverse deux grands aquariums pour voir évoluer au-dessus de leur tête requins, raies et autres habitants de la haute mer.

---

### TRAVERSER LA BAIE EN BATEAU

On peut prendre le ferry pour une croisière pleine de charme dans la baie de San Francisco, et profiter des plus beaux points de vue sur le Golden Gate Bridge, Alcatraz, les quais et les célèbres gratte-ciel de la ville. Les promenades durent généralement 1 h et le prix moyen est de 17 $.

**Blue & Gold Fleet (Bay Cruise)** – départs de la jetée 39 ; www.blueandgoldfleet.com ☎ 415-705-5555.

**Red & White Fleet (Golden Gate Bridgse Cruise)** – départs des jetées 41 et 43 1/2 ; www.redandwhite.com ☎ 415-447-0597.

---

★★ **Hyde Street Pier** – 🔲 Enfants *Au bas de Hyde St. Visite de mai à septembre de 10 h à 18 h, le reste de l'année de 9 h 30 à 17 h. Fermé 1er janvier, Thanksgiving Day et 25 décembre. 4 $. www.maritime.org/safrhome.shtml ☎ 415-556-3002.* Cette ancienne jetée de bois servait d'embarcadère aux bacs desservant Sausalito et Berkeley avant la construction des deux ponts. Elle fait aujourd'hui partie du **Parc historique maritime de San Francisco** (San Francisco Maritime National Historical Park), chargé de l'entretien des six vaisseaux historiques amarrés à la jetée, qui constituent probablement le plus important groupe de vieux navires encore à flot. Cinq d'entre eux sont ouverts à la visite. On y voit aussi une péniche à fond plat qui était appréciée des plaisanciers de la baie au début du siècle. Un petit atelier propose des cours de construction et de restauration navales. À l'entrée de la jetée, la boutique du **Maritime Store** (**H**) informe les visiteurs sur le parc maritime et possède un grand choix de livres sur le thème de la mer.

★**Eureka** – *Côté droit de la jetée.* Construit en 1890, ce bac commun aux piétons et aux véhicules est l'un des navires en bois les plus grands du monde. Il a sillonné l'océan entre San Francisco et Sausalito de 1922 à 1939, puis entre Oakland et San Francisco jusqu'en 1957. Depuis sa restauration en 1994, il a servi de cadre à la série télévisée *Nash Bridges*.

★**C.A. Thayer** – *En face de l'Eureka.* Cet ancien schooner à vapeur (1895) servait au transport du bois vers San Francisco depuis les « ports de l'enfer » de la côte Nord, des criques laminées par les vagues, où l'équipage devait maintenir le bateau à poste pendant le chargement des troncs, descendus des falaises. Dans le château avant, une vidéo *(11 mn)* retrace l'histoire du dernier voyage du navire.

★★**Balclutha** – *Au bout de la jetée à gauche.* Ce trois-mâts à coque d'acier aux voiles carrées, lancé en 1886, a doublé 18 fois le cap Horn dans ses voyages entre l'Europe et la Californie. De 1903 à 1930, le *Balclutha* a servi au commerce du saumon entre l'Alaska et la Californie. On peut admirer la vue sur San Francisco sur le pont principal, visiter, à l'arrière, les confortables appartements lambrissés du capitaine et essayer d'imaginer la vie de l'équipage dans ses quartiers exigus à l'avant. Sur le pont inférieur sont exposés des instruments nautiques, ancres, gouvernails, des réservoirs de ballast et un modèle réduit de conserverie de saumon. L'histoire et les structures du voilier sont expliquées par des panneaux situés sur le pont.

Sont également amarrés à la jetée le remorqueur à vapeur *Hercules* (1907) et la gabarre *Alma* (1891) ; ils ne sont ouverts au public que l'après-midi et en fonction du temps. Fermé à la visite, le remorqueur à aubes et à vapeur *Eppleton Hall* opérait sur la Wear près de Newcastle upon Tyne (Angleterre), où il remorquait des navires remplis de charbon ou des barges.

★★**USS Pampanito** – *Côté Est de Pier 45, en bas de Taylor St. Visite de 9 h à 18 h (20 h vendredi et samedi, ainsi que de Memorial Day à Labor Day). 7 $. www.maritime.org ☎ 415-775-1943.* Construit en 1943, ce sous-marin de la Seconde Guerre mondiale a patrouillé six fois dans le Pacifique et coulé six navires japonais. En 1944, le *Pampanito* et deux sous-marins alliés s'acquittèrent avec succès d'une mission d'attaque d'un convoi de navires japonais transportant du ravitaillement, ignorant le fait qu'à bord de ces bâtiments se trouvaient également des prisonniers de guerre britanniques et australiens. C'est en retournant sur les lieux trois jours plus tard que le *Pampanito* découvrit des survivants accrochés aux épaves et secourut 73 prisonniers alliés.

La visite libre du sous-marin de 95 m débute sur le pont supérieur, passe dans la salle des torpilles arrière pour se poursuivre par la salle des machines, les quartiers de l'équipage, le centre de commandement et les cuisines remarquablement fonctionnelles, et se terminer dans la salle des torpilles avant.

★**SS Jeremiah O'Brien** – *Voir p. 289.*

★★**The Cannery** – *2801 Leavenworth St., à l'angle de Jefferson St. Visite de 10 h (11 h les dimanches et jours fériés) à 18 h (20 h 30 du jeudi au samedi).* ✗ ও *www.thecannery.com ☎ 415-771-3112.* Cet ancien édifice industriel fut bâti en 1907 pour la California Fruit Canners Association. De 1916 à 1937 y opéra la conserverie de pêches la plus importante du monde, qui ferma au moment de la Grande Dépression. Ce beau bâtiment en brique fut sauvé de la démolition dans les années 1960. Il est aujourd'hui l'un des centres commerciaux les plus séduisants de San Francisco. Les murs extérieurs sont les seuls vestiges de l'édifice d'origine. L'intérieur a été converti en un espace moderne avec passerelles, escaliers, cour intérieure et passages à ciel ouvert. Au 2ᵉ étage, le **Museum of the City of San Francisco** donne un aperçu du passé haut en couleur et souvent mouvementé de San Francisco à travers des expositions historiques temporaires, des objets et des souvenirs *(visite du mercredi au dimanche de 10 h à 16 h ; fermé 1ᵉʳ janvier, 4 juillet et 25 décembre ; 2 $ ;* ✗ ও *www.sfmuseum.org ☎ 415-928-0289).*

★★**Ghirardelli Square** – Enfants *Encadré par les rues Polk, Larkin, Beach et North Point.* Cet ensemble célèbre de bâtiments industriels en brique a été rénové et restructuré en 1968 pour former aujourd'hui un complexe de magasins de luxe et de restaurants sur plusieurs niveaux. Le bâtiment le plus ancien est une filature de laine datant de 1864. En 1893, Domingo Ghirardelli racheta la filature pour y installer une chocolaterie, et agrandit l'ensemble au long des 25 années qui suivirent ; le bâtiment le plus marquant est une tour-horloge érigée en 1916 à l'angle des rues North Point et Larkin.

La production du chocolat s'est poursuivie ici jusqu'au transfert des activités en 1962 dans une nouvelle usine de l'autre côté de la baie, à San Leandro. La rénovation qui a eu lieu depuis est considérée comme l'un des exemples les plus réussis

**Ghirardelli Chocolate Manufactory & Soda Fountain**

*Dans Ghirardelli Square.* ☎ *415-771-4903.* Dans ce paradis des amateurs de chocolat et de crème glacée, vous pourrez tout apprendre sur la fève de cacao. Mordez dans le délicieux rocher *Alcatraz Rock*, essayez le *Strike it Rich* aux amandes et au caramel mou, ou ayez l'audace de commander votre premier *Earthquake*, une coupe glacée gargantuesque aux huit boules et huit nappages avec morceaux de banane, noisettes et cerises.

de réhabilitation urbaine. Les murs de briques mis à nu et les planchers de bois dur ont été conservés partout, tandis que de vieilles machines de la chocolaterie rappellent la vocation industrielle passée de Ghirardelli Square.

★**National Maritime Museum** (**M⁷**) – *Angle de Beach St. et Polk St. Visite de 10 h à 17 h. Fermé 1ᵉʳ janvier, Thanksgiving Day et 25 décembre. www.maritime.org/safrhome.shtml* ☎ *415-556-3002.* Bel exemple de style Art déco, le **musée national de la Marine** (1939) ressemble à un transatlantique de luxe, avec ses ponts, ses bastingages et ses hublots. Projet financé par la Works Progress Administration (programme de commandes publiques pour aider les artistes pendant la crise des années 1930), le complexe a servi de restaurant à l'Aquatic Park Casino. De curieuses gravures sur ardoise de Sargent Johnson encadrent la porte d'entrée. Le musée, orné de 37 fresques d'Hilaire Hiler, présente les débuts de la ville comme port maritime et fluvial et une vaste collection de maquettes de navires, de figurines, de photographies anciennes, d'outils de baleiniers et d'autres objets rappelant les transports mritimes et fluviaux.

Le style du bâtiment se retrouve dans les gradins et les miradors d'**Aquatic Park Beach**, avec sa petite bande de sable et son aire de pique-nique.

**Coast Walk** – Une allée revêtue relie la plage d'Aquatic Park au fort Mason et à Marina. Plantée de cyprès de Monterey, elle domine les derniers rivages vierges de la baie et offre un panorama jusqu'à Angel Island.

★★★ **11 Golden Gate Bridge** *2 h. Plan p. 298.* 🚇 *28-19th Avenue ou 29-Sunset.*

Symbole universel de San Francisco, ce gracieux pont suspendu de style Art déco enjambe la Golden Gate au moyen de piles jumelles de 227 m de haut, et d'un lacis complexe de câbles soutenant une chaussée longue de 2,6 km (hors voies d'accès). Où qu'on se trouve sur le rivage Nord de la ville, le regard est irrésistiblement attiré par la grâce des formes du pont et l'audace de sa couleur « international orange ».

**Le pont** – La construction d'un pont enjambant la Golden Gate fut envisagée dès le milieu du 19ᵉ s., mais l'idée ne fut réellement prise au sérieux qu'en 1916, quand l'automobile a commencé à faire partie du mode de vie californien. Des études de faisabilité furent lancées. **Joseph Strauss**, de Chicago, ingénieur des ponts réputé, soumissionna et remporta le marché avec un projet de 27 millions de dollars. Le projet de pont rencontra l'opposition de la Southern Pacific Railroad, qui craignait la concurrence pour son service de bacs dans la baie, et de l'armée, qui voyait là une entrave possible à la navigation dans la Golden Gate. Au moment où les bons de financement furent émis, la Crise avait frappé le pays et les fonds vinrent à manquer. Finalement, la majorité des bons fut achetée par la Bank of America et la construction débuta en janvier 1933.

Les travaux de construction furent difficiles et souvent dangereux. Les plongeurs chargés d'ancrer l'immense pilier en béton de la pile Sud dans la roche, à 30 m de fond, ne pouvaient opérer que pendant de brefs intervalles entre les marées, dont les flux montants et descendants déferlent dans la baie. Les ouvriers sur les tours d'acier devaient affronter les vents qui s'engouffrent dans la Golden Gate à plus de 60 km/h et l'alternance rapide de brouillard glacial et de soleil aveuglant. Une tragédie se produisit trois mois avant l'achèvement des travaux : un échafaudage s'effondra, creva le filet de sécurité tendu sous le pont et précipita douze hommes dans les flots. Seuls deux d'entre eux survécurent.

Le 27 mai 1937, jour de l'inauguration, le pont fut occupé toute la journée par des piétons, une foule de 200 000 personnes se pressant pour le traverser à pied. Le lendemain, il fut ouvert à la circulation automobile avec le passage d'une caravane de véhicules officiels ; les festivités d'inauguration durèrent toute une semaine. Les travaux de construction ont été difficiles et souvent dangereux. Les plongeurs chargés d'ancrer l'immense pilier en béton de la pile Sud dans la roche, à 30 m de fond, ne pouvaient opérer que pendant de brefs intervalles entre les marées, dont les flux montants et descendants déferlent dans la baie. Les ouvriers sur les tours d'acier devaient affronter les vents qui s'engouffrent dans le Golden Gate à plus de 60 km/h et l'alternance rapide de brouillard glacial et de soleil aveuglant. Une tragédie se produisit trois mois avant l'achèvement des travaux : un échafaudage s'écroula, creva le filet de sécurité tendu sous le pont et précipita douze hommes dans les flots de la marée descendante. Seuls deux d'entre eux survécurent.

Le 27 mai 1937, jour de l'inauguration, le pont fut occupé toute la journée par des piétons, une foule de 200 000 personnes se pressant pour le traverser à pied. Le lendemain, il fut ouvert à la circulation automobile avec le passage d'une caravane de véhicules officiels ; les festivités d'inauguration durèrent toute une semaine.

---

### Entretenir le pont...

Le pont de la Golden Gate est constamment surveillé et entretenu par une équipe d'inspecteurs, de peintres, d'électriciens et de métallurgistes. Depuis 1937 le pont a sans cesse été repeint pour éviter toute corrosion par l'air salé, le brouillard, les vents puissants et les gaz d'échappement des véhicules. Sa couleur si particulière, baptisée *international orange*, fut choisie pour des raisons esthétiques.

---

**Aires d'observation** – 🚼 *Accès par l'US-101 ou Lincoln Boulevard.* 130 000 véhicules traversent le pont tous les jours dans les deux sens. Les piétons peuvent emprunter les passages pour admirer les tours gigantesques, l'harmonieux jeu de câbles et la **vue**★★ fantastique. Au belvédère côté San Francisco, on peut voir une exposition historique, prendre un verre en vue des tours massives et des câbles du pont, ou s'attaquer à la traversée en empruntant la voie piétonnière Est *(3,5 km environ AR ; vêtements chauds recommandés).* À partir du **Vista Point** du côté du comté de Marin, on a d'autres très belles **vues**★★ sur le pont, avec en toile de fond les collines boisées du Presidio.

★ **12** **Marina District et Cow Hollow** *Une demi-journée. Plan p. 296.*
🚌 *28-19th Ave., 30-Stockton, 47 Van Ness.*

Au milieu du 19ᵉ s., cette vallée entre Russian Hill et les collines du Presidio était une verte prairie émaillée de fermes laitières, plus connue sous le nom de Cow Hollow (cuvette aux vaches). Des promoteurs immobiliers achetèrent le terrain vers 1890 pour y aménager un quartier résidentiel de qualité. En 1960, Cow Hollow était devenu un quartier à la mode regroupant galeries, boutiques, antiquaires, grands restaurants et cafés élégants. Aujourd'hui, **Union Street**★, entre Van Ness Avenue et Fillmore Street, est l'artère commerçante la plus fréquentée du quartier. *Stationnement gratuit (limité à 2 h) dans les rues résidentielles avoisinantes.*

---

### Golden Gate National Recreation Area

Institué en 1972 par le Congrès américain, le Golden Gate National Recreation Area (souvent désigné sous son sigle, le GGNRA) attire plus de 25 millions de visiteurs par an. C'est un ensemble varié de sites incluant certaines parties de San Francisco, Angel Island, Alcatraz, de même qu'une superficie importante de la côte du comté de Marin. Sa création doit beaucoup aux efforts du député Phillip Burton, qui se battit pour que les sites militaires non utilisés dans la région deviennent des parcs de loisirs et de protection de la nature. Le GGNRA gère aujourd'hui 10 660 ha de parcs nationaux incluant lieux historiques, anciens sites militaires, forêts de séquoias, plages et zones côtières sauvages.

**Les sites GGNRA décrits dans ce guide sont les suivants :**

| | |
|---|---|
| **Alcatraz** *(p. 288)* | **Golden Gate Bridge** *(p. 292)* |
| **San Francisco Maritime National** | **Cliff House** *(p. 309)* |
| **Historical Park :** | **Ocean Beach** *(p. 302)* |
| – Hyde Street Pier *(p. 290)* | **Promontoire de Marin** *(p. 192)* |
| – Maritime Museum & Aquatic Park *(p. 292)* | **Muir Woods** *(p. 193)* |
| **Fort Mason** *(voir ci-après)* | **Muir Beach** *(p. 193)* |
| **Marina Green** *(voir ci-après)* | **Point Reyes National Seashore** *(p. 193)* |
| **The Presidio** *(p. 295)* | **Mont Tamalpais** *(p. 193)* |
| **Fort Point** *(p. 296)* | |

À la suite de la catastrophe de 1906, les eaux peu profondes du rivage de Cow Hollow furent remblayées pour gagner de nouveaux terrains et construire les bâtiments de l'Exposition internationale Panama-Pacifique. Lorsque celle-ci ferma ses portes, les pavillons (à l'exception du Palais des Beaux-Arts) furent démolis et remplacés par un quartier résidentiel pour les classes moyennes appelé Marina District, dont l'architecture reprenait en grande partie le style « néoméditerranéen » de l'Exposition.

Malheureusement, le tremblement de terre de Loma Prieta en 1989 provoqua sous les bâtiments des crevasses où l'eau s'engouffra, les faisant s'écrouler. Mais le quartier survécut et demeure l'un des lieux de résidence les plus convoités de la ville. Il est agréable de flâner dans **Chestnut Street** *(parallèle à Union St., quatre blocs vers le Nord)* entre Divisadero et Fillmore, dont l'ambiance est plus paisible. **Marina Green**, une bande de verdure de 4 ha le long du rivage relevant de la Golden Gate National Recreation Area *(voir encadré)*, est fréquentée des joggers, des cyclistes, des amateurs de cerfs-volants et des habitants du quartier en quête d'une bonne partie de ballon.

La **vue**★★ qui s'offre depuis ce parc s'étend à travers la baie jusqu'au Golden Gate Bridge. C'est un départ de sentiers qui suivent le rivage jusqu'aux lointains Fort Point à l'Ouest, Fort Mason, puis Fisherman's Wharf à l'Est.

★ **Fort Mason Center** — *Entrée du parc de stationnement à l'angle de Marina Blvd. et Buchanan St. Siège social du Golden Gate National Recreation Area (GGNRA). bâtiment 201. Upper Fort Mason fournit des cartes et des informations sur les activités du GGNRA. Ouvert du lundi au vendredi de 9 h 30 à 16 h 30.* ⎕ ☎ *415-556-0561. Centre d'information :* ☎ *415-441-3400.* Ce groupe de casernes, d'entrepôts et de docks au bord de la baie a servi de point d'embarquement à destination du Pacifique pour 1,5 million de G. I.s pendant la Seconde Guerre mondiale. Illustration d'une reconversion à usage civil, le fort abrite aujourd'hui nombre d'organisations culturelles, salles de spectacle et galeries, offrant un bon aperçu de la vie culturelle du San Francisco contemporain. Parmi les espaces méritant une visite, on trouvera le **San Francisco Craft and Folk Art Museum** (Musée des Arts populaires, bâtiment A, ☎ *415-775-0991*), le **Museo ItaloAmericano** (bâtiment C, ☎ *415-673-2200*) et la **San Francisco African American Historical and Cultural Society** (bâtiment C, ☎ *415-441-0640*). Sans oublier l'intéressant **Mexican Museum**★ (bâtiment D, visite du mercredi au vendredi de 12 h à 17 h, le week-end de 11 h à 17 h. Fermé jusqu'à 4 semaines entre chaque exposition. *3 $.* ⎕ ☎ *415-441-0404*), avec ses collections permanentes d'art mexicain pré-hispanique, colonial, populaire, moderne et chicano *(le Musée mexicain devrait être transféré près des jardins de Yerba Buena courant 2001)*.

Sur le coteau à l'Est du centre, la plus ancienne partie de Fort Mason a servi de quartier général sur la côte Ouest à l'armée américaine pendant les guerres indiennes de la fin du 19ᵉ s. Une grande pelouse appelée Great Meadow, où se tient chaque année le San Francisco Blues Festival, est ornée d'une remarquable Madone (**1**) du sculpteur italien Beniamino Bufano (1898-1970), et de la statue d'un ancien député de la Baie, Phillip Burton (**2**). Les anciens quartiers des officiers, bâtis vers 1850, abritent aujourd'hui une auberge de jeunesse et les bureaux du Golden Gate National Recreation Area.

★★ **Palace of Fine Arts** — *Angle des rues Baker et Beach.* Figurant au nombre des monuments les plus célèbres de San Francisco, cette rotonde et son péristyle grandioses sont la réplique d'un pavillon conçu par Bernard Maybeck, architecte renommé, pour abriter les œuvres d'art impressionnistes de l'Exposition Panama-Pacifique de 1915. Le bâtiment d'origine en bois et en plâtre devait être abattu à la fin de l'Exposition, mais il avait rencontré un tel succès qu'il fut épargné. Mais dès les années 60, la pluie et le vent l'avaient bien endommagé, et le Palais des Beaux-Arts fut reconstruit en béton. On notera la pose des vierges antiques le long de la colonnade : tournées plutôt vers l'intérieur du bâtiment que vers l'extérieur, elles expriment leur détresse face au déclin de la culture.

★★ **Exploratorium** (**M**⁸) — ▓▓▓▓ *Visite de Memorial Day à Labor Day tous les jours de 10 h à 18 h (21 h le mercredi), le reste de l'année du mardi au dimanche de 10 h à 17 h (21 h le mercredi). Fermé Thanksgiving Day et 25 décembre. 9 $ (3 $ en sus pour l'accès au Tactile Dome, qui a lieu à 10 h 15, 12 h, 13 h 45, 15 h 30 et 17 h 15 ; il est préférable de réserver au* ☎ *415-661-0362).* ✗ ⎕ 🖶 *www.exploratorium.edu* ☎ *415-397-5673.* Situé dans l'annexe du palais des Beaux-Arts, ce musée novateur consacré aux sciences, aux arts et à la sagacité humaine présente quelque 650 stands dont beaucoup demandent une participation active du public. Des instructions et des explications accompagnent chaque exposition et les membres du personnel sont toujours disponibles pour répondre aux questions du public. Parmi les activités favorites, citons la **tornade miniature** (Tornado Demonstration), le **Shadow Box**, une expérience de photosensibilité dans laquelle l'ombre d'une personne est temporairement captée sur un mur et la **salle déformée** (Distorted Room), qui place le visiteur au cœur d'une illusion d'optique. **Tactile Dome** est un dôme insonorisé et totalement obscur à travers lequel les visiteurs doivent s'orienter par le toucher.

De nouveaux stands sont sans cesse créés dans les grands ateliers qui bordent le mur Ouest, visibles de l'étage en mezzanine.

M. Ueda/Wenger International Photography

Le Palais des Beaux-Arts

★★ 13 **The Presidio** *Une demi-journée. Plan p. 298.*

*28-19th Ave., 29-Sunset, 41-Union, 43-Masonic ou 45-Union-Stockton.*

Dominant la Golden Gate sur la pointe Nord-Ouest de la presqu'île de San Francisco, ce terrain militaire de 600 ha jouit d'un **cadre**★★ reconnu pour être l'un des plus beaux de la Bay Area. Résidents et visiteurs sont séduits par ce quartier richement boisé, et apprécient le mélange éclectique mais très heureux de ses styles architecturaux, les vestiges de l'histoire militaire de San Francisco, ainsi que les vues spectaculaires offertes par ses kilomères de sentiers boisés. La base militaire a été fermée en 1994, et le Presidio pourrait devenir parc national.

Établi en 1776, troisième des quatre garnisons de la Nouvelle-Espagne, et la plus au Nord, le Presidio avait une double fonction : protéger les frères franciscains dans leur mission de conversion des Indiens de la région et défendre les intérêts coloniaux de l'Espagne en Haute Californie contre une éventuelle invasion venue du Nord. Après que l'Espagne eut accordé son indépendance au Mexique en 1822, le Presidio fut en grande partie abandonné, le nouveau gouvernement se concentrant davantage sur les menaces américaines venant de l'Est. Après l'annexion américaine de la Californie, à la fin de la guerre du Mexique, le domaine fut réservé à l'armée et ses bâtiments furent restaurés et agrandis dans le but de sauvegarder le rôle grandissant de San Francisco comme centre commerçant pendant la ruée vers l'or. Après le déclenchement de la guerre de Sécession, la garnison du fort fut renforcée pour défendre la Californie de l'invasion des Confédérés.

En tant que base de l'Armée américaine, le Presidio a eu différentes fonctions au cours du 20e s. Il a abrité des troupes engagées dans les guerres Indiennes, et accueilli des réfugiés à la suite du tremblement de terre et de l'incendie de 1906. En 1989, il a été inscrit au nombre des bases à fermer pour réduire les dépenses militaires. La Sixième Armée l'a quitté le 1er octobre 1994.

Le Presidio dépend aujourd'hui du service des parcs nationaux, qui recherche une façon de préserver l'intégrité esthétique, écologique et historique du lieu. Depuis **Lincoln Boulevard**, qui marque la périphérie du domaine, on a un superbe **panorama** sur le Golden Gate Bridge et le promontoire de Marin, ainsi qu'un aperçu de styles architecturaux révélant des influences Mission Revival, coloniale espagnole, georgienne et victorienne.

L'historique **poste principal**★★ (Main Post) comprend d'anciens casernements, un plaisant alignement d'habitations pour les officiers, et des batteries datant de l'époque coloniale espagnole. C'est là que se trouve le **centre d'accueil William Penn Mott Jr** *(ouvert de 9 h à 17 h ; fermé 1er janvier, Thanksgiving Day et 25 décembre ;* ⴟ 🅿 ☎ *415-561-4323)*, animé par les rangers et des guides, qui propose cartes, livres et autres informations, dont des brochures pour la visite.

À l'extrémité Ouest de la colline du Presidio, une rangée de batteries de défense côtière en ruine offre une **vue**★★★ spectaculaire de l'océan, des Marin Headlands et du Golden Gate Bridge. La végétation du Presidio recèle aussi des trésors : forêts luxuriantes de cyprès, de pins et d'eucalyptus, vignes et lierres touffus, ainsi que plusieurs espèces de plantes rares et menacées.

★ **Presidio Museum** – 📷 *Angle de Funston Ave. et Lincoln Blvd. Visite du mercredi au dimanche de 12 h à 16 h. Fermé 1er janvier, Thanksgiving Day et 25 décembre.* ⴟ 🅿 ☎ *415-561-4331.* Construit à l'origine comme hôpital militaire (1857), ce beau bâtiment renferme aujourd'hui un intéressant musée, présentant une exposition sur l'histoire coloniale et militaire du Presidio ; un éventail impressionnant d'uniformes et de matériel de l'armée américaine ; et de passionnants dioramas et photographies relatant à la fois le tremblement de terre et l'incendie de 1906 et l'Exposition internationale Panama-Pacifique. Derrière le musée, les visiteurs découvriront deux maisonnettes de réfugiés, bâties par l'armée pour héberger les San-Franciscains privés de toit après la catastrophe de 1906.

★★ **Fort Point National Historic Site** – 🎫 *À l'extrémité Nord de Marine Drive ; prendre Lincoln Blvd. jusqu'à Long Ave. Visite du mercredi au dimanche de 10 h à 17 h. Fermé 1er janvier, Thanksgiving Day et 25 décembre.* 🅿 *www.nps.gov/fopo* ☎ *415-556-1693.* Niché au pied d'une arche géante du Golden Gate Bridge, ce bastion imposant (1861) servit de poste de garde pendant la guerre de Sécession pour protéger le Golden Gate de l'invasion des Confédérés. Cependant, Fort Point ne fut le théâtre d'aucun combat et, peu après sa construction, l'invention d'armes plus puissantes rendit désuets ses remparts de briques. Le fort abandonné faillit être détruit au début du 20e s. pour laisser la place au Golden Gate Bridge, mais Joseph Strauss, l'architecte du pont, intervint en sa faveur. Il y établit le quartier général du chantier et conçut une arche pour supporter le pont au-dessus de Fort Point. Aujourd'hui administré par la Golden Gate Recreation Area, le fort propose à la curiosité des visiteurs trois niveaux de casemates en arcade, l'épaisseur de sa muraille de briques, des expositions et des salles décorées comme elles l'étaient au 19e s. La terrasse offre une **vue**★★ impressionnante sur la pile Sud du Golden Gate Bridge et sur le dessous du pont.

## QUARTIERS CENTRAUX

★★★ 14 **Golden Gate Park** *2 jours. Plan p. 298.*

*Entrées du parc :* 🚇 *5-Fulton (périmètre Nord) ;* 🚋 *N-Judah (1 bloc au Sud du périmètre Sud). Accès aux musées :* 🚇 *38 Geary jusqu'à 6th Ave., puis changer pour 44-O'Shaughnessy (Sud).*

Cette étendue de verdure de forme rectangulaire, qui s'étire sur 5 km vers l'intérieur, de la plage Ocean Beach à Stanyan Street, offre sur ses 400 ha un complexe réputé de musées des arts et des sciences, ainsi qu'une multitude de possibilités de loisirs. Cadre merveilleusement naturel bien que créé par l'homme, cette oasis urbaine de prairies, jardins, lacs et forêt est le résultat du travail de conception méticuleux de deux paysagistes inspirés assistés d'une armée de jardiniers.

**« Uncle John »** – En 1870, après que les limites du parc eurent été définies, le superintendant William Hammond Hall vint examiner cette zone peu prometteuse de dunes balayées par le vent à l'Ouest de la ville et établit un plan général du futur paysage et des routes. Il tenta de stabiliser le sable mobile des dunes en forme de collines et de vallées en y implantant de la végétation. En 1890, le paysagiste écossais **John McLaren** reprit la fonction de superintendant, mandaté par la Park Commission pour faire du parc « l'un des plus beaux paysages du monde ». Pendant ses 53 années de carrière, « Uncle John » McLaren procéda à toutes sortes d'essais avec des herbes et plantes du monde entier susceptibles de retenir le sable. Il consolida les sols avec de l'argile et du fumier, et transforma cet « éléphant blanc » en l'un des plus beaux parcs urbains d'Amérique.

Le parc fut l'objet de nombreuses transformations pour accueillir la **foire du solstice d'hiver de 1894**, initiative lancée par Michael H. de Young *(voir ci-après)* pour stimuler la reprise économique de la ville après la crise nationale de 1893. Cette année-là, quelque 2,5 millions de personnes vinrent entre janvier et juillet visiter des expositions et des pavillons élaborés avec raffinement, représentant une vingtaine de nations. Le Jardin de thé japonais, conçu spécialement pour la foire, ainsi que la grande serre, connurent une affluence record ; ils restent encore aujourd'hui parmi les lieux les plus fréquentés du parc.

Les victimes du tremblement de terre de 1906 installèrent des campements provisoires dans le parc. En 1967, ce sont des milliers de personnes qui s'y rassemblèrent pour le « Summer of Love ». Des hippies flânaient sur les pelouses, et des foules se retrouvaient pour des manifestations de masse et des concerts sur Speedway Meadow.

Aujourd'hui, le parc est un espace de loisirs très apprécié des San-Franciscains. Outre ses kilomètres d'allées pour la promenade, il propose des équipements pour le tennis, la pêche à la mouche, l'équitation, le football, le polo, le golf, le patinage, le tir à l'arc, l'aviron, le bowling sur gazon et bien d'autres activités.

**Visite du parc** – Long de 5,5 km et large de 800 m, le parc est sillonné d'allées sinueuses qui rejoignent la voirie urbaine en une vingtaine d'accès répartis sur tout son périmètre. Les musées et les principales attractions se trouvent dans la moitié Est, le côté Ouest se consacrant plutôt aux aires de sports et de loisirs. Un même billet, le **Golden Gate Park Explorer Pass** (12,50 $), permet de visiter les quatre principales attractions du parc : l'académie des Sciences, le musée d'Art asiatique, le musée M.H. de Young et le Jardin de thé japonais. On peut se le procurer à l'académie des Sciences ou au centre d'information de Hallidie Plaza. Le centre d'accueil de **Beach Chalet** *(sur Great Highway, bordure Ouest du parc)* propose des renseignements annexes et des plans du parc. On peut également se renseigner au **McLaren Lodge** *(à l'angle des rues Fell et Stanyan, juste à l'entrée Est du parc)*. Les principaux musées de San Francisco consacrés aux arts et aux sciences se situent autour du majestueux **Music Concourse (1)** créé pour la foire du solstice d'hiver de 1894. Le podium à l'extrémité Ouest a été érigé en 1899.

*Attention : John F. Kennedy Drive, entre Kezar Dr. et Transverse Dr., est fermé à la circulation automobile le dimanche et la plupart des jours fériés. Il en va de même le samedi pour la section de Middle Dr. West entre Transverse Dr. Et Martin Luther King, Jr. Dr. (au Sud du terrain de polo).*

★**M.H. de Young Memorial Museum** – *Entrer par Hearst Court, en face de l'entrée principale. Visite (3 h) du mercredi au dimanche de 9 h 30 (8 h 45 le 1er mercredi du mois) à 17 h. Fermé principaux jours fériés. 7 $ (billet combiné avec la visite du musée d'Art asiatique).* ✗ & ▣ *www.thinker.org* ☎ *415-863-3330.* Les collections assez hétéroclites réunies à la fin du 19e s. ont peu à peu cédé la place à un grand musée d'art consacré aux beaux-arts et aux arts décoratifs d'Amérique, de l'époque précolombienne à nos jours. Le bâtiment a été conçu par Christian Mullgardt, l'un des architectes des pavillons de l'exposition universelle Panama-Pacifique.

Fondé par Michael H. de Young, cofondateur et éditeur en 1865 du *San Francisco Chronicle*, le musée fut inauguré sous le nom de Arts Museum of the Midwinter Fair. Après la fermeture de l'exposition, de Young convainquit la ville de conserver le bâtiment des Beaux-Arts, où il réunit ses collections personnelles d'objets d'art et curiosités. L'exposition demeura remarquablemnt éclectique pour une bonne partie du 20e s.

En 1972, l'organisation de Young fusionna avec celle du palais californien de la Légion d'Honneur *(voir p. 308)* pour ne plus former qu'une seule entité administrative sous le nom de **Musées des Beaux-Arts de San Francisco**. En 1989, les collections de ces deux vénérables institutions ont été réorganisées complètement, et aujourd'hui, si le musée de Young se spécialise dans l'art américain du 17e au 19e s., il a aussi d'importantes collections de tissus, d'art africain, d'art océanien et d'art précolombien. Il abrite aussi de grandes expositions temporaires et itinérantes.

★★**American Collection** – La collection d'art américain regroupe des œuvres majeures, qu'il s'agisse de portraits, de paysages, de tableaux de genre, avec un accent particulier sur les natures mortes en trompe-l'œil. Les arts décoratifs de chaque période – mobilier, argenterie, verrerie et porcelaine – sont exposées en parallèle pour mieux faire comprendre l'évolution des tendances et canons artistiques aux États-Unis.

Les fleurons des **17e s. et 18e s.** incluent des œuvres de John Smibert, Gilbert Stuart et John Singleton Copley, le plus grand portraitiste américain du 18e s. On y voit aussi des pièces d'argenterie façonnées par Paul Revere.

La section **début du 19e s.** contient un salon de style fédéral, provenant d'une maison du Massachusetts, des paysages d'Albert Bierstadt et Frederic Church, des tableaux de genre d'Eastman Johnson et de l'artiste et politicien George Caleb Bingham. On notera également la collection de mobilier Shaker et de pièces d'art populaire du 19e s.

La **fin du 19e s.** est illustrée par des œuvres de George Inness, Thomas Eakins et Winslow Homer. Les tableaux en trompe-l'œil William Harnett et John Frederik Peto ainsi que plusieurs beaux portraits signés John Singer Sargent constituent également d'excellents exemples des tendances de cette époque.

La collection américaine est complétée par des tableaux et sculptures reprenant des thèmes de l'Ouest, exécutés par Thomas Hill, William Keith et Frederic Remington, ainsi que par du mobilier de style Arts and Crafts.

**Tissus** – Dans les salles 28, 29 et 30, le musée expose par roulement des pièces d'une qualité invariablement exceptionnelle, issues de la collection permanente. Ce superbe inventaire comprend des tapis traditionnels et d'autres pièces tissées du Proche-Orient et d'Asie Centrale. Il inclut notamment la plus belle collection de *kilims* (tapis tissés et sans relief) anatoliens existant hors de Turquie. Portières, tapis de prière et dessus-de-lit tissés par les artisans sédentaires ouzbeks et turkmènes sont de matériaux et de dessins plus variés.

**African Art** – Les collections exposent des objets en provenance de différentes cultures sub-sahariennes, notamment d'Afrique de l'Ouest, parmi lesquels des statuettes stylisées *luba* du Congo, qui font partie des premières sculptures africaines à avoir influencé les artistes occidentaux. Les œuvres présentées par le musée datent presque toutes de la fin du 19e et du 20e s., car la plupart des matériaux utilisés dans l'art africain – bois, fibres, cuir, crin, écorce et coquillages – sont organiques et s'altèrent rapidement sous le climat tropical.

★**Art of the Americas** – Des objets funéraires et rituels d'Amérique centrale et du Sud couvrent ici une période allant de 1200 avant J.-C. à 1520. Coiffes, costumes et meubles d'Océanie, figurines de pierre sculptée, effigies et bijoux d'Amérique

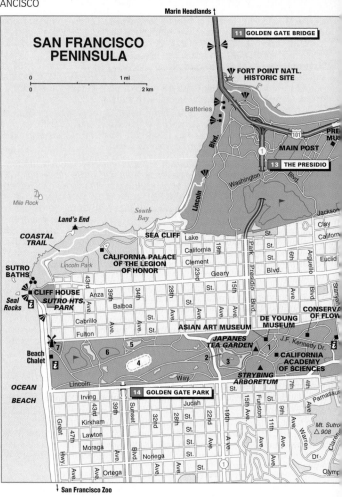

centrale et des Andes centrales, toutes ces pièces révèlent l'importance de la spiritualité et des rituels dans la vie quotidienne des peuples indigènes. Les œuvres des Amérindiens du Nord de la côte Ouest comportent un totem des Tsimshian, des ivoires eskimos, des sculptures sur bois et tissus de la côte Nord-Ouest, des parures de perles des Prairies, des paniers des Indiens pomo de Californie, des poteries pueblo et des poupées kachina.

★★★ **Asian Art Museum** – *Entrée côté Ouest du hall d'accueil du musée de Young. Visite (une demi-journée) du mercredi au dimanche de 9 h 30 à 17 h (20 h 45 le 1er mercredi du mois). Fermé les principaux jours fériés. 7 $ (billet combiné avec la visite du musée de Young).* ✗ ⚕ 🅿 *www.asianart.org* ✆ *415-379-8880*. Possédant ce qui est aujourd'hui considéré comme la plus belle collection d'art asiatique du pays, ce musée est né des efforts déployés par **Avery Brundage** (1887-1975), un cadre de Chicago qui fut longtemps président du Comité international olympique. Particulièrement riches en art chinois, avec des jades, des céramiques, des bronzes rituels et des peintures des dynasties Ming et Qing, l'inventaire d'environ 12 000 pièces, comporte aussi des œuvres japonaises (la plus grande collection des États-Unis) ainsi que d'importantes pièces de la statuaire indienne et du Sud-Est asiatique, et des œuvres d'art coréennes, de l'Himalaya et du Proche-Orient.

**Un intérêt pour l'Asie** – La passion d'Avery Brundage pour la collection naquit, au cours de grands voyages en Asie, avec son intérêt pour les *netsuke* (boutons en os destinés à attacher les ceintures des kimonos des Japonais), puis s'élargit aux bronzes chinois vieux de 3 000 ans et aux objets d'art de Corée, d'Asie du Sud-Est, de l'Inde et de ses voisins, ainsi que du Moyen-Orient.

Anticipant une volonté croissante des États-Unis de resserrer leurs liens avec le monde Pacifique, Brundage s'engagea à fonder un musée qui serait un « pont de connaissance et de respect internationaux » entre l'Orient et l'Occident. Forte de sa réputation croissante de porte sur le monde Pacifique, San Francisco lança une souscription en 1960, pour réunir les fonds destinés à la construction d'une annexe

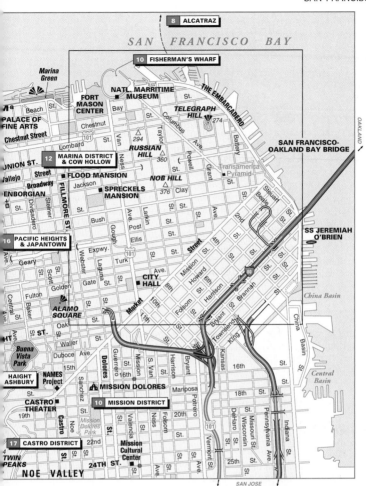

au musée de Young qui recevrait la collection Brundage. Mais c'est en tant qu'institution distincte que le musée d'Art asiatique ouvrit ses portes en 1966. L'espace disponible ne permettant d'exposer que 12 à 15 % de la collection, le musée devrait prochainement être transféré dans les locaux de l'ancienne bibliothèque municipale, au centre administratif, où il disposera de trois fois plus de place.

**Rez-de-chaussée** – *Entrée côté Ouest du hall d'accueil du musée de Young, la visite débute par la première galerie à droite*. Représentant plus de la moitié des pièces du musée, la **collection chinoise**★★ comprend quelque 3 100 céramiques, jades, tableaux, bronzes rituels, sculptures et objets d'art décoratif datant de la Préhistoire à nos jours. Classées par ordre chronologique et par thèmes, les œuvres exposées sont exemplaires de la beauté et de la diversité de l'art chinois.

Des peintures sur rouleaux des dynasties Qing, Ming et Yuan dépeignent des paysages grandioses. La grande collection de **céramiques** permet de suivre de bout en bout l'évolution de cette importante forme d'art. On notera quelques superbes exemples de la technique du céladon. Des porcelaines à décor bleu et blanc de la fin des dynasties Ming et Qing révèlent l'influence du goût occidental à l'époque où la demande européenne de marchandises d'exportation lança le commerce avec la Chine.

On admirera l'une des plus grandes présentations de bronzes rituels en dehors de Chine. La plus belle pièce est une coupe rituelle en forme de rhinocéros datant de la dynastie Shang (11e s. avant J.-C.). Parmi les **sculptures** exposées figure le plus ancien Bouddha chinois daté (an 338) jamais découvert, une figure assise en bronze doré. Une sélection de la collection de **jades** du musée, qui compte plus de 1 200 pièces et couvre une période de 5 000 ans, est répartie chronologiquement dans l'ensemble des galeries consacrées à la Chine.

La **collection coréenne**★, comprenant quelque 350 objets, présente des pièces en grès et des rouleaux muraux peints à la main du 5e s. au 9e s. Deux poignards en schiste (env. 600 ans avant J.-C.) sont les pièces les plus anciennes.

Kaliya Krishna (bronze, 15ᵉ s.)

Asian Art Museum of San Francisco

**Premier étage** – Les galeries présentent des œuvres d'art du Japon, de l'Inde, de l'Asie du Sud-Est et du Tibet. Les **collections d'art japonais★★**, qui sont la plus riche illustration de l'art japonais aux États-Unis, comprennent des paravents et des peintures sur rouleaux allant de 1168 à 1185. On voit aussi une sélection des 1 800 *netsuke* du musée, en corne ou en ivoire ; des céramiques couvrant la période de 2000 avant J.-C. à notre époque ; des bronzes anciens et des objets d'art décoratifs. Les curiosités incluent un palanquin laqué et une armure en fer.

Les objets d'**art indien★** comprennent des sculptures de pierre d'Inde centrale, des bronzes du Sud de l'Inde et des miniatures mogholes. La galerie du **Sud-Est asiatique★** présente des motifs sculptés hindous et bouddhistes dans leurs versions birmane, thaïe, cambodgienne, vietnamienne et indonésienne.

Dans la **galerie du Tibet et de l'Himalaya★** sont exposées des peintures tibétaines sur rouleaux, et une série d'objets rituels, de bijoux et de bronzes représentant les divinités et les bodhisattvas du Tibet et du Népal.

Les **arts islamique et persan** présentent environ 450 objets d'art iranien et d'autres objets couvrant 6 millénaires, de la préhistoire à l'époque médiévale islamique, parmi lesquels terres cuites peintes, céramiques vernissées et objets en métal.

Le musée accueille fréquemment des expositions itinérantes dans les galeries à gauche de la cour d'entrée.

**★★ Japanese Tea Garden** – Enfants *Angle Nord-Ouest du Music Concourse, à l'Ouest du musée d'Art asiatique. Visite d'avril à octobre de 9 h à 17 h 30, le reste de l'année de 8 h 30 à 17 h. 3,50 $.* ✕ ▯ ☎ *415-831-2700.* L'une des attractions les plus prisées du parc, le Jardin de thé japonais allie sur 2 ha jardins et architecture de style japonais dans une atmosphère de sérénité et de quiétude. On notera particulièrement la pagode, un jardin de graviers zen, une colline de bonsaïs avec une cascade miniature, un bouddha de bronze datant de 1790 et une maison de thé japonaise en plein air offrant biscuits et thé vert.

**★★ California Academy of Sciences** – Enfants *Au bureau à l'entrée, on peut se renseigner sur les spectacles du planétarium, l'heure des repas des dauphins et la liste des programmes spéciaux. Visite (une demi-journée) de Memorial Day à Labor Day de 9 h à 18 h, le reste de l'année de 10 h à 17 h (20 h 45 le 1ᵉʳ mercredi de chaque mois). 8,50 $.* ✕ ♿ ▯ *www.calacademy.org* ☎ *415-750-7145.* Fondée en 1853, l'académie des Sciences de Californie est la plus ancienne institution scientifique de l'Ouest américain. Située dans le parc depuis 1915, elle comprend trois départements distincts : le Muséum d'histoire naturelle, l'un des dix plus grands au monde avec plus de 14 millions de spécimens présentés ; l'aquarium Steinhart, le plus ancien des États-Unis, avec plus de 185 présentations ; le planétarium Morrison, qui s'intéresse à l'histoire des connaissances par-delà les limites de la planète, dans l'infinie immensité de l'espace.

**★★ Natural History Museum** – La salle **Wild California★** présente des dioramas sur la faune de différentes régions de cet État aux multiples facettes. Des écrans vidéo fournissent des informations supplémentaires. Un des dioramas présente une cuillerée d'eau de mer agrandie 200 fois ; au fond de la salle, un **réservoir d'eau salée en mouvement** reconstitue la zone de déferlement des vagues sur les îles Farallon, situées à une cinquantaine de kilomètres de la côte.

La **salle des gemmes et des minéraux** (Gems and Minerals Hall) renferme une étincelante collection de pierres précieuses et de minéraux disposés selon leur composition chimique et la structure de leurs cristaux.

La salle **African Safari★** présente des dioramas sur les animaux sauvages d'Afrique dans leur milieu naturel. L'une des attractions de cette exposition est le **Trou d'eau** (Watering Hole), un regroupement d'animaux de la savane africaine souligné d'effets lumineux et acoustiques. À côté, l'annexe africaine présente d'autres dioramas de grands animaux.

La section **Terre et espace**★ (Earth and Space) permet aux visiteurs de découvrir les forces dynamiques de la planète ainsi que sa position dans l'espace, au moyen d'expositions présentant le système solaire et expliquant la dérive des continents, la tectonique des plaques, les volcans, les séismes. Un pendule de Foucault met en évidence la rotation de la Terre. On pourra voir un fragment de roche lunaire rapporté par les astronautes d'*Apollo 11*. Le **Théâtre des séismes** (EarthQuake Theater) simule un tremblement de terre de la magnitude (8,3 sur l'échelle de Richter) de celui qui secoua San Francisco en 1906.

Dans la galerie **Far Side of Science** (le côté inexploré de la Science), des dessins humoristiques originaux de Gary Larson illustrent la vision des sciences complètement farfelue et réductrice de l'artiste. La **galerie des Cultures humaines** abrite des expositions anthropologiques tournantes. L'exceptionnelle **Vie à travers les âges**★★ (Life Through Time) illustre de manière audacieuse et riche en informations l'adaptation et l'évolution des corps vivants sur 3,5 milliards d'années au moyen de fossiles et de reconstitutions d'animaux disparus. On ne manquera pas le *Tyrannosaurus Rex* ni les dents de requin fossilisées remontant à 15 millions d'années.

Le **planétarium Morrison**★ propose des présentations tournantes sur une grande variété de phénomènes astronomiques et atmosphériques, et offre aussi des spectacles laser. *Thèmes et horaires des spectacles affichés à l'extérieur du planétarium.* 2,50 $. www.calacademy.org/planetarium ☎ 415-750-7141.

★**Steinhart Aquarium** – *Traverser Fountain Courtyard à partir de l'entrée principale de l'Académie. Mêmes horaires que l'Académie.* www.calacademy.org/aquarium ☎ *415-750-7145. L'aquarium reste ouvert pendant la mise aux normes parasismiques débutée en 1999.* Fondé en 1923, l'aquarium abrite 189 réservoirs distincts contenant différentes espèces de poissons d'eau douce et d'eau salée, de mammifères marins, d'amphibiens et de reptiles expliquant de manière très complète la vie dans l'eau, ou à proximité. Le hall d'entrée abrite une reconstitution de marais tropical où circulent alligators et tortues. Autour du marécage sont disposés des vivariums contenant une incroyable variété d'amphibiens et de reptiles : serpents, crapauds, tritons, grenouilles, grands lézards venimeux et un python réticulé de 9 m. Le hall d'entrée débouche sur une enfilade de couloirs où sont installés de grands aquariums abritant quelque 6 000 spécimens aquatiques de 610 espèces différentes, piranhas et autres poissons d'Amazonie, poissons venimeux et électriques, nautiles, poissons luminescents et pieuvre géante. L'extrémité Ouest de la salle principale abrite l'habitat des pingouins à pattes noires et une piscine à parois de verre où évoluent otaries et dauphins.

Donnant sur la salle principale, un passage bordé de petits aquariums mène à un réservoir trapézoïdal de 370 000 l, le **Fish Roundabout**★, dont la plate-forme centrale permet d'en caresser les habitants.

★★**Conservatory of Flowers** – 🅴🅽🅵 *Au Nord de JFK Drive, 800 m à l'Ouest de Stanyan St. Fermé pour travaux.* Telle une bulle transparente au milieu d'un océan de parterres en fleurs, cette serre blanche sophistiquée de style victorien, en bois et verre, est composée de deux ailes rejoignant une rotonde octogonale centrale. C'est le bâtiment le plus ancien du Golden Gate Park. Achetée à l'origine par James Lick pour être installée sur sa propriété de San José, la serre fut expédiée par bateau de Dublin sous forme de pièces préfabriquées, mais arriva après le décès de Lick, en 1876. Un groupe d'hommes d'affaires de San Francisco l'acheta pour en faire don au Golden Gate Park.

Aujourd'hui, une promenade dans les allées verdoyantes et humides de la rotonde permet de découvrir une forêt tropicale miniature. L'aile Est présente un bassin de nénuphars et des plantes tropicales plus petites, tandis que l'aile Ouest est dévolue aux plantes cultivées et médicinales. Des fleurs saisonnières plantées géométriquement embellissent les parterres de la façade.

★★**Strybing Arboretum** – *Porte principale près de l'entrée du parc à l'angle de 9th Avenue et Lincoln Way. Porte Nord près du Jardin de thé japonais. Visite les jours ouvrables de 8 h à 16 h 30, les week-ends et jours fériés de 10 h à 17 h. Participation demandée.* ✗ 🄿 ☎ *415-661-1316.* Couvrant près de 28 ha de terrain vallonné, cette collection botanique exceptionnelle comprend 6 000 espèces de plantes du monde entier. L'accent est principalement mis sur les régions de climat méditerranéen, avec de nombreux spécimens originaires de Californie, de la province du Cap en Afrique du Sud, du Sud-Ouest de l'Australie et du Chili.

On notera aussi le Jardin des parfums (Garden of Fragrances), où les plantes sont étiquetées en braille ; une rocaille de plantes grasses ; la New World Cloud Forest, où des émetteurs spéciaux de brouillard viennent ajouter au *smog* de San Francisco ; le Redwood Trail, bordé de séquoias côtiers datant de 1898.

**Stow Lake (2)** – 🅴🅽🅵 *Immédiatement à l'Ouest de l'arboretum Strybing.* Principal réservoir pour l'irrigation du parc, ce point d'eau entourant **Strawberry Hill (3)** est le plus grand des 15 lacs ou bassins artificiels parsemant le parc. Point culminant du parc avec ses 130 m, le sommet de Strawberry Hill est accessible par un sentier.

Son panorama sur la ville était réputé autrefois, avant que des arbres ne viennent obstruer la vue. Du sommet, l'eau provenant d'une conduite cascade le long d'une chute artificielle, don du magnat des chemins de fer Collis P. Huntington vers 1890. La partie Ouest du parc, entre le lac Stow et l'océan, est une grande étendue de bois et de prairies où on propose de nombreuses attractions et activités sportives. À mi-chemin entre le lac et l'océan s'étend l'immense **terrain de polo (4)**, où se déroulent souvent simultanément une demi-douzaine de rencontres de football américain, football et softball ; le terrain est entouré de trois pistes concentriques utilisées par un grand nombre de coureurs, de cyclistes, de patineurs à roulettes et de cavaliers. Sur le **lac Spreckels (5)**, les amateurs de modèles réduits manœuvrent leurs bateaux téléguidés. Un peu plus à l'Ouest, sur JFK Drive, se trouve l'**enclos des buffles** (Buffalo Paddock – **6**) Enfants, où un petit troupeau de bisons hirsutes broute sous les eucalyptus. Dans l'angle Nord-Ouest du parc, le **Jardin de tulipes Reine-Wilhemine** (Queen Wilhemina Tulip Garden – **7**), petit jardin à la française minutieusement entretenu *(floraison au début du printemps)*, sert de cadre au **moulin hollandais**★ (Dutch Windmill) Enfants, qui dans les premières années du parc pompait l'eau nécessaire à son irrigation et que l'on a restauré en 1981 à des fins purement décoratives. Administrée par la Golden Gate National Recreation Area, **Ocean Beach**★ Enfants sert de limite au parc à l'Ouest. Mais peu de nageurs bravent la température des flots sans combinaison de plongée. Ocean Beach est un havre pour joggers, collectionneurs de coquillages et promeneurs méditatifs.

## 15 Haight-Ashbury *Plan p. 299.*

MUNI *7-Haight, 37-Corbett ou 43-Masonic.*

Portant le nom des deux rues qui se croisent en son centre, « the Haight » s'est forgé un renom international à la fin des années 1960 comme centre, voire « LE » centre de la contre-culture. Là se confondaient musiques, mysticisme, drogue, tenues baroques, coiffures excentriques et modes de vie « alternatifs », qui furent ensuite largement absorbés par la culture de masse.

Depuis ces jours glorieux, le visage du quartier a beaucoup changé. À la fin des années 1960, la culture *peace and love* et marijuana a laissé la place aux dures réalités de l'héroïne, et Haight Street a commencé à se délabrer. À la fin des années 1970, le quartier a commencé à s'embourgeoiser. 90 % du parc immobilier du Haight date d'avant 1922, et le quartier possède quelques-unes des plus belles maisons victoriennes de la ville, ce qui attire continuellement d'ambitieux aménageurs. Les boutiques hippies et autres marchands d'oripeaux ont été transformés en boutiques et cafés élégants.

Située entre Stanyan Street et Central Avenue, **Haight Street**★ est aujourd'hui une rue agréable et divertissante. Les façades et les marquises multicolores sont bien entretenues, les arts de plein air sont rois et les acheteurs y flânent dans l'espoir de dénicher des disques, livres et vêtements d'occasion. On rachète les résidences victoriennes des rues voisines pour les réhabiliter, et, immédiatement à l'Est, le parc **Buena Vista** offre de fraîches promenades sur ses sentiers vallonnés et des vues agréables à son sommet.

★ **Alamo Square** – *Limité par les rues Fulton, Scott, Hayes et Steiner.* Cette agréable place aux pelouses vertes, située dans un quartier un peu délabré de Western Addition, est célèbre pour sa **vue**★★ sur les gratte-ciel de Financial District surgissant derrière la rangée de maisons victoriennes presque identiques et impeccablement restaurées qui bordent son côté Est. La place est le cœur du quartier historique d'Alamo Square, un quartier fier de sa forte concentration de maisons victoriennes du 19ᵉ s.

★★ **Twin Peaks** – Enfants MUNI *38-Terracita. Au départ de Haight St., prendre Clayton St. vers le Sud jusqu'à Carmel St. Traverser et poursuivre en remontant Twin Peaks Blvd jusqu'à Christmas Tree Point, sur la gauche.* Vus du centre-ville, ces deux grands sommets dominent l'horizon du côté Ouest. On les voit généralement mieux de la ville que le mont Davidson, point culminant de San Francisco (286 m). La plupart des visiteurs se contentent de la superbe **vue**★★★ de toute la partie Est de la ville qu'offre le parking de Christmas Tree Point ; mais il est possible de gravir les pentes couvertes d'herbages qui mènent au pic Nord (275 m) ou Sud (281 m) pour découvrir un panorama orienté vers l'Ouest. Par temps clair, on peut apercevoir vers l'Est le mont Diablo, et, vers le Nord, le mont Tamalpais dans le comté de Marin.

## ★ 16 Pacific Heights et Japantown *Une demi-journée. Plan p. 299.*

*Pacific Heights :* MUNI *3-Jackson, 22-Fillmore, 24-Divisadero, 41-Union, 45-Union, Stockton ou 83-Pacific. Japantown :* MUNI *2-Clement, 3-Jackson, 4-Sutter ou 38-Geary.*

Concurrencé uniquement par Nob Hill dans les années précédant la catastrophe de 1906, **Pacific Heights** est resté le quartier résidentiel le plus prisé de San Francisco pendant plus d'un siècle. Une ligne de crête orientée Est-Ouest longe les rues

Broadway, Pacific et Washington entre Van Ness Avenue et le Presidio. Les habitations du versant Nord dominent des rues escarpées qui filent vers Marina District et la baie à ses pieds. Le versant Sud descend plus doucement vers Japantown et Western Addition.

Les résidences les plus huppées de Pacific Heights bordent **Broadway** et **Vallejo Street** à l'Ouest de Steiner Street. Parmi les principales curiosités figurent **Spreckels Mansion★★** *(2080 Washington St.)*, édifiée pour Adolph et Alma Spreckels en 1913 et l'ancienne **Flood Mansion★** *(2222 Broadway St.)*, construite en 1916 pour James Leary Flood et qui abrite aujourd'hui une école religieuse.

Vivante, accueillante et sans façons, **Fillmore Street★**, entre Jackson Street et Bush Street, constitue le seul secteur commerçant de Pacific Heights. Son cinéma d'art et d'essai, ses boutiques, ses restaurants et cafés sont des étapes agréables pour les promeneurs dans le quartier.

Au Sud de Pacific Heights, près des rues Post et Buchanan, s'étend **Japantown**. Ce quartier de magasins de spécialités et de restaurants japonais a été fondé par des Nippo-Américains, avant qu'ils ne soient internés dans des camps pendant la Seconde Guerre mondiale. Après la guerre, seul un petit nombre d'entre eux est retourné dans le quartier. Dans les années 1960, le quartier a été rénové et des blocs entiers de bâtiments de l'époque victorienne ont été détruits.

Au Nord du **Japan Center**, avec sa remarquable pagode de la Paix, une rue commerçante piétonnière a été aménagée le long d'un bloc de Buchanan Street pour évoquer un village japonais. On y trouve une quincaillerie japonaise, des restaurants traditionnels, des magasins de mobilier, papeterie, céramique, cadeaux, publications et kimonos japonais.

**★★Haas-Lilienthal House** – *Plan p. 284. 2007 Franklin St. Visite guidée uniquement (1 h) le mercredi de 12 h à 15 h 15 et le dimanche de 11 h à 16 h. Fermé les principaux jours fériés. 5 $. www.sfheritage.org ☎ 415-441-3000.* Une des rares demeures d'époque victorienne de San Francisco ouverte au public, ce grand édifice de couleur grise (1886) apporte une gracieuse touche ancienne aux constructions plus récentes qui l'entourent. Contrairement aux grandes villas de Nob Hill construites pour les magnats du chemin de fer ou de la mine, cette élégante résidence représente les ambitions architecturales de la classe moyenne aisée de San Francisco au 19ᵉ s. La maison a été construite pour William Haas, grand propriétaire de magasins de détail à San Francisco. En 1974, ses héritiers en ont fait don à la Fondation pour le Patrimoine Architectural de San Francisco. La fondation gère actuellement la propriété, qui renferme ses bureaux et un musée de la maison.

Les décorations extérieures sont caractéristiques du style Queen Anne, avec un revêtement orné de motifs variés, de nombreux pignons et une tourelle d'angle trompeuse, aux fenêtres situées à 3 m du sol. Les pièces des deux premiers niveaux illustrent des styles décoratifs allant de 1880 aux années 1920. Elles sont ornées de riches lambris, de papiers muraux gaufrés, et d'une cheminée revêtue de marbre rouge de Numidie.

**★★St Mary's Cathedral** – *Plan p. 284. 1111 Gough St., à l'angle de Geary Blvd. Visite de 6 h 45 à 16 h 30. Récital d'orgue le dimanche. ♿ ▯ ☎ 415-567-2020.* On aperçoit à des kilomètres de distance cet immense édifice recouvert de travertin blanc (1971, Pietro Belluschi et Pier Luigi Nervi) avec son plan carré plutôt que cruciforme, et ses quatre murs harmonieusement incurvés convergeant en une pointe qui s'élève à 58 m. Œuvre de l'artiste Richard Lippold, un scintillant baldaquin de style contemporain en aluminium anodisé illumine cet impressionnant sanctuaire et des lignes de fenêtres ornées de vitraux traversent les murs en formant une croix.

**★★Swedenborgian Church** – *2107 Lyon St., Presidio Heights. Visite du lundi au vendredi de 8 h 30 à 16 h 30. Messe à 11 h le dimanche. ☎ 415-346-6466.* Cette église rustique (1895) est l'un des premiers exemples du mouvement Arts and Crafts dans l'Ouest américain. Avec ses murs de briques couverts de lierre, ses lambris et sa charpente en bois de madrone (sorte d'arbousier) encore recouvert d'écorce, le bâtiment reflète les principes naturalistes de la Nouvelle Église de Swedenborg, communauté chrétienne attachée aux interprétations bibliques mystiques du théosophe suédois **Emanuel Swedenborg**. L'église fut conçue par A. Page Brown et Bernard Maybeck. Les murs sont ornés d'œuvres du paysagiste américain William Keith.

**San Francisco Fire Department Pioneer Memorial Museum (M⁹)** – Enfants *655 Presidio Ave., Richmond District. Visite du jeudi au dimanche de 13 h à 16 h. ♿ ☎ 415-558-3546.* Cette caserne de pompiers reconvertie, voisine de la caserne n° 10 actuelle, abrite une magnifique collection de véhicules à incendie anciens, dont des charrettes-pompes à bras. Souvenirs, photos et expositions historiques retracent l'histoire de plusieurs incendies qui ont dévasté la ville, dont la célèbre catastrophe de 1906, et celle des héros du feu de San Francisco.

## QUARTIERS SUD

### 17 Castro District *Plan p. 299.*

**ᵐᵐᵘᵘ** *24-Divisadero. Tramways : F-Market, K-Ingleside, L-Taraval ou M-Oceanview jusqu'à l'arrêt Castro St.*

Autour des deux premiers blocs de la rue Castro au Sud de Market Street, ce quartier animé est le cœur de la vivante communauté homosexuelle de la ville. Bars, restaurants, magasins et boutiques de mode se suivent au long de Castro St., Market St. et 18th Street. Les voies résidentielles attenantes sont bordées de maisons victoriennes superbement restaurées qui invitent à la découverte.

Autrefois réservé aux ouvriers et employés modestes, ce quartier a été profondément bouleversé au début des années 1970 quand les habitants ont vendu leurs maisons pour se reloger en banlieue. Les homosexuels avaient déjà créé des enclaves communautaires dans des quartiers comme Haight-Ashbury ou Polk Street, mais leur présence était toujours restée assez discrète. En 1960, à la suite de la libéralisation des mœurs et de l'ouverture de ce nouveau marché immobilier, Castro District a commencé à assumer plus ouvertement sa nouvelle identité. C'est ici que les gays ont acquis certains des aspects d'un groupe politique important et puissant, tout en créant une enclave prospère où se côtoient maisons victoriennes restaurées, églises, cabinets de professions libérales et services locaux.

En 1977, les habitants gays du district ont joué un rôle essentiel dans l'élection d'un des leurs, Harvey Milk, au sein du conseil municipal. La carrière et la vie de Milk furent de courte durée : il était abattu un an plus tard dans l'hôtel de ville, ainsi que le maire de l'époque, **George Moscone**, par Dan White, un autre membre du conseil municipal.

**Visite** – Pour se familiariser avec le district de Castro, le mieux est de flâner sur **Castro Street**, en longeant les deux blocs au Sud de Harvey Milk Plaza *(croisement des rues Castro et Market)*. C'est là que l'on assiste le mieux à la vie du quartier. Le **Castro Theatre**★ (n° 429 – 1922, Timothy Pflueger), salle de cinéma très richement décorée de style Renaissance espagnole, est une institution locale très populaire qui héberge le Festival international de cinéma de San Francisco.

Le **NAMES Project**, fondé pour rappeler le souvenir des personnes mortes du SIDA, abrite actuellement le AIDS Memorial Quilt, un patchwork dont les panneaux sont exposés en permanence dans tous les États-Unis *(2362 Market St. ; visite du lund au vendredi de 9 h à 17 h ; séances de confection du patchwork le mercredi de 19 h à 22 h ;* & *www.aidsquilt.org* ☎ *415-882-5500).*

Castro Street débouche au Sud sur **Noe Valley**, un quartier prospère de maisons victoriennes restaurées avec soin et de magasins insolites, sur 24th St. entre Dolores St. et Diamond St.

### ★18 Mission District *2 h. Plan p. 299.*

**ᵐᵐᵘᵘ** *14-Mission, 22-Fillmore, 33-Stanyan ou 48-Quintara-24th St.* 🚏 *arrêts 16th ou 24th St.*

L'exubérante enclave latino-américaine de San Francisco est une réunion de rues bruyantes, de trottoirs surpeuplés et de devantures colorées appartenant à toutes sortes de petits commerces.

À sa naissance, c'était un village entourant la Mission Dolores *(voir ci-dessous).* Il fut absorbé par l'expansion de la ville de San Francisco à la fin du 19e s. Le quartier a beaucoup perdu de son caractère latin à cette période, car des vagues

---

#### Quand la rue s'exprime...

San Francisco compte plus de 500 murs peints sur tout son territoire. Si certains rappellent l'histoire de la ville, beaucoup permettent à certaines communautés, écartées des formes d'expression artistique institutionnelles, de faire entendre leurs voix.

Le district de Mission est décoré de plusieurs murals intéressants, que l'on peut voir dans le cadre de visites commentées, organisées par le Precita Eyes Mural Arts Center *(*☎ *415-821-1155).* Citons :

**Las Lechugueras (Lettuce Workers)** (1983), par Juana Alicia. *Taqueria San Francisco, angle de 24e rue et York St.*

**New World Tree** (1987), par Juana Alicia, Susan Cervantes et Raul Martinez. *Mission Pool, dans la 19e rue, près de Valencia St.*

**Silent Language of the Soul** (1990), par Juana Alicia et Susan Cervantes. *École Cesar Chavez, angle de Shotwell St. et 22e rue.*

**Maestrapeace** (1995), par plusieurs artistes féminines. *Women's Building, au 3543 de la 18e rue.*

Les **murals de Balmy Alley**, par plusieurs artistes. *Balmy Alley (entre Harrison et Treat St.), de la 24e à la 25e rue.*

d'immigrants venus d'Europe, Allemands et Irlandais pour la plupart, s'y sont installés. Après la Seconde Guerre mondiale, les Mexicains et Latino-Américains ont réinvesti le secteur. Aujourd'hui, les troubles sociopolitiques d'Amérique du Sud et d'Amérique centrale alimentent un flux permanent d'immigrants de ces régions, renforçant l'ambiance latino-américaine du district. Des peintures murales de couleurs vives ornent de nombreuses portes et parois. **Twenty-Fourth Street★**, rue animée bordée d'arbres, attire des centaines d'habitants du quartier avec sa myriade de petits magasins et de marchés proposant produits frais, viandes, fromages et gâteaux. Le **centre culturel de Mission** *(2868 Mission St., près de 24th St. Ouvert du mardi au vendredi de 10 h à 21 h, le samedi de 10 h à 16 h. Fermé principaux jours fériés.* ♿ ☎ *415-821-1155)* abrite une galerie d'art qui présente des expositions temporaires sur des thèmes latinos et accueille des concerts et spectacles de danse. **Dolores Street** est l'une des artères les plus attrayantes de la ville. Cinq espèces différentes de palmiers ont été plantées en 1910 sur son terre-plein central par le superintendant des parcs « Uncle » John McLaren *(voir index)*.

★**Mission Dolores (Mission San Francisco de Asís)** – *16th St. ou Dolores St. Visite de mai à octobre de 9 h à 16 h 30, le reste de l'année de 10 h à 16 h. Fermé 1ᵉʳ janvier, dimanche de Pâques, Thanksgiving Day et 25 décembre. Participation demandée : 2 $.* ♿ ☎ *415-621-8203.* Flanquée d'un cimetière ancien et d'une basilique du 20ᵉ s. somptueusement décorée, la plus ancienne construction de San Francisco garde le souvenir du passé espagnol de la cité et rappelle les débuts de l'implantation européenne dans la région.

Située à l'origine à environ deux blocs plus à l'Est, sur un site choisi par Juan Bautista de Anza, la sixième mission californienne fut inaugurée par une messe le 29 juin 1776, marquant la fondation officielle de la ville de San Francisco. Un lac tout proche baptisé en l'honneur de Notre-Dame des Douleurs (Nuestra Señora de los Dolores) donna à la mission son deuxième nom, ancien maintenant de plusieurs siècles. En 1791, on bâtit une nouvelle chapelle sur le site actuel.

Après la sécularisation en 1834, le bâtiment fut affecté à différents usages, puis rénové et reconsacré en 1859 comme église paroissiale d'une communauté composée en majorité d'immigrants irlandais.

★★**Chapelle** – Restaurée en 1995, la chapelle a la même apparence qu'en 1791. Ses murs ont été renforcés au début du 20ᵉ s. Le toit en tuiles et les cloches sont d'origine, mais l'intérieur a été entièrement recréé en 1859 avec un plafond décoré de motifs trouvés sur les vanneries des Indiens de la région. L'autel richement décoré et les statues d'origine mexicaine datent de la fin du 18ᵉ s. Une grande basilique (1918) servant aujourd'hui d'église paroissiale se dresse à côté de la chapelle. Un petit corridor au Nord de la chapelle renferme un magnifique **diorama** de la mission, telle qu'elle était en 1799. La maquette a été réalisée pour l'Exposition internationale du Golden Gate de 1939. Les objets présentés dans le petit **musée** incluent des vestiges d'articles découverts pendant la restauration, un registre des baptêmes et des vêtements sacerdotaux datant de l'époque coloniale. Dans l'enceinte se trouve également un **cimetière★** où reposent, parmi d'autres, Luís Antonio Arguello (1784-1830), premier gouverneur de la période mexicaine et natif de la région, Francisco de Haro (1803-1848), premier *alcalde* (maire) mexicain de Yerba Buena et José Noé, dernier alcalde mexicain.

★★ 🄴 **SOUTH OF MARKET** *Une journée. Plan p. 285.*

🚌 *14-Mission, 19-Polk, 30-Stockton, 45-Union-Stockton.* 🚇 *arrêts Embarcadero, Montgomery St. ou Powell St.*

Le quartier au Sud de Market Street, où les rues sont orientées en diagonale par rapport au quadrillage du reste de la ville, est longtemps resté un paysage morne de grandes artères, de petites usines et de vastes entrepôts. Il déborde depuis peu d'une activité nouvelle. Plusieurs musées et galeries d'art réputés ont récemment élu domicile sur Third Street et Fourth Street et alentour, dans le sillage d'un énorme Palais des Congrès et de l'industrie san-franciscaine des multimédias, en plein essor. Surnommé « SoMa » (abréviation de South of Market) dans les cercles branchés, le quartier est le nouveau territoire du milieu artistique contemporain de San Francisco.

Au début de l'histoire de la ville, un quartier résidentiel s'est développé sur Rincon Hill, maintenant à l'ombre de la pile Ouest du Bay Bridge. Vers 1880, la haute société abandonna Rincon Hill pour les collines à l'Ouest du centre-ville. Le seul témoin de cette époque est **South Park**, un havre de verdure enclavé entre les Second, Third, Bryant et Brannan St., qui fut créé en 1852 sur le modèle d'une placette londonienne. L'écrivain Jack London est né tout près de là en 1876 ; le lieu de sa naissance est indiqué par une plaque commémorative apposée sur la Wells Fargo Bank *(601 3rd St.)*.

À partir de 1870, il y eut plusieurs tentatives d'agrandir le quartier financier de San Francisco sur les terrains relativement bon marché de South of Market ; le financier William Ralstony fit construire son **Palace Hotel★★** *(639 Market St.)*, le plus beau de la côte Ouest à l'époque. Détruit par les flammes en 1906, l'hôtel fut reconstruit en 1909 avec son admirable **Garden Court**★★ surmontée d'un toit de verre. Il a été somptueusement redécoré en 1991. Malgré la promotion enthousiaste du quartier par Ralston, les projets dont il avait rêvé pour South of Market ne virent jamais le jour. Le **Pacific Telephone Building**★ habillé de céramique (1925, Miller & Pflueger) demeura longtemps le seul autre bâtiment d'exception au 140, New Montgomery Street.

La construction du **centre de conférences Moscone** (1981, Hellmuth, Obata & Kassabaum) et la démolition en 1991 de la polluante autoroute d'Embarcadero ont redonné un nouvel élan au quartier. D'anciennes usines réhabilitées et de nouveaux immeubles résidentiels ont redonné vie au front de mer, et d'innombrable galeries, night-clubs, lieux de spectacle et cafés ont surgi dans le quartier de Folsom Street entre les 7ᵉ et 12ᵉ rues, attirant un public amateur d'avant-garde, d'expérimental, d'audace. Une liste actualisée des événements et des lieux de spectacle est publiée dans le *San Francisco Bay Guardian*.

Fondé en 1984, le **Jewish Museum San Francisco** propose des expositions temporaires sur la culture et l'art juifs contemporains *(121 Steuart St. ; visite de 12 h (11 h le dimanche) à 18 h ; fermé vendredi, samedi et lors des fêtes juives ; 3 $ ; &* *www.jewishmuseumsf.org* ☎ *415-543-8880)*. On prévoit de déplacer le musée en 2002 dans de nouveaux locaux situés près des jardins de Yerba Buena, dans le quartier de Mission St., entre les 3ᵉ et 4ᵉ rues.

★★ **San Francisco Museum of Modern Art** (**M¹⁰**) – *151 3rd Street. Visite de 11 h (10 h de Memorial Day à Labor Day) à 18 h (21 h le jeudi). Fermé mercredi et principaux jours fériés. 8 $.* ✕ & *www.sfmoma.org* ☎ *415-357-4000*. Le premier musée d'art moderne de San Francisco occupe une construction contemporaine audacieuse à côté des Yerba Buena Gardens (1995, Mario Botta, également architecte de la cathédrale d'Évry). Après avoir été longtemps hébergé dans des conditions peu satisfaisantes au centre administratif, le musée, appelé familièrement « SFMOMA », a rejoint ses nouveaux locaux en 1995, créant un nouveau pôle de dynamisme dans le panorama architectural et culturel de la ville.

Fondé en 1935 par la San Francisco Art Association, une organisation soucieuse de promouvoir l'expression et le goût artistiques dans le secteur de la baie, ce musée a été le premier de Californie à exposer des œuvres du 20ᵉ s. Ambitieuse l'association a promu dans ses premières expositions, consacrées à un seul peintre des artistes jusque-là inconnus comme Arshile Gorky, Clyfford Still, Jackson Pollock, Robert Motherwell et Mark Rothko.

Le bâtiment apparaît de la rue comme un assemblage symétrique de blocs gigantesques recouverts de briques, en retrait les uns par rapport aux autres. Un énorme cylindre au sommet incliné s'élève au sommet du centre de l'ensemble amenant la lumière du jour aux espaces intérieurs. L'immense **atrium**★★ habillé de boiseries de couleurs vives avec un sol de dalles de marbre noir polies ou brute, ressemble à une esplanade urbaine. Un escalier monumental s'élève au cœur du bâtiment, pour se terminer en étroite **passerelle**★ d'acier au niveau de la rotonde cinq niveaux au-dessus du sol.

**Les collections** – Le fonds permanent du musée compte plus de 17 000 œuvres d'art (tableaux, sculptures, photographies et œuvres sur papier). Ses origines remontent à 1935, soit six ans après la fondation du musée d'Art moderne de New York. Le premier bienfaiteur du musée fut l'un de ses fondateurs, Albert M. Bender Assureur fortuné, il fit don d'un groupe de 36 œuvres parmi lesquelles *La Porteuse de Fleurs* du peintre Diego Rivera. Les collections de peintures et sculptures du musée représentent aujourd'hui tous les grands mouvements de l'art moderne Elles comptent de nombreuses œuvres des premiers courants du modernisme et d'artistes de Californie et de la baie de San Francisco. Parmi les peintres célèbres représentés ici figurent Matisse *(Femme au Chapeau)*, Jackson Pollock *(Gardien du Secret)*, Picasso, Braque, Miró, Kahlo, Kandinsky, Warhol, Rauschenberg, Stella Lichtenstein, Johns. Le musée possède aussi une importante collection de 30 tableaux de Clyfford Still, qui retrace toute la carrière de ce célèbre expressionniste abstrait. Les expositions temporaires concernent les domaines de l'architecture, du design, de la photographie et des médias et permettent de présenter une autre partie du fonds permanent.

> **2 Caffe Museo**
>
> *Dans le musée.* ☎ *415-357-4500*. Cet élégant café, dont les murs et les accessoires décoratifs se marient bien avec le style du musée, est l'endroit idéal où prendre un bon *espresso* et savourer une assiette de pâtes ou un sandwich. Mangez à l'intérieur ou profitez d'une table sur le trottoir pour mieux observer les allées et venues dans les jardins de Yerba Buena, de l'autre côté de la rue.

★ **California Historical Society** (**J**) – *678 Mission St. Visite du mardi au samedi de 11 h à 17 h. 2 $.* & *www.calhist.org* ☎ *415-357-1848*. Occupant un agréable bâtiment (1922) près des jardins de Yerba Buena, la société historique officielle de l'État invite le visiteur à découvrir le passé haut en couleur et tumultueux de l'État. Les collections comprennent livres, manuscrits, journaux, cartes, photographies et documents, dont certains remontent au 17e s. Les galeries du premier niveau sont consacrées à des expositions thématiques tournantes et à des expositions itinérantes organisées par d'autres institutions historiques.

★★**Yerba Buena Gardens** – *3rd St. entre Mission St. et Howard St.* Regroupant deux théâtres, trois galeries, un café en plein air et une esplanade bucolique, le complexe culturel des **jardins de Yerba Buena** présente les œuvres d'artistes des arts visuels et du spectacle, dans une perspective pluriculturelle. Consacrés uniquement à des expositions qui reflètent la diversité ethnique de la Californie du Nord, les **Center for the Arts Galleries and Forum**★ (**K** – *visite de 11 h à 18 h ; fermé lundi et principaux jours fériés ; 4 $ ;* ✗ ⅊ ☏ *415-978-2787*) réunit les travaux d'artistes de renommée internationale et de nouveaux peintres de la région au sein d'expositions temporaires de très grande qualité. À côté se dresse le **Center for the Arts Theater** (**L**), qui accueille des spectacles de troupes locales ou itinérantes. La superbe **Esplanade** de plus de 2 ha offre ses parterres paysagers et ses allées sinueuses ornées de sculptures. La partie Sud est dominée par *Revelations*, un monument à la mémoire de Martin Luther King Jr. voilé d'une merveilleuse cascade.

Un nouveau complexe pour enfants ayant coûté 56 millions de dollars, le **Rooftop at Yerba Buena Garden** (**N** – Enfants *750 Folsom Street ; ouvert tous les jours de 10 h 30 à 23 h ;* ☏ *415-777-3727*) a ouvert ses portes à l'automne 1998. Il comprend une patinoire, un bowling, un manège datant de 1906, un amphithéâtre en plein air, des terrains de jeu et des jeux éducatifs. Ne pas manquer le **Zeum** (*221 4th Street ; ouvert du lundi au vendredi de 12 h à 18 h, le week-end de 11 h à 17 h ; 7 $ ;* ⅊ ☏ *415-777-2800*), studio-théâtre high-tech consacré aux arts de la scène et aux arts visuels.

De l'autre côté de Howard Street, au croisement de 4th Street et Mission Street, se trouve le **Metréon**, complexe bâti par Sony.

Les jardins de Yerba Buena

© Robert Holmes

★**Ansel Adams Center/Friends of Photography** – *250 4th St. Visite de 11 h à 17 h (20 h le 1er jeudi du mois). Fermé 1er janvier, Thanksgiving Day, 25 décembre. 5 $.* ⅊ ☏ *415-495-7000.* Seul musée de la ville entièrement consacré à la photographie, il porte le nom d'un photographe né à San Francisco (1902-1984), qui, dans les années 30, a su faire entrer dans les esprits la photographie comme nouvelle forme d'art, grâce à ses images impressionnantes du Sud-Ouest américain. L'une des cinq galeries est réservée à l'exposition d'œuvres d'Adams, les quatre autres présentent tous les ans une vingtaine d'expositions thématiques sur des sujets liés à la photographie.

**Cartoon Art Museum** (**M**11) – *814 Mission St., 1er étage. Visite du mercredi au vendredi de 11 h à 17 h, le samedi de 10 h à 17 h, le dimanche de 13 h à 17 h. Fermé principaux jours fériés. 5 $.* ⅊ ☏ *415-227-8666.* Ce musée tient à démontrer que caricatures, bandes dessinées et dessins animés sont une bonne illustration de l'histoire sociale et culturelle du moment. Avec une collection de plus de 11 000 pièces datant de la fin du 18e s. à nos jours, il accueille aussi fréquemment des expositions temporaires d'artistes et des œuvres prêtées par des collectionneurs privés.

**Old Mint** – *5th St. et Mission St. Fermé au public.* Cet édifice néoclassique imposant (1874), surnommé « La Dame de granit » (The Granite Lady), fut entre 1874
et 1937 le principal **Hôtel des Monnaies** de l'Ouest américain. L'un des rares bâtiments publics du centre-ville à avoir résisté au séisme de 1906, cette construction
aux allures de bastion devint pour quelque temps la seule institution financière de
la ville pour l'assistance aux victimes de la catastrophe. En 1966, il fut classé à
l'inventaire national des monuments historiques. Déclaré dangereux en cas de tremblement de terre, l'Old Mint a fermé ses portes en 1995.

## LE FRONT DE MER

**★★California Palace of the Legion of Honor** – *Legion of Honor Dr. Et El Camino
del Mar, Lincoln Park. Entrée 34th Ave.* ▦▦ *18-46th Ave. ou 38-Geary. Visite
(une demi-journée) de 9 h 30 à 17 h. Fermé lundi et principaux jours fériés. 7 $.*
✕ 🚻 ▣ *www.thinker.org* ✆ *415-863-3330.* Depuis la fusion et le regroupement
des collections des musées des Beaux-Arts de San Francisco *(voir p. 297)*, c'est
dans ce bâtiment majestueux, sur un site dominant au sommet d'une colline au
centre de Lincoln Park, qu'on a rassemblé l'essentiel des œuvres d'artistes européens, et français en particulier. Le bâtiment est une réplique du Palais de la Légion
d'honneur à Paris (l'hôtel de Salm construit en 1788), qui servit de modèle pour
le pavillon de la France lors de l'Exposition internationale Panama-Pacifique de
1915. Alma de Bretteville Spreckels, épouse du magnat de l'industrie sucrière de
San Francisco Adolph Spreckels, fut si impressionnée par l'architecture de ce
pavillon et sa présentation des sculptures de Rodin qu'elle décida d'en faire
construire une version définitive à San Francisco pour y abriter un musée d'art
européen. Avec le soutien de la ville et d'autres riches donateurs, le musée ouvrit
ses portes en 1924.
Objets d'art relatifs à la danse et œuvres décoratives européennes constituaient le
fonds initial du musée, ainsi que l'une des plus riches collections d'œuvres
d'Auguste Rodin (1840-1917) en dehors du musée Rodin à Paris. Le musée
possède aujourd'hui 106 de ses sculptures, dont une réplique du *Penseur* (1880),
qui accueille les visiteurs dans la cour d'honneur. Après l'institution en 1970 des
musées des Beaux-Arts de San Francisco, le Palais de la Légion d'Honneur fut choisi
pour héberger les collections européennes.
En 1995, le musée rouvrit ses portes après trois années de travaux de mise aux
normes parasismiques, d'agrandissement et de rénovation. Dans la Cour d'Honneur
à l'extérieur, on a ajouté une pyramide de verre en hommage à celle de I. M. Pe
au Louvre.

*Vue de Rome : le pont et le château Saint-Ange, avec le dôme de Saint-Pierre,*
*par Jean-Baptiste Corot*

**Visite** – Dans ce bâtiment de style néoclassique, les 19 salles du niveau principal
sont organisées de manière symétrique et chronologique autour de la rotonde centrale. Peintures, sculptures, textiles et arts décoratifs sont présentés ensemble par
périodes, de l'époque médiévale à l'ère moderne *(à cause de travaux de renforce
ment du bâtiment, toujours en cours, les collections médiévales et Renaissance
normalement présentées dans les salles 1, 2, 3, 4 et 5, ont été remplacées par des
expositions temporaires d'œuvres provenant du de Young Museum).* Dans les
grandes salles du niveau inférieur ont lieu les expositions temporaires et celles présentant par roulement des œuvres tirées du fonds de la Fondation Achenbach. Son
centre d'études, l'Achenbach Study Center, permet d'accéder à la collection sur
ordinateur, avec une consultation possible par thème, par artiste ou par titre. C'es

également à ce niveau que sont exposées antiquités et céramiques grecques, étrusques, romaines et égyptiennes et que se trouvent aussi la librairie, le café, l'auditorium et… les toilettes.

Vers 1520, l'art de la Renaissance laissa progressivement la place à l'étirement des personnages et aux coloris hardis du **maniérisme**, dont le Gréco fut l'un des maîtres (*Saint Jean Baptiste*, vers 1600). Le baroque, qui fit son apparition à Rome vers 1600, reflète les découvertes scientifiques de l'époque, avec par exemple la représentation du mouvement dans l'espace et le temps. La fascination pour les effets de lumière a aussi contribué à la théâtralité de la **peinture baroque italienne et française** *(salles 6 et 7)*. *Samson et le rayon de miel* (vers 1657) du Guerchin en est une bonne illustration. Des œuvres de Watteau, Boucher, Fragonard et Tiepolo montrent la profusion ornementale et les couleurs pastel caractéristiques du style rococo. On remarquera une table en marqueterie (1670-1690) attribuée à André-Charles Boulle, créateur de mobilier pour le château de Versailles.

Le centre du musée abrite des œuvres d'**Auguste Rodin**, unanimement reconnu pour être le « père de la sculpture moderne » *(salles 8, 10, et 12)*. Les socles bruts, non finis, des statues illustrent le combat de Rodin pour arracher un sens à la matière.

Portraits, paysages et scènes historiques ont dominé la **peinture anglaise des 18$^e$ et 19$^e$ s.** *(salle 13)*. On peut y voir des tableaux de Joshua Reynolds, Thomas Gainsborough et John Constable. La **peinture hollandaise et flamande** *(salles 14 et 15)* témoigne des divisions politiques qui régnaient entre Hollande protestante et Flandre catholique au début du 17$^e$ s. Le *Portrait d'une dame* (vers 1620) d'Anton Van Dyck révèle le statut aristocratique du sujet, alors que le *Tribut* (vers 1612) du maître flamand Pierre Paul Rubens vibre de couleurs somptueuses et de tension dramatique, en accord avec l'esprit de la Contre-Réforme qui cherchait à attirer les fidèles dans son sein. Au milieu du 18$^e$ s., les fouilles de Pompéi et d'Herculanum ravivèrent l'intérêt pour l'Antiquité, donnant naissance au **néoclassiscisme européen** *(salle 16)*.

L'école de Barbizon, le romantisme et enfin l'impressionnisme ont influencé la **peinture européenne du 19$^e$ s.** *(salles 17 et 18)*, reflétant de profonds bouleversements dans les milieux sociaux, politiques et intellectuels. Les Impressionnistes, parmi lesquels Degas, Manet, Renoir et Seurat, ont su dépeindre la fugacité de l'instant au moyen de touches spontanées, de contours incertains et de vibrations colorées se fondant les unes dans les autres. *Intérieur de forêt* (vers 1898) de Paul Cézanne prépare le mouvement cubiste en peignant un paysage à partir de points de vue multiples. Des œuvres de Picasso et Matisse entre autres viennent illustrer les mouvements cubiste, futuriste, expressionniste allemand et surréaliste caractéristiques de l'**art européen du 20$^e$ s.** *(salle 19)*.

★**Cliff House** – *1090 Point Lobos Ave. Prendre Geary Blvd vers l'Ouest jusqu'à 39th Ave., puis à droite Point Lobos Ave. jusqu'à son extrémité.* ▣▣▣ *18-46th Ave. ou 38-Geary. Visite vendredi et samedi de 8 h 30 à 23 h, du dimanche au jeudi de 9 h à 22 h 30.* ✗ & ▣ *www.cliffhouse.com* ☎ *415-386-3330.* L'une des plus vénérables attractions touristiques de San Francisco, Cliff House attire les visiteurs vers le bord de mer depuis la construction en 1863 d'une auberge en bardeaux sur le site. Le bâtiment fut remplacé en 1896 par un manoir flamboyant à sept étages, couronné de nombreuses flèches à l'imitation d'un château français, commandé par Adolph Sutro, un ingénieur allemand émigré qui avait fait fortune dans la mine d'argent de Comstock Lode. Le manoir fut détruit par les flammes en 1907. Le bâtiment actuel achevé en 1909, rénové et modernisé depuis, est modeste au regard de son site exceptionnel : des falaises escarpées dominant les **Seal Rocks**, la **vue**★★ sur la côte s'étend du grand promontoire du cap Reyes, à une cinquantaine de kilomètres au Nord-Ouest, jusqu'au cap San Pedro, à 24 km au Sud. Par temps clair, on peut apercevoir à l'horizon les **Îles Farallon**, distantes d'une cinquantaine de kilomètres.

La terrasse extérieure est dotée d'une **Camera Obscura** ▣▣, réflecteur géant qui projette les images du panorama extérieur sur un écran parabolique de 2,50 m ; on y trouve également la **Musée Mécanique** ▣▣ abritant pianos, jeux et présentations animées fonctionnant avec des pièces de monnaie. Le **centre d'accueil**★ du Golden Gate National Recreation Area *(rez-de-chaussée de Cliff House)* propose des cartes détaillées et des renseignements sur toute l'aire du Golden Gate National Recreation Area *(voir encadré p. 293 ; ouvert de 10 h à 17 h ; fermé 1$^{er}$ janvier, Thanksgiving Day et 25 décembre ;* & ▣ *www.nps.gov/goga* ☎ *415-556-8642)*.

★**Sutro Heights Park** – *Sur la falaise au-dessus de Cliff House.* Ancien site du luxueux domaine d'Adolph Sutro, cette falaise herbeuse offre un **panorama**★★ encore plus vaste sur la côte et l'horizon. Outre son élégante demeure, Sutro fit construire sur ses terrains un grand établissement de bains publics pouvant accueillir jusqu'à 20 000 personnes en une journée. Aujourd'hui, le **sentier côtier**★★ (Coastal Trail – *1,5 km à partir du parking de Cliff House)* traverse les étranges ruines des **Sutro Baths**★ et fait le tour de la falaise au-dessus de **Land's End** balayé par les vagues pour aboutir au quartier élégant de **Sea Cliff**★.

★**Zoo de San Francisco** – 🏠 *Plan p. 272. Angle Great Highway et Sloat Blvd.* 🚇 *18-46th Ave. ou 23-Monterey. Tramway : L-Taraval. Visite de 10 h à 17 h. 9 $. ☒ 🖥 www.sfzoo.org ☎ 415-753-7080.* Situé au Sud-Ouest de la ville sur 50 ha paysagers près de l'océan, le zoo, en dépit des brumes qui le cernent, accueille chaque année 900 000 visiteurs. En 1997, les San Franciscains ont approuvé un projet d'un montant de 48 millions de dollars destiné à restaurer les 2/3 du parc zoologique d'ici à 2004. On prévoit de doter son millier d'hôtes d'un habitat plus conforme à son environnement naturel : savane africaine, jungle sud-américaine, nouveaux quartiers pour les lions, éléphants, chimpanzés, orang-outans et lémuriens.

Actuellement, les visiteurs peuvent avoir une vision d'ensemble du parc à bord du **Safari Train** *(30 mn)*, puis se rendre dans les endroits les plus intéressants, tels le **zoo des enfants** (Children's Zoo), remarquable pour sa collection d'insectes et ses animaux de basse-cour, et le **centre de découverte des primates★** (Primate Discovery Center), où 15 rares espèces de singes en voie de disparition cabriolent et se balancent dans des atriums ouverts. À côté, la **forêt des ayes-ayes** héberge le seul couple reproducteur présenté au public de cette rare espèce de primates nocturnes, elle aussi menacée. Un petit sentier conduit jusqu'au **monde des gorilles**, un enclos luxuriant. Le zoo présente également quelques léopards des neiges, spécimens rares ; des ours à lunettes, polaires et Kodiak ; une volière d'oiseaux tropicaux ; la plus importante colonie au monde de pingouins de Magellan qui se reproduise en zoo.

## EXCURSIONS

★★**Berkeley** – *Une demi-journée. Voir ce nom.*

★★**Marin County** – *Une journée. Voir ce nom.*

★★**Mendocino-Sonoma Coast** – *5 jours. Voir ce nom.*

★**Oakland** – *Une journée. Voir ce nom.*

**Palo Alto** – *2 h. Voir ce nom.*

★**San Jose** – *Une journée. Voir ce nom.*

★★**Wine Country** – *1 à 3 jours. Voir ce nom.*

# SAN JOSE★

839 000 habitants

Carte Michelin n° 493 A 8 – Voir schéma au chapitre SAN FRANCISCO p. 272

Office de tourisme ☎ 408-283-8833

Troisième ville de Californie, San Jose s'est autoproclamée « capitale de la Silicon Valley » et affiche une grande prospérité liée à l'essor de la haute technologie. Dans le centre-ville auquel a été insufflé un nouvel élan, les vieux hôtels particuliers se mêlent aux gratte-ciel modernes, dans un cadre paysager d'avenues et plazas bordées de palmiers. Aux quatre coins de la ville se trouvent des musées hors du commun, espaces innovants ou mystérieuses institutions anciennes.

## UN PEU D'HISTOIRE

C'est ce site dans la vallée fertile de Santa Clara que choisirent en 1777 des administrateurs espagnols pour y fonder El Pueblo San José de Guadalupe, la première colonie de peuplement civil de Haute Californie. La nouvelle communauté agricole, sur les rives de la Guadalupe River, fournissait les produits de ses cultures aux soldats cantonnés dans les *presidios* de San Francisco et Monterey. Vingt ans plus tard naissait la mission de San José, à une vingtaine de kilomètres au Nord. En 1849, trois ans après le rattachement de la Californie aux États-Unis, les membres de la Convention constituante de l'État choisirent San Jose comme capitale, un honneur qu'elle conservera plusieurs mois avant que Vallejo ne devienne capitale à son tour.

Entre le milieu du 19e et le milieu du 20e s., l'agriculture est restée la principale activité économique de San Jose. L'abondance des vergers en fleurs a attiré les touristes du week-end qui sont venus de toute la baie goûter aux plaisirs de « la Cité des jardins dans la Vallée des merveilles ». Après la guerre, le comté de Santa Clara a connu une profonde mutation avec l'apparition d'établissements d'électronique se substituant aux vergers. Dès la fin des années 1960, la « Silicon Valley » avait absorbé San Jose. Des géants informatiques comme IBM, Hewlett Packard et Apple ont implanté des usines dans la ville et sa communauté urbaine. Aujourd'hui, San Jose est la onzième ville des États-Unis par la taille.

## CURIOSITÉS *Un jour et demi*

★★**The Tech Museum of Innovation** – [Enfants] *20 S. Market Street, angle de Park Avenue. Visite de début juillet à début septembre tous les jours de 10 h à 18 h (20 h le jeudi), le reste de l'année du vendredi au mercredi de 10 h à 17 h. Fermé 25 décembre. Musée ou théâtre : 8 $ ; billet combiné : 13,50 $.* ✕ &#9855; ☎ *408-294-8324.* Appelé familièrement « le Tech », ce hall d'exposition d'avant-garde a été conçu de manière interactive pour encourager l'esprit d'innovation et de curiosité qui a habité les premiers « bricoleurs technologiques » de la Silicon Valley. Divertissant pour tous les âges mais plus spécifiquement destiné à la génération de l'information – entendant par là toute personne de 9 ans et plus –, le musée, qui a ouvert ses portes en 1990, propose une approche par le jeu et la participation de domaines tels que la microélectronique, l'exploration de l'espace, la robotique et les biotechnologies.

Fondé en 1990, le musée a multiplié sa taille par six lorsqu'il déménagea en 1998 sur son site actuel. *Science on a Roll*, une sculpture animée de George Rhoads, égaie l'entrée sur Park Avenue, où une foule se presse pour observer cette suite continuelle de boules de billard faisant un son métallique, s'entrechoquant et se déplaçant au moyen de rampes et d'ascenseurs au travers d'un labyrinthe mécanique extrêment bien synchronisé.

**Visite** – L'entrée principale du musée se trouve au niveau intermédiaire d'un atrium de trois étages. Au niveau supérieur, les expositions de **« Life Tech : The Human Machine »** *(salle 1)* invitent adultes et enfants à tester leurs réactions lors d'un tour sur un bobsleigh olympique virtuel, à concevoir une bicyclette, un bateau ou un avion fonctionnant à l'énergie humaine ou à visiter une salle d'opération virtuelle qui a recours, pour les diagnostics et les traitements du corps humain, aux technologies non intrusives. **« Innovation : Silicon Valley and Beyond »** *(salle 2)* donne un aperçu sur la robotique et la modélisation par ordinateur, encourageant les visiteurs à essayer d'inventer une montagne russe ou une bicyclette high-tech ou encore à réaliser un autoportrait en trois dimensions à l'aide d'un laser. Une exposition présente le procédé utilisé dans la Silicon Valley pour dessiner et fabriquer les puces dans une pièce « aseptisée ». C'est cette innovation industrielle qui propulsa la Silicon Valley au sommet de la révolution technologique.

Au niveau inférieur, la salle **« Center of the Edge »** accueille des expositions temporaires sur les toutes dernières technologies en cours de développement. Dans la salle **« Communication : Global Communication »** *(salle 3)*, on peut, dans le studio digital électronique, manipuler ses propres clips, dessins animés ou images multimédias, ou créer sur l'ordinateur un « journal » électronique personnalisé. **« Exploration : New Frontiers »** *(salle 4)* permet aux aventuriers dans l'âme de piloter un sous-marin, d'essayer un vaisseau interplanétaire téléguidé, de concevoir un immeuble résistant aux tremblements de terre ou de tester leur coordination main-œil avec un laser intégré à une chaise de l'ère spatiale.

Adjacente à l'entrée sur la rue, une salle de 295 places, **Hackworth IMAX Dome Theater**, projette des films documentaires sur un écran hémisphérique couvrant 80 % du dôme, engloutissant les spectateurs dans un océan de sons et d'images.

**San Jose Museum of Art** – *110 S. Market St. Visite de 10 h à 17 h (20 h le jeudi). Fermé lundi et 1ᵉʳ janvier, Thanksgiving Day et 25 décembre, 7 $.* ✕ &#9855; ☎ *408-294-2787.* Le musée d'art a été installé en 1933 dans le bâtiment en grès d'un ancien bureau de poste, de style néo-roman richardsonien (1892). Agrandi en 1991 d'une aile moderne en verre, aluminium et béton, il présente une collection permanente de peinture contemporaine et des photographies d'artistes locaux, des expositions itinérantes d'importance nationale ainsi que des expositions temporaires mettant l'accent sur l'art du 20ᵉ s.

★**Children's Discovery Museum** – [Enfants] *180 Woz Way. Visite de 10 h (12 h le dimanche) à 17 h. Fermé lundi et 1ᵉʳ janvier, 2ᵉ semaine de septembre et 25 décembre. 6 $ (enfants : 4 $).* ✕ &#9855; *www.cdm.org* ☎ *408-298-5437.* Ce musée, logé dans un curieux bâtiment violet rappelant un jeu de construction, a été inauguré en 1990 dans le Guadalupe River Park. Sa programmation et ses expositions interactives, qui s'adressent aux familles et aux enfants d'âge scolaire, explorent les thèmes de la ville, des relations humaines et de la créativité. Les principaux centres d'intérêt sont **Streets**, un ensemble de couloirs montrant le fonctionnement d'une infrastructure urbaine ; des expositions interactives sur l'art et la nature ; des zones d'activité conçues pour enseigner la diversité des cultures. Une salle de théâtre accueille différents spectacles.

★**Peralta Adobe et Fallon House** – *175 W. St. John St. Visite guidée uniquement (90 mn) de 12 h à 17 h (dernière entrée à 15 h 30). Fermé lundi et principaux jours fériés. 6 $.* &#9855; *www.sjhistory.org* ☎ *408-993-8182.* Enfouis au milieu des constructions modernes du centre-ville, cette maison en adobe du début du 19ᵉ s. et ce splendide manoir de style italianisant rappellent le passé colonial espagnol de San Jose et son essor au début du 19ᵉ s.

Bâtie pour Thomas Fallon, un personnage haut en couleur, ancien guide de l'expédition Frémont, qui avait épousé l'héritière d'une concession espagnole, Fallon House était à son achèvement en 1855 le plus beau manoir de San Jose. Entre autres ornements luxueux, la demeure possédait des cheminées en marbre, des plafonds richement décorés et des boiseries peintes à l'imitation du chêne. Après avoir servi d'hôtel et de restaurant au début du siècle, elle fut acquise par la ville qui l'a restaurée avec beaucoup de soin. Le rez-de-chaussée abrite un excellent petit musée retraçant le développement de San Jose, du petit pueblo colonial espagnol à la ville américaine.

De l'autre côté de la rue, la modeste maison Peralta, en adobe, était la résidence de Luis Maria Peralta, grand administrateur du *pueblo* et riche propriétaire terrien. La chambre à coucher a été reconstituée selon son aspect supposé de 1800 (on notera le curieux berceau suspendu) mais le séjour, ou *sala*, est meublé de façon plus recherchée qu'il ne l'aurait été autour de 1840.

★**San Jose Historical Museum** – *1600 Senter St. dans Kelley Park, 3 km au Sud-Est du centre-ville. Visite de 12 h à 17 h. Fermé lundi et 1ᵉʳ janvier, Thanksgiving Day et 25 décembre, 6 $ (visite guidée incluse).* ✗ 🅿 *www.sjhistory.org* ☎ *408-287-2290.* Cet ensemble de 10 ha a pour objectif de recréer la vie à San Jose à la fin du siècle dernier. Le musée renferme actuellement environ vingt maisons et magasins, reconstitués pour un tiers, les autres déplacés ici depuis leur site d'origine.

Autour d'une esplanade ombragée, le musée possède deux attractions notables : une reproduction de la célèbre **tour électrique de San Jose** (35 m de haut), une pyramide fantaisiste en poutrelles métalliques rassemblant des réverbères ; et le **cabinet du docteur H.H. Warburton**, avec son arsenal d'instruments médicaux et dentaires. On notera également l'**imprimerie** où sont présentées les techniques traditionnelles de composition et d'imprimerie, ainsi qu'une reproduction en brique du **temple chinois** local, renfermant un autel cantonais en bois savamment sculpté, qui provient du temple d'origine bâti en 1880.

★**Japanese Friendship Garden** – *Attenant au musée historique, Kelley Park. Visite de 10 h au coucher du soleil.* ♿ 🅿 *(4 $ le week-end)* ☎ *408-277-5254.* Ce jardin de 2,5 ha, minutieusement organisé, est une réplique du jardin Korakuen d'Okayama, ville jumelée avec San Jose. Les sentiers sinueux longent les cascades, des rochers ornementaux et une flore variée comprenant des arbustes et des massifs d'agrément ainsi que des conifères placés avec soin. Au centre de ce paisible jardin des *koïs* aux couleurs chatoyantes évoluent dans un grand bassin, enjambé par le joli Moon Bridge.

**Winchester Mystery House** – Enfants *525 S. Winchester Blvd. Visite guidée uniquement, tous les jours ; téléphoner pour précisions. Trois visites sont proposées : visite du domaine (1 h, 13,95 $), visite « Dans les coulisses » (90 mn, 10,95 $), et visite combinée (21,95 $).* ✗ ☎ *408-247-2101.* Cette étrange et vaste demeure victorienne de 160 pièces assez disparates a été édifiée par Sarah Winchester, la veuve du magnat des carabines William Wirt Winchester. Après avoir acheté en 1884 une ferme de huit pièces, elle ne cessa d'y adjoindre de nouvelles pièces jusqu'à sa mort en 1922. L'histoire locale raconte que ce sont les esprits des victimes abattues par les armes Winchester qui poussaient Mme Winchester à ses excès architecturaux. La maison, aujourd'hui partiellement meublée, renferme une remarquable **collection d'objets en verre** Tiffany et européens. Dans le domaine, le **musée des Armes à feu** (Historic Firearms Museum) présente une collection de pistolets et de carabines.

★**Rosicrucian Egyptian Museum** – *1342 Naglee Avenue, angle de Park Avenue. Visite de 10 h à 17 h. Fermé principaux jours fériés. 7 $.* ☎ *408-947-3636.* Conçu sur le modèle du temple d'Amon à Karnak, l'édifice s'ouvre par une entrée à colonnade et des portes à panneaux dorés gravées de hiéroglyphes. À l'intérieur se trouve une collection de près de 5 000 objets d'art d'ancienne Égypte et de Mésopotamie, une des plus importantes de la côte Ouest. On notera en particulier la présentation consacrée à la momification *(salle A)*, avec des cercueils peints, des **sarcophages**, des restes d'hommes et d'animaux, ainsi qu'un corps momifié dégagé de ses bandelettes et une reproduction grandeur nature d'un **tombeau** du Moyen Empire taillé dans le roc *(accessible uniquement sur visite guidée)*.

Les poteries, bijoux, verreries, ornements funèbres, parchemins et statues de divinités exposés *(salles B, C et D)* vont de la période pré-dynastique (4800 avant J.-C.) à la période copte (fin du 2ᵉ s.-milieu du 7ᵉ s.). On voit aussi des sceaux cylindriques et des tablettes d'écriture cunéiforme d'origine babylonienne, sumérienne et assyrienne.

Le musée est installé en limite du **Rosicrucian Park**, une zone urbaine de 2,5 ha parsemée de statues, de jardins et de bâtiments de style égyptien et mauresque où siège la Grande loge anglaise de l'ordre rosicrucien, appelée AMORC (Ancien ordre mystique de la Rose-Croix), organisation non confessionnelle.

Le parc fut créé en 1927, à l'époque où l'« empérator » de l'ordre, H. Spencer Lewis, installa le quartier général de l'organisation à San Jose. L'ensemble compte maintenant des locaux administratifs et de recherche, un auditorium, un **planétarium** et le musée.

# EXCURSIONS

**San José de Guadalupe Mission**, à Fremont – *21 km au Nord de San Jose. Prendre la I-680 jusqu'à la deuxième sortie Mission Blvd et s'engager à droite. Visite de 10 h à 17 h. Fermé 1ᵉʳ janvier, dimanche de Pâques, Thanksgiving Day et 25 décembre. Contribution demandée.* &. ☎ *510-657-1797.* Bâtie dans la bourgade rurale de Fremont, cette 14ᵉ mission de la chaîne californienne a été fondée par le père Fermín Lasuén en 1797 et nommée d'après saint Joseph. La première église permanente en adobe a été achevée en 1809. Avant sa sécularisation en 1834, San Jose était l'une des missions les plus prospères de Californie. Pendant la Ruée vers l'or, la mission a servi d'auberge et de magasin général aux chercheurs d'or en route pour les filons miniers du Sud. En 1858, l'ensemble de la mission fut restitué à l'Église catholique, mais, dix ans plus tard, un grand tremblement de terre détruisit la vieille église en adobe, qui fut alors remplacée par un bâtiment en bois de style gothique. Au début des années 1980, des travaux ont été entrepris pour reconstruire minutieusement l'église en adobe, qui occupe aujourd'hui son emplacement d'origine.

**Visite** – À l'intérieur de ses murs simples et sans ornements, l'église rappelle la période 1833-1840. Elle renferme des **statues** anciennes et une réplique du retable, richement décorée et dorée à la feuille. À noter la statue de saint Joseph (vers 1600) venant d'Espagne et celle de la Vierge (17ᵉ s.) apportée au Mexique ; les autels au fond présentent des statues du Christ (début du 19ᵉ s.) et de saint Bonaventure (1808). Les peintures qui ornent les fonts baptismaux en cuivre martelé (1830) sont l'œuvre d'Augustin Davila, qui avait peint l'intérieur de l'église d'origine.

Un petit jardin sépare l'église des anciens **quartiers des pères** en adobe, qui abritent aujourd'hui un musée sur l'histoire de la mission où sont exposés artisanat amérindien et objets religieux.

**Santa Clara de Asís Mission** – *4 km au Nord-Ouest de San Jose, sur le campus de l'université de Santa Clara. De San Jose, suivre The Alameda, qui s'appelle ensuite El Camino Real, jusqu'à l'entrée du campus. Visite de 8 h à 18 h. Fermé du 26 décembre au 1ᵉʳ janvier.* &. ☎ *408-554-4023.* Établie sur les rives de la Guadalupe en 1777, cette 8ᵉ mission fut fondée pour servir d'avant-poste supplémentaire près de la baie de San Francisco, puis fut déplacée en 1781 sur son site actuel, plus en hauteur. Le père Junípero Serra officia à la pose de la première pierre d'une immense église en adobe, qui fut achevée en 1784. Entourée de sols fertiles, la mission prospéra jusqu'à sa destruction par un tremblement de terre en 1812. Une nouvelle église, terminée en 1814, servit de chapelle pour la mission, puis pour la paroisse, avant d'être détruite par un incendie en 1926. Le bâtiment actuel ressemble à l'église d'origine.

**Visite** – Mis en valeur par un campanile, l'extérieur de l'**église** est orné de statues de saints et d'un toit de tuiles d'argile récupérées dans les ruines des bâtiments de l'ancienne mission. Aujourd'hui enfermée dans une guérite en bois de séquoia, la croix de bois dressée devant l'église remonte à la fondation de la mission en 1777. À l'intérieur, de style victorien, le plafond peint est une réplique de l'original qu'avait réalisé le peintre mexicain Augustin Davila.

Dans l'humble **chapelle St. François** *(derrière le sanctuaire)*, un mur, le plafond et le plancher sont d'origine. À gauche de l'église s'étend une **cour carrée** plantée, où certains arbustes (oliviers, rosiers et glycines) datent de l'époque de la mission.

En face de l'entrée de la mission se trouve le **De Saisset Museum**, musée universitaire consacré à l'art et à l'histoire *(visite de 11 h à 16 h ; fermé lundi et principaux jours fériés ; horaires réduits entre les expositions ; ☎ 408-554-4528).* Au rez-de-chaussée sont présentées des expositions temporaires de pièces appartenant à la collection permanente du musée, qui comprend des œuvres européennes et américaines du 16ᵉ au 20ᵉ s. et des œuvres d'art africain et asiatique.

## SANTA CRUZ★

51 000 habitants
Carte Michelin n° 493 A 8
Office de tourisme ☎ 831-425-1234

Archétype des stations balnéaires californiennes, Santa Cruz épouse les courbes de l'extrémité Nord de la baie de Monterey. Elle doit sa renommée à son parc d'attractions datant du tournant du siècle, à ses plages aux vagues déferlantes, à sa communauté artistique, à son ambiance décontractée et à la diversité des cultures qui s'y côtoient.

## UN PEU D'HISTOIRE

Les origines de la ville remontent à 1791, date à laquelle fut établie la mission Exaltaciòn de la Santa Cruz. Dès 1860, la petite mission modérément prospère s'était transformée en un centre marchand américain animé regroupant un riche éventail d'activités : exploitation forestière, pêche, carrières de calcaire, tanneries et agriculture. À la fin du siècle dernier, la ligne Southern Pacific atteint la ville, qui devint très vite une station balnéaire florissante. En 1904, on y installa sur une esplanade de planches l'un des premiers parc d'attractions de la côte Ouest ; il est aujourd'hui toujours aussi populaire. Au milieu des années 1960, avec l'établissement d'un campus de l'université de Californie dans les collines dominant Santa Cruz, l'ambiance de villégiature fut bientôt supplantée par une atmosphère estudiantine attirant de nombreux artistes et artisans. En 1989, le tremblement de terre de Loma Prieta a dévasté le **Pacific Garden Mall** de la ville, un groupe de bâtiments anciens de style Art déco. La reconstruction achevée, l'endroit est redevenu un lieu vivant, doté de salles de concerts, de cafés animés et de boutiques de livres, d'objets d'art et de curiosités.

## CURIOSITÉS *Une demi-journée*

**★★Santa Cruz Beach Boardwalk — Enfants** *Visite de mai à août tous les jours à 11 h, de septembre à avril les week-ends et jours fériés à 12 h. Les horaires de fermeture varient. Fermé presque tout le mois de décembre.* ✗ ♿ 🅿 *www.beachboard-walk.com* ☎ *831-426-7433.* Le plus ancien parc d'attractions de Californie, ce monument historique officiel de l'État a conservé le charme des lieux de divertissement construits au début du siècle en bord de mer. Bordant la plage de la large baie, son esplanade de planches rénovée aligne une série de bâtiments à tourelles de couleurs vives et d'attractions *(la baignade est déconseillée, courants dangereux).* Le **Giant Dipper**, montagnes russes en bois de 800 m de long, est depuis 1924 la silhouette la plus connue du Boardwalk. Le **Looff Carousel**, manège de 1911, est l'œuvre de Charles I.D. Looff, un sculpteur sur bois danois très respecté. Ces deux attractions possèdent le statut de monument historique.

À côté, le **Cocoanut Grove Banquet and Conference Center** (1907) est célèbre pour sa grande salle de bal, aujourd'hui rénovée, où des orchestres « Big Band » dirigés par des célébrités comme Artie Shaw, Benny Goodman et Xavier Cugat se produisaient souvent autrefois. À quelques blocs à l'Ouest, le grand **ponton municipal** s'avance dans la baie, alignant une succession de magasins de pêche et de petits restaurants et procurant par endroits une **vue** superbe sur le Boardwalk.

Au Nord du front de mer, Ocean View Avenue (blocs 200 à 400) regroupe de charmantes demeures victoriennes construites entre 1880 et 1900. Plus loin le long de la côte se trouve le **Santa Cruz Surfing Museum**, qui se consacre essentiellement à l'histoire de personnalités locales du monde du surf et à leur équipement. L'unique salle du musée est logée dans le phare-mémorial Mark Abbott *(West Cliff Drive)* ; elle présente différentes sortes de planches de surf et une intéressante exposition sur les attaques par des requins sur la côte Ouest de 1926 à 1996 *(visite de 12 h à 16 h ; fermé mardi, ainsi que le mercredi en hiver, 1ᵉʳ janvier et 25 décembre ; contribution demandée ;* ♿ ☎ *831-420-6289).*

Le **Santa Cruz City Museum of Natural History** *(1305 East Cliff Drive),* installé sur une falaise dominant la baie, se consacre à l'histoire naturelle de la région ; une exposition d'objets et de fossiles explique le mode de vie des Indiens ohlone *(visite de 10 h à 17 h ; fermé lundi et principaux jours fériés ; contribution demandée, 2 $ ;* ♿ 🅿 *www.cruzio.com/~scmuseum* ☎ *831-420-6115).*

**Santa Cruz Mission and State Historic Park** – *Près de Mission Plaza sur School Street. Visite du jeudi au dimanche de 10 h à 16 h. 2 $.* ♿ ☎ *831-425-5849.* Fondée en 1791 sous de bons auspices, cette 12ᵉ mission, baptisée en l'honneur de la Sainte Croix, fut confrontée à de rudes épreuves, venant notamment des colons brutaux du *pueblo* voisin de Branciforte. Après avoir atteint une population de 531 néophytes (la moins importante de toutes les missions), Santa Cruz s'éteignit doucement. Après la sécularisation, ses bâtiments furent détruits par des tremblements de terre, des incendies et des inondations. En 1931, une petite réplique de l'église en adobe fut élevée à environ 60 m du site d'origine. La seule construction subsistant de la mission d'origine est un bâtiment de sept pièces, construit en 1824 pour abriter des Indiens convertis, occupé ensuite par des Californios et des Irlandais. Les Californios le modifièrent en l'englobant dans une construction de style victorien, empêchant ainsi l'effritement des murs en adobe. Ayant aujourd'hui retrouvé son apparence de 1840, il est entretenu par le réseau des parcs d'État. Les expositions des salles racontent l'histoire de ses différents occupants.

**★University of California, Santa Cruz** – *Suivre Bay Street direction Nord-Ouest jusqu'à l'entrée principale du campus. On peut se procurer des plans du campus et du ranch Cowell au kiosque de l'entrée principale.* La particularité de son architecture et son **site★★** spectaculaire ont contribué à la renommée de l'université. Installé au milieu de bois de séquoias dans les collines luxuriantes dominant Santa Cruz, le campus comprend huit collèges universitaires bien distincts répartis autour d'un centre administratif.

C'est en 1965 que l'État a ajouté cette nouvelle antenne à son vaste réseau universitaire, en achetant 800 ha de terres d'élevage à la famille Cowell et en prenant soin d'intégrer au nouveau campus les bâtiments du ranch d'origine. Aujourd'hui, quelque 10 000 étudiants sont inscrits à l'université.

**Visite** – Sur les collines encadrant Coolidge Drive se dressent les quatorze bâtiments du **ranch Cowell**, construit vers 1860 par Henry Cowell, un riche chef d'entreprise et propriétaire terrien du comté. Certains de ces bâtiments, y compris l'ancienne maison d'habitation rustique, la remise des voitures à chevaux et les granges, abritent aujourd'hui divers services universitaires. Les vestiges pittoresques de l'ancien four à chaux sont l'une des particularités du vieux ranch.

La **galerie d'art Mary Porter-Sesnon** *(Porter College ; téléphoner pour les horaires de visite ;* ♿ ☎ *831-459-2314)* et la **galerie Eloise Pickard Smith** *(Cowell College ;* ☎ *831-459-5667)* organisent des expositions temporaires d'art contemporain. L'**arboretum** se consacre à la flore exotique, en particulier d'Afrique du Sud, d'Australie et de Nouvelle-Zélande *(Empire Grade, à 450 m à l'Ouest de l'entrée principale ; visite de 9 h à 17 h ; fermé Thanksgiving Day et 25 décembre ;* 🅿 ☎ *831-427-2998).*

## EXCURSIONS

★ **Año Nuevo State Reserve** – Enfants *35 km au Nord de Santa Cruz sur la Highway 1. Réserve ouverte de 8 h au coucher du soleil.* 🅿 *(5 $)* ☎ *650-879-2025. La zone de vision des éléphants de mer est accessible de 8 h 30 à 15 h 30, librement d'avril à novembre (un permis de promenade, délivré à l'entrée du parc, est cependant exigé), dans le cadre de visites guidées le reste de l'année. Visites guidées : 2 h 30, 4 $, réservations 8 semaines à l'avance au* ☎ *800-444-4445.* Cette réserve côtière de 1 600 ha englobe une île rocheuse proche du littoral *(non ouverte au public)* et un magnifique promontoire sauvage de falaises et de plages qui se dresse sur le Pacifique. Ce cap constitue le seul relief continental rocheux auquel accèdent les **éléphants de mer** entre la Basse-Californie *(au Mexique)* et la Haute Californie. De décembre à mars, ces animaux se regroupent peu à peu. Les femelles donnent chacune naissance à un petit et rejoignent les harems dominés par d'énormes mâles de 2,5 tonnes. De sanglantes bagarres entre mâles pour la domination des harems sont fréquentes. Au printemps et en été, les éléphants de mer viennent de nouveau à Año Nuevo, pour la mue cette fois.

★ **Henry Cowell Redwoods State Park** – *10 km au Nord de Santa Cruz par la route 9. Visite de 6 h au coucher du soleil. 6 $ par véhicule.* ⛺ ♿ ☎ *831-335-4598.* Les pistes serpentent à travers les 700 ha de ce parc boisé, que coupe en deux la rivière San Lorenzo et qui doit sa renommée à ses magnifiques bouquets de séquoias côtiers. La faune et la flore de ce parc y sont d'une grande diversité. Les héritiers d'Henry Cowell ont fait don de ce terrain au parc qui porte son nom. Le tracé de la **Redwood Grove Trail** *(piste du bois de séquoias – 1,3 km ; commence au Sud du parking)* forme une boucle auprès des plus grands arbres du parc, dont certains atteignent 90 m de hauteur.

**Roaring Camp & Big Trees Narrow-Gauge Railroad** – Enfants *Vente de billets à l'Est du parking, 1 h avant le départ des trains. Téléphoner pour les horaires. Visite commentée. 14 $.* ✗ ♿ 🅿 *www.roaringcamprr.com* ☎ *831-335-4400.* Partant d'un ancien camp de bûcherons qui doit son nom (« rugissant ») au comportement agité de ses habitants, ce petit train à vapeur s'enfonce dans les profondeurs d'une forêt de vieux séquoias, serpente le long de nombreux virages en épingle à cheveux, et négocie une série de montagnes russes avant d'arriver près du sommet de Bear Mountain *(trajet de 10 km environ ; 1 h 15).*

# Shasta-Cascade

Camping sauvage au pied du mont Shasta/Mark E. Gibson

L'arc de montagnes au Nord de la Vallée centrale englobe et délimite une région d'une incroyable beauté dont la ville principale est le centre agricole de Redding.

Au Nord et à l'Ouest de la vallée s'étend un système complexe de sous-chaînes de montagnes géologiquement similaires à la Sierra Nevada. Pendant l'ère glaciaire, les monts Klamath, Marble et Salmon, contrairement à la Sierra, furent très peu couverts de glaciers. Ceux-ci réussirent toutefois à sculpter dans les Trinity Alps (3 000 m) des pics et des lacs spectaculaires. Dans les années 1840 et 1850, des gisements d'or furent découverts dans les rivières et ruisseaux coulant au pied de ces montagnes. Cela eut pour effet de provoquer une ruée vers l'or similaire à celle qui déferla à la même époque sur la région de la Sierra appelée depuis Pays de l'or. Connues sous le nom de mines du Nord, les placers des comtés de Trinity, Shasta et Siskyiou s'épuisèrent vers la fin du 19e s., laissant derrière eux une poignée de villes fantômes, telles Whiskeytown et Shasta City. Toutefois quelques centres survécurent à cette époque, comme Weaverville, qui a su garder un charme très 19e s. Le barrage de Trinity retient en amont les eaux de la rivière Klamath, alors qu'un peu plus à l'Est, au-dessus de Redding, le barrage de Shasta forme le plus grand réservoir sur le Sacramento.

La chaîne qui s'élève au Nord-Est de Redding est complètement différente de la Sierra Nevada. Les Cascades font en fait partie d'une chaîne de volcans dont les dômes et crêtes élevés parcourent l'État de Washington et l'Oregon pour culminer, dans le Nord de la Californie, au mont Shasta (4 317 m) et au pic Lassen, deux des plus grands volcans des États-Unis. Pendant l'ère glaciaire, ils furent recouverts de glaciers dont le mont Shasta conserve quelques vestiges. Jusqu'à l'éruption en 1980 du mont St. Helens dans les Cascades de Washington, les impressionnantes séries d'explosions du pic Lassen entre 1914 et 1917 avaient été les seules manifestations volcaniques aux États-Unis (hors Hawaï et l'Alaska). Des bouillonnements de boue et des fume-rolles environnent encore de vapeurs ses pentes maintenant protégées dans le cadre du parc national du volcan Lassen. Bien qu'il soit en sommeil depuis 200 ans, le mont Shasta n'en montre pas moins quelques signes d'activité.

Un haut-plateau de lave volcanique couvre 66 000 km² du coin le plus reculé de Californie. Situé au Nord-Est des Cascades, il résulte en grande partie de leur dyna-misme. La Lave Modoc, désert de lave basaltique, ne représente que le vingtième d'une région volcanique beaucoup plus étendue connue sous le nom de plateau de Colombie, qui s'étend sur l'Oregon, l'État de Washington, l'Idaho, le Nevada et sur quelques parties de l'Utah et du Wyoming. Parfois appelé Terre des Burnt-Out Fires, la Lave Modoc accumule de nouvelles strates de lave depuis 30 millions d'années.

Le cadre de l'une des dernières et plus terribles guerres indiennes de l'histoire amé-ricaine est protégé sous le nom de Monument national des Lits de lave (Lava Beds National Monument). Là, une troupe d'Indiens modoc réfugiée dans la forteresse natu-relle de roches et dans les grottes de lave proches du lac Tule réussit à tenir à distance pendant des mois une armée américaine 20 fois supérieure en nombre.

# LASSEN Volcanic National Park★★

Parc national volcanique du pic LASSEN
Carte Michelin n° 493 B 7

Illustration des forces terrestres à la fois redoutables et bénéfiques, les cratères bos-selés, coulées de lave stériles et sources géothermiques fumantes de ce parc national de 43 000 ha contrastent avec ses lacs paisibles et ses luxuriantes forêts de conifères. Il est dominé par le pic Lassen, un dôme volcanique culminant à 3 187 m, célèbre pour sa série d'éruptions dévastatrices survenues entre 1914 et 1917.

## UN PEU D'HISTOIRE

La subduction du fond de l'océan Pacifique sous la plaque tectonique nord-américaine a engendré la chaîne des Cascades et alimente depuis quelque 3,5 millions d'années l'activité volcanique de la région aujourd'hui couverte par le parc national. Il y a près de 600 000 ans, un volcan (qu'on nomme mont Tehama) surgit dans la partie Sud-Ouest du parc actuel. Il poursuivit son activité pendant 200 000 ans, formant un sommet de 3 500 m de haut et de 18 km de diamètre. L'activité du mont Tehama se calmant progressivement, son sommet fut livré à l'érosion, laissant plusieurs cônes importants sur ses flancs. Le plus important d'entre eux est le pic Lassen, vieux d'en-viron 25 000 ans.

Le 30 mai 1914, le volcan, que tout le monde croyait éteint, commença à cracher de la fumée et des roches. Ce fut la première d'une série de 298 éruptions qui se suc-cédèrent au long des années suivantes. L'explosion la plus destructrice eut lieu en mai 1915 : une coulée de lave et un nuage de vapeur entraînèrent la fonte massive de la neige, formant une gigantesque coulée de boue qui dévala les pentes Est du volcan. Trois jours plus tard, une nuée ardente dévasta tout sur son passage.

En 1916, cette impressionnante zone volcanique fut classée parc national. Jusqu'en 1980, date de l'éruption du mont St. Helens, autre volcan de la chaîne des Cascades situé dans l'État de Washington, la région du Lassen resta la seule des États-Unis hors Hawaï et l'Alaska où se soit manifestée une activité volcanique. Bien qu'aucune érup-tion n'ait été enregistrée depuis plus de 70 ans, le pic Lassen, qui compte parmi les plus grands volcans du monde et renferme toujours une poche de magma en fusion, est considéré en état d'éveil.

## LASSEN PARK ROAD *48 km. Une journée au moins*

*Partir de l'entrée de Manzanita Lake (route 44).*

*Attention : pour leur sécurité, les piétons doivent rester sur les sentiers balisés ou les chemins de planches.*

★**Manzanita Lake** – Ce lac étincelant naquit il y a environ mille ans, lorsqu'un énorme éboulis, dû à l'effondrement d'un dôme volcanique, vint barrer le cours du ruisseau Manzanita. Aujourd'hui, les rives du lac recouvertes de manzanite (sorte d'arbousier) et de garrigue (chaparral) hébergent de nombreuses espèces de petits mammifères et d'oiseaux. Un **sentier** pittoresque *(boucle de 2,7 km)* fait le tour du lac.

Après le lac, la route 89 longe **Chaos Crags** au Sud, une suite de dômes volcaniques vieux de 1 100 ans. Des éboulis ont créé le relief environnant, baptisé **Chaos Jumbles** (« chaos enchevêtré »). Environ 9,5 km plus loin, la route entre dans la **« zone dévastée »**, paysage désolé autrefois peuplé de conifères verdoyants. La forêt fut anéantie par la coulée de boue et la nuée ardente de 1915. Aujourd'hui, trembles et pins reboisent timidement la région.

## RENSEIGNEMENTS PRATIQUES

Indicatif de la région : 530

**Comment s'y rendre** – **Entrée Sud** *(route 89)* : au départ de San Francisco *(380 km)* suivre les I-80 vers l'Est, puis I-505 vers le Nord et I-5 toujours vers le Nord jusqu'à la route 36, direction Ouest jusqu'à la route 89, qu'on suivra vers le Nord ; de Los Angeles *(915 km)*, prendre l'I-5 direction Nord jusqu'à la route 36, direction Est, jusqu'à la route 89 qu'on suivra vers le Nord. **Entrée de Manzanita Lake** *(route 44)* : au départ de San Francisco *(432 km)*, suivre les I-80 vers l'Est, puis I-505 vers le Nord et I-5 direction Nord jusqu'à la route 44 vers l'Est. **Aéroport** le plus proche *(75 km)* : Redding ☎ 224-4321. Terminus des **cars Greyhound** : appeler le ☎ 800-231-2222 ; **gare** Amtrak la plus proche : appeler ☎ 800-872-7245. **Location de voitures** : *voir p. 377.*

**Comment s'y déplacer** – La voiture est le meilleur moyen de visiter le parc. L'entrée Sud qui donne accès aux stations de sports d'hiver est ouverte toute l'année, les autres routes du parc sont fermées de fin octobre à début juin.

**Bureaux d'information** – Se munir d'un *Lassen Park Guide* (gratuit) et de permis de nature (wilderness permits) au **Southwest Information Station** *(ouvert de fin juin à début septembre tous les jours de 9 h à 16 h, le reste de l'année le week-end de 9 h à 16 h)* ; au **Lassen Park Headquarters** *(ouvert du lundi au vendredi de 8 h à 16 h 30 ; fermé principaux jours fériés ; 10 $/voiture, ticket valable 7 jours ; PO Box 100, Mineral CA 96063-0100 www. nps.gov/lavo ☎ 595-4444)* ou au *centre d'accueil du musée Loomis (au lac Manzanita ; ouvert de mi-juin à fin septembre de 9 h à 17 h)*. D'autres informations touristiques peuvent être obtenues auprès de la Chambre de commerce de Chester/Lake Almanor *(Chester/Lake Almanor Chamber of Commerce, PO Box 1198, Chester CA 96020 ☎ 258-2426 ou 800-350-4838)*. Renseignements sur le camping et les loisirs dans la **forêt nationale du Lassen**, contacter Hat Creek Ranger District, PO Box 220, Fall River Mills CA 96028 *(☎ 336-5521)* ou Almanor Ranger District, PO Box 767, Chester CA 96020 *(☎ 258-2141)*.

**Hébergement** – On peut se loger à l'extrémité Sud du parc au rustique **Drakesbad Guest Ranch** *(Warner Valley Road, Chester CA 96020. Ouvert de juin à octobre, réservation nécessaire ☎ 529-9820)*. On peut aussi se loger à Mill Creek, Mineral et Chester. Il est fortement recommandé de réserver à l'avance. Les emplacements de **camping** sont nombreux sur place ; il n'est pas nécessaire de réserver, mais ils fonctionnent sur le principe « premier arrivé-premier servi ». Tarifs allant de 8 $ à 14 $. Camping d'hiver limité. **Camping sauvage** uniquement avec permis, disponible (gratuitement) au Bureau central du parc, aux entrées et aux centres d'accueil.

La route parcourt ensuite les rives boisées du **lac Summit**, puis offre des points de vue sur la zone Est du parc. On peut apercevoir le lac Almanor à quelque 30 km au Sud-Est.

★**Kings Creek Falls Trail** – *Circuit de randonnée de 4,8 km AR. Départ en face du parc de stationnement de Kings Creek. Traverser la route.* Ce charmant sentier traverse forêts et pâturages pour atteindre une série de cascades formées par le Kings dévalant les plates-formes de roche lisse. Au-dessus des chutes, le sentier continue sur 10 km vers le Sud-Est dans la vallée Warner.

★**Lassen Peak** – *Le sentier part du parc de stationnement du Lassen Peak Trail. Circuit de randonnée de 8 km avec un dénivelé de 600 m, nécessitant une bonne condition physique. Attention au mal d'altitude ! Se renseigner sur les conditions météorologiques avant de partir, car les orages sont fréquents dans la région.* Ce volcan, véritable pôle d'attraction du parc, est le sommet le plus méridional de la chaîne des Cascades. Son dôme volcanique grisâtre et désolé, aux pitons déchiquetés en dacite, surplombe, redoutable, la partie centrale du parc. Depuis le sommet, on a une **vue** panoramique des différents reliefs volcaniques caractéristiques du parc.

★★★**Bumpass Hell (L'Enfer de Bumpass)** – *Circuit de randonnée de 5 km ; guide (50 cents) disponible au départ du chemin.* Cette zone d'activité géothermique exceptionnelle et insolite fut découverte au milieu du 19e s. par Kendall Vanhook Bumpass, guide, et l'un des premiers promoteurs du tourisme local. Le sentier serpente le long des vestiges du mont Tehama, usé par l'érosion. On voit au Sud-Ouest le **pic Diamond** (2 428 m) et le **mont Brokeoff** (2 814 m), avant de descendre dans la zone des sources thermales, fumantes et odorantes. Un chemin de planches permet d'approcher de fissures d'où émanent des fumerolles sulfureuses (gaz et vapeurs volcaniques s'échappant du sol) et de sources bouillonnantes ou de marmites de boue en ébullition, alimentées par une poche de magma, roche en fusion située dans les profondeurs terrestres.

L'Enfer de Bumpass

★**Sulphur Works** – Les nuages de vapeur émis par ce terrain géothermique en bord de route sont, semble-t-il, une manifestation de la pression souterraine qui façonna le mont Tehama. L'oxyde de fer donne aux argiles de ce terrain leur couleur rouge, et l'odeur caractéristique est due aux émanations d'hydrogène sulfuré.

## PARTIE SUD *une demi-journée au moins*

*Accès par la ville de Chester (50 km au Sud-Est de l'entrée Sud-Ouest du parc en empruntant les routes 89 et 36).*

★**Warner Valley** – *27 km au Nord de Chester. Suivre la signalisation vers la vallée.* Cette magnifique vallée s'étend sur l'ancien site du mont Dittmar, où apparut il y a environ 2 millions d'années le premier centre d'activité volcanique au sein des frontières actuelles du parc. Après extinction du volcan, les glaciers envahirent la région, sculptant sur leur passage une vallée à l'endroit même où il culminait précédemment. On trouve ici le pittoresque Drakesbad Guest Ranch, un ensemble hôtelier de style Far West, d'abord installé en 1880 pour l'élevage du bétail.

★**Boiling Springs Lake Trail** – *Circuit de 5 km.* Partant du Sud-Ouest vers le Sud-Est de Hot Springs Creek, ce sentier fréquenté grimpe à travers des forêts de sapins, de pins et de cèdres ; il aboutit à un lac drapé de vapeur, qui est probablement le bassin naturel d'eau chaude le plus grand du monde. Des émanations souterraines réchauffent l'eau à environ 52°, entraînant la formation de vapeurs qui flottent à la surface du lac les jours de fraîcheur. Le long de la berge on peut voir des marmites de boue.

★**Juniper Lake** – *119 km au Nord de Chester. Suivre la signalisation. Les onze derniers kilomètres se font sur un chemin de terre.* D'un bleu intense, le lac Juniper remplit une dépression glaciaire. C'est le plus grand et le plus profond du parc. Son nom vient du *juniper tree*, ou genévrier, arbuste qui pousse près de sa rive Est. Un sentier de difficulté moyenne *(2,6 km aller-retour)* proche du parc de stationnement grimpe vers **Inspiration Point**★, d'où l'on a des panoramas sur le pic Lassen, le lac Juniper et le lac Snag.

## EXCURSION

**McArthur-Burney Falls Memorial State Park** – *1 h. 64 km au Nord du lac Manzanita, entrée par la route 89.* Voir description p. 324.

# LAVA BEDS National Monument★★

Au cœur de la Lave Modoc, vaste plateau volcanique au Nord-Est de l'État, s'étend un paysage extraordinaire recouvert de lave noirâtre, ponctué de cratères volcaniques et de cônes de cendres. Cette région, appartenant pour partie au Lava Beds National Monument, porte l'empreinte indélébile de la violence de la nature et de l'homme. Ce paysage sauvage a été formé par des explosions de lave et de roches au cours des deux derniers millénaires. Il fut, en 1873, le théâtre d'une guerre, courte mais sanguinaire, entre des Indiens modoc qui n'acceptaient pas d'avoir été « déplacés » dans une autre région et les troupes de l'armée américaine.

## UN PEU D'HISTOIRE

**Travail des roches en fusion** – Le parc est situé sur le vaste versant Nord du volcan de Medicine Lake, un dôme de faible altitude dont la dernière éruption remonte à près d'un millénaire. Le phénomène le plus frappant du parc est l'existence d'un vaste réseau de plus de 300 **grottes volcaniques** : certaines descendent à 50 m sous le sol, d'autres s'allongent horizontalement sur des centaines de mètres. Ce type de couloir de lave est formé par le refroidissement et la solidification en surface d'une coulée de lave, isolant ainsi le flot intérieur de lave en fusion. La roche liquide continue à couler en laissant sur son passage des vides de forme circulaire. Transportée de cette façon, la lave peut parcourir de grandes distances et on la retrouve souvent loin du site de l'éruption, répartie sur de vastes superficies. C'est ce qui explique le relief relativement plat du volcan de Medicine Lake.

**La guerre des Modocs** – Au milieu du 19ᵉ s., la tension commença à monter entre les Modoc, Klamath et Paiute, occupants traditionnels du plateau, et les colons venus de l'Est. La présence des pionniers perturbait le déplacement du gibier, polluait les rivières poissonneuses et menaçait ainsi le mode de vie de ces peuples de chasseurs-cueilleurs.

Un traité conclu en 1864 entraîna le déplacement des Amérindiens dans une réserve de l'Oregon, sur un ancien territoire klamath. Mais ne supportant pas les tensions politiques entre les factions tribales sur le domaine, plusieurs centaines de Modocs, menés par Kientpoos (baptisé **Captain Jack** par les pionniers), retournèrent sur leurs anciennes terres. Pendant quelques années, Indiens et pionniers coexistèrent, quoique difficilement. Mais le 29 novembre 1872, un petit détachement de l'armée américaine tenta sans succès de forcer Captain Jack à retourner dans la réserve. En représailles, 14 colons furent tués par des Modocs. L'armée expédia rapidement plusieurs régiments, forçant quelques bandes d'Indiens à se retirer dans les champs de lave, où ils trouvèrent refuge dans une série de failles et de crevasses naturelles, connues depuis lors sous le nom de « forteresse de Captain Jack » (Captain Jack's Stronghold). Pendant près de cinq mois, ces 53 guerriers et leurs familles réussirent à tenir tête à un nombre croissant de soldats, dont la supériorité numérique finit par atteindre 20 contre 1.

Le 11 avril 1873, le général Canby fut abattu par Captain Jack pendant des pourparlers visant à résoudre pacifiquement le conflit. Les Modocs trouvèrent à nouveau refuge dans les champs de lave, mais finirent par être délogés et capturés. La guerre prit fin par la reddition de Captain Jack, qui fut ensuite jugé et pendu. Les survivants de sa bande furent exilés dans une réserve de l'Oklahoma.

## CURIOSITÉS *Une demi-journée minimum*

*Parc ouvert tous les jours. 4 $/véhicule. Bureau d'information ouvert de 8 h à 17 h (18 h de juin à septembre). Fermé 1ᵉʳ janvier, Thanksgiving Day et 25 décembre.*
⚠ 🅿 *www.gov.nps/labe* ☎ *530-667-2282.*

La visite commence au **centre d'accueil** où des gardes forestiers et des expositions interactives présentent l'histoire naturelle et humaine des champs de lave. On s'y procure aussi cartes, livres et casques de protection. Les visiteurs peuvent emprunter gratuitement des lampes de poche pour explorer les grottes.

★**Mushpot Cave** – *Entrée près du centre d'accueil.* Cette grotte éclairée et nivelée, où ont été installés des panneaux explicatifs, est une bonne entrée en matière pour découvrir les nombreux tunnels de lave du parc. Elle doit son nom à une formation géologique exceptionnelle (à gauche de l'entrée), créée par un jaillissement de lave provenant d'un autre tunnel situé juste au-dessous de la grotte.

★**Cave Loop Road** – *3 km. Partir du centre d'accueil.* La route *(3 km)* serpente au-dessus d'une zone de lave refroidie provenant du volcan Mammoth Crater, situé à l'extrême limite méridionale du parc. Au-dessous de cette carapace de lave se déploie le réseau de tunnels volcaniques le plus dense du parc. La plupart sont indiqués, et leur accès est facilité par des escaliers et des aires de stationnement. Les visiteurs peuvent pénétrer dans les grottes de leur choix, pour y observer différents types de lave et de formations volcaniques et affronter l'obscurité glaçante de ces mystérieuses cavités souterraines.

Méritent aussi une visite **Valentine Cave,** qui ne fait pas partie de Cave Loop et doit son nom au fait d'avoir été découverte en 1933, le jour de la Saint-Valentin, et **Skull Cave**, suffisamment froide pour abriter dans ses profondeurs une mare de glace.

**Schonchin Butte** – *À 3,5 km du centre d'accueil par la route principale du parc. Sentier (aller-retour 2,4 km, difficulté moyenne à élevée) au départ du parc de stationnement.* Une tour de guet au sommet de ce cône de cendres de 150 m offre un **panorama★★** saisissant du paysage environnant. On aperçoit distinctement Gillem's Bluff, un escarpement de faille abrupt s'étirant vers le Nord, et plusieurs grandes crevasses dues à l'effondrement du plafond des grottes de lave, dessinant des tranchées irrégulières à travers le plateau volcanique.

**Modoc War Battle Sites** – *À 14,5 km du centre d'accueil.* La route principale du parc conduit vers le Nord jusqu'aux terrains où les guerriers modoc luttèrent contre l'armée et les bataillons de pionniers en colère. Une croix, **Canby's Cross**, est plantée à l'endroit où le général Canby et un autre négociateur, le révérend Eleasar Thomas, furent tués par Captain Jack et ses partisans. Depuis la **forteresse de Captain Jack★**, un sentier conduit *(livret explicatif disponible à l'entrée du chemin)* à travers les fossés et les grottes qui permirent au chef modoc, à 52 de ses guerriers et leurs familles de tenir tête à l'armée américaine.

# MOUNT SHASTA★★
### Le mont SHASTA
Carte Michelin n° 493 B 6
Office de tourisme ☎ 530-926-4865

Cette montagne que le poète Joaquin Miller dépeignait « aussi solitaire que Dieu et aussi blanche que la lune en hiver » culmine à 4 317 m. C'est le deuxième volcan de la **chaîne des Cascades** (après le mont Rainier), majestueuse chaîne de massifs volcaniques que se partagent l'État de Washington, l'Oregon et la Californie du Nord. Moins haut que le mont Whitney dans la Sierra Nevada, le mont Shasta repose cependant sur une base de 27 km, ce qui en fait la plus importante masse rocheuse de Californie. Dominant le paysage environnant, le sommet formé par des pics jumeaux couverts de neige et dissimulés derrière un voile de nuages est visible à des kilomètres à la ronde. Sa beauté et sa majesté attirent depuis toujours touristes, alpinistes, skieurs et esprits mystiques.

## UN PEU DE GÉOGRAPHIE

La formation du mont Shasta remonte à environ 400 millénaires, mais il n'a véritablement pris sa forme actuelle qu'il y a environ 10 000 ans. Son sommet est composé de plusieurs amas volcaniques. Des études ont démontré qu'au cours des derniers millénaires une éruption eut cours pratiquement tous les 500 ans et que la dernière remonterait à environ 200 ans. Le mont Shasta est considéré aujourd'hui comme un volcan en activité, bien qu'il soit en sommeil.
Sept glaciers, vestiges de la petite période glaciaire, drapent aujourd'hui le sommet du mont Shasta. On les distingue plus nettement sur le versant Nord. Le plus grand glacier de Californie, le Whitney, s'étire entre le sommet principal et le Shastina, le pic occidental le moins élevé (3 789 m) du massif.
Le mont Shasta a longtemps été chargé d'une signification spirituelle particulière. Les tribus modoc, wintu, klamath et shasta pensaient que la région avait été le premier endroit habité par le chef des Esprits du Ciel sur la terre. De nombreux adeptes du New Age le considèrent comme sacré et y organisent des pèlerinages.
La porosité de ses roches permet au massif de retenir l'eau de pluie ; on trouve dans les villages au pied du mont une multitude de fontaines publiques offrant aux passants une eau de source d'une grande pureté et d'une extrême douceur.

## CURIOSITÉS *Une journée*

**Mount Shasta** – Cette petite localité nichée au pied du versant Sud-Ouest est une porte d'accès au mont Shasta et à son domaine skiable *(16 km à l'Est de Mount Shasta par la route 89 ; www.skipark.com ☎ 530-926-8610).* La ville était à l'origine une étape sur la route reliant les campements des chercheurs d'or d'Yreka et les implantations de pionniers de la vallée de Sacramento. Peu après la Première Guerre mondiale, elle prit le nom de la montagne qui la domine. Hôtels, terrains de camping, restaurants, boutiques d'équipement de ski et autres services sont à la disposition des amateurs d'activités de plein air. Le caractère hétéroclite des magasins reflète la diversité des personnes attirées par la montagne : des magasins d'équipement pour randonneurs et alpinistes aux boutiques New Age proposant, entre autres, de nombreux livres de métaphysique. Non loin de là, à **Big Spring**, jaillit la source la plus septentrionale du fleuve Sacramento *(dans le parc* *municipal sur North Mt Shasta Boulevard).* Le **centre de rangers** du service forestier fédéral propose des informations sur les randonnées, le ski et les autres loisirs de montagne *(204 W. Alma Street ; ouvert d'avril à octobre du lundi au vendredi de 8 h à 16 h 30, le reste de l'année du lundi au samedi de 8 h à 16 h 30 ; ▢ ☎ 530-926-4511).*

**Sisson Museum et Mount Shasta Fish Hatchery** – *1 N. Old Stage Road à l'angle de W. Lake Street. Visite de 13 h (10 h en semaine de juin à septembre) à 16 h. Fermé de janvier à mars, Thanksgiving Day, 25 décembre.* ♿ ▢ ☎ 530-926-5508. Ce petit musée présente des expositions sur les pionniers de la région, l'alpinisme, la géologie et l'artisanat des Indiens d'Amérique. Le musée est contigu aux bassins d'élevage et de reproduction de la plus ancienne pisciculture de truites de Californie. Les visiteurs sont invités à faire le tour des bassins qui contiennent des poissons à différents stades de leur développement.

**Everitt Memorial Highway** – *19 km. Partir de l'extrémité Est d'Alma St. à Mount Shasta.* Sillonnant les versants Sud du mont Shasta, cette route touristique offre des **points de vue** grandioses sur les environs, depuis le lac Siskiyou jusqu'aux sommets plus modestes au Sud de la chaîne. À environ 3 km au Nord de Mount Shasta, la route passe devant **Black Butte**, un dôme volcanique conique de 1 928 m en andésite noire formé au fil des millénaires par une série d'éruptions.

**Bunny Flat Scenic Trail** – *17,5 km au Nord de Mount Shasta. Le sentier part du parc de stationnement de Bunny Flat.* Ce sentier fréquenté traverse les prairies en pente douce et les forêts clairsemées de sapins rouges du mont Shasta, puis débouche sur Horse Camp, un camp de base bien connu des randonneurs en route pour l'ascension du mont. Le **chalet du Sierra Club** *(ouvert au public)*, inauguré en 1923, se blottit au pied du sommet Sud et offre un **panorama★★** exceptionnel. Un chemin empierré, Olberman's Causeway, voie habituelle des alpinistes en route pour le sommet, conduit au-delà de la ligne des arbres derrière le chalet.

## EXCURSIONS

**Dunsmuir** – *1 h. 9,5 km au Sud de Mount Shasta par l'autoroute I-5.* Cette pittoresque localité sur les berges de la Sacramento a été un important embranchement ferroviaire de la fin du 19ᵉ s. au milieu du 20ᵉ s. La ville fut tout d'abord baptisée Pusher, parce que c'était là qu'on accrochait les locomotives supplémentaires (pousseur-*pusher*), pour aider les trains à passer les cols vers le Nord. En 1886, un jeune Canadien, Alexander Dunsmuir, offrit de construire une fontaine publique pour les habitants de la ville à condition qu'elle soit rebaptisée à son nom. La fontaine, d'où jaillit l'eau potable très pure du Shasta, se dresse toujours dans le City Park. À l'extrémité Nord de la ville, sur la Frontage Road, un petit chemin conduit à **Hedge Creek Falls** : cette chute d'eau, qui se jette de 9 m de haut, coupe au travers des vestiges d'une rivière de basalte vomie par le mont Shasta il y a des millénaires. Près de l'entrée du chemin, le belvédère offre un beau point de **vue★** du canyon de la Sacramento River et de la ligne de chemin de fer qui le longe.

★**Castle Crags** – *3 h. 22,5 km au Sud de Mount Shasta à la sortie Castella sur la I-5.* Ces flèches de granit poli surgissent du sol commes des sentinelles inattendues, sur le côté Nord-Ouest de l'Interstate 5. Bien qu'ils aient été créées par la même instabilité tectonique qui a donné naissance à la chaîne des Cascades, ces rochers sont beaucoup plus anciens, leur formation remontant à 170-225 millions d'années. Aujourd'hui, avec leur surface déchiquetée et polie par l'érosion glaciaire et les intempéries, ces flèches rocheuses culminent à plus de 1 800 m. Ces formations font partie du Castle Crags Wilderness, une zone de 4 450 ha protégée par le service forestier de l'État. Pour avoir la meilleure vue d'ensemble, il est conseillé de se rendre au **Castle Crags State Park**, une aire de loisirs qui borde le Sud et l'Est de la zone laissée à l'état sauvage *(ouvert tous les jours, 5 $/voiture.* ⛺ ▢ ☎ *530-235-2684).* Une étroite route goudronnée chemine sur 3 km à travers le parc et monte sur la crête Kettelbelly, puis débouche dans les bois sur **Vista Point** qui offre une **vue★** spectaculaire des flèches rocheuses et de la masse asymétrique du mont Shasta. Le sentier **Indian Creek Trail** *(boucle de 1,5 km ; entrée en face du bureau du parc)* est jalonné de panneaux explicatifs sur la flore, la faune et l'histoire de la région.

# REDDING

77 000 habitants
Carte Michelin n° 493 A 7
Office de tourisme ☎ 530-225-4100

Cette ville très étendue, au pied des collines qui séparent la chaîne des Cascades de la Vallée centrale, est le centre marchand de la région et le chef-lieu du comté de Shasta. Située à la croisée de plusieurs autoroutes, Redding, tout en proposant aux visiteurs toutes sortes de services, est une base idéale pour qui souhaite découvrir le mont Shasta, le parc volcanique du pic Lassen et le site des Lava Beds. Redding possède pour sa part un certain nombre d'attractions intéressantes.

## UN PEU D'HISTOIRE

Les Indiens wintu et yana qui chassaient et pêchaient aux alentours du fleuve Sacramento ont disparu de la région au milieu du 19ᵉ s. Le premier pionnier anglais à s'installer ici se nommait Pierson B. Reading. En 1848, il découvrit de l'or non loin de là, dans la Clear Creek, et fonda la communauté de Reading Springs à 8 km à l'Ouest de la ville actuelle de Redding. La découverte de filons de cuivre donna un souffle à l'activité minière dans la région jusqu'au début du 20ᵉ s.

La ville actuelle fut fondée en 1872 par B.B. Redding, un agent foncier de la compagnie des chemins de fer Central Pacific. Il fit de Redding un centre d'exportation de l'importante production agricole et minière de la région.

L'effondrement du cours du cuivre en 1920 plongea la ville dans une grave crise, mais le barrage de Shasta, construit en 1938, permit à l'économie locale de connaître une embellie. Aujourd'hui, la ville jouit d'une situation géographique enviable, entre les parties Est et Ouest de la forêt de Shasta-Trinity et à proximité des trois sections du **parc de détente Whiskeytown-Shasta-Trinity**, créé en 1965 pour prévenir l'urbanisation des terres vierges entourant les lacs de Whiskeytown, Shasta et Clair-Engle. Les amateurs d'activités de plein air y viennent en nombre pratiquer la randonnée, le camping, la chasse et les sports nautiques.

## CURIOSITÉS *Une journée*

★**Shasta State Historic Park** – *6,5 km à l'Ouest de Redding par la route 299. Parc ouvert toute l'année. www.cal-parks.ca.gov ☎ 530-243-8194.* Pans de murs et volets métalliques baignant dans le silence sont les seuls vestiges de la ville autrefois prospère de Shasta City, appelée jadis « ville reine des mines du Nord ».

Fondée en 1848 comme camp de mineurs sous le nom de Reading Springs, la communauté grandit rapidement avec l'arrivée de chercheurs d'or prospectant les affluents du Sacramento. Vers 1850, le camp était devenu une colonie permanente qui reçut le nom de Shasta City. Plusieurs mois plus tard, la ville fut choisie pour chef-lieu du comté de Shasta. Plusieurs incendies, en 1852 et 1853, la détruisirent presque totalement, mais les locaux commerciaux, précédemment construits en bois, furent rapidement remplacés par des bâtiments en brique et acier.

Le développement du réseau routier dans la région diminua peu à peu l'importance de Shasta City. Mais ce fut la décision de la compagnie des chemins de fer Central Pacific Railroad de construire son terminus à 8 km à l'Est qui signifia son arrêt de mort. Habitants et commerces émigrèrent progressivement à Redding, si bien qu'en 1900 Shasta City était quasiment une ville fantôme.

Sa restauration et sa protection furent engagées dans les années 1920 et, aujourd'hui, les visiteurs peuvent flâner parmi les murs de briques et autres vestiges de la cité. L'ancien **tribunal** a été réaménagé en musée, présentant objets et photographies de la ville disparue. L'Office du tourisme abrite une exposition commentée qui retrace l'histoire de Shasta City et des environs *(ouvert du mercredi au dimanche de 10 h à 17 h ; fermé 1ᵉʳ janvier, Thanksgiving Day et 25 décembre. 2 $. 🅿 ☎ 530-243-8194).*

★**Shasta Dam** – *22,5 km au Nord de Redding par la I-5, sortie Shasta Dam Boulevard.* Achevé en 1945, le **barrage de Shasta**, massive barrière de béton, est la pièce maîtresse du **Projet de la Vallée centrale**, vaste réseau de barrages, canaux et stations de pompage destiné à endiguer les crues et à fournir l'eau d'irrigation aux régions agricoles des vallées du Sacramento et de San Joaquin. Haut de 183 m et long d'environ 1 km, son déversoir central est trois fois plus haut que les chutes du Niagara. Le Sacramento et les rivières McCloud, Pit et Squaw Creek, contenus en amont du barrage, forment le majestueux **lac de Shasta**★, plus grand réservoir de Californie et zone de loisirs la plus appréciée de la région. Lorsqu'il est plein, le lac offre 587 km de rivage pour une surface de 11 900 ha. On y voit beaucoup de péniches de loisirs, qu'il est possible de louer.

La route d'accès offre un **point de vue**★ grandiose du barrage et du lac avec la masse du mont Shasta en arrière-plan. Des expositions historiques proposées par le centre d'accueil *(ouvert de juin à octobre de 8 h à 16 h 30 (17 h de juin à octobre) ; visite guidée gratuite quatre fois par jour du lundi au vendredi et toutes les heures le week-end ; fermé les principaux jours fériés en basse saison ; ♿ 🅿 ☎ 530-275-4463)* retracent l'histoire fascinante de la construction du barrage et du Projet de la Vallée centrale.

★**Lake Shasta Caverns** – Enfants *32 km au Nord de Redding par la I-5, sortie Shasta Caverns Road. Visite guidée uniquement (2 h). Appeler pour les horaires. Fermé Thanksgiving Day et 25 décembre. 15 $.* ◻ *www.shastacascade.org* ☎ *530-238-2341.* La rive Est du bras de la rivière McCloud qui se jette dans le lac de Shasta recèle une série de **grottes** créées par la dissolution de couches souterraines de calcaire poreux. Des visites guidées sont organisées, durant lesquelles les visiteurs peuvent admirer des formations minérales d'une grande variété de couleurs et de formes : pierres façonnées par le ruissellement, drapés, colonnes cannelées. La visite commence par une traversée du lac en bateau, suivie d'un trajet en car jusqu'à l'entrée des grottes.

## EXCURSIONS

**Weaverville** – *2 h. 77 km à l'Ouest de Redding par la route 299. Office de tourisme* ☎ *530-623-6101.* Le vieux Weaverville, installé dans un cadre pittoresque au milieu des monts Weaver Bally, Oregon et Browns, ne semble pas avoir subi le passage d'un siècle d'histoire. Habitants et visiteurs de la ville apprécient son charme encore empreint de l'atmosphère du 19ᵉ s. Les devantures des magasins bordant la pente douce de Main Street et de nombreux bâtiments commerciaux et résidentiels datent de cette époque.

Après la découverte d'or dans les monts Trinity, dans les années 1840-1850, de nombreux camps miniers apparurent. Weaverville est l'un des rares à avoir prospéré et survécu jusqu'à nos jours. Des milliers de mineurs, pour la plupart chinois, s'y installèrent à la fin du 19ᵉ s., et la ville fut choisie comme chef-lieu du comté de Trinity en 1850. Le **Jake Jackson Museum** *(extrémité Sud du quartier historique)* organise des expositions très vivantes retraçant l'histoire et la géologie de Weaverville, ainsi que celle de l'extraction de l'or. On peut aussi y admirer de très belles collections d'armes à feu anciennes, d'œuvres d'art et de bijoux amérindiens, ainsi que des objets fabriqués par les habitants chinois de Weaverville, qui représentaient un tiers de la population vers 1870. Dans le parc du musée est installé un *stamp mill*, broyeur à minerai à deux marteaux, en état de marche *(visite de mai à octobre de 10 h à 17 h, en avril et novembre de 12 h à 16 h, de décembre à mars seulement les mardis et samedis de 12 h à 16 h ; fermé dimanche de Pâques, Thanksgiving Day ; participation demandée : 1 $ ; &* ☎ *530-623-5211).*

★**Joss House State Historic Park** – *À côté du musée Jake Jackson. Visite guidée uniquement (30 mn) de Memorial Day à Labor Day tous les jours de 10 h à 17 h, d'avril à mai et de septembre à novembre du mercredi au dimanche de 10 h à 17 h, de décembre à mars le samedi uniquement de 10 h à 17 h. 2 $.* ☎ *530-623-5284.* À l'époque de la Ruée vers l'or, les mineurs chinois, désireux de maintenir leurs traditions religieuses sur une terre étrangère, construisirent en Californie des « maisons d'encens » consacrées au culte, comme ce temple taoïste (1874) remarquablement conservé. C'est le seul temple chinois authentique de Californie qui soit encore sur son site d'origine (d'autres ont été transportés à Nevada City et à Mendocino). Bien que la population chinoise de Weaverville ait considérablement diminué depuis le début du siècle, le temple eut droit à un gardien jusqu'à ce que la ville le donne à l'État en 1956. Depuis sa construction, l'édifice a servi sans une seule interruption de lieu de culte.

Le temple s'élève en retrait de la rue sur un tertre paisible. Sa façade comporte une porte en bois décorée et des panneaux recouverts de grands idéogrammes peints de couleurs vives. Baldaquins ornementés, objets suspendus à caractère symbolique et représentations de divinités chinoises raivent le sombre intérieur. Le **centre d'accueil** voisin présente une exposition retraçant l'histoire des Chinois de Californie.

**McArthur-Burney Falls Memorial State Park** – Enfants *105 km au Nord-Est de Redding par les routes 229 et 89. Visite du lever au coucher du soleil. 5 $/véhicule.* △ & ◻ ☎ *530-335-2777.* Les **chutes de la Burney**★★ qui se jettent de 39 m de haut sont probablement le site le plus merveilleux de cette région riche en phénomènes naturels. Le président Theodore Roosevelt les qualifia même de « huitième merveille du monde ». Bien que leur hauteur ne soit pas exceptionnelle, les chutes doivent leur particularité à la présence d'un courant souterrain, coulant juste sous le lit de la rivière Burney, elle-même alimentée par des sources. Ces masses d'eau déferlent en cascades le long d'une falaise de basalte dans un bruit de tonnerre. En même temps, le courant souterrain émerge sous les fougères qui recouvrent la falaise, formant une myriade de fines chutes et créant des jeux d'eau étonnants. Chargé de gouttelettes d'eau, l'air au-dessus de la chute filtre la lumière qui brille au travers des feuillages plus hauts, donnant naissance à d'incessants jeux de lumière et de nombreux arcs-en-ciel.

Un sentier de nature *(boucle de 1,5 km)* longe la gorge formée sous les chutes et traverse la rivière Burney. Des panneaux ainsi qu'une brochure explicative présentent les formations géologiques et la flore des environs immédiats.

# Sierra Nevada

Galen Rowell/Mountain Light

S'étendant sur 640 km, de la chaîne des Cascades près du pic Lassen jusqu'au col Tehachapi à l'Est de Bakerfield, la Sierra Nevada est la plus longue chaîne continue de montagnes des États-Unis. Cette ensemble majestueux possède non seulement le plus haut sommet du pays (en dehors de l'Alaska) mais aussi quelques uns des canyons les plus profonds, les plus grands arbres, les cascades les plus hautes et l'escarpement le plus imposant. C'est également à cet endroit que se trouvent certains des plus grand parcs nationaux et les plus vastes étendues de nature vierge.

L'imposante crête de la Sierra s'élevant au Nord à plus de 2 000 m et culminant au Sud au mont Whitney (4 783 m) arrête la plupart des précipitations provenant de l'océan Pacifique, alimentant les rivières coulant vers l'Ouest et faisant une « ombre de pluie » sur des centaines de kilomètres à l'Est. Les voyageurs venant de la Vallée centrale traversent tout d'abord une série de contreforts dont la végétation passe, à mesure que l'altitude s'élève, de la prairie au chaparral, puis aux forêts de chênes auxquelles succèdent d'épaisses forêts de pins et de douglas s'accrochant aux crêtes abruptes coupées de profonds canyons. Ces contreforts, connus sous le nom de Pays de l'or, furent au cœur de la Ruée vers l'or. Plus haut, la chaîne abrite de vastes forêts de conifères, des prairies d'altitude, des pics et des défilés, qui plongent abruptement vers les déserts arides et parsemés d'armoises du Grand Bassin.

Disposées en couches sédimentaires pendant une période d'inondation, les anciennes roches de la Sierra Nevada commencèrent à se soulever et à se métamorphoser il y a environ 130 millions d'années, lorsque les plaques pacifique et nord-américaine s'entrechoquèrent. Les pressions continuelles firent passer en force des roches granitiques et de la lave au travers des anciennes roches métamorphiques, soulevant la crête granitique et modelant d'autres parties par un ensemble de manifestations volcaniques. Les mouvements tectoniques le long des failles Est soulevèrent la crête encore plus haut et l'inclinèrent, alors que le lit des rivières devenait plus escarpé. Pendant l'ère glaciaire, les glaciers descendant ces mêmes canyons sculptèrent certains des plus beaux paysages de la Sierra, façonnant de superbes vallées suspendues, des roches monumentales, des cascades et des lacs.

Les hivers trop rigoureux ne permettant pas d'y résider toute l'année, la haute Sierra servit de zone neutre entre les différentes tribus indiennes paiute et shoshone à l'Est et les Maid, Miwok, Monache et Yokuts à l'Ouest. Les peuples de part et d'autres ne convergeaient vers les hauteurs que pour la chasse, le commerce et pour échapper à la chaleur de l'été. Les explorateurs espagnols virent de loin la chaîne et la nommèrent, mais n'allèrent jamais explorer au-delà de la Vallée centrale. Même si des trappeurs ou des explorateurs américains comme Joseph Walker, Jedediah Smith et John C. Frémont menèrent quelques difficiles expéditions au travers de la Sierra, aucune exploration systématique ne fut menée par les nouveaux colons jusqu'à la découverte d'or en 1848. Cela marqua le début de la migration de milliers de personnes vers les canyons et les contreforts de la Sierra.

Centres urbains, mine, agriculture, nouvelles routes, élevage et industrie du bois s'implantèrent petit à petit au cours du 19e s. L'exploitation inconsidérée des prairies et des rivières encouragea l'État à interdire en 1884 l'extraction hydraulique de l'or et l'exploitation extensive des forêts, et notamment celle des séquoias géants. Cette nouvelle attitude encouragea les mouvements naissants de sauvegarde de la nature, menée entre autres par John Muir et George Stewart, à préserver du développement certaines parties de la chaîne. Leurs efforts aboutirent à la création des forêts et de parcs nationaux non seulement dans la Sierra, mais partout aux États-Unis.

# MAMMOTH Region★
## Région du mont MAMMOTH
Carte Michelin n° 493 B 8 – Schéma au chapitre YOSEMITE National Park p. 349
Office de tourisme ☎ 760-934-8006

À environ 65 km du Tioga Pass, une des entrées du parc Yosemite, et à 511 km de Los Angeles s'élève le mont Mammoth. À son pied s'étend une région où l'on peut s'adonner à tout un éventail de sports et de loisirs et admirer de ravissants lacs de montagne et des formations géologiques uniques. Implantée ici en 1878 comme centre d'une éphémère ruée vers l'or, la ville de **Mammoth Lakes** déclina à la fin du 19e s. Elle connut un nouvel essor en tant que station de sports d'hiver au milieu des années 1950. Aujourd'hui, la bourgade est devenue un centre de services pour les skieurs fréquentant les stations de Mammoth Mountain et de June Mountain, situées à proximité. C'est également une excellente base de départ pour ceux qui souhaitent explorer la région. Une halte s'impose d'abord au **centre d'accueil** du service forestier fédéral (US Forest Service's Mammoth Ranger Station), qui propose visites, programmes éducatifs et informations sur les sites *(route 203, à 4,8 km à l'Ouest de l'US-395 ; ouvert de 8 h à 17 h ; fermé 1er janvier, Thanksgiving Day et 25 décembre. △ ⅏ ▣ www.r5.fs.fed.us/inyo ☎ 760-924-5500)*.

Vers le Sud, à l'ombre du mont Mammoth, s'étire le **bassin des lacs du Mammoth**★ *(5 km à l'Ouest de Mammoth Lakes en empruntant la route du lac Mary)*, cuvette en altitude sculptée par les glaciers et ornée de six lacs de montagne splendides. Cette vallée offre de nombreuses possibilités de randonnées à pied et à skis sur des sentiers serpentant parmi de luxuriantes forêts de conifères.

## CURIOSITÉS *Une journée minimum*

★**Mammoth Mountain** – Attirées par une légère dépression dans la barrière de la Sierra Nevada, les tempêtes de neige arrivant du Nord-Ouest recouvrent tous les ans le mont Mammoth, imposant volcan éteint de 3 369 m, d'un manteau d'environ 8 m d'épaisseur. Dès les années 1940, des pistes de ski apparurent sur ses pentes. Aujourd'hui, la région est l'un des domaines skiables les plus fréquentés de Californie. Les routes d'accès au mont, ouvertes en été aux cyclistes, leur offrent tout un choix de pistes plus ou moins difficiles. Au départ du chalet principal du centre de ski *(6,5 km à l'Ouest de Mammoth Lakes par Minaret Road, ☎ 760-934-2571)*, une télécabine *(appeler pour obtenir les horaires et les tarifs, ⅏ ☎ 760-934-2571 ou 800-626-6684)* permet d'accéder au sommet, où s'ouvre un magnifique **panorama**★★ s'étendant jusqu'au lac Mono.

**Minaret Summit** – *8 km au Nord-Ouest de Mammoth Lakes par la route 203 (Minaret Road)*. Situé sur une saillie de granit (2 825 m) dominant la Sierra Nevada, ce belvédère offre un **panorama**★★ sensationnel sur les pics accidentés de la Ritter Range et la ligne crénelée des Minarets, une mince ligne de crête laissée par deux glaciers qui progressaient parallèlement.

★**Devil's Postpile National Monument** – *22,5 km à l'Ouest de Mammoth Lakes par la route 203. Visite de mi-juin à mi-octobre de 8 h à 18 h. △ ☎ 760-934-2289 ou 760-872-4881. De fin juin à début septembre, les touristes de passage pour la journée doivent emprunter une navette pour visiter le parc (7 h 30 à 17 h 30). Vente des billets et départ au Mammoth Mountain Inn*. Une paroi grisâtre de 18 m de haut, formée de colonnes de basalte à la géométrie presque parfaite, se dresse au-dessus du bras médian de la rivière San Joaquin. Cette pile fut formée il y a 100 000 ans par une poche de lave en fusion jaillissant d'une faille volcanique avoisinante. Lorsque la lave se refroidit et se durcit, les fissures à la surface s'étendirent à l'intérieur de la coulée, créant des colonnes presque toutes pentagonales et hexagonales. Il y a 10 millénaires, l'érosion d'un glacier mit à nu cette paroi de colonnes de basalte soudées.

Compris à l'origine dans les limites du parc Yosemite, le site fait partie d'un territoire de 200 ha détaché du parc en 1905. En 1911, il fut classé monument national afin de préserver les colonnes ainsi que les chutes voisines de Rainbow.

**Visite** – *Une demi-journée.* Le sentier *(650 m)* qui part des bureaux du site mène aux colonnes en passant par **Soda Springs**, une série de sources froides d'eau minérale situées sur un banc de graviers dans la rivière. Au pied des colonnes de basalte part un second sentier qui conduit au sommet, où les jointures apparaissent si nettes et régulières qu'on dirait un carrelage posé dans les règles de l'art. Le sentier principal se poursuit en direction du Sud vers les **chutes de Rainbow** *(3 km)*, où la rivière se jette d'un surplomb volcanique de 30 m de haut. À la mi-journée, le soleil crée des arcs-en-ciel dans l'air saturé de gouttelettes. On peut aussi accéder aux chutes par un sentier plus court partant de Reds Meadow, et, en été, par une navette qui part du Mammoth Moutain Inn.

★**Convict Lake** – *De Mammoth Lakes, emprunter la US-395 en direction du Sud sur 7 km, puis poursuivre sur 3 km vers l'Ouest sur Convict Lake Road.* Cette étendue d'eau d'un bleu enchanteur, étincelant bassin sculpté par les glaciers, reflète un décor saisissant de sommets et falaises. Le lac fut nommé « lac des Prisonniers » en 1871 lorsqu'une petite troupe poursuivit six prisonniers évadés jusque dans un canyon voisin. Le mont Morrison (3 739 m) fournit une impressionnante toile de fond aux rives Sud du lac, destination très appréciée pour la randonnée, le pique-nique et la pêche.

★**Hot Creek Geothermal Area** – *De Mammoth Lakes, suivre l'US-395 en direction du Sud sur 5 km, puis Airport/Hot Creek Fish Hatchery Road vers l'Est sur 5,5 km.* Un pittoresque ruisseau traversant un bassin volcanique formé il y a 760 000 ans est l'une des nombreuses manifestations de l'activité géothermique caractéristique de la région. Sources chaudes et fumerolles jaillissent dans le ruisseau, tandis que des eaux bouillonnantes et des marmites de boue montent des nuages de vapeur. *Il est dangereux de se baigner ici du fait de sables mouvants, de brusques changements de température, et d'autres dangers signalés par des panneaux.* Mammoth Lakes possède une piscine publique alimentée par les sources chaudes naturelles de Whitmore, à 4,8 km plus au Sud par la route 395.

★**June Lake Loop** – *Boucle au départ de l'US-395, à 27 km au Nord de Mammoth Lakes.* À l'ombre du pic Carson (3 325 m), ce circuit en boucle *(24 km)* longe quatre magnifiques lacs de montagne dans un décor spectaculaire de paysages alpins et de désert d'altitude. Des pics abrupts dominent des vallées en forme de fer à cheval, traversées de cours d'eau. Le rivage des lacs est bordé de trembles. Les activités et services de la région se concentrent dans la ville pittoresque de June Lake. Quant au domaine skiable du mont June, il fait le bonheur de tous les adeptes des sports d'hiver.

## EXCURSION

★**Lac Mono** – *53 km au Nord de Mammoth Lakes via l'US-395. Voir chapitre Mono Lake ci-après.*

# MONO Lake★

## Lac MONO

Carte Michelin n° 493 B 8 – Schéma au chapitre YOSEMITE National Park p. 349
Office de tourisme ☎ 760-647-3044

Retenue dans un large bassin au pied du parc Yosemite, cette étendue d'eau bleu pâle au centre de laquelle émergent plusieurs îlots offre un spectacle surnaturel de rivages blancs incrustés de minéraux et d'étranges aiguilles de tuf, que survolent en tournoyant des goélands. La petite ville touristique de Lee Vining est située sur la rive Ouest du lac, que longe l'US-395.

## UN PEU D'HISTOIRE

**Le lac aux mouches** – Le lac Mono, un des plus anciens lacs du continent Nord-américain, fut formé il y a 700 000 ans par la fonte des glaciers dont les eaux vinrent remplir une vaste dépression. Sa surface actuelle, 155 km², ne couvre qu'un cinquième de ce qu'il était. Le lac n'a pas de déversoir, et il s'est évaporé peu à peu depuis la fin de la dernière ère glaciaire, il y a environ 10 millénaires, découvrant ainsi des dépôts minéraux.

Les aiguilles de tuf du lac Mono

Ses eaux laiteuses, trois fois plus salées et quatre-vingts fois plus alcalines que l'eau de mer, laissent une impression visqueuse au toucher. Le phénomène des aiguilles de tuf (concrétions calcaires) qu'on observe sur ses rives s'est formé sous l'eau. En rencontrant les eaux du lac, gorgées de carbonate, le calcaire dissous dans les sources lacustres a formé des stalagmites noueuses progressivement découvertes avec la baisse de niveau des eaux. Surnommé par Mark Twain « la mer morte de Californie », le lac est pourtant loin d'être mort : il accueille des multitudes de petits diptères et des crustacés anostracés, qui servent de nourriture aux oiseaux résidents et migrateurs.

Ses rives commencèrent à être habitées par les Amérindiens 5 500 ans avant notre ère. Les tribus paiutes du Nord attrapaient les « mouches » pour les manger et les échanger avec les tribus yokut, installées de l'autre côté de la Sierra Nevada, et dont le mot *mono*, signifiant mangeurs de mouches, finit par désigner le lac lui-même.

**Sauvegarder le lac** – Au cours de ces dernières décennies, le lac Mono a été au centre d'une vaste bataille juridique. Le cours de quatre des rivières qui s'y jetaient fut modifié pour alimenter l'aqueduc de Los Angeles, ce qui entraîna une baisse du niveau de près de 14 m entre 1941 et 1981. Dans les années 1970, les mouvements de protection de la nature lancèrent une grande campagne pour la préservation du lac, qui incita le Congrès à créer dans la forêt d'Inyo une zone de 47 000 ha, le Mono Basin National Forest Scenic Area, qui fut la première à recevoir cette appellation de zone panoramique. Quant à la réserve d'État des tufs du lac Mono, établie par la loi californienne en 1981, elle couvre presque 7 000 ha autour du lac. En 1991, le tribunal de grande instance du comté d'El Dorado a rendu une ordonnance provisoire stipulant que le niveau du lac devait être maintenu à plus de 1 944 m au dessus du niveau de la mer. En 1994, le service des eaux de Californie négocia un accord visant à maintenir la hauteur de l'eau à 1 948 m. En fonction des précipitations, le lac devrait parvenir à ce niveau en une dizaine d'années.

## VISITE *Une demi-journée*

*24 km à l'Est du parc Yosemite (entrée Tioga Pass) par la route 120.*

★**Visitor Center** – *Sortie Nord de Lee Vining, sur l'US-395. Ouvert de mai à octobre tous les jours de 9 h à 17 h 30, le reste de l'année du jeudi au lundi de 9 h à 16 h 30. 2 $ pour l'entrée des expositions et de la zone Sud des tufs (valable 1 semaine).* ♿ 🅿 ☎ *760-647-3044.* Dominant le lac, ce beau bâtiment récent des services forestiers joue le rôle de musée d'histoire naturelle et humaine de la région. Des expositions et un film *(20 mn)* expliquent dans le détail la formation et la composition du lac, la chaîne alimentaire unique qui s'y manifeste, sa situation écologique actuelle, ainsi que l'histoire des Amérindiens sur ses rives.

★★**South Tufa Area** – *De Lee Vining, prendre l'US-395 en direction du Sud sur 9,5 km, puis la route 120 vers l'Est sur 7 km jusqu'à la route d'accès gravillonnée.* Cette zone du rivage présente des aiguilles de tuf vieux de 200 à 900 ans. Un sentier éducatif *(1,5 km)* à travers la « forêt » de concrétions est jalonné de repères indiquant la baisse de niveau du lac pendant les cinquante dernières années. **Navy Beach**, à l'Est des groupes d'aiguilles calcaires, est l'endroit idéal pour juger de l'effet de la forte concentration en sel du lac.

**Panum Crater** – *Accès en quittant la route 120 à 2,5 km à l'Est de la sortie South Tufa.* Ce cratère circulaire formé il y a 640 ans est le plus septentrional d'une chaîne de 21 cônes volcaniques alignés du Nord vers le Sud à partir du lac Mono. Considérés comme les « montagnes » les plus jeunes d'Amérique du Nord, ces cratères se formèrent il y a 35 000 ans. Un petit sentier mène sur le pourtour du cratère, au centre duquel on peut observer un dôme d'obsidienne formé lors d'une éruption plus récente.

Sur la rive Ouest s'étend Old Marina Site, un port maintenant au-dessus du niveau actuel du lac, mais qui y donne accès *(1,5 km au Nord du centre d'accueil sur l'US 395 ; ouvert tous les jours ; ☐ ☎ 760-647-6331)*. Dans le parc de comté du lac Mono *(à 6,5 km au Nord du centre d'accueil, prendre vers l'Est Cemetery Road et continuer sur 500 m ; ouvert tous les jours ; ☎ 760-647-6331)*, un sentier sinueux conduit vers d'autres aiguilles de tuf en bordure du lac.

## EXCURSION

★★**Bodie State Historic Park** – *Une demi-journée. En sortant de Lee Vining, suivre l'US-395 vers le Nord sur 30 km, puis prendre la route 270 vers l'Est sur 21 km. Les cinq derniers kilomètres ne sont pas asphaltés. En hiver, la route peut être bloquée par la neige. Visite de 8 h à 18 h (16 h d'octobre à mars). Appeler pour connaître l'état de la route. 2 $. ☎ 760-647-6445.* Nichée dans les collines silencieuses du haut désert, cette authentique ville fantôme, qui n'a fait l'objet d'aucune restauration, est une vision de Far West à la fois poignante et pittoresque. Bodie était autrefois un centre minier très prospère. Aujourd'hui, la ville est pratiquement déserte, même si l'on aperçoit encore des lambeaux de rideaux aux fenêtres et des verres poussiéreux sur les tables des saloons.

En 1859, le chercheur d'or Waterman S. Bodey découvrit des dépôts aurifères dans ces collines. Il mourut l'année suivante, mais d'autres aventuriers pris de la même fièvre donnèrent son nom à leur camp. Un filon important y fut découvert en 1874 et, deux années plus tard, la Standard Consolidated Company acheta une mine locale pour développer l'exploitation du minerai. Une vague de chercheurs d'or déferla alors sur Bodie. En 1880, on dénombrait environ 30 mines en exploitation, 10 000 habitants et 2 000 édifices (dont 3 brasseries et des douzaines de saloons). La ville jouissait d'une mauvaise réputation, car les duels au revolver, les vols et autres crimes y étaient monnaie courante, faisant dire aux mauvaises langues qu'à Bodie, « il ne faisait pas bon mettre le nez dehors ». Le déclin de la ville s'amorça dès 1882 et, dix ans plus tard, un incendie détruisit une grande partie de son quartier commerçant. En 1932, un second incendie anéantit 90 % des édifices précédemment épargnés.

La Standard Mine and Mill resta en activité jusqu'à la Seconde Guerre mondiale, époque qui vit l'interdiction temporaire de toute exploitation aurifère. Puis, au début des années 1940, l'école et le bureau de poste furent fermés, et Bodie devint progressivement une ville fantôme. L'État se porta acquéreur du site en 1962, le classa parc historique et le maintient en état de « délabrement contrôlé » : l'entretien vise à arrêter toute nouvelle dégradation, mais aucun édifice n'a été modifié ou restauré.

**Visite** – *2 h.* La visite est libre et des fascicules (1 $) sont disponibles au bureau d'entrée ou au Miner Union Hall. Les rues de Bodie sont encore bordées de quelque 150 bâtiments. La plupart sont de pittoresques constructions de bardeaux, marquées par les intempéries. Par les fenêtres, on discerne leurs intérieurs abandonnés et décrépits. Seule la modeste **Miller House** *(Green Street)*, avec ses meubles ternis par l'usure, est ouverte aux visiteurs. Il est également possible de jeter un coup d'œil à l'intérieur de l'humble **église méthodiste** *(angle Green Street et Fullet Street)*. L'ancienne **salle de l'Union des mineurs** sur Main Street abrite aujourd'hui le musée et le bureau d'information. Dans les vitrines sont exposés des photographies, des ustensiles et autres souvenirs d'époque *(visite de mai à septembre)*.

L'usine de traitement du minerai de la Standard Mine and Mill *(visite guidée uniquement, pendant les week-ends d'été)* domine toujours la ville au Nord-Est.

# OWENS Valley★

## Vallée d'OWENS

Carte Michelin n° 493 B/C 9 – Office de tourisme ☎ 760-873-8405

L'imposante, austère et aride vallée d'Owens se situe au carrefour géologique et climatique entre Sierra Nevada, désert Mohave et Grand Bassin. Encadrée par deux des plus hautes chaînes montagneuses du pays, les pics de granit accidentés de la Sierra Nevada à l'Ouest, les flancs désolés de la chaîne White-Inyo à l'Est, la vallée s'étend des rives Sud du lac asséché d'Owens, lui-même au Sud de Lone Pine, aux confins Nord de Bishop. Les spectaculaires escarpements Est de la Sierra Nevada sont dus en grande partie à des mouvements tectoniques le long d'une faille Nord-Sud passant dans la vallée d'Owens. En quelques secondes pendant le tremblement de terre catastrophique de 1872 – qui rasa la ville de Lone Pine et tua 27 personnes – la crête de la Sierra s'éleva de 4 m et se déplaça horizontalement de 6,5 m. Les géologues estiment que ces tremblements de terre cataclysmiques devraient se reproduire le long de cet escarpement environ tous les cent ans et soulever la Sierra d'environ 8 m par millénaire.

# UN PEU D'HISTOIRE

Le lieutenant Joseph Walker, commandant d'un détachement de reconnaissance dépêché par l'armée américaine en 1833, fut le premier homme blanc à explorer la vallée d'Owens et les flancs Est de la Sierra Nevada. La vallée porte le nom de Richard Owens, qui n'y vint jamais, mais qui fit partie en 1845 de l'expédition de John C. Frémont qui cherchait une route d'accès à la Californie par voie de terre.

Vers 1860, la région connut une vague de prospérité grâce aux mines, à l'agriculture et aux ranches. La mine d'argent Cerro Gordo, dans les montagnes d'Inyo au-dessus du lac Owens, était alors la plus productive de Californie. Elle contribua à enrichir non seulement la vallée, mais aussi Los Angeles où une grande partie de l'argent était expédiée. La mise en service en 1913 de l'aqueduc de Los Angeles, qui détourna l'eau de l'Owens River pour desservir le Sud-Ouest de la métropole, causa des dommages irréversibles à l'écologie et à l'économie de la vallée. Privés d'eau, les ranches de la vallée, qui vivaient grâce à l'irrigation, n'étaient plus rentables, et de vastes domaines furent cédés au gouvernement fédéral. Le lac Owens, qui couvrait 260 km$^2$ vers 1860, s'assécha peu à peu et la population déserta la région. Aujourd'hui, quelques petites localités isolées ponctuent l'US-395, qui traverse la vallée du Nord au Sud et offre des panoramas impressionnants sur l'Est de la majestueuse Sierra Nevada.

## EN REMONTANT LA VALLÉE

*Une journée. 133 km (sans compter les excursions) d'Olancha à Bishop. Sortir d'Olancha par l'US-395 en direction du Nord.*

À la sortie de la petite localité d'**Olancha**, carrefour de plusieurs routes, l'US-395 suit la berge Ouest du lac Owens, aujourd'hui vaste espace stérile, aux abords colorés de rose par les halobactéries qui prospèrent dans l'environnement alcalin. Le **centre d'accueil de la Sierra orientale** *(Eastern Sierra Interagency Visitor Center ; extrémité Nord du lac au croisement de l'US-395 et de la route 136 ; ouvert de 8 h à 16 h 50 ; ☎ 760-876-6222)* donne aux visiteurs des informations sur le versant Est de la sierra. Du centre, on aperçoit au loin le mont Whitney.

**Lone Pine** – *37 km au Nord d'Olancha.* Cette charmante petite localité est le centre touristique de la partie Sud de la vallée. Elle sert de base de départ aux randonneurs et alpinistes désireux d'escalader le mont Whitney. De prime abord, Lone Pine paraît si modeste qu'on n'imagine pas combien de célébrités l'ont fréquentée. En effet, depuis les années 1920, les **Alabama Hills★**, formations fantastiques de grands rochers granitiques s'étirant à l'Ouest de Lone Pine, ont servi de décor à quelque 200 films, notamment *The Lone Ranger* (1938), *Gunga Din* (1939), *La Cible humaine* (1950) et *Nevada Smith* (1966), auxquels ont participé des stars comme Errol Flynn, Gregory Peck, Cary Grant et Gene Autry. **Movie Road** *(parcourir 4 km à l'Ouest de Lone Pine sur Whitney Portal Road, puis tourner à droite)* serpente sur plusieurs kilomètres à travers les rochers teintés en rouge par l'oxyde de fer qui s'adossent à la sierra. Si vous désirez retrouver le cadre de certains films, le centre d'accueil de la Sierra orientale vous fournira gratuitement des cartes touristiques éditées par la Chambre de commerce de Long Pine.

★★**Mont Whitney** – *Excursion : 42 km AR en quittant Lone Pine par la Whitney Portal Road.* Le mont Whitney (4 418 m), point culminant des États-Unis hors Alaska, se dresse parmi d'autres hauts sommets de la Sierra Nevada. Comme l'ensemble de cette chaîne granitique, il a été formé par la combinaison de l'activité volcanique, de mouvements tectoniques et de l'érosion. Il fut identifié pour la première fois en 1864 par des membres de la Commission géologique de l'État de Californie qui exploraient la région. Ils lui donnèrent le nom de Josiah Whitney, premier géologue californien. La première ascension connue du mont fut effectuée en 1873 par trois pêcheurs partis de Lone Pine pour pêcher dans la Kern River. Du fait de sa situation entre plusieurs sommets élevés, il est parfois difficile de distinguer au premier coup d'œil la face austère du mont Whitney. On peut tout de même l'apercevoir de Lone Pine, ainsi qu'en parcourant la **Whitney Portal Road**. Construite par le Génie civil en 1936, cette route escalade le flanc Est de la Sierra Nevada, offrant des **points de vue★** sur la vallée d'Owens en contrebas et sur les sommets de la sierra. La route aboutit au **Whitney Portal★**, un charmant canyon de montagne (2 548 m) à l'ombre de grands conifères, au centre duquel miroite un petit étang riche en truites *(permis de pêche obligatoire, voir p. 390)*. Le ruisseau de Lone Pine s'écoule en cascade sur les pentes au-delà de l'étang ; il est longé par le sentier de détente de Whitney Portal, qui descend vers un campement. Plus sportif, le sentier **Mt. Whitney Trail** *(circuit de 34,5 km ; autorisation obligatoire, voir p. 389)* grimpe âprement vers une zone plus sauvage et traverse le parc Sequoia pour mener finalement au majestueux sommet du mont.

**Horseshoe Meadow Road** – *Excursion : 77 km AR à partir de Lone Pine. Prendre Whitney Portal Rd vers l'Ouest et tourner à gauche après 5 km.* Partant du fond de vallée pour aboutir à un vaste domaine à 3 000 m d'altitude, recouvert de prairies et parcouru de sentiers, cette route offre de saisissantes **vues**★ sur le bassin asséché du lac Owens, les monts Inyo et la vallée d'Owens. Les terre-pleins en bord de route servent de points de décollage pour les amateurs de parapente.

*Reprendre l'itinéraire principal vers le Nord sur la route 395.*

Aux confins Nord de Lone Pine, l'US-395 dépasse le Tule *(prononcez Touli)* Elk Refuge. Les wapitis *(Tule Elks)* regroupés dans cette réserve font partie de la sous-espèce la plus petite. On peut en apercevoir sur toute la portion de route reliant Lone Pine à Bishop.

★**Manzanar** – *13 km au Nord de Lone Pine.* C'est là que, pendant la Seconde Guerre mondiale, fut établi le premier des dix camps d'internement destiné aux Américains d'origine japonaise. Ce carré désolé de 2,5 km² de maquis désertique, portant les traces d'occupation humaine, est un témoignage silencieux de la peur et de l'ethnophobie qui peuvent surgir en période de conflit international. Manzanar fut établi en 1942 après que Franklin D. Roosevelt eut signé le fameux Executive Order 9066, qui autorisa l'évacuation et l'internement de milliers de Nippo-Américains, qui possédaient pour la plupart la nationalité américaine. Le camp compta jusqu'à 10 000 résidents, subissant les vents violents, respirant un air chargé de poussière, supportant les conditions climatiques extrêmes du désert, vivant sous étroite surveillance jusqu'à la fin de la guerre en 1945.

Aujourd'hui, les seuls vestiges des bâtiments du camp sont deux postes d'entrée évoquant des pagodes, un cimetière, les vieilles pierres d'un mur de jardin, et un maillage de rues non goudronnées envahies par la végétation. Le vieil auditorium du camp, longtemps utilisé comme bâtiment utilitaire par le comté, est encore debout. En revanche, la plupart des habitations de Manzanar ont été démontées après la guerre, et revendues aux GI's de retour au pays pour une bouchée de pain. Le domaine a été classé site historique national en 1992. Le National Park Service envisage de procéder à une présentation éducative du site.

**Independence** – *11,2 km au Nord de Manzanar.* Siège administratif du comté d'Inyo depuis 1866, la ville compte un tribunal de style néoclassique (1923) et une pittoresque construction en bardeaux blancs, **Commander's House** *(croisement de Main Street/US-395).* Édifiée en 1872 sur le terrain d'une garnison voisine appelée Camp Independence et déplacée au centre-ville en 1887, c'est aujourd'hui une maison-musée meublée dans le style du 19ᵉ s. *(visite guidée uniquement ; appeler pour les horaires ; ☎ 760-878-0364).*

**Eastern California Museum** – *Center Street, à trois blocs de l'US-395 vers l'Ouest. Visite de 10 h à 16 h. Fermé mardi et principaux jours fériés. Contribution demandée.* ♿ 🅿 ☎ *760-878-0364.* Remarquable pour ses collections de documents et de photographies décrivant la vie à Manzanar, ce musée d'histoire régionale expose également des vanneries, objets et outils en pierre exécutés par les Paiutes de la vallée d'Owens et les Shoshones de la région de la Vallée de la Mort. Sur le domaine se trouve Little Pine Village, un ensemble reconstruit ici pour figurer un camp de pionniers et comprenant des bâtiments de bois datant de 1880 et du matériel agricole et minier.

*Continuer vers le Nord sur l'US-395 jusqu'à Big Pine.*

**Palisade Glacier** – *Excursion : 35 km AR au départ de Big Pine par la Glacier Lodge Road.* La Glacier Lodge Road escalade le flanc Est de la Sierra Nevada pour aboutir sur le site d'un chalet, Glacier Lodge, qui brûla en 1998. De là, on peut apercevoir le plus méridional des glaciers Palisade, ensemble de glaciers le plus imposant de la sierra. Une piste très raide *(34 km AR)* mène au pied des glaciers.

★**Ancient Bristlecone Pine Forest** – *Excursion : 74 km AR au départ de Big Pine. Aller jusqu'à Cedar Flat, 21 km à l'Est de l'US-395 via la route 168, puis prendre sur 16 km la White Mountain Road vers le Nord.* Cette zone botanique protégée de 11 000 ha, fleuron de la forêt d'Inyo, héberge les **pins bristlecone** *(Pinus Longaeva),* l'espèce terrestre ayant la plus grande espérance de vie. Certains de ces petits arbres ont survécu plus de 4 000 ans sur les hauteurs dénudées des White Mountains. Ils ne dépassent généralement pas les 7 m, et poussent très lentement, leur diamètre augmentant d'à peine 2 cm par siècle. Ils doivent leur longévité à cette faculté d'adapter leur croissance aux mauvaises conditions climatiques. Noueux et flétris par les années de vent et de gel, les pins bristlecone sont, comme l'écrivit le naturaliste John Muir, « d'un incroyable pittoresque ». On trouve également des colonies de pins bristlecone en altitude au Nevada, en Utah, en Arizona, au Nouveau-Mexique et au Colorado.

**Visite** – *4 h. Visite de mai à décembre. Horaires variables. 2$/véhicule.* ⛺ ♿ 🅿 *www.r5.fs.fed.us/inyo* ☎ *760-873-2500. Attention : le mal d'altitude peut incommoder en haute montagne.* À la sortie de Cedar Flat, la route grimpe sur 13 km à travers une forêt mixte de pins parasols et de genévriers, avant d'atteindre le terre-plein de **Sierra View Point**. Là s'ouvre un **panorama**★★ qui embrasse à l'Ouest les crêtes neigeuses de la Sierra Nevada. Un court sentier *(150 m)* mène vers un petit tertre sur le bas-côté, duquel on peut admirer d'autres vues.

La route goudronnée s'arrête à **Schulman Grove** (3 078 m) où se trouve un centre d'accueil *(ouvert de juin à octobre ; horaires variables ; ⚠ & 🅿 ☎ 760-873-2500)*. Le **bois** porte le nom du Dr Edmund Schulman, qui identifia l'arbre Mathusalem (Methuselah), le plus vieil arbre du monde (4 600 ans). Deux sentiers de découverte bordés de grands bosquets de pins bristlecone traversent les paisibles collines. L'un, Discovery Trail *(1,5 km)*, suit une boucle au-dessus de la route, l'autre, Methuselah Trail *(7 km)*, serpente sur un terrain montagneux aride jusqu'au **Methuselah Grove**, un bosquet de pins bristlecone âgés de 3 000 à 4 600 ans, où se trouve le fameux arbre Mathusalem *(il n'est pas indiqué)*.

Au-delà de Schulman Grove, une route non asphaltée grimpe sur 17 km dans des prairies d'altitude, offrant de beaux points de vue sur la Sierra, puis débouche sur **Patriarch Grove★**. Cette magnifique colonie de pins bristlecone occupe un plateau alpin à plus de 3 000 m. Le noble Patriarche, dont la circonférence avoisine 11 m, est le plus imposant pin bristlecone du monde. Un sentier *(400 m)* traverse le bosquet.

*Reprendre l'itinéraire principal vers le Nord.*

**Bishop** – La ville la plus importante de la vallée d'Owens se situe à son extrémité Nord. Centre commerçant de la région, la ville fournit tout ce qui est nécessaire aux pêcheurs, randonneurs, adeptes du VTT, alpinistes et à tout autre pratiquant d'activités de plein air. Les origines de la ville remontent à Samuel Bishop, un rancher qui s'installa dans cette partie de la vallée en 1861.

★**Owens Valley Paiute Shoshone Cultural Center** – *2 300 West Line Street. Visite de 10 h à 17 h. Fermé principaux jours fériés. 2 $.* & ☎ 760-873-4478. Décoré de motifs géométriques audacieux, ce musée, situé dans l'une des quatre réserves indiennes de la vallée d'Owens, retrace l'histoire des Paiutes et des Shoshones, tribus qui vécurent de la chasse et de la cueillette dans cette région pendant un millénaire. Leurs outils de pierre, vanneries, ouvrages de perles et autres objets d'artisanat sont en exposition, avec plusieurs habitations traditionnelles reconstituées.

★**Laws Railroad Museum and Historical Site** – Enfants *7,7 km au Nord-Est de Bishop par l'US-6. Visite de 10 h à 16 h. Fermé principaux jours fériés. Contribution demandée.* & 🅿 *http://thesierraweb.com/bishop/laws* ☎ 760-873-5950. Entourant l'ancien dépôt ferroviaire, ce petit village dépeint la vie à Laws dans les années 1900, à l'époque où la localité servait de point d'expédition aux produits miniers et agricoles de la vallée d'Owens. Le chemin de fer à voie étroite de la compagnie Carson & Colorado, surnommé affectueusement « Slim Princess » (la fine princesse), arriva à Laws en 1883, reliant pour la première fois la vallée au monde extérieur. En 1900, la ligne fut vendue à la société Southern Pacific, qui continua d'exploiter le tronçon Sud entre Laws et Keeler, au bord du lac Owens, jusqu'en 1960.

Le site comprend aujourd'hui une vingtaine de bâtiments dont une école, une église, des maisons, des boutiques, des bureaux et autres vieux édifices. La plupart d'entre eux proviennent de différents points de la vallée. Au nombre des bâtiments d'origine figurent la gare et la charmante maison de l'employé en lattes de bois, dont l'ameublement reflète le mode de vie dans les années 1900. Sur un tronçon de la voie d'origine sont garés des wagons de marchandises et la vieille locomotive n° 9, l'une des dernières ayant servi sur la ligne « Slim Princess ».

# SEQUOIA and KINGS CANYON National Parks★★

Parcs nationaux SEQUOIA et de KINGS CANYON

Carte Michelin n° 493 B 9

Ces deux parcs contigus et gérés en commun englobent les majestueux pics granitiques du Sud de la sierra Nevada dont le mont Whitney (4 418 m), le plus haut sommet des États-Unis au Sud de l'Alaska. Ces parcs abritent également les plus beaux massifs de **séquoias géants** *(Sequoiadendron giganteum)* de la planète, la plus grande espèce vivante au monde. Moins aménagés et beaucoup moins fréquentés que le parc Yosemite, les parcs Sequoia et de Kings Canyon possèdent de vastes étendues de terres sauvages accessibles uniquement à pied.

## UN PEU D'HISTOIRE

Peu avant 1890, les entreprises d'exploitation du bois avaient déjà investi l'Ouest de la sierra Nevada et envisageaient d'abattre de grandes forêts de séquoias géants. Reconnaissant l'exceptionnelle beauté de ces arbres et le caractère unique des paysages de la région, le Congrès américain adopta une loi pour les protéger. C'est ainsi qu'en 1890 une parcelle réduite qui comprenait des séquoias géants et les bassins hydrographiques approvisionnant la vallée de San Joaquin reçut le statut de parc national. Une semaine plus tard, d'autres décisions en accrurent la superficie et créèrent les parcs

### « Les grands arbres »

Pour le naturaliste John Muir, les séquoias géants représentaient « les chefs-d'œuvre de la forêt… la plus grande espèce vivante ». Ces géants, qui peuvent vivre jusqu'à 3 200 ans, dépassent en général les 60 m de haut. Bien que les *coast redwoods*, séquoias poussant dans les régions côtières, soient plus grands, et que l'État d'Oaxaca au Mexique possède un cyprès de Montezuma dont la circonférence soit plus importante, les séquoias géants, avec un volume de plus de 550 m³, sont considérés comme les plus grandes espèces vivantes sur terre. Ils poussent naturellement en petits massifs le long des versants Ouest de la sierra Nevada de Californie, à des altitudes variant entre 1 500 et 2 130 m.

Ces arbres géants sont issus de graines minuscules logées dans des cônes de la taille d'un œuf de poule. Alors qu'un arbre adulte produit des millions de cônes par an, il n'y a qu'une graine sur un milliard qui donnera naissance à un autre séquoia. Quoi qu'il en soit, à l'âge adulte (après des siècles de croissance), les séquoias semblent indestructibles. Leur écorce, grâce à sa teneur élevée en tanin, les protège de la décomposition et de l'agression des insectes. De plus, l'écorce peut elle-même atteindre une épaisseur de 45 cm et agir ainsi à la manière d'une combinaison d'amiante en cas d'incendie.

En réalité, les feux de forêt sont utiles aux bouquets de séquoias car, non seulement la chaleur intense permet aux cônes de ces arbres de libérer leurs graines, mais le feu nettoie aussi les sous-bois et laisse derrière lui une terre riche facilitant la germination des graines. Les séquoias géants poussent extrêmement vite et un jeune arbre grandit d'environ 15 m et prend 30 cm de diamètre par an. Leurs racines ne s'enfonçant dans le sol que sur 1 m ou 1,50 m, ils sont très vulnérables aux vents forts qui peuvent les renverser ou aux lourds paquets de neige. Un piétinement ou une circulation automobile excessifs autour de leurs bases peut affaiblir le réseau de racines de ces vénérables monarques.

| Sequoia | Statue de la Liberté | Pin Redwood |
|---------|----------------------|-------------|
| 83 m    | 93 m                 | 113 m       |

nationaux General Grant et Yosemite. Ces trois parcs nationaux furent parmi les premiers des États-Unis, après Yellowstone dans le Wyoming. Le parc Sequoia doubla en 1926 pour englober le mont Whitney et, en 1940, le parc de Kings Canyon fut constitué, incluant le parc General Grant et une importante partie de l'arrière-pays encore sauvage. L'impressionnant Kings Canyon, exclu de cette opération de sauvegarde en raison de son potentiel hydroélectrique, ne fut rattaché au parc qu'en 1965.

## ★★ SEQUOIA NATIONAL PARK *Une journée*

★★★ **Giant Forest** – *48 km de l'entrée Big Stump, 25 km de l'entrée Ash Mountain.* Quatre des plus grands séquoias géants du monde se dressent dans ce bois situé au cœur du parc. Les nombreux sentiers de randonnée qui sillonnent la forêt permettent de découvrir tranquillement les 8 000 séquoias qui poussent ici depuis des centaines d'années. Non loin de là, Lodgepole offre au voyageur toutes sortes de services et d'équipements.

★ **General Sherman Tree** – *2,5 km au Nord du Giant Forest Museum sur la route 198 (General's Highway).* C'est le plus gros séquoia du monde. Ce géant de 83,8 m de hauteur et 31,3 m de circonférence pèse presque 1 400 tonnes ; on estime son âge entre 2 300 et 2 700 ans. Sa branche principale la plus basse se trouve à 40 m au-dessus du sol. En 1879, un éleveur de la région l'a baptisé en hommage au général William Tecumseh Sherman, un héros de l'armée de l'Union durant la guerre de Sécession.

**Congress Trail** – *150 m au Nord du General Sherman Tree sur la route 198 (General's Highway). Brochure (0,50 $) disponible au centre d'accueil et au début de la piste (seulement l'été).* Cette boucle de piste pavée (3 km) serpente à travers une forêt de séquoias à la majesté et aux proportions quasi mythiques. Les groupes de séquoias les plus impressionnants du parc se trouvent à l'extrémité de cette piste. On y voit notamment le **President**, le quatrième arbre du monde par sa taille, **House** et **Senate**, (« Chambre » des Représentants et « Sénat ») deux groupes très denses,

## RENSEIGNEMENTS PRATIQUES

Indicatif de la région : 559

**Pour y accéder** – Accès au Sequoia National Park par l'**entrée Ash Mountain** (route 198) : de **Los Angeles** (355 km), prendre la I-5 vers le Nord, continuer sur la route 99 toujours vers le Nord jusqu'à la route 198 vers l'Est ; depuis **San Francisco** (442 km), prendre la I-80 vers l'Est jusqu'à la I-580 toujours vers l'Est, puis la I-5 vers le Sud jusqu'à la route 198 vers l'Est.
Accès au Kings Canyon National Park par l'**entrée Big Stump** (route 180) : de **Los Angeles** (426 km), prendre la I-5 vers le Nord jusqu'à la route 99 vers l'Est, puis la route 180 vers l'Est ; de **San Francisco** (386 km), prendre vers l'Est la I-80, puis la I-589, la I-205 (direction de Manteca) et la Highway 120 pour emprunter la Highway 99 vers le Sud, puis la Highway 180 vers l'Est. L'entrée Cedar Grove *(fermée de novembre à mi-avril)* se trouve 51 km après l'entrée Big Stump sur la route 180.
Aéroport le plus proche (135 km) : Fresno (FAT) ☎ 498-4095. Stations de **bus** Greyhound (☎ 800-231-2222) et gare des **trains** Amtrak (☎ 800-872-7245) : Fresno, ou Visalia (82 km à l'Ouest). Principales agences de location de voitures : voir p. 377.

**Pour s'y promener** – Aucun service de transports ne dessert les parcs nationaux de Kings Canyon et Sequoia. Pendant les mois d'été cependant, une **navette** parcourt le parc Sequoia pendant la journée avec des arrêts à Wuksaki Village, Lodgepole, Giant Forest Museum, Moro Rock et Crescent Meadow. On trouve de l'essence à Hume Lake, Kings Canyon Lodge et dans les villes avoisinantes.

**Quand y aller** – Les routes du parc peuvent être fermées en cas de mauvais temps. S'informer aux centres d'accueil ou ☎ 565-3341. Au Sud du parc Sequoia, la route menant à Mineral King est fermée de novembre à Memorial Day. La route 180 qui va à Cedar Grove est fermée de novembre à mi-avril.

**Renseignements touristiques** – Adresse postale : Superintendent, Sequoia and Kings Canyon National Parks, 47050 Generals Hwy., Three Rivers CA 93271-9651 www.nps.gov/seki ☎ 565-3341. Entrée 10 $/voiture, valable 7 jours. **Centres d'accueil** : **Foothills** et **Grant Grove** *(ouverts tous les jours toute l'année)* ; **Lodgepole** *(ouvert d'avril à novembre tous les jours, le reste de l'année le week-end seulement)* ; **Cedar Grove** *(ouvert de mai à septembre)* ; **Mineral King** *(ouvert de juin à Labor Day)*.

**Hébergement** – Il est conseillé de réserver. À l'intérieur des parcs, on peut trouver des bungalows rustiques ou de luxe, des motels *(35 à 97 $/jour)*. Pour réserver au Wuksachi Village, écrire ou téléphoner à Delaware North Parks Services (DNPS), PO Box 89, Sequoia National Park, CA 93262 ☎ 565-3301 ou 888-252-5757 ; dans le Kings Canyon, au Kings Canyon Park Services, PO Box 909, Kings Canyon National Park CA 93633. ☎ 335-5500. Des chambres sont disponibles aussi à Three Rivers *(8 km à l'Ouest)*, Fresno et Visalia.
**Camping** : inscription sur place ; seul le terrain de Lodgepole accepte les réservations *(mi-mai à mi-octobre, possible 5 mois à l'avance auprès de Biospherics ☎ 800-436-7275 ou auprès du National Park Service www.nps.gov)*. Camping limité en altitude en hiver. Pour le **camping sauvage** dans l'arrière-pays, il faut être porteur d'un permis *(gratuit, disponible auprès des rangers)*. Il y a également des terrains de camping dans la forêt Sequoia ☎ 784-1500.

et le **Chief Sequoyah**, un séquoia à la silhouette magnifique, baptisé en l'honneur d'un chef Cherokee du 19e s. qui a inventé un alphabet phonétique pour son peuple. On pense que l'appellation botanique désignant le genre *Sequoiadendron* dériverait également du nom de ce chef indien.

**Crescent Meadow Road** – *Au Sud de Giant Forest Museum.* Route touristique, la route de Crescent Meadow mène aux différentes attractions de la partie Sud de la forêt des Géants. L'**Auto Log** *(1,5 km)* est un tronc de séquoia abattu et aplani sur lequel on peut rouler en voiture. Non loin de la zone de stationnement *(500 m)*, on accède à pied au **Moro Rock★**, un impressionnant dôme de granit qui s'élance vers le ciel. De son sommet, auquel on accède par un escalier de 400 marches, on peut contempler à l'Est les pics marquant la ligne de partage des eaux des Rocheuses (Great Western Divide), ainsi que la route Sud du parc qui serpente et le canyon de la rivière Kaweah au Sud. Réalisé en 1931 par le Civilian Conservation Corps (groupe de protection de la nature), cet escalier s'intègre au cadre naturel avec tant d'harmonie qu'il fut classé monument historique national en 1978.
Au Sud du rocher, la route fait une boucle autour du **Triple Tree**, un curieux séquoia à trois troncs, puis continue vers l'Est jusqu'à **Crescent Meadow** *(2,5 km)*, où un sentier facile permet d'admirer la beauté sereine du marais verdoyant et des arbres majestueux qui l'entourent.

**Crystal Cave** – *13 km au Sud de Giant Forest Museum. Prendre la General's Highway sur 3 km jusqu'à l'embranchement, puis tourner pour prendre la route d'accès tortueuse. Visite guidée uniquement (50 mn), de mi-juin à Labor Day, tous les jours de 11 h à 16 h ; de mi-mai à mi-juin et de Labor Day à début octobre, du vendredi au lundi de 11 h à 16 h. 6 $ (vente de billets aux centres d'accueil de Lodgepole ou Foothills). www.sequoiahistory.org ☎ 559-565-3759.* Parmi la centaine de grottes que compte le parc, cette merveille souterraine recèle de curieuses formations marmoréennes, stalactites, stalagmites et parois sculptées par l'eau. Certaines parties de l'immense caverne ont reçu des noms : « Organ Room » (salle des orgues), « Dome Room » (salle du dôme) et « Marble Hall » (salle de marbre).

## ★KINGS CANYON NATIONAL PARK *Une journée*

**Big Stump Basin Trail** – *Accès à 800 m de l'entrée Big Stump. Des brochures détaillées sur le sentier sont disponibles aux centres d'accueil et au départ de la piste (l'été seulement).* Cette piste *(boucle de 1,5 km)* traverse un bassin pittoresque, révélant des souches éparpillées, des séquoias abattus et autres vestiges de l'exploitation du bois à la fin du 19e s. Beaucoup des souches et arbres abattus témoignent de l'irresponsabilité vis-à-vis de la protection de la nature qui était la norme à la fin du siècle dernier. Mark Twain Stump, souche de 7 m de diamètre, est tout ce qui reste d'un séquoia géant abattu en 1891 dans le seul but de permettre au Musée américain d'histoire naturelle de New York d'en présenter une section.

★★**Grant Grove** – *1,5 km à l'Ouest de Grant Grove Village. Brochures disponibles aux centres d'accueil et au départ de la piste (l'été seulement).* Un court chemin *(800 m)* en boucle passe au pied de plusieurs géants remarquables, dont **General Grant Tree**, le troisième séquoia du monde. Culminant à 81,4 m et doté d'une circonférence de 32,6 m, cet arbre fut officiellement baptisé « Arbre de Noël de la nation » en 1926. Puis, trente ans plus tard, il devint un mausolée vivant en hommage aux soldats américains morts à la guerre. Une cabane en rondins, **Gamlin Cabin** *(derrière General Grant Tree)*, bâtie en 1872 par deux pionniers, les frères Gamlin, a été reconstruite en intégrant certains troncs de pin à sucre d'origine taillés à la main.

★**Panorama Point** – *4 km au Nord-Est de Grant Grove Village. Suivre la route jusqu'aux cabanes du village, puis tourner à droite.* Une piste *(boucle de 600 m)* mène à cette terrasse naturelle qui offre, vers l'Est, des **vues** spectaculaires sur les pics austères de la Sierra qui s'élèvent jusqu'à 4 000 m. On aperçoit le pittoresque lac Hume au-dessous du belvédère au Nord. Au départ de Panorama Point, le **Park Ridge Trail** *(7,5 km AR)* s'ouvre sur les montagnes à l'Est mais aussi sur les chaînes qui descendent, à l'Ouest, vers la Vallée centrale.

★★**Kings Canyon** – *Au Nord-Est de Grant Grove Village.* La route 180 serpente sur près de 50 km vers Cedar Grove le long de la paroi du canyon spectaculaire qu'emprunte le bras Sud de la Kings River. C'est un des canyons les plus profonds du continent américain : la profondeur de la gorge entre la crête et le fond varie de 1 200 à 2 400 m. La partie Ouest, étroite et abrupte, est une gorge en forme de V taillée par la rivière, alors que la partie Est a conservé la forme en U creusée autrefois par les glaciers.

Galen Rowell/Mountain Light

Grimpeur en action dans le canyon de la Kings

Cachée dans les falaises au bas du canyon, **Boyden Cavern**, caverne dont on extrait du marbre, est riche en formations diaprées de stalactites, stalagmites et drapés rocheux *(visite guidée uniquement (45 mn) de juin à septembre de 10 h à 17 h, en mai et octobre de 11 h à 16 h. 6,50 $.* ⌨ *www.caverntours.com* ☎ *559-736-2708).*

Après Boyden Cavern, la route 180 longe le bras Sud de la Kings River jusqu'à **Cedar Grove Village**, où sont concentrés plusieurs installations du parc et un petit centre d'accueil nichés au pied de sommets qui le dominent de plus de 1 000 m. Ce petit village tient son nom des cèdres blancs de Californie qui poussent aux alentours. À Road's End *(8 km au-delà de Cedar Grove Village)*, plusieurs sentiers fréquentés mènent dans l'arrière-pays. Un sentier, Mist Falls Trail *(13 km)*, monte doucement le long de la rivière jusqu'aux **chutes Mist★**, où elle plonge sur une paroi de granit lisse.

# Lake TAHOE★★

Le lac TAHOE

Carte Michelin n° 493 B 8

Office de tourisme ☎ 530-544-5050

Sereine étendue d'eau d'un bleu profond, enserrée dans sa vallée par les sommets enneigés de la Sierra Nevada, le lac Tahoe est, si l'on en croit Mark Twain, « la plus belle image que la terre puisse offrir ». À la frontière entre Californie et Nevada, à 1 900 m d'altitude, le lac doit sa renommée mondiale à la beauté du paysage, aux sports d'hiver et d'été qu'on y pratique, à ses casinos scintillants et aux spectacles donnés par des artistes renommés.

## UN PEU D'HISTOIRE

**« Eau sur la hauteur »** – Formé dans un bassin créé par une faille il y a quelque 24 millions d'années, le lac a été creusé et sculpté par les glaciers. Il mesure 35 km de long et 19 km de large, avec une superficie de 500 km², et ses berges s'étendent sur près de 115 km. Après Crater Lake dans l'Oregon, il est le deuxième lac américain par la profondeur (500 m). Filtrées à travers les couches de sédiments granitiques des montagnes environnantes, les eaux du lac Tahoe sont si limpides que le regard y plonge jusqu'à 30 m de profondeur ; elles sont si froides aussi (16° en moyenne l'été) qu'on doit généralement enfiler une combinaison pour s'y baigner.

Les premiers signes de présence humaine sur les rives du lac remontent à huit millénaires. Plus récemment, les Indiens washoe y établissaient leur campement d'été, appelant la région Da ow a ga (qui signifierait « eau sur la hauteur », mais cette interprétation reste controversée), une appellation que les colons transformèrent en « Tahoe ». **John C. Frémont** *(voir index)* conduisit ici le premier groupe d'explorateurs yankees en février 1844. En 1859, au moment de la découverte d'argent dans le Comstock Lode, situé tout près de là dans le Nevada, les arbres qui bordaient les rives du lac furent exploités pour le soutènement des mines et la construction des villes-champignons. Au cours des vingt ans qui suivirent, des centres de villégiature parsemèrent les alentours du lac, et le trafic des bateaux à vapeur sur ses eaux cristallines s'accrut.

**Station de vacances toute l'année** – En 1915, la construction d'une première grande voie d'accès relia Tahoe à des régions plus peuplées. Il acquit peu à peu la réputation de villégiature estivale pour Californiens aisés. En 1931, la légalisation des jeux de l'État du Nevada entraîna la construction de casinos sur les berges Sud du lac. Les Jeux olympiques de 1960, qui eurent lieu à **Squaw Valley**, permirent de faire connaître les excellentes conditions de ski et la qualité hôtelière de la région du lac.

Aujourd'hui, le lac Tahoe est une région de séjour et de loisirs appréciée, tant des Californiens que des touristes. Pendant la saison hivernale, sur ses nombreuses pistes, la neige naturelle ou artificielle offre d'innombrables possibilités aux amateurs de ski et autres sports d'hiver. Les amateurs de soirées animées préféreront les nombreux casinos et les night-clubs de la rive Sud. En été, le nombre d'habitants est souvent multiplié par trois autour du lac, ce qui engendre des problèmes de circulation représentant une terrible menace pour l'environnement. Pour contrer cette tendance, le gouvernement fédéral vient de rassembler Tahoe et les forêts nationales de Humbolt-Toiyable et Eldorado au sein d'une même entité, **Lake Tahoe Basin Management Unit**. Cet organisme coordonne la gestion des terres fédérales autour du lac avec pour objectif premier la sauvegarde de ses ressources.

## CIRCUIT *2 jours – 112 km*

*Partir de Tahoe City, sur la rive Nord-Ouest du lac, à l'intersection des routes 89 et 28.*

**Tahoe City** – *Office de tourisme, 560 North Lake Tahoe Blvd.* Ce petit village à l'extrémité Nord du lac est l'une des plus anciennes implantations du site. C'est une porte d'accès aux nombreuses attractions de la région.

**Watson Cabin** – *800 m à l'Est de l'Office de tourisme. Visite tous les jours de mi-juin à Labor Day de 12 h à 16 h. 2 $.*  530-583-1762. Nichée au milieu des boutiques et restaurants qui bordent le North Lake Tahoe Boulevard (route 28), cette charmante cabane en rondins (1909) est l'une des plus anciennes constructions de Tahoe City. Elle servit de logement à une famille de la région pendant 40 ans. Aujourd'hui, elle abrite un musée retraçant la vie autour du lac Tahoe au début du 20ᵉ s.

**Gatekeeper's Museum** – *Suivre la route 89 vers le Sud jusqu'au parc William B. Layton. Visite de mai à mi-octobre de 11 h à 17 h. 2 $.*  530-583-1762. Ce bâtiment est une reproduction de la cabane de rondins où logeaient, entre 1910 et 1968, les gardiens chargés d'entretenir le barrage du lac Tahoe, simple digue en béton et aujourd'hui encore seul point d'évacuation des eaux du lac. Construit sur le site de la cabane d'origine, détruite par le feu en 1978, le musée présente des objets fabriqués par les Amérindiens et les premiers pionniers, ainsi que des expositions sur l'histoire naturelle de la région. Dans l'annexe se trouve une collection d'environ 800 paniers, poupées et objets d'artisanat amérindiens.

*En sortant de Tahoe City, prendre la route 89 vers le Sud.*

★**Sugar Pine Point State Park** – *Entrée Ouest du parc sur la droite. L'accès à Ehrman Mansion se trouve environ 1 km plus loin, à hauteur de l'entrée Est. Visite tous les jours. 5 $/véhicule.*  www.agency.ressource.ca.gov  530-525-7232. Ce très joli parc couvre une partie du bassin hydrographique du ruisseau General Creek à l'Ouest du lac, ainsi qu'un superbe promontoire en bord de lac, sur lequel se trouvent plusieurs bâtiments historiques.

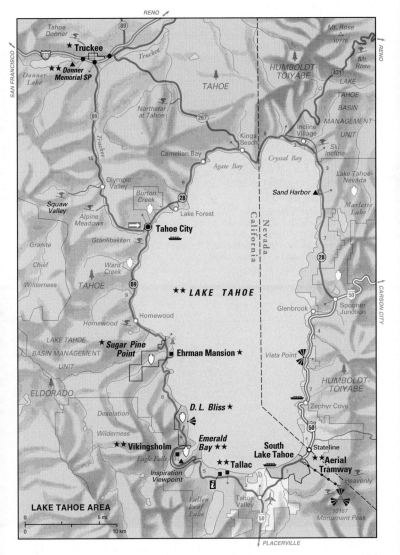

L'un des premiers colons du lac, le « général » William Phipps, originaire du Kentucky, s'installa sur ce promontoire en 1860. Personnage irascible, il vivait de chasse et de pêche sur son domaine de 65 ha. Il y construisit deux chalets, avant de le vendre en 1888.

En 1897, un financier de San Francisco, W. Hellman, commença discrètement à acquérir des terrains sur ces rives et engagea l'architecte Walter Danforth Bliss, de San Francisco, pour bâtir une résidence d'été à l'élégance rustique, Pine Lodge. Sa fille cadette, Florence Hellman Ehrman, hérita du domaine. En 1965, ses héritiers vendirent la propriété à l'État, et la maison fut renommée résidence Mansion.

★**Ehrman Mansion** – *Visite guidée (45 mn) uniquement, de juillet à Labor Day de 11 h à 16 h. 2 $.* 🅿 ☎ *530-525-7232.* En bois brun et pierre taillée provenant de Meeks Bay à proximité, cette demeure imposante (1903) se distingue par sa large véranda et ses dômes jumeaux, donnant sur une verte pelouse en pente douce. Le salon est élégamment orné d'un riche plafond à lambris de chêne et d'une grande cheminée en granit. La salle à manger est joliment tapissée d'herbes et d'écorce de séquoia étroitement nattés. Un escalier circulaire mène au vaste palier du premier étage et aux huit chambres. L'ameublement du manoir reflète les tendances de la décoration au milieu des années 1930.

Entourant la maison, les nombreuses dépendances servaient autrefois pour les domestiques et le matériel d'entretien. Le château d'eau, surmonté de tourelles, sert aujourd'hui de centre de nature. On y présente l'histoire naturelle des environs du lac. La modeste cabane de bois construite par le « général » Phipps en 1872, Phipps Cabin, s'élève sur la berge du lac en contrebas du manoir.

Au Nord du manoir, le chemin botanique **Dolder Trail** *(circuit de 3 km)* serpente à travers la réserve naturelle forestière Z'Berg, pour aboutir au petit phare de bois de Sugar Pine Point.

★**D.L. Bliss State Park** – *Visite de mai à septembre du lever au coucher du soleil. 5 $/véhicule.* ⚠ ☎ *530-525-7277.* Ce parc, qui s'étend le long du rivage Sud-Ouest du lac, est connu pour ses deux beaux sentiers de randonnée. Le long du Balancing Rock Nature Trail *(boucle facile de 800 m)*, des panneaux commentent les relations entre la flore et la faune de la région. On passe près de **Balancing Rock**, un bloc de granit de 130 tonnes en équilibre précaire sur sa base.

Le sentier **Rubicon Trail** *(7,2 km, difficulté moyenne)* s'accroche aux parois qui surplombent le lac. À chaque détour, il offre aux petits comme aux grands marcheurs des **points de vue**★ spectaculaires. En partant de Rubicon Point, le chemin mène à un embranchement *(après 600 m)* conduisant à un petit phare de bois, qui fut en service de 1916 à 1919 *(un second sentier plus haut retourne du phare au parc de stationnement, mais le chemin du bas est recommandé pour ses points de vue).* En poursuivant au Sud du phare, on parvient au sommet d'Emerald Point, puis on entre dans l'Emerald Bay State Park voisin pour aboutir aux Eagle Falls (chutes de l'Aigle).

★★**Emerald Bay State Park** – *Ouvert tous les jours. 5 $/véhicule.* ⚠ ☎ *530-525-7277.* La majesté du panorama alpin, le charme des sentiers de randonnée et un singulier manoir de style scandinave ponctuent la visite de cet agréable parc qui entoure la pittoresque **Emerald Bay**★★, petite baie du lac sculptée par les glaciers, célèbre pour sa couleur émeraude.

La baie d'émeraude

**★★ Vikingsholm** – *Accès par le sentier Vikingsholm Trail (circuit de 3,2 km) qui descend en pente douce depuis le parking. Visite guidée (1 h) uniquement, de juin à septembre de 10 h à 16 h. 2 $. ☎ 530-525-7232.* Au milieu de la forêt de pins et de cèdres majestueux qui recouvre la pointe d'Emerald Bay se dresse un imposant manoir inspiré d'un château scandinave du 9ᵉ s. Trouvant que la baie ressemblait à un fjord, la philanthrope Lora J. Knight engagea l'architecte Lennart Palme, né en Suède, pour y construire une version 1920 d'une demeure viking. Achevé en 1929, Vikingsholm servit de résidence d'été à Mme Knight jusqu'à sa mort en 1945. L'État racheta la propriété en 1953.

En granit taillé provenant de la région, ce manoir de 48 pièces est construit autour d'une cour centrale. On y trouve des éléments d'architecture scandinave comme les têtes de dragon, des poutres finement sculptées à la main, des toits couverts de gazon, et des verrous et luminaires en fer forgé. Il est meublé d'antiquités d'époque et de reproductions de pièces traditionnelles, achetées ou commandées par Mme Knight.

Sur le lac, dans l'île Fannette, on aperçoit juste les ruines d'une maisonnette en pierre construite par Mme Knight. Côté Sud du manoir, un kiosque d'information retrace la construction de Vikingsholm.

*Continuer vers le Sud sur la route 89.*

À même la paroi rocheuse surplombant le lac, la route passe devant les chutes de l'Aigle (Eagle Falls), dont on aperçoit les eaux cascadant en contrebas. Non loin de là, un belvédère, **Inspiration Viewpoint**, offre un **panorama★** saisissant de l'étincelante baie et de Vikingsholm. La route traverse un passage étroit dominant la baie à gauche et le lac Cascade à droite. Le **centre d'accueil du bassin du lac Tahoe** *(ouvert de mi-juin à Labor Day de 8 h à 17 h 30, horaires variables le reste de l'année ; &. ☎ 530-573-2674)* présente des expositions sur l'histoire naturelle et humaine de la région. Un sentier de nature *(&., 800 m)* partant du centre d'accueil mène à une **« stream chamber »**, où les visiteurs pourront observer par une fenêtre située sous son cours les poissons d'un torrent. Cette vue est particulièrement impressionnante en automne lorsque des milliers de saumons rouges remontent du lac Tahoe pour la ponte.

**★★ Tallac Historic Site** – *Site ouvert du lever au coucher du soleil. Bâtiments ouverts de 10 h à 16 h. ▯ www.r5.fs.fed.us/tahoe ☎ 530-541-5227.* Un des plus anciens lieux de villégiature du lac sur la rive Sud, Tallac rappelle « l'âge d'or » que connut Tahoe à la fin du 19ᵉ s. et au début du 20ᵉ s. Plusieurs résidences d'été ont été sauvegardées, ainsi que les ruines d'un ancien hôtel-casino.

Conscient du potentiel d'attraction du lac comme destination de vacances et de tourisme, **« Yank » Clement**, patron d'une compagnie de diligences, ouvrit ici un charmant hôtel rustique en 1873. Son établissement, Tallac Point House, rencontra presque immédiatement un grand succès, mais Clement dut faire face à des difficultés financières et hypothéquer le bâtiment. En 1880, le spéculateur immobilier et minier **E.J. « Lucky » Baldwin**, de San Francisco, racheta l'hypothèque. Sous la direction de Baldwin, des améliorations furent apportées à l'hôtel et au site ; un élégant casino fut construit sur les berges du lac, et la haute société californienne se prit d'un engouement soudain pour Tallac Resort.

Après la mort de Baldwin en 1909, sa fille Anita hérita de la propriété et reprit la direction des établissements jusqu'au début des années 1920. En 1927, elle fit raser tous les bâtiments construits au bord du lac, y compris le casino, et le site retourna à l'état naturel. Pendant cette même période, plusieurs familles aisées avaient fait construire de belles résidences d'été à l'Est du casino. Ces gracieuses demeures existent toujours aujourd'hui et appartiennent, ainsi que le site de Tallac, au service forestier fédéral qui en assure l'entretien.

Un petit sentier longe les berges vers l'Ouest, passe devant les fondations du casino de Tallac et l'ancien site de Point House et de l'hôtel, puis traverse ce qui reste de la promenade pavée qui reliait autrefois les deux bâtiments.

**★ Baldwin-McGonagle House Museum** – Cette maison en bois en forme de U coiffée d'un toit en pente fut construite en 1921 par Dextra Baldwin McGonagle, petite-fille de Lucky Baldwin. Aujourd'hui, la charmante salle à manger à deux étages est meublée dans le style rustique prisé des résidents qui venaient passer l'été au lac Tahoe au début du siècle. Les pièces attenantes présentent une excellente exposition de **photographies★** illustrant la vie et l'histoire des Indiens washoe qui peuplaient autrefois la région. D'autres vitrines racontent l'histoire de la famille Baldwin et des débuts de la villégiature.

Dans le **Washoe Demonstration Garden**, à côté de la maison, on cultive des plantes qui étaient recherchées par ce peuple de chasseurs-cueilleurs. On y voit aussi des modèles de leurs abris traditionnels.

**Pope-Tevis Estate** – Cette imposante demeure fut bâtie en 1899 par la riche famille Tevis. En 1913, la société de la famille, United Property Corp., fit faillite. George S. Pope, armateur et négociant en bois, se porta acquéreur de la propriété. De 1923 à 1965, la famille Pope mena dans cette demeure, que les habitants du lieu appelaient « Vatican Lodge » (Pope voulant dire pape), un train de vie si fastueux qu'il en devint légendaire.

L'extérieur plutôt banal de cette maison à toit arrondi et aux murs de bardeaux dissimule bien l'ancienne extravagance de l'intérieur. Le plafond à caissons et les murs du vestibule sont lambrissés en cèdre de Californie. Le reste de la maison est orné de bois de séquoia. À l'étage se trouvent cinq chambres à coucher et une curieuse passerelle courbe appelée *whistleway* (passage de la brise) relie le corps de logis aux cuisines et aux quartiers des domestiques. La propriété possède un joli jardin avec un étang, ainsi qu'un petit **arboretum** où poussent plusieurs variétés d'arbres, séquoias géants, mélèzes de la côte Est, cèdres rouges de la côte Ouest et épicéas bleus du Colorado.

Une courte marche vers l'Est permet de voir **Valhalla**, un imposant manoir aux murs couverts de bardeaux érigé en 1924 pour servir de résidence d'été au financier de San Francisco Walter Heller. La résidence aux spacieuses vérandas, rachetée par le service forestier fédéral en 1971, n'ouvre plus ses portes qy'à l'occasion de manifestations locales.

---

### Croisières sur le lac Tahoe

Plusieurs compagnies de navigation proposent des excursions en bateau sur les eaux cristallines du lac. Elles durent en général de 1 h 30 à 3 h 30 pour un prix variant de 14 à 34 $.

**Lake Tahoe Cruises** – Bateau à fond transparent, embarquement au Ski Run Marina à South Lake Tahoe. ☎ *530-541-3364.*

**M.S. Dixie Cruises** – Historique bateau à aube, embarquement à Zephyr Cove. ☎ *702-588-3508.*

**North Tahoe Cruises** – Départs du Lighthouse Shopping Center, à Tahoe City. ☎ *530-583-0141.*

---

**South Lake Tahoe** – *La Chambre de commerce et le centre d'accueil sont situés à 4 km à l'Est du croisement de la route 89 et de Lake Tahoe Blvd (route 50). Un centre d'accueil fonctionne en saison sur la route 50, immédiatement à l'Est de la route 89.* La plus grande et l'unique véritable commune du lac possède de nombreux hôtels, restaurants, commerces et distractions. Depuis les embarcadères de la rive Sud, on peut emprunter bateaux à aubes, voiliers ou bateaux à fond transparent pour des excursions sur le lac. La zone de détente d'Eldorado donne directement accès au lac. Frontière entre la Californie et le Nevada, Stateline Avenue sert aussi de ligne de démarcation entre South Lake Tahoe et **Stateline**, au Nevada. Dans cette ville, un groupe de grands immeubles abrite des hôtels-casinos ouverts 24 h sur 24, proposant toute la nuit des tables de jeu, et, le soir, des comédies musicales et des spectacles donnés par des artistes connus.

Sports extrêmes dans la région du lac Tahoe

Joe McBride/Tony Stone Images

★★ **Heavenly Aerial Tramway** – Enfants *Depuis la route 50, prendre Ski Run Blvd. vers le Sud et suivre les panneaux jusqu'à Heavenly Ski Resort. Fonctionne de juin à septembre tous les jours de 10 h à 21 h, de décembre à avril du lundi au vendredi de 9 h à 16 h et les week-ends et jours fériés de 8 h 30 à 16 h. 10,50 $ (12 $ en hiver).* ☒ & *www.skiheavenly.com* ☎ *775-586-7000.* Des cabines de téléphérique *(cinquante places)* font l'ascension *(4 mn 30)* du pic Monument (3 098 m), l'un des domaines skiables les plus fréquentés de la région. Le terminus du téléphérique est un chalet de montagne bien équipé, dont les vastes terrasses et baies vitrées offrent un **panorama**★★ exceptionnel sur le lac et les montagnes environnantes. Un sentier, le **Tahoe Vista Trail**★ *(3,5 km, difficulté moyenne)* part du chalet et franchit un des contreforts du pic, offrant aussi de beaux points de vue sur le lac.

*Poursuivre vers l'Est, puis vers le Nord sur l'US-50.*

Après Stateline, la route borde les rives orientales plus sauvages du lac Tahoe. Depuis Vista Point *(11 km)*, on a de belles **vues**★ sur la rive Ouest du lac. À Spooner Junction *(6,5 km)*, la route de berge pénètre au Nevada où elle prend le n° 28 et traverse une partie du parc géré par cet état. Outre de belles aires de pique-nique, on trouve à **Sand Harbor** *(11 km)* des croupes de granit arrondies et une plage de sable dans une anse magnifique abritée du vent, où l'eau, peu profonde, est souvent meilleure qu'ailleurs en bord de lac.

La route 28 traverse les petites villes résidentielles d'Incline Village et de Crystal Bay, avant de retourner en Californie. Elle serpente ensuite le long de la rive Nord, en passant par l'agglomération touristique de Kings Beach, pour retrouver Tahoe City.

## EXCURSIONS

★★ **Donner Memorial State Park** – *Prendre sur 21 km la route 89 jusqu'à Donner Pass Road ou sortir de la I-80 à 3,5 km de Trukee. Visite (1 h) de 9 h à 16 h (17 h de mai à septembre). 2 $.* ⛺ 🏕 *(5 $)* ☎ *530-582-7892.* Rappelant l'un des épisodes les plus dramatiques de l'histoire des pionniers américains du Far West, ce parc est situé à l'endroit même où les membres de l'expédition Donner passèrent le terrible hiver de 1846-1847.

**Un raccourci vers l'Ouest** – À partir de 1840, un torrent de familles de pionniers s'était engagé dans la grande migration vers l'Ouest. Parmi elles se trouvait un groupe de trois familles prospères de l'Illinois, celles de George et Jacob Donner, et celle de James Reed. Après avoir rallié Independence, dans le Missouri, le groupe prit la direction de l'Ouest en empruntant l'Oregon Trail dans le cadre de l'expédition Russell, qui comptait 300 membres. Au cours du voyage, ils entendirent parler du raccourci de Hastings. Cette voie nouvelle encore inexplorée devait quitter l'Oregon Trail juste au Sud de la ligne de partage des eaux des montagnes Rocheuses, traverser les monts Wasatch, et passer au Sud du Grand Lac salé pour rejoindre la California Trail à la rivière Humboldt. Ce « raccourci » était censé faire gagner environ 560 km. George Donner décida de s'y risquer, suivi entre autres par la famille Reed.

State historical Society of Wisconsin

Pionniers de la grande migration vers l'Ouest

Ainsi, à la fin de juillet, un groupe de 87 personnes quitta l'itinéraire habituel des chariots. Après avoir fait halte au comptoir commercial de Fort Bridger, ces pionniers s'engagèrent sur la nouvelle route qui, d'après leurs estimations, devait leur permettre de rallier la Californie et de traverser la Sierra Nevada bien avant les premières neiges. Le raccourci se révéla malheureusement plus traître qu'ils ne l'avaient imaginé : après avoir passé un mois à se frayer un chemin à travers les monts Wasatch, ils durent affronter le Grand désert salé, sous une chaleur accablante et sur 130 km, le double de ce qu'ils avaient estimé. Lorsqu'ils parvinrent au pied de la sierra à la fin du mois d'octobre, après avoir rejoint la piste de Californie et traversé le Nevada, l'expédition avait perdu l'essentiel du bétail et des provisions, son enthousiasme et trois semaines d'une importance cruciale.

Après s'être reposé pendant une semaine, le groupe entreprit son périple à travers la sierra, mais il était déjà trop tard. La première neige vint les surprendre à l'Est du défilé. Le groupe se dispersa alors autour du lac Truckee (aujourd'hui lac

Donner) en construisant des abris de fortune. Plus le cruel hiver renforçait son emprise et plus la famine sévissait. Affolés par la faim, les survivants furent contraints de manger leurs compagnons morts pour survivre. Il fallut attendre la mi-février pour qu'une première expédition de secours puisse accéder à ce « camp de la famine » bloqué par les neiges. Malgré l'intervention de différents groupes de secours, seuls 47 pionniers sur les 87 du départ survécurent à l'épreuve.

**Pioneer Monument** – Inauguré en 1918, cet impressionnant monument en bronze immortalise le courage des premières familles de pionniers face aux épreuves. Cette sculpture de John McQuarrie représente les silhouettes d'un homme, d'une femme et de deux enfants se dressant sur un piédestal de 6,70 m, hauteur correspondant à l'épaisseur de la couche de neige tombée durant ce funeste hiver de 1846-1847. Elle a été élevée à l'endroit où la famille Breen avait construit sa cabane pour passer l'hiver.

★★**Emigrant Trail Museum** – *Visite de Memorial Day à Labor Day de 9 h à 17 h. Fermé Thanksgiving Day. 2 $.* ♿ ☏ *530-582-7892.* Des illustrations et un film *(25 mn)* racontent l'histoire de l'expédition Donner. Dans la partie exposition du musée, dioramas et divers objets permettent de découvrir l'histoire naturelle et humaine de la région, de l'époque des premiers Indiens d'Amérique à la grande migration vers l'Ouest et la construction de la ligne de chemin de fer transcontinentale.

Un court sentier de nature *(800 m)* longe le ruisseau Donner et passe devant le gros rocher de granit auquel s'adossait la cabane de la famille Murphy. Ce rocher porte maintenant une plaque sur laquelle figurent les noms des rescapés et des victimes de l'expédition Donner.

★**Truckee** – *Une demi-journée. 24 km au Nord de Tahoe City par la route 89.* Cette petite ville porte le nom d'un chef paiute du 19ᵉ s. et cultive son atmosphère du vieux Far West. Autrefois petite halte du premier train transcontinental, elle est aujourd'hui une étape importante sur la I-80. Sa rue principale, **Commercial Row**, est bordée de pittoresques maisons en brique de la période 1870-1880, abritant aujourd'hui boutiques et restaurants. Un **centre d'accueil** *(☏ 530-587-2757)* est installé dans la gare de la Southern Pacific (1896) qui accueille toujours des passagers (autocar et train).

**Old Truckee Jail** – *À l'angle de Spring Street et Jibboom Street. Visite de Memorial Day à Labor Day le week-end de 11 h à 16 h.* ☏ *530-582-0893.* La **prison** fut construite en 1875, car, avec sa population turbulente et son quartier de maisons closes, la ville avait besoin d'un lieu pour enfermer ses sujets les plus remuants. D'abord construite de plain-pied, elle a subi des modifications au début du 20ᵉ s. : on doubla de plaques d'acier les murs des pièces du bas et on ajouta un étage pour y détenir les femmes et les jeunes délinquants. La prison fonctionna jusqu'en 1964. L'étage est utilisé à présent pour des expositions sur l'histoire locale.

# YOSEMITE National Park★★★
## Parc national YOSEMITE
### Carte Michelin n° 493 B 8

Formant l'un des plus somptueux parcs nationaux d'Amérique, cette réserve de 3 000 km² située dans la Sierra Nevada abrite des lacs de montagne, des prairies alpines, d'impressionnants pics de granit, des cascades et des forêts de séquoias géants. L'exceptionnelle beauté naturelle de la vallée Yosemite et de son environnement montagneux attire chaque année des millions de visiteurs, qui viennent marcher, camper, skier ou simplement s'imprégner de la splendeur de ses paysages.

## UN PEU D'HISTOIRE

**L'histoire humaine** – Il se pourrait que l'homme soit présent depuis 6 000 ans dans cette région qui, à une époque plus récente, était la patrie d'Amérindiens de langue miwok. Ils se nommaient eux-mêmes Ahwahneechee, le « peuple de l'endroit de la bouche béante », probable allusion à la forme de la vallée Yosemite. La première présence européenne connue fut celle, en 1833, du trappeur Joseph Walker. C'est un conflit culturel qui contribua à faire connaître cette vallée. En 1851, 200 volontaires du **bataillon Mariposa** se mirent en chemin pour arrêter Tenaya, un chef Ahwahneechee accusé d'avoir conduit le pillage des comptoirs de commerce voisins. Ils découvrirent la vallée et la nommèrent Yo-sem-i-ty, déformant le mot miwok voulant dire « ours grizzly ».

En 1853, les Ahwahneechee furent déplacés dans une réserve située hors de la vallée. C'est au cours de la décennie suivante que la beauté de la vallée commença à être connue, grâce, entre autres, aux œuvres de peintres comme Albert Bierstadt ou à des journalistes tels que Horace Greeley et James Hutchings, éditeur du Hutchings' California Magazine et propriétaire d'un des premiers hôtels de Yosemite.

Craignant que promoteurs et ranchers ne viennent massacrer les splendeurs vierges de Yosemite, un groupe de citoyens, parmi lesquels le célèbre architecte paysager Frederick Law Olmsted, incitèrent le Congrès à voter une loi protégeant le site. Le

Yosemite Park Act (appelé ensuite Yosemite Grant) promulgué en 1864 confiait à l'État de Californie une zone de 16 000 ha dans la vallée, ainsi que la forêt de Mariposa. Pendant des décennies, le gouvernement de Californie fut tiraillé entre l'option de protéger le site de Yosemite et celle d'exploiter le potentiel de la région en y développant le tourisme, l'élevage et l'agriculture.

**Une voix dans les terres vierges** – En 1868, un jeune vagabond du nom de **John Muir** (1838-1914) s'aventura dans la vallée. Né en Écosse, Muir avait grandi dans une ferme du Wisconsin, puis, à l'âge de 29 ans, s'était lancé dans une expédition botanique, parcourant plus de 1 500 km à pied du Kentucky jusqu'en Floride.

Un an plus tard, il s'installait bûcheron à Yosemite après s'être construit une petite cabane près des chutes. Il y passa les cinq années suivantes, s'abreuvant de la beauté de la nature et se forgeant une fascinante réputation d'excentricité. Vers 1870, il commença à publier des articles sur Yosemite dans de grands magazines de la côte Est.

National Park Service

John Muir en 1907

En 1875, Muir quitta Yosemite sans pour autant interrompre son histoire d'amour avec la nature. De plus en plus inquiet par la mise en valeur anarchique de l'Ouest, et spécialement du site de Yosemite, il rédigea une série d'articles pour le très influent magazine *Century*, proposant que Yosemite soit classé parc national. Cette prise de position fut l'amorce d'une longue carrière dans la défense de l'environnement, dont il finit par devenir le porte-parole à l'échelon national. C'est à Muir qu'on doit la création en 1892 du **Sierra Club**, la plus grande organisation des États-Unis consacrée à la sauvegarde et au soutien de la vie sauvage et de la nature.

En 1890, le Congrès vota le Yosemite National Park Bill visant à préserver le caractère des régions entourant la vallée Yosemite et la forêt de Mariposa. Mais ce n'est qu'en 1905, cédant enfin à la pression exercée entre autres par Muir, que la Californie se décida à rétrocéder la vallée et la forêt au gouvernement fédéral pour qu'il en fasse un parc national.

**Le témoignage des rochers** – Le granit caractéristique du paysage de Yosemite a commencé par être un magma souterrain, dont la transformation, amorcée il y a 200 millions d'années, s'est achevée 50 millions d'années avant notre ère. Du fait de la collision des plaques continentales, ces masses granitiques furent poussées vers le haut, déplaçant les roches métamorphiques qui recouvraient l'ensemble. Des tremblements de terre le long de l'escarpement Est de la Sierra Nevada contribuèrent à le soulever de façon impressionnante. Ainsi, la chaîne s'éleva plus graduellement sur l'Ouest et forma sur le côté Est une crête abrupte plongeant sur les terres sèches du Grand Bassin.

Le lit des cours d'eau devint plus escarpé et ces derniers, en se taillant un chemin à travers le granit, creusèrent des canyons. À la période glaciaire, les glaciers suivirent le cours des rivières, creusant de larges vallées en U et ciselant d'étonnantes formations rocheuses. À la fin de cette période, il y a environ 10 000 ans, des lacs occupèrent les cuvettes laissées par les glaciers, puis ils furent progressivement comblés par des sédiments et laissèrent la place aux prairies qui parsèment aujourd'hui la vallée Yosemite.

**La faune et la flore** – Avec des altitudes variant de 600 à 3 900 m, Yosemite présente une grande diversité biologique. Dans les régions peu élevées, la végétation est constituée de pins jaunes, de cèdres blancs de Californie, de pins de Jeffrey, de chênes noirs de Californie, de saules, d'aulnes et de peupliers de Virginie. Pin lodgepole, pin à écorce blanche et sapin rouge poussent dans les régions plus élevées. Sapin blanc et tremble s'adaptent à diverses altitudes. Le parc Yosemite est presque entièrement tapissé de fleurs sauvages, dont la floraison commence au printemps dans les régions basses et continue en altitude au fur et à mesure qu'avance la saison.

La population animale de Yosemite est constituée de pumas, d'ours noirs, de blaireaux, belettes et peromyscus, petits rongeurs d'Amérique. Les visiteurs peuvent parfois rencontrer des cerfs-mulets, des écureuils de Californie et des coyotes dans les régions fréquentées par l'homme. Les oiseaux les plus répandus sont les geais de Stellar, les merles de Brewer, les juncos et les rouges-gorges. Le parc abrite aussi des nids de **faucons pèlerins**, espèce en voie de disparition.

**Le pays des merveilles d'Amérique** – Aujourd'hui, le parc Yosemite s'étend sur quelque 3 000 km², dont 94 % ont été classés terres vierges. La plupart des services sont concentrés dans la vallée Yosemite, relativement petite, où l'afflux annuel de visiteurs dépasse parfois 3 millions de personnes. Face à cette situation, la direction du parc a pris des mesures pour protéger les zones surfréquentées et étudie actuellement les meilleurs moyens de sauvegarder l'environnement tout en continuant à accueillir les visiteurs. En 1984, Yosemite a été inscrit au Patrimoine mondial de l'humanité par l'UNESCO.

### ★★★YOSEMITE VALLEY *Une journée minimum*

Cette « incomparable vallée » décrite par John Muir compose le principal attrait du parc. Dépression de 11 km de long sur 800 m de large à 1 200 m d'altitude, elle est bordée de pics de granit tourmentés qui la dominent de 600 à 900 m, sillonnée de chutes d'eau qui cascadent abondamment au printemps et au début de l'été. Traversée aujourd'hui par la rivière Merced, tapissée de prairies et de bois, elle présente la forme en U caractéristique d'une ancienne vallée glaciaire.

### Visite

*On pénètre dans la vallée à l'intersection de la route 120 (venant de l'entrée Big Oak Flat) et de la route 140 (venant de l'entrée Arch Rock). 1,3 km après cette jonction, la route se divise en deux voies à sens unique séparées par la rivière Merced. Remarque : les sites ci-dessous sont répertoriés dans l'ordre de l'itinéraire des navettes. Les numéros de panneaux correspondent aux panneaux placés sur les sites (décrits dans une guide de visite disponible à l'entrée du parc).*

**Curry Village** – *Panneau V22.* Niché juste en dessous de Glacier Point, cet ensemble de boutiques, de restaurants et de logements est le centre touristique de l'extrémité Est de la vallée. Un camp établi en 1899 par David et Jennie Curry, qui proposaient le logement sous la tente à prix modique, est à l'origine du village.

★★★**Half Dome** – Formation géologique unique, ce demi-dôme rocheux de 1 463 m domine l'extrémité Nord-Est de la vallée. D'après les scientifiques, l'action du gel à l'intérieur d'une grande fissure verticale aurait fait éclater ce qui fut jadis un dôme compact de granit, ne laissant debout que la moitié de la formation d'origine. On trouve ce genre de dôme montagneux, relativement rare, à travers toute la région de Yosemite. Leur composante rocheuse, en écailles concentriques semblables à des pelures d'oignon, « pèle » progressivement.

**Yosemite Village** – Cœur administratif et culturel du parc, ce village propose des musées, des boutiques, des magasins d'alimentation, ainsi que le principal centre d'information touristique de la vallée. Au **centre d'accueil**, des expositions et des projections de diapositives racontent l'histoire géologique et naturelle de la région. Le **théâtre** *(à l'arrière du centre d'accueil)*, qui propose des pièces de théâtre, comédies musicales et films, est réputé pour le one man show de Lee Stetson mettant en scène John Muir *(presque chaque soir en été)*.

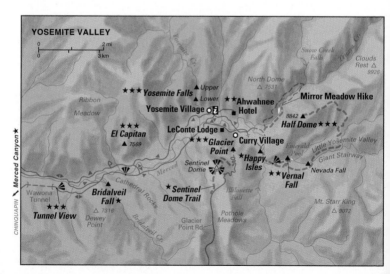

YOSEMITE VALLEY

**Yosemite Museum** – *Visite de 9 h à 16 h 30.* ♿ ☎ *209-372-0200.* Ce musée présente des objets d'artisanat miwok et organise des expositions temporaires consacrées généralement à la vallée. La présentation **People of the Ahwahnee** *(derrière le musée)* illustre le style de vie des Amérindiens en 1872, quelque 20 ans après leur premier contact avec les Européens. Le village miwok reconstitué reproduit les habitations en écorce des Ahwahneechees.

**Ansel Adams Gallery** – *Visite de juin à août de 8 h 30 à 18 h 30, en avril et mai de 9 h à 18 h, de septembre à mars de 9 h à 17 h. Fermé 25 décembre.* ♿ *www.adamsgallery.com* ☎ *209-372-4413.* Cette galerie consacrée à l'artisanat et à la photographie fut fondée par Harry Best en 1906 sous l'appellation Best's Studio. Elle porte aujourd'hui le nom du gendre de Best, **Ansel Adams** (1900-1984), qui fut l'un des plus célèbres photographes paysagers d'Amérique. Les photos des régions sauvages de la vallée Yosemite prises par Adams sont aujourd'hui de grands classiques. Des reproductions faites à partir de ses plaques originales sont en vente dans la galerie.

★★**Ahwahnee Hotel** – *1,3 km à l'Est du centre de Yosemite Village.* Cet imposant hôtel en bois et granit (1927) est l'établissement le plus vaste et le plus élégant de la région. Considéré par Ansel Adams comme « l'un des hôtels de villégiature originaux du monde », il a gardé le style rustique typique des établissements de parcs nationaux du début du 20e s. À l'intérieur, tapis et motifs amérindiens font

## RENSEIGNEMENTS PRATIQUES

Indicatif de la région : 209

### Comment s'y rendre

**En voiture** – Le parc a quatre entrées principales : **Big Oak Flat** (route 120) ; **Arch Rock** (route 140) ; **South** (route 41) et **Tioga Pass** (route 120). Chacune possède un poste de gardes forestiers et un centre d'information. L'hiver, il est recommandé d'emprunter la route 140.
Depuis **San Francisco** (310 km), prendre la I-580 en direction de l'Est jusqu'à la I-205 vers l'Est, puis la Route 120 vers l'Est, qui mène à l'entrée Big Oak Flat. Depuis **Los Angeles** (503 km), prendre la I-5 vers le Nord jusqu'à la I-99 vers le Nord ; à **Fresno**, prendre la route 41 vers le Nord jusqu'à South Entrance. En venant d'autres endroits par **Merced**, prendre la route 140 vers l'Est jusqu'à Arch Rock Entrance.

**Par avion** – Aéroport le plus proche : **Fresno Air Terminal** (FAT) à 152 km. Des services de bus relient Fresno à Yosemite.

**Par bus et par train** – Les autocars de la Yosemite Gray Line *(☎ 384-1315 ou 800-369-7275)* desservent Fresno *(350 km)* en été et Merced *(130 km)* toute l'année. La gare Amtrak la plus proche se trouve à Merced *(☎ 800-872-7245)* ; le prix du billet comprend le transfert en bus.

### Pour y circuler

Les routes de la vallée Yosemite peuvent être extrêmement encombrées en été, et les sites de la partie Est de la vallée sont inaccessibles en véhicule individuel. Il est conseillé aux visiteurs d'utiliser l'un des nombreux parcs de stationnement à la journée de Curry Village ou de Yosemite Lodge et d'emprunter les navettes gratuites qui mènent aux sites intéressants *(départs toutes les 10 à 20 mn)*. On trouve des parcs de stationnement à durée limitée à Yosemite Village, Lower Yosemite Falls et près des aires de pique-nique de Merced River. Le stationnement temporaire est toléré sur les terre-pleins panoramiques près de l'entrée Sud-Ouest de la vallée. La vitesse est limitée à 70 km/h. La conduite hors route est interdite. Des chaînes peuvent être nécessaires pour circuler en hiver sur certaines routes du parc.

### Informations générales

**Quand s'y rendre ?** – Pendant la majeure partie de l'été, le parc est bondé et il est difficile de trouver un logement. L'automne est superbe mais parfois un peu frais, et il y a beaucoup moins de monde. L'hiver est une période agréable pour s'y rendre, car il y a peu de visiteurs. Mais plusieurs routes sont fermées à la circulation : Tioga Pass Road., Glacier Point Road. et Mariposa Grove Road. Au printemps, le climat est doux, les cascades sont superbes.

**Information aux visiteurs** – Le parc possède quatre centres d'accueil : **Yosemite Valley Visitor Center**, à Yosemite Village, arrêts 6 et 9 de la navette *(ouvert de 8 h 30 à 17 h ; ☎ 372-0265)* ; **Tuolumne Meadows Visitor Center**, au Sud de Tioga Road *(ouvert du début de l'été à septembre ; ☎ 372-0263)* ;

**Big Oak Flat Information Station** *(☎ 379-1899)* et **Wawona Information Station** *(☎ 375-9501)* sont ouverts très peu de temps. Pour obtenir des renseignements on peut écrire ou téléphoner au **National Park Service**, PO Box 577, Yosemite National Park CA 95389 *(☎ 372-0265 ; renseignements pour handicapés, voir p. 375)*. Le *Yosemite Guide*, publication trimestrielle gratuite disponible dans tout le parc, contient des informations sur les activités du parc.

**Horaires & tarifs** – Le parc est ouvert tous les jours. Le forfait d'entrée de 20 $ par voiture est valable 7 jours. Il s'achète aux postes des rangers ou au Valley Visitor Center. Des réservations pour le stationnement à la journée pourront être exigées. Pour tout renseignement, www.nps.gov/yose ☎ 372-0200.

**Hébergement** – Il est fortement recommandé de réserver les chambres d'hôtel et les emplacements dans les terrains de camping. Pour l'Ahwahnee Hotel et les High Sierras Camps, il faut même s'y prendre un an à l'avance.
L'hôtel Ahwahnee propose des chambres et des cottages *(250-290 $)*. L'hôtel Wawona *(94-120 $)* et Yosemite Lodge *(91-112 $)* offrent des chambres confortables parfois relativement simples. On trouve des camps de tentes, des cabanes et des motels à Curry Village *(40-92 $)*, au Tuolumne Meadows Lodge *(44 $)* et au White Wolf Lodge *(44 $)*. **High Sierra Camps** *(de juillet à début septembre, réservation par tirage au sort, inscription tous les ans du 15 octobre au 30 novembre ; ☎ 559-253-5674)* propose des formules d'hébergement en cabanes-dortoirs avec randonnées guidées de 4 à 7 jours *(petit déjeuner et dîner compris)*. On trouve également à se loger dans les villes voisines de Oakhurst, Fish Camp, Lee Vining et Bass Lake. *Tous les tarifs mentionnés représentent les prix moyens pour une chambre double.* On peut réserver dans les **terrains de camping** jusqu'à cinq mois à l'avance en appelant **Biospheric** *(www.reservations.nps.gov ☎ 800-436-7275)* ou par correspondance à N.P.R.S., PO Box 1600, Cumberland MD, 21502. Il est possible de camper aux entrées de Wawona et Big Oak Flat et à Yosemite Valley *(emplacements limités, réservation nécessaire)*. On trouve également des terrains de camping équipés *(avec abris et lits de camp, ouverts du printemps à l'automne ; 43 $ ; s'adresser à Yosemite Reservations)*. Pour tout renseignement complémentaire : Campground Office *(adresse du National Park Service ci-dessus, ☎ 372-0200 ou 372-0265)*. Permis obligatoires pour le camping sauvage *(24 semaines à 2 jours à l'avance)*. Les demandes sont traitées de mars à mai. Écrire à Wilderness Permits, P.O. Box 545, Yosemite CA 95389, ☎ 372-0740. Les randonneurs peuvent aller au **Wilderness Center** *(ouvert de 8 h à 17 h)* dans Yosemite Village pour obtenir des permis, des cartes et des informations.

**Services** – Magasins et restaurants à Yosemite Valley, Tuolumne Meadows et Wawona ; stations-service à Crane Flat, Wawona et El Portal.

## Numéros utiles

| | |
|---|---|
| **Objets trouvés** | ☎ 379-1001 |
| **Service de dépannage voitures** (réparation et remorquage) | ☎ 372-0200 |
| **Météo et état des routes** | ☎ 372-8320 |
| **État des pistes de ski** (Badger Pass) | ☎ 372-1000 |

## Loisirs

**Été** – Plus de 1 280 km de sentiers permettent de faire d'excellentes **randonnées** et **excursions**. La Yosemite Mountaineer School & Guide Service (école des guides) propose des randonnées pédestres *(de fin juin à début septembre)* et des stages de varappe *(mi-avril à mi-octobre)* ☎ 372-8344. Des randonnées à cheval partent des écuries de Wawona, Yosemite Valley et Tuolumne Meadows ☎ 372-8348 ou 372 1240. **Location de bicyclettes** à Yosemite Lodge et Curry Village. La **pêche** est autorisée dans les cours d'eau du parc ; permis de pêche californien obligatoire *(disponible à Yosemite Village et au magasin de Wawona)*. On peut louer des rafts pour faire du **rafting** sur la Merced River à Curry Village *(de juin à mi-juillet, en fonction de l'eau, gilets de sauvetage fournis, ☎ 372-8341)*.

**Hiver** – Il est possible de faire du **ski alpin**, du **ski de fond** et du **surf** ; cours et location de matériel proposés au Badger Pass. Tous les matins, deux départs de navettes gratuites pour les pistes de ski ont lieu à Curry Village, à l'Ahwahnee Hotel et à Yosemite Lodge. La **patinoire** en plein air de Curry Village est ouverte de novembre à mars en fonction du climat. ☎ 372-8341.

**Visites Organisées** – Visites commentées en **tramways** ou **bus** du parc *(de 2 à 8 h)*. Billets et départs à Yosemite Lodge, Curry Village, Ahwahnee Hotel et Yosemite Village. Réservation recommandée une semaine à l'avance *(☎ 372-1240)*.

subtilement écho à la géométrie du décor Art déco. De très hautes fenêtres et des lustres en fer forgé rehaussent les majestueuses proportions de l'immense **salle à manger** (40 m de long sur 10 m de hauteur).

★★★**Yosemite Falls** – *Début de la piste à 800 m à l'Ouest du centre de Yosemite Village.* Cette piste goudronnée *(800 m aller-retour)* permet une approche spectaculaire des cascades de Yosemite Creek qui tombent d'une hauteur de 739 m en trois chutes successives. Dès le début de la piste, on aperçoit en même temps la **chute inférieure** (97 m) et le nuage de gouttelettes de la **chute supérieure** (436 m), tandis que le saut intermédiaire (206 m) reste à peine visible. Par les nuits de pleine lune à la fin du printemps, on voit parfois sur les chutes le phénomène que John Muir appelait « arcs-en-lune ».

Un sentier raide qui monte du côté Ouest des chutes permet d'accéder à un point de vue au-dessus de la chute supérieure *(11 km aller-retour ; entrée du sentier accessible depuis l'arrêt Yosemite Lodge de la navette)*.

**LeConte Memorial Lodge** – *Panneau V21.* Le dessin vertical de ce bâtiment de granit de style « néo-Tudor » fait écho aux parois abruptes de la vallée. À l'intérieur, un plafond vertigineux et une immense cheminée dominent la pièce. Ce pavillon, construit en 1903 pour le Sierra Club comme salle de lecture et centre d'information au public, poursuit sa mission aujourd'hui. Baptisé en l'honneur de Joseph LeConte, professeur de géologie renommé, ce pavillon fut transféré de Curry Village en 1919.

★**Happy Isles** – *Panneau V24.* Ici la rivière Merced, en cascadant dans la vallée, encercle deux petites îles auxquelles on accède à pied par un pont. Un centre de nature, situé près de la rivière, présente des dioramas grandeur nature de scènes forestières avec des animaux naturalisés. Derrière le centre, un chemin éducatif en planches traverse un agréable marais.

**Vernal Fall Trail** – *5 km AR. Début de la piste au pont des Happy Isles.* Cette piste goudronnée remonte le long du canyon abrupt et pittoresque de la rivière Merced, avant de croiser un pont *(1 km)* d'où l'on peut admirer les 96 m de la **chute Vernal**★★. Cette grande cascade spectaculaire fait partie du « Giant Stairway » (l'escalier géant), piste rocheuse vertigineuse qui relie Little Yosemite Valley, en haut du canyon de la Merced, au fond de la vallée Yosemite en contrebas. De l'autre côté de la rivière, la piste, souvent glissante, longe la rive pour aboutir aux 500 marches de granit taillées par l'homme, qui mènent jusqu'à l'amorce des chutes, avec en amont le très joli Emerald Pool (Bassin d'émeraude).

En continuant l'ascension au-delà de l'éprouvant escalier, on accède à la **chute Nevada**, haute de 180 m *(11 km AR depuis les Happy Isles)*. De là, pour les bons randonneurs, le chemin se poursuit par une piste, équipée d'échelles à flan de roche pour les derniers mètres, qui grimpe à pic jusqu'au sommet du Half Dome *(voir ci-dessus ; 27 km AR depuis les Happy Isles)*.

**Excursion à la Mirror Meadow** – *3 km AR. Début de la piste au panneau V26.* Une piste goudronnée longe la rive Ouest du ruisseau Tenaya, jusqu'à une petite **prairie** qui remplace le fameux lac Mirror. Autrefois maintenu artificiellement par dragage et par un petit réservoir près de son déversoir, le lac se transforma en une prairie marécageuses lorsqu'on cessa de le draguer dans les années 1960. Parfois, au printemps, d'importantes fontes de neige réssuscitent un temps la splendeur passée du lac « Miroir ». Le Half Dome domine la prairie à l'Est.

★★★**Excursion à Glacier Point** *4 h. 96 km AR*

Cette promenade touristique mène à Glacier Point, une falaise vertigineuse qui s'élève au-dessus de Curry Village. Ce nid d'aigle offre les vues panoramiques les plus réputées de la vallée Yosemite jusqu'aux sommets qui l'enserrent du côté Nord. Du fond de la vallée, on accède au sommet (dénivelé de 975 m) par une piste difficile de 7 km *(début de la piste au panneau V18)*.

*À partir de Yosemite Village, suivre les panneaux indicateurs jusqu'à la route 41 vers l'Est, également appelée Wawona ou Fresno Road.*

★★★**El Capitan** – *Panneau V18.* Au Nord de la route, la grande prairie qui se déroule au pied de cette falaise en offre une vue superbe. Monument de la vallée, le « Chef » est le plus grand monolithe non fracturé du monde : il mesure 1 095 m de la base au sommet. Formé de granit extrêmement dur résistant aux intempéries, sa surface jaune et lisse attire les curieux et les grimpeurs que l'on peut souvent apercevoir haut sur ses parois.

★**Bridalveil Fall** – *Panneau W1.* Une courte allée goudronnée mène au pied des **chutes du « Voile de mariée »**, fine cascade écumeuse que forme le ruisseau Bridalveil lorsqu'il plonge d'une petite vallée située 188 m plus haut.

★★★**Tunnel View** – *Panneau W2.* À la sortie Nord du tunnel de Wawona s'étend l'une des vues les plus connues de la vallée Yosemite. Au Nord-Ouest domine El Capitan,

La vallée Yosemite vue du tunnel de Wawona

tandis qu'au Sud se succèdent les Cathedral Rocks et leurs mamelons rocheux, la chute Bridalveil et les Sentinel Rocks avec, en toile de fond, les silhouettes caractéristiques du Half Dome et du Clouds Rest. C'est ce panorama que découvrit le bataillon Mariposa lorsqu'il pénétra dans la vallée dans son expédition historique de 1851.

Au-delà du tunnel, la route 41 épouse les courbes des versants boisés qui dominent l'Est du canyon de la Merced.

*À l'embranchement Chinquapin (panneau W5), tourner vers l'Est sur Glacier Point Road (peut être fermée de novembre à mai) et continuer sur 3 km jusqu'au terreplein (panneau G1).*

La **vue** domine ici le **canyon de la Merced**★ et révèle de façon très nette les influences du climat sur ces montagnes. Le Nord du canyon est en effet desséché, alors que la partie Sud, plus humide, est formée de collines verdoyantes partiellement boisées.

★**Sentinel Dome Trail** – *3,5 km aller-retour. Début de la piste à 160 m du panneau G8.* Une piste plate pour l'essentiel traverse des prairies d'altitude pour rejoindre une route de défense contre l'incendie, goudronnée, au pied de la masse granitique du **Sentinel Dome**. *Suivre cette route, qui contourne le dôme par la droite, et monter sur son versant Nord en pente douce.*

Le sommet du dôme offre un **panorama**★★★ embrassant non seulement la vallée depuis El Capitan jusqu'au Half Dome, mais encore plus haut, Little Yosemite Valley, Clouds Rest et les sommets qui s'éloignent vers Tuolumne Meadows au Nord. À l'Est s'élèvent les pics de la chaîne montagneuse Clark Range.

★★★**Glacier Point** – *Panneau G11.* ✗. Ce pic rocheux qui se dresse à 915 m au-dessus du fond de la vallée offre l'un des points de vue les plus spectaculaires des États-Unis. De là on aperçoit, au Nord-Est les chutes Vernal et Nevada et Little Yosemite Valley avec, en arrière plan la silhouette du Half Dome, alors qu'au Nord-Ouest les chutes Yosemite se précipitent du haut de leur falaise. Du début du siècle jusqu'en 1968, Glacier Point fut le théâtre d'une tradition nocturne appelée Firefall (chute de feu). On mettait le feu à un sapin rouge, que l'on précipitait du haut de la falaise en une scintillante cascade pour divertir les spectateurs rassemblés dans Curry Village en contrebas.

★**SOUTH YOSEMITE** *Une demi-journée minimum*

**Environs de Wawona** – Depuis le milieu du 19ᵉ s., ce lieu a vu défiler de nombreux voyageurs attirés par la forêt de Mariposa. Le fermier **Galen Clark**, qui s'établit ici en 1856, fut l'un des premiers hommes blancs à « découvrir » ces séquoias géants et à lutter pour qu'ils soient sauvegardés dans le cadre du Yosemite Grant voté en 1864. Clark bâtit également la première auberge de Wawona, qu'il finit par vendre aux trois **frères Washburn** venus du Vermont. Plus tard, Clark devint le gardien officiel du parc Yosemite, tandis que les Washburn s'attachaient à développer le tourisme dans la région de Wawona.

Cette partie de la vallée Yosemite ne fut intégrée au parc qu'en 1932. On voit d'ailleurs encore quelques bungalows privés le long de la Merced.

★**Pioneer Yosemite History Center** – *Panneau W10. Depuis le parking à l'écart de la route 41 voisin du domaine de l'hôtel Wawona, marcher jusqu'à la vieille grange grise. Visite de mai à novembre de 9 h à 17 h, le reste de l'année horaires variables.*

🅿 ☎ *209-372-0200*. La plupart de ces anciens bâtiments historiques qui illustrent le mode de vie dans la région à la fin du 19ᵉ s. proviennent de différents endroits du parc et furent transportés ici dans les années 1950 et 1960. Bâtie par les frères Washburn vers 1880, la grange grise qui servait de relais aux diligences sur la route de Wawona a été transformée en écurie. Le long bâtiment à gauche de la grange abrite d'anciennes voitures d'attelage.

Le pont couvert, construit en 1875 par les frères Washburn, est resté jusqu'en 1931 le passage principal sur la rivière Merced. Sur la rive Ouest, le groupe de bâtiments du 19ᵉ s. rassemble trois bungalows privés, une échoppe de forgeron, un poste de cavalerie, un chalet de gardes forestiers et un bureau de la Wells Fargo. *Des brochures explicatives (25 cents) sont disponibles au kiosque au pied du pont couvert.*

★ **Wawona Hotel** – Construit par les frères Washburn vers 1870, ce complexe de bâtiments en bardeaux de style victorien reflète le style des édifices de Nouvelle-Angleterre dont les frères étaient originaires. L'étage en bois blanc de l'hôtel est précédé d'une confortable véranda. À l'arrière et côté Est se tiennent de petits cottages en bardeaux ornés de décorations tarabiscotées. À l'Ouest se trouve le **Thomas Hill Studio**, une petite maison victorienne du 19ᵉ s. où travaillait le célèbre peintre paysagiste. *Ouvert périodiquement dans le cadre d'expositions d'art. Consulter le Yosemite Guide pour les horaires.*

★★ **Mariposa Grove of Big Trees** – *3,5 km à l'Est de l'entrée Sud. Les véhicules ne sont pas autorisés. Parking au panneau S2. Visite guidée en tramway de mi-avril à mi-novembre, toutes les 20 mn de 9 h à 16 h. Durée : 1 h. 8,50 $. Réservations nécessaires.* ☎ *209-372-1240.* Couvrant plus de 100 ha, la **forêt de Mariposa** rassemble environ quatre cents séquoias géants adultes, ce qui en fait, de loin, la plus grande des trois forêts de séquoias de la vallée Yosemite. Le circuit commenté en tramway, qui fait étape devant les principales curiosités de la forêt, est une agréable façon de la découvrir. On peut aussi l'explorer à pied en empruntant un sentier qui se divise et serpente à travers les massifs supérieur et inférieur de la forêt.

**Fallen Monarch** – Le « monarque déchu » est tombé voici plusieurs centaines d'années, mais son cœur de bois dur exceptionnellement résistant ne s'est toujours pas décomposé. C'est grâce à leur résistance aux champignons, au feu et aux insectes que les séquoias déracinés peuvent rester intacts au sol pendant 2 000 ans et plus.

**Bachelor and Three Graces** – « Le célibataire et les trois Grâces » sont quatre séquoias serrés les uns contre les autres : ces arbres pourtant énormes (chacune des trois grâces, par exemple, mesure plus de 60 m de haut), ont en effet pour habitude de pousser en bouquets très denses.

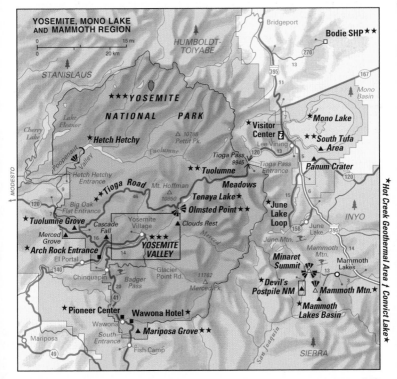

**Grizzly Giant** – Incliné à 17°, ce vieil arbre de 2 700 ans, mesurant 63,7 m de haut et 29,3 m de circonférence, est l'un des plus gros et des plus anciens du parc. D'après les scientifiques, l'énorme branche qui pousse vers le milieu du tronc, serait avec son diamètre de 2 m plus grosse que tous les arbres poussant à l'Est du Mississippi. Le California Tunnel Tree (45 m plus bas), tunnel creusé à la base d'un de ces énormes arbres, est un exemple du type de dégradation qui se faisait couramment à la fin du 18e s. et au début du 19e s.

**Fallen Wawona Tunnel Tree** – *Partie supérieure de la forêt, à environ 3,5 km.* Cet arbre géant mondialement connu a été creusé d'un tunnel de 3 m sur 8 m en 1881. Sa réputation a attiré un grand nombre de visiteurs, et leurs véhicules. Ce trafic a fini par avoir raison du réseau de racines superficielles de l'arbre qui, incapable de résister au poids de sa charge de neige durant l'hiver 1968-1969, s'est abattu de tout son long.

**Mariposa Grove Museum** – *Partie supérieure de la forêt, à environ 3 km. Visite de mi-mai à Labor Day de 9 h à 16 h 30.* ☎ *209-372-0200.* Installé dans une réplique de la cabane de rondins que Galen Clark construisit ici en 1864, le musée est consacré à l'histoire naturelle des séquoias géants.

## ★★TIOGA ROAD *3 h. 74 km aller. Fermé de novembre à mai*

La **route du Tioga** qui sillonne d'Ouest en Est les régions montagneuses de Yosemite traverse de splendides forêts de conifères, de spectaculaires paysages granitiques et de douces prairies d'altitude ; c'est l'un des parcours en terres vierges les plus sensationnels du continent américain.

*Commence à l'intersection de Tioga Road et Big Oak Flat Road, juste à l'Est de Crane Flat.*

Au début, la route serpente au milieu de forêts de résineux. Après une vingtaine de kilomètres, la forêt se fait plus clairsemée, révélant peu à peu le paysage minéral de la haute sierra, avec, à l'Est, les hauteurs impressionnantes du mont Hoffman (3 307 m), et la Clark Range à l'horizon Sud-Est.

La route passe entre des escarpements de granit rabotés et lissés, parfaite illustration de l'érosion glaciaire. Sur une aire de stationnement *(T18)* située à une dizaine de kilomètres, des panneaux présentent en détail les cinq conifères les plus communs de la région. En reprenant la route, le **Clouds Rest** (3 025 m) surgit à l'Est. Il doit son nom de « repos des nuées » aux nuages qui masquent souvent son sommet, surtout au printemps et en automne.

★★**Olmsted Point** – Ce belvédère célèbre pour ses panoramas magnifiques sur la sierra porte le nom du célèbre architecte paysagiste Frederick Law Olmsted. Ici, des panneaux expliquent les formations géologiques et identifient les pics qu'on aperçoit, comme le Half Dome et le Clouds Rest.

Une piste *(400 m)* conduit jusqu'au dôme qui domine le canyon Tenaya, qui court du Half Dome jusqu'au lac Tenaya.

★**Tenaya Lake** – Les eaux scintillantes de ce grand lac d'altitude sont ourlées de plages de sable blanc et d'aires de pique-nique ombragées. Portant le nom d'un grand chef de la tribu des Ahwahneechee, le lac s'est formé dans une cuvette creusée par le glacier Tuolumne. Les Indiens de la région l'ont appelé « lac des rocs scintillants » en référence aux parois de granit poli qui l'entourent.

★★**Tuolumne Meadows** – ✕. Les célèbres **prairies de Tuolumne**, à 2 600 m d'altitude, sont traversées par la rivière Tuolumne et ses ruisseaux. Cœur du haut pays, Tuolumne possède un bureau d'information touristique, de petits hôtels, des restaurants et de nombreux sentiers de randonnée pour explorer l'arrière-pays. La localité se trouve sur le passage de deux chemins de grande randonnée renommés, la **piste John Muir** (339 km), et la **piste des crêtes du Pacifique** (3 780 km) qui va de la frontière canadienne jusqu'à la frontière mexicaine.

À l'Est du centre d'information, la route passe au pied des angles vifs du Lembert Dome au Nord et longe le Dana Fork, un bras de la rivière Tuolumne, jusqu'aux prairies de Dana. Elle quitte alors le parc en franchissant le **Tioga Pass** (3 031 m), le plus haut col routier de Californie. Ensuite, la route 120 longe les lacs Tioga et Ellery, puis descend brusquement le long de la paroi Nord du spectaculaire Lee Vining Canyon pour aller rejoindre l'US-395 *(à 20 km).*

## AUTRES CURIOSITÉS

★**Arch Rock Entrance** – C'est l'entrée du parc la plus pittoresque. Elle doit son nom aux deux énormes rochers sous lesquels passe la route 140 (appelée aussi Merced Road) en pénétrant dans le parc. Après avoir dépassé l'arche, la route serpente le long du canyon de la Merced, en suivant le cours pittoresque, parsemé de grands blocs rocheux, de la Merced vers la vallée Yosemite. Au printemps et au début de l'été, **Cascade Fall** *(3,5 km au Nord de l'entrée)* dévale les parois du canyon au-dessus de la rivière.

★**Tuolumne Grove of Big Trees** – Plus modeste et moins aménagé que la célèbre forêt de Mariposa, ce bois abrite 25 séquoias géants adultes, dispersés parmi pins ponderosa, cèdres blancs de Californie et pins à sucre. Tout comme la **forêt de Merced**, le plus petit massif de séquoias du parc, ce bois aurait été découvert par des membres de l'expédition Joseph Walker lors de leur traversée de la sierra en 1833 *(accessible à pied, via la piste anti-feu (3,5 km) prenant sur New Big Oak Flat Road)*.

**Visite** – *Marche de 3 km AR. À partir de la vallée Yosemite, prendre la route 120 vers l'Ouest sur 15 km jusqu'à Crane Flat. Tourner à droite dans Tioga Road et, au bout de 800 m, tourner à gauche sur le parking de Tuolumne Grove. Parcourir à pied sur 1,5 km l'étroite route Old Big Oak Road maintenant interdite aux véhicules.* En entrant dans le bosquet, la route traverse le dernier « séquoia-tunnel » encore debout du parc. L'arbre, mort aujourd'hui, fut percé d'un tunnel en 1878, première expérience de ce genre dans le parc. Un petit sentier explicatif *(20 mn)* passe devant une douzaine des séquoias géants de la forêt.

★**Hetch Hetchy** – Traversant autrefois une vallée presque aussi belle que la Yosemite, le cours de la Tuolumne fut arrêté en 1923 par un barrage, formant un réservoir destiné à fournir eau et énergie hydroélectrique à la ville de San Francisco. Au début du siècle, John Muir et le Sierra Club s'engagèrent dans une vaine bataille pour s'opposer à la construction du barrage. Les travaux commencèrent en 1919 et cette vallée magnifique fut submergée par les eaux en 1934. L'expression *hetch hetchy* vient d'un mot miwok désignant une racine comestible appréciée des Indiens.

**Visite** – *Accès par l'entrée Hetch Hetchy. Depuis la vallée Yosemite, sortir du parc via la route 120 (Big Oak Flat Entrance), tourner à droite sur Evergreen Road, et encore à droite sur Hetch Hetchy Road.* Hetch Hetchy Road zigzague au-dessus de la vallée Poopenaut, qui n'est autre que le canyon de la Tuolumne. À environ 8 km, un belvédère offre une **vue**★ splendide sur la vallée. Au réservoir, le pont *(réservé aux piétons)* qui traverse le barrage O'Shaughnessy permet d'accéder à la rive Nord. De là partent de beaux sentiers qui longent le bord de l'eau ou s'aventurent dans les vastes étendues vierges du Nord du parc Yosemite.

## EXCURSION

★**Mono Lake** – *Une demi-journée. Voir ce nom.*

# Wine Country

Les vignobles de la vallée de la Napa/Robert Holmes /Robert Holmes Photography

À environ deux heures de route de San Francisco à l'intérieur des terres, les vallées de la Napa et de la Sonoma produisent certains des meilleurs vins d'Amérique du Nord. Si de nombreux autres vignobles prospèrent non loin du littoral, de la ville d'Eureka au comté de San Diego, ou même à l'Est jusqu'aux contreforts de la Sierra Nevada, ce sont ces vallées au bel ensoleillement et au sol fertile qui se sont imposées comme première région vinicole de Californie. Visiteurs et Californiens aiment explorer le **Pays du vin**, attirés par le climat agréable, les paysages superbes et variés et les célèbres établissements vinicoles.

Dépassant son rôle traditionnel, la région a désormais acquis une réputation non négligeable dans le domaine des beaux-arts, de la gastronomie et du tourisme. Ses restaurants à la mode initient leurs clients au plaisir de marier mets et vins fins. En 1995, le Culinary Institute of America a installé un centre d'études dans les anciens chais des Frères des Écoles chrétiennes *(voir p. 359)*. Ces dernières années ont vu se mettre en place, dans des domaines comme Opus One, Clos Pegase, Cordoniu Napa et Hess Collection Winery, une nouvelle génération d'opérations de prestige associant la production de vin à des présentations d'art dans un cadre architectural contemporain.

La contrée est divisée en **zones viticoles approuvées** (Approved Viticultural Areas) en fonction des cépages les mieux adaptés à chaque région. La nature du sol et le climat sont deux des éléments essentiels déterminant la croissance des vignobles. L'ancienne activité volcanique du Nord de la Californie a produit un terroir poreux sur lequel la vigne pousse remarquablement bien, mais les autres qualités de ce terroir, comme la profondeur du sol, son humidité ou sa teneur en minéraux varient de zone en zone.

Le temps est considéré comme le principal facteur influençant la production des terroirs. Les meilleurs raisins sont obtenus quand la vigne est exposée longtemps à une alternance de journées chaudes et de nuits fraîches. Dans cette région de la Californie, les grappes mûrissent lentement entre avril et octobre et acquièrent ainsi toute la flaveur et toute l'acidité désirées. Les pluies ne sont fréquentes que de novembre à mai, avec une moyenne de précipitations de 84 cm par an. Les différences d'altitude, de proximité de l'océan ou d'exposition au soleil, au brouillard et au vent créent autant de microclimats, qui demeurent sensibles à des variations aussi minimes que celles de l'inclinaison d'une pente ou d'une crête.

Le cépage le mieux adapté à la région est le cabernet sauvignon. Ce raisin aux petits grains d'un bleu très foncé est aussi celui cultivé dans la région bordelaise du Médoc ; il donne un vin rouge qui a du corps. Parmi les autres cépages de souche européenne plantés pour la production de vins rouges, on trouve ici le pinot noir et le zinfandel. Certains des meilleurs vins blancs de Californie sont produits avec du chardonnay, qui est aussi le cépage de choix en Bourgogne, notamment dans la région de Chablis. Le sauvignon blanc s'est également bien adapté dans les zones les plus froides du Pays du vin.

# UN PEU D'HISTOIRE

**Les premières plantations** – C'est en 1697 que les premiers ceps, plantés par le père Juan Ugarte de la mission San Francisco Xavier, sont apparus sur la péninsule de Basse Californie. Des boutures de ces vignes criollas, ou vignes de Mission, voyagèrent vers le Nord avec les prêtres franciscains partis établir la chaîne de missions dans la Haute Californie. De qualité médiocre, les vins produits étaient réservés avant tout à la messe et au négoce. Au début des années 1830, un émigrant français au nom prédestiné de Jean-Louis Vignes planta un grand vignoble près de Los Angeles en utilisant des boutures de vignes européennes *(Vitis vinifera)*. Dès le milieu du 19e s., la vigne était devenue l'une des principales activités économiques de la Californie du Sud.

**Le père de la viticulture** – En 1857, l'immigrant hongrois **Agoston Haraszthy** (1812-1869), viticulteur expérimenté, acheta 160 ha de terrain dans le comté de Sonoma qu'il baptisa **Buena Vista** *(voir p. 367)* pour y cultiver des plants de vigne Tokay importés de son pays natal. Ils s'épanouirent dans le sol riche du comté de Sonoma. Haraszthy pouvait construire son rêve d'une Californie du Nord reine du vin de qualité.
En 1861, encouragé par les promesses de subventions faites par le gouverneur John Downey, Haraszthy partit pour l'Europe dans le but d'acheter différentes variétés de marcottes à tester sur le sol américain. À son retour, l'administration refusa d'honorer les engagements du gouverneur, estimant que soutenir une activité économique particulière n'était pas équitable. Haraszthy ne se laissa pas décourager et distribua, à ses frais, environ 100 000 plants, forma les viticulteurs de la région, dont la plupart étaient de nouveaux immigrants d'Europe, et expérimenta ces variétés sur divers types de sol. La qualité des vins de Californie ne cessa de s'améliorer, et les environs de San Francisco commencèrent à supplanter la Californie du Sud en devenant la principale région viticole de l'État.

**Le boom du Pays du vin...** – *Voir schéma p. 356.* Dans les dernières décennies du 19e s., la mise en application efficace des découvertes d'Haraszthy entraîna une expansion sans précédent de la viticulture dans les vallées de la Napa et de Sonoma. C'est de cette époque que datent les domaines de **Gundlach-Bundschu** (**1**), fondé en 1858 par l'immigrant bavarois Jacob Gundlach, de **Charles Krug** (**2**), premier établissement viticole de la vallée de la Napa, établi en 1861 sur un domaine que Krug, d'origine prussienne, avait obtenu dans la dot de son épouse ; ou encore celui des **vignobles Schramsberg** (1862), premier établissement de la région à flanc de montagne, dont les caves sont creusées à même la roche. D'autres noms très connus aujourd'hui dans l'élaboration du vin remontent à cette époque : Inglenook, Beringer, Beaulieu...

**... et sa faillite** – Le 19e s. tirait à sa fin lorsque les vignes de Californie furent touchées par le phylloxera, un puceron qui s'attaque particulièrement aux racines de vinifera. Des vignobles entiers furent décimés. En collaboration avec des viticulteurs français qui avaient connu une catastrophe analogue au milieu du 19e s., des chercheurs de l'université de Californie s'efforcèrent de trouver une solution. Ils découvrirent un moyen de combattre ce redoutable parasite en greffant des variétés de *Vitis vinifera* sur des pieds de vigne sauvage poussant dans le centre des États-Unis. Le processus de réimplantation des vignes prit beaucoup de temps et les exploitants, qui commençaient à sentir l'amorce d'une reprise au début du siècle, se trouvèrent confrontés à une baisse de la demande et à une opposition croissante du mouvement antialcoolique américain. Le 29 juillet 1919, le Congrès américain ratifia le 18e amendement, interdisant formellement la fabrication, la vente, l'importation et le transport de boissons alcoolisées aux États-Unis.

**La Prohibition et le début du 20e s.** – La Prohibition provoqua une paralysie presque totale de la viticulture en Californie et les viticulteurs reconvertirent leurs vignobles en autres cultures. Des licences furent toutefois accordées à sept établissement de Californie pour l'élaboration de vins utilisés à des fins médicales ou religieuses. On autorisa aussi la production domestique de jus de raisin non alcoolisé destiné à la consommation privée, mais dans une limite de 750 l par an et par famille. L'année 1933 marqua la fin de la prohibition. Les anciens domaines durent relever le défi de reconstruire leurs activités. La grande crise économique ralentit la reconstitution des vignobles et l'organisation des réseaux commerciaux et de distribution. Il fallut en fait attendre le début des années 1970 et une demande croissante en vins de qualité pour que la viticulture californienne retrouve sa vigueur d'antan.

**Le Pays aujourd'hui** – Au cours des récentes décennies, il a connu un formidable essor. Les années 1970 et 1980 ont vu l'extension du vignoble et l'explosion de petits domaines, certains équipant d'anciennes caves avec les installations les plus modernes. Aujourd'hui, les spécialistes du fameux département d'œnologie de l'université de Californie à Davis travaillent à de nouvelles méthodes de culture et de vinification, des commissions veillent au contrôle de la qualité et des associations professionnelles promeuvent les vins de Californie dans le monde entier.

**Visiter le Pays** – La meilleure période est le printemps, avant que ne s'installe la chaleur de l'été. L'automne est agréable également, car les journées sont toujours ensoleillées et les vignerons se préparent aux vendanges et au foulage (pressage des

# RENSEIGNEMENTS PRATIQUES

Indicatif régional : 707

## Informations générales

**Informations touristiques** – Les organismes suivants mettent à la disposition des visiteurs toutes sortes de cartes et renseignements concernant l'hébergement, les loisirs et les événements saisonniers : **Napa Valley Tourist Bureau**, PO Box 3240, Yountville CA 94599, ☎ 944-1558 ou **Napa Valley Conference & Visitors Bureau**, 1310 Napa Town Center, Napa CA 94559, ☎ 226-7459 ; **Sonoma Valley Visitors Bureau**, 453 1st Street East, Sonoma CA 95476, ☎ 996-1090 ; **Sonoma County Tourism Information**, 401 College Avenue, Suite D, Santa Rosa CA 95401 ☎ 524-7589 ou 800-576-6662 ; **Sonoma County Wineries Association**, 5000 Roberts Lake Road, Rohnert Park CA 94928, ☎ 586-3795 ou 800-939-7666 ; **Russian River Wine Roads**, PO Box 46, Healdsburg CA 95448, ☎ 433-4335 ou 800-723-6336. Pour obtenir un exemplaire du *Napa Valley Guide* ou du *Sonoma County Guide* (7 $), qui fournissent toutes sortes de détails pratiques (hébergement, restaurant, achats), appeler le ☎ 538-8981.

**Hébergement** – De charmants **bed and breakfasts** se trouvent dans les villes le long de la route 29 (Napa Valley) et de l'US-101 (Russian River). Les villes de Napa, Sonoma et Santa Rosa possèdent par ailleurs de grands **hôtels**. Réservations hôtels & bed and breakfasts (s'y prendre longtemps à l'avance durant la haute saison) : **B&B Style** *(☎ 942-2888 ou 800-995-8884)*, **Napa Valley's Finest Lodging** *(☎ 257-1051)*, **Napa Valley Reservations Unlimited** *(☎ 252-1985 ou 800-251-6272)*, **Napa Valley Tourist Bureau Reservations** *(☎ 258-1957)*. Il est également possible de faire du **camping** au Bothe-Napa Valley State Park *(☎ 942-4575)*, Sugarloaf Ridge State Park *(☎ 833-5712)* et au lac Sonoma *(☎ 433-9483)*.

## Loisirs

**Vols en montgolfière** – Toute l'année, des promenades en montgolière (3 à 5 h) partent au lever du soleil. Le prix moyen *(115 à 195 $/personne ; tarif variable selon le nombre de personnes ; reservations nécessaires)* inclut parfois une collation au champagne après le vol. Vallée de la Napa : **Bonaventura Balloon Company** *(☎ 944-2822 ou 800-358-6272)* et **Napa Valley Balloons Inc.** *(☎ 944-022882)*. Comté de Sonoma : **Above the Wine Country Balloons and Tours** *(☎ 829-7695 ou 800-759-5638)* et **Air Flambuoyant** *(☎ 838-8500 ou 800-456-4711)*.

**Cyclotourisme** – La bicyclette est un excellent moyen de découvrir les coteaux du Pays du vin. À Napa, Sonoma et Calistoga, les magasins de location renseigneront leurs clients sur les pistes cyclables à leur disposition. Excursions d'une journée ou pour le week-end *(89 $/journée, location d'équipement comprise)* auprès de **Get-Away Adventures** *(www.getawayadventures.com ☎ 763-3040 ou 800-499-2453)*.

**Marchés de produits fermiers** – Les marchés suivants proposent des produits frais cultivés ou élevés dans des fermes de la région (arriver tôt pour profiter du meilleur choix) : **Napa Valley Farmers' Market**, à St. Helena *(Old Railroad Depot ; de mai à novembre, le vendredi de 7 h 30 à midi ; ☎ 252-2105)* ; **Thursday Night Market**, à Santa Rosa *(à l'angle de 4th Street et East Street ; de mai à septembre, le jeudi de 17 h à 20 h 30 ; ☎ 545-1414)* ; **Sonoma Farmers Markets** *(esplanade centrale : de début avril à octobre, le mardi de 17 h 30 au coucher du soleil ; Depot Park : toute l'année, le vendredi de 9 h à midi ; ☎ 538-7023)* ; **Healdsburg Farmers Markets** *(à l'angle de North Street et Vine Street : de fin mai à fin décembre, le samedi de 9 h à midi ; esplanade centrale : de juin à octobre, le mardi de 16 h à 18 h ; ☎ 431-1956)*.

**Excursions diverses** – Découverte du Pays du vin avec les **California Wine Country Tours** : ce circuit en autocar d'une journée permet de voir le comté de Marin et comprend un arrêt à Calistoga ainsi que la visite d'un domaine de la Napa et celle d'un domaine de la Sonoma *(durée : 9 h ; départ du San Francisco Transbay Terminal tous les jours à 9 h ; 43 $ ; Red & White Fleet ☎ 415-447-0597 ou 800-229-2784)*. Le **Napa Valley Wine Train** part du centre-ville de Napa et inclut le déjeuner et une dégustation au cours d'une excursion en train de 3 h *(www.winetrain.com ☎ 253-2111 ou 800-427-4124)*. Randonnées pédestres dans les collines de Napa et de Sonoma, et excursions en canoë ou kayak *(1 à 6 jours ; de 49 à 1 589 $ tout compris)* ; réservation conseillée, à effectuer auprès de **Get-Away Adventures** *(www.getawayadventures.com ☎ 763-3040 ou 800-499-2453)*.

raisins). Afin de mieux profiter de l'ambiance sereine et détendue de la région, il est sans doute préférable de s'en tenir, par jour, à une ou deux visites de domaine (libres le plus souvent) et se limiter à quatre dégustations.

Les visiteurs disposant de peu de temps retiendront que, malgré sa végétation luxuriante, ses beaux paysages et son climat agréable, l'intérêt principal de la région réside d'abord dans ses vignobles et ses caves. Ceux pour qui les vignes et le vin ne présentent guère d'intérêt peuvent consacrer moins de temps à la région.

Le **pique-nique** est l'un des attraits des sorties dans le Pays du vin. De nombreux domaines possèdent d'agréables aires de pique-nique, et les nombreuses petites boutiques et marchés de bord de route offrent de copieux plats à emporter, souvent joliment présentés, ainsi que des vins et boissons sans alcool.

*Les caves décrites dans les chapitres suivants ont été sélectionnées et classées en fonction de leur intérêt historique, architectural et touristique, et non selon la qualité de leurs produits. On trouvera une liste très complète et constamment remise à jour des établissements vinicoles, avec les cartes correspondantes, dans le* **Wine Country Guide to California,** *publié chaque année par le* **Wine Spectator Magazine** *et disponible dans les librairies, les kiosques et les offices de tourisme.*

## NAPA Valley★★

### Vallée de la NAPA
Carte Michelin n° 493 A 8

Cette jolie vallée mondialement connue, longue d'environ 55 km, s'étend entre deux chaînes montagneuses, depuis la baie de San Pablo au Nord-Ouest jusqu'au mont St. Helena. Certaines des caves les plus prestigieuses de Californie s'échelonnent le long de la route 29, artère principale traversant successivement les villes de Napa, Yountville, Oakville, Rutherford, St. Helena et Calistoga. D'autres domaines se trouvent un peu plus à l'Est, sur la pittoresque route secondaire du Silverado Trail et les routes adjacentes.

## CURIOSITÉS

*Les curiosités de la vallée de la Napa sont décrites du Sud au Nord.*

**Napa** – Fondée en 1832, cette ville très étendue installée sur les rives de la rivière Napa a connu sa première explosion démographique pendant la période qui a suivi la Ruée vers l'or, période où mineurs éreintés et San-Franciscains en vacances remontaient le fleuve depuis la baie de San Francisco jusqu'à cette petite ville de villégiature, tranquille à l'époque. Pendant tout le 19e s., capitaines de bateaux fluviaux et banquiers y établirent des entreprises et d'élégantes résidences victoriennes, transformant Napa en un centre de transport fluvial et noyau administratif actif. Aujourd'hui la plus importante ville du comté homonyme, Napa sert toujours de lieu de transit pour l'abondante production de vins et denrées agricoles de la verdoyante vallée de la Napa.

**Centre-ville** – *First Street et Second Street entre Main Street et Randolph Street.* Au cœur du très sympathique centre-ville, le vénérable **Goodman Building** (1901 – *1219 First Street*), à la façade de pierre grise, abrite maintenant la bibliothèque de recherche ainsi que le musée de la Société d'histoire du comté de Napa. Juste en face et à un bloc au Nord, une énorme **tour-horloge** domine l'endroit où fut inventé, en 1915, le premier haut-parleur Magnavox (une sculpture de bronze rappelle cet événement). Parmi les autres constructions dignes d'intérêt, on notera l'**Opéra** (1879 – *1018 Main Street*), d'inspiration italienne, fermé en 1914 et actuellement en rénovation pour redevenir un lieu de spectacles, et le majestueux **Winship-Smernes Building**, bâtiment très ornementé *(948 Main Street).*

**Quartiers victoriens** – *Au Sud et à l'Ouest du centre-ville.* Les quartiers résidentiels de Napa possèdent de nombreuses demeures élégantes de la fin du 19e s. et du début du 20e s. Une promenade à pied ou en voiture dans les environs de **Jefferson Street, First Street, Third Street** ou **Randolph Street** permet de découvrir de nombreuses demeures soigneusement restaurées construites dans les styles italianisant, Queen Anne, Eastlake et Shingle, caractéristiques de l'architecture victorienne du début du 20e s.

★**Codorniu Napa** – *1345 Henry Road. Depuis le centre-ville, prendre la route 29 vers le Sud jusqu'à la route 121, tourner à droite et rouler sur 6,5 km vers l'Ouest, puis prendre à droite Old Sonoma Road, à gauche Dealy Lane puis encore à gauche Henry Road et continuer sur 500 m jusqu'à l'entrée de la propriété. Visite de 10 h à 17 h. Fermé 1er janvier, Thanksgiving Day, 24 et 25 décembre.* ♿ 🅿 ☎ *707-224-1668.* En 1872, la famille Codorniu, originaire de Barcelone, fut la première à produire en Espagne un vin pétillant fabriqué selon la méthode

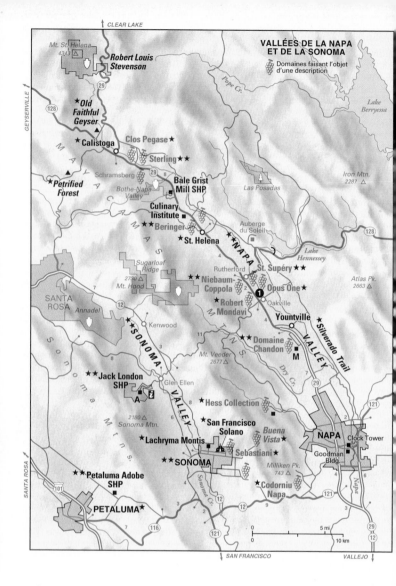

VALLÉES DE LA NAPA
ET DE LA SONOMA

Domaines faisant l'objet
d'une description

champenoise. Leur domaine de la Napa est installé au pied du pic Miliken dans une structure contemporaine (1991, Domingo Triay). Des talus couverts de gazon isolent les murs enterrés en maintenant fraîche et constante la température des chais et des caves. De l'entrée, la vue s'étend, sereine, sur l'Est de la vallée. Les salles entourant une cour paisible abritent du vieux matériel de vigneron qui servait à l'élaboration du vin en Europe et des expositions temporaires d'œuvres d'artistes de la région.

★★**The Hess Collection Winery** – *4411 Redwood Road. Sur la route 29 à Napa, prendre la sortie Redwood Road/Trancas et parcourir 10 km vers l'Ouest jusqu'à l'entrée de la propriété. Visite de 10 h à 16 h (14 h les jours fériés). Fermé début janvier. 3 $ (dégustation).* ♿ 🅿 *www.hesscollection.com* ☎ *707-255-1144.* Blottie sur le versant du mont Veeder, dans une région éloignée à l'extrémité Sud-Ouest de la vallée de la Napa, ce bâtiment magnifiquement rénové abrite une importante collection d'art contemporain, ainsi qu'un matériel de vinification ultra-moderne. Une présentation audiovisuelle *(12 mn)* montre la beauté des vignobles au fil des saisons. Au début des années 1930, les Frères chrétiens achetèrent le bâtiment d'origine en pierre (1903) pour y installer leur cave de Mont LaSalle. En 1983, le magnat suisse de l'eau minérale, Donald Hess, loua l'établissement et transforma les étages inférieurs en chai et les étages supérieurs en galerie d'art pour accueillir sa remarquable collection d'œuvres d'artistes américains et européens du 20e s. Les œuvres de Francis Bacon, Robert Motherwell et Frank Stella y occupent une place de choix ; on peut aussi y découvrir les toiles d'artistes moins connus comme Rolf Iseli et Magdalena Abakanowicz.

La propriété voisine de la Hess Collection Winery héberge le **Centre de retraite et de congrès des Frères chrétiens** (**3** – *4405 Redwood Road*), un très beau complexe de style Mission (1932) composé de bâtiments résidentiels, religieux et d'enseignement entourant de paisibles cours à la végétation luxuriante.

**Yountville** – *14,5 km au Nord de Napa sur la route 29*. Cette petite bourgade fut fondée en 1836 sur une parcelle de terrain de 46 km² concédée par Mariano Vallejo à George C. Yount (1794-1865), un pionnier originaire de Caroline du Nord. Yount implanta de grands vignobles et d'autres cultures sur la parcelle. Une communauté d'Amérindiens et des ouvriers agricoles s'installèrent à la périphérie de sa propriété. Deux ans après la mort de Yount, la communauté fut baptisée Yountville en son honneur. Aujourd'hui, avec ses charmants hôtels, ses boutiques à la mode et ses excellents restaurants, c'est une étape idéale pour les visiteurs de la partie Sud de la vallée. Aujourd'hui restauré sous le nom de **Vintage 1870** (Millésime 1870), le bâtiment en brique de l'ancien établissement viticole Groezinger (1870) abrite un ensemble de boutiques.

**Napa Valley Museum** (**M¹**) – *55 Presidents Cir. De la sortie Yountville sur la route 29, rouler vers l'Ouest sur 500 m jusqu'à Veterans Home. Le musée est sur la droite. Visite de 10 h à 17 h (20 h le 1ᵉʳ jeudi du mois). Fermé mardi et 1ᵉʳ janvier, Thanksgiving Day et 25 décembre. 4,50 $.* ♿ 🅿 ☎ *707-944-0500*. Le principal point d'intérêt de ce musée (1998, Fernau & Hartman), jadis situé dans la vallée de la Napa, est une exposition multimédia intitulée **California Wine : The Science of an Art★★**. Elle permet aux visiteurs, grâce à un programme audiovisuel interactif, de suivre sur toute une année le processus d'élaboration du vin dans la vallée de la Napa (vendanges, fermentation, mise en bouteilles, etc.), d'en étudier les sols, le climat et les microclimats.

L'étage supérieur accueille les 300 spécimens de la collection Johnson de minéraux et de fossiles et des expositions temporaires thématiques. On prévoit d'augmenter prochainement la surface d'exposition du musée.

★★**Domaine Chandon** – *1 California Drive. Prendre la route 29 et sortir à Yountville, puis se diriger vers l'Ouest sur 400 m jusqu'à la maison de retraite (Veterans Home) ; le musée se trouve sur la droite. Visite de mai à mi-septembre tous les jours de 10 h à 20 h (18 h lundi et mardi), le reste de l'année du mercredi au dimanche de 10 h à 19 h. Fermé 1ᵉʳ janvier, Thanksgiving Day et 25 décembre.* ✗ *(sauf 1ᵉʳ janvier)* ♿ 🅿 *www.dchandon.com* ☎ *707-944-8844*. C'est la tradition française avec un zeste de californien que découvriront les visiteurs de cet établissement moderne (1973). Créés par Moët-Hennessy, propriétaire du célèbre Moët et Chandon, ces bâtiments modernes en béton gris s'intègrent harmonieusement aux courbes du relief environnant tandis que les plafonds voûtés rappellent les caves traditionnelles de la Champagne française.

Dans le hall d'entrée sont présentées les techniques d'élaboration des vins mousseux selon la méthode champenoise. Le pavillon d'accueil abrite un restaurant chic. Sa terrasse en plein air offre de belles vues sur le magnifique domaine paysager de l'établissement, ses vignobles et ses chênes centenaires.

Les vendanges au Domaine Chandon

Robert Holmes

**★Opus One** – *7900 St Helena Highway (route 29). Visite guidée (1 h) uniquement, de 10 h 30 à 15 h 30. Fermé 1ᵉʳ janvier, dimanche de Pâques, Thanksgiving Day et 25 décembre. Réservations nécessaires. 25 $ (dégustation).* ♿ ▯ ☎ *707-944-9442.* Des murs de pierre calcaire « à la française » à la pergola en séquoia couronnant l'ensemble, chaque détail de l'architecture contemporaine de cet établissement (1991, Johnson Fain & Pereira) atteste d'une collaboration internationale unique en son genre. De cette collaboration est né Opus One, la première cave de grande classe des États-Unis. En 1970, le baron Philippe de Rothschild, de la région de Pauillac, en Gironde, se rapprocha de l'exploitant Robert Mondavi, dans la vallée de la Napa, pour établir une entreprise conjointe en Californie. Leur premier millésime fut produit en 1979 dans les caves Mondavi. Dix ans s'écoulèrent avant que le chantier du chai actuel ne soit lancé.

On passe dans une cour plantée d'oliviers pour rejoindre l'impressionnant hall d'accueil. Les visites guidées, au départ du salon, expliquent les méthodes d'élaboration des différents crus (premium et ultra-premium). On descend un escalier majestueux, dont la cage ressemble à l'intérieur d'un tonneau, pour découvrir une élégante salle de dégustation et visiter le grand chai semi-circulaire, où des rangées de fûts de chêne cerclés de bandeaux couleur lie de vin s'alignent à perte de vue.

**★Robert Mondavi Winery**, à Oakville – *7801 St Helena Highway (route 29). Visite de mai à octobre de 9 h à 17 h, le reste de l'année de 9 h 30 à 16 h 30. Fermé 1ᵉʳ janvier, dimanche de Pâques, Thanksgiving Day et 25 décembre. Dégustation ou visite payantes.* ♿ ▯ *www.robertmondaviwinery.com ☎ 707-259-9463 ou 888-766-6328.* Cet étonnant bâtiment (1966) a ouvert la voie à une nouvelle génération de chais consacrés à la promotion de l'art et de l'architecture au même titre qu'à celle du vin. Du haut de la monumentale arche d'entrée, une statue de saint François, œuvre du sculpteur Beniamino Bufano, ouvre les bras pour accueillir les visiteurs. Des expositions temporaires d'œuvres d'artistes locaux y sont régulièrement organisées. C'est également ici que se tient chaque année le Summer Music Festival, festival de musique renommé.

**★★St. Supéry**, à Rutherford – *8440 St Helena Highway (route 29). Visite de 9 h 30 à 18 h (17 h de novembre à avril). Fermé 1ᵉʳ janvier, Thanksgiving Day et 25 décembre. 3 $ (dégustation).* ♿ ▯ *www.stsupery.com ☎ 707-963-4507 ou 800-942-0809.* Ces caves modernes se sont dotées (à l'étage) d'un **Centre de découverte du vin★** où sont expliqués de façon très détaillée les différents types de sols, les travaux de la vigne suivant la saison et les procédés d'élaboration du vin. Les visiteurs pourront notamment, dans le cadre de l'exposition SmellaVision, exercer leur nez sur différents bouquets obtenus et examiner les variations de robe des vins. À côté des caves se trouve un vignoble modèle où sont expliquées les techniques de treillage et de taille des diverses variétés de vignes. La propriété contient également la charmante demeure de style victorien construite par Joseph Atkinson, négociant en vins qui fut le premier propriétaire du domaine. Cette maison *(visite guidée uniquement, à 15 h)* a été restaurée afin de refléter le style de vie d'un producteur de vin des années 1880.

**① Oakville Grocery**

*7856 St Helena Highway (route 29). ☎ 404-944-8802.* Huile de truffe blanche française, confiture framboise-pêche-champagne, pains frais et croustillants, olives de plus d'une douzaine de variétés et comptoir à fromages le mieux assorti de la région font de cette petite épicerie fine regorgeant de trésors le lieu favori des visiteurs et des résidents préparant un pique-nique ou réapprovisionnant leur garde-manger. Composez votre panier et profitez du savoir et de la courtoisie des employés pour sélectionner parmi les innombrables vins du pays celui qui accompagnera le mieux vos achats.

**★★Niebaum-Coppola**, à Rutherford – *1991 St Helena Highway (route 29). Visite de 10 h à 17 h. Fermé 1ᵉʳ janvier, dimanche de Pâques, Thanksgiving Day et 25 décembre. 7,50 $ (dégustation seule), 20 $ (visite et dégustation).* ♿ ▯ ☎ *707-968-1161.* L'imposant établissement vinicole (1882) qui se dresse au cœur du domaine Niebaum-Coppola fut construit pour Gustave Niebaum, capitaine de navire et entrepreneur finlandais, fondateur de la société Inglenook Wines en 1879. Le réalisateur de cinéma **Francis Ford Coppola** et son épouse Eleanor achetèrent l'essentiel de la propriété de Niebaum en 1975. Le grand bâtiment vinicole dit « Inglenook Château » et une partie des vignobles d'origine restèrent la propriété de Heublein, Inc. jusqu'à leur achat en 1995 par la famille Coppola, qui reconstitua ainsi le domaine d'origine.

En pénétrant dans le bâtiment, les visiteurs pourront jeter un coup d'œil à droite dans la **chambre du capitaine** (1889), une réplique des appartements de Niebaum sur son bateau, avec des vitraux du 17ᵉ s., des gobelets à vin flamands du 16ᵉ s. et une lampe vieille de quatre siècles. À gauche se dresse un décor du célèbre film *Le Parrain* de Coppola. En haut de l'impressionnant **grand escalier**, restauré par Coppola avec deux essences de bois dur de Belize, se trouve le Centennial Museum. Cet hommage aux industries du film et du vin évoque les carrières des deux propriétaires du domaine. Les visiteurs pourront se fournir en épicerie fine dans une boutique du rez-de-chaussée. Dans un avenir proche, ils pourront également déguster les vins dans un environnement multimédia.

★**St. Helena** – Cette charmante petite ville située au cœur de la vallée s'organise autour d'une rue principale très pittoresque. La position centrale de St. Helena, ses formules d'hébergement et ses restaurants surprenants en font une base idéale à partir de laquelle explorer toutes les caves de la vallée.

★**Robert Louis Stevenson Silverado Museum** – *1490 Library Lane. De Main Street, se diriger vers le Nord, prendre à droite Adams Street, traverser la voie ferrée et tourner à gauche. Visite de 12 h à 16 h. Fermé lundi et principaux jours fériés. Participation demandée.* ♿ 🅿 ☎ 707-963-3757. Bien installé dans une salle de la bibliothèque municipale, ce petit musée est rempli de souvenirs de la vie et l'œuvre de **Robert Louis Stevenson** (1850-1894), auteur, entre autres, de *L'Île au trésor* et de *La Flèche noire*. Stevenson, qui passa sa lune de miel durant l'été 1880 dans une cabane sur les flancs du mont St. Helena, s'est inspiré de son séjour dans la vallée pour son roman *La Route de Silverado*. Le musée présente des photographies, des livres, des manuscrits et les objets personnels de l'auteur.

★★**Beringer Vineyards** – *2000 Main Street (Highway 29), au Nord du centre-ville de St Helena. Visite de 9 h 30 à 17 h. Fermé 1er janvier, dimanche de Pâques, Thanksgiving Day et 25 décembre.* ♿ 🅿 ☎ 707-963-7115. Ce domaine est le plus ancien de la vallée encore exploité. Il fut créé en 1876 par les frères Jacob et Frederick Beringer, des immigrants allemands arrivés aux États-Unis vers 1860. L'établissement continua à fonctionner durant la Prohibition, échappant aux lois restrictives de l'époque en obtenant une licence pour la production de vin de messe et à usage médical. À l'arrière du complexe, quelque 300 m de galeries sont creusées à l'intérieur du coteau. Il y règne une température constante de 15° C, idéale pour le vieillissement du vin.

L'imposante **Rhine House** (1883), que se fit construire Frederick Beringer, est le bâtiment principal de la propriété. Conçue sur le modèle de la propriété familiale des Beringer en Allemagne, cette demeure de 17 pièces est décorée de belles boiseries, de sols en marqueterie et d'une exceptionnelle collection de **vitraux**★. Les lauriers-roses qui fleurissent la propriété furent plantés au début du siècle par Jacob Beringer.

**The Culinary Institute of America at Greystone** – *2555 Main Street (route 29), au Nord du centre-ville de St. Helena. Visite guidée (40 mn) à 10 h 30, 13 h 30 et 15 h 30 (réservation recommandée). 3 $ du lundi au vendredi, 7,50 $ le week-end (incluant des démonstrations de cuisine). Boutique ouverte de 10 h à 18 h ; restaurant ouvert de 11 h 30 à 21 h (22 h le vendredi et le samedi), fermé les principaux jours fériés (réservation conseillée).* ✗ ♿ 🅿 www.ciachef.edu ☎ 707-967-2328 (visites), 707-967-1010 (restaurant). Ce massif **bâtiment**★ de pierre dominant la route 29, construit en 1889 par William Bourn à l'usage d'une coopérative viticole de la vallée de la Napa, porta d'abord le nom de caves de pierre grise (Greystone Cellars). Il changea plusieurs fois de mains avant d'être racheté par les Frères des Écoles chrétiennes dans les années 1950.

Aujourd'hui, le bâtiment abrite l'une des écoles gastronomiques du célèbre **Institut culinaire d'Amérique**. Une visite guidée du campus permet de découvrir la cuisine où sont donnés les cours. Le potager est également ouvert au public, ainsi que la boutique de l'institut (Campus Store & Marketplace). Ne pas manquer de voir la curieuse **collection de tire-bouchons**. Il a fallu plus de 40 ans à frère Timothy, le maître de chai de la congrégation pour constituer cet ensemble de 1 800 spécimens, dont les plus anciens datent du 18e s. En déjeunant au restaurant (Wine Spectator Greystone Restaurant), on peut voir chefs formés par l'institut préparer les plats que l'on déguste.

**Bale Grist Mill State Historic Park** – Enfants *3369 St Helena Highway (route 29), à 5 km au Nord du centre-ville de St Helena. Visite de 10 h à 17 h. Fermé principaux jours fériés. 2 $. Visite guidée (30 mn) possible.* ♿ 🅿 ☎ 707-942-4575. Un agréable chemin forestier conduit du parking à ce charmant **moulin**★ actionné par une roue à aubes de près de 11 m de diamètre. Construit en 1846 par **Edward T. Bale**, un médecin anglais qui avait épousé une nièce de Mariano Vallejo, ce moulin broyait le blé récolté dans la région. Le bâtiment et la roue à eau en bois, qui fut remplacée par une turbine en 1879, ont été restaurés.

Des visites commentées et une présentation audiovisuelle initient les visiteurs au processus de la mouture du grain. On peut voir le moulin fonctionner le week-end (téléphoner pour les horaires de démonstration).

★★**Sterling Vineyards** – *1111 Dunaweal Lane. 11 km au Nord du centre-ville de St. Helena par la route 29 ; prendre Dunaweal Lane à droite. Visite de 10 h 30 à 16 h 30. Fermé 1er janvier, Thanksgiving Day et 25 décembre. 6 $ (dégustation et télécabine compris).* ♿ 🅿 ☎ 707-942-3344. Perché tel un monastère au sommet d'une butte de 90 m de haut, ce complexe d'une blancheur éclatante (1969, Martin Waterfield) est l'une des réussites architecturales du Pays du vin.

Du parking, une courte ascension *(5 mn)* en **télécabine** Enfants permet de gagner le sommet d'où l'on découvre les paisibles alentours. Des panneaux guident les visiteurs à travers le site. La visite s'effectue librement dans la cave ornée de mosaïques aux couleurs vives et permet de passer de terrasses offrant de belles **vues**★ sur le Nord de la vallée de la Napa à des tours d'un style emprunté aux traditionnels clochers des missions. Acquises par les vignobles Sterling en 1972, les huit cloches du début du 18ᵉ s. proviennent de la paroisse londonienne de St. Dunstan-in-the-East.

★**Clos Pegase** – *1060 Dunaweal Lane. 11 km au Nord du centre-ville de St. Helena par la route 29 ; prendre Dunaweal Lane à droite. Visite de 10 h 30 à 17 h. Fermé 1ᵉʳ janvier, dimanche de Pâques, Thanksgiving Day et 25 décembre. 2,50 $ (dégustation).* ♿ 🅿 *www.clospegase.com* ☎ *707-942-4981.* Au pied d'une butte volcanique, au centre d'un harmonieux ensemble de bâtiments couleur ocre et terre cuite (1987, Michael Graves), le Clos Pegase forme un étonnant contrepoint aux nombreux styles architecturaux de la vallée de la Napa. Fondé par Jan Shrem, magnat de l'édition et collectionneur d'art, il doit son nom au célèbre cheval ailé de la mythologie grecque : d'après la légende, Pégase aurait créé le vin en foulant de ses sabots le sol du mont Hélicon, faisant jaillir la source des Muses, qui aurait arrosé un vignoble se trouvant en contrebas.

Conçu comme un temple dédié au vin et aux arts, l'imposant complexe fut doté par son architecte d'immenses colonnes, de frontons et d'un atrium central évoquant l'Antiquité. Des œuvres choisies dans la collection privée du propriétaire sont exposées en plusieurs endroits de l'établissement, des murs de la salle de dégustation jusqu'aux niches disséminées dans les 2 600 m² de caves creusées à l'arrière de l'établissement dans le tuf volcanique de la butte *(elles ne sont ouvertes au public que dans le cadre de visites guidées).* La résidence de Jan Shrem *(fermée au public),* dessinée aussi par Graves, couronne la butte. On la voit très bien de la terrasse des établissements Sterling.

★**Calistoga** – Fondée en 1859, cette ville thermale et résidentielle installée au pied du mont St. Helena (1 323 m) est un carrefour commercial au Nord de la vallée de la Napa. La multitude de ses geysers et de ses sources chaudes fut à l'origine de son développement : elle devint une station thermale vers laquelle les touristes affluèrent pour venir prendre les eaux.

Originaire du Maine, **Sam Brannan** (1819-1888) sillonna les États-Unis comme imprimeur et travailla pour différents petits journaux. Converti à l'Église de Jésus-Christ des Saints des Derniers Jours (église mormone), Sam Brannan prit en 1845 la tête d'une expédition maritime pour établir une colonie sur la côte Ouest avec 240 mormons. La colonie ne vit jamais le jour, mais Sam Brannan resta à Yerba Buena, qui allait devenir San Francisco. En 1847, il y fonda le premier journal de la ville, le *California Star.* On lui attribue également l'origine de la Ruée vers l'or, pour avoir annoncé à San Francisco, en 1848, la découverte d'or à Coloma. Toujours entreprenant, il sut apprécier l'inépuisable potentiel de développement de la région de Calistoga, où les Indiens ne juraient que par les propriétés médicinales des sources chaudes. La légende veut qu'il ait donné son nom à la localité en la présentant, un jour d'ivresse, comme la « Calistoga de Sarafornie » en voulant dire la Saratoga de Californie par comparaison avec la ville thermale de Saratoga dans l'état de New York. Personnage haut en couleur et très opportuniste, Sam Brannan était connu pour être un grand buveur ; il perdit sa fortune vers la fin de sa vie et mourut dans la misère près de San Diego.

Le domaine du Clos Pegase

Clos Pegase

---

### Bains de boue et sources minérales de Calistoga

L'activité volcanique du Nord de la vallée de la Napa a donné naissance à de nombreux geysers et sources d'eaux chaudes. Nombre d'entre eux ont été exploités par des établissements thermaux. Un traitement forfaitaire incluant bains de boue, enveloppement d'herbes et bain thermal à remous dure environ 1 h et coûte entre 60 et 70 $. On peut également choisir massages, nettoyages de peau ou bains d'eau minérale.

**Calistoga Spa Hot Springs** – 1006 Washington Street ☎ 707-942-6269

**Wilkinson's** – 1507 Lincoln Avenue ☎ 707-942-4102

**Golden Haven Hot Springs** – 1713 Lake Street ☎ 707-942-6793

**Indian Springs** – 1712 Lincoln Avenue ☎ 707-942-4913

**Mount View Spa** – 1457 Lincoln Avenue ☎ 707-942-5789

**Eurospa** – 1202 Pine Street ☎ 707-942-6829

**Calistoga Oasis** – 1300 Washington Street ☎ 707-942-2122

**Nance's Hot Springs** – 1614 Lincoln Avenue ☎ 707-942-6211

**Lincoln Avenue Spa** – 1339 Lincoln Avenue ☎ 707-942-5296

---

Toujours célèbre pour ses nombreux établissements de cure, Calistoga a conservé son atmosphère de ville de pionniers de la fin du 19ᵉ s.

★**Sharpsteen Museum** – Enfants *1311 Washington Street. À deux blocs au Nord de Lincoln Avenue. Visite de 10 h (12 h de novembre à mars) à 16 h. Fermé Thanksgiving Day et 25 décembre. Participation demandée.* ♿ ▯ *www.napanet.net/vi/sharpsteen* ☎ *707-942-5911.* L'attraction principale de ce petit musée consiste en un étonnant assemblage de **dioramas** miniatures recréant des scènes du passé coloré de Calistoga. Fondé en 1979 par Ben Sharpsteen, un ancien réalisateur des studios Disney, le musée possède aussi une collection de photographies du début du 19ᵉ s., une diligence restaurée et de nombreux objets illustrant l'histoire de la ville. Installé à côté du musée, un **cottage** de vacances de l'époque de Sam Brannan évoque l'âge d'or de Calistoga comme lieu de villégiature.

**Railroad Depot** – *1458 Lincoln Avenue.* C'est sur l'artère principale et animée de Calistoga, **Lincoln Avenue**, que se dresse cette attrayante gare ancienne. Érigée en 1868 par la Napa Valley Railroad Company, elle cessa son activité en 1929. Aujourd'hui joliment rénovée, elle abrite des boutiques, un restaurant et un centre d'accueil pour visiteurs.

★**Old Faithful Geyser** – Enfants *Du centre-ville, prendre Lincoln Avenue vers l'Est. Tourner à gauche dans Grant Street et continuer sur 1,6 km environ. Prendre ensuite à gauche dans Tubbs Lane. L'entrée se trouve sur la droite. Visite de 9 h à 18 h (17 h d'octobre à mars). 6 $.* ♿ ▯ ☎ *707-942-6463.* Situé sur une propriété privée au pied du mont St. Helena, ce geyser est l'un des trois geysers « fidèles » du monde, ainsi nommés pour la régularité de leurs éruptions (les deux autres se trouvent dans le parc de Yellowstone et en Nouvelle-Zélande). Toutes les 40 mn environ, le **« vieux fidèle »** jaillit en une colonne d'eau brûlante de 18 m de haut, créant une magnifique pluie de gouttelettes d'eau et de vapeur.

★**Petrified Forest** – Enfants *10 km à l'Ouest de Calistoga. Prendre la route 128 vers le Nord et tourner à gauche dans Petrified Forest Road. Visite de 10 h à 18 h (17 h d'octobre à mai). Fermé Thanksgiving Day et 25 décembre. 4 $.* ♿ ▯ ☎ *707-942-6667.* Un circuit traverse cette petite **forêt pétrifiée**. Ses séquoias, aujourd'hui en pierre, furent détruits il y a 3 millions d'années par la lave et les cendres du volcan St. Helena. On remarquera un étonnant spécimen surnommé « le géant », long de 18 m et d'un diamètre de 1,80 m. Une petite exposition et une boutique attendent le visiteur à l'entrée.

**Robert Louis Stevenson State Park** – *11 km au Nord de Calistoga. Prendre Lincoln Avenue vers l'Est, puis emprunter sur la gauche la route 29. Parking sur la gauche. Visite du lever au coucher du soleil.* ▯ ☎ *707-942-4575.* Ce parc, presque totalement sauvage, est un cadre idéal pour les adeptes de la randonnée qui souhaitent explorer les versants rocheux et pittoresques du mont St. Helena. Depuis le parking, une piste de 8 km, qui traverse sur 1,5 km une épaisse forêt, zigzague sur le flanc abrupt jusqu'au sommet. Le chemin vers le sommet passe près d'une mine d'argent abandonnée et de l'endroit où l'écrivain **Robert Louis Stevenson** *(voir index)* et son épouse, Fanny Osborne, passèrent leur lune de miel en 1880. Son livre *La Route de Silverado* fut inspiré par ce séjour dans la vallée de la Napa. La piste sort de la forêt pour rejoindre une route non goudronnée menant jusqu'au sommet et offrant de splendides **vues★★** sur le Nord de la vallée.

★**Silverado Trail** – Courant le long de la route 29 entre Napa et Calistoga, cette jolie route touristique offre une alternative reposante au conducteur qui souhaite échapper à la voie principale de la vallée. De nombreuses routes transversales relient la route 29, souvent encombrée, à la Silverado Trail, permettant ainsi aux visiteurs de profiter des deux aspects de la région au cours de leur périple dans la vallée de la Napa.

Très sinueuse, elle épouse le relief des coteaux au pied des crêtes bordant la vallée à l'Est, et traverse de nombreux domaines. On aperçoit souvent des cavaliers ou des cyclistes en promenade. La terrasse de l'**Auberge du Soleil**, établissement chic très à la mode et réputé pour sa cuisine, offre une vue superbe sur la vallée.

# RUSSIAN RIVER Region★

Carte Michelin n° 493 A 7 & 8

La région de la Russian River comprend trois principales zones viticoles : la **vallée de la Russian River**, la **vallée du Dry Creek★** et la **vallée Alexander**, sans parler de zones de moindre importance, comme la Knight's Valley (vallée du Chevalier), la Green Valley (vallée Verte), la Sonoma septentrionale ou encore Chalk Hill (colline de craie). La ville de Santa Rosa, à l'extrémité Sud de la région, en est le principal centre commerçant et administratif.

## SANTA ROSA

Cette ville très étendue est le centre commerçant et le chef-lieu du comté de Sonoma. Devenue commune en 1858, Santa Rosa connut un essor démographique et économique très important après l'inauguration du pont du Golden Gate et pendant la Seconde Guerre mondiale. La partie Nord-Est du centre-ville est un charmant quartier résidentiel aux rues bien alignées, bordées de demeures victoriennes de la fin du 19e s. bien conservées. L'une des plus belles, située au 1015 McDonald Avenue, a servi de décor pour le film *Pollyanna*, tourné par les studios Disney en 1960.

Le quartier historique, appelé **Railroad Square** (*délimité par Third Street, David Street, Sixth Street et les voies de chemin de fer*), est constitué d'un ensemble de bâtiments de brique et de pierre construit en 1870 pour les besoins de la Santa Rosa and North Pacific Railroad. Aujourd'hui s'y sont installés des bureaux, des boutiques, des restaurants et un centre d'information.

★**Luther Burbank Home and Gardens** – *À l'angle des avenues Sonoma et Santa Rosa. Visite d'avril à octobre du mardi au dimanche de 10 h à 16 h. 3 $. Les jardins sont ouverts tous les jours de 8 h au coucher du soleil (entrée libre).*   *www.ci.santa-rosa.ca.us/rp/burbank* ☎ *707-524-5445.* Située à l'intersection de deux artères très animées, cette charmante résidence était la demeure du célèbre horticulteur **Luther Burbank** (1849-1926), qui quitta le Massachusetts pour Santa Rosa en 1875. Les importantes expériences qu'il mena sur l'hybridation des plantes – on lui doit notamment des spécimens aujourd'hui très répandus aux États-Unis comme la pomme de terre Russet Burbank, la marguerite Shasta et la prune Santa Rosa – donnèrent naissance à plus de 800 nouvelles variétés de fruits et de légumes et lui valurent une réputation de magicien du monde botanique.

**Visite** – Dans la remise à voitures, aujourd'hui rénovée, des expositions racontent l'histoire de la vie et de l'œuvre de Burbank. L'ameublement, très simple, de sa charmante demeure de style néo-grec témoigne de l'existence modeste menée par l'horticulteur. Le terrain qui entourait cette demeure lui servit de laboratoire avant qu'il ne fasse l'acquisition d'une propriété plus vaste dans les environs de Santa Rosa. Les jardins, redessinés en 1960 et rénovés en 1992, présentent aujourd'hui de nombreuses espèces hybrides issues des expérimentations de Burbank, dont une centaine de variétés de roses.

**Church of One Tree** (**M¹**) – Enfants *Dans Juilliard Park, de l'autre côté de Santa Rosa Avenue face à la maison de Luther Burbank. Fermé au public.* ☎ *707-524-3282.* Construite avec des planches provenant d'un même séquoia de 80 m, cette église de style néogothique quelque peu délabrée abritait un petit musée consacré à la vie et aux découvertes de **Robert Ripley** (1893-1949), célèbre collectionneur de faits et d'objets insolites et créateur de dessins animés.

**Sonoma County Museum** (**M²**) – *425 7th Street. Visite du mercredi au dimanche de 11 h à 16 h. Fermé principaux jours fériés. 2 $.*   *www.pressdemo.com/scmuseum* ☎ *707-579-1500.* Ce bâtiment de style néoclassique était autrefois le bureau de poste de Santa Rosa (1909). Il abrite aujourd'hui des expositions d'objets artistiques, culturels et historiques du comté. Les collections historiques couvrent une période allant du début du 18e s., époque où la région était habitée par les peuples miwok, pomo et wapo, au développement de la vigne et à l'explosion démographique de ces dernières années.

**VIGNOBLE DE LA RUSSIAN RIVER**

Domaines faisant l'objet d'une description

Snoopy's Gallery and Gift Shop – Enfants *1665 W. Steele Lane. Prendre l'US-101 vers le Nord, sortir à Steele Lane et tourner à gauche. La galerie jouxte la patinoire. Visite de 10 h à 18 h. Fermé principaux jours fériés.* ✗ ♿ 🅿 www.snoopygift.com ☎ 707-546-3385 ou 800-959-3385. Un assortiment de souvenirs, de dessins animés et caricatures originales de **Charles Schulz** (1922-2000), célèbre créateur de *Peanuts*, la célèbre bande dessinée, occupe la mezzanine de cette grande boutique de cadeaux. Schulz vécut à Santa Rosa à la fin de sa vie.

## ★HEALDSBURG

Fondée en 1857 par Harmon Heald, un fermier immigré devenu commerçant, la paisible Healdsburg *(prononcer Hildsbeurg)* entoure une pittoresque **plaza** centrale où se déroulent de nombreux festivals et événements publics. Située au confluent des vallées (Alexander, Dry Creek et Russian River), elle compte d'excellents restaurants et auberges et constitue un point de départ idéal pour explorer la région.

**Healdsburg Museum** (M³) – *221 Matheson Street, à deux blocs d'immeubles à l'Est de la plaza. Visite de 11 h à 16 h. Fermé lundi et principaux jours fériés.* ♿ 🅿 ☎ 707-431-3325. Installé dans une ancienne bibliothèque (1911), ce petit musée abrite une collection d'objets amérindiens et de pièces datant de la période mexicaine en Californie. On y trouve notamment des photographies, des paniers fabriqués par les Indiens pomo, des pierres à moudre et des armes. Des textes très détaillés retracent l'histoire de la partie Nord du comté de Sonoma. Des expositions tournantes sont consacrées à l'art et à l'artisanat régionaux, ainsi qu'à l'histoire de Healdsburg et des villages environnants.

★**Hop Kiln Winery** – *6050 Westside Road. 8 km au Sud d'Healdsburg. De Healdsburg Avenue, prendre Mill Avenue vers l'Ouest et tourner à gauche dans Westside Road. Visite de 10 h à 17 h. Fermé 1ᵉʳ janvier, dimanche de Pâques, Thanksgiving Day et 25 décembre.* 🅿 ☎ 707-433-6491. Cette ancienne **grange à houblon**★ (1905), une des plus belles du genre, fut utilisée par la coopérative houblonnière de la côte Nord de Californie. Le houblon était séché dans trois énormes étuves de bois ressemblant à d'immenses entonnoirs inversés avant d'être compacté sous forme de balles pour être expédié vers les brasseries de la région. Le complexe fut rénové pour accueillir un établissement vinicole en 1974.

## ENVIRONS DE GUERNEVILLE

★**Korbel Champagne Cellars** – *13250 River Road. 4 km au Nord-Est de Guerneville. Visite guidée (50 mn) uniquement, d'heure en heure de mai à septembre de 10 h à 15 h 45, le reste de l'année de 10 h à 15 h. Fermé dimanche de Pâques, Thanksgiving Day et 25 décembre.* ✗ ♿ 🅿 ☎ *707-824-7000.* Vers 1870, Anton, Francis et Joseph Korbel, émigrants fraîchement arrivés de Bohême, firent l'acquisition d'une scierie installée sur les rives en pente de la Russian River. À la fin de la décennie, les collines environnantes avaient perdu une grande partie de leurs séquoias et les Korbel plantèrent des vignes au milieu des souches. En 1886, ils achevèrent la construction d'un grand établissement vinicole en briques artisanales, destiné à la production de brandy et de vin pétillant.

Les **caves Korbel** méritent le détour pour leur intéressante visite guidée, qui explique aux visiteurs les procédés anciens et modernes d'obtention de vin pétillant par la méthode champenoise et aussi pour la superbe roseraie *(250 variétés)* située en contrebas du manoir Korbel *(visite guidée de mai à septembre, du mardi au dimanche à 11 h, 13 h et 15 h).* Les visiteurs peuvent aussi flâner dans l'ancienne gare qui était autrefois le terminus de la ligne Fulton-Guerneville de la Northwest Pacific Railroad.

Grappe de pinot

Nanci Kerby

★**Armstrong Redwoods State Reserve** – 🄴🄽🄵🄰🄽🅃🅂 *3 km au Nord de Guerneville en suivant Armstrong Woods Road. Visite de 8 h à une heure après le coucher du soleil. 5 $ par véhicule.* ⚠ *(à côté, dans Austin Creek State Recreation Area)* 🅿 ☎ *707-869-2015.* Des forêts vertes et touffues, composées d'arbres de différentes essences, entourent un bois de séquoias anciens couvrant 200 ha qui a été épargné par l'exploitation forestière au 19e s. grâce à l'intervention du colonel James Armstrong, un défenseur de l'environnement. Cette forêt constitue aujourd'hui le cœur du parc d'État de 320 ha, riche des plus splendides séquoias du comté de Sonoma. Un petit sentier de nature explicatif *(800 m)* traverse de fraîches clairières envahies de fougères.

## ★LAKE SONOMA

*17 km au Nord d'Healdsburg par Dry Creek Road.*

Blotti au pied des chaînes côtières au Nord du comté de Sonoma, ce réservoir de forme allongée résulte de la construction en 1983 du Warm Springs Dam (barrage des Sources chaudes) au confluent des ruisseaux Dry Creek et Warm Springs Creek. Le lac Sonoma aux eaux couleur saphir est aujourd'hui une zone de loisirs très fréquentée, où l'on peut pratiquer le canotage, la natation, la pêche, le pique-nique, la randonnée pédestre et le camping.

★★**Visitor Center and Fish Hatchery** – 🄴🄽🄵🄰🄽🅃🅂 *Visite de 9 h 30 à 16 h 30 (horaires variables selon la saison).* ⚠ 🅿 *www.spn.usace.army.mil* ☎ *707-433-9483.* Des expositions d'objets et d'œuvres artisanales illustrent les traditions et les croyances des Indiens pomo et l'influence qu'exercèrent les colons hispaniques et caucasiens sur leur culture. Des panneaux d'information expliquent les formations géologiques et l'activité thermique de la région. L'**alevinier** voisin fut créé par l'armée pour pallier les perturbations écologiques subies par le Dry Creek lors de la construction du barrage. C'est une expérience unique, permettant d'observer le frai des truites et des saumons argentés et l'éclosion de leurs œufs. Les poissons remontent un chenal incliné appelé échelle, qui mène au bassin où ils sont retenus et triés pour le frai. Toutes ces activités peuvent être observées depuis la mezzanine *(visite de janvier à mars pour la truite, début octobre à décembre pour le saumon ; téléphoner pour vérifier les horaires).*

**Belvédère du lac Sonoma** – *À 4 km du centre d'accueil. Suivre les panneaux « overlook ».* Respectant l'harmonie de l'environnement naturel, ce belvédère en balcon offre de vastes **vues**★★ sur le lac, le barrage et les montagnes environnantes, dont le mont St. Helena dans le vallée de la Napa.

## EXCURSION

**Ukiah** – *72 km au Nord de Healdsburg sur la route 101. Voir schéma p. 196.* Baptisé d'après la fertile vallée Yokaya qui l'entoure (*yokaya* signifie « vallée profonde entre des montagnes » en langue pomo), la ville d'Ukiah fut créée par des fermiers en 1856. L'exploitation forestière est l'activité la plus importante, suivie par l'agriculture et le tourisme. Non loin s'étendent le lac Mendocino *(à 7 km par North State Street jusqu'à Lake Mendocino Drive sur la droite)* et **Clear Lake**★ *(38 km au Sud-Est par la route 20)*, le plus grand lac naturel de Californie, qui propose toutes sortes d'activités de loisirs.

★**Grace Hudson Museum et Sun House** – *431 South Main Street. Visite du mercredi au samedi de 10 h à 16 h 30, le dimanche de 12 h à 16 h 30. Fermé principaux jours fériés. Participation demandée.* ♿ 🅿 ☎ *707-467-2836.* Des portraits d'Indiens pomo, dus à une célèbre artiste d'Ukiah, Grace Carpenter Hudson (1865-1937), ainsi que les collections de son époux l'ethnologue John Hudson (1857-1936), forment l'essentiel de ce musée consacré à l'art, l'histoire et l'anthropologie. À côté du musée, le bungalow de six pièces en séquoia (1911) où les Hudson vécurent 25 ans fut conçu par l'architecte George Wilcox. Baptisée « Sun House » en l'honneur de la divinité solaire Hopi dont l'image couronne la porte d'entrée, cette demeure abrite le mobilier éclectique réuni par le couple.

# SONOMA Valley★★
## Vallée de SONOMA
Carte Michelin n° 493 A 8 – Voir schéma au chapitre NAPA Valley p. 356

Plus variée que la vallée de la Napa du point de vue agricole et topographique, la vallée de Sonoma est renommée pour ses cultures maraîchères, ses produits fermiers et, bien sûr, ses vins. Elle domine la partie Sud du comté de Sonoma, qui réunit vignobles, chais, vergers et pâturages. La majorité des grands domaines se situent à proximité de la ville historique de Sonoma et près de la route 12, qui traverse Santa Rosa et la région de la Russian River, au Nord du comté. La lune jouant souvent à cache-cache avec les sommets alentour, Jack London surnomma la vallée « Vallée de la lune ».

## ★★SONOMA *Une journée*

Dernier site de la chaîne des missions au Nord de la Californie, Sonoma est aujourd'hui une charmante bourgade installée au milieu des vergers et des vignobles ensoleillés de sa vallée. C'est la ville la plus importante sur le plan historique du Pays du vin. Sonoma est née avec la création, en 1823, de la mission Solano de San Francisco qui faisait partie de l'avant-poste destiné à prévenir la menace d'une invasion russe en provenance de Fort Ross, situé sur la côte à une cinquantaine de kilomètres au Nord. Après la sécularisation de 1834, un jeune général mexicain du nom de Mariano Vallejo fut chargé de surveiller la distribution des terrains de la mission et d'établir un pueblo et un presidio à Sonoma.

Le 14 juin 1846, la place centrale de Sonoma fut le théâtre de la **« révolte du drapeau à l'ours »** (Bear Flag Revolt), un soulèvement de colons américains mécontents du contrôle que les Mexicains exerçaient sur la Californie. Hissant un drapeau dont le blason représentait un ours brun et une étoile, le groupe proclama la République indépendante de Californie. Un mois plus tard, les forces américaines s'emparaient de Monterey et de la Californie et mettaient fin à la courte vie de la république. Constituée en commune en 1850, Sonoma devint un centre de commerce et d'approvisionnement pour la viticulture naissante de la région. La ville garde une partie du charme de l'époque, en dépit du fait que ses bâtiments historiques en adobe, occupés par des boutiques, des restaurants et des auberges, côtoient des édifices contemporains. Dans les rues des quartiers résidentiels, au Sud et à l'Ouest de la plaza, on voit de remarquables exemples d'architecture du 19e s., de charmantes habitations illustrant les styles Mission, bungalow et colonial de Monterey. Le **Sonoma State Historic Park**★★, dont les bureaux se trouvent à proximité du Toscano Hotel, gère et entretient les monuments historiques principaux de la ville, parmi lesquels la mission San Francisco Solano, la caserne, l'hôtel Toscano et la maison de Vallejo *(visite de 10 h à 17 h ; fermé 1er janvier, Thanksgiving Day et 25 décembre ; billet valable pour l'ensemble des sites 3 $ ; ☎ 707-938-1519).*

★**Plaza** – *Délimitée par Spain Street, 1st West Street, Napa Street et 1st East Street.* Conçue par Mariano Vallejo en 1835, la place – plus de 3 ha – est la plus grande de ce type en Californie. Avec en son centre l'**hôtel de ville** (1908), étonnante construction de style Mission en pierres de basalte grossièrement taillées, elle est devenue un beau parc public paysager traversé d'allées piétonnières, parsemé de mares à canards, de bancs et d'aires de jeux. Sur le côté Est, le **centre d'accueil de la vallée de Sonoma** *(453 1st Street E. ☎ 707-996-1090)* occupe l'ancienne bibliothèque Carnegie (1913). Dans l'angle Nord-Est, une impressionnante **statue** de bronze d'un soldat brandissant le drapeau à l'ours commémore la révolte de 1846. De nombreux ifs, sycomores et platanes ajoutent à l'atmosphère paisible de la plaza, îlot de calme tranchant avec l'agitation des rues environnantes.

À la **Sonoma Cheese Factory** *(fromagerie – 2 Spain Street, au Nord de la Plaza)*, les visiteurs peuvent assister, à travers une grande vitre, à la fabrication d'une version locale du célèbre Jack cheese de Monterey.

★**San Francisco Solano Mission** – *E. Spain Street et 1st Street E.* ♿ ☎ 707-938-9560. Cette 21$^e$ et dernière mission californienne fut fondée en 1823 par le père José Altamira. Pour le gouverneur José Figueroa, c'était une étape préliminaire à la défense des possessions mexicaines contre une invasion potentielle. N'acceptant pas les rudes conditions de vie imposées par la mission, les Indiens se soulevèrent en 1826. Au cours de cette révolte, l'église en bois et les bâtiments d'origine de la mission furent incendiés. Reconstruite en adobe, la mission fonctionna jusqu'à l'indépendance du Mexique en 1834. Le général Vallejo démantela alors le domaine et éleva une chapelle paroissiale sur le site de l'église d'origine.

La chapelle et une partie des logis des prêtres, restaurés vers 1913, sont tout ce qui reste aujourd'hui de la mission. Des présentations de meubles et d'objets d'époque ouvrent l'exposition, suivis d'une impressionnante collection d'aquarelles illustrant les missions de Californie, exécutées par le peintre norvégien Chris Jorgensen (1859-1935). Dans la chapelle restaurée, les tableaux et le Chemin de croix sont d'origine.

En traversant Spain Street *(n° 217)*, on accède à l'**auberge Blue Wing** (1840), charmante construction symétrique en adobe qui servit autrefois de saloon et d'hôtel. En mars et avril, l'exubérante glycine qui s'enroule autour du balcon du premier étage est une masse de fleurs. Un pâté de maisons plus loin, **Ray-Adler Adobe** *(205 East Spain Street)*, résidence de style Monterey Colonial, garde un air très digne avec son toit presque plat, sa véranda à l'étage et ses murs épais en adobe.

★**Sonoma Barracks** – *Spain Street et 1st Street E.* La vaste **caserne** en adobe à un étage (1841), dotée d'un large balcon dominant la plaza, abritait autrefois les troupes mexicaines envoyées en garnison à Sonoma afin de protéger le nouveau pueblo. Quand les Américains occupèrent la Californie pendant la guerre du Mexique, plusieurs de leurs régiments y séjournèrent. Désormais occupés par un musée du parc historique de Sonoma, ces bâtiments abritent diverses expositions illustrant l'histoire de Sonoma et présentent des objets fabriqués à l'époque de la colonisation mexicaine et américaine. À la droite de l'entrée, on peut voir le quartier des soldats, aménagé comme à l'époque de l'occupation militaire, avec des lits superposés bien alignés. Une présentation vidéo *(22 mn)* est consacrée à cette zone frontière du Nord et à la vie du général Vallejo.

À côté de la caserne se dresse l'ancien **Toscano Hotel** *(visite du samedi au lundi de 13 h à 16 h ; fermé 1$^{er}$ janvier, Thanksgiving Day et 25 décembre ; contribution demandée ; 🅿 ☎ 707-938-1519)*. Magasin général à sa construction en 1850, il devint après 1880 une pension pour les immigrants italiens qui travaillaient dans les carrières de la région. Aujourd'hui, le décor victorien de cette demeure en bois ne laisse rien deviner de ses humbles débuts. Les visiteurs peuvent jeter un coup d'œil dans les minuscules chambres de l'étage, voir une perruque sophistiquée à la mode au milieu du 19$^e$ s. et explorer la cuisine et la salle à manger restaurées situées à l'arrière du bâtiment principal.

★**Lachryma Montis** – *À 800 m de la Plaza. En quittant la Plaza, suivre W. Spain Street, tourner à droite dans 3rd Street vers l'Ouest, continuer jusqu'au bout.* ☎ 707-938-9559. Élégante résidence de style néogothique « charpentier », la **maison de Vallejo** se dresse au milieu d'un beau parc paysager ; elle tient son nom latin de « larme de la montagne » d'une source qui se trouve dans la propriété. Né à Monterey, **Mariano Vallejo** (1807-1890) était commandant du presidio de San Francisco lorsqu'il fut appelé par le gouverneur mexicain Figueroa pour organiser la sécularisation de la mission de Sonoma, fonder un pueblo et établir un avant-poste de défense. En rétribution, Vallejo se vit offrir 17 800 ha de terre près de Petaluma, dont il fit un ranch. Nommé commandant de toutes les troupes mexicaines de Californie en 1835, Vallejo étendit encore son domaine et devint un puissant personnage de la Californie mexicaine.

Favorable à la conquête américaine de la Californie, Vallejo fit un bref séjour en prison lors de la Bear Flag Revolt. En 1850, il fut élu membre du premier sénat de l'État de Californie et devint maire de Sonoma (1852-1860) avant de prendre sa retraite à Lachryma Montis.

L'intérieur clair et spacieux de la demeure est meublé comme à l'époque de Vallejo ; il donne une image très plaisante du style de vie distingué de ce célèbre citoyen de Sonoma. Dans l'enceinte de la propriété, un entrepôt de briques abrite un petit musée-découverte et une collection d'objets du 19ᵉ s.

**★★ Buena Vista Winery** – *18000 Old Winery Road. Depuis le centre-ville, prendre Napa Street vers l'Est, tourner à gauche dans 7th Street, puis à droite dans Lovall Valley Road, puis emprunter à gauche Old Winery Road sur 800 m jusqu'à l'entrée. Visite de 10 h 30 à 17 h. Fermé 1ᵉʳ janvier, Thanksgiving Day et 25 décembre.* ▯ *www.buenavistawinery.com* ☎ 707-938-1266 *ou* 800-926-1266. Fondé en 1857 par Agoston Haraszthy *(voir p. 353)*, cet établissement viticole – le plus ancien du comté de Sonoma – occupe un agréable site vallonné au milieu d'eucalyptus, de chênes et de lauriers. Les vins de Buena Vista sont produits aujourd'hui dans un établissement situé à 8 km au Sud-Est de Sonoma.

Les visiteurs peuvent apercevoir derrière un portail en ferronnerie les célèbres **caves à vin** de Haraszthy, creusées en 1863 par des ouvriers chinois dans la colline calcaire située derrière l'établissement. L'intérieur du **pressoir**, un très joli bâtiment en pierre qui serait le plus ancien de Californie, a été remis à neuf mais les poutres en bois sont d'origine. La galerie de l'étage accueille des œuvres d'artistes et d'artisans de la région.

**★ Sebastiani Vineyards** – *Du centre-ville, prendre Spain Street vers l'Est et tourner à gauche dans 4th Street E. Visite guidée (30 mn) uniquement de 10 h 30 à 16 h. Fermé 1ᵉʳ janvier et 25 décembre.* ♿ ▯ *www.sebastiani.com* ☎ 707-938-5532. En 1904, l'immigrant italien Samuele Sebastiani acheta des écuries de louage en pierre (1903) qu'il transforma en caves à vin. Il en subsiste une partie parmi les autres bâtiments ajoutés peu à peu pendant la première moitié du 20ᵉ s. Dans la salle d'accueil sont exposés des fûts, des pressoirs et autres équipements rustiques du début du siècle. Les deux cuves de fermentation en chêne, qui contiennent chacune 227 000 litres, seraient les plus grandes du monde après celles de Heidelberg, en Allemagne. L'établissement est décoré par plus de 300 couvercles de fûts et portes en bois gravés de dessins originaux réalisés entre 1967 et 1984 par l'artiste régional Earle Brown.

## ★★ JACK LONDON STATE HISTORIC PARK *2 h*

À **Glen Ellen**. *2400 London Ranch Road. 16 km au Nord-Ouest de Sonoma. De Sonoma, prendre la route 12 vers le Nord sur 8 km et tourner à gauche dans Madrone Road, puis à droite dans Arnold Drive. Continuer dans Glen Ellen et prendre London Ranch Road sur la gauche.*

Le « Beauty Ranch » occupe 320 ha au milieu des paisibles collines de la « Vallée de la lune », protégées par le mont Sonoma. C'est là que **Jack London** (1876-1916) passa les dernières années de sa vie. Ce ranch est aujourd'hui un parc d'État dédié à la mémoire de cet écrivain, à qui l'on doit de grands classiques tels *L'Appel de la Forêt* et *Croc-Blanc*.

**Le marin à cheval** – Élevé au milieu des usines et des entrepôts d'Oakland, le jeune Jack London ressentit très tôt l'appel de l'aventure. À 13 ans, il avait réussi à gagner assez d'argent pour s'acheter une yole. À 14 ans, il braconnait l'huître à bord de son propre sloop. À 17 ans, il s'embarquait pour un périple de sept mois comme matelot, à bord d'une goélette chassant le phoque en Sibérie. London participa à la Ruée vers l'or du Klondike au Canada, sillonna aussi toute l'Amérique du Nord et travailla comme journaliste correspondant outre-mer.

En 1905, il avait déjà acquis une réputation en tant qu'écrivain, conférencier et ardent défenseur des miséreux ; il décida de s'acheter un ranch délabré de 52 ha dans les collines proches de Glen Ellen et s'y établit avec Charmian, sa seconde épouse. En 1911, les London se lancèrent dans la construction de Wolf House (Maison du Loup), un imposant manoir de trois étages mêlant pierres volcaniques et rondins de séquoia. Dans la nuit du 22 août 1913, quelques jours à peine avant que le couple n'emménage, un incendie ravagea toute la maison, ne laissant que la structure de pierre. Anéantis, les London ne reconstruisirent jamais Wolf House et continuèrent à habiter un petit cottage sur le ranch. C'est là que mourut Jack London, à l'âge de 40 ans, d'une crise d'urémie.

**Visite** – *De 9 h 30 à 19 h (17 h de novembre à mars). Fermé 1ᵉʳ janvier, Thanksgiving Day et 25 décembre. 6 $ par voiture.* ▯ *www.parks.sonoma.net* ☎ 707-938-5216. *Le plan du site est disponible à l'entrée du parc.* Érigée en 1919 par Charmian London, qui comptait en faire un musée dédié à la mémoire de son mari, **House of Happy Walls ★** (**A**) est une maison de pierre d'allure rustique. Elle abrite aujourd'hui le centre d'accueil du parc *(ouvert tous les jours de 10 h à 17 h)*. Aménagé avec certains des meubles fabriqués spécialement pour Wolf House, ce bâtiment massif abrite les souvenirs du couple London, dont des objets rappelant la vie et l'œuvre de l'auteur, des lettres, des photographies, des vêtements et toutes sortes de curiosités rapportées lors de ses nombreux voyages à travers le monde.

Charmian London vécut ici de 1934 à 1945. Un sentier *(2 km AR au départ de la maison)* serpente à travers des bois et des prairies vallonnées jusqu'aux **ruines de Wolf House★** qui dominent une vallée paisible, silencieux témoin du rêve des London. En faisant un petit détour, on peut se rendre sur la **tombe** où repose le couple, sous un gros rocher au sommet d'une colline paisible.

Le sentier **Beauty Ranch Trail★** *(boucle de 800 m accessible depuis le parking supérieur)* serpente dans la propriété et permet de découvrir des écuries, des silos, une porcherie et le modeste petit cottage où l'auteur vécut et travailla *(fermé au public)*. Des sentiers de randonnée plus longs traversent le parc et gravissent les pentes du mont Sonoma *(sommet situé dans une propriété privée)*.

## AUTRES CURIOSITÉS *Une demi-journée*

**★★Petaluma Adobe State Historic Park** – *3325 Adobe Road. 16 km à l'Ouest de Sonoma. Quitter Sonoma au Sud par la route 12, puis tourner à droite dans Leveroni Road et à gauche dans Arnold Drive ; prendre à droite la route 116, continuer sur 5 km et virer à droite sur Adobe Road ; rouler sur 4 km jusqu'à une fourche et tourner tout de suite à droite pour atteindre l'entrée du parc un peu plus loin à droite. Visite de 10 h à 17 h. Fermé 1er janvier, Thanksgiving Day et 25 décembre. 2 $.* ▮ ☎ 707-938-1519. En 1834, le commandant mexicain Mariano Vallejo choisit cette colline dominant la campagne vallonnée du comté de Sonoma pour y établir son quartier général. Il fonda un ranch de 260 km² sur les terres que lui avait allouées le gouvernement mexicain. Le Rancho Petaluma prospéra grâce à l'élevage du bétail, des chevaux et des moutons et à la culture de céréales jusqu'en septembre 1850, où Vallejo laissa ses terres en fermage. Le ranch en adobe vit ensuite se succéder un grand nombre de propriétaires jusqu'à sa reprise par l'État en 1951.

À l'origine, le bâtiment d'habitation occupait les quatre côtés de la cour. Aujourd'hui, le bâtiment à un étage restauré, dont la taille a diminué de moitié par rapport à l'original, recrée l'atmosphère d'un ranch prospère. Des meubles d'époque authentiques décorent les appartements personnels de Vallejo et d'autres pièces à l'étage. Les pièces du rez-de-chaussée contiennent métiers à tisser, batterie de cuisine et ustensiles pour couler les bougies. On voit dans la cour des fours en forme de ruches, utilisés autrefois pour préparer les repas des habitants du ranch.

**★Petaluma** – *19 km à l'Ouest de Sonoma par les routes 12 et 116*. Cette petite localité agricole borde la Petaluma River au milieu d'une vallée fertile. Simple campement de chasseurs au départ, elle était devenue en 1852 un port céréalier. Le **grand moulin** *(angle de Petaluma Boulevard et B Street, reconverti en galerie marchande)* était autrefois le plus grand de la région. Il a survécu au temps et témoigne aujourd'hui du passé industriel de la ville. En 1879, Lyman Byce rendit Petaluma célèbre en inventant un incubateur pour la production intensive de volaille. Surnommée « le panier à œufs du monde », Petaluma expédiait chaque année plus de 600 millions d'œufs jusqu'au lendemain de la Seconde Guerre mondiale, quand le coût des salaires et des aliments pour volailles mit fin à cet essor. Aujourd'hui, la ville reste un centre de production laitière.

Le quartier historique, **Old Petaluma** *(au Nord de B Street, le long de Petaluma Blvd N et de Kentucky Street)*, reflète l'héritage victorien de la ville. Les plus beaux bâtiments à ossature de fonte de la ville furent élevés au début du siècle grâce aux revenus du commerce fluvial et de l'aviculture. Largement utilisée dans la construction d'édifices commerciaux dans la seconde partie du 18e s., la fonte était coulée et vendue en pièces préfabriquées. Ainsi, on pouvait reproduire à peu de frais les corniches et colonnes richement sculptées caractéristiques du style architectural de cette époque. Non seulement la fonte était abordable et facile à utiliser, mais elle passait également pour empêcher la propagation des incendies dans les bâtiments, ce qui se révéla erroné par la suite.

Le plus bel ensemble de maisons construites dans ce style *(Western Avenue entre Kentucky Street et Petaluma Blvd)* est balisé à l'angle Nord par le **Mutual Relief Building** (1885), au style italianisant, et au Sud par le **Masonic Hall** (1882), que surmonte une tour à horloge visible de loin. Non loin de là, le **McNear Building** *(15-23 Petaluma Blvd)*, qui appartenait à l'une des familles les plus en vue de Petaluma et dont l'étage est orné d'élégantes arcades, est en fait composé de deux bâtiments : l'un de 1886 et son extension de 1911. La façade de l'**ancien Opéra★** *(149 Kentucky Street)*, construit en 1870 pour accueillir des représentations de troupes itinérantes et des productions théâtrales, est richement décorée de festons, de couronnes et de colonnes de marbre. *Des plans de circuits de visite à pied sont disponibles à la Chambre de commerce, 799 Baywood Street,* ☎ *707-762-2785.* Le bâtiment de style néoclassique (1906) qui abrite la **bibliothèque** et le **musée** (Petaluma Historical Library and Museum – *20 Fourth Street. Visite le lundi et du* *jeudi au samedi de 10 h à 16 h, le dimanche de 12 h à 16 h. Fermé principaux jours fériés.* ☎ *707-778-4398*) renferme une collection d'objets ayant trait à l'histoire locale. Le dôme autoportant du bâtiment, avec ses vitraux, est le plus grand de Californie.

**Marin French Cheese Company** – *7500 Red Hill Road. 14,5 km au Sud de Petaluma par le prolongement de la D Street. Visite de 8 h à 17 h. Fermé 1er janvier, Thanksgiving Day et 25 décembre.* ✕ ♿ 🅿 ☎ *707-762-6001.* Blottie au milieu de paisibles collines à proximité d'un étang ombragé, cette fromagerie propose aux curieux de visiter les coulisses de la fabrication du fromage, de la séparation du petit-lait jusqu'à l'affinage et au conditionnement du produit fini. Toute la palette des produits de la fromagerie est proposée à la vente.

---

**La Californie : à chacun ses préférences !**

| | |
|---|---|
| **La nature** | – Yosemite National Park |
| | – Death Valley National Monument |
| | – Redwood Empire |
| **Les parcs d'attractions** | – Disneyland (Anaheim) |
| | – Universal Studios (Los Angeles) |
| | – Sea World (San Diego) |
| **La Californie dont on rêve** | – Hollywood, Beverly Hills |
| | – Santa Monica |
| | – Santa Barbara |
| | – Carmel |
| | – San Francisco |
| **L'histoire** | – Le Gold Country |
| | – Les Missions |

... sans oublier le **Wine Country !**

# Renseignements pratiques

# Quand partir ?

Les différentes régions californiennes connaissent de grandes variations de conditions climatiques. Même si la température varie très faiblement dans les régions côtières entre l'hiver et l'été, la température tend à monter quand on s'éloigne de la côte et à chuter rapidement quand on monte en altitude. En Californie, la saison des pluies s'étend généralement d'octobre à avril. Au Sud, elle se caractérise par des ondées passagères, mais soudaines ; au Nord, elle est marquée par de petites averses, plus fréquentes sur une période relativement étendue.

**Comté de San Diego** – Sur la côte, le climat est frais, mais les températures augmentent à l'intérieur des terres. Les variations saisonnières sont peu marquées et il pleut rarement. Les journées sont agréables, ensoleillées sur fond de brise ; une veste légère peut être nécessaire dans la soirée sur la côte et pendant l'hiver. **San Diego** : *températures janvier 8°-18°, précipitations moyennes 50 mm; températures juillet 18°-24°, précipitations 0-25 mm.*

**Empire intérieur/Comté d'Orange** – Le temps est clément et agréable toute l'année au bord de la côte ; les régions intérieures en basse altitude sont accablées par des températures torrides l'été. Les hauteurs des monts San Bernardino et San Jacinto offrent un peu de fraîcheur, à l'abri de la chaleur et des brumes. Les pluies tombent en général à la fin de l'hiver et au début du printemps. **Laguna Beach** : *températures janvier 6°-19° précipitations moyennes 50 mm ; températures juillet 15°-24°, précipitations moyennes 0-25 mm.* **Santa Ana** : *températures janvier 7°-21°, précipitations moyennes 50 mm ; températures juillet 17°-28°, précipitations 0-25 mm.*

**Déserts** – Le printemps et l'automne sont des saisons idéales pour visiter les déserts d'altitude ; il fait chaud pendant la journée et frais pendant la nuit. Les étés sont torrides, la nuit amenant une certaine fraîcheur. Éviter les déserts en basse altitude l'été, car les températures y sont dangereusement élevées. Beaucoup de commerces et d'attractions ferment de mai à septembre. En mars et avril, les plantes sauvages sont en pleine floraison. Les journées d'été sont torrides dans la région de Palm Springs, désertée par les touristes, si bien que beaucoup de stations cassent les prix. **Blythe** : *températures janvier 4°-19°, précipitations moyennes 0-25 mm ; températures juillet 28°-43°, précipitations 0-25 mm.*

**Grand Los Angeles** – Le climat côtier est chaud et agréable toute l'année, mais on supporte un vêtement à manches longues le soir, même l'été. Les régions intérieures du bassin de Los Angeles sont torrides et brumeuses en été et au début de l'automne. On enregistre la plupart des précipitations en janvier et en mars. Les touristes affluent toute l'année, mais c'est au printemps et durant les vacances d'été qu'ils sont le plus nombreux. Les enregistrements télévisés, les visites guidées des studios et autres sites hollywoodiens affichent très souvent complet à cette époque de l'année. **Los Angeles** : *températures janvier 7°-17°, précipitations moyennes 50 mm ; températures juillet 17°-24°, précipitations 0-25 mm.*

**Côte centrale** – Sur la côte, les températures sont modérées toute l'année. L'automne est la saison de visite idéale avec sa chaleur agréable, son ciel clair et la baisse d'affluence. La journée, il est recommandé de porter un vêtement à manches longues et, le soir, de se couvrir d'un pull-over et d'une veste légère. À la fin du printemps et en été, les brumes envahissent parfois la côte. La Pacific Coast Highway (Highway 1) est parcourue sans relâche par les touristes pendant les mois estivaux. Il est souvent difficile de trouver une chambre sur la péninsule de Monterey au moment des grands tournois de golf et des festivals de musique. Mieux vaut réserver à l'avance. Le printemps et l'automne sont les saisons idéales pour visiter l'intérieur, sujet à des vagues de chaleur en été. **Santa Barbara** : *températures janvier 4°-17°, précipitations moyennes 100 mm ; températures juillet 14°-23°, précipitations 0-25 mm.*

**Vallée centrale** – Entre février et avril, période de floraison des vergers, la nature est très colorée. Les températures sont élevées l'été, mais l'humidité reste faible. Les soirées sont plus fraîches et les brises qui soufflent dans les régions centrales de la vallée tempèrent le climat. L'hiver s'accompagne du **tule fog**, un épais brouillard proche du sol, qui obscurcit la visibilité sur les routes, tout en amenant froid et humidité. **Sacramento** : *températures janvier 3°-12°, précipitations moyennes 100 mm ; températures juillet 14°-34°, précipitations 0-25 mm.*

**Hautes sierras** – La saison de sports d'hiver commence dès fin octobre et dure parfois jusqu'à mi-avril, en fonction de l'abondance des chutes de neige. De manière générale, il vaut mieux réserver à l'avance pour les week-ends. Les régions touristiques populaires comme Yosemite Valley et Lake Tahoe sont bondées l'été. Dans Yosemite Valley règnent fréquemment des températures de 32°. Mais la température peut descendre au-dessous de zéro la nuit en haute altitude. Les chutes d'eau de la région, alimentées par la fonte des neiges et les pluies hivernales, sont très spectaculaires au printemps. En automne, les trembles revêtent des couleurs magnifiques, les températures sont fraîches. Il y a moins de visiteurs. **Bishop** : *températures janvier -7°-12°,* *précipitations moyennes 25 mm; températures juillet 13°-36°, précipitations moyennes 0-25 mm.* **Fresno :** *températures janvier 2°-13°, précipitations moyennes 50 mm ; températures juillet 17°-37°, précipitations 0-25 mm.*

**Baie de San Francisco** – Les variations saisonnières de température sont faibles à San Francisco et le long de la côte, mais le temps peut changer brusquement au cours de la même journée, passant de chaud et ensoleillé à brumeux et frais. Des brumes épaisses se forment parfois, surtout en été. Les villes situées à l'intérieur des terres sont plus protégées et il y règne des températures agréables l'été. Les pluies s'étalent de novembre à avril, fréquemment par période de plusieurs jours entrecoupées de journées claires. **San Francisco :** *températures janvier 5°-13°, précipitations moyennes 100 mm ; températures juillet 12°-22°, précipitations 0-25 mm.*

**Pays de l'or** – La floraison et les températures agréables font du printemps la meilleure saison de visite. Les étés sont parfois brûlants. Les feuillus déploient toute leur splendeur entre septembre et novembre (plus tôt en altitude). Les fermes de la région proposent leurs produits frais. Vestes et pull-overs sont de rigueur. L'hiver s'accompagne de pluies et de froid. **Auburn :** *températures janvier 2°-12°, précipitations moyennes 200 mm ; températures juillet 16°-34°, précipitations 0-25 mm.* **Blue Canyon :** *températures janvier -1°-6°, précipitations moyennes 350 mm ; températures juillet 15°-25°, précipitations 0-25 mm.*

**Côte Nord** – La fin du printemps et le début de l'automne sont des saisons idéales pour visiter la Wine Country et les régions Sud de la North Coast. Les pluies s'étalent d'octobre à avril. Il faut réserver sa chambre longtemps à l'avance si l'on souhaite se rendre dans le Pays du vin au moment des vendanges, en septembre et octobre. **Healdsburg :** *températures janvier 3°-14°, précipitations moyennes 270 mm ; températures juillet 11°-32°, précipitations 0-25 mm.*
Les confins Nord de la côte californienne sont sujets aux brumes, aux pluies et au froid, notamment à la fin de l'automne et en hiver. Choisir plutôt le printemps, l'été ou le début de l'automne pour visiter les forêts de séquoias. **Eureka :** *températures janvier 5°-12°, précipitations moyennes 180 mm ; températures juillet 11°-16°, précipitations 0-25 mm.*

**Cascades de Californie** – L'été et le début du printemps sont des saisons idéales pour les activités de plein air. L'été, les températures sont torrides dans les régions Sud de la Vallée centrale. Le mont Shasta accueille les passionnés de ski et de sports d'hiver de novembre à mars. L'hiver, il fait froid dans les régions du Nord et en haute altitude. **Red Bluff :** *températures janvier 3°-12°, précipitations moyennes 100 mm ; températures juillet 19°-37°, précipitations 0-25 mm.* **Mount Shasta :** *températures janvier -4°-6°, précipitations moyennes 180 mm ; température juillet 11°-29°, précipitations 0-25 mm.*

La Sierra orientale près du parc de Kings Canyon

# Préparer son voyage

Pour organiser son voyage, rassembler la documentation nécessaire, vérifier certaines informations, s'adresser en premier lieu aux **Offices de Tourisme des États-Unis** :

**Canada** : Travel USA, PO Box 5000, Station B, Montréal, Québec H3B 4B5. ☎ 514/861-5036. Renseignements, également, en composant le 1-900-451-4050.

**France – Suisse** : Office de Tourisme des États-Unis, BP 1, 91167 Longjumeau Cedex 9 *(uniquement par correspondance. Compter avec les délais d'acheminement)*.
En France, on pourra obtenir des renseignements ponctuels, par téléphone au
01 42 60 57 15 du lundi au vendredi de 10 h à 17 h. Minitel : 3615 code USA.
En Suisse : Ambassade des États-Unis, Jubiläumstrasse 93, 3005 Berne. ☎ 031/357 70 11 de 8 h 30 à 17 h 30.

**Belgique** : Office de Tourisme des États-Unis 350, avenue Louise 1050 Bruxelles. ☎ 02/648 43 56.
Ambassade des États-Unis 27, boulevard du Régent 1000 Bruxelles. ☎ 02/513 38 30.
Les offices de tourisme des régions figurent sur la liste ci-dessous fournissent informations et brochures sur les curiosités, les principales manifestations et l'hébergement. Ils disposent de cartes routières et de plans de ville.

## OFFICES DE TOURISME

*(carte des régions touristiques de Californie, p. 18)*

### California Office of Tourism

**801 K Street, Suite 1600,**
Sacramento CA 95812.
www.gocalif.ca.gov

☎ 916-322-2881
☎ 800-862-2543 (USA uniquement)

### San Diego County

**San Diego Convention & Visitors Bureau**
11 Horton Plaza,
San Diego CA 92101
www.sandiego.org

☎ 619-236-1212

### Inland Empire

**Inland Empire Economic Partnership**
301 E.Vanderbilt Way, Suite 100
San Bernardino CA 92408
www.ieep.com

☎ 909-890-1090

### Orange County

**Anaheim Area Visitor & Convention Bureau**
800 W. Katella Avenue, Anaheim
CA 92803
www.anaheimoc.org ou www.go-orange.com

☎ 714-765-8888

### Déserts

**Barstow Area Chamber of Commerce**
PO Box 698, Barstow CA 92312

☎ 760-256-8617
ou ☎ 888-422-7786

**Mojave Desert Information Center**
PO Box 241, Baker CA 92309

☎ 760-733-4040

**Palm Springs Tourism**
333 N. Palm Canyon Drive, Suite 114
Palm Springs CA 92262
www.palm-springs.org

☎ 760-778-8418
☎ 800-347-7746 (USA uniquement)

### Greater Los Angeles Area

**Los Angeles Convention & Visitors Bureau**
685 S. Figueroa Street,
Los Angeles CA 90017

☎ 213-689-8822
ou ☎ 800-228-2452

### Central Coast

**Monterey County Travel & Tourism Alliance**
137 Crossroads Boulevard
Carmel, CA 93923
www.GoMonterey.com

☎ 831-626-1424

**Morro Bay Chamber of Commerce**
880 Main Street
Morro Bay CA 93442

☎ 805-772-4467

**Santa Barbara Convention & Visitors Bureau**
12 E. Carrillo Street
Santa Barbara CA 93101

☎ 805-966-9222

## Central Valley

**Fresno Convention & Visitors Bureau**
808 M Street
Fresno CA 93721

☎ 800-788-0836

**Sacramento Convention & Visitors Bureau**
1303 J Street, Suite 600
Sacramento CA 95814
www.sacramentocvb.org

☎ 916-264-7777

**Stockton-San Joaquin Convention & Visitors Bureau**
46 W. Fremont Street,
Stockton CA 95202
www.ssjcvb.org

☎ 209-943-1987

## High Sierras

**Lake Tahoe Visitors Authority**
1156 Ski Run Boulevard
South Lake Tahoe CA 96150
www.virtualtahoe.com
(Réservations : 800-288-2463)

☎ 530-544-5050

**Mammoth Lakes Visitors Bureau**
437 Old Mammoth Road, Suite Y
Mammoth Lakes CA 93546

☎ 760-934-8006

## San Francisco Bay Area

**San Francisco Convention & Visitors Bureau**
201 Third Street, Suite 900
San Francisco CA 94103
www.sfvisitor.org

☎ 415-391-2000

**San Jose Convention & Visitors Bureau**
333 W. San Carlos Street
Suite 100, San Jose CA 95110
www.sanjose.org

☎ 408-977-0900
ou 888-726-5673

**Marin County Convention & Visitors Bureau**
1013 Larkspur Landing Circle
San Rafael CA 94939
www.visitmarin.org

☎ 415-499-5000

## Gold Country

**Calaveras Visitors Bureau**
PO Box 637, Angels Camp CA 95222
www.calgold.org

☎ 209-736-0049
ou 800-225-3764

**El Dorado County Chamber of Commerce**
542 Main Street
El Dorado CA 95667
www.eldoradocounty.org

☎ 530-621-5885
☎ 800-457-6279

**Mariposa County Visitors Bureau**
PO Box 784
Mariposa CA 95338

☎ 888-966-2456

## North Coast

**Redwood Empire Association**
2801 Leavenworth, 2nd Floor
San Francisco CA 94133
www.redwoodempire.com

☎ 415-394-5991

## Shasta-Cascade

**Shasta Cascade Wonderland Association**
1699 Highway 273
Anderson CA 96007
www.shastacascade.org

☎ 530-365-7500
ou 800-474-2782

**Voyageurs handicapés** – Une loi fédérale votée récemment prescrit aux commerces existants (y compris les hôtels et restaurants) d'améliorer leur accessibilité aux handicapés et de prévoir un accueil adapté. Pour de plus amples informations, s'adresser à **Disability Rights Education and Defense Fund**, 2112 Sixth St, Berkeley CA 94710. ☎ 800-466-4232 *(États-Unis exclusivement)* ou ☎ 510-644-2555.
Tous les **parcs nationaux** disposent d'un minimum d'équipements pour handicapés, qui peuvent en outre bénéficier de la gratuité d'entrée et de réductions sur certains services en demandant le Golden Access Passport au National Park Service, Office of Public Inquiry, PO Box 37127, Washington DC 20013-7127, ☎ 202-208-4747. Les handicapés peuvent aussi bénéficier de réductions accordées par l'État, PO Box 942896, Sacramento CA 94296-0001, ☎ 916-653-6995. Les demandes de réduction au niveau fédéral ou régional doivent être impérativement accompagnées d'une photocopie de la carte d'identité, de la carte grise du véhicule avec le numéro du permis handicapé, d'une attestation de la sécurité sociale ou d'un certificat médical.

# Comment s'y rendre
# Comment circuler

**Fuseaux horaires** – Les États-Unis, si l'on excepte Hawaï et l'Alaska, s'étendent sur quatre fuseaux horaires. La Californie appartient à la zone **PST (Pacific Standard Time)** : moins 9 heures par rapport à l'heure française, moins 3 heures par rapport à la côte Est (Eastern Standard Time).
L'heure d'été (montres avancées de 1 heure) est appliquée dans la quasi-totalité des États-Unis, du premier dimanche d'avril au dernier dimanche d'octobre.

**Avion** – De très nombreuses compagnies desservent les aéroports internationaux de Los Angeles, San Francisco et San Diego. Selon que l'on prend un vol direct ou non, le temps de vol depuis l'Europe varie de 11 heures 30 à 18 heures. Les vols nationaux desservent ces aéroports, et d'autres comme ceux de Monterey, Oakland, Orange County et Sacramento. Des navettes desservent généralement les aéroports régionaux moins importants.
Se renseigner auprès de son agence de voyages afin de connaître les conditions en vigueur, les programmes de voyages organisés, les vols charters et d'une manière générale les vols à prix réduits.

**Train** – Desservant plus de 200 localités californiennes, le réseau ferroviaire Amtrak représente une alternative reposante pour tous ceux qui souhaitent prendre le temps de voyager. Pour profiter des réductions et obtenir la réservation souhaitée, il est recommandé de prendre ses dispositions à l'avance. Les trains ont des compartiments de première classe, des voitures de seconde, des wagons-lits et des voitures panoramiques à plafond vitré. Les prix sont comparables à ceux des billets d'avion. Les principales grandes lignes sont les suivantes : *Coast Starlight* de Seattle à Los Angeles, 36 h ; *California Zephyr* de Chicago à San Francisco, 2 jours ; *Sunset Limited* de Miami à Los Angeles, 2 jours. Pour les voyageurs en provenance du Canada, il existe des correspondances Amtrak/VIARail ; se renseigner auprès de son agence de voyages habituelle.
Le forfait **All-Aboard Pass** permet de voyager n'importe où pendant 45 jours (avec une limitation à trois escales). Le forfait **USA RailPass** (exclusivement réservés aux touristes ne résidant pas en Amérique du Nord) offre des déplacements sans limite sur le réseau Amtrak à prix réduit ; il en existe deux versions : 15 ou 30 jours.
**Horaires et itinéraires** – ☎ 800-872-7245 (Amérique du Nord exclusivement ; pour tous les autres pays, contacter votre agence de voyages habituelle).

**Bus** – Greyhound, la plus grande compagnie d'autocars des États-Unis, dessert à faible allure la plupart des localités californiennes. Les prix sont généralement inférieurs à ceux pratiqués par les autres moyens de transport.
Le forfait **Ameripass** permet de voyager sans limite pendant 7, 15, 30 ou 60 jours (*179 $, 289 $, 399 $, 599 $*). Comme les bus ne disposent pas de couchettes, les longs voyages peuvent s'avérer épuisants. Il est recommandé de réserver à l'avance. Les voyageurs handicapés sont priés de prévenir Greyhound deux jours avant leur départ s'ils souhaitent bénéficier d'une assistance particulière (*Information p. 335*).
**Horaires et itinéraires** – ☎ 800-231-2222 (États-Unis exclusivement) ou ☎ 402-330-2055.

**Voiture** – Pour se renseigner sur l'**état des routes** ☎ 800-427-7623 (*Californie exclusivement*). La Californie dispose d'un vaste réseau autoroutier en bon état. Dans les régions retirées, où certaines routes ne sont pas bitumées, il faut faire preuve d'une extrême prudence. En hiver, les chaînes peuvent être nécessaires sur les routes d'altitude. Il est également recommandé aux touristes désireux de parcourir de longs trajets en voiture ou de visiter des régions retirées de se munir d'un **kit de dépannage** contenant une trousse de premiers secours, de l'eau en bouteilles, de la nourriture non périssable, une couverture, une lampe, des outils et des allumettes.

### Carburant

Il est vendu au gallon (*1 gallon américain = 3,8 l*). L'essence sans plomb (*unleaded*) est obligatoire pour les véhicules de fabrication récente. Il en existe trois sortes : *regular* (la moins chère), *midgrade*, *premium*. Les stations-service sont en général regroupées à l'entrée des villes ou à l'intersection des autoroutes. Dans les campagnes, elles bordent les routes principales fréquentées par les touristes. Les stations en libre-service n'ont pas d'atelier de réparation, mais certaines vendent néanmoins des pièces détachées de consommation courante.

### Permis de conduire

Les conducteurs étrangers n'ont pas besoin de permis de conduire international en Californie. Un permis de conduire en cours de validité et de plus d'un an émis dans son pays de résidence suffit. Les conducteurs doivent être munis en permanence de la carte grise du véhicule et/ou du contrat de location, ainsi que de l'attestation d'assurance.

## Location de véhicules

La plupart des grandes sociétés de location ont des bureaux dans les principaux aéroports et au centre des grandes villes.

Sociétés de location avec service de réservation international *(appels gratuits uniquement à partir des États-Unis)* :

| | |
|---|---|
| **Alamo** | ☎ 800-327-9633 |
| **Avis** | ☎ 800-331-1212 |
| **Budget** | ☎ 800-527-0700 |
| **Dollar** | ☎ 800-421-6868 |
| **Hertz** | ☎ 800-654-3131 |
| **National** | ☎ 800-328-4567 |
| **Thrifty** | ☎ 800-331-4200 |

On peut, bien sûr, réserver une voiture depuis l'Europe. S'adresser à son agence de voyages.

### Ce qu'il faut savoir avant de louer une voiture :

- Un permis de conduire en cours de validité est requis. Certaines agences exigent aussi une preuve d'assurance.
- Il faut posséder une **carte de crédit** de type Visa, American Express ou MasterCard/Eurocard : elle sert en effet de caution.
- Les locations se font à la journée, à la semaine ou au mois. Le kilométrage est souvent illimité *(unlimited mileage)*.
- Les prix varient énormément d'une compagnie à l'autre. Se renseigner avant de louer.
- Les visiteurs ayant l'intention de conduire leur voiture de location hors de l'État où s'est faite la location initiale *(out-of-state)* ou de sortir du pays (Canada) devront payer un supplément.
- Si on rend sa voiture dans une ville autre que celle d'origine il faudra payer une prime de rapatriement *(drop-off-charge)*.
- Attention : le prix de location ne couvre pas l'assurance collision. Prendre auprès de la compagnie une assurance tous risques.
- Seule la personne ayant signé le contrat de location est autorisée à conduire le véhicule. Si d'autres personnes sont amenées à le conduire, régler une prime journalière supplémentaire.
- Le gabarit moyen des voitures américaines est toujours supérieur à celui des voitures européennes, mais la différence s'est un peu atténuée au cours des dix dernières années. Les voitures de location sont toutes à boîte de vitesses automatique. L'air conditionné est de rigueur, et elles sont souvent équipées d'auto-radio et de lecteur de cassettes.

### La circulation en automobile

On roule à droite et la réglementation est à peu près la même qu'en France à deux exceptions près :

- Il n'y a pas de priorité à droite.
- Les **bus scolaires** (les *schools buses* jaunes) ont toujours la priorité et l'on ne doit ni les dépasser, ni les croiser quand ils s'arrêtent pour déposer les enfants.

La limite de vitesse autorisée sur les grandes routes de Californie va de 55 mph *(90 km/h)* à 70 mph *(110 km/h)* en fonction de l'autoroute ou de l'Interstate. La limite de vitesse est en général de 35 mph *(55 km/h)* à l'intérieur des villes et de 25 à 30 mph *(40 à 50 km/h)* en moyenne dans les zones résidentielles. Le port de la **ceinture de sécurité** est obligatoire pour tous les passagers de la voiture ; les enfants de moins de 4 ans ou pesant moins de 18 kg doivent être assis dans des sièges de sécurité *(disponibles dans la plupart des agences de location de véhicules)*. Lorsque le feu est rouge, il est permis de tourner à droite après avoir marqué un arrêt, sauf indication contraire. Faire **demi-tour** n'est autorisé que dans les zones résidentielles.

Attention à ne rien jeter à l'extérieur du véhicule. Les panneaux **Fine for litter** *(amende pour jet de détritus)* indiquent les amendes prévues en cas d'infraction.

### En cas d'accident

En cas d'accident comportant des dégâts matériels ou des dommages corporels, on doit prévenir le poste de police local et rester sur les lieux jusqu'à autorisation de reprendre la route. Si les véhicules bloquent la circulation, il faut dégager la voie dans la mesure du possible.

# Informations générales

**Formalités d'entrée** – Les ressortissants canadiens doivent fournir une preuve de leur identité, passeport ou à défaut certificat de naissance (le permis de conduire ne suffit pas). Les ressortissants français sont dispensés de visa à condition de présenter un billet aller-retour, un passeport en cours de validité et de ne pas prévoir un séjour de plus de 90 jours. Ils doivent remplir un formulaire de demande d'exemption de visa (I-94 W), remis par la compagnie de transport.

Le visa est toujours nécessaire pour certaines catégories de voyageurs, comme les étudiants. En cas de doute, se renseigner auprès de l'ambassade *(4, avenue Gabriel, 75008 Paris)* ou des consulats *(Paris, Bordeaux, Marseille, Strasbourg)*.

Les ressortissants belges et suisses doivent présenter un passeport en cours de validité.

**Douanes** – Il est interdit d'introduire sur le territoire des États-Unis des produits alimentaires comme charcuterie, viande et fromages.

Certains médicaments contenant des narcotiques sont interdits *(sauf sur ordonnance... à faire traduire en anglais avant le départ)*.

Pour les animaux domestiques : vaccin antirabique de plus d'un mois et de moins d'un an.

**Devises** – Le dollar se divise en 100 cents. 5 cents = 1 *nickel*, 10 cents = 1 *dime*, 25 cents = 1 *quarter*. Il n'est pas nécessaire de circuler avec beaucoup d'argent liquide. Les **travellers chèques** en dollars sont très pratiques, en petites coupures (10, 20 ou 50 dollars) ils s'utilisent comme des billets de banque. Les **cartes de crédit** *(American Express, Diners Club, Carte Bleue Internationale VISA...)* sont acceptées pratiquement partout.

1 penny = 1 cent

Billet de 10 dollars

Billet de 1 dollar = 100 cents

Billet de 5 dollars

1 dime = 10 cents

1 nickel = 5 cents

1 quarter = 25 cents

Billet de 20 dollars

**Les assurances** – Il est fortement conseillé de souscrire une assurance individuelle car les frais médicaux aux États-Unis sont très élevés.

Carte Santé USA-Canada : 26, rue de La Rochefoucauld, 75009 Paris.
☎ 01 48 78 11 88.

Europ Assistance (États-Unis) : 23, 25, rue Chaptal, 75445 Paris Cedex 09.
☎ 01 42 85 85 85.

Mondial Assistance : 8, place de la Concorde, 75518 Paris Cedex 08.
☎ 01 42 57 12 22.

**Heures d'ouverture** – La plupart des entreprises fonctionnent du lundi au vendredi de 9-10 h à 17 h 30. Certains **détaillants** restent ouverts jusqu'à 21 h le jeudi. **Centres commerciaux** : du lundi au vendredi de 9 h 30 à 20-21 h, le dimanche de 11 h à 18 h. **Banques** : du lundi au jeudi de 10 h à 15 h, le vendredi de 10 h à 17 h ; certaines ferment plus tard le vendredi. Dans les grandes villes, les banques sont parfois ouvertes le samedi matin.

**Électricité** – Aux États-Unis, la tension est de 120 volts, la fréquence 60 Hz. Pour les appareils fabriqués à l'étranger, il est préférable de se procurer un transformateur et un adaptateur de prises de courant.

**Législation sur l'alcool** – La loi interdit à toute personne de moins de 21 ans d'acheter et de consommer des boissons alcoolisées ; on demande normalement aux acheteurs de justifier leur âge. Les alcools sont vendus dans les magasins spécialisés ainsi que dans de nombreux magasins d'alimentation et drugstores. La plupart des épiceries vendent de la bière et du vin. Heures légales pour la vente : 6 h à 2 h. La vente des boissons alcoolisées est interdite entre 2 h et 6 h du matin. Il est interdit de transporter des bouteilles ouvertes en voiture.

**Affranchissement** – Tarif courrier rapide pour un envoi à l'intérieur des États-Unis : lettre 32 cents (28 g), carte postale 20 cents. À l'étranger : lettre 60 cents (14 g), carte postale 50 cents. Se renseigner auprès des bureaux de poste pour plus d'information.

**Principaux jours fériés** – La plupart des agences bancaires et gouvernementales sont fermées les jours fériés légaux ci-dessous :

| | |
|---|---|
| 1ᵉʳ janvier | **New Year's Day** |
| 3ᵉ lundi de janvier | **Martin Luther King's Birthday**★ |
| 3ᵉ lundi de février | **Presidents' Day**★ |
| Dernier lundi de mai | **Memorial Day** |
| 4 juillet | **Independence Day, Fête Nationale** |
| 1ᵉʳ lundi de septembre | **Labor Day**★ |
| 2ᵉ lundi d'octobre | **Columbus Day**★ |
| 11 novembre | **Veterans Day**★ |
| Dernier jeudi de novembre | **Thanksgiving Day** |
| 25 décembre | **Christmas Day** |

*(★ nombreux magasins et restaurants ouverts ces jours-là)*

**Unités de mesure** – La Californie a repris le système d'unités de mesure américain, les températures étant indiquées en degrés Fahrenheit (°F), les capacités en *pints, quarts ou gallons*, et les poids en *ounces* et *pounds*. Toutes les distances et limitations de vitesse se calculent en miles. Voici quelques exemples d'équivalence avec le système métrique :

1 gallon (gal) = 3,8 litres
1 pint (pt) = 0,5 litre
1 pound (lb) = 0,45 kilogramme
1 ounce (oz) = 28 grammes

1 mile (mi) = 1,6 kilomètre
1 pied (foot/ft) = 30,5 centimètres
1 pouce (inch/in) = 2,5 centimètres

**Réglementation sur le tabac** – De nombreuses villes californiennes ont adopté des mesures interdisant de fumer dans les lieux publics et assignant aux fumeurs des zones désignées.

**Taxe sur la valeur ajoutée** – Le taux général de TVA applicable en Californie est de 7,25 %. Une taxe supplémentaire variant de 0,25 à 1,25 % est également prélevée dans la plupart des zones urbaines. Les denrées alimentaires non transformées bénéficient d'une exonération.

**Téléphone** – *Urgences (police, pompiers, ambulance) composer le 911.* Le mode d'emploi des téléphones publics est affiché sur les appareils ou juste à côté. Le prix d'une communication locale est de 20 à 25 cents *(pour faire l'appoint, on peut utiliser n'importe quelle pièce de monnaie : nickels, dimes ou quarters)*. Introduire les pièces avant de composer le numéro. Certains téléphones publics acceptent les cartes de crédit. Il est possible d'utiliser une carte téléphonique pour effectuer un appel depuis n'importe quel appareil public. En général, les hôtels prennent une commission sur les communications locales ou longue distance. Les codes régionaux des grandes villes se trouvent dans les premières pages de l'annuaire. Pour plus d'informations, composer le « 0 » afin d'obtenir un opérateur.
Les numéros ayant pour indicatif 800 sont gratuits.

**France vers les États-Unis** : 00 + 1 + code ville + numéro du correspondant.
**États-Unis vers la France** : 011 + 33 + numéro du correspondant.

**Pourboires** – Dans les restaurants, il est d'usage de donner un pourboire pour le service, correspondant à 15 % du montant payé. Dans les hôtels, les grooms qui portent les valises reçoivent généralement 1 $, et les femmes de chambre généralement 1 $ par nuit de séjour. Les chauffeurs de taxi perçoivent 15 % du prix de la course.

# Hébergement

La Californie offre de quoi satisfaire tous les goûts et tous les portefeuilles, des hôtels de luxe (généralement localisés dans les grandes villes) aux motels (regroupés à l'entrée des villes ou à l'intersection des axes routiers). Les **bed & breakfast** se trouvent souvent dans les quartiers résidentiels des villes et villages. De nombreux **clubs de vacances** sont disséminés à travers toute la Californie.

Pour plus d'information sur l'hébergement, s'adresser aux offices de tourisme locaux *(leur numéro de téléphone figure au début de chaque rubrique de la section villes et curiosités)*. En saison et le week-end, il est recommandé de réserver à l'avance. Ne pas oublier de prévenir le réceptionniste si vous arrivez tard le soir ; même réservées, les chambres ne sont parfois gardées à disposition que jusqu'à 18 h. Les tarifs hors saison sont habituellement moins chers.

**Hôtels/motels** – Voici une liste des principales chaînes hôtelières disposant d'établissements dans toute la Californie

| | | | | |
|---|---|---|---|---|
| Best Western | ☎ 800-528-1234 | | Marriott | ☎ 800-228-9290 |
| Comfort Inn | ☎ 800-228-5150 | | Motel 6 | ☎ 800-466-8356 |
| Days Inn | ☎ 800-325-2525 | | Radisson | ☎ 800-333-3333 |
| Embassy Suites | ☎ 800-362-2779 | | Ramada Inn | ☎ 800-228-2828 |
| Hilton Hotels | ☎ 800-445-8667 | | Residence Inn | ☎ 800-331-3131 |
| Holiday Inn | ☎ 800-465-4329 | | Sheraton | ☎ 800-325-3535 |
| Hyatt | ☎ 800-233-1234 | | Travelodge | ☎ 800-255-3050 |

*(les numéros gratuits peuvent n'être accessibles qu'à partir des États-Unis)*

Consulter également le guide gratuit *Discover California's Accomodations*, disponible auprès de California Hotel and Motel Association, PO Box 160405, Sacramento CA 95816. ☎ 916-444-5780.

Les catégories d'hébergement vont des hôtels de luxe *(145 à 250 $/nuit)* aux établissements à prix modérés *(60 à 90 $/nuit)* sans oublier les motels bon marché *(40 à 65 $/nuit)*. Les tarifs varient en fonction de la saison et de la situation. Les prix ont tendance à être plus élevés en ville, sur la côte et dans les zones touristiques. De nombreux hôtels et motels proposent des offres spéciales et des forfaits de week-end. Hôtels et motels sont généralement équipés de la télévision, d'un service de restauration, d'une piscine, et de salles fumeurs/non fumeurs. Les hôtels les plus chic proposent restauration dans la chambre, pressing et salle de gymnastique. *Les tarifs indiqués correspondent au prix moyen d'une chambre double.*

**Bed & Breakfast** – Services à contacter : Eye Openers, PO Box 694, Altadena CA 91003. ☎ 818-398-0528 *(pour l'ensemble de la Californie)* ; Bed & Breakfast International, PO Box 282910, San Francisco CA 94128. ☎ 415-696-1690 *(San Francisco, Wine Country, Monterey)* ; Megan's Friends, 1776 Royal Way, San Luis Obispo CA 93405. ☎ 805-544-4406 *(Central Coast)*. La plupart des B&B sont des gîtes privés aménagés dans des maisons anciennes *(90 à 150 $/nuit)*. Les prix comprennent en général le petit déjeuner, parfois continental, parfois un vrai repas de gourmet. Certains proposent une collation l'après-midi, avec fromages et vin, et mettent à disposition des salons ou un jardin où hôtes et visiteurs peuvent se retrouver. La plupart des établissements sont de format modeste, avec moins de 10 chambres. Certains demandent une durée de séjour minimum. Les chambres ne disposent pas toujours d'une salle de bains individuelle, ni du téléphone. Il est parfois interdit de fumer à l'intérieur des établissements. Veiller à réserver longtemps à l'avance, surtout pendant la saison touristique et les vacances locales. Les tarifs peuvent varier en fonction de la saison.

**Camping** – Les terrains de camping se trouvent dans les parcs nationaux, les parcs d'État *(liste p. 386)*, les forêts nationales et des propriétés privées. La catégorie de confort varie du camp équipé de branchements complets (avec télévision par satellite) à l'emplacement rustique dans les régions éloignées *(7 à 25 $/nuit)*. Il est recommandé de réserver à l'avance, notamment pendant l'été et les jours fériés. Certains camps n'acceptent pas les réservations toute l'année.

Le **camping sauvage** est autorisé sur la plupart des domaines publics. Il est toutefois souvent nécessaire de se munir d'un permis de camping sauvage (généralement gratuit) et prudent de réserver à l'avance. On trouve des cartes topographiques de la plupart des zones. Contacter directement le site choisi ou les adresses ci-dessous pour plus d'informations.

**Terrains de camping** – **Parcs de l'État de Californie** : Dept of Parks and Recreation, PO Box 942896, Sacramento CA 94296. ☎ 916-653-6995. Réservations d'emplacements : DESTINET ☎ 800-444-7275 *(États-Unis exclusivement)* ou ☎ 619-452-8787. **Parcs nationaux de Californie** : Western Region Information Office, National Park Service, Fort Mason, Bldg 102, San Francisco CA 94123. ☎ 415-556-0560. Il est possible de réserver à l'avance pour les groupes de 6 personnes ou moins *(de 1 journée à 5 mois à l'avance)* dans les parcs nationaux suivants : Death Valley National Park, Joshua Tree

National Park, Sequoia & Kings Canyon National Parks et Whiskeytown National Recreation Area par l'entremise de DESTINET ☎ 800-365-2267 *(États-Unis exclusivement)* ou ☎ 619-452-8787. Pour le Yosemite National Park : ☎ 800-436-7275 *(États-Unis uniquement)* ou ☎ 619-452-8787. **Forêts nationales de Californie** : USDA Forest Service, 630 Sansome St, San Francisco CA 94111. ☎ 415-705-2874. Réservations dans les campings des forêts nationales : ☎ 800-280-2267 *(États-Unis exclusivement)* ou ☎ 301-777-9101. **Terrains de camping privés** : California Travel Parks Association, PO Box 5648, Auburn CA 95604. ☎ 916-885-1624.

**Auberges de jeunesse** – Hébergement simple et économique, les auberges de jeunesse facturent en moyenne 11 à 18 $ la nuit. Leurs équipements incluent une salle commune, des douches, une laverie, une cantine avec réfectoire et des chambres communes. Couvertures et oreillers sont fournis, mais pas les draps. On peut louer les draps dans certaines auberges. Il existe 25 auberges de jeunesse officielles en Californie. En saison, il est bon de réserver à l'avance. Il est recommandé de se munir d'une carte de membre. Pour l'obtenir, ou pour information, contacter **Hostelling International American Youth Hostels**, 733 15th St, NW, 840, Suite 840, Washington DC 20005. ☎ 202-783-6161.

**Ranchs** – Situés surtout dans les régions montagneuses, certains ranchs proposent logement, repas, équipements, excursions à cheval et stages d'équitation. Les tarifs varient de 650 à 760 $/semaine. Ranchs californiens affiliés à la Dude Rancher Association : Coffee Creek Ranch, HC2 Box 4940, Trinity Center CA 96091. ☎ 800-624-4480 *(Amérique du Nord exclusivement)* ou ☎ 916-266-3343 ; Hunewell Circle H Guest Ranch, Box 368, Bridgeport CA 93517. ☎ 619-932-7710 *(été-automne)* ou 702-465-2201 *(hiver-printemps)*.

**Clubs de vacances – Stations thermales** – Disséminés à travers toute la Californie, ces complexes proposent une large gamme de services, notamment programmes de santé, de remise en forme, beauté, relaxation et amaigrissement. On choisira bains de boue ou thermalisme, massages, cours de gymnastique et soins diététiques, en plus du tennis, du ski, du golf ou de la randonnée. Leur confort varie du bungalow rustique à la suite luxueuse *(100 $ à 450 $/jour)*. Les repas sont en général compris, et on trouve des forfaits avec un tout choix de services et d'activités.

# Restauration

## Les trois repas principaux

**Breakfast** – Plus copieux que le petit déjeuner français. Traditionnellement composé de **jus de fruits** *(orange juice ou grapefruit juice)* ; **œufs** au bacon, brouillés *(scrambled)* ou au plat *(sunny-side up)* ; **saucisses** *(link sausages ou patty sausages)* ; céréales, servies chaudes *(oatmeal)* ou froides *(corn flakes)*, mélangées à du lait froid (on y ajoute parfois des fruits secs ou frais) ; **pancakes**, crêpes épaisses arrosées de sirop d'érable *(maple syrup)*, gaufres *(waffles)* ; toast (tranche de pain de mie au beurre et/ou à la confiture) ou **French toast** (sorte de pain perdu arrosé de sirop d'érable) ; *hash browns* (galettes de pomme de terre) ; *English muffins* (petits pains ronds servis chauds, que l'on tartine de beurre ou de confiture ou que l'on mange avec des œufs) ; *doughnuts* (beignets à la confiture, au chocolat ou nature) ; *bagels* (petits pains en couronne grillés, souvent accompagnés de fromage à la crème et/ou de saumon fumé *(lox)*, ou sur lesquels on étale du beurre et/ou de la confiture) ; thé ou café (très léger).

**Lunch** – Rapide et léger. Se prend chaud (hot-dog ou hamburger + frites, sandwich, croissant fourré ou combinaison quiche-soupe, par exemple) ou froid (sandwich, salade) ; souvent accompagné d'une boisson gazeuse *(soda)*.

**Dinner** – Repas le plus copieux de la journée. Se prend généralement plus tôt qu'en France (entre 17 et 19 h).

**Remarques** – De plus en plus populaire, la formule *all-you-can-eat* (on se sert à volonté) – proposée dans beaucoup de restaurants familiaux – permet de faire un repas de midi ou du soir (ou même un petit déjeuner) généralement équilibré et relativement peu coûteux. Deux sortes : *all-you-can-eat buffets* (salade composée et/ou salade de fruits, soupe, viande, choix de légumes et dessert) ou simplement *salad bars* (formule végétarienne : salade composée et/ou salade de fruits et soupe à volonté). Les assaisonnements de salade *(salad dressings)* sont variés ; les plus courants : *Blue cheese* (au goût de Roquefort), *French* (sucré, à base de tomates), *Italian* (vinaigrette aux fines herbes), *Ranch* (à base de crème aigre) et *Thousand Islands* (mélange de mayonnaise épicée et de ketchup).
Les **sandwiches** américains sont assez élaborés. Ils se composent le plus souvent d'un mélange de viande (jambon, poulet, dinde, rosbif ou corned-beef, plus rarement poisson), fromage, crudités, moutarde ou mayonnaise, cornichons *(pickles)*, le tout

servi entre deux tranches de *white bread* (pain de mie blanc), *wheat bread* (pain de froment), *rye bread* (pain de seigle), *pumpernickel* (pain de seigle noir) ou *Kaiser roll* (petit pain rond). Quant aux fameux *submarine sandwiches* ou *subs*, ils se composent d'un pain long et mince dont l'aspect rappelle les baguettes françaises.

Le dimanche, les Américains aiment parfois combiner petit déjeuner et déjeuner. Il s'agit alors du *brunch* (*breakfast + lunch*), repas « hybride » pris en fin de matinée, généralement au restaurant. Aux éléments traditionnels d'un petit déjeuner nord-américain (œufs et bacon par exemple) se mêlent des aliments que l'on servirait d'ordinaire à midi (salades, par exemple, ou même poisson).

Les Américains ont tendance à grignoter à longueur de journée. Omniprésents, les distributeurs automatiques *(vending machines)* proposent une grande variété de petits en-cas *(snacks)* dont la qualité nutritive laisse souvent à désirer : bretzels, chips (*potato chips* ou *tortilla chips*, à base de maïs), barres de chocolat *(candy bars)*, gâteaux sucrés (les fameux *Twinkies*, biscuits de Savoie fourrés à la crème, en sont un « bon » exemple), pop-corn (les grains de maïs étant souvent caramélisés ou arrosés de beurre). Les plus soucieux de leur ligne préféreront croquer des morceaux de céleri ou de carotte, ou manger quelques fruits secs.

## Gastronomie américaine

Quelques mets particulièrement « typiques » (mis à part les hamburgers et les hot-dogs) :
- le **corn on the cob**, épis de maïs servi chaud, arrosé de beurre
- le **T-bone steak**, double entrecôte le plus souvent énorme, volontiers accompagnée de pommes de terre au four. La viande de bœuf américaine est excellente ; on la sert *rare* (saignante), *medium* (à point) ou *well done* (bien cuite)
- les **barbecued spareribs**, côtelettes de porc (échine) cuites au barbecue et généralement servies avec des *baked beans* (haricots blancs à la sauce tomate, au goût assez sucré)
- le **poulet frit** *(fried chicken)*
- le sandwich au beurre de cacahuètes et à la confiture *(peanut butter and jelly sandwich)* ; cette étrange composition constitue le déjeuner de prédilection des écoliers
- la **pizza** : le choix de *toppings* (garnitures) est impressionnant
- Pour les plats typiques de Californie, se rapporter au chapitre d'introduction.

Les Américains ont une *sweet tooth*, goût prononcé du sucré. Le sucre est donc présent (en quantités parfois effarantes) non seulement dans les boissons (une canette de Coca-Cola contient par exemple 39 g de sucre !) et les desserts, mais aussi les aliments salés comme le *cole-slaw* (sorte de salade de chou cru), la salade de pomme de terre *(potato salad)*, la *Waldorf salad* (mélange de pommes, de raisins secs et de raisins frais, de céleri, de noix et... de guimauve, le tout assaisonné de mayonnaise) ou les *pasta salads* (salades de pâtes).

**Quelques desserts typiquement américains** : *apple pie* (tarte aux pommes, servie chaude, parfois accompagnée de glace à la vanille ; il s'agit alors d'*apple pie à la mode*), *cheesecake* (gâteau au fromage blanc), *pecan pie* (tarte aux noix de pécan), *jello* (gélatine colorée parfois servie avec une sorte de crème Chantilly), *chocolate chip cookies* (petits gâteaux secs aux pépites de chocolat), *brownies* (gâteaux au chocolat et aux noix), *sundae* (coupe glacée Chantilly), *milk shake* (lait frappé parfumé) ou *ice-cream soda* (glace mélangée à une boisson gazeuse).

**Quelques condiments** : *ketchup* (les Américains y trempent volontiers leurs frites) ; *yellow mustard* (moutarde jaune plutôt sucrée) ; mayonnaise (omniprésente) ; *steak sauce* ; *barbecue sauce* ; *hot sauce* (sauce très épicée) ; cornichons sucrés *(gherkins)* ou amers *(dills)*.

**Quelques expressions à retenir** : *junk food* (aliments vite prêts, sans valeur nutritive) ; *health food* (aliments naturels, produits diététiques) ; *diet food* (produits de régime) ; *TV dinners* (plateaux-repas combinant légumes, viande et dessert) ; *à la mode* (boule de glace à la vanille accompagnant un dessert).

**Tendances actuelles** – L'Amérique semble aujourd'hui s'être lancée à corps perdu dans la gastronomie et la célébration de la *gourmet food*, c'est-à-dire des aliments de bonne qualité bien préparés. Contrairement à beaucoup d'idées reçues, les occasions de bien manger aux États-Unis ne manquent pas. Terre d'immigrants, l'Amérique offre en effet une *incroyable variété de spécialités* culinaires de plus en plus populaires : cuisine japonaise, italienne (du Nord), chinoise, indienne ou *Tex-Mex* (influences texanes et mexicaines), par exemple. On observe donc, depuis plusieurs années déjà, la multiplication des bons et parfois même excellents restaurants dans les grandes villes et principaux centres de villégiature. Et aussi :
- L'importance croissante des préoccupations diététiques *(eating light* = manger léger)*, d'où l'apparition sur les menus d'un choix de plus en plus varié de plats « basses calories » *(low-calorie)*.
- L'utilisation de plus en plus courante d'aliments ou ingrédients *sugar-free* (sans sucre), *low-fat* ou *fat-free* (sans matières grasses ou presque), ou de produits de remplacement.
- La popularité grandissante des salades composées et des menus végétariens.

# Les boissons

**Boissons non alcoolisées** – Boissons gazeuses *(carbonated drink* ou *soda* ou *soft drink*) : les Américains en font une consommation impressionnante. Ces boissons, très sucrées, sont systématiquement servies avec des glaçons (beaucoup de glaçons !) et existent souvent en version caffeine-free (sans caféine). Quelques marques ayant la faveur du publi : *Coca-Cola* (Coke), *Pepsi-Cola* (Pepsi), *Seven Up, Sprite, Dr Pepper, Fresca*. Nombreux parfums : cola, *lemon* (citron), *lime* (citron vert), *cherry* (cerise), *grape* (raisin), *orange*, etc. Noter aussi une boisson très particulière : la *root beer*, sorte de limonade à base d'extraits végétaux (plus précisément à base de salsepareille) ; quelques marques de root beer : *Hires, A & W, Barq, IBC*.

**Autres** – Les *juices* (jus de fruits ou de légumes, comme par exemple le V 8, à base de tomate et de céleri) ; le *Kool-Aid*, sorte de grenadine aux couleurs (artificielles) les plus étranges (très appréciée des enfants) ; très courant : le thé glacé *(iced tea)*, sucré *(sweetened)* ou non *(unsweetened)* ; les eaux minérales *(mineral water)*, souvent importées.

**Remarques** – Les restaurants servent souvent, en plus de la boisson choisie, un verre d'eau glacée (du robinet) pour accompagner le repas. Mot à retenir : *straw* (paille).

## Boissons alcoolisées

**Quelques bières américaines** – *Budweiser, Busch, Coors, Michelob, Miller, Samuel Adams* (considérée par beaucoup comme la meilleure bière américaine).
Les bières américaines sont généralement plus légères et moins alcoolisées que les bières européennes. Une nouvelle sorte de bière à teneur en alcool plus élevée vient de sortir : on la nomme *Ice Beer*.
Les bars et restaurants proposent également de la bière pression *(on tap* ou *draft)* servie dans un verre ou dans un *pitcher* (1,5 l environ). La bière se consomme *très froide*.

**Quelques vins** – La Californie produit sans aucun doute les meilleurs vins américains *(voir au chapitre Gastronomie de l'Introduction)*. Notons aussi les vins moins connus de la région des Grands Lacs, le *Bully Hill*, de l'État de New York, et les vins du Maine.

## Les restaurants

• les *fast-food* (restauration rapide, « prêt-à-manger ») : souvent identiques jusque dans les moindres détails. Produits bon marché. Consommation sur place *(for here)* ou à emporter *(to go)*. On peut même, dans certains cas, passer sa commande sans sortir de sa voiture (il s'agit alors des *drive-in*). Quelques noms : Arby's, Burger King, Church's Fried Chicken, Dairy Queen, Hardee's, Kentucky Fried Chicken (KFC), McDonald's, Popeye's, Subway Sandwich, Taco Bell (spécialisé dans les plats mexicains), Wendy's ;
• les *family restaurants* et les *steak houses* : chaînes de restaurants (régionales ou nationales) offrant généralement un bon rapport qualité-prix. Quelques noms : Denny's, Howard Johnson's, International House of Pancakes (IHOP), Pizza Hut, Red Lobster, Ryan's, Shoney's ;
• les *Delicatessen* ou *Delis* : sortes d'épiceries fines – traiteurs, où l'on peut parfois s'asseoir et consommer sur place. Les supermarchés ont souvent un rayon *deli* permettant d'acheter charcuterie et plats cuisinés de bonne qualité ;
• les *diners* : ces petits restaurants (reconnaissables à leurs banquettes de skaï et leurs comptoirs en formica) étaient surtout très populaires dans les années 1950.

**À noter** – Il est pratiquement possible de manger à n'importe quelle heure aux États-Unis. Deux expressions utiles : *smoking section* (section fumeurs) et *non smoking section*.
Il est recommandé de laisser un pourboire *(tip)* de 15 %.
Les portions servies dans les restaurants sont souvent copieuses. Il est donc tout à fait accepté (même dans les restaurants chic) de demander un *doggie-bag*, c'est-à-dire un petit sac pour emporter les restes.
Certains restaurants (restaurants chinois et pizzerias en particulier) livrent parfois à domicile *(home delivery)* ou même à l'hôtel, sur simple commande par téléphone. Le paiement se fait alors à la livraison.

# Nature et sécurité

**Mesures de sécurité en cas de tremblement de terre** — Les séismes de grande intensité surviennent rarement, mais ils sont imprévisibles, et s'y préparer fait partie de la vie courante californienne. Il est donc recommandé de connaître les mesures de sécurité à appliquer le cas échéant. Les personnes se trouvant **à l'extérieur** au moment de la secousse doivent s'éloigner des arbres, bâtiments ou lignes électriques. Les personnes surprises au volant d'un *véhicule* doivent ralentir et se garer sur le bord de la route. Ne pas stationner sur les ponts ou au-dessous des ponts ; s'asseoir si possible sur le plancher du véhicule. Les personnes se trouvant **à l'intérieur d'un bâtiment** doivent s'abriter sous un encadrement de porte ou sous une table robuste, et s'éloigner des fenêtres et murs extérieurs. Rester à l'abri jusqu'à l'arrêt de la secousse et se méfier des secousses secondaires. Écouter si possible les conseils diffusés par la radio ou la télévision.

**Faune** — Dans la plupart des zones naturelles de Californie, la loi interdit de perturber la flore et la faune. Il est prudent d'éviter tout contact direct avec un animal ; très souvent, l'animal sauvage qui ne fuit pas l'homme est malade et potentiellement dangereux.

**Les ours** — Actifs de début avril à mi-décembre, les ours sont habitués à l'homme et s'approchent des terrains de camping et des véhicules (notamment s'ils sentent de la nourriture à proximité). La loi fédérale américaine interdit sous peine d'amende le **stockage** non conforme de denrées alimentaires. La réglementation en la matière spécifie que la nourriture doit être pendue à 3,50 m du sol et à une distance de 3 m des troncs des arbres, ou bien stockée dans une glacière verrouillable, dans le coffre d'un véhicule ou dans les casiers disposés dans certains terrains de camping. Si un ours s'approche, ne pas s'avancer vers lui, mais essayer de l'apeurer en criant et en jetant des pierres dans sa direction. Ne jamais s'approcher d'une mère si elle a des petits, car elle attaquera instinctivement pour protéger sa portée.

**Sécurité dans le désert** — Lorsqu'on traverse les déserts de Californie, notamment l'été, on doit impérativement prendre certaines précautions. Avant de traverser des régions retirées ou d'emprunter des chemins de randonnée éloignés, on doit prévenir quelqu'un de son lieu de destination et donner l'heure prévue pour le retour.

**Sécurité des véhicules** — Rester toujours sur les routes signalisées, et garder à l'esprit que les routes non goudronnées ne conviennent qu'aux véhicules à 4 roues motrices. Comme les stations-service sont plutôt clairsemées, il est fortement recommandé de faire le plein dès que le réservoir est à moitié vide et de se munir d'un jerrican d'eau de refroidissement. Si le moteur se met à chauffer, couper la climatisation. En cas de surchauffe, se garer sur le bord de la route, mettre le chauffage en marche et arroser doucement le radiateur *(ne pas couper le moteur)*. Une fois le moteur refroidi, remplir le radiateur. En cas de panne, ne pas quitter son véhicule pour aller chercher du secours. Rester à l'intérieur jusqu'à ce qu'un véhicule passe.

**Sécurité des personnes** — En juillet et août, les températures peuvent avoisiner les 48°. Toujours emporter une grande quantité d'eau et se désaltérer suffisamment, au moins une fois toutes les heures. Ne pas s'allonger ni s'asseoir en plein soleil. Porter des vêtements flottants, un chapeau à larges bords et des lunettes de soleil.
Le **coup de chaleur** survient suite à un effort excessif par forte température. Les symptômes en sont les suivants : peau froide et moite, nausée. La personne présentant un seul de ces symptômes doit rester à l'ombre et boire de grandes quantités de liquide.
**L'insolation** se manifeste par une grande sécheresse et une forte température cutanées, des vertiges ou maux de tête, les personnes affectées pouvant même délirer. Si quelqu'un présente l'un de ces symptômes, essayer de faire baisser la température du corps à l'aide de compresses froides (ne pas donner d'analgésiques) et appeler les secours médicaux.
Rester vigilant lorsqu'un **orage** approche, les inondations sont parfois soudaines.
Les déserts sont truffés de **mines abandonnées**, toutes potentiellement dangereuses. Ne jamais emprunter de tunnel sans lampe électrique. Attention aux chutes de pierres. Ne pas toucher les poutres de soutènement.

**Sécurité en montagne** — Conduire en montagne exige une grande prudence. Les routes y sont plutôt étroites, escarpées et sinueuses. Respecter les panneaux de signalisation et limitations de vitesse. De nombreuses routes de montagne sont peu fréquentées, si bien qu'en cas d'accident les secours peuvent mettre longtemps à arriver.
Le **mal d'altitude** est dû à un effort intensif en haute altitude. Ceux qui ont l'intention de partir en randonnée ou de camper en montagne doivent prévoir 1 à 4 jours d'acclimatation à la raréfaction de l'oxygène et à la baisse de la pression atmosphérique. Les symptômes comprennent maux de tête, gonflement des pieds et des jambes, et faiblesse généralisée. Si une personne présente l'un de ces symptômes, elle doit se reposer et consommer des aliments hautement énergétiques (par exemple raisins secs, aliments pour sportifs ou barres de céréales). Appeler les secours médicaux si les symptômes s'aggravent ou persistent plus de 2 à 5 jours.

**Sécurité au bord de l'océan** – *Plages au chapitre suivant.* Le calme des eaux qui longent la côte californienne est bien souvent trompeur. Il est fréquent de voir brusquement surgir de grosses vagues, même les jours de calme plat. Rester vigilant à proximité de la zone de déferlement des vagues. La plupart des plages n'emploient pas de sauveteurs toute l'année et il faut faire preuve de la plus grande prudence sur les plages non surveillées. Ne jamais se baigner seul. Ne jamais quitter les enfants des yeux.

Grosses vagues et courants de marée (flux étroit et puissant attirant les baigneurs vers le large) touchent toute la côte californienne. Les eaux froides amenées par le courant maritime de Californie au Nord de Point Conception (près de Santa Barbara) décourageront bien des baigneurs. Le nageur pris dans un courant de marée doit avancer parallèlement à la plage jusqu'à ce qu'il ait quitté la zone de courant.

Lorsqu'on explore les plages et les bassins à marée basse, se montrer prudent si la marée remonte. Se méfier des oursins qui sont parfois venimeux, des méduses qui piquent dans l'eau mais aussi sur le rivage, et des pastenagues, raies qui s'ensablent souvent sous les eaux peu profondes (consulter immédiatement un médecin en cas de piqûre).

# Sports et loisirs

**Parcs nationaux et parcs d'État** – La Californie compte 20 parcs nationaux et 265 parcs d'État, proposant tous une large gamme d'activités. Les prix d'entrée vont de 2 $ à 20 $ ; certains parcs d'État sont gratuits. Des forfaits valables pour toute la saison sont disponibles tant dans les parcs nationaux que dans les parcs d'État. *(Informations pour les visiteurs handicapés p. 375).* L'affluence atteint un pic entre Memorial Day et Labor Day, mais la partie centrale et le Sud de la côte sont très fréquentés toute l'année. La plupart des parcs disposent de bureaux d'information offrant cartes de randonnée et prospectus d'information sur les équipements et les activités du parc. Les rangers organisent souvent des randonnées-découverte sur les sentiers et des excursions vers les sites principaux des parcs.

Règles particulières : il est interdit de ramasser le bois abattu par les bûcherons ou de couper du bois pour faire du feu ; les feux de camp doivent être allumés aux endroits prévus à cet effet ; la chasse est interdite dans la majorité des parcs ; les animaux familiers doivent tous être tenus en laisse, et peuvent être interdits dans certaines zones des parcs ; un certificat de vaccination contre la rage est généralement nécessaire ; un droit d'entrée de 1 $ est quelquefois exigé pour les animaux familiers ; toutes les plantes et tous les animaux des parcs sont protégés.

Parc Yosemite : les chutes Vernal

*Connie Coleman /Tony Stone Images*

*Les symboles utilisés dans les listes ci-dessous indiquent :* ⛺ camping ; ❗ randonnée ; 🏊 baignade ; 🎣 pêche ; ✗ restauration/magasin d'alimentation.

## Parcs nationaux

| | ⛺ | ❗ | 🏊 | 🎣 | ✗ |
|---|---|---|---|---|---|
| **Western Region Information Office,** National Park Service, Fort Mason, Bldg 201, San Francisco CA 94123 ☎ 415-556-0560 | | | | | |
| Channel Islands Natl Park | • | • | • | | |
| Death Valley Natl Monument | • | | | | • |
| Devil's Postpile Natl Monument | • | • | | • | |
| Golden Gate Natl Recreation Area | • | • | • | • | |
| Joshua Tree Natl Monument | • | • | | | |
| Lassen Volcanic Natl Park | • | • | • | | • |
| Lava Beds Natl Monument | • | • | | | |

| | △ | ! | ≈ | 🐟 | ✗ |
|---|---|---|---|---|---|
| **Mojave Natl. Preserve** | • | • | | | |
| **Muir Woods Natl Monument** | • | • | | | • |
| **Pinnacles Natl Monument** | • | • | | | |
| **Point Reyes Natl Seashore** | | • | • | | • |
| **Redwood Natl Park** | • | • | • | • | |
| **Santa Monica Mts Natl Recreation Area** | • | • | • | | |
| **Sequoia & Kings Canyon Natl Parks** | • | • | | • | • |
| **Whiskeytown-Shasta-Trinity Natl Recreation Area** | • | • | • | • | • |
| **Yosemite Natl Park** | • | • | • | • | • |

## Sélection de parcs d'État

| Dept of Parks and Recreation, PO Box 942896 Sacramento CA 94296 ☎ 916-653-6995. | △ | ! | ≈ | 🐟 | ✗ |
|---|---|---|---|---|---|
| Año Nuevo SR | | • | | | • |
| Anza-Borrego Desert SP | • | • | | | |
| Armstrong Redwoods SR | • | • | • | | |
| Auburn SRA | • | • | • | • | |
| Austin Creek SRA | • | • | | | |
| Bothe-Napa Valley SP | • | • | • | | |
| Calaveras Big Trees SP | • | • | | • | |
| Castle Crags SP | • | • | | • | |
| Clear Lake SP | • | • | | • | |
| Crystal Cove SP | • | • | • | • | |
| Cuyamaca Rancho SP | • | • | | • | |
| D.L. Bliss SP | • | • | • | • | |
| Del Norte Coast Redwoods SP | • | • | | | |
| Donner Memorial SP | • | • | • | • | |
| Emerald Bay SP | • | • | • | • | |
| Garrapata SP | | | • | • | |
| Henry Cowell Redwoods SP | • | • | | | • |
| Humboldt Lagoons SP | • | • | | • | |
| Humboldt Redwoods SP | • | • | • | • | |
| Jedediah Smith Redwoods SP | • | • | • | • | |
| Julia Pfeiffer Burns SP | | • | | • | |
| Kruse Rhododendron SR | | • | | | |
| MacKerricher SP | • | • | | • | |
| Malibu Creek SP | • | • | | • | |
| McArthur-Burney Falls Memorial SP | • | • | • | • | • |
| Mendocino Headlands SP | | • | | • | |
| Montaña de Oro SP | • | • | | • | |
| Morro Bay SP | • | • | | • | • |
| Mount Diablo SP | • | • | | | |
| Mount San Jacinto SP | • | • | | | • |
| Mount Tamalpais SP | • | • | | • | • |
| Palomar Mountain SP | • | • | | • | |
| Patrick's Point SP | • | • | | | |
| Pfeiffer Big Sur SP | • | • | • | • | |
| Plumas-Eureka SP | • | • | | • | |
| Point Lobos SR | | • | | | |
| Prairie Creek Redwoods SP | • | • | | • | |
| Providence Mountains SRA | • | • | | | |
| Richardson Grove SP | • | • | • | • | • |
| Robert Louis Stevenson SP | | • | | | |
| Russian Gulch SP | • | • | • | • | |
| Salt Point SP | • | • | | • | |
| Salton Sea SRA | • | • | • | • | |
| Smithe Redwoods SR | | • | • | • | • |
| Sugar Pine Point SP | • | • | • | • | |
| Tomales Bay SP | | • | • | • | |
| Torrey Pines SR | | • | | | |
| Van Damme SP | • | • | | • | |

Les symboles utilisés dans la liste ci-dessous indiquent : $ accès/parking payants ; ≊ baignade ; ✚ sauveteur ; △ camping ; ♿ équipements pour handicapés ; 🏄 surf ; ◣ plongée sous-marine.

## Sélection de plages *(du Nord au Sud)*

| | $ | ≊ | ✚ | △ | ♿ | 🏄 | ◣ |
|---|---|---|---|---|---|---|---|
| **North Coast** | | | | | | | |
| Crescent Beach | | ● | | | ● | | |
| Enderts Beach | | ● | | ● | | | |
| Little River SB | | ● | | | | | |
| Manchester SB | ● | ● | | ● | | | ● |
| Anchor Bay Beach | ● | ● | | ● | ● | | ● |
| Goat Rock Beach | | | | | ● | | ● |
| Sonoma Coast SB's | | | | | ● | | ● |
| Point Reyes Natl. Seashore Beaches | | ● | | | ● | | |
| Stinson Beach | | ● | ● | | ● | ● | |
| Muir Beach | | ● | | | | | |
| Rodeo Beach | | | | | ● | ● | |
| **San Francisco Bay Area** | | | | | | | |
| Baker Beach | | | | | ● | | |
| China Beach | | ● | | | ● | | |
| Ocean Beach | | | | | ● | ● | |
| Francis Beach | ● | ● | | ● | ● | | |
| San Gregorio SB | ● | | | | ● | | |
| Pescadero SB | | ● | | | ● | | |
| Lighthouse Field SB | | ● | ● | | ● | ● | |
| Santa Cruz Beach | ● | ● | ● | | | ● | |
| Seacliff SB & Pier | ● | ● | ● | ● | ● | | |
| Sunset SB | ● | | | | ● | | |

Chris Bryant/Tony Stone Images

La plage de Corona del Mar

## Central Coast

| | $ | 🏊 | ✚ | △ | ♿ | 🏄 | ◤ |
|---|---|---|---|---|---|---|---|
| Zmudowski SB | | ● | | | | ● | |
| Salinas River SB | | ● | | | | | |
| Carmel City Beach | | | | | ● | ● | ● |
| Pfeiffer Beach | | | | | ● | | |
| William R. Hearst Mem. SB | ● | ● | | | ● | | |
| Morro Strand SB | ● | ● | | ● | | | |
| Pismo SB | | ● | | | | | |
| Gaviota State Park | ● | ● | ● | ● | ● | ● | ● |
| Refugio SB | ● | ● | ● | ● | ● | ● | ● |
| El Capitan SB | ● | ● | ● | ● | ● | ● | ● |
| East Beach | ● | ● | ● | ● | ● | ● | |
| Carpinteria SB | ● | ● | ● | ● | ● | ● | |
| Point Mugu SP | ● | ● | ● | ● | ● | | |
| McGrath SB | ● | ● | ● | ● | ● | | |
| Oxnard SB | ● | ● | | | ● | | |
| Port Hueneme Beach Park | | ● | ● | | ● | ● | |

## Greater Los Angeles Area

| | $ | 🏊 | ✚ | △ | ♿ | 🏄 | ◤ |
|---|---|---|---|---|---|---|---|
| Leo Carillo SB | ● | ● | ● | ● | ● | ● | |
| Zuma Beach County Park | ● | ● | ● | ● | ● | ● | |
| Point Dume County Beach | ● | ● | | | | ● | |
| Malibu Lagoon SB | ● | ● | | | ● | | |
| Las Tunas SB | | ● | | | | | ● |
| Topanga SB | ● | ● | | | ● | ● | |
| Will Rogers SB | ● | ● | | | ● | ● | |
| Santa Monica SB | ● | ● | | | ● | ● | |
| Venice City Beach | ● | ● | | | ● | ● | |
| Dockweiler SB | ● | ● | | ● | ● | | |
| Manhattan SB | ● | ● | | | ● | ● | |
| Hermosa Beach | | ● | | | ● | ● | |
| Redondo SB | ● | ● | | | ● | ● | |
| Torrance County Beach | ● | ● | | | ● | | |
| Cabrillo Beach | ● | ● | | | ● | ● | |
| Long Beach City Beach | ● | ● | ● | | ● | | |

## Orange County

| | $ | 🏊 | ✚ | △ | ♿ | 🏄 | ◤ |
|---|---|---|---|---|---|---|---|
| Seal Beach | ● | ● | | | ● | ● | |
| Bolsa Chica SB | ● | ● | ● | ● | ● | ● | ● |
| Huntington City Beach | ● | ● | ● | ● | ● | ● | |
| Huntington SB | ● | ● | | | ● | | |
| Newport Beach & Pier | ● | ● | | | ● | ● | |
| Balboa Beach & Pier | | ● | | | ● | ● | |
| Corona Del Mar Beach | ● | ● | | | ● | ● | |
| Crystal Cove State Park | ● | ● | | ● | ● | | ● |
| Main Beach | | ● | ● | | ● | ● | |
| Salt Creek Beach | | ● | | | ● | ● | |
| Doheny SB | ● | ● | ● | ● | ● | ● | |
| San Clemente SB | ● | ● | ● | ● | ● | ● | |

## San Diego County

| | $ | 🏊 | ✚ | △ | ♿ | 🏄 | ◤ |
|---|---|---|---|---|---|---|---|
| Ocean Beach Park | | ● | ● | | ● | ● | |
| San Onofre SB | ● | ● | ● | ● | ● | ● | |
| Oceanside City Beach | ● | ● | | | ● | ● | |
| Carlsbad SB | | ● | ● | | ● | ● | ● |
| South Carlsbad SB | ● | ● | ● | ● | ● | ● | |
| Encinitas Beach | | ● | | | | | |
| Moonlight SB | | ● | ● | | ● | ● | |
| Swami's | | ● | ● | | ● | ● | |
| San Elijo SB | ● | ● | ● | | ● | ● | ● |
| Cardiff SB | ● | ● | ● | | ● | ● | |

| | | | | | | | |
|---|---|---|---|---|---|---|---|
| Del Mar City Beach | ● | ● | ● | | | ● | |
| Torrey Pines SB | ● | ● | | | ● | ● | |
| La Jolla Shores Beach-Kellogg Park | | ● | ● | | ● | ● | ● |
| Windansea Beach | | ● | | | | ● | |
| Mission Bay Beaches | | ● | ● | | | ● | |
| Ocean Beach City Beach | | ● | | | | | |
| Coronado City Beach | | ● | ● | | | ● | |
| Silver Strand SB | ● | ● | ● | ● | ● | ● | |
| Imperial Beach | | ● | ● | | | ● | ● |

**Navigation** – La Californie offre de nombreuses possibilités aux amoureux de la navigation en eau douce et en mer. On trouve des agences de location de bateaux dans la plupart des villes de la côte ; beaucoup proposent des croisières-découverte. Location de voiliers et de bateaux à moteur sont également possibles sur les grands lacs. « Le Delta », estuaire des fleuves San Joaquin et Sacramento dans la baie de San Francisco, est une région très appréciée pour ses parcours en **péniche**, tout comme le lac Shasta. On peut louer les bateaux dans les agences locales. En sus de la réglementation d'État, villes et comtés ont des règlements spécifiques visant à limiter la vitesse ou certaines activités. Pour plus d'informations, contacter **California Dept of Boating and Waterways**, 1629 S Street, Sacramento CA 95814, ☎ 916-445-2615.

**Golf** – La Californie possède plus de 600 parcours publics et privés. Les parcours de la péninsule de Monterey allient sable blanc, majestueuses forêts, et falaises plongeant à pic dans le Pacifique. La région de Palm Springs, renommée pour ses villégiatures en plein désert, compte malgré son climat sec plus de 70 terrains de golf. Pour en savoir plus sur les terrains de golf publics, contacter les offices de tourisme locaux *(voir p. 374)*.

**Randonnées à pied/à vélo** – De nombreux réseaux de sentiers parcourent l'ensemble de l'État. Les parcs nationaux et d'État disposent d'une foule d'aménagements pour les randonneurs à pied ou à vélo. Le sentier **John Muir** *(338 km)* relie le mont Whitney au parc Yosemite ; le **sentier Pacific Crest** va de la frontière canadienne à celle du Mexique, parcourant 260 km en Californie *(autorisation d'accès nécessaire, contacter le National Forest Service, ou les bureaux des National Parks ou State Parks, qui fournissent cartes et renseignements)*. Et 310 km de lignes ferroviaires ont été reconverties dans toute la Californie en pistes, goudronnées ou non, à l'usage des cyclistes et piétons *(contacter Rails-to-Trails Conservancy, 1100 17th St. NW, 10e étage, Washington DC 20036, ☎ 202-331-9696, pour obtenir cartes et informations)*. Pour un complément d'information sur les sentiers de randonnée à pied ou à vélo, ainsi que sur la réglementation concernant les VTT, s'adresser aux offices de tourisme locaux.
Pour les randonnées dans les zones retirées, rester sur les sentiers jalonnés. Prendre des raccourcis est dangereux ; c'est également un facteur d'érosion. Les personnes partant seules doivent indiquer leur destination et l'heure prévue pour leur retour. L'usage des bicyclettes est interdit sur la plupart des chemins de terre. Les cyclistes doivent emprunter pistes et routes goudronnées (sur les routes, rester à droite et ne

Cyclotourisme près du lac du Grand Ours

pas rouler de front). Le port du casque et autres moyens de protection est conseillé. Randonneurs comme cyclistes sont invités à s'équiper correctement, à se munir de cartes détaillées et à s'informer en permanence des conditions météorologiques, notamment en altitude.

**Circuits nature** – Des circuits guidés pour une découverte approfondie de la flore et de la faune, des randonnées guidées à vélo, des parcours d'escalade ou de randonnée peuvent être organisés par le **California Nature Conservancy**, *201 Mission St., 4ᵉ étage, San Francisco CA 94105* ☎ *415-777-0487* ; **Sierra Club Outings**, *85 Second St., 2ᵉ étage, San Francisco CA 94105,* ☎ *415-977-5522 (excursions réservées aux membres, adhésion annuelle 35 $)* ; **Vertical Adventures**, *PO Box 7548, Newport Beach CA 92658,* ☎ *714-854-6250.*

**Chasse et pêche** – Le permis est obligatoire pour la chasse et la pêche dans l'État de Californie. Les permis de pêche à la journée pour les non-résidents sont disponibles dans les magasins de matériel de pêche (certains proposent également un service de location de matériel). Les permis de chasse accordés aux non-résidents sont souvent beaucoup plus chers que les permis des résidents. La pêche est ouverte pratiquement toute l'année pour la plupart des poissons, mais on ne peut chasser la plupart du gibier qu'à certaines saisons. Les grands ports côtiers proposent des excursions de **pêche en haute mer** *(contacter les offices de tourisme locaux pour plus de renseignements, p. 374).* L'introduction de fusils de chasse et de carabines est permise dans l'État de Californie pour la chasse ou la pratique d'un sport (pas de permis exigé). Pour obtenir des détails sur la réglementation et sur l'exportation de gibier hors de l'État, contacter le **Department of Fish & Game** de l'État *(3211 S St., Sacramento CA 95816,* ☎ *916-227-2177).*

**Observation des baleines, otaries et phoques** – On peut apercevoir les baleines toute l'année le long de la côte californienne dans leur migration entre le Pacifique Nord et la région de Basse-Californie. Les baleines grises migrent de décembre à mai ; les meilleurs sites d'observation sont le parc d'État Mendocino Headlands, Point Reyes National Seashore, Carmel, Santa Barbara, San Pedro, la péninsule de Palos Verdes et Cabrillo National Monument. Les baleines à bosse et les baleines bleues migrent de juin à novembre ; les principaux sites d'observation sont Point Reyes National Seashore et Davenport Bluffs (près de Santa Cruz).
Les phoques de Californie, les otaries et les éléphants de mer se prélassent le long de la côte toute l'année ; on peut bien les voir à Cliff House, Año Nuevo State Reserve, Cabrillo National Monument et de la route 17-Mile Drive.

**Quelques organisateurs de croisières d'observation des baleines** – **Oceanic Society Expeditions**, Fort Mason Center, Bldg E, San Francisco CA 94123, www.oceanic-society.org ☎ 800-326-7491 *(uniquement à partir des États-Unis)* ou ☎ 415-441-1106. Les croisières partent de San Francisco et de Half Moon Bay de fin décembre à avril *(3 h ou 6 h 30, 33 $ ou 50 $)* ; les promenades pour voir les baleines à bosse et les baleines bleues ont lieu le week-end de juin à novembre *(8 h, 65 $ ; réserver 2 semaines à l'avance).*
**Davey's Locker**, 400 Main St., Balboa CA 92661, ☎ 949-673-1434. Les croisières partent de Balboa de fin décembre à mars *(2 h 30, 14 $ ; réservation recommandée).*
**Sea Landing**, 301 West Cabrillo Blvd, Santa Barbara CA 93101-3886, ☎ 805-963-3564. Croisières à destination des îles du Canal de fin décembre à février *(9 h, 65 $).* Croisières commentées de février à avril au départ de Santa Barbara *(2 h 30, 27 $).*
**Natural Habitat Adventures**, 2945 Center Green Ct., South, Boulder CO 80301, ☎ 800-543-8917 *(Amérique du Nord exclusivement)* ou 303-449-3711. Visite de cinq jours du camp de baleines de San Ignacio, au départ de San Diego de fin janvier à mars *(1625 $ par personne en cabine double).*

## Ski

**Ski de fond** – Presque tous les domaines de ski de fond de Californie se concentrent dans la région des High Sierras. La plupart des stations louent le matériel, proposent des services de restauration et ont aménagé des cabanes « de réchauffement » le long des pistes, proposant boissons chaudes et restauration rapide. En altitude, les pistes de fond publiques suivent le réseau de sentiers des parcs d'État et des parcs nationaux ; la plupart offrent moins de services.

## Sélection de stations pour le ski de fond

| | ☎ | km | déb. | Pistes moy. | conf. |
|---|---|---|---|---|---|
| Bear Valley | 209-753-2834 | 118 | 40 % | 45 % | 15 % |
| Clair Tappan | 530-426-3632 | 6,4 | 30 % | 60 % | 10 % |
| Diamond Peak | 702-832-1177 | 35 | 15 % | 55 % | 30 % |
| Eagle Mountain | 530-389-2254 | 80 | 25 % | 50 % | 25 % |
| Kirkwood | 209-258-7000 | 80 | 20 % | 60 % | 20 % |
| Nordic Ski Resort | 415-967-8612 | 52 | 60 % | 20 % | 20 % |

| | | | | | | |
|---|---|---|---|---|---|---|
| Northstar | 530-562-1010 | 64 | 25 % | 60 % | 15 % |
| Royal Gorge | 530-426-3871 | 315 | 32 % | 50 % | 18 % |
| Squaw Creek | 800-327-3353 | 30 | 60 % | 30 % | 10 % |
| Tamarack Lodge | 760-934-2442 | 55 | 50 % | 30 % | 20 % |
| Tahoe Donner | 530-587-9484 | 64 | 40 % | 40 % | 20 % |
| Tahoe Nordic | 530-583-9858 | 64 | 30 % | 40 % | 30 % |

**Ski alpin** – Enneigement ☎ 415-864-6440. La principale région californienne pour la pratique du ski alpin se trouve dans les High Sierras (notamment autour du Lake Tahoe). Il existe néanmoins des domaines skiables plus petits dans la région du Cascade-Shasta et dans les San Bernardino Mountains. La plupart des stations de sports d'hiver proposent une grande variété de modes d'hébergement, bed & breakfast, chalets de montagne, hôtels de grandes chaînes. De nombreuses stations proposent en outre des forfaits-séjours à partir de trois jours ou plus, qui peuvent inclure remontées mécaniques, location du matériel, repas et transport au pied des pistes.

## Sélection de domaines skiables
*classés par région touristique, carte p. 18*

| | ☎ | Dénivelée | Nombre déb. | Pistes moy. | conf. | Canon à neige |
|---|---|---|---|---|---|---|
| **Gold Country** | | | | | | |
| Bear Valley Mtn Reba | 209-753-2301 | 579 m | 60 | 20 % | 50 % | 30 % | oui |
| Dodge Ridge | 209-965-3474 | 487 m | 29 | 20 % | 60 % | 20 % | oui |
| **Greater Los Angeles Area** | | | | | | |
| Kratka Ridge | 626-440-9749 | 228 m | 12 | 30 % | 30 % | 40 % | non |
| Mount Baldy | 909-981-3344 | 640 m | 26 | 20 % | 40 % | 40 % | oui |
| Mount Waterman | 626-440-1041 | 304 m | 23 | 30 % | 30 % | 40 % | non |
| **High Sierras** | | | | | | |
| Alpine Meadows | 530-583-4232 | 549 m | 100 | 25 % | 40 % | 35 % | oui |
| Boreal | 530-426-3666 | 183 m | 41 | 30 % | 55 % | 15 % | oui |
| Diamond Peak | 702-832-1177 | 561 m | 30 | 18 % | 46 % | 36 % | oui |
| Donner Ski Ranch | 530-426-3635 | 244 m | 45 | 25 % | 50 % | 25 % | oui |
| Granlibakken | 530-583-4242 | 91 m | 1 | 25 % | 75 % | 0 % | non |
| Heavenly Valley | 530-541-1330 | 1067 m | 79 | 25 % | 50 % | 25 % | oui |
| Kirkwood | 209-258-6000 | 610 m | 68 | 15 % | 50 % | 35 % | non |
| Mammoth Mtn. | 760-934-2571 | 945 m | 150 | 30 % | 40 % | 30 % | oui |
| Northstar | 530-562-1010 | 671 m | 52 | 25 % | 50 % | 25 % | oui |
| Sierra at Tahoe | 530-659-7535 | 674 m | 40 | 25 % | 50 % | 25 % | oui |
| Sierra Summit | 209-233-2500 | 512 m | 25 | 10 % | 65 % | 25 % | oui |
| Soda Springs | 530-426-3666 | 199 m | 16 | 30 % | 50 % | 20 % | non |
| Squaw Valley | 530-583-6985 | 869 m | | 25 % | 45 % | 30 % | oui |
| Sugar Bowl | 530-426-9000 | 457 m | 78 | 17 % | 43 % | 40 % | oui |
| Tahoe Donner | 530-587-9444 | 183 m | 11 | 40 % | 60 % | 0 % | non |
| **Inland Empire** | | | | | | |
| Bear Mountain | 909-585-2519 | 507 m | 27 | 25 % | 50 % | 25 % | oui |
| Mountain High | 714-972-9242 | 488 m | 42 | 25 % | 60 % | 15 % | oui |
| Ski Sunrise | 619-249-6150 | 244 m | 16 | 15 % | 55 % | 30 % | oui |
| Snow Summit | 909-866-5766 | 366 m | 38 | 10 % | 65 % | 25 % | oui |
| Snow Valley | 909-867-2751 | 348 m | 35 | 35 % | 35 % | 30 % | oui |
| **Shasta-Cascade** | | | | | | |
| Mt Shasta Ski Park | 530-926-8610 | 335 m | 21 | 20 % | 60 % | 20 % | oui |

# Quelques livres

## PRÉPARER OU REVIVRE SON VOYAGE

### Livres-souvenirs

*Above Los Angeles*, R. Cameron, *R Cameron and Company, San Francisco*.
*Above San Francisco*, R. Cameron, *R. Cameron and Company, San Francisco*.
*Above San Diego*, R. Cameron, *R. Cameron and Company, San Francisco*.
*Californie, Larousse, coll. Monde et voyages* – 1990.
*Californie*, Michel Déon, Hélène et Jean Nogrette, Gérard Sioen, *Hermé, SUN* – 1994.
*Majestueuse Californie*, Claudine Mulard, Gérard Sioen, *Éd. Atlas, coll. Club Méditerranée* – 1993.
*Les 1 001 visages de San Francisco, Éd. Atlas* – 1995.

### Histoire

*Histoire des Américains*, Daniel Boorstin, *Robert Laffont, coll. Bouquins*.
*Les États-Unis au temps de la prospérité : 1919-1929*, André Kaspi, *Hachette* – 1994.
*La Vie quotidienne en Californie au temps de la ruée vers l'or 1848-1856*, Liliane Crete, *Hachette* – 1982.

### Art

L'amateur de livres d'art trouvera sur place un vaste choix d'ouvrages.
Signalons toutefois, en français :
*Le Triomphe de l'Art américain*, Irving Sandler, *Éd. Carré* – 1991.
Tome 1 *L'expressionnisme abstrait.*
Tome 2 *Les années soixante.*
Tome 3 *L'école de New York.*
– en anglais :
*California Architecture : Historic American Buildings Survey*, Sally B. Woodbridge, Chronicle Books – *1988*.

### Cinéma

*Le cinéma américain* (4 volumes), Olivier-René Veillon, *Éd. du Seuil, coll. Point Virgule*.
*Le cinéma de Hollywood*, Philippe Paraire, *Bordas, « Les compacts »*.
*Les Dieux d'Hollywood* (nombreuses photos), *Éd. Atlas* – 1995.
*Hollywood, l'usine à rêves*, C. M. Bosséno, J. Gerstenkorn, *Découvertes Gallimard*.
*Le crime à l'écran, une histoire de l'Amérique*, M. Ciment, *Découvertes Gallimard*.
*Hollywood village : naissance des studios de Californie*, R. Florey, *Pygmalion* – 1986.

### Divers

*Le Guide des vignobles et des vins* : Californie, F. Gilbert, P. Gaillard, *Solar* – 1991.
*The Missions of California*, Melba Levick et Stanley Young, *Chronicle Books* – 1988.
*A natural History of California*, Allan A. Schoenherr, *University of California Press* – 1992.

### Littérature

*La Route de Silverado en Californie au temps des chercheurs d'or*, R. L. Stevenson, *Payot* – 1991.
*Les Raisins de la colère*, J. Steinbeck.
*À la dure : en Californie !* M. Twain, *Payot*.
*L'Or*, Blaise Cendrars.

# Calendrier des manifestations

La liste ci-dessous est une sélection des manifestations annuelles les plus populaires de Californie. Certaines dates changent chaque année. Pour plus amples informations, contacter l'Office de tourisme de Californie, www.gocalif.ca.gov ☎ 800-862-2543 *(Amérique du Nord uniquement)* ou 916-322-2881.

## Janvier-février-mars

1er janvier
**Pasadena**............................ Tournament of Roses Parade & Rose Bowl Game

mi-janvier
**Palm Springs** .................... Nortel International Film Festival
**et sa région** ...................... Bob Hope Chrysler Classic Golf Tournament

fin janvier-février
**Carmel**................................ AT&T Pebble Beach National Pro-Am Golf Tournament
**San Francisco** .................. Parade & Festival du Nouvel An Chinois

février
**Carmel**................................ Masters of Food and Wine Festival

début mars
**Tahoe City**......................... Snowfest

mi-mars
**Los Angeles**....................... Marathon organisé par la ville

3e semaine de mars
**Rancho Mirage** ................. Nabisco Dinah Shore LPGA Golf Tournament

fin mars
**Los Angeles**....................... Academy Awards
**Santa Clarita** .................... Cowboy Poetry & Music Festival

## Avril-mai-juin

début avril
**Squaw Valley/Tahoe City** . Festival international du film de Tahoe
**Monterey**............................ Festival du Vin

mi-avril
**Hemet**
**(Inland Empire)** ................ Ramona Pageant
**Long Beach**........................ Grand Prix Toyota

fin avril
**Los Angeles**....................... AT&T Fiesta Broadway
**Newport** ............................ Régate Newport-Ensenada

mai
**Venice** ............................... Venice Art Walk

début mai
**Los Angeles**....................... Cinco de Mayo

mi- mai
**San Francisco** .................. Bay to Breakers Foot Race
**Oxnard** .............................. California Stawberry Festival
**Angels Camp**..................... Calaveras County Fair & Jumping Frog Jubilee
**Santa Rosa**........................ Luther Burbank Rose Parade & Festival

fin mai
**Sacramento** ....................... Sacramento Jazz Jubilee

début juin
**Ojai (Central Coast)**......... Ojai Music Festival

juin
**Monterey**............................ The Great Cannery Row Sardine Festival

# Index

Hollywood .................... Villes, curiosités et régions touristiques.

*Muir, John* .................... Noms historiques ou célèbres et termes faisant l'objet d'une explication.

Les curiosités isolées (monts, lacs, îles, etc.) sont répertoriées à leur propre nom.

# M

## N – O

## P

## R

## S

# T

# U – V

# W – Y – Z